KB101379

10th Edition

POWER MANUAL SERIES

의사국가고시 | 레지던트시험 | 내과 전문의시험 준비를 위한

Korea Medical Licensing | 감염, 류마티스, 알레르기
Examination

POWER
Internal Medicine

4

Infection,
Rheumatology,
Allergy

군자출판사

파워 내과 04

(Power Internal Medicine 10th ed)

첫째판　1쇄 발행 | 1999년　9월　30일
다섯째판　1쇄 발행 | 2003년　4월　15일
여섯째판　1쇄 발행 | 2005년　9월　15일
일곱째판　1쇄 발행 | 2007년　3월　17일
여덟째판　1쇄 발행 | 2011년　3월　25일
아홉째판　1쇄 발행 | 2013년　1월　15일
열째판　　1쇄 발행 | 2020년　8월　30일
열째판　　2쇄 발행 | 2021년　1월　27일
열째판　　3쇄 발행 | 2023년　1월　31일

저　　자　신규성
발 행 인　장주연
출 판 기 획　김도성
표지디자인　김재욱
발 행 처　군자출판사(주)
　　　　　등록 제4-139호(1991. 6. 24)
　　　　　본사 (10881) **파주출판단지** 경기도 파주시 회동길 338(서패동 474-1)
　　　　　전화 (031) 943-1888　　팩스 (031) 955-9545
　　　　　홈페이지 | www.koonja.co.kr

ⓒ 2023년, 파워 내과 04 (10th ed)/ 군자출판사(주)
본서는 저자와의 계약에 의해 군자출판사에서 발행합니다.
본서의 내용 일부 혹은 전부를 무단으로 복제하는 것은 법으로 금지되어 있습니다.

* 파본은 교환하여 드립니다.
* 검인은 저자와의 합의 하에 생략합니다.

ISBN 979-11-5955-598-5
　　　979-11-5955-449-0(세트)
정가 45,000원
세트 185,000원

머리말

7년 만에 파워내과의 10번째 개정판이 나오게 되었습니다. 3~4년 전에 나왔어야 하는 개정판이 이렇게 늦어진 점에 대해 우선 깊은 사과를 드립니다. 그동안 대부분의 질병에서 진단과 치료에 큰 변화가 있었고, 특히 감염 부분은 수많은 새로운 항생제와 더불어 병원체의 분류에서도 제법 변화가 있었습니다. 예전보다 훨씬 많은 정성과 시간을 들이다보니 페이지가 많이 늘어나고 출간도 늦어지게 되었습니다.

최근의 시험 경향을 보면 실제 환자 진료 상황을 표현한 문제해결형 문제가 대부분을 차지하며, 진단 및 치료에서 가장 중요한 부분을 답으로 요구하는 경우가 많습니다. 이는 공부할 때도 각 질병에 대한 단편적 암기보다는 관련된 여러 질병과 진단기법, 치료법들에 대해 잘 이해하고 있어야 쉽게 해결할 수 있습니다. 반대로 많은 문제풀이를 통해 질병에 대한 이해를 높일 수도 있지만, 결국에는 체계적으로 정리하면서 기억하고 있어야 시험 대비는 물론 환자를 진료할 때도 도움이 됩니다. 파워내과는 그러한 체계적 정리에 도움을 주기위해 만들어져 왔고, 점점 첨단화되면서 방대해진 내용들을 쉽게 찾아보며 공부할 수 있도록 정리했습니다. 수많은 연구 결과, 가이드라인, 전문교과서들을 참고하고 일부는 거의 메타분석 수준의 노력도 늘여가며 우리나라 실정에 맞는 가장 업데이트된 지식을 실었습니다. 최근에는 NGS, 표적치료제의 확대 보급, CAR-T세포 치료 등 진단과 치료에서 획기적인 발전이 있었습니다. 또한 올해 전 세계를 뒤흔들고 있는 COVID-19, 그 전까지 대부분의 병원에서 골칫거리였던 CPE 등 최신 감염관련 문제를 포함하여, 시험에 많이 나오지는 않더라도 그런 중요한 분야의 소개에 많은 지면을 할애했습니다. 의사국가고시만을 목표로 간략히 정리하고 넘어가면 오히려 제대로 이해하기 어려운 내용들도 많기 때문에, 내과전문의시험 수준까지 충분히 대비할 수 있도록 심도 깊게 정리했습니다.

내과는 임상의학의 밑바탕이 되는 가장 중요한 과목이므로 열심히 공부해놓으면 다른 과목들의 학습에도 큰 도움이 될 것입니다. 다만 인공지능, 원격의료, 해묵은 의료수가문제, 워라밸 등에 따라 내과를 지원하는 학생이 크게 줄어든 것은 가슴 아픈 현실입니다. COVID-19 등 점점 심각해지는 감염병들, 고령화 사회에 따른 만성질환의 증가, 기타 환경 사회적인 많은 문제들을 앞에 두고 뿌리 깊은 복지부 적폐 공무원들과도 대결해야하는 의사의 현실은 고달프지만, 묵묵히 환자를 위해 노력하는 것만이 의사의 소명일 것입니다.

정신없이 살다 보니 기쁜 일도 있었지만 슬픈 일도 많았고, 어느덧 파워내과도 20년째를 맞이하게 되었습니다. 그동안 부족한 이 책으로 공부해주신 많은 분들께 깊은 감사드립니다. 끝으로 이번 개정판이 나오기까지 애써주신 군자출판사의 장주연 사장님과 김도성 차장님을 포함한 모든 직원들께도 감사를 드립니다.

2020년 8월 14일
신 규 성

■ **파워내과의 활용분야**

    1. 내과학의 처음 입문에서 완성까지 학습의 방향을 제시

    2. 의사국가고시의 기초 준비에서 마지막 정리까지 완성

    3. 내과 전문의시험, 레지던트 선발시험, 각 의대의 시험 등 준비

    4. 전공의, 공중보건의, 군의관, 타과 전문의 등의 최신 내과 지견 update

    5. 치과의사, 한의사, 약사, 전문간호사 등 의료인의 내과계 지식 학습

■ **안내**

    1. 여러 시험에 출제가 되었거나 출제 가능성이 높은 부분들은
       ★, !, **굵은 글자**, 밑줄 등으로 중요 표시를 하였으니 학습할 때
       꼭 확인을 하시기 바랍니다.

    2. 내과전문의 1차 시험에도 대비하기 위해 일부 자세한 부분도 있으니
       학생 수준에서는 그냥 참고만 하고 넘어가셔도 괜찮습니다.

    3. 각종 약자는 별책의 약자풀이 편을 참고하시기 바랍니다.
       약자나 용어는 대한의협 및 각 학회에서 사용되는 것과 실제 임상에서
       통용되는 것을 함께 사용하여 학습의 편의를 도모하였습니다.

    4. 책의 오류, 오자, 개선해야할 부분 등이 있으면 군자출판사(admin@kooja.co.kr)로
       문의를 해주시면 감사하겠습니다. 책의 발전에 도움을 주신 순서대로
       10분을 선정하여 다음 개정판을 증정하도록 하겠습니다.

■ 파워내과의 본분에는 네이버(NHN)의 나눔글꼴이 사용되었습니다.

목차
contents

목차
contents

감염내과

Part I

총론

1
서론

■ 발열(Fever)

1. 정상 체온과 발열

- 정상 체온은 ant. hypothalamus에 위치한 thermoregulatory center에 의해 유지
- 정상 구강체온 : 36.8 ±0.4℃ (호흡 때문에 core body temp.보다는 낮음)
  - 직장체온 : 대개 구강체온보다 0.4℃ 정도 더 높다
  - 식도하부체온 : core body temp를 가장 잘 반영함
  - 고막(TM)체온 : 간접적으로 core body temp를 편리하게 측정할 수 있지만, 직접 측정한 구강/직장체온보다는 변동이 많음
- circardian (diurnal) variation ; 최저 오전 6시, 최고 오후 4~6시, 0.5℃ 차이
- fever는 thermoregulatory set point의 상승에 의해 체온이 상승하는 것
- fever의 정의 : 정상 구강체온의 최고치 보다 높은 경우
  - 오전(6시) 구강체온 >37.2℃
  - 오후(4시) 구강체온 >37.7℃
- 체온 1℃ 상승 → 신진대사율 12% 상승, 심박동 15 bpm 증가

* hypothalamic control of core temperature

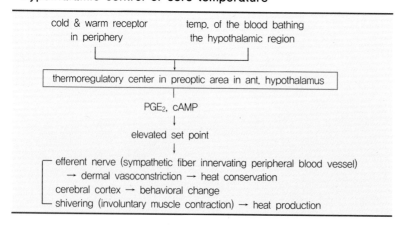

cold & warm receptor in periphery   temp. of the blood bathing the hypothalamic region

thermoregulatory center in preoptic area in ant. hypothalamus

PGE$_2$, cAMP

elevated set point

efferent nerve (sympathetic fiber innervating peripheral blood vessel)
  → dermal vasoconstriction → heat conservation
cerebral cortex → behavioral change
shivering (involuntary muscle contraction) → heat production

* hypothalamic fever : 시상하부의 기능 이상으로 체온이 상승한 것
  – 원인 ; 국소 외상, 출혈, 종양, 내인성 시상하부 기능장애
  – but, 시상하부 손상 환자의 대부분은 체온이 떨어짐
* 고열증(hyperpyrexia) : fever >41.5℃
  – 원인 ; CNS 출혈 (m/c), 심한 감염 등
  – 대부분의 감염성 질환에서는 41.1℃ 이상의 fever는 드묾

c.f.) 고열(hyperthermia)
  – thermoregulatory set point의 상승 없이, 열생산이 열손실을 초과하는 상태
  – 주로 운동이나 약물, 더운 환경 등에 의한 불충분한 열손실에 의해 발생
  – 발열(fever)과 감별해야 됨 (고열은 치명적일 수 있고, 해열제에 반응 안함)
  – 특징적 임상양상 ; dry skin, hallucinations, delirium, pupil dilation, muscle rigidity, and/or serum CK level 상승

Hyperthermia의 원인

1. Heat stroke
   운동성 : 정상보다 온도/습도가 높은 곳에서의 운동시 (주로 젊은 성인에서 발생)
   비운동성 (주로 노인에서 발생) : anticholinergics, antihistamines, antiparkinsonian drugs, 이뇨제, phenothiazines
2. Drugs ; Amphetamines, MAOi, cocaine, phencyclidine, TCA, SSRI, LSD, salicylates, lithium ...
3. Neuroleptic malignant syndrome (NMS)
   Phenothiazines, butyrophenones (haloperiodol, bromperidol), fluoxetine, loxapine, tricyclic dibenzodiazepines, metoclopramide, domperidone, thiothixene, molindone
4. Malignant hyperthermia ; 흡입마취제 (halothane), succinylcholine
5. 내분비질환 ; Thyrotoxicosis, Pheochromocytoma
6. CNS 손상 ; 뇌출혈, 간질지속증, 시상하부 손상

2. 발열의 기전

(1) Exogenous pyrogens
  • microorganism, their products or toxins
  • 예 ; endotoxin (gram-negative bacteria의 lipopolysaccharide, LPS)

(2) Endogenous pyrogens
  • 다양한 host cells (특히 monocyte, macrophage)에 의해 생성된 polygenic cytokines
  • 예 ; IL-1, IL-6, TNF, CNTF, INF-α ... (IL-1이 가장 pyrogenic)

* PGE_2 : 정상 체온조절에는 관여하지 않음 / 근육통, 관절통 등의 전신증상을 유발
* 해열제 : circadian variation에는 영향을 미치지 않음

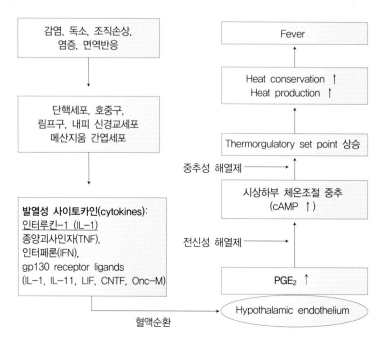

발열의 발생기전

IL, interleukin; TNF, tumor necrosis factor; IFN, interferon;
LIF, leukemia inhibitory factor; CNTF, ciliary neurotropic factor; Onc-M, oncostatin-M

3. 발열 양상(fever pattern)

(1) Sustained fever

- 지속적으로 체온이 상승
- 예 ; central fevers, Brucellosis, typhoid fever, rickettsia, Kawasaki dz.,
  enterococcal SBE, other continuous bacteremia, drug fever ...

(2) Intermittent fever (spiking fever)

- 체온의 변화폭이 크고, 24시간 동안 적어도 한번은 정상체온으로 돌아옴

(3) Hectic or septic fever

- extremely large variation of intermittent fever

* Intermittent fever, hectic or septic fever의 예
  ; 불규칙한 해열제 투여, abscess, sepsis, acute bacterial endocarditis,
  Kawasaki dz., malaria, miliary TB., peritonitis, TSS, malignancy ...

(4) Relapsing (recurrent) fever

: 발열 기간과 정상체온을 보이는 기간이 주기적으로 번갈아 나타남

① tertian fever (alternate-day fever)
  ; 첫째와 셋째 날에 fever 발생 (e.g., *Plasmodium vivax, P. ovale*)

② quartan fever
  ; 첫째와 넷째 날에 fever 발생 (e.g., *Plasmodium malariae*)

③ 기타 (며칠간씩 발열, 정상체온 기간 반복)

; *Borrelia* infection, rat bite fever

④ Pel-Ebstein fever (3~7일간의 발열, 정상체온 기간 반복)

; HL 등의 lymphomas

⑤ cyclic neutropenia (21일마다 neutropenia를 동반한 fever 발생)

(5) Remittent fever

- intermittent fever와 유사하나 체온의 변동 폭이 더 적고 체온이 정상으로 돌아오지 않음
- 예 ; tuberculosis, viral URI, *Legionella, Mycoplasma,* SBE (viridans *Streptococci*), acute rheumatic fever ...

※ 감염이 존재해도 발열이 없을 수 있는 경우

; 신생아, 노인, chronic renal or hepatic failure, septic shock, glucocorticoids 투여, 해열제 투여

4. 발열/고열의 치료

(1) 해열제의 종류/기전

- AAP (acetaminophen) : 뇌에서 cyclooxygenase를 억제하여 PGE_2 합성 감소 (COX-3도 억제함)
- aspirin & NSAIDs (e.g., indomethacin, ibuprofen) : AAP와 기전 및 해열 효과 거의 동일함
  - 혈소판 및 위장관 부작용 때문에 해열제로는 AAP를 선호함
  - AAP는 말초조직의 cyclooxygenase 억제 및 항염증 작용은 거의 없음
- glucocorticoids
  - phospholipase A_2를 억제하여 PGE_2 합성을 감소
  - pyrogenic cytokines의 mRNA 전사를 억제

(2) 해열제 사용이 권장되는 경우

① hyperpyrexia (41.5℃ 이상의 고열) : physical cooling (냉각담요 등)도 병용

② 임신부, 열성 또는 비열성 경련의 병력을 가진 소아

③ 심장, 폐, 뇌혈관 등의 질환자 (∵ 체온 1℃ 상승시 산소 요구량 13% 증가)

④ organic brain dz. (∵ 체온 상승이 이식 변화 초래 가능)

⑤ 근육통, 오한, 두통 등 발열에 수반된 전신증상이 있을 때

(3) 고열(hyperthermia)의 치료

① physical cooling ; 물스펀지, 선풍기, 냉각담요, 얼음목욕 등

② IV fluids 투여

③ external cooling에 반응 없는 심한 경우 → internal cooling ; gastric or peritoneal lavage with iced saline, hemodialysis or cardiopulmonary bypass with cooling of blood

④ pharmacologic agents

- malignant hyperthermia → dantrolene sodium, procainamide
- NMS (neuroleptic malignant syndrome) → dantrolene sodium, bromocriptine, levodopa, amatadine, nifedipine, curare, pancuronium
- TCA overdose → physostigmine

* 해열제는 효과가 없으므로 사용 안 함 (∵ hypothalamic set point는 정상)

FEVER OF UNKNOWN ORIGIN (FUO)

1. 정의

- Petersdorf & Beeson (1961)
  ① fever >38.3℃ (101℉)
  ② duration ≥3주
  ③ 입원해서 1주일 이상 evaluation해도 원인을 진단 못했을 때
- Durack & Street FUO classification

Category	발병시 환자 상태	Evaluation 동안의 발열 기간	원인 예
Classic	다른 모든 경우에서 3주 이상의 fever	3일 (외래는 3번 내원)	Infections, malignancy, inflammatory diseases, drug fever
Nosocomial	입원 중 (입원 당시엔 감염 없음)	3일	Septic thrombophlebitis, sinusitis, C. difficile colitis, drug fever
Neutropenic	Neutrophil <500/μL	3일	Perianal infection, aspergillosis, candidemia
HIV-Associated	HIV 감염 확진	3일 (외래는 4주)	TB, NTM, NHL, drug fever

2. 원인

1. Infections
Abscesses ; intra-abdominal (liver 등), periodontal, sinusitis
Granulomatous ; TB (특히 extrapulmonary & miliary TB), NTM, fungal infection
Typhoid fever, endocarditis (HACEK), meningococcemia, gonococcemia, Listeria, Brucella, relapsing fever
Viral, rickettsial, chlamydial, EBV, CMV, HIV, hepatitis, Q fever, psittacosis, 기생충 (e.g., malaria) ...
Osteomyelitis

2. Non-infectious inflammatory disorders
Collagen vascular diseases ; rheumatic fever, SLE, RA (특히 Still's disease), Behçet's dz., vasculitis
  (특히 giant cell arteritis [tempral arteritis], polyarteritis nodosa) ...
  (노인에서는 tempral arteritis, polymyalgia rheumatica, RA 등이 흔함)
Granulomatous ; sarcoidosis, granulomatous hepatitis, Crohn's disease ...
Tissue injury ; pulmonary emboli, subacute thyroiditis, sickle cell disease, hemolytic anemia

3. Neoplastic diseases
Lymphoma[m/c] (HL, NHL), leukemias, carcinoma (특히 metastatic), atrial myxomas, sarcomas ...
  (RCC > HCC > colon ca. ...)

4. Drug fevers
Atropine, amphotericin B, asparaginase, β-lactams (e.g., penicillin, cephalosporin), barbiturates,
bleomycin, interferon, methyldopa, phenytoin, procainamide, quinidine, salicylates, sulfonamides,
thiouracils, laxatives (특히 phenolphthalein)

5. Factitious illnesses
Toxic materials의 injection, 온도계의 조작/교체

6. 기타
Gout, familial mediterranean fever, Fabry's disease, cyclic neutropenia, Wipple's dz.

- 3대 원인 질환 (true FUO는 드물고 감소 추세)

  ① 감염 (10~20%) ; 폐외결핵(m/c), virus 감염(e.g., EBV, CMV, HIV), 진균감염, 농양, 골수염,
     신장 연화판증, 심내막염, 기생충, 말라리아 등 → 항생제 및 진단의 발전으로 계속 감소

  ② 비감염성 염증질환 (20~25%) ; 류마티스 질환, 혈관염, 육아종성 질환

  ② 종양 (약 10%) ; 감소추세 (lymphoma, colon ca. 등 영상검사로 발견하기 어려운 종양 증가)

  c.f.) 종양 및 감염 진단기술의 발전에 따라 상대적으로 염증질환과 원인 모름(30~50%)이 증가함

- 노인 : 류마티스 질환이 흔한 원인 (e.g., giant cell arteritis, polymyalgia rheumatica, RA),
        감염 중엔 <u>결핵</u>, 종양 중엔 <u>대장암</u>이 중요 원인

- HIV-associated FUO : 감염이 원인의 80% 이상 (초기에는 HIV 자체, 후기에는 기회 감염균)

- 6개월 이상 지속된 FUO의 원인 ; 인위열, 육아종 간염, 종양, Still's dz., 교원혈관병, 감염 ...
  (FUO 기간이 길수록 감염이 원인일 가능성은 떨어짐)

- nosocomial (health care-associated) FUO
  - 감염이 50% 이상
  - drug fever, 수술 합병증, septic thrombophlebitis, recurrent pulmonary emboli, MI, 종양,
    수혈, *Clostridioides difficile* colitis 등이 흔한 원인

- drug fever (흔한 원인 → 옆의 표 참조)
  - 지속 열로 나타나는 경우가 흔하지만, 모든 유형의 발열이 가능
  - 대개 약물 투여 시작 후 1~3주가 지나서 시작하지만, 어느 때도 가능
    (eosinophilia and/or rash는 약 1/5에서만 나타남)
  - 원인 약물의 투여를 중지하면 대개 2~3일 내에 걸쳐 발열은 소실됨

3. FUO의 진단

(1) FUO 환자의 접근

① 정확하고 상세한 병력
  ; Sx & signs, 직업, 여행력, drugs or animals에의 노출력

* temperature pattern
  - R/O factitious fever - 체온 측정 직접
  - R/O exaggerated circardian temperature rhythm
    - 매일 오전, 오후 6시에 체온측정
    - other Sx/sign (-), abnormal radiologic/laboratory findings (-)
  - fever pattern (continuous, intermittent, remittent) - 대개 little value
  - tertian or quartian malaria - 대개 증상발현 1~2주 정도 지나야 뚜렷해짐
  - cyclic neutropenia - 21일 주기, concurrent mucosal ulcer 흔함
  - Pel-Ebstein fever & familial mediterranean fever - less prominent

② 반복적인 진찰 ; skin lesion, ophthalmologic exam, LN, organomegaly, mass

③ 주사 부위 점검

④ 꼭 필요한 약제 외에는 투여 중단 (R/O drug fever)

(2) 검사실 및 영상 검사

① routine laboratory tests (e.g., CBC, chemistry & LFT, ESR, CRP, U/A), CK, ferritin, PEP, ANA, ENA, RF, cryoglobulin, TST or IGRA, multiple blood cultures, virus PCR 등
② noninvasive radiologic tests ; abdominal & chest CT, PET-CT
③ 고령의 환자에서는 대장내시경도 시행
④ invasive procedures
   • 의심되는 부위의 biopsy (e.g., liver, LN, temporal artery, pleural/pericardial)
   • <u>liver</u> & <u>BM</u>의 biopsy : 원인 모르는 FUO 지속시 시행
   • biopsy materials → microscopic exam, culture, special staining, PCR 등

4. 치료

• empirical therapy보다는 지속적인 관찰과 검사가 중요
  (해열제/steroid/항생제는 질환의 단서가 되는 증상/징후를 지연/차폐할 수 있으므로 가능한 피함)
• empirical anti-infective therapy의 적응 ; 환자 상태가 급격히 악화, neutropenia
   – 예 ; endocarditis, temporal arteritis, CNS TB, leptospirosis
   – 간경화, asplenia, 면역억제제 사용, 열대지방 여행 등의 경우도 선호
• therapeutic trial
   – aspirin & NSAIDs ; 특히 rheumatic fever, Still's disease 등에서 극적인 반응을 보임
   – steroids ; temporal arteritis, polymyalgia rheumatica, granulomatous hepatitis 등에서
      극적인 반응을 보임
   – 결핵 의심시(e.g., TST/IGRA+ or 육아종성 질환에서 anergy) → 항결핵제
• 6개월 이상 원인을 못 찾은 경우 예후는 대체적으로 좋음 (mortality <10%)

MICROBIOLOGY

1. 현미경검사

• Gram's stain ; 양성/음성, cocci인지 bacilli (= rods)인지를 봄
  ┌ 양성 : 남색으로 염색되는 균
  └ 음성 : 분홍색으로 염색되는 균
   예) G(+) cocci ; streptococcus (chain 모양), *Staphylococcus* (포도 모양)
      G(+) diplococci ; *S. pneumoniae*
      G(-) bacilli (rods) ; 장내세균 (*E. coli* 등)
      G(-) diplococci ; *N. meningitidis*
      G(-) coccobacilli ; *H. influenzae*
• acid-fast stain ; AFB (e.g., *M. tuberculosis*)는 분홍색으로 염색됨
• 대표적인 bacteria의 morphology

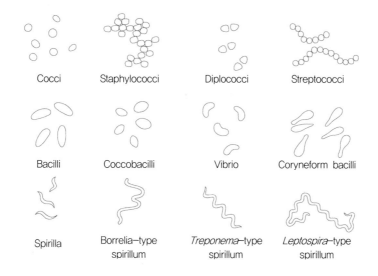

Cocci	Staphylococci	Diplococci	Streptococci
Bacilli	Coccobacilli	Vibrio	Coryneform bacilli
Spirilla	Borrelia–type spirillum	*Treponema*–type spirillum	*Leptospira*–type spirillum

■ Gram 염색 사진 예

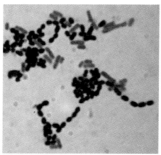
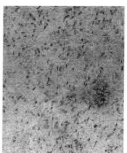

Staphylococcus
: Gram(+) cocci (포도송이 모양)

Streptococcus (사슬 모양)
& *E. coli* : Gram(−) rods (분홍색)

V. cholerae : Gram(−) rods

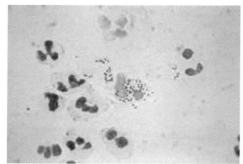

N. gonorrhoeae
: Gram(−) diplococci

2. 배양검사

(1) 혈액 배양 (blood culture)
- 혈관내 감염이나 심내막염 의심시 반드시 시행
- 채혈 ; 1시간 이상 간격으로 한 곳에서 2~3회 시행 (한번에 10 mL 이상)
  - 응급 상황일 때는 서로 다른 부위에서 3회 시행
  - 상지(antecubital vein) > 하지
  - 동맥혈이 정맥혈보다 더 낫다는 증거는 없음

• 소독방법 ; 70% alcohol → 2% iodine (Betadine)
  - 소독 효과를 나타내려면 30초 이상 기다린 뒤 채혈
  - iodine sensitivity를 방지하기 위해 alcohol로 닦아내는 것이 좋음
• blood : broth = 1:5 ~ 1:10로 희석되어 배양 (∵ 혈액의 항균작용↓, 항생제 희석)
• 배양기간 ; 최소 1주일 (slow-growing organism은 2주, e.g., fungus)
• 해석
  - 배양까지 경과된 시간이 짧을수록 감염균일 가능성이 높다
  - 다른 검체에서도 동일한 균이 나올 때 감염균일 가능성이 높다
  - 오염균(상재균)일 가능성이 높은 경우
    ① 여러 번 배양 중 단 한번만 CoNS (*S. epidermidis*, *S. saprophyticus*), enterococci,
       viridans streptococci, *Bacillus*, *Micrococcus*, *Clostridium perfringens*,
       Cutibacterium (과거 *Propionibacterium*) *acnes*, *Corynebacterium*, 등이 배양됨
       c.f.) *Candida*는 상재균이지만 무균 부위(e.g., 혈액)에서 배양되면 병원균임
    ② 여러 종류의 균이 자란 경우
    ③ 혈액에서 분리된 균이 1차 감염 부위에서 분리된 균과 다름
    ④ 임상양상이나 경과가 sepsis와 맞지 않는 경우

(2) 소변 배양

• 검체의 채취 (요도 상재균의 오염 방지 필요)
  - 요도구를 소독 비누로 씻고, 물로 헹구고, wet gauze로 닦음
  - 처음 20~25 mL는 버리고, 중간 소변을 무균용기에 채취
  - 여성의 경우 더욱 조심스러운 채취 필요
• 정량 배양 : blood agar와 MacConkey agar에 접종
• *Lactobacillus*, diphtheroid, *Gardnerella vaginalis* 등은 다수가 배양되어도 오염으로 해석함
• 우세균 없이 3종 이상의 세균이 배양되어도 오염일 가능성이 높음
• *Candida* spp.는 단순 집락과 감염을 감별하기 어려움 (증상이나 기저질환이 있으면 감염 의심)

(3) 기타

• 인후배양(throat culture) : *S. pyogenes*의 유무만 보고함
    (∵ 배양된 상재균을 모두 보고하면 오히려 혼돈)
• CSF 배양 : 3개의 tube중 2번째로 받은 tube를 미생물검사에 이용
  - 결핵균이나 *Cryptococcus* 검사를 위해서는 10 mL 필요
  - 채취 즉시 검사실로 보내야 됨 (∵ pneumococcus는 쉽게 죽음)

c.f.) 특수 배지의 예
• *Campylobacter* spp. → Skirrow 배지 (미호기성 조건)
• *E. coli* O157:H7 → Sorbitol MacConkey 배지
• *Vibrio* spp. → TCBS 배지
• *Yersinia* spp. → MacConkey 배지, CIN 배지
• Neisseria spp. → TM (Thayer-Martin) 배지
• *Clostridium difficile* → CCFA 배지 (혐기성 배양), toxin assay

Bacteria의 분류

< Aerobes >
Gram-positive cocci
Catalase-positive
Staphylococcus aureus
Staphylococcus epidermidis
Other coagulase-negative staphylococci
Catalase-negative
Enterococcus faecalis
Enterococcus faecilum
Leuconostoc spp.
Streptococcus agalactiae
(group B streptococcus)
Streptococcus gallolyticus (과거 S. bovis)
Streptococcus pneumoniae
Streptococcus pyogenes
(group A streptococcus)
Viridans group streptococci
S. anginosus
S. mutans
Gram-negative cocci
Moraxella catarrhalis
Neisseria gonorrhoeae
Neisseria meningitidis
Gram-positive bacilli
Bacillus anthracis
Corynebacterium diphtheriae
Corynebacterium jeikeium
Erysipelothrix rhusiopathiae
Gardnerella vaginalis
Acid-fast organisms
Mycobacterium avium-complex
Mycobacterium kansasii
Mycobacterium leprae
Mycobacterium tuberculosis
Nocardia spp.
Gram-negative rods
Enterobacteriaceae
Citrobacter spp.
Enterobacter cloacae
Escherichia coli
Klebsiella spp.
Morganella morganii
Proteus spp.
Providencia rettgeri
Salmonella spp.
Salmonella typhi
Serratia marcescens
Shigella spp.
Yersinia enterocolitica
Yersinia pestis
Fermentive non-enterobacteriaceae
Aeromonas hydrophila
Chromobacterium violaceum
Plesiomonas shigelloides
Pasteurella multocida
Vibrio cholerae
Vibrio vulnificus

Nonfermentive non-enterobacteriaceae
Acinetobacter calcoaceticus
Alcaligenes xylosoxidans
Eikenella corrodens
Flavobacterium meningosepticum
Pseudomonas aeruginosa
Pseudomonas spp.
Gram-negative coccobacilli
Aggregatibacter actinomycetemcomitans
Bartonella bacilliformis
Brucella spp.
Bordetella spp.
Campylobacter spp.
Haemophilus spp.
Haemophilus influenzae
Helicobacter pylori
Legionella spp.
Rochalimaea spp.
Chlamydiae
Chlamydia trachomatis
Chlamydia pneumoniae
Chlamydia psittaci
Rickettsiae
Rickettsia prowazekii
Rickettsia rickettsii
Myoplasmas
Mycoplasma pneumoniae
Treponemataceae (spiral organisms)
Borrelia burgdorferi
Leptospira sp.
Treponema pallidum

< Anaerobes >
Gram-negative bacilli
Bacteroides fragilis
Bacteroides
Fusobacterium spp.
Prevotella spp.
Gram-negative cocci
Veillonella spp.
Non-spore-forming gram-positive bacilli
Actinomyces spp.
Bifidobacterium spp.
Eubacterium spp.
Proprionibacterium spp.
(Cutibacterium acnes 포함)
Endospore-forming gram-positive bacilli
Clostridium botulinum
Clostridium perfringens
Clostridium tetani
Clostridium spp.
Gram-positive cocci
Peptostreptococcus spp.
Gemella morbillorum
Peptococcus niger

EPIDEMIOLOGY

1. 용어

- 병원체(pathogen) : 감염 질환을 일으키는 각종 생물 (e.g., 세균, 바이러스, 원충, 기생충)
- 병원소(reservoir) : 병원체가 생존과 <u>증식</u>하면서 다른 숙주에게 전파될 수 있는 상태로 있는 장소
  - 예 ; 사람, 동물, 곤충, 식물, 물, 흙 등
  - 감염원(source of infection) : 숙주에게 병원체를 전달하는 생물 및 사물을 모두 통칭
    (병원소 + 병원체가 생존만 하고 증식은 할 수 없는 경우도 포함한 넓은 의미)
  - 오염원(source of contamination) : 매개체(e.g., 식품)를 오염시킨 병원소(e.g., 요리사)
- 전파(transmission)
  (1) 직접전파(direct transmission) : 병원체가 매개체 없이 병원소-숙주간 직접 이동
    ① 직접접촉(direct contact) : 직접 닿아서 전파 (e.g., 피부, 점막, 수직[임신], 교상)
    ② 간접접촉(indirect contact) : 호흡기 비말(droplet) … 대부분 액체, 약 1.2 m 거리까지 전파
      (c.f., droplet nuclei[비말핵] : 액체가 증발하고 남은 먼지 형태의 병원체 → 공기 전파 가능)
  (2) 간접전파(indirect transmission) : 병원체가 매개체를 통하여 병원소-숙주간 이동
    ① 무생물 매개체 (매개물, vehicle) ; 공기(air-borne), 식품(food-borne), 수인성(water-borne),
       개달물(fomites, 감염자가 쓰던 수건, 침구, 물건 등)
    ② 생물 매개체 (매개생물, vector)
      ┌ 기계적 전파 : 병원체가 생물(e.g., 파리, 바퀴)에 붙어서 전파 (e.g., 이질, 살모넬라)
      └ 생물학적 전파 : 병원체가 매개생물(e.g., 모기, 진드기) 내에서 증식 or 발육 이후에 전파
- 감염병의 자연사
  - 잠재기(latent period) : 병원체 침입 후 감염력을 갖게 될 때까지의 시간
  - 잠복기(incubation period) : 병원체 침입 후 임상 증상이 나타날 때까지의 시간
  - 발현기(patent period) : 병원체가 증식 후 혈액, 조직, 분비물 등에서 균이 발견되는 기간
  - 감염기(infectious period) : 배출되는 균이 감염력이 있어 다른 숙주에 감염이 가능한 기간
  - 세대기(generation time) : 병원체 침입 후 최대의 감염력[infectivity](균 배출 최대)까지의 기간
  - 연속기(serial period) : 사람간 전파시 1차와 2차 감염자의 증상 발현 시점 사이의 기간

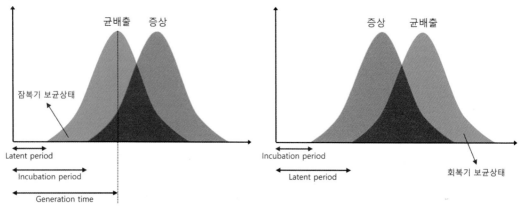

〈호흡기 감염병〉 예) 유행성이하선염   〈소화기 감염병〉 예) 세균성이질, 콜레라

• 감염시 임상 스펙트럼

무증상(불현성) 감염 (A)	임상증상 (B)	후유증 (C)	사망 (D)

- 불현성 감염(inapparant infection) : 증상은 없이 면역반응만 발생한 경우

　　예) 폴리오 (불현성 감염이 현성 감염보다 약 1000배 많음) ↔ 공수병 (100% 현성 감염)

- 감염력(infectivity) : 병원체가 감염을 일으키는 능력

$$감염력(infectivity) = \frac{A + B + C + D}{N \text{ (전체 감수성자)}}$$

$$병원력(pathogenicity) = \frac{B + C + D}{A + B + C + D}$$

$$독력(virulence) = \frac{C + D}{B + C + D}$$

$$치명률(fatality\ rate) = \frac{D}{B + C + D}$$

　c.f.) minimal infectious dose (MID) : 감염을 성공시키는데 필요한 병원체의 최소수

　　　infective dose 50% (ID50) : 실험동물의 50%가 감염을 일으키는 최소한의 병원체 수

• 기초감염재생산수(basic reproduction number, R_0) : 모든 인구가 감수성이 있다고 가정할 때
　1명의 감염자가 (감염전파기간 동안) 직접 감염시키는 평균 사람 수

• 감염재생산수(reproduction number, R) : 일부 인구가 면역을 가지고 있을 때 실제 감염재생산수

$$\boxed{R = R_0 - p \times R_0}$$　(p : 면역을 가지고 있는 인구 비율, 집단면역)

　　⎡ R < 1 : 감염의 유행은 결국 소멸됨
　　⎢ R = 1 : 일정 수준의 감염자 수가 유지됨 (→ 풍토병)
　　⎣ R > 1 : 감염이 유행함

• 사람간 전파 감염병의 유행 차단을 위한 집단면역(herd immunity, p) 필요도

　⇨ R < 1 ⇨ $R_0 - p \times R_0 < 1$ ⇨ $\boxed{p > \dfrac{R_0 - 1}{R_0} = 1 - \dfrac{1}{R_0}}$

　예) 홍역 $R_0 = 16$, 유행 차단을 위해서는 1-(1/16)=0.9375, 즉 약 94% 이상의 집단면역이 필요함
　　94%가 집단면역한계(herd immunity threshold) or 한계밀도(threshold immunity)

• 감염재생산수의 결정 요인에 따른 감염병 유행 차단

　$\boxed{R = \beta \times \kappa \times D}$　(β : 1회 접촉시 전파 확률, κ : 단위시간당(e.g., 하루) 접촉자 수, D : 균배출 기간)

- β를 줄이기 위한 방법 ; 호흡기감염에서 마스크 착용, HIV에서 콘돔 사용 등
- κ를 줄이기 위한 방법 ; 사회적 거리두기, 격리, 검역 등
- D를 줄이기 위한 방법 ; 항생제나 항바이러스제 치료

2
항균제

- 항생제(antibiotics) : 미생물이 만들어낸 물질로서 다른 미생물을 억제하는 것 (e.g., penicillin)
- 항균제 : 항생제 + 화학적으로 합성한 약물도 포함하는 넓은 의미 → 모두 다 항생제로 흔히 부름
- 항미생물제(anti-microbial/anti-infective agents) : 항생제, 항진균제, 항바이러스제 등 모두 통칭

1. 작용기전에 따른 항균제의 분류

(1) 세포벽(cell wall) 합성 억제
- 세포벽은 세균 고유의 구조물로, 포유류 세포에는 없음 (→ 이론적으로는 인체 독성 無)
  ↳ 그물망 같은 구조를 가진 peptidoglycan으로 구성
    ; N-acetylglucosamine (NAG)과 N-acetylmuramic acid (NAM)가 교대로 반복되는 구조
- G(+)균은 세포벽이 가장 바깥이지만, G(-)균은 세포벽 바깥으로 지질로 구성된 외막(outer membrane)이 존재하여 큰 비중을 차지함 (endotoxin으로 작용, 물질이 왕래하는 통로인 porins 존재 → 세포벽에 작용하는 항균제는 우선 porins을 통과해야 됨)

① β-lactams $\qquad\qquad\qquad\qquad$ ↗ 이중기능 효소임
   - 기전 : 세포벽 합성에 관여하는 transpeptidase^{TP} (penicillin-binding protein$^{TP/PBP}$)에 결합하여 peptidoglycan의 합성(cross-linking)^{최종단계} 억제 및 자가용해효소(autolytic enzyme) 활성화
   - 예 ; penicillins, cephalosporins, monobactams, carbapenems

② glycopeptides & lipoglycopeptides
   - 기전 : 세포벽 합성의 재료인 peptidoglycan precursor units (D-alanyl-D-alanine)에 결합해 glycosyltransferase^{GT} $^{(GT/PBP)}$가 이 부위에 결합하지 못하게 함 [β-lactams 작용 전 단계]
     → NAG-NAM 중합체 형성을 방해해 세포벽 합성 못함
   - glycopeptides 예 ; vancomycin, teicoplanin
   - lipoglycopeptides 예 ; telavancin, dalbavancin, oritavancin
     (↳ glycopeptides에 lipophilic side-chains을 붙여서 조직 침투성을 개선한 것)

③ bacitracin
   - *Bacillus subtilis*에서 생성되는 polypeptide antibiotic
   - 기전 : peptidoglycan의 구성 재료를 운반하는 lipid carriers (C_{55}-isoprenyl pyrophosphate, bactoprenol pyrophosphate)와 결합해 작용을 방해하여 세포벽 합성을 억제

④ fosfomycin
   - *Streptomyces fradiae*에서 발견된, 최초의 epoxide class 항생제
   - 기전 : UDP-N-acetylglucosamine-3-enolpyruvyltransferase (MurA)를 억제하여 peptidoglycan 전구체인 NAM의 합성을 방해하여 세포벽 합성을 억제

⑤ cycloserine ; 항결핵제, D-alanine analogue로 세포질 내 peptidoglycan 전구체 합성 단계의
L-alanine racemase와 D-alanylalanine synthetase를 억제하여 세포벽 합성을 억제

(2) 세균 내 단백질/peptides 합성 억제 - 30S ribosome에 작용
; 세포 내 단백질 합성은 ribosome에서 이루어지므로, 대부분 ribosome에 작용함
① aminoglycosides
- 기전 : 30S ribosomal subunit의 16S rRNA에 비가역적으로 결합하여 tRNA의 translocation
억제 → mRNA 해독 오류 유발 (저농도) 및 peptide chain의 translocation 차단 (고농도)
- 예 ; amikacin, gentamicin, kanamycin, netilmicin, streptomycin, tobramycin
② tetracyclines 및 glycylcyclines
- 기전 : 30S ribosomal subunit의 16S rRNA에 가역적으로 결합하여 tRNA가
ribosomal A site에 결합하는 것을 차단 → peptide elongation 억제
- 예 ; tetracycline, doxycycline, minocycline 등
- glycylcyclines (tigecycline이 유일) ; minocycline 유도체, 기전은 tetracycline과 비슷하지만
tetracycline의 흔한 내성기전들을 대부분 피할 수 있음

(3) 세균 내 단백질/peptides 합성 억제 - 50S ribosome에 작용
① macrolides 및 ketolides
- 기전 : 50S ribosomal subunit의 23S rRNA (domain V)에 결합하여 peptide exit tunnel을
차단 → peptide의 elongation & translocation (exit) 억제
- macrolides 예 ; azithromycin, clarithromycin, erythromycin
- ketolides (telithromycin이 유일) ; erythromycin 유도체, 기전은 macrolides와 비슷하지만
23S rRNA의 2 부위(domain Ⅱ, V)와 결합할 수 있어 결합력↑, 내성기전 회피 가능
② lincosamides (clindamycin이 유일) ; 50S ribosomal subunit의 23S rRNA와 결합하여
ribosomal A & P sites에 모두 작용 → peptide bond formation 억제
③ streptogramin (quinupristin/dalfopristin 복합제가 유일)
- quinupristin (streptogramin A) : 50S ribosomal subunit의 macrolides 결합 부위와 동일
- dalfopristin (streptogramin B) : 50S ribosomal subunit의 23S rRNA의 ribosomal A & P
sites에 모두 작용 → ribosome의 구조적 변화를 일으켜 quinupristin이 잘 결합하도록 함
④ chloramphenicol : 70S ribosome의 50S ribosomal subunit의 23S rRNA에 결합 (macrolides와
lincosamides 결합부위 근처) → aminoacyl tRNA가 A site에 결합하는 것을 차단
(amino acids 운반×) → peptide bond formation 시작을 억제
⑤ oxazolidinones (linezolid, tedizolid 뿐) : 23S rRNA의 A site에 직접 결합 (chloramphenicol
근처) → aminoacyl tRNA 결합 차단 → initiation complex 형성 (peptide 합성) 차단
* mupirocin : isoleucine tRNA synthetase와 결합한 뒤 고갈시켜 RNA 및 단백질 합성을 억제

(4) 핵산(nucleic acids) 합성 억제
① bactrim (TMP-SMX) … folate 합성 억제제 (c.f., 포유류는 folate를 자체 합성 못함)
- sulfonamides (e.g., sulfadiazine, sulfisoxazole, sulfamethoxazole) : PABA와 구조 유사,
dihydropteroate synthetase (DHPS)를 억제하여 PABA → dihydrofolic acid 단계를 방해
- trimethoprim : dihydrofolate reductase (DHFR)를 억제하여 folate 합성 최종 단계를 방해

② quinolones : DNA gyrase와 DNA topoisomerase Ⅳ를 억제하여 DNA 합성을 차단

③ rifamycins (e.g., rifampin, rifabutin, rifapentine) : DNA-dependent RNA polymerase의 β subunit를 억제하여 mRNA elongation (transcription)을 차단

④ nitrofurantoin : 세균 내에서 고반응성의 nitrofuran으로 환원됨 → ribosomal RNA, DNA 등 여러 세포내 성분들을 손상시킴 (기전이 다양하고 복잡 → 내성 매우 적고, 교차내성 없음)

⑤ metronidazole : 혐기성 세균과 일부 원충 세포 내에서 환원되면 DNA 구조를 손상시킴

(5) 세포막(cell membrane) 파괴/변형

① polymyxins

- 기전 : cationic cyclic polypeptides로 세포막(LPS 포함)에 친화성이 좋아 결합한 뒤 터트림

- 예 ; polymyxin B, polymyxin E (colistin)

② lipopeptide (daptomycin) : calcium 존재 하에 G(+)균의 세포막에 삽입되어 응집

→ 세포막 구조 변형, 구멍 형성 → 세포질 내용물(특히 K^+) 유출 (rapid depolarization)

→ protein, DNA, RNA 합성 억제 → 세포 사망

③ amphotericin B, azoles 등의 항진균제 : 세포막의 ergosterol 억제 → 세포막 투과성 증가, 파괴

2. 항균제에 대한 세균의 내성(resistance)

```
┌ non-genetic
└ genetic ┌ chromosomal
         └ extra-chromosomal
```

(1) Non-Genetic

- metabolically active한 세균이 항생제에 잘 죽음

  예) 결핵균 처럼 host 내에서 수년간 잠복하고 있는 경우엔 항생제가 잘 듣지 않음

- penicillin에 감수성인 세균의 경우 cell wall을 잠시 벗어놓고 L-form으로 전환

(2) Genetic

① chromosomal ; 항생제의 결합 receptors에 관여하는 유전자 부위에 mutation 일으킴

② extra-chromosomal … 주로 plasmid (염색체와 별개로 세포질에 존재)가 관여

ⓐ transduction형질도입 : bacteriophage의 매개로 내성유전자(dsDNA)가 다른 세균으로 옮겨짐

ⓑ transformation형질전환 : 죽은 세균에서 나온 유리 내성유전자 조각(ssDNA)을 다른 세균이 받아들이는 것, *Haemophilus*와 *Neisseria* 등이 형질전환능력(competent, 반응성)이 좋음

ⓒ conjugation접합 : 살아있는 F+ 세균이 F- 세균에게 sex pili를 꽂아서 직접 내성유전자 (plasmid ssDNA)를 전달하는 것

- 서로 다른 종류의 G(-)균 간에 multi-drug resistance를 퍼뜨리는 주된 기전

ⓓ transposition전위 : 한 세포 내에서 plasmids끼리 or plasmid와 bacterial chromosome간에 유전물질(e.g., transposon, integron)을 교환하는 것

(3) 내성 기전 ★

① 효소에 의한 항생제 불활성화(inactivation) : β-lactamase (ESBL, carbapenemase 포함), AG-modifying enzymes, chloramphenicol acetyltransferase (CAT) ...

예) *E. faecalis*, 장내세균(e.g., *Klebsiella*, *E. coli*), *P. aeruginosa*, *Acinetobacter* 등

② 세포벽(막) 투과성 감소 : 투과공(porin channel)의 이온성, 수 감소, 내경 감소, mutation 등
　　예) *P. aeruginosa*, *Acinetobacter*, ESBL-생성 장내세균(→ carbapenem 내성)
③ 세균 내 항생제의 능동적 배출(active efflux) : 여러 유출계(transporter system)
　　예) TC, fluoroquinolone, chloramphenicol, EM, β-lactams
④ 작용부위/표적(target)의 변화
　　(a) 표적 효소의 변화
　　　　예) PBPs (β-lactams의 표적) ; *S. pneumoniae*, enterococci, *Staphylococci*, *E. faecium*
　　　　　　TMP-SMX ; 약제의 영향을 받지 않는 효소 생산 or 영향을 받는 효소를 다량 생산
　　　　　　quinolones ; DNA gyrase or topoisomerase IV의 변화
　　(b) ribosome의 약제 결합 부위가 변화　　예) TC, macrolide, lincosamide, AG
　　(c) cell wall precursors의 변화
　　　　예) VRE ; vancomycin 표적인 peptidoglycan 전구체 D-Ala-D-Ala 대신 D-Ala-D-Lac
　　　　　　(VanA, VanB : 결합력 1000배 감소) or D-Ala-D-Ser (VanC : 7배 감소) 생성

항생제 내성의 기전

Beta-lactams	1. Target의 변화 (PBP: penicillin-binding protein) 2. β-lactamase에 의한 파괴 - m/c 3. Permeability 감소 4. Active efflux
Aminoglycosides	1. Modifying enzymes (acetyltransferase, adenyltransferase, phosphotransferase) - m/c 2. Permeability or energy-dependent uptake 감소 3. Ribosome 결합 부위의 변형
Chloramphenicol	1. Active efflux 2. Permeability 감소 3. Inactivating enzymes (acetyltransferase) - m/c
EM, clindamycin, 　New macrolides	1. Target의 변화 (ribosome 결합 부위의 변형, methylation) 2. Permeability 감소, efflux pump (M phenotype) 3. Modifying enzymes
Quinolones	1. Target의 변화 (DNA gyrase, topoisomerase IV) - m/c 2. Permeability 감소 3. Active efflux
Tetracyclines	1. Target의 변화 (ribosome 결합 부위의 변형) 2. Active efflux 3. Permeability 감소 4. Drug detoxification
Rifampin	Target의 변화 (RNA polymerase mutation)
Sulfonamides, 　trimethoprim	1. Dihydropteroate synthetase나 dihydrofolate reductase의 변화 2. p-aminobenzoic acid (PABA) 증가 3. Permeability 감소
Vancomycin	Target (peptidoglycan precursor binding site)의 변화

c.f.) β-lactamase의 분류 (4 classes)　　　　　　　　→ III-1장 참조
　┌ class A : TEM과 SHV가 주 → ESBL
　│ class C : AmpC β-lactamase
　│ class D : OXA (oxacillin-hydrolyzing), *Pseudomonas aeruginosa*에서 흔함
　└ class B : A,C,D와는 달리 metallo β-lactamase임 (class A,C,D는 serine β-lactamase), carbapenem도 분해함

(4) 우리나라 항생제 내성의 현황

- 대부분 세균의 내성률이 서양보다 높음
- MRSA 33~66% (감소 추세), VISA 0.09%, PRSP 1~8%
- VRE : 최근 급격히 증가하여 *E. faecium*의 30~40% (*E. faecalis*는 <1%)
- ESBL-producing 장내세균 (증가 추세) ; *E. coli* 30~60%, *K. pneumoniae* 15~55%
- carbapenem 내성 장내세균 (CRE) ; *E. coli* <1%, *K. pneumoniae* 5~6% ⋯ 증가 추세
- carbapenem 내성 GNB ; *P. aeruginosa* 20~24%, *Acinetobacter* ~90% (급격히 증가 추세)
- fluoroquinolone 내성 ; *E. coli* ~40%, *K. pneumoniae* ~23%, *P. aeruginosa* 20~24%, *Acinetobacter* ~90% (급격히 증가 추세)

새로운 항생제 개발이 시급한 세균 12종 (WHO, 2017)	
1 CRITICAL	*Acinetobacter baumannii*, carbapenem-resistant *Pseudomonas aeruginosa*, carbapenem-resistant *Enterobacteriaceae**, carbapenem-resistant, 3rd generation cephalosporin-resistant
2 HIGH	*Enterococcus faecium*, vancomycin-resistant *Staphylococcus aureus*, methicillin-resistant, vancomycin intermediate and resistant *Helicobacter pylori*, clarithromycin-resistant *Campylobacter*, fluoroquinolone-resistant *Salmonella spp.*, fluoroquinolone-resistant *Neisseria gonorrhoeae*, 3rd generation cephalosporin-resistant, fluoroquinolone-resistant
3 MEDIUM	*Streptococcus pneumoniae*, penicillin-non-susceptible *Haemophilus influenzae*, ampicillin-resistant *Shigella spp.*, fluoroquinolone-resistant

**K. pneumonia*, *E. coli*, *Enterobacter* spp., *Serratia* spp., *Proteus* spp., *Providencia* spp., *Morganella* spp.

3. 항생제 감수성 검사(antimicrobial susceptibility test, AST)의 종류

(1) 배지희석법

- 다양한 농도의 항생제가 포함된 배지에 표준화된 미생물을 접종하여 배양한 뒤 판독함
- 액체배지미량희석법(broth microdilution) - m/c
  - microwell plate를 이용 (e.g., VITEK2, Microscan, Phoenix [BD])
  - 자동화(상품화)되어 편리하고 객관적이며 MIC 값까지 보고됨 (정량검사)
  - 단점 ; 외국 회사에서 제조된 항생제 패널만 사용해야 됨
- 액체배지시험관희석법(broth macrodilution) ; MBC도 구할 수 있지만, 번거롭고 시약/공간을 많이 필요로 해 보통의 병원에서는 일상적으로 시행하기는 어려움
- 한천(고체)배지희석법(agar dilution method)
  - 하나의 배지에 여러 균주(환자)를 동시에 검사할 수 있지만, 빨리 자라는 세균만 가능
  - 주로 역학적 연구 목적으로 사용

(2) 확산법

- 디스크 확산법 (disk diffusion)
  - 균액을 배지(MHA)에 펴서 바른 뒤 검사할 항생제디스크를 배지 위에 얹고 배양한 뒤 판독 (육안으로 억제대의 직경을 측정 → 억제대가 작을수록 내성 ; MIC는 알 수 없는 정성검사)

- 간단하고 대상 항생제를 쉽게 변경 가능하지만, 빨리 자라는 세균만 가능
- Epsilometer 검사 (E-test) : 항생제 농도 기울기를 가진 plastic strip을 이용, 타원형의 억제대의 가장자리가 strip과 교차하는 지점의 값이 MIC가 됨

(3) 발색법
- 상품화된 발색 선택배지(chromogenic agar)를 이용하여 특정 균종이나 항생제를 대상으로 검사
- 예 ; MRSA 검사, VRE 검사, CPE 검사(e.g., Carba NP test), β-lactamase, ESBL

(4) 항생제분해효소의 면역검사
- 주로 신속검사 형태의 immunochromatographic lateral flow test (ICT)
- 현재 내성이 크게 문제되는 CPE (carbapenemases)에 대하여 많은 제품들이 출시되고 있음

(5) 내성유전자의 분자검사
- 내성유전자가 잘 알려진 일부 균종에서 많이 활용됨 (매우 빠르고 정확한 진단 가능)
- 예 ; MRSA (mecA), VRE (vanA, vanB), CPE (carbapenemases)

4. 약동학-약역학 (Pharmacokinetics-Pharmacodynamics, PK-PD)

(1) PK-PD와 항생제 감수성과의 관계
- 세균의 항생제 감수성 (+) : 보통 최고 혈중농도가 MIC의 4배 이상은 될 때
  (MIC : in vitro 감수성검사에서 미생물의 번식을 억제할 수 있는 항생제의 최저 농도)
- break point : 세균의 감수성과 내성을 구분하는 농도
- pharmacodynamic parameters
  ① C_{max}/MIC (or peak/MIC) : 최고 혈중농도 / MIC
  ② AUC/MIC : 혈중농도 곡선의 아래 면적(적분) / MIC
  ③ T>MIC : 혈중농도가 MIC보다 높은 시간의 비율 (time over MIC)
- 시간의존성(time-dependent) ➡ 여러번/지속적(extended) 투여 or high-dose가 유리함
  - T>MIC 의존 항생제 ; β-lactams (권장 : mild >50%, severe >70%)
- 농도의존성(concentration-dependent) ➡ once-daily dosing (ODD)이 효과적이고 부작용 적음
  - C_{max}/MIC 의존 항생제 ; AG (권장 : 10~20)
  - AUC/MIC 의존 항생제 ; vancomycin, fluoroquinolones 등 나머지 대부분의 항생제
    (권장 예 : vancomycin >400, fluoroquinolones >25^{mild}, >100^{severe})

(2) Post-antibiotic effect (PAE)
- 항생제의 농도가 떨어진 뒤에도 어느 정도 균의 성장이 지속적으로 억제되는 효과
  (항생제에 노출된 세균이 항생제의 효과로부터 회복되는데 걸리는 시간으로 측정 가능)
- 일반적으로 단백질이나 핵산 합성을 억제하는 항생제는 G(-)균에 대한 PAE가 길다
  (예 ; AG, quinolone, TC, macrolide, chloramphenicol, rifampin 등)
- β-lactam 계 항생제는 G(-)균에 대한 PAE가 매우 짧아서 충분한 PAE를 나타내지 못함
  (예외 ; carbapenem - 특히 *Pseudomonas*에 대해 긴 PAE를 나타냄)

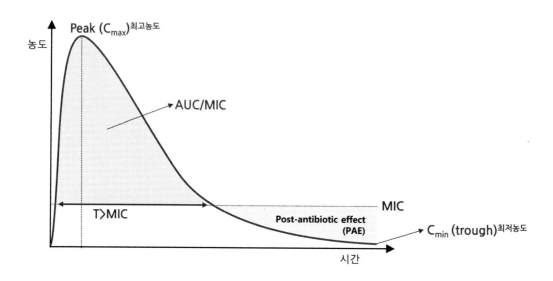

(3) Therapeutic Drug Monitoring (TDM)

- 목적 : 독성은 최소화하면서 효과적인 치료 농도 유지
- 대상 약물 ; vancomycin, AG, voriconazole 등

  치료지수(therapeuctic index, 유효용량과 독성용량 사이의 차이)가 좁은 약물
- 채혈 시기 : 항정상태에 도달하는 반감기의 4배 시점 이후에 권장 (부작용 발생 시엔 즉시)
  - vancomycin : 24hr AUC/MIC가 살균효과를 반영 (>400 권장), PAE는 짧음,

    치료범위는 최고(C_{max}) 30~40 μg/mL & 최저(C_{min}, trough) 10~20 μg/mL 권장,

    반감기 평균 6시간 → 4번째 투여 직전에 채혈하여 trough level 확인
  - AG : 살균효과는 최고농도(C_{max})와 관련, PAE 깊, 부작용은 최저농도(trough)가 중요

    → 저용량 자주 투여보다는 한꺼번에 고용량 투여가 유리 ; 1일1회요법(ODD) 권장

    → 대개 투여 후 18~24시간에 채혈하여 trough level을 확인한 뒤 다음 용량 결정

    (peak level은 30분 infusion 후 30분 뒤 측정하지만 ODD 때는 필요 없음)

(4) 항생제의 주요 배설 경로

Liver (담즙)	Kidney (소변)
Azithromycin	Aminoglycosides
Cefoperazone	Aztreonam
Ceftriaxone	Carbapenems
Chloramphenicol	(e.g., Imipenem, Meropenem)
Clindamycin	Cephalosporins의 대부분
Doxycycline	Clarithromycin
Erythromycin	Fluoroquinolones의 대부분
Metronidazole	(e.g., Ciprofloxacin, Levo-, Gati-)
Moxifloxacin	Minocycline
Nafcillin	Penicillin & derivatives
Rifampin	Tetracycline
Sulfamethoxazole	Trimethoprim
Tigecycline	Vancomycin

- 신부전에서 항생제 용량의 조절 (→ 신장내과 CKD 편 참조)

신부전시 용량 조절이 필요 없는 항생제　　　　혈액투석으로 제거되지 않는 항생제

Cefoperazone	Amphotericin B	Azithromycin	Ceftriaxone
Cefuroxime-axetil	Chloramphenicol	Clindamycin	Dicloxacillin
Linezolid	Doxycycline	Erythromycin	Ketoconazole
Tetracycline	Minocycline	Moxifloxacin	Nafcillin
	Rifampin	Spectinomycin	Tigecycline
	Synercid (quinupristin-dalfopristin)	Trovafloxacin

항생제 사용의 일반원칙

1. 원칙

① 감수성 검사 결과에 따라 선택
② 특수한 경우를 제외하고는 spectrum이 좁은 단일 약제를 선택
③ 불필요한 wide-spectrum, multiple drugs의 사용은 superinfection (균교대 감염)
　　및 약제 상호간의 길항 작용의 위험성이 있음
④ 효과가 동일하면 저렴하고, 경구 투여가 가능한 약제를 선택

2. 살균과 정균 항생제

살균제		정균제
Penicillins	Fluoroquinolones	Erythromycin
Cephalosporins	Metronidazole	Clindamycin
Aminoglycosides	Bacitracin	Tetracycline
Vancomycin	Pyrazinamide	Chloramphenicol
Aztreonam	RFP	Sulfa drugs
Imipenem	INH	Trimethoprim
		Ethambutol

① 살균(bactericidal) 항생제 : 세균을 죽임
　- 최소살균농도(minimum bactericidal concentration, MBC)가 최소억제농도(minimum inhibitory concentration, MIC)가 비슷한 것 : MBC가 MIC의 4배 이내인 것
　- 대개 세포벽 합성을 저해하는 항생제들 ; penicillin, cephalosporin, AG, fluoroquinolone 등
② 정균(bacteriostatic) 항생제 : 세균의 성장을 억제
　- MBC가 MIC의 16~32배 이상인 것
　- 중간 대사나 단백합성을 방해하는 것은 정균적(e.g., EM, TC, trimethoprim, clindamycin 등)
　　또는 살균적으로 작용함
• 면역기능이 정상인 경우 살균 항생제가 정균 항생제보다 반드시 치료효과가 우월한 것은 아님
　(∵ 정균 항생제를 사용하여 세균 증식이 정지되면 인체 방어기전이 작동하여 세균이 잘 제거됨)
• but, 면역저하자의 경우 살균 항생제가 더 유리함
• 살균력은 세균의 종류에 따라서 달라지기도 함
　예) penicillin은 enterococci에 대해 정균제로 작용하지만 AG와 함께 투여시엔 살균제로 작용함

■ **살균 항생제(bactericidal antibiotics)가 반드시 필요한 경우**
① 면역저하 환자의 감염
② 화상 환자의 감염
③ 만성 질환자 및 임산부
④ catheter 사용시
⑤ 항생제 침투가 어려운 부위의 감염 ; meningitis, endocarditis (vegetation), osteomyelitis,
   chronic prostatitis, intraoccular infection, abscess ...

3. 항생제의 비경구적(parenteral) 사용

① 심한 감염 (constant dripping보다 bolus injection이 좋다)
   ; meningitis, endocarditis, osteomyelitis
② 흡수장애가 있는 경우 (e.g., short bowel syndrome, shock)
③ 위장관으로 흡수되지 않는 항생제 (e.g., AG, vancomycin)

4. 병합요법(combined therapy)

- 작용기전이 같은 항생제의 병용은 피할 것
- β-lactam 제제는 다른 약물과의 상호 작용이 적은 장점이 있다

(1) 목적/적응증

① 혼합감염(mixed infection)이 의심되는 경우
   예) aspiration pneumonia, 폐/뇌 농양, 복강내/골반 감염, DM 환자의 infected limb
   c.f.) 최근에는 새로운 광범위 항생제 한 가지도 가능
      (e.g., 호기성+혐기성 혼합감염 : AG + metronidazole → cefoxitin, carbapenem 등)
② 중증 감염 초기의 경험적 치료 (배양 결과 나오기 전)
   예) neutropenic fever, sepsis, acute aspiration pneumonia, IE ...
   c.f.) neutropenic fever는 최근에 단일 anti-pseudomonal 광범위 항생제가 권장됨
      (e.g., cefepime, piperacillin-tazobactam, imipenem-cilastatin, meropenem 등)
③ 내성균주 출현 방지 : 기전이 다른 항생제를 동시에 사용하면 내성균의 발현 & 선택적 증식 ↓
   예) 항결핵제들, *Staphylococci*에 rifampin 추가, 심한 *Pseudomonas* 감염
④ 항생제 독성의 감소 : AG와 amphotericin B와 같이 독성이 나타나기 쉬운 항생제
   예) low-dose amphotericin B + 5-fluorocytosine (amphotericin B의 부작용과 독성 ↓)
⑤ 약물의 상승작용(synergistic activity)을 얻기 위해
   예) penicillin (→ AG의 세포벽 침투↑) + AG ; enterococci, viridans streptococci, *S. aureus*
      Bactrim (TMP+SMX) ; single metabolic pathway에 연속적으로 작용
      ticarcillin/piperacillin + AG ; *P. aeruginosa* 등

* 항생제의 enzymatic inactivation 방지
   예) β-lactam/β-lactamase inhibitors (BL/BLI),
      imipenem/cilastatin (cilastatin이 신장에서 imipenem의 대사를 억제)

(2) 단점

① 독성이나 부작용의 위험이 더 높아질 수 있음

예) vancomycin + GM, cepha. + GM → 신독성↑

② 내성균의 상재화 or 균교대 감염(superinfection) : 정상 상재균 억제에 의한 미생물학적 부작용

예) *C. difficile* 장염, VRE 보균, oral candidiasis

③ 길항작용(antagonism)

예) double β-lactams (한 항생제가 β-lactamase를 유도하여 다른 항생제를 불활성화 가능),

oxacillin + vancomycin, linezolid + vancomycin,

체외에서 penicillin + AG 혼합시 AG가 불활성화됨, chlormaphenicol과 EM 섞으면 침전

④ 비용의 증가

⑤ false sense of security

5. 약물 상호작용

Clarithromycin, EM	Carbamazepine ↑
	Cyclosporin A ↑ (nephrotoxicity)
	Digoxin (toxicity) ↑
	Terfenadine, astemizole, loratadine ↑
	Theophylline (toxicity) ↑
Fluoroquinolones	Cimetidine → quinolones ↑
	Cyclosporin A ↑ (nephrotoxicity)
	Multivalent cations (Ca, Mg, Fe, Zn, Al) → quinolones 흡수 ↓
	Sucralfate → quinolones 흡수 ↓
	Warfarin → anticoagulation ↑
	Probenecid → fluoroquinolone ↑
Metronidazole	Alcohol → disulfiram-like reaction
	Disulfiram → psychosis
	Warfarin, dicumarol → anticoagulation ↑
	Phenobarbital → metronidazole ↓
Rifampin (대사효소 유도로 많은 약물들의 농도를 감소시킴) ↔ INH는 반대 (증가시킴)	Corticosteroids ↓
	Cyclosporin A ↓
	Methadone ↓
	Phenytoin ↓
	경구항응고제(warfarin, dicumarol) ↓
	경구피임약 ↓
	Sulfonylureas ↓ (→ hyperglycemia)
	Theophylline ↓
	Quinidine, β-blocker ↓

6. Parenteral-to-Oral step-down strategy

• oral switch의 적응

① 처음에 parenteral 항생제를 투여 받았고 계속 항생제 치료가 필요할 때

② 감염의 증상 및 징후가 호전되고 있을 때

③ 적어도 24시간 이상 발열이 없어야 (해열제 투여 없이)

④ 소화기 기능이 정상이고 경구제의 흡수에 문제가 없어 보여야 됨

- 권장 항생제 switch의 예

Parenteral agents	Oral agents
ampicillin/sulbactam	amoxicillin/clavulanate
aztreonam	TMP-SMX, ofloxacin, cefuroxime axetil
cefazolin	cephalexin
cefotetan	cefuroxime axetil, amoxicillin/clavulanate
cefotaxime, ceftriaxone	ofloxacin, cefuroxime axetil
imipenem	ofloxacin + metronidazole
ticarcillin/clavulanate	amoxicillin/clavulanate

7. Compromised host에서 항균 치료 원칙

① 조기 진단 및 조기 치료
② 방어기전 결함에 대한 이해 및 교정 (e.g., 숙주 상태, 감염 부위)
③ 정확한 균동정 및 감수성 검사
④ 살균 항생제의 사용
⑤ 의료 처치 및 시술의 제한

8. 항생제의 예방적 사용 (chemoprophylaxis)

(1) 특정 감염을 목표로 함

Tuberculosis	INH 등
Malaria	Chloroquine, Mefloquine, DC 등
Anthrax	Ciprofloxacin, DC 등
Group B *Streptococci* (임신 중)	Penicillin
Recurrent *S. aureus* skin infections	Mupirocin (intranasal) 등
Meningococcal meningitis 환자와 접촉	Rifampin, Fluoroquinolone
Hib meningitis 환자와 접촉	Rifampin
Bite wounds	Dicloxacillin, Amoxicillin-clavulanate 등
Recurrent cystitis 여성	TMP-SMX, Fluoroquinolone, Nitrofurantoin
간경변증 환자의 recurrent SBP	Fluoroquinolone
Rheumatic fever	Benzathine penicillin G 등
Bacterial endocarditis	Amoxicillin 등 (→ 순환기내과 참조)
Influenza A & B	Zanamivir, Oseltamivir
Pneumocystis jirovecii	TMP-SMX (*Toxoplasma, Listeria, Nocardia* 등도 함께 예방되는 효과)

(2) 수술 전 예방적 항균 요법
- 외과 영역에서의 예방적 항생제 사용의 적응
  ① 조직손상이 심하던가 심하게 감염된 accidental wound
  ② 외과적 치료를 연기할 수 없는 accidental wound

③ 감염된 조직이나 괴사조직을 충분히 절제할 수 없는 외상

④ 육안적으로 세균의 감염이 있는 상처

⑤ penetrating GI tract injury

⑥ clean contaminated surgery (GI, GU, biliary, respiratory tracts)

⑦ 심장판막질환자의 수술, prosthesis를 삽입하는 심혈관계 수술

⑧ 과거 또는 최근 active infection의 병력이 있는 환자의 응급 수술

⑨ 사지의 혈액순환 장애로 amputation이 필요할 때

⑩ oropharyngeal cavity를 포함한 neck dissection

⑪ clostridial infected injuries

⑫ open fractures, penetrating joint injuries, joint prosthesis

- 일반적으로 인공삽입물이 관련되지 않는 clean surgery는 적응 안됨 (e.g., thyroid, hernia)
- **투여 원칙**
  ① 독성이 적은 항생제를 선택
  ② 수술 30~60분 전에 충분한 용량을 투여
  ③ 수술이 4시간 이상 지속되면 수술 도중에 반복 투여
  ④ 수술 후에는 필요 없다! (예외 ; 대장/직장 수술, appendectomy, 인공물 삽입술, 개심술, 신경외과 수술 등)
- 수술시 예방적 항생제 요법의 예 (대개 1시간 전 투여)

Clean surgery	심장, 혈관, 신경/정형/성형외과	**Cefazolin** (MRSA 집락시 vancomycin 추가)
	안과	Topical neomycin-polymyxin B-gramicidin, topical moxifloxacin
Clean-contaminated surgery	두경부 (구강, 인후점막)	Cefazolin + metronidazole, ampicillin-sulbactam (or cefoxitin, cefotetan), (clindamycin)
	위십이지장, 담도계, 자궁절제술, 소장(비폐쇄), 비뇨기계	Cefazolin, ampicillin-sulbactam (or cefoxitin, cefotetan), (clindamycin + AG, aztreonam, or fluoroquinolone)
	결장직장, 충수절제	Cefazolin + metronidazole, ampicillin-sulbactam (or cefoxitin, cefotetan), ertapenem (or clindamycin + AG, aztreonam, or fluoroquinolone)
Contaminated surgery	내장 파열	Ceftriaxone + metronidazole 등
	외상에 의한 상처	Cefazolin (clindamycin ± AG, aztreonam, or fluoroquinolone)

* 심내막염 고위험군(e.g., 인공판막, 선천성심장병, 심내막염 과거력)에서 치과, 구강, 상기도 시술시
   → oral Amoxicillin, IM ampicillin (or oral/IV clindamycin)

9. 임신

태아에 대한 약물의 위험도 (FDA)

등급	정의
A	전혀 무해함 (임신중 안전성이 증명되었음)
B	동물, 사람에서의 연구결과 태아 위험성이 보고된 적 없음
C	충분한 연구가 되어있지 않아 태아 위험성이 알려지지 않았음
D	태아 위험성의 증거가 있음 (임신부의 생명 위험시엔 사용 가능)
X	태아 위험성이 증명되어 임신중 절대 사용하면 안됨

안전	B	Penicillins, cephalosporins, meropenem, clindamycin, EM, azithromycin, nitrofurantoin, streptogramin, ethambutol, sulfonamides (kernicterus → 신생아에겐 투여×)
주의	C	Amikacin, gentamicin, tobramycin, imipenem-cilastatin, chloramphenicol, metronidazole, TMP-SMX, fluoroquinolones (골성장 장애), vancomycin, INH, rifampin
금기	D	Streptomycin, kanamycin, clarithromycin, tetracyclines, erythromycin estolate

10. 항생제 치료 실패시 고려해야 할 사항

① 진단/치료의 지연 or 조기 중단/감량
② 진단의 잘못 : nonbacterial infection, misdiagnosis 예) viral infections
③ 약제 선택, 용량, 투여 방법상의 잘못 ; 감수성 검사의 잘못, 감염부위에서의 낮은 항생제 농도
④ 항생제 내성의 출현
⑤ superinfection (균교대 감염)
⑥ mixed infection (중복 감염)
⑦ foreign body, anatomical abnormality의 존재 예) abscess, 괴사조직
⑧ drug fever
⑨ 면역저하자 예) 고령, 항암제, 면역억제제, major surgery

《 항생제 각론》

PENICILLIN계 항생제

• 기본구조 : 6-APA (β-lactam ring + thiazolidine ring)$^{\text{Penicillin Nucleus}}$ + side chains

페니실린의 분류
Natural penicillins
Benzyl penicillin (Penicillin G) ; aqueous crystalline Penicillin G [IV]
Procaine penicillin G [IM]
Benzathine penicillin G [IM]
Phenoxymethyl penicillin (Penicillin V) [oral]
Penicillinase-resistant penicillins (Antistaphylococcal penicillins)
Methicillin, Nafcillin, Isoxazolyl penicillins (oxacillin, cloxacillin, dicloxacillin, flucloxacillin)
Broad-spectrum penicillins
2세대: Aminopenicillins
Ampicillin, Amoxicillin
3세대: Carboxypenicillins (Antipseudomonas penicillins)
Ticarcillin, Carbenicillin
4세대: Ureidopenicillins (Antipseudomonas penicillins)
Piperacillin

1. 작용기전

- PBP (penicillin-binding protein)에 결합 → 세포벽 합성의 마지막 단계 억제 (→ 앞부분 참조)

2. 항균범위

(1) Penicillin

- *Streptococcus pyogenes, S. viridans, S. pneumoniae* (pneumococcus)에 가장 강력한 항생제
  (but, 우리나라는 pneumococcus의 penicillin 내성률 70% 이상 → 3세대 cepha 사용)
- *Staphylococcus aureus, S. epidermidis*는 penicillin에 듣지 않음
- *Enterococcus*는 penicillin만 쓰면 번식만 정지되고 죽지 않음 (tolerance)
- 혐기성 세균 : 구강의 정상 상재균인 *Peptococci, Peptostreptococci, Fusobacterium,
  Actinomyces*에 대해서는 강한 살균력이 있으나, 위장관의 정상 상재균인 *Bacteroides fragilis*는
  β-lactamase를 만들어 penicillin에 안 들음
- *Neisseria* : *N. meningitidis*에는 잘 듣지만, *N. gonorrhea*는 penicillinase를 만드는 내성균주가
  50% 이상 (우리나라)
- spirochetes : syphilis, leptospirosis
- G(-) rods에는 효과 없음

  * penicillin V : 위산에 파괴되지 않아 경구용으로 사용 (효과는 penicillin G보다 못함)

(2) Penicillinase-resistant penicillin (anti-Staphylococcal penicillin)

- 종류 ; methicillin, nafcillin, oxacillin, cloxacillin ...
- *Staphylococcus*를 겨냥해 개발된 penicillin으로, *Staphylococcus* 이외의 세균에 대한
  항균력은 penicillin보다 훨씬 못함 (항균범위 매우 좁음)
- but, 근래엔 내성 흔함(e.g., MRSA) → MSSA 감염에만 쓰임(e.g., bacteremia, endocarditis)

(3) Aminopenicillin (ampicillin, amoxicillin)

- G(+)균에 대해서는 penicillin과 같고, 일부 G(-) rods에도 효과적인 광범위 penicillin
  - *Listeria, E. coli, Proteus mirabilis, H. influenzae, Salmonella, Shigella* 등에도 일부 효과적
    (but, 근래에는 *E. coli, Salmonella, Shigella, N. gonorrhea, H. influenzae* 내성 증가)
  - *Klebsiella, Serratia, Enterobacter, P. aeruginosa* 등에는 효과 없음
- but, β-lactamase에 의해 파괴됨
- 감수성이 있는 경우 otitis media, sinusitis, LRI, COPD 악화, UTI 등에 사용

  * amoxicillin : 항균범위는 ampicillin과 같으나, 경구 흡수율이 훨씬 높음

(4) Anti-Pseudomonal penicillin

- carboxypenicillin : **ticarcillin** (carbenicillin은 현재 사용×)
- ureidopenicillin (항균력 더 우수) : <u>piperacillin</u> (*Pseudomonas*에 가장 우수한 penicillin!)
- G(-) rods에 대한 항균력이 ampicillin보다 더 넓은 광범위 penicillin, 혐기성균에도 잘 들음
- *Enterobacter*, indole(+) *Proteus, Morganella*, 특히 *P. aeruginosa*에도 항균력이 있음
  (감수성 결과를 모르는 중증 *Pseudomonas* 감염에서는 AG와 병합요법으로 사용)
- but, β-lactamase에 쉽게 파괴되므로 β-lactamase inhibitor와의 복합제제로만 사용됨

3. 약리학

- penicillin계 항생제는 위산에 약함
- penicillin V, amoxicillin, ampicillin, cloxacillin, dicloxacillin은 경구 투여 가능
  (anti-pseudomonal penicillins은 주사제만 있음)
- 반감기 : 한 시간 남짓 (짧음)
- 온 몸에 잘 퍼지고, 특히 소변에서 농도가 높다
- 지용성 ↓ → 세포 안으로 잘 침투 못하고, CSF에도 농도가 낮다
- 신세뇨관의 상피세포로 배설 → 신기능 저하 환자에 쓸 때는 용량 조절 필요
  (probenecid : penicillin의 신장 배설 억제 → 혈중 penicillin을 장시간 고농도로 유지)
- c.f.) natural penicillin (e.g., penicillin G)은 unit 단위를 사용 (∵ 과거 정제기술 부족으로 편의상),
  semisynthetic penicillin은 g 단위를 사용 (1×10^6 unit는 0.6 g)

4. 부작용

- 항생제중 독성이 가장 적고 안전함 (therapeutic index 넓음)
- 과민반응(hypersensitivity)이 가장 문제 ; 모든 penicillin 제제가 가능   → 알레르기내과 4장 참조
  - anaphylaxis (IgE-mediated)가 m/i : 약 0.02% (이중 10%는 사망) ⋯ 투여 전 skin test 시행
  - 지연과민반응 (m/c) ; skin rash, drug fever, eosinophilia, Coombs(+) hemolytic anemia,
    serum sickness, leukopenia, nephritis, hepatitis 등
    (IgE-매개반응 아님 → skin test로 미리 예측할 수 없음)
- 원인은 모르지만 infectious mononucleosis 및 CMV 감염 환자에게 ampicillin or amoxicillin
  투여시 rash 발생
- 기타 ; 위장관(e.g., diarrhea), AST의 경도 상승 (oxacillin, nafcillin, carbenicillin 등에서),
  seizure (신기능 나쁜 환자에서 penicillin G, imipenem 대량 투여시),
  혈소판응집장애에 의한 출혈(특히 ticarcillin, penicillin G 고용량시) ...

CEPHALOSPORIN계 항생제

1. 개요/분류

- 기본구조 ; 7-ACA (β-lactam ring + dihydrothiazine ring) + side chains
- 작용기전 ; penicillin처럼 세포벽 합성의 마지막 단계에 작용
- 세대가 높을수록 β-lactamase에 대한 저항력도 크다
- 1세대 cepha는 G(+) rods에 효과적이고, 2~4세대로 높아질수록 G(-)균에 대한 항균력 증가
- 3세대 ; G(+)균(e.g., Staphylococci)에는 1~2세대보다 약하지만, Streptococci와 G(-)균에 대한
  항균력이 향상되고, β-lactamase를 만드는 장내세균에도 잘 들음
- 4세대 ; β-lactamase에 대한 안전성이 매우 높으며, G(-)균의 외막을 매우 빨리 통과함,
  항균력은 G(+)는 cefotaxime 정도, G(-)는 ceftazidime 정도

세팔로스포린계 항생제의 분류

			주사용	경구용
1세대			Cephalothin, <u>Cefazolin</u>, Cephradine	Cephalexin, Cefadroxil
2세대	혐기성 균에	효과✕	Cephamandol, Cefonicid, Ceforanide	Cefuroxime, Cefaclor, Cefprozil
		효과〇	Cefoxitin, Cefotetan, Cefmetazole	
3세대	녹농균 에	효과✕	Cefotaxime, Ceftriaxone, Ceftizoxime	Cefixime, Cefpodoxime, Cefditoren, Cefdinir, Ceftibuten
		효과〇	Ceftazidime, Cefoperazone, Cefpiramide	
4세대			Cefepime, Cefpirome	
5세대			Ceftobiprole, Ceftaroline / Ceftolozane–tazobactam	
Siderophore Cephalosporin			Cefiderocol	

2. 항균범위

(1) 1세대 Cephalosporins

- methicillin-susceptable *Staphylococci*, penicillin-susceptable *Streptococci* 등의 G(+)균에 우수한
  항균력 (MRSA, MRCoNS, PRSP, enterococci, *Pseudomonas, Bacteroides* 등에는 항균력 없음)
- SSTI, UTI, pharyngitis, pneumococcal pneumonia 등에 사용
- *Klesiella*는 병원성이 강하므로 3세대를 쓰는 것이 좋다
- 수술 뒤에 생기는 창상 감염의 예방에는 1세대가 좋다 (e.g., cefazolin)
  (대장항문 수술 뒤 감염의 예방에는 혐기성균에도 효과적인 cefoxitin 등이 더 좋음)
- CSF에는 들어가지 못하므로 CNS 감염에는 쓰지 못함

(2) 2세대 Cephalosporins

- G(+)균에 대한 항균력은 그대로 가지면서, G(-)균과 혐기성균까지 항균영역 확대
  (but, MRSA, enterococci, *Pseudomonas, Acinetobacter* 등에 대한 항균력은 없음)
- 호흡기감염에 주로 사용하며, SSTI, UTI에도 사용
- cefuroxime : *S. pneumoniae, H. influenzae, Neisseria*에 대한 항균력 우수
  (2세대 중 유일하게 BBB를 잘 통과하므로 meningitis 등 CNS 감염에도 사용 가능)
- cephamycin (e.g., cefoxitin, cefotetan) : *B. fragilis* 같은 G(-) 혐기성균에 대한 항균력 우수
  → community-acquired 호기성/혐기성 세균의 복합감염증 (e.g., 수술시 예방요법, 복강내 감염,
  PID, 흡인성 폐렴, DM 환자의 하지 연조직 감염, 욕창 감염), ESBL 생성균에도 효과적

* NMTT (N-methyl thiotetrazole) side chain을 가진 cepha
  ; cefotetan, cefamandole, moxalactam, cefoperazone (cefobid)
  ① vitamin K의 작용을 방해 → 출혈성 부작용 발생 (hypoprothrombinemia)
  ② disulfiram-like reaction 유발 가능 (alcohol 섭취 후 N/V, 어지러움, 두통, 저혈압 등 발생)

(3) 3세대 Cephalosporins

- 항균 범위는 모두 비슷함 : pneumococcus, meningococcus, *H. influenzae* (ampicillin 내성 균주 포함) 및 대부분의 G(-)균에 들음, <u>enteric G(-) rods [장내세균]에 매우 강함</u>
- BBB를 잘 통과 → meningitis의 치료에 중요 (but, *Listeria*에는 듣지 않음)
- 2세대보다 G(-)균에 대한 항균력 향상 ⇨ 항생제 내성 G(-)균을 치료할 때 주로 쓰임
  ; 대개 원내감염(e.g., 폐렴) / but, 내성이 많이 증가되었으므로 감수성을 확인하면서 사용
- community-acquired pneumonia라도 *Klebsiella*가 원인이면 3세대를 사용함
- 복강내 감염증 or PID에는 metronidazole을 함께 사용 (→ 혐기성균도 같이 치료)
- *Staphylococci* 같은 G(+)균에는 1~2세대만 못하고 enterococci, MRSA, *Listeria, Acinetobacter* 등에는 안 들음 (→ 수술시 예방 목적으로는 못 씀)
- ceftriaxone, cefotaxime : *S. pneumoniae* (penicillin-intermediate strains 포함), MSSA에는 항균력이 좋지만, *Pseudomonas*에는 항균력 약함
- ceftriaxone : 임질, ampicillin-resistant *H. influenzae* meningitis에 가장 좋다
  - bacterial meningitis의 경험적 치료에 m/g, CAP, PN, 골관절감염 등에 사용
  - gonococcus 감염, salmonellosis, typhoid fever 등에도 사용
  - *Chlamydia*에는 안 들으므로, acute salphyngitis에는 DC도 함께 투여
- cefoperazone (cefobid) : *Pseudomonas*에도 효과적, 주로 담도로 배설 (→ 신기능장애시 선택약)
- ceftazidime : *Pseudomonas*에 매우 효과적, neutropenic fever 때 사용, 내성균이 생기지 않도록 대개 aminoglycosides와 함께 사용 (*Streptococcus* 감염에는 권장 안 됨)

(4) 4세대 Cephalosporins

- 종류 ; cefepime, cefpirome
- 쌍성이온(zwitterion)으로 지질 투과성이 높아 3세대보다 G(-)균의 외막을 더 빨리 통과하고, 효과도 더 강력함 → cefotaxime, ceftazidime보다 G(-) rods에 더 효과적
  - ESBL 및 AmpC 생성균에도 효과적 (↔ 3세대는 효과×)
  - *Pseudomonas*에 대해서는 ceftazidime과 비슷한 항균력을 보이고 cefoperazone보다 우수함
    (감수성 결과를 모르는 중증 *Pseudomonas* 감염에서는 AG와 병합요법으로 사용)
- G(+)균에 대해서는 cefotaxime과 동등한 효과 (*S. pneumoniae*와 MSSA에 효과적)
- MRSA, enterococci, *Listeria, S. maltophilia*에는 효과 없고, 혐기성균에 대한 효과는 좋지 못함

(5) 5세대 Cephalosporins

- ceftobiprole, ceftaroline
  - G(+)균에 대한 항균력 향상 (∵ PBP2a affinity↑) → <u>MRSA</u>, VISA, PRSP 등에도 효과적
  - G(-)에 대한 항균력은 3세대 cepha와 비슷함
  - *Staphylococci*, streptococci, *H. influenzae, M. catarrhalis, Enterobacteriaceae* 등에 우수함
    (but, enterococci, ESBL/AmpC-생산 장내세균, *P. aeruginosa, A, baumannii, B. fragilis* 등에는 효과 없음)
  - 임상 적응 ; CAP, HAP (VAP는 제외), cSSTI 등
- ceftolozane
  - *P. aeruginosa* 및 *Enterobacteriaceae*에 대한 항균력 우수 (AmpC에 대한 항균력↑)
  - 주로 ceftolozane-tazobactam (Zerbaxa®) 형태로 cIAI, cUTI 등에 사용
    (CRE를 포함한 다양한 다제내성 G(-)균에 효과적)

(6) Siderophore Cephalosporin : Cefiderocol (Fetroja®)

- novel parenteral cepha.로 화학적 구조는 ceftazidime 및 cefepime과 비슷함
- siderophore-iron 결합 특성으로 periplasmic space로 들어가 (세포벽을 더 잘 통과) 항균작용
  & 다양한 β-lactamases (e.g., ESBLs, AmpC, carbapenemases)에 대한 저항성이 강함
  - carbapenem-resistant & MDR G(-) bacilli에 효과적 (e.g., CRE, MRAB)
  - 특히 MDR *P. aeruginosa, A. baumannii, S. maltophilia, Burkholderia cepacia*에도 효과적!
  - G(+)균 및 혐기성균에 대한 항균력은 약함
- MDR G(-)균에 의한 cUTI (PN 포함)에 사용 허가 (FDA[2019]), HAP/VAP는 우선심사 중

3. Oral cephalosporins

- cefadroxil (1세대) : cephalexin보다 반감기가 길어서 12시간 마다 복용 가능
- 2세대 (cefaclor, cefuroxime) : *H. influenzae*에 잘 들어서 sinusitis, 중이염, 호흡기 감염에 사용
- 3세대 (cefixime, cefpodoxime proxetil, ceftibuten, cefdinir, cefditoren)
  - streptococci, *H. influenzae, M. catarrhalis* 등에 효과적
  - G(-)균에 대해서는 3/4세대 주사제보다는 못함
  - *Enterobacter, Acinetobacter, P. aeruginosa,* 혐기성균에는 효과 없음
    (cefixime과 ceftibuten은 *Staphylococcus*에도 효과 없음)
  - cefditoren : 약제내성 *S. pneumoniae*에 가장 효과적
  - cefpodoxime, cefdnir : 특히 PSSP, β-lactamase-producing *H. influenzae*에 효과적
  - 적응 ; 호흡기감염, 합병증 없는 SSTI, UTI 등 … 2세대 및 amoxicillin-clavulanate와 비슷

4. 약리학

- 흡수
  - cephalexin, cephradine, cefaclor, cefadroxil, cefuroxime → 위장관으로 잘 흡수, 위산에 안정적
  - cephalothin, cephapirin → IM시 너무 아파서 IV로 투여
  - 다른 cephalosporins → IM or IV
- 대부분 신장으로 배설됨 → 신부전시 용량↓ (혈액투석으로 제거되므로 용량 보충 필요)
  (ceftriaxone과 cefoperazone는 담즙으로 배설 → 신부전시 용량 조절 필요×, 혈액투석으로 제거×)
- 분포 : 1, 2세대는 CSF에 잘 안 들어가지만, 3세대(cefotaxime, ceftizoxime, ceftriaxone)는 CSF에
  잘 들어가므로 meningitis의 치료에도 사용
- ceftriaxone : 반감기가 길어서 하루 1~2회 투여 (→ 외래환자에도 사용 가능)
  - 담즙내 농도가 매우 높아 GB sludging (때때로 acute cholecystitis 증상도) 유발 가능
- 다른 cephalosporins의 반감기는 1시간 정도

5. 부작용

- 흔한 부작용 ; rash (maculopapular or morbilliform), pruritus, drug fever, Coombs' test (+)
  - 피부 반응이 가장 흔하지만(1~3%), 심한 피부 부작용은 흔치 않으며 penicillin보다는 드묾
  - penicillin처럼 Coombs(+) hemolytic anemia를 일으킬 수도 있지만 드묾

- 드문 부작용 ; urticaria, eosinophilia, serum-sickness-like reactions, anaphylaxis
  - anaphylaxis : 0.1% 미만, penicillin allergy 환자에서 발생 위험 증가
    → penicillin skin test가 도움 (cepha. skin test나 specific IgE 검사는 없음)
  - penicillin skin test (+) 환자의 약 2%가 cepha. allergy 반응을 보임
- 매우 드문 부작용 ; acute interstitial nephritis, cytopenias

기타 β-LACTAM계 항생제

1. Carbapenem

- 종류 ; <u>imipenem</u>, meropenem, doripenem, panipenem, biapenem, ertapenem ...
- 기전 : β-lactam 계열과 비슷, 특히 PBP2와 PBP1과 결합능이 좋음
- 매우 넓은 항균범위를 갖고, β-lactamase에 대한 안정성이 높음
  - aerobic G(+)균 (*Enterococci, Listeria* 포함), G(-)균 (β-lactamase-producing *H. influenzae, N. gonorrhea*, 장내세균[e.g., *Enterobacter*], *P. aeruginosa*), 혐기성균(*B. fragilis*) 모두에 효과적
  - but, MRSA, MRCoNS, ampicillin 내성 *E. faecium, B. cepacia,* JK diphtheroid 등에는 안 들음
  - 최근에는 병원 내에서 내성을 보이는 *A. baumannii*와 *P. aeruginosa*가 증가
- 사용 ; 심한 원내감염 및 neutropenic fever의 경험적 치료, CAP/HAP, IAI, UTI, SSTI, 혼합감염
- 약리학 ; 위산에 약해 GI 흡수는 불량 / 신장으로 배설됨(→ 신부전시 용량↓)
- 부작용 ; <u>seizure</u> (드묾, 주로 imipenem), nausea (빨리 주입시), 신부전시 주의
  ↳ 위험인자(CNS 병변, 간질 병력, 노인, 신부전) → meropenem or ertapenem으로 투여
- imipenem/cilastatin : imipenem은 신장의 dehydropeptidase에 의해 분해되어 독성 대사산물을 생성하므로, 이 효소의 억제제인 cilastatin과 1:1로 혼합된 형태로 사용
- <u>meropenem</u> : imipenem과 달리 신장의 dehydropeptidase에 안정적이고, imipenem보다 장내세균에 더 효과가 좋고(2~8배), ESBL 생성균에도 효과적이나, G(+)균에는 효과가 좀 떨어짐
- <u>ertapenem</u> : 반감기가 길어 once daily dosing (IM, 외래 치료) 가능
  - ESBL 생성 장내세균(e.g., *E. coli, Klebseilla, Proteus*), *S. pneumoniae*, 대부분의 혐기성균 등에 효과적 → 지역사회 획득 혼합/복잡 감염의 경험적 치료에 유용
  - but, 다른 약제와 달리 *Pseudomonas*와 *Acinetobacter*에는 안 들음! → 원내감염에는 부적합

2. Monobactam

- 종류 ; <u>aztreonam</u> (Azactam®), carumonam (일본만)
- 기전 ; G(-)균의 PBP3와 결합하여 세포벽 합성을 억제
- 항균범위가 좁음 ··· AG와 유사함
  - 호기성 G(-)균에만 작용 (항균력은 ceftazidime과 비슷), <u>장내세균</u>에 살균력 높음
  - *Pseudomonas*는 내성 잘 발생, *Acinetobacter, S. maltophilia, Burkholderia cepacia*에는 안 들음
  - G(+)균과 혐기성균에는 효과 없음
- class B metallo-β-lactamases[MBL] (e.g., NDM)에 의해 분해되지 않음

- 적응 ; 다른 β-lactam계 항생제에 심한 과민반응이 있는 환자에서 가장 유용!
  - 호기성 G(-)균에 의한 HAIs (e.g., UTI, LRI, bacteremia, SSTI, IAI)가 확실한 경우
  - G(+) 등 다른 균의 감염 가능성이 있는 경우(e.g., 경험적, 중증감염) 단독 투여하면 안 됨
- 부작용 : 주사부위의 국소 증상 (m/c), rash, diarrhea, N/V, nephrotoxicity는 매우 드묾
  (→ 신기능 저하로 AG를 못쓰는 환자의 G(-)균 감염증에 사용 가능)

β-lactam/β-lactamase inhibitor combinations (BL/BLI)

- β-lactam계 항생제의 m/c 내성기전인 β-lactamase를 극복하기 위해 β-lactamase inhibitors
  와 복합제로 만든 것 (항균력은 β-lactam계 항생제에 의해 결정됨)　　　　→ Ⅲ-1장도 참조
- β-lactamase inhibitors는 항균력 없음
  (예외 ; sulbactam은 *Acinetobacter* spp.의 PBP3에 강하게 결합하여 항균력 有)

BLIs	화학적 분류	억제 β-lactamases	Partner β-lactams
Clavulanate	β-lactam (oxapenem)	Class A (일부 ESBLs 포함)	Amoxicillin
Sulbactam	β-lactam (sulfone)	Class A	Ampicillin, Cefoperazone
Tazobactam	β-lactam (sulfone)	Class A (일부 ESBLs 포함)	Piperacillin, Ceftolozane
Avibactam	Diazabicyclooctane (DBO)	Class A (ESBLs, KPC 포함) Class C Class D (OXA-48 포함)	Ceftazidime Aztreonam
Relebactam	DBO	Class A, C / KPC에 강력한 효과	Imipenem-cilastatin
Vaborbactam	Boronic acid	Class A (ESBLs, KPC 포함) Class C	Meropenem
Taniborbactam	Boronic acid	Class A, B, C, D	Cefepime
Durlobactam Zidebactam Nacubactam	β-lactam enhancer : DBO (BLI 억제) 　+ PBP에 작용	Class A, B, C, D	Sulbactam Cefepime Meropenem
Enmetazobactam	β-lactam (sulfone)	Class A (KPC 포함)	Cefepime

BLs	Ambler class	Enzymes	Substrates
Restricted-spectrum BLs	A	TEM-1, TEM-2, SHV-1	Penicillins, 1세대 cepha.
Extended-spectrum BLs (ESBL)	A	TEM-3, SHV-2, CTX-M	+ 3세대 이상 cepha., Aztreonam
AmpC β-lactamases (cephalosporinases)	C	AmpCs	+ Cephamycin (cefoxitin, cefotetan), Aztreonam
Carbapenemases	A	KPC GES, SME, IMI	All β-lactams, Aztreonam All β-lactams
metallo-β-lactamases (MBL)	B	NDM, IMP, VIM	All β-lactams + avibactam 등
	D	OXA-48, OXA-23 등	All β-lactams

- older BLIs (clavulanate, sulbactam, tazobactam)
  - Ambler class A BLs만 억제 가능 (e.g., TEM-1, SHV-1, CTX-M)
  - chromosome이 β-lactamase를 만들거나 β-lactamase 이외의 기전으로 내성이 생기는 *Pseudomonas, Enterobacter, Citrobacter, Acinetobacter, Serratia* 등에는 듣지 않음
- amoxicillin-clavulanate (Augmentin®) ; 소아의 중이염에 유용
  - 감수성이 있으면 폐렴, COPD의 급성악화, UTI, SSTI 등에도 효과적
  - 혐기성균과 β-lactamase 생성균의 혼합감염에 특히 유용(e.g., bite wound, DM foot)
- ampicillin-sulbactam (Unasyn®) ; 임상 적응은 amoxicillin-clavulanate와 유사함
  - 혼합감염(e.g., 복강내 감염, 골반내 감염, 골수염, 연조직감염)에 유용
  - sulbactam은 *Acinetobacter* spp.에도 항균력이 있어 MDR-*A. baumannii* 감염에 추가 가능
- <u>piperacillin-tazobactam</u> (Tazocin®) ; 넓은 항균범위를 보임 (광범위 cepha.와 유사)
  - 혼합감염(e.g., 복강내 감염, 골반내 감염, SSTI, DM foot)에 매우 유용
  - AG or fluoroquinolone과 병합으로 원래 폐렴 치료에 사용 가능
  - neutropenic fever의 경험적 항생제로 사용 가능
- ticarcillin-clavulanate (Timentin®) ; 적응은 piperacillin-tazobactam와 유사
- cefoperazone-sulbactam (Sulperazone®) ; 복강내 감염, 골반내 감염, 폐렴, SSTI, UTI 등에 사용
- <u>ceftolozane</u>-tazobactam (Zerbaxa®) : 2014년 FDA 허가
  - ↳ 5세대 cepha (ceftazidime의 개량형), *Pseudomonas* AmpC에 대한 저항성 향상
  - *P. aeruginosa* (MDR 포함), ESBL-생산 *Enterobacteriaceae* (carbapenem-sparing)에 효과적
  - cUTI (PN 포함), cIAI (metronidazole과 병합), HAP/VAP 등에 사용
- ceftazidime-avibactam (Avycaz®) : 2015년 FDA 허가
  - avibactam ; 최초의 DBO BLI로 class A (ESBL 포함), C, 일부 D까지 억제
    - → ESBL, AmpC 및 carbapenem-resistant (KPC, OXA-48) *Enterobacteriaceae*에 매우 효과적
  - *P. aeruginosa*에 대한 효과와 임상 적응은 ceftolozane-tazobactam과 비슷함
- <u>aztreonam-avibactam</u> : CRE (carbapenem-resistant[CR] *Enterobacteriaceae*)에 매우 효과적
  - ↳ class B metallo-β-lactamases (e.g., NDM)에 의해 분해되지 않음
  - ceftazidime-avibactam + aztreonam 병합요법으로도 씀
  - MBL (class B BL)-producing *Enterobacteriaceae*에는 aztreonam-avibactam이 좀 더 좋고, carbapenem (MBL 제외)-resistant *P. aeruginosa*[CR-PA]에는 ceftazidime-avibactam이 좀 더 좋음
- meropenem-vaborbactam (Vabomere®) : 2017년 FDA 허가
  - vaborbactam ; 최초의 boronic acid BLI로 class A (KPC 포함)와 C 억제 (B는 약간만 억제)
  - ESBLs 및 KPC-생산 *Enterobacteriaceae*가 주 목표, cUTI (PN 포함)에 사용
- imipenem-cilastatin-relebactam (Recarbrio®) : 2019년 FDA 허가
  - relebactam ; KPC-2 및 AmpC β-lactamases를 강력히 억제
  - ESBLs 및 KPC-생산 *Enterobacteriaceae* 및 *P. aeruginosa*가 주 목표, cUTI와 cIAI에 사용

AMINOGLYCOSIDES (AG)

1. 개요

Aminoglycosides의 종류 (화학구조 별)	
Streptomycin계[(1944년~)]	**Streptomycin** (최초의 AG)
Neomycin계[(1949년~)]	Framycetin (Neomycin B), **Neomycin** (Neomycin B + C), Paromomycin
Kanamycin계[(1957년~)]	**Kanamycin, Tobramycin,** Dibekacin, **Amikacin,** Arbekacin
Gentamicin계[(1963년~)]	**Gentamicin,** Sisomicin, Netilmicin, Micronomicin, Isepamicin, **Plazomicin**
기타	**Spectinomycin,** Astromicin

* ~mycin은 *Streptomyces*에서 추출된 것, ~micin은 *Micromonospora*에서 추출된 것, ~kacin은 kanamycin 유도체

- 모든 AG는 물리, 화학, 약리학적 특성이 비슷하고, 부작용도 비슷함
- 작용기전 ; 세균의 30S ribosome과 결합하여 단백질 합성을 억제 → 주로 호기성 G(-)균에만 작용
- 3세대 cepha, quinolone 등 다른 G(-)균 치료제가 늘어나면서 새로운 AG의 개발은 거의 중단
- 신독성 및 이독성이 문제 (→ 용법 변경, 단기간 사용, 위험인자 회피 등을 통해 위험성 줄임)
- 내성기전
  ① AG-modifying enzymes[AMEs] (m/c, m/i) ; 100가지 이상이 존재
    - gentamicin, tobramycin : 6~7개의 효소에 의해 불활성화됨 … 내성 균주 多
    - amikacin : 2개의 효소에 의해 불활성화됨 … 안전성 가장 우수
  ② ineffective transport (세포내로 침투 방해) ; porin 변형/결손, 산소의존성 pump 결손 등
      예) enterococci의 AG에 대한 내인성 내성
  ③ ribosomal receptor proteins의 돌연변이/변형
- 내성 문제에 큰 진전이 없음 (c.f., 사용 중 내성 발생은 매우 드묾)

2. 항균범위/사용

- 호기성 G(-) rods 감염에 우수한 효과 (e.g., *Enterobacteriaceae, P. aeruginosa, Acinetobacter*)
- G(+)균 및 혐기성균에는 항균력 없음
- 세포벽 작용 항생제(e.g., β-lactams, vancomycin)와 병용시 일부 G(+)균에 대해 상승작용 있음
  (e.g., *Staphylococci*, enterococci)
- streptomycin과 kanamycin ; 초창기 AG로, 현재는 G(-) rods에 대한 항균력은 크게 감소해
    주로 항결핵제로만 사용됨
- neomycin ; 초창기 AG로, 전신 투여시 독성이 심해 대장수술 전 장내세균 제거 목적의 경구 투여
    or 연고제로 쓰임 (e.g., Madecassol Care 연고 : *Centella asiatica*[병풀] + neomycin)
- spectinomycin ; 내성 유도가 빨라 임상에서는 β-lactam allergy시 임질의 치료에만 사용됨
- gentamicin (GM), tobramycin (TM), amikacin 등이 흔히 사용됨
- amikacin ; GM 및 TM에 내성인 G(-)균에도 효과적
- arbekacin ; 다른 AG와 달리 MRSA/VISA에 효과적이고 *P. aeruginosa*에는 약함 (일본에서 애용)

- astromicin ; 구조가 약간 달라 다른 AG보다 내성 적고, 부작용도 적음
- plazomicin ; only new AG, 대부분의 AG-modifying enzymes에 저항성을 보임 (FDA 허가[2018])
  - CRE, CRAB (*A. baumannii*), MRPA (*P. aeruginosa*), MRSA/VRSA (병합시) 등에 효과적
    (↳ AG라 carbapenemase의 target이 아님 + AG-modifying enzymes에 대한 저항성 → 우수한 효과)
  - but, RMTase를 가진 (class B MBL [e.g., NDM-1]도 동시 보유함) CRE에는 효과 없음

3. 약리학

- highly polar, 수용성 → GI에서 거의 흡수되지 않음 → 주사제로만 사용
  - IM시는 혈중 농도의 개인차가 매우 심함, IV로 30분~1시간 동안 점적 주입하는 것이 가장 좋음
  - CNS, abscess, 눈, 전립선 등에는 약제가 잘 들어가지 못함
- 주로 신장을 통하여 배설됨 ; 신부전시 신독성 및 이독성 위험↑ → 용량↓ & 투여간격↑
- 1일 1회 투여(once-daily dosing, ODD) ; 농도의존성 살균, post-antibiotic effect (PAE) 큼, adaptive post-exposure resistance↓, ototoxicity & nephrotoxicity↓

4. 부작용

(1) 신독성(nephrotoxicity) : 5~10%

- AG는 (+)전하이므로 (−)전하를 띤 phospholipids가 많은 신장과 청각기관에 강하게 결합함
- 사구체 여과로 배설되므로 신독성이 가장 문제 … 최저 혈중농도 및 투여기간과 관련
- 대부분은 non-oliguric renal failure 형태 (약제를 중단하면 잘 회복됨: 가역적)
  - → 계속 사용하면 oliguric renal failure로 진행 (회복 어려움)
- proximal tubule damage ; proteinuria, glucosuria, lipidemia, amino aciduria

AG nephrotoxicity 발생의 위험인자
Hypovolemia (탈수, shock), Hypotension
고령, 기존의 신장 질환, 간 부전(hepatic dysfunction)
AG 관련 ; 최근의 AG 사용, 고용량, 3일 이상 사용, 자주 투여, Neomycin, Gentamicin
병용 약물 ; Loop diuretics (e.g., furosemide), Penicillins, Cephalosporins, Clindamycin, Vancomycin, Amphotericin B, Methoxyflurane, Cisplatin, Foscarnet, IV 방사선 조영제 등

- 약제별 발생 위험에는 큰 차이가 없음 (neomycin이 가장 크고, streptomycin이 가장 적기는 함)
- 1일 1회 투여시 발생 위험 감소

(2) 이독성(ototoxicity) : <1% (드묾)

- 최고 혈중농도와 관계, 대부분 예측 불가능 (갑자기 발생하거나 치료 종료 후에도 발생 가능)
- vestibule, cochlea 감각세포의 진행성 변화, 감각세포 파괴시 영구 장애도 가능하므로 위험함
- 임상양상 (전정기능 or 청력 장애) ; 현기증, 어지러움, 이명(tinnitus), 난청(고음부터), 충만감 …
- 위험인자 ; 장기간 투여, 혈중농도↑, hypovolemia, 다른 이독성 약제와 병용, 일부 유전적 소인
- 약제별 발생 위험 (임상적으로 큰 차이는 없음)
  - 전정장애(vestibular toxicity) ; streptomycin > gentamicin, tobramycin, amikacin
  - 청력장애(cochlear toxicity) ; neomycin > kanamycin > tobramycin
- 약제 중단시 약 1/2에서 빠르게 회복됨, steroid가 도움이 될 수 있음

(3) 기타

- neuromuscular blockade (매우 드묾) → Tx : calcium
  - 드물게 심한 respiratory depression 유발 가능
  - 대부분 위험인자 존재시 발생 ; neuromuscular blockers 병용, hypocalcemia, 장기간 투여, 복막 투여, 기존의 호흡기 질환 등 (c.f., myasthenia gravis 환자에서는 AG 금기)
- hepatotoxicity, drug fever, skin rash …

MLS Group

1. Macrolides

- 가장 안전한 약물중 하나, 싸고 좋다, <u>erythromycin</u> (EM)이 대표적
- 기전 ; 세균의 50S ribosome과 결합하여 단백질 합성 방해

(1) 항균범위

- 작용 범위가 매우 넓음 : G(+)균 (streptococcus, pneumococcus), G(−)균 (e.g., *M. catarrhalis, N. gonorrheae, Legionella*), *Mycoplasma, Chlamydia, Richettsiae,* trichomonas, spirochete…
- *Staphylococcus*에도 듣지만 내성균이 나타나므로 사용하지는 못함
- *Diphtheria*에 효과가 좋고, 탄저병의 치료에도 쓸 수 있음
- *Enterobacteriaceae*는 모든 macrolides에 자연 내성을 보임

(2) 약리학

- 반감기 짧음 (1~2시간) → 자주 투여해야 됨
- 간을 통해 배설 (→ 간기능이 나쁜 환자에서는 주의), 신부전시 용량 조절 필요 없음
  (투석 후 EM, azithromycin, roxithromycin은 보충이 필요 없으나, clarithromycin은 보충 필요)
- 위산에 의한 분해에 불안정, bioavailability가 상대적으로 낮음
- 약물 상호작용 ; theophyllin, warfarin, digoxin, cyclosporin의 혈중 농도 ↑

(3) 적응증

- *M. pneumoniae, Legionella, Chlamydia, B. pertussis, Diphtheria, Campylobacter* 등에서 DOC
- penicillin allergy 환자에서 다음의 감염증이 있을 때 ; group A streptococcus에 의한 상기도 감염, pneumococcal 폐렴, 치과치료에 따른 endocarditis의 예방, rheumatic fever의 예방 (but, 우리나라는 EM 내성 group A streptococcus 및 pneumococcus 많음)
- 폐렴이나 기관지염에서 경험적 치료
- 대장수술시 감염 예방을 위해 AG와 함께 경구로 투여 (장관제균)

(4) 부작용 (모든 macrolides가 비슷)

- 일반적으로 부작용이 적은 항생제중 하나임
- 위장관장애(m/c, ~50%) : 작열감, N/V/D 등 (∵ motilin receptor에 결합 → GI motility↑)
- 간독성 (cholestatic jaundice) ; 드묾, 대부분 EM estolate형에서 (주로 성인) 발생

- 일시적인 청력장애 ; 드묾, 혈중 농도가 높을 때
- QT interval↑ & PMVT (torsades de pointes, TdP) ; class Ⅰa & Ⅲ 항부정맥제와 병용, 전해질 이상, QT interval↑, CYP3A4 inhibitors 약물과 병용시 발생 위험 증가

(5) 2세대(Newer Macrolides) ; Clarithromycin, Azithromycin, Roxithromycin ...
- 조직 침투력↑, intracellular organisms 살균력↑, 반감기↑ (→ 투여 횟수 감소), 부작용 적음
- 임상 적응
    - azithromycin은 *Chalmydia, Mycoplasma, Legionella*는 물론 *H. influenzae*와 *S. pneumoniae*에 의한 호흡기 감염(e.g., CAP), SSTI, UTI, 자궁 경부염 등에서 DOC
    - clarithromycin은 호흡기 감염, *H. pylori* 감염의 치료에 효과적이며, 비임균성 요도염과 자궁 경부염의 치료에도 매우 효과적임
    - azithromycin과 clarithromycin은 NTM 감염증에도 훌륭한 효과를 나타내고 있지만 *M. tuberculosis*에 대한 효과는 아직 불분명함
- EM에 내성인 균은 azithromycin과 clarithromycin에도 내성임

(6) 3세대(Ketolides) ; Telithromycin (Ketet®)
- EM 등 다른 macrolides와 작용기전 및 항균범위가 비슷하지만, 내성에 강함 (FDA 승인[2004])
    - efflux pump (M phenotype), ribosomal methylation (MLS$_B$ phenotype)에도 항균력 가짐
    - 다른 macrolides보다 G(+)균에 대한 항균력이 더 강함 (EM-내성 pneumococcus에도 효과)
- 적응 ; 만성기관지염, 부비동염, 폐렴[CAP] (macrolide-resistant *S. pneumoniae*에도 효과적임)
- 부작용은 다른 macrolides와 비슷하지만, hepatotoxicity에 의한 사망 위험으로 미국에서는 퇴출되었음 (myasthenia gravis 환자에서는 호흡곤란 및 근력약화 위험으로 금기)

* cethromycin ; 연구 중, FDA 희귀의약품으로만 지정된 상태[2008년], CAP와 anthrax에 사용, telithromycin와 비슷하지만 혐기성균(e.g., *Prevotella, Peptostreptococcus*)에도 일부 효과적

(7) 4세대(Fluoroketolides) ; Solithromycin (연구 중)
- macrolide-resistant *S. pneumoniae*, MSSA 등을 포함해 기존 macrolides보다 항균력 더 강함
- CAP 및 STD (e.g., urethritis) 치료에 연구 중

2. Lincosamides

(1) Lincomycin
- *Streptomyces lincolnensis*에서 추출, 작용기전 및 항균력은 erythromycin과 매우 비슷함
- pseudomembranous colitis는 clindamycin에 비해서는 덜 발생함

(2) Clindamycin
- lincomycin의 구조를 변형시킨 것으로 (-OH를 -Cl로 변경, Cl + lincomycin = clinamycin) GI 흡수가 더 잘 되고(>90%), 항균력 더 강하고, 부작용 적음
- 작용기전 : 50S ribosome에 결합하여 단백질 합성을 억제
- 대개 경구로 복용, 주로 담즙으로 배설됨, 조직/체액으로는 잘 침투하나 CSF에는 잘 안 들어감
- 특히 혐기성균과 심한 group A streptococci 감염에 효과적, G(+)균의 toxins 생산 억제 능력 有 (but, *B. fragilis, Staphylococcus*, 일부 streptococci 등에 대해서는 내성 증가)

- 적응 : penicillin allergy 환자의 골관절 G(+)균 감염, *B. fragilis*에 의한 복강내 및 폐 감염, 호기성과 혐기성균의 혼합감염(e.g., IAI, PID, DM 환자의 족부 감염, 일부 호흡기 감염), SSTI (e.g., 농양, 여드름, 농포), toxoplasma, PCP, malaria 등
- 부작용 : 설사(m/c, 2~20%), pseudomembranous colitis (m/i, 0.1~10% → Ⅱ-4장 참조), 과민반응(e.g., rash, fever), neutropenia, AST-ALT↑, IM/IV시 국소적 염증/정맥염 ...
  - neuromuscular-blocking 성질이 있으므로 neuromuscular-blocker와 병용시 주의
  - target ribosome 부위가 같은 macrolides 및 chloramphenicol과 병용은 금기
- pregnancy category B (안전)

3. Streptogramins

- quinupristin-dalfopristin (Q/D, Synercid®) - 최초로 FDA 승인 받은 제제 (1999년)
  └ quinupristin (streptogramin B)와 dalfopristin (streptogramin A)의 3:7 혼합물
- 기전 ; 70S unit의 50S ribosome과 결합하여 단백질 합성의 후기 단계를 억제
  (dalfopristin은 ribosome의 구조적 변화를 일으켜 quinupristin이 잘 결합하도록 함)
- G(+)균에만 항균력 가짐 ; *S. aureus* (methicillin 내성과 관계없이), pneumococci (penicillin 내성과 관계없이), *E. faecium* (vancomycin 내성과 관계없이) / *E. faecalis*는 내제내성으로 효과 없음!
  - vancomycin에 비해 우수한 조직 침투력, 살균 역학으로 심부 *Staphylococci* 감염에 효과적
  - 다른 계열의 항생제와 교차내성을 보이지 않음
- 약동학 ; bioavailability가 낮아 IV로만 사용, BBB나 태반 통과×, 시간의존성
- 적응 ··· 중심정맥관으로 투여해야하고, 부작용 많고, 내성 문제로 잘 사용되지는 않음
  ① VRE (vancomycin-resistant *E. faecium*) ; 실제 효과는 별로라 FDA 적응은 취소되었지만, 심한 감염시 2nd line으로 다른 약제들과(e.g., DC + rifampin) 병합해 사용 가능
  ② MSSA or *S. pyogenes*에 의한 cSSTI
  ③ glycopeptide를 사용할 수 없는 MRSA, *E. faecium* 감염증
- MRSA의 80% 및 MSSA의 20~40%는 dalfopristin에 내성을 보여 정균 효과만 있으므로 심한 *Staphylococcus* 원내감염에는 권장 안됨 (다른 약제를 사용할 수 없을 때나 고려)
- 부작용 ; 주사부위 통증/염증/부종, 관절통/근육통 (투여 중단의 m/c 원인), bilirubin↑ 등
- pregnancy category B (but, 임산부 대상 자료는 부족하므로 다른 약제가 불가능할 때만 고려)

GLYCOPEPTIDES

1. Vancomycin

- MRSA 및 CoNS 감염이 늘어난 뒤로 자주 쓰이는 항생제 (발견은 1952년이지만 나중에 주목받음)
- 기전 ; 세포벽의 합성 단계 중 peptidoglycan 전구체의 peptidyl-D-alanyl-D-alanine 말단에 작용하여 transpeptidation을 방해 (penicillin이 작용하기 바로 전 단계를 억제)
- 항균력 ; *S. aureus, S. epidermidis, Diphtheroid, Streptococcus, Pneumococci, C. difficile*에 살균력 높음 (*Enterococci*에는 정균 항생제로 작용) / G(-)균에는 대부분 효과 없음

- GI 흡수는 매우 불량함 → IV로 천천히 주입 (IM시엔 pain 심함)
- 반감기 길고(5~11시간), 대부분 사구체 여과로 신장으로 배설됨 → 신부전시 용량↓ or 투여간격↑
  - 최근의 고효율(high-flux) 혈액투석으로는 제거되므로 용량 보충이 필요함
  - 복막투석으로는 제거되지 않음   … teicoplanin도 동일함
- 임상 적응
  ① MRSA 감염의 1st choice (but, 폐렴이나 SSTI는 조직 투과율이 우수한 linezolid가 더 좋음)
  ② MRCoNS (*S. epidermidis*)의 prosthetics 감염 ; catheter, joint, valve, CAPD peritonitis 등
  ③ penicillin/cepha allergy 환자 ; 심한 G(+)균 감염(e.g., endocarditis, meningitis, bacteremia),
     심내막염 예방적 항생제, prosthetics를 사용하는 심장/정형외과 수술시 예방적 항생제 등
  ④ neutropenic fever에서 severe G(+)균 감염이 의심되는 경우
  ⑤ *C. difficile*에 의한 pseudomembranous colitis (경구 투여)
- 부작용
  ① 주입 속도가 빠를 때 (→ 천천히 주입하면 예방 가능!)
    - <u>red man syndrome</u>[RMS] (m/c) ; 얼굴/몸통상부의 flushing, erythema, pruritus, 저혈압 …
       ↳ pseudoallergic (anaphylactoid) reaction (∵ mast cells을 직접 자극하여 histamine 분비)
       → 투여 중단 / 다음에는 antihistamine 투여 & 천천히 주입 / 자주 재발시 desensitization
       (c.f., 매우 드물게 anaphylaxis도 발생 가능 → epinephrine으로 치료 / 재투여 금기)
    - 기타 ; 저혈압, 국소부작용(pain & spasm syndrome) …
  ② 고농도로 오래 쓸 때 ; ototoxicity (매우 드묾, 대부분 AG 때문),
     nephrotoxicity (주로 AG와 병용 or 기저 신질환시 발생)
  ③ 기타 ; chemical thrombophlebitis, neutropenia, drug fever, rash, allergic reaction …
    - neutropenia ; 투여 2~3주 후 2%에서 발생 가능, 혈중 농도와는 관련 없음
    - hypersensitivity ; skin rash (m/c), DRESS, neutropenia, ITP …
       → vancomycin 재투여 금기 → 다른 약제 사용(e.g., teicoplanin, lipoglycopeptides)
- 내성 ; VRSA, VISA, hVISA → Ⅱ-1장 참조 / VRE → Ⅱ-2장 참조
- 다른 항생제와 병합요법
  - vancomycin + GM ; enterococci, streptococci, *S. aureus* 등에서 상승효과
  - vancomycin + rifampin ; CoNS에서 종종 상승효과 (나머지는 길항작용도 종종 나타남)

2. Teicoplanin

- vancomycin과 화학구조, 작용기전, 항균범위(임상적응), 약물동력학 등이 비슷함
  - neutropenia나 vancomycin에 allergy가 있는 환자에 유용
    (vancomycin과 cross-reaction으로 인한 allergy 보고도 있지만, 미미함)
  - 신부전 or 혈액투석시 대처도 vancomycin과 동일함
- vancomycin과의 차이
  ① 지용성이 높아 조직 침투력이 뛰어나며, 단백결합률도 높아(약 90%) 반감기가 깊
    → 투여 횟수↓(1~2회/day 가능) 및 IM 투여도 가능
  ② red man syndrome이 없고, 다른 부작용도 vancomycin보다 적음 ⋯ 안전한 약 중 하나
  ③ BBB를 통과 못함 (vancomycin은 뇌막의 염증이 있을 때는 BBB 통과)

3. Lipoglycopeptides (telavancin, dalbavancin, oritavancin)

- glycopeptides에 lipophilic side-chains을 붙여서 조직 침투성을 개선한 것
- telavancin : 1st lipoglycopeptide 제제, vancomycin 유도체, 반감기 6~9시간 (2009년 FDA 허가)
  - 강력한 농도 의존적 살균력을 보임 → *S. aureus*, CoNS, *S. pneumoniae*, GBS 등
    (MSSA, MRSA, VISA 등에는 강력하지만, VRSA에 대한 살균력은 떨어짐 / VRE에는 효과 無)
  - 임상 적응 ; G(+)균(e.g., MRSA)에 의한 HAP, VAP, SSTI (ABSSSI) 등
- dalbavancin : teicoplanin 유도체, 반감기가 8.5일로 1주일에 1회 투여 가능 (2014년 FDA 허가)
  - 거의 모든 G(+)균에 효과적 /but, VRE 중 VanA에는 효과 無, VanB에는 사용 중 내성 발생↑
  - 임상 적응 ; MRSA를 포함하여 감수성이 있는 다양한 G(+)균에 의한 SSTI (ABSSSI)
- oritavancin : vancomycin 유도체, 반감기가 ~10일로 1주일에 1회 투여 가능
  - *Staphylococci*, streptococci, enterococci (VRE 포함) 등에 효과적 (2014년 FDA 허가)
  - 임상 적응 ; MRSA를 포함하여 감수성이 있는 다양한 G(+)균에 의한 SSTI (ABSSSI)
- 모두 vancomycin보다 부작용 적음 (cross-reaction 가능하지만, 매우 드묾)

QUINOLONES

1. 개요

- 기전 ; type Ⅱ topoisomerase 일종인 DNA gyrase 및 topoisomerase Ⅳ 억제 → DNA 합성 억제
  ① DNA gyrase : DNA double helix를 잠시 끊어서 풀어주고, 복제 뒤 다시 이어줌 (사람은 無)
      → quinolone은 DNA와 DNA gyrase의 complex에 결합하여 기능을 못하도록 함
  ② topoisomerase Ⅳ : DNA 합성 과정에서 얽히고 꼬인 것을 풀어줘 daughter DNA 분리에 관여
- 내성기전
  ① target의 변화(m/c) ; G(-)균은 DNA gyrase A subunit, G(+)균은 topoisomerase ParC subunit
  ② permeability 감소 ; porin 변이, OmpF (outer membrane porin protein) 발현↓, efflux pump
  ③ fluoroquinolone-modifying enzymes

Quinolone계 항생제의 종류

	종류	항균 범위
1세대	Nalidixic acid, Cinoxacin	G(-)균에만 제한적 항균력이 있었음 (But, 장내세균 등의 내성 증가로 사용×)
Fluoro-quinolone 2세대	Ciprofloxacin, Norfloxacin, Ofloxacin, Enoxacin, Fleroxacin, Lomefloxacin, Pefloxacin	G(-)균에 대한 항균력 증가 (*P. aeruginosa* 포함) 비정형균(e.g., *Chlamydia, Mycoplasma, Legionella*) 및 일부 G(+)균에 대한 항균력 증가 (But, *P. aeruginosa*, 장내세균, *Staphylococci* 등의 내성 증가)
New 3세대	Levofloxacin, Balofloxacin, Sparfloxacin, Tosufloxacin	+ G(+)균(e.g., *Staphylococci, S. pneumoniae*)에 대한 항균력 증가 + 결핵균 및 NTM에 대한 항균력 증가
4세대	Moxifloxacin, Gatifloxacin, Gemifloxacin, Clinafloxacin, Trovafloxacin, Delafloxacin	+ 혐기성균에 대한 항균력 증가 + G(+)균(e.g., *Staphylococci*, DRSP)에 대한 항균력 증가 (But, 일부는 G(-)균에 대해서는 2세대보다 못함)

2. 항균력

- G(-)균에 포함되는 거의 모든 장내세균, *P. aeruginosa*, *Haemophilus* species, G(-) cocci (e.g., *Neisseria* species) 등에 효과적 (ciprofloxacin이 가장 강력함, 특히 *P. aeruginosa*)
- intracellular organisms (e.g., *Legionella*, *Mycoplasma*, *Chlamydia*, rickettsia)에도 항균력 있음
- 3~4세대(특히 4세대)는 G(+)균(e.g., *Streptococci*, enterococci)과 혐기성균에도 항균력 있음
- levofloxacin, moxifloxacin, gatifloxacin 등은 결핵균 및 비정형성 결핵균에도 항균력 우수함

3. 약리학적 특성

- 대부분 GI 흡수가 좋다 (75%~95%), 반감기 길어 하루 1~2회 투여 가능
- Ca, Mg, Al, iron, Zn 등과 같이 복용 시에는 흡수 감소! (e.g., 우유, 제산제, 영양제)
- 전신에 쉽게 퍼지고, 조직으로의 침투가 우수함 (BBB 투과는 좋지 않다)
- 대부분 신장으로 배설되나, moxifloxacin과 trovafloxacin은 간으로 배설되어 신부전시 용량 조절×

4. 적응증

- UTI, GI infection, CAP (community-acquired pneumonia), typhoid fever 등에서 DOC
- 성병 (임질, chancroid), osteomyelitis, arthritis, 결핵/NTM ...

5. 독성 및 부작용

- 일반적으로 quinolone계 항생제는 부작용이 적음
- 4~8%에서 경미한 부작용 ; GI distress, CNS (dizziness, insomnia, nervousness), rash, glucose↓, QT interval↑(TdP, moxifloxacin이 가장 위험), phototoxicity ...
- 간독성(드묾) ; trovafloxacin은 간독성이 가장 심해 퇴출되었고, gatifloxacin도 간독성이 심하고 DM 환자에서 severe hypoglycemia 유발 위험으로 시장에서 거의 사라졌음
- 임산부, 수유, 18세 미만 소아에서는 일반적으로 금기임 ⇨ 다른 대체약제가 없으면 사용 가능
  - 동물실험에서 임신시 태아의 cartilage & bone toxicity 유발 (but, 사람에서 증명되지는 않았음)
  - 메타분석에서 선천성기형, 자연유산, 조산의 차이는 없었으나 치료적 유산 빈도가 아주 조금 높아 완전히 기형 발생의 가능성을 배제하지는 못했음
  - 소아에서는 musculoskeletal toxicity (주로 관절통) 위험으로 금기지만, 대개 경미하고 일시적임

6. New fluoroquinolones

- 종류 ; 3세대 (e.g., levofloxacin), 4세대 (moxifloxacin, gemifloxacin, clinafloxacin)
- G(+)균과 결핵균(NTM 포함)에 대한 항균력 증가 (but, G(-)균에 대해서는 ciprofloxacin만 못함)
- 4세대는 G(+)균 (e.g., penicillin 내성 *S. pneumoniae*)에 대한 항균력이 더 강해졌고, 혐기성 균에도 강한 항균력을 보임 /but, G(-)균에 대한 항균력은 약해짐 (moxifloxacin은 *P. aeruginosa*에 내성)
- bioavailability 좋아짐, 반감기 길어짐 (→ 하루 한 번 투여로 충분)
- 폐 등 호흡기로의 침투율 우수 → 호흡기 감염의 치료에 효과적! (e.g., CAP, COPD 급성악화)
- c.f.) gemifloxacin (Factive®) : 최초로 FDA 허가[2003년]를 받은 국내개발 항생제 (LG생명과학 개발)

* delafloxacin (Baxdela®)
  - 새로운 fluoroquinolone으로, G(+)균(MRSA, *S. pneumoniae* 등 포함)에 강력한 효과
  - FDA 허가 ; ABSSSI[2017년] (MRSA 포함), CAP[2019년] (MSSA, *S. pneumoniae*, *K. pneumoniae*,
    E. coli, *P. aeruginosa*, *H. influenzae*, *C. pneumoniae*, *Legionella*, *Mycoplasma* 등)
  - 아직 경험은 적지만 QT interval↑(TdP) 등의 부작용이 기존 약제에 비해 매우 적음

TETRACYCLINES

1. 개요/적응

- 약제 ; tetracycline (TC), doxycycline (DC), minocycline, demeclocycline, tigecycline 등
- 작용기전 ; 30S ribosome에 결합하여 단백질 합성을 억제
- 흡수는 주로 상부 소장에서, 반감기 8~18시간, 주로 신장으로 배설됨
    (DC와 tigecycline은 주로 담즙으로 배설되고 반감기 긺 → 신부전시 용량 조절 필요 없음)
  - 간기능 저하 환자에서 혈중농도가 높아지진 않으나, 간독성 발생에 주의
  - TC와 minocycline은 심한 간질환, 심한 신부전 환자에서는 금기 (DC는 아님)
  - 우유(Ca), 제산제(Mg, Al), 철분제 등과 같이 복용시 흡수 감소! (예외 ; DC, minocycline)

선택적 적응증	이차적 적응증
Lyme 병, 재귀열, 브루셀라증, 연성하감, *Chlamydia* 감염증, *H. pylori* (metronidazole, bismuth 등과 병용), 골반내 감염증, 치주염, *Pseudomonas mallei*, *Rickettsia* 감염증, Q fever (*Coxiella burnetii*), 콜레라, *Vibrio parahemolyticus*, *V. vulnificus*, Mefloquine 내성 열대열 말라리아	여드름, 방선균증(Actinomycosis), 탄저병(*B. anthrax*), *Campylobacter fetus*, *C. jejuni*, 파상풍(*Clostridium tetani*), *Eikenella corrodens*, 야토병(tularemia), 렙토스피라증, 서교열(rat-bite fever), 매독, 페스트, *Nocardia* (minocycline), *Pasteurella multocida*, *Ureaplasma urealyticum* 기생충 ; *E. histolytica*, *G. lamblia*

- 내성률이 증가하였지만 *Rickettsia*, *Mycoplasma*, *Chlamydia* 감염에는 효과적

2. 부작용

- 위장관 증상 (m/c) ; N/V, 상복부 동통, 설사, 식도 궤양
- calcium과 쉽게 결합하여 신생 골과 소아의 치아에 침착되어 성장억제, 변형, 변색 등 유발
  → 일반적으로 임산부와 치아의 법랑질이 형성되는 시기인 8세 이하 소아는 금기
    (DC : calcium과 약하게 결합, 치아 변색을 거의 안 일으켜 소아에서도 3주 이내로 사용 가능!)
- 간독성 ; 드묾 (고용량 IV시 임산부에서 호발) … TC와 minocycline에서 더 흔함 (DC는 드묾)
- 신독성 ; amino acid 대사에 따른 azotemia↑ → 신부전 환자의 신기능을 악화시킴
    (c.f., demeclocycline → nephrogenic DI를 일으키므로 SIADH의 치료에 사용)
- 기타 ; photosensitive skin reactions (demeclocycline에서 흔함), rash …
- minocycline ; 다른 TCs보다 GI Cx은 적지만, 신경학적 부작용이 흔함[35~70%] ⋯➤ 우선 순위 밀림
    ↳ 전정기관장애(vestibular disturbances) ; dizziness, vertigo, N/V, tinnitus, 집중력↓, 운동실조
      (특히 여성에서, 투여 2~3일 째 호발, 중단하면 1~2일 뒤 호전)

3. Doxycycline

- TC 및 minocycline보다 장점이 많아 가장 많이 사용되는 TC 제제
- TC보다 지용성 → 경구 투여로 흡수가 잘 되고, 음식물의 영향을 덜 받음
- 반감기 길고(16~18시간), 항균력도 우수함 → TC의 적응증에 모두 사용 가능
- 말라리아($Plasmodium\ falciparum$ 포함)에도 항균력이 있어 예방적 항생제로 사용됨
  (약제내성 or severe 말라리아에서 quinine + DC/TC 병합요법으로 치료에도 사용)

4. Tigecycline (Tygacil®)

- 새로운 반합성 glycylcycline 제제로 변형된 minocycline 임 (2005년 FDA 승인)
  - 기전은 TCs와 비슷하지만, TCs의 주요 내성기전들(e.g., efflux pumps, ribosomal protection proteins)을 대부분 피할 수 있음 / 일부 G(-) bacilli의 드문 efflux pumps에 내성 발생 가능
  - MRSA, PRSP, VRE, ESBL-producing 및 carbapenem-resistant $Enterobacteriaceae$ (CRE), 다제내성 $A.\ baumannii$, $S.\ maltophilia$ 등 여러 G(+) 및 G(-)균에 매우 효과적
  - $P.\ aeruginosa$, $Proteus$, $Morganella$, $Providencia$ 등은 자연내성임! (∵ multidrug efflux pump)
- 조직 침투력이 좋고 담즙에서 고농도라 SSTI와 복강내 감염에는 효과적이지만, 혈액 및 소변 내 농도는 낮아 bacteremia/sepsis, UTI 등에서는 효과가 떨어지므로 주의
- 적응 ; 복합 피부연조직감염(cSSTI), 복합 복강내감염(cIAI), 다제내성균에 의한 폐렴 및 골수염 등
- 대부분 담도로 배설되므로, 신질환 환자에서 용량 조절 필요 없음
- 부작용 ; 오심, 구토, 과민반응, 치아의 착색(→ 8세 미만 소아에서는 금기)

5. New TCs

(1) Eravacycline (Xerava®)

- new TC (fluorocycline), tigecycline처럼 기존 TCs보다 ribosome에 매우 강하게 결합함
- 실험실에서는 tigecycline보다 2~4배 더 강력하지만 내성이 좀 있고 아직 data가 부족함
- G(+)균 (MRSA, MSSA, PRSP, VRE 포함), 다양한 다제내성 G(-)균 (ESBL, CRE 포함), 비전형 세균 및 혐기성균 등에 효과적 (but, tigecycline처럼 $P.\ aeruginosa$에는 효과 적음)
- cIAI에 허가 (FDA[2018]) / cUTI에는 사용×

(2) Omadacycline (Nuzyra®)

- new TC (aminomethylcycline), 항균범위는 eravacycline과 비슷
- 폐렴(CAP)과 SSTI에 허가 (FDA[2018]) / cUTI에는 사용×

(3) Sarecycline (Seysara®)

- 항균 범위가 좁은 새로운 TC 유도체, 1일 1회 복용하는 경구제
- G(+)균(특히 drug-resistant $Cutibacterium\ acnes$ 포함)에 대한 항균력 + 항염증 작용이 있음
  (다른 광범위 TCs와 달리 호기성 G(-) bacilli 및 혐기성균에는 항균력 약함)
- 9세 이상 inflammatory non-nodular moderate~severe acne vulgaris^{여드름} 치료에 승인(FDA[2018])

TRIMETHOPRIM-SULFAMETHOXAZOLE (TMP-SMX, Cotrimoxazole, Bactrim)

- 기전 : 세균의 folic acid 합성 단계 중 SMX(PABA와 닮음)은 PABA→FH2 (dihydrofolic acid) 단계를, TMP(FH2와 닮음)은 FH2 (dihydrofolate)→FH4 (tetrahydrofolate) 단계를 각각 억제함
  → folic acid↓ → DNA 및 RNA 합성 감소
    (c.f., 사람은 folic acid 합성 과정이 없고 음식으로만 공급받음)
- 경구로 투여, GI에서 빨리 흡수 / 소변으로 배설 (신기능 저하시 용량 조절해야)
- 사용
  - 비뇨생식기계 감염 (UTI) ; 내성균이 증가해 fosfomycin or quinolone을 주로 사용
  - 호흡기계 감염 ; 폐포자충(*Pneumocystis jirovecii*), *Nocardia asteroides* 등
  - 기타 ; mild SSTI (MRSA 포함), *S. aureus*에 의한 골관절감염에서 경구전환요법시 ...
  - 예방적 사용 ; *Pneumocystis* (면역저하자), UTI (신장이식환자), *S. tyhpi* 보균자
- 부작용 : GI Sx (A/N/V/D), 피부병변(소양증, 발적), 신기능 저하, RTA, hypoglycemia, 심근염, G6PD 결핍 환자에서 hemolysis, 장기간 투여시 folate 결핍으로 cytopenias 등
  (HIV 환자 및 고령에서는 hyperkalemia, neutropenia, anaphylaxis, Stevens-Johnson syndrome)
- 임산부에서 사용은 주의 (∵ neural tube defects↑), 반드시 필요하면 folic acid 보충과 함께 투여

CHLORAMPHENICOL

- 작용기전 : 50S ribosome과 결합하여 단백질 합성 억제 ⋯ 부작용으로 사용은 제한적
- 항균범위 ; 광범위, 대부분의 G(+) & G(-) bacteria, *Salmonella, H. influenzae, S. pneumoniae, N. meningitidis / B. fragilis*를 포함한 혐기성균 ...
- 사용 ; 혐기성균 감염(실제 효과는 떨어짐), typhoid fever (내성균 증가로 사용×), *H. influenzae*/pneumococcal/meningococcal meningitis 환자에서 penicillin allergy시 2nd line, brain abscess, rickettsia 감염 환자에서 TCs을 사용 못할 때 ...
- 부작용 ; BM 억제 (dose-related, reversible), aplastic anemia (rare, idiosyncratic irreversible), PNH, AML, gray baby syndrome (∵ 심근수축력↓), optic neuritis, hypersensitivity ...

METRONIDAZOLE

- 작용기전 ; 혐기성세균 및 원충 세포내에서 reduction된 뒤, DNA에 작용하여 DNA의 구조를 파괴
- 조직 투과력이 높다 (특히 CNS) → abscess 치료에 선호됨
- 항균범위 ; 대부분의 혐기성균(특히 G(+)혐기성균)과 원충(*T. vaginalis*, giardiasis, amebiasis) 감염
  (혐기성균에 대해 가장 강력한 항균 효과)

- 적응증 ; 혐기성균 감염, *Clostridioides difficile* (PMC, 효과는 약함), bacterial vaginosis,
  Trichomonas vaginitis, amebiasis (intestinal or extraintestinal), giardiasis ...
- 부작용 (적은 편) ; GI disturbances (A/N/V/D/C, 복통), metallic taste, hypersensitivity,
  신경 부작용(드묾, peripheral neuropathy, 두통, 어지러움), disulfiram-like reaction (드묾) ...

* tinidazole ; metronidazole과 유사하지만 반감기가 길고(→ 투여간격↑) 부작용 적음
  → <u>giardiasis</u>, amebiasis 등의 원충감염 치료에 주로 사용

OXAZOLIDINONE

1. Linezolid

- 최초로 FDA의 승인을 받은 oxazolidinone 제제 (2000년), 경구제와 주사제 모두 가능
- 기전 : 50S ribosome의 23S rRNA에 직접 결합하여 단백질 합성의 초기 단계를 억제
- <u>G(+)균</u>에만 효과 우수 ; *S. aureus* (MRSA, VISA 포함), 모든 streptococci (PRSP 포함), VRE 등
  - 다른 항생제에 내성을 보이는 세균에 교차내성을 갖지 않음
  - but, *S. aureus*에는 정균작용만 있으므로 심한 *S. aureus* 감염에는 효과 적음
    (streptococci, pneumococci에는 살균작용)
  c.f.) 결핵균에도 정균작용이 있어 MDR-TB에도 사용됨
- 약동학 ; 경구투여 가능, 신기능 저하시에도 용량은 줄일 필요 없음,
  혈중 단백결합률(31%)이 낮아 조직 투과도가 좋음(→ <u>피부연조직</u>, 폐, 신장, 간, 뇌척수액 등)
- 임상 적응 ; VRE (*E. facium*과 *E. faecalis* 모두!), MRSA, VISA 등에 의한 SSTI 및 CAP/HAP
- 부작용 ; N/V, 설사, 두통, 발진, 고혈압, 수면장애, 현기증 ...
  - 가역적 골수억제 (2주 이상 사용시 호발) ; thrombocytopenia (m/c, ~47%), anemia
  - peripheral neuropathy, lactic acidosis ; 장기 사용시 발생↑, 투약 중단해도 회복 안 될 수 있음
  - ocular toxicity (장기 사용시 영구적 시력 소실 위험), serotonin toxicity (특히 SSRI와 병용시)
  ⇨ 주요 부작용들로 인해 장기간 사용에 제한 (특히 MDR-TB에서)
- pregnancy category C

2. Tedizolid (Sivextro®)

- 우리나라 <u>동아제약</u>에서 개발한 신약, 미국 판권은 Cubist에, 신흥시장 판권은 Bayer에 넘김
  ↳ 박카스로 유명한 회사, 2013년 지주사, 동아ST, 동아제약 등으로 분할 (∵ 상속세 및 후계구도)
  - 미국에서는 Cubist (2015년 Merck에 인수됨)에 의해 임상연구가 진행되어
    acute bacterial skin & skin-structure infections (ABSSSIs, cSSTI)에 사용 허가됨 (FDA[2014])
  - gemifloxacin에 이어 2번째로 FDA 허가를 받은 국내개발 항생제였지만, 우리나라에서는
    (2015년 식약처 허가) 보험급여/수가 및 시장성 문제로 시판도 못해보고 2020년 허가 자진 반납
- 항균력과 부작용은 linezolid와 비슷함 (but, 적은 용량을 사용하므로 부작용은 약간 적은 경향)

3. Delpazolid(연구중)

- 우리나라 LegoChemBioSciences, Inc.에서 개발한 신약, FDA 희귀의약품 지정[2017], 신속심사 대상[2018]
- linezolid, tedizolid처럼 MRSA, VRE, MDR-TB 등에 효과적이지만 내성발생과 부작용 훨씬 적음
  → 장기투여 가능 (주로 MDR-TB 치료에서 연구 중)

POLYMYXINS

- polymyxin B, polymyxin E (underline: colistin) 등이 약 70년 전 개발되었었지만, 부작용이 심해 거의
  사용되지 않다가, 최근 CRE에 효과적인 것이 밝혀져 다시 주목을 받음
- 작용기전 ; cationic cyclic polypeptides로 음전하인 세포막(LPS 포함)에 결합한 뒤 파괴시킴
- IV or inhaled 용으로 colistin 제형인 colistimethate sodium (CMS)이 사용됨
- 호기성 G(−) bacilli에만 항균력 ⇨ CRE (E. coli, K. pneumoniae, 일부 Enterobacter spp.),
  다제내성녹농균(MDR P. aeruginosa), MRAB (multidrug-resistant A. baumannii)
- 부작용 (colistin이 더 심함) ; 신독성(20~60%, 대개는 가역적), 신경독성(주로 paresthesia)
- CRE에 대한 단일 요법으로는 가장 선호되었지만, 최근에는 내성이 증가하여(e.g., mcr-1 gene 등)
  대개 병합요법으로 사용함(+ meropenem, tigecycline, eravacycline 등)
- 중국에서 돼지사료에 colistin을 애용하면서 plasmid에 의해 mcr-1 내성이 퍼져 급격히 증가함
  (c.f., 유럽의 VRE 기원도 1974년부터 동물 사료에 avoparcin [vancomycin] 사용 때문)

DAPTOMYCIN

- 새로운 lipopeptide계 항생제, G(+)균에 의한 cSSTI[2003년], 균혈증/우측심내막염[2006년]에 FDA 허가
- 작용기전 ; calcium 존재 하에 G(+)균의 세포막에 삽입되어 응집 → 세포막 구조 변형, 구멍 형성
  → 세포질 내용물(특히 K^+) 유출 (rapid depolarization) → protein, DNA, RNA 합성 억제
- 항균범위 ; glycopeptide와 유사하지만(e.g., MRSA), VRE 등의 glycopeptide에 감수성이 저하된
  세균에 대해서도 항균력 가짐
  - 주요 G(+)균들에 대해 농도의존형 빠른 살균(rapidly bactericidal)
  - 심한 감염(특히 VRE)에서는 높은 용량이 권장됨
- 부작용 ; CK↑, N/V/C, 발진, peripheral neuropathy, 신독성(C_{Cr} <30이면 용량 감량) ...
- 적응 ; G(+)균에 의한 cSSTI, S. aureus에 의한 bacteremia (Rt-endocarditis 포함), 골수염 등
  - bacteremia or Rt-endocarditis에서는 slow bactericidal인 vancomycin이 좀 더 효과적임
  - 폐 surfactant에 의해 분해되므로 호흡기 감염에는 사용×

FOSFOMYCIN

- *Streptomyces fradiae*에서 발견된, 최초의 epoxide class 항생제
- 작용기전 ; UDP-*N*-acetylglucosamine-3-enolpyruvyltransferase (MurA)를 억제하여
  peptidoglycan 전구체인 NAM의 합성을 방해하여 세포벽 합성을 억제
- 항균범위 (광범위 살균제) ; 여러 내성 G(+)균(e.g., VRE), 호기성 G(-)균(e.g., ESBL-생성 *E. coli*)
- 대부분 소변으로 배설 & 긴 반감기 → 소변에서 고농도로 유지 & active form
- 적응 ; simple UTI (cUTI/PN에는 권장×), 여러 내성 G(-)균 치료에서 병합요법

MUREPAVADIN

- pathogen-specific outer membrane protein-targeting antibiotic (peptidomimetic antibiotic)
  ↳ *P. aeruginosa*만 목표 (*E. coli* 등 다른 G(-)균에는 효과 없음)
- 작용기전 ; LPS transport protein D (LptD)에 결합하여 억제 → 외막의 LPS 변화
- MDR *P. aeruginosa*에 의한 HAP/VAP에서 연구 중

LEFAMULIN (Xenleta®)

- pleuromutilin계 최초의 전신(IV or oral) 항생제, 50S ribosome에 결합하여 단백질 합성 억제
- 피부감염 G(+)균(e.g., MSSA, MRSA, CoNS, streptococci 등) 및 지역사회획득 호흡기 감염균에
  (e.g., *S. pneumoniae*, *M.catarrhalis*, *H. influenzae*, *Legionella*, *Chlamydia*, *Mycoplasma*) 효과적
- 다른 주요 항생제들과 cross-resistance 없고(→ 내성균들에도 효과적), 부작용 적음
- 적응 ; ABSSSI, CABP (community-acquired bacterial pneumonia)에 FDA 허가[2019년]

Fusidic acid (Fucidin®)

- *Fusidium coccineum*에서 추출한 steroid 구조의 항생제 (유일한 fusidane group)
- 작용기전 ; ribosome의 elongation factor G (EF-G)와 결합해 단백질 합성(elongation phase) 억제
- G(+)균에만 좁은 항균범위 ; MRSA, VISA, CoNS, *Clostridium*, *Corynebacterium*,
  Peptostreptococcus 등 (streptococci에는 약하고, enterococci에는 정균 작용만 있음)
- 뼈, 관절, 농양 등 몸 전체로 잘 분포함 (GI 흡수도 잘 됨), 부작용 적음,
- 적응 ; *Staphylococci*에 의한 osteomyelitis, pneumonia, septicemia, wound infections, endocarditis
  (단독 사용시 내성이 잘 발생하므로, 주로 rifampin과의 병용요법으로 사용함)
- topical agents ; 피부감염이나 결막염에 효과적, MRSA 비강 보균 제거에도 사용 가능

Topical Antibiotics

- **Mupirocin** (Bactroban®) ; 2002년 FDA 허가
  - 작용기전 ; 세균의 isoleucyl tRNA synthetase 억제 → RNA 및 단백질 합성 억제
    (특히 isoleucine이 세포벽의 단백사슬에 결합하는 것을 방해하여 세포벽 형성 억제)
  - 피부감염의 국소 치료제로 사용 (IV 투여시엔 빠르게 비활성화되어 배출됨)
    ↳ 다른 항생제에 내성인 *Staphylococci* (MRSA 포함), streptococci 등의 G(+)균에 효과적
    (enterococci, 대부분의 G(−)균, 혐기성균, 진균 등에는 효과 無)
  - 피부의 acidic pH에서 항균력 4~8배 증가, 코 점막 분비물에 의해 항균력 감소 안됨
  - 장기간 사용시에는 *Staphylococci*에서 고도내성 발생 위험
  - 결막을 자극할 수 있어 결막염에는 금기
  - 적응 ; *Staphylococci*, streptococci에 의한 피부감염(e.g., impetigo), MRSA 비강 보균 제거
    (감염관리시 중요, 수술/투석시 예방적 사용), 중심정맥관(CVC) 삽입 부위에 예방적 사용
- **Retapamulin** (Altabax®)
  - pleuromutilin계 최초의 국소 항생제, 50S ribosome에 결합하여 단백질 합성 억제
  - 농가진(impetigo) 등의 피부감염에 허가 (FDA[2007년]) ; MSSA, *S. pyogenes* (MRSA는 아님)
    ↳ fusidic acid보다 약간 더 효과 좋고, mupirocin과는 비슷함
- **Ozenoxacin** (Xepi®, Ozanex®)
  - topical quinolone으로, 항균력 매우 우수하고 (MRSA에도 효과적), 내성발생 적음
  - *Staphylococci*, streptococci에 의한 농가진(impetigo)에 허가 (FDA[2017년])

★ **감염질환에서 steroid의 사용**
  ① bacterial meningitis (항생제 주기 20분 전에 투여)
  ② TB ; meningitis, pericarditis (특히 effusion 있을 때), miliary TB (ARDS or DIC 합병시)
    (miliary tuberculosis, 심한 pleural effusion, endobronchial tuberculosis 등은 논란)
  ③ AIDS 환자의 moderate~severe PCP
  ④ severe typhoid fever
  ⑤ 일부 기생충 감염 (∵ 기생충이 사멸하면서 심한 과민반응 유발, 특히 CNS 감염시)
    ; 개회충, 선모충, 폐흡충, 유구낭미충(cysticercosis) 등

3
면역저하자의 감염

감염의 정상 방어기전

1. Natural barriers

- 피부/점막 ; barrier, secretions (defensins, lysozyme, lactoferrin, IgG, secretory IgA 등 포함)
  c.f.) mucosa-associated lymphoid tissue (MALT) : 체내 면역세포의 약 80% 차지
- 호흡기 ; mucin, mucociliary epithelium, cough
- 소화기 ; gastric acid, pancreatic enzymes, bile, intestinal secretions, peristalsis, normal flora
- 비뇨기 ; 남성의 긴 요도, 여성 생식기의 산성 pH, 신수질의 hypertonic state, 신장의 mucoprotein

2. Nonspecific immune responses (Innate immunity)^{선천면역}

- 상피세포와 염증세포들의 antimicrobials ; defensins, lysozyme, lactoferrin, NO 등
- 염증관련 serum proteins ; **complements**, CRP, lectins (carbohydrate-binding proteins) 등
- cytokines ; IL-1, IL-6, TNF-α, IFN-γ 등
- PRRs (pattern recognition receptors) : 선천면역계의 receptors로 미생물의 중요 공통 항원인
  <u>PAMPs</u> (pathogen-associated molecular patterns)을 인식한 뒤 면역반응을 활성화시킴
    ↳ 예) bacterial endotoxin (lipopolysaccharide, LPS), 세포벽 성분(e.g., peptidoglycan,
       lipoteichoic acids, mannans), DNA, virus의 dsRNA, glucans, polysaccharides ...
    - 숙주세포의 파괴로 유리되는 DAMPs (damage-associated molecular patterns)도 인식함
  (1) Toll-like receptors (TLRs) ; 미생물의 PAMPs (or DAMPs)를 인식한 뒤 MYD88 (NF-κB)
     신호전달경로를 통해 염증관련 DNA의 전사를 자극하여 여러 면역반응들을 활성화시킴
     ┌ 세포막 표면에 존재 ; TLR1, 2, 4, 5, 6, 11
     └ 세포내 endolysosome 막에 존재 ; TLR3, 7, 8, 9, 10
     - 예 ; G(-)균 LPS → TLR4가 인식 → DCs, macrophages, T_H1 cells 등에서 cytokines 분비↑
     - 적응면역계 세포에도 존재하며 여러 병적 염증반응들과도 관련(e.g., RA, CAD, asthma, DM)
  (2) C-type lectin receptors (CLRs) ; 주로 진균을 인식 (e.g., 세포벽의 β-glucan → dectin-1, 2)
  (3) retinoic acid-inducible gene (RIG)-1-like receptors (RLRs) ; 세포질에 존재하며 virus를 인식
  (4) <u>NOD</u>-like receptors (NLRs) ; 세포질에 존재하며 세균의 PAMPs와 숙주의 DAMPs 인식
     (↳ nucleotide-binding oligomerization domain)

• 염증/작동(effector) 세포들

(1) neutrophils ; 혈중 WBCs 중 가장 많으며, 감염/염증 부위로 가장 빨리 모임
  - IgG, C3b, CD35 등과 결합된(opsonized) 미생물을 phagocytosis → cytoplasmic graunules (여러 효소들 포함)과 superoxide radicals (O_2^-)로 죽임 (과도하면 조직 손상 유발 가능)
  - 주로 세균과 진균의 선천면역(1차 방어)에 중요한 역할
  c.f.) granulocytes (neutrophil, eosinophil, basophil)를 polymorphonuclear cells[PMN]로도 부름

(2) eosinophils ; 혈중, 피부와 점막(e.g., 호흡기, GI)에 주로 존재 → 기생충 방어에 m/i (과민반응, antibacterial & antiviral activity 등 다양한 기능을 가짐)

(3) basophils/mast cells ; IgE receptors에 의해 활성화, mediators 多 (→ 혈관투과성↑ → 감염 부위로 염증세포, complements, Abs 등을 공급), 과민반응 및 기생충에 관여

(4) monocytes/macrophages ; neutrophils과 같이 초기에 반응하지만, 염증 부위에 더 오래 존재 (→ 감염 1~2일 후 선천면역의 후기 단계에서 주 작동세포)
  - 혈중 monocytes는 조직으로 들어간 뒤 macrophages or dendritic cells로 분화함
  - 표면에서 고밀도로 PRRs 발현 → neutrophils과 같이 빠르게 미생물을 phagocytosis
  - neutrophils 등 다른 작동세포들을 감염부위로 모집, APCs로도 중요

(5) dendritic cells (DCs) … major APCs
  - 가장 효율적인 (m/i) Ag-presenting cells (APCs)로 적응면역과의 가교에서 중요한 역할 (c.f, monocytes/macrophages, B cells 등과 함께 professional(매우 효율적인) APCs로 불리며, neutrophils 등 거의 모든 세포들이 non-professional APCs 가능)
  ┌ myeloid DCs ; 주 APCs, macrophages-monocytes or tissue-specific DCs로 분화 가능
  └ plasmacytoid DCs ; APCs 효율은 떨어지지만, IFN-α 생산 능력 강함(→ virus 감염에 대응)
  - 미생물의 PAMPs가 PRRs에 결합 → cytokines(e.g., IL-12, IFN-α)과 chemokines 분비 → 선천면역의 세포들 활성화, 적응면역의 helper/cytotoxic T & B 세포도 모집하여 활성화함
  - 성숙할수록 Ag specificity가 발달되어 적응면역 측면에서도 중요한 역할을 함

(6) NK (natural killer) cells (과거 large granular lymphocytes[LGL])
  - T/B cells처럼 T cell receptors나 surface Ig은 없는 림프계 세포지만, 다양한 선천면역의 receptors (e.g., PRRs)를 가지고 있어, virus에 감염된 세포와 암세포를 인식하여 직접 살해 (e.g., Ab-dependent cell-mediated cytotoxicity[ADCC]) or cytokines (e.g., IFN-γ)을 분비함
  - 건강 세포에서 발현된 MHC class I 분자를 인식하면 억제되어 건강 숙주 세포의 살해는 피함 (virus에 감염된 세포와 암세포에서는 MHC class I 분자의 발현이 감소됨)
  - T/B cells보다 인지 기능은 제한되지만, 반응이 빨라(수시간~수일) 선천면역에서 중요한 역할

3. Specific immune responses (Adaptive immunity)[적응면역]

• 매우 다양한 항원에 대응하는 특이적인 반응으로, 특정 항원을 기억할 수 있음
• cell-mediated immunity (CMI) : T cells
  - mature T cells은 말초 림프구의 70~80% 차지 (체내 림프구의 2% 만이 말초혈액에 존재함), LN cells의 30~40% 차지, spleen lymphoid cells의 20~30% 차지
  - naive CD4+ T cells이 APCs (주로 DCs)의 Ag을 인식하여 여러 helper T cells로 활성화됨

(1) T$_H$1 cells ; IFN-γ, IL-2 등 분비 → macrophages, NK cells, CD8+ T cells 등을 활성화

→ 세포내 미생물(e.g., virus, mycobacteria, 일부 세균) 제거 촉진

(B cells을 활성화하여 opsonizing Ab 생산 촉진, 자가면역 등에도 관여)

(2) T$_H$2 cells ; IL-4, IL-5, IL-13 등 분비 → 체액성면역(B cells) 활성화, eosinophils 자극

(IL-4, 13은 B cells에서 IgE 분비 촉진, IL-5는 직접 eosinophils의 동원/활성화 촉진)

(3) T$_H$17 cells ; IL-17, IL-22 등 분비 → 세포외 세균/진균 제거, 자가면역/만성감염 등에 관여

- cytotoxic T lymphocytes (CTLs) ; CD8 & $\alpha\beta$-TCR 발현 → MHC class I + Ag (APCs)을

인식 → granule exocytosis, Fas ligand (FasL) 발현 등을 통해 target cells을 죽임

• humoral immunity ; B cells에 의한 Ab (Ig)의 생산 (대개 T cells의 도움도 필요함)

┌ 1차 반응 ; Ag에 처음 접촉시 활성화되고, 일부는 plasma cells과 memory cells로 분화함
└ 2차 반응 ; Ag에 의해 memory cells이 활성화되면 훨씬 빠르고 강한 Ab 생산 반응이 일어남

각 방어기전 손상에 따른 원인균

1. Natural barriers

• 기침 장애 (e.g., 늑골 골절, 신경근육장애) ; 폐렴을 일으키는 세균, 호기성 & 혐기성 구강 상재균

• 위 산도↓ (e.g., 무산증, PPI) ; *Salmonella* spp., 장 병원균

• 피부 손상

- 관통상, 운동선수 발 ; *Staphylococcus* spp., *Streptococcus* spp., 여러 virus 및 기생충 등

- 화상 ; *P. aeruginosa*

- IV catheter ; *Staphylococcus* spp., *Streptococcus* spp. G(-) rods, CoNS

• 인공 삽입물

- 심장 판막 ; *Streptococcus* spp. CoNS, *S. aureus*

- 인공 관절 ; *Staphylococcus* spp., *Streptococcus* spp. G(-) rods

• 정상 상재균 소실 (e.g., 항생제 치료) ; *C. difficile*, *Candida* spp.

• 제거 장애

- 배출 장애 (e.g., UTI) ; *E. coli*

- 분비 이상 (e.g., cystic fibrosis) ; *P. aeruginosa*에 의한 만성 호흡기 감염

2. Innate immunity (선천면역)

• neutropenia

- absolute neutrophil count (ANC) = 말초 WBC count (/μL) × neutrophils %

┌ mild (<1500/μL) → 감염 위험 약간 증가
│ moderate (<1000/μL) → 감염 위험 증가
│ severe (<500/μL) → 심한(clinically important) 감염 위험 증가 (상재균에 의함 감염 위험도)
└ profound/agranulocytosis (<100/μL) → 필연적 감염 발생, 중증 감염 위험 증가

- 원인 ; chemotherapy[m/c], leukemia, AA, AIDS, 매우 심한 세균감염(acute endotoxemia), 약물

- 정상인에 비해 염증반응이 적어 감염의 특이적 증상이나 징후가 나타나지 않는 경우가 많다

- 흔한 원인균 ··· 보통 환자의 상재균 ; GI tract (m/c), oropharynx
  - G(-) enteric bacilli (m/c) : *E. coli, Klebsiella, P. aeruginosa*
  - G(+) cocci : *S. aureus, S. epidermidis, α*-streptococci
  - fungi : *Candida, Aspergillus*
- chemotaxis (e.g., Chediak-Higashi syndrome, Job's syndrome, protein-calorie malnutrition)
  ; *S. aureus, S. pyogenes, H. influenzae,* G(-) bacilli
- phagocytosis (e.g., SLE, CML, megaloblastic anemia) ; *S. pneumoniae, H. influenzae*
- splenectomy
  - 협막세균(encapsulated bacteria) ; *S. pneumoniae* (m/c), *H. influenzae, N. meningitidis,*
    K. pneumoniae, E. coli, Salmonella, Capnocytophaga, Babesia microti ...
    (∵ 특히 splenic marginal zone macrophages가 협막세균의 인식 및 제거에 매우 중요함)
  - virus 감염의 위험은 증가하지 않음
- 살균력 결함
  - chronic granulomatous dz. ··· catalase(+) 세균/진균 ; *Staphylococci, E. coli, Klebsiella* spp.,
    P. aeruginosa, Aspergillus spp., *Nocardia* spp.
  - Chediak-Higashi syndrome ; *S. aureus, S. pyogenes*
  - IFN-γ receptor 결함, IL-12 결핍, IL-12 receptor 결함 ; *Mycobacterium, Salmonella* spp.
- complement system deficiency
  - C3 (e.g., congenital liver dz., SLE, NS) ; *S. aureus, S. pneumoniae, Pseudomonas, Proteus*
  - C5 (e.g., congenital) ; *Neisseria* spp., G(-) rods
  - C6, 7, 8 (e.g., congenital, SLE) ; *Neisseria meningitidis, Neisseria gonorrhoeae*
- alternative pathway (e.g., sickle cell dz.) ; *S. pneumoniae, Salmonella* spp.
- Toll-like receptor 4 (TLR4) ; G(-) bacilli
- IL-1 receptor-associated kinase (IRAK) 4 ; *S. pneumoniae, S. aureus,* 기타 세균
- Mannan-binding lectin ; *N. meningitidis,* 기타 세균

3. Adaptive immunity (적응면역)

(1) T 림프구 결핍/기능이상
- thymic aplasia/hypoplasia, Hodgkin lymphoma, sarcoidosis, lepromatous leprosy
  ; *Listeria monocytogenes, Mycobacterium* spp., *Candida* spp., *Aspergillus* spp.,
  Cryptococcus neoformans, HSV, VZV
- AIDS ; *Pneumocystis,* CMV, HSV, NTM (*M. intracellulare*), *C. neoformans, Candida* spp.
- purine nucleoside phosphorylase 결핍 ; 진균, 바이러스

(2) B 림프구 결핍/기능이상
- Bruton's X-linked agammaglobulinemia ; *S. pneumoniae,* 기타 streptococci
- agammaglobulinemia, CLL, MM, dysglobulinemia ; *H. influenzae, N. meningitidis, S. aureus,*
  Klebsiella pneumoniae, E. coli, Giardia lamblia, Pneumocystis, enteroviruses
- 선택적 IgM 결핍 ; *S. pneumoniae, H. influenzae, E. coli*
- 선택적 IgA 결핍 ; *Giardia lamblia,* hepatitis virus, *S. pneumoniae, H. influenzae*

(3) T & B 혼합 림프구 결핍/기능이상

- common variable hypogammaglobulinemia ; *Pneumocystis*, CMV, *S. pneumoniae*, *H. influenzae*, 기타 다양한 세균
- ataxia-telangiectasia ; *S. pneumoniae, H. influenzae, S. aureus*, rubella virus, *Giardia lamblia*
- 심한 복합 면역결핍 ; *S. aureus, S. pneumoniae, H. influenzae, Candida albicans*, *Pneumocystis*, VZV, rubella virus, CMV
- X-linked hyper-IgM syndrome ; *Pneumocystis*, CMV, *Cryptosporidium parvum*

암 환자의 감염증

	기전	흔한 원인균
Acute leukemias	Neutropenia (CTx), 피부 및 점막 손상	G(-)세균 (*P. aeruginosa, E. coli, Klebsiella* 등), G(+)세균 (*S. aureus, S. epidermidis* 등), 진균 (특히 *Candida*)
NHL, ALL	T & B cell dysfunction, Steroid 치료	*Pneumocystis jirovecii*
Hodgkin lymphoma	T cell dysfunction	Intracellular pathogens (결핵, NTM, *Listeria, Salmonella, Cryptococcus, Toxoplasma* 등), herpesviruses
Hairy cell leukemia	T cell dysfunction, monocytopenia	Intracellular pathogens (결핵, NTM, *Listeria, Salmonella, Cryptococcus, Toxoplasma* 등), 진균
CLL, Multiple myeloma	Hypogammaglobulinemia, 기타 면역세포 기능 이상	협막세균(*S. pneumoniae, H. influenzae, N. meningitidis, K. pneumoniae, E.coli*) 및 *S. aureus* 등
Colon & rectal tumors	국소적 이상	*Streptococcus bovis* (bacteremia)

Neutropenic fever

1. 개요

- 정의 : single oral temperature >38.3℃ or 1시간 이상 >38.0℃
  severe neutropenia = ANC <500/μL (or 향후 48시간 동안 ANC <500/μL로 감소 예상)
- cancer chemotherapy가 m/c 원인 ; low risk solid tumors는 5~10%, non-leukemic hematologic malignancy는 20~25%, acute leukemia는 85~95%에서 발생
- neutropenic fever의 10~25%에서 bacteremia 발생,
  20~30%에서 확인된 감염증(clinically documented infections, CDI) 발생
        ↳ 임상적으로 or 영상검사에서 확인된 감염 병소(e.g., 폐렴, SSTI)
    c.f.) 미생물학적 확인 감염(microbiologically documented infection, MDI) : 배양 (+)
- 주로 세균과 진균 감염이 문제가 됨 (바이러스나 기생충 감염은 크게 증가 안함)

2. 위험도 평가

- 심각한 감염 합병증(e.g., severe sepsis) 발생 가능성 평가 ⇨ 경구(외래) ↔ 주사제(입원) 결정

Low risk	High risk
Neutropenia 기간 7일 이내로 예상 　(e.g., 고형종양의 conventional CTx) 전신상태 양호 (ECOG 0~1) 심한 동반질환 無 MASCC risk score ≥21 Talcott's group 4 CISNE score	Neutropenia가 7일을 초과해 지속될 것으로 예상 　(e.g., 혈액종양에서 induction CTx, HCT) Profound neutropenia (ANC <100/μL) Hepatic or renal dysfunction 등의 동반질환 有 MASCC risk score <21 Talcott's group 1~3 CISNE score

- 참고 : 위험도 평가에 사용되는 scoring systems

Multinational Association for Supportive Care in Cancer (MASCC) score		
No or mild symptoms	5	⎤
Moderate symptoms	3	셋 중 하나만
Severe symptoms	0	⎦
No hypotension (systolic BP >90 mmHg)	5	
No COPD	4	
고형종양 or 과거에 진균 감염이 없었던 혈액종양	4	(모두 더해서
No dehydration (수액 IV 치료 필요 없음)	3	최대 26점)
발열 발생시 외래 환자	3	Low risk ≥21
60세 미만	2	High risk <21

Talcott's Rules	
Group 1	입원 중 발열 발생
Group 2	입원 치료가 필요한 급성 동반질환이 있는 외래 환자
Group 3	동반질환은 없지만 악성종양이 조절되지 않는 외래 환자
Group 4	동반질환 없고 악성종양도 조절되는 외래 환자

Clinical Index of Stable Febrile Neutropenia (CISNE) score		
Eastern Cooperative Oncology Group (ECOG) performance status ≥ 2	2	(모두 더해서 8점)
COPD	1	Low risk = 0
만성 심혈관질환	1	Intermediate risk 1~2
National Cancer Institute Common Toxicity Criteria mucositis grade ≥ 2	1	High risk ≥3
Monocytes <200/μL	1	
Stress-induced hyperglycemia	2	

3. 초기 진단적 평가/검사

- physical exam ; 피부, 구강, 구인두, 폐, 복부, 항문주위 등
  (neutropenia 환자에서 DRE는 상처로 인한 감염 위험이 있으므로 금기!)
- 기본 Lab ; CBC with diff., LFT, Cr, electrolytes, U/A 등
- 배양 및 항생제감수성 검사 ; 혈액(필수, 2군데 이상), 감염 의심부위
- 호흡기 증상 있으면 CXR (고위험군은 chest CT)
- 추가 영상검사(e.g., CT/MRI) ; 특정 감염 의심부위가 있거나 새로운 감염 증상 발생시 시행

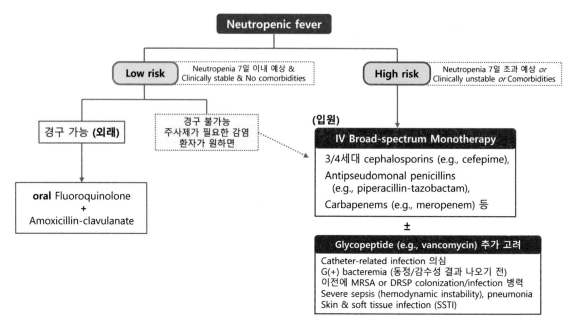

4. 경험적 항생제

- 배양 검사용 검체 채취 후 가능한 빨리 (<u>1시간 이내에</u>) 최대한의 용량으로 경험적 항생제 투여!
  - medical emergency임
  - G(+)와 G(−)에 모두 효과가 있어야 하지만, virulence가 더 강한 G(−)를 주요 목표로 함
- 경험적 주사제는 <u>단일 anti-pseudomonal 광범위 항생제</u>가 권장됨
  - cefepime, piperacillin-tazobactam, imipenem-cilastatin, meropenem 등
    (c.f., 과거에는 anti-pseudomonal β-lactam + AG 병합요법이 쓰이기도 했으나, 메타분석 결과
     새로운 광범위 항생제 단일요법이 더 효과적이고 부작용도 적어 권장됨)
  - ceftazidime은 viridans streptococci, *S. pneumoniae*, ESBL+ G(−)균 등에 효과가 떨어져 권장×
  - β-lactam allergy시에는 vancomycin + aztreonam 또는 ciprofloxacin + clindamycin 고려
  - 혐기성균 감염에도 효과적인 것 (e.g., 복강내 감염, typhlitis 의심)
    ; <u>piperacillin-tazobactam</u>, carbapenem, cefepime + metronidazole
- glycopeptides (vancomycin, teicoplanin) 추가 : 효과대비 부작용 때문에 routine으로는 사용 안함!
  - 위중한 G(+) 감염이 의심되는 꼭 필요한 경우에만 추가 (e.g., SSTI)
  - vancomycin + piperacillin-tazobactam 병합은 AKI 발생 위험에 주의
- 특정 병원 환경에서 내성균 감염이 의심되는 경우 (→ 각론의 각 세균 편 참조)
  - MRSA → vancomycin, linezolid, or daptomycin
  - VRE → linezolid or daptomycin
  - ESBL-producing G(−) bacilli → carbapenem (e.g., imipenem, meropenem)
  - CPE (e.g., *K. pneumoniae* carbapenemase) → colistin or tigecycline
- 경험적 항생제 투여 3~5일 뒤 효과를 평가하여 필요시 항생제 변경/조절
  (효과가 없거나 악화되는 경우 CT/MRI, virus/진균 검사, 항생제 regimen 등 재평가)
  c.f.) 진균 감염 ; *Aspergillus*에 대한 serum galactomannan Ag 및 β-D-glucan, chest CT,
                 bronchoscopic biopsy/BAL 등   → Ⅳ-6장 진균 감염 편 참조

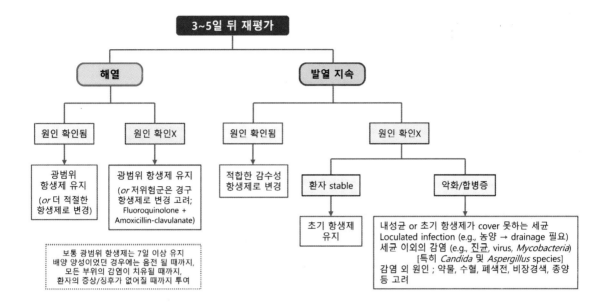

- **경험적 항진균제**를 추가해야할 경우 (*Candida, Aspergillus* 대상) ⇨ posaconazole or voriconazole
  ① 경험적 항생제 치료 4~7일 이후에도 fever 지속
  ② 혈액종양(AML, MDS)의 intensive CTx로 severe neutropenia가 7일 이상 지속되는 경우
  ③ 과거 침습성 진균 감염의 병력
  ④ *Candida* or *Aspergillus* 감염 의심 ; 마른기침, 흉막통, 부비동/안구 주위의 압통/부종,
    코 주변 궤사/궤양/농, atypical pulmonary infiltration or halo sign (chest CT) ...
    c.f.) fluconazole은 *Aspergillus*에 효과 없어 경험적 항진균제로 권장×, 원인균이 밝혀진 경우에는
    *Candida*면 IV echinocandin (e.g., caspofungin), *Aspergillus*면 voriconazole or isavuconazole이 1st choice

- **항생제 투여 기간** (환자 및 경과에 따라 개별적으로)
  - 일반적으로는 해열, 감염 증상 호전, 배양(-), <u>ANC 500/μL 이상</u>이 될 때까지
  - ANC <500/μL (특히 <100/μL)가 지속되는 경우 경험적 항생제 & 항진균제도 계속 투여

* 예방적 colony stimulating factors (CSFs) ; G-CSF or GM-CSF
  - neutropenia 기간, 입원 기간, 항생제 사용 기간을 줄이고, 회복을 빠르게 하는 효과는 있지만
    의미 있는 overall mortality 향상 효과는 없음 (but, 골관절통 및 flu-like Sx 부작용↑)
  - CTx로 인한 neutropenic fever 발생 확률이 20% 이상인 경우 권장
    (c.f., COVID-19 유행으로 인해 현재는 NCCN과 ASCO에서 10% 이상인 경우에 권장)

종양별 CTx로 인한 febrile neutropenia 발생 위험	Acute leukemia/MDS	85~95%	Ovarian ca.	12%
	High-grade lymphoma	35~71%	Lung cancers	10%
	Soft tissue sarcoma	27%	Colorectal cancers	5.5%
	NHL/myeloma	26%	Head & neck ca.	4.6%
	Germ cell ca.	23%	Breast cancer	4.4%
	Hodgkin lymphoma	15%	Prostate cancer	1.0%

  - 감염 합병증 발생 위험이 높고 예후가 나쁠 것으로 예상되는 경우 사용 고려
    ; prolonged(>10일) or profound (<100/μL) neutropenia 예상, 고령(≥65세), 저혈압,
    동반질환(e.g., 심부전, 폐색전, 폐/신장/간/뇌혈관질환), 폐렴, sepsis, 침습성 진균감염,
    febrile neutropenia의 과거력, 입원 중에 발열 발생, 항생제 치료에 반응하지 않는 경우 등

이식 환자의 감염증

1. 고형장기이식(solid organ transplantation, SOT)

- 조혈모세포이식(SCT)와 다른 점
  ① neutropenia 시기를 거치지 않으므로 급성 감염의 원인균이 다름
     (SCT : leukemia induction CTx와 비슷한 neutropenia를 1~4주 거침 → 세균, 진균 감염↑)
  ② 큰 수술이므로 수술 부위 세균 감염 위험
  ③ 평생 면역억제제를 복용해야 됨 → 다양한 기회감염 및 지역사회 일반 감염 위험↑
- 이식 장기별 감염

	신장	간	심장	심장-폐
1인당 감염 발생	0.98	1.86	1.36	3.19
균혈증	5~10%	10~23%	8~11%	8~25%
진균 감염	0.7%	16%	8%	23%
m/c 감염 부위	요로	복부, 담도계	폐	폐

- 시기별 호발 감염

초기 (<1개월)	중기 (1~6개월)	후기 (>6개월)
수술 후 의료관련감염 (수술부위, 각종 도관, 인공호흡기 등) 　내성세균 ; MRSA, VRE 등 　UTI (신이식, 주로 Gram 음성균, 　　PN 위험으로 장기 치료 필요) 　*Candida* 　*C. difficile* colititis (설사) **Recipient 유래 감염** (자신의 상재균) ; 세균(e.g., *Pseudomonas*), 진균 (e.g., *Candida, Aspergillus*) **Donor 유래 감염** (드묾) ; HSV, HIV, COVID19 등 바이러스	면역억제제 강도 최고인 시기 ⇨ 각종 기회감염이 문제 **PCP 및 바이러스(CMV, HBV) 예방시** 　BK virus nephropathy (신이식) 　HCV 및 다양한 바이러스 감염 　*Aspergillus, Cryptococcus*, 결핵 **예방적 치료 안 했을 때** 　PCP (*Pneumocystis* pneumonia)* 　*Listeria, Toxoplasma, Nocardia* 　HSV, VZV, <u>CMV</u>, EBV 　HBV, HCV 등의 재활성화	약하지만 평생 면역억제제 복용 ⇨ 여러 기회감염 및 지역사회 감염 　CAP (호흡기바이러스 포함) 　UTI (일반적인 단기 치료) 　*Aspergillus*, Mucormycosis 　비전형적 진균 감염 　*Nocardia* 　결핵 재활성화 　바이러스 감염 ; HBV, HCV, 　　<u>CMV</u> (colitis, retinitis), 　　HSV encephalitis 　　EBV (PTLD)

　* PCP에 대한 예방적 치료(TMP-SMX)는 *Listeria, Toxoplasma, Nocardia* 등도 함께 예방되는 효과

(1) 세균 감염
- 일반적인 수술 환자들에서 발생하는 세균 감염과 비슷함
- 이식 초기(<1개월)에는 주로 extracellular bacteria (*Staphylococci*, streptococci, enterococci, *E. coli* 등의 Gram 음성균) ; 수술/문합 부위에 호발, 의료관련감염 내성균이 흔함

(2) 진균 감염
- *Candida* (yeast)
  - SOT 환자의 진균 감염 중 m/c, 특히 신장, 간, 폐 이식시 호발
  - invasive candidiasis의 대부분은 candidemia ; 이식 초기에 주로 CVC과 관련하여 발생
  - azole계 항진균제는 calcineurin inhibitors (e.g., cyclosporine, tacrolimus) 혈중 농도를 상승시킴 → 면역억제제 감량 필요

- *Aspergillus* (mold)
  - SOT 환자의 진균 감염 중 2nd m/c, 특히 심장, 폐 이식시 호발
  - invasive aspergillosis는 치명적 (폐가 m/c, 전신 어느 곳에서나 발생 가능)
  - 면역저하 환자에서는 침습적 biopsy가 어려운 경우가 많으므로 CT 등 영상소견이 중요함
    (e.g., halo sign, 침윤 주위의 haziness가 특징적)
- cryptococcosis ; 3rd m/c, 이식 1년 이후에 주로 발생
- pneumocystis pneumonia (PCP)
  - 예방적 치료 안하면 5~15%에서 발생 (특히 폐이식에서 호발), 이식 후 1~6개월에 주로 발생
  - 현재는 예방적 TMP-SMX (~6개월-1년) 치료로 크게 감소했음
  - TMP-SMX를 1년 이상 투여해야하는 경우 ; 폐이식, 강력한 면역억제 시행, 지속적 감염
    (e.g., CMV 재활성화, 반복적 호흡기 감염)

(3) 바이러스 감염

- CMV ; 이식 성적에 나쁜 영향을 주는 m/c & m/i virus   → V-1장 참조
  - direct effect ; fever & neutropenia (CMV syndrome)
  - indirect effect ; 면역을 저하시켜 각종 기회감염 증가(e.g., *Aspergillus, Pneumocystis*),
    HCV 재활성화↑, EBV-PTLD (e.g., B-cell lymphoma)↑, graft rejection↑ 등
  - 우리나라는 거의 대부분 CMV Ab (+) → donor, recipient 모두 CMV 보유
    → 재활성화 감염으로 발생 (이식 후 3~12주에 호발) ; 감염의 일부에서만 증상 발생
    → 예방적 치료가 아니라 선제치료로 접근 (monitoring 하다가 적응이 되면 치료)
  - 드물게 CMV (-)인 환자가 이식을 받을 때는 예방적 치료 시행
  - 이식 후 CMV dz. 발생률 (우리나라) ; 간 14%, 심장 7%, 신장 4~5%
- HSV & VZV ; 이식 후 1~6개월에 재활성화 감염 흔함
  - disseminated infection은 SCT보다 드묾
  - acyclovir로 치료가 잘 되므로 예방적 항바이러스 치료는 권장 안됨
- EBV ; post-transplant lymphoproliferative disorder (PTLD)가 문제
  - self-limited ~ B-cell lymphoma까지 다양한 임상양상
  - 심장이식의 ~20%, 신장이식의 ~5%에서 발생 위험 (SCT에서는 드묾)
  - EBV의 예방적 치료제는 없음 → 면역억제제 감량이 우선 (monitoring은 고위험군에서만 필요)
- BK virus ; 어릴 때 URI 형태로 1차 감염 후 비뇨생식기에 잠복 상태   → 신장내과 6장 참조
    ↳ 신장이식 후 재활성화되면 일부에서 BK virus nephropathy 발생 (44%는 이식신기능 소실)
- parvovirus B19
  - 우리나라 성인의 항체 양성률은 약 60%, 면역저하자(e.g., SOT)에서 재활성화 감염 가능
  - 주로 지속적인 anemia로 나타남 (드물게 pancytopenia), 대부분 이식 초기 3개월 이내에 발생
  - Tx ; 면역억제제 감량, IVIG
- 호흡기 바이러스 ; 중요 지역사회획득 감염으로, 특히 폐이식에서 문제
- COVID-19 (SARS-CoV-2) ; 폐, 심장, 신장 등 모두 감염 가능
  - donor 및 recipient 모두 screening 검사 필요
  - 이식 환자는 면역저하 및 의료기관 노출 증가로 감염 위험↑
  - 임상양상은 일반인처럼 다양하지만 fever가 적고, leukopenia & lymphopenia가 심함

(4) 기타 감염

- 결핵 ; 재활성화 위험↑, 간이식 환자에서는 항결핵제의 간독성 주의 　→ 호흡기내과 6장 참조
- NTM ; SOT 환자에서는 (상처 or 시술 이후) SSTI로 나타나는 경우가 흔함
- *T. gondii* ; sero(+) donor로부터 심장이식시 전파 가능, 현재는 TMP-SMX의 사용으로 드묾

(5) 신장이식

- 대부분 요로에서 감염 발생, 2년 이내에 약 30%에서 UTI 발생 (이 중 약 30%만 증상 동반)
  - PN는 초기 3개월에 호발하며 graft survival 감소와 관련 (3개월 이후에는 관련 없음)
  - 드문 원인균도 고려해야 됨 ; TB, *Mycoplasma hominis, Corynebacterium urealyticum,*
    　　histoplasmosis, adenovirus (hemorrhagic cystitis/nephritis), BK virus 등
- 폐렴이 m/c 사인 ; 예방 조치에 따른 기회감염의 감소로, 일반적인 세균이 m/c 원인
- 예방적 항균요법
  ① cefazolin ; 신장이식 수술 전후
  ② PCP 예방 ; TMP-SMX (cotrimoxazole)
  ③ 진균 및 바이러스 감염 예방 ; 고위험군에서 시행 (targeted prophylaxis)

(6) 간이식

- 신장이나 심장이식보다 감염 호발 (∵ 기술적으로 매우 복잡, 오염 가능성이 있는 복강내 수술)
- 이식 초기에는 주로 세균 감염 ; 복강내 감염(m/c), 담도 감염, 창상 감염, 균혈증 등
- 진균감염 (90% 이상이 이식 후 2개월 내에 발생) ; *Candida* (80%), *Aspergillus* (14%)
- 예방적 항균요법
  ① cefotaxime + ampicillin + tobramycin (수술 후 2일까지)
  ② 반드시 선택적 장관소독 (selective bowel decontamination, SBD) 실시 (수술 전 최소 3일간)
  ③ TMP-SMX ; PCP 예방 (1년간 투여)

(7) 심장이식

- 수술 후에는 mediastinitis 및 sternal wound infections이 합병 가능 (~2.5%에서 발생)
  ; *M. hominis, Legionella, Aspergillus,* mucormycosis, *Nocardia* 등 드문 원인균도 고려해야 됨
- 다른 장기 이식과의 차이점
  ① EBV 감염에 의한 PTLD (post-transplant lymphoproliferative dz.)가 흔함
  ② toxoplasmosis, nocardiosis, Chagas dz. 등이 상대적으로 흔함
  ③ 진균 감염 중 *Aspergillus* (77~91%)가 *Candida*보다 많이 발생
  ④ mediastinitis 발생 ; *M. hominis, S. marcescens, Pseudomonas* 등
- 예방적 항균요법 ; cefazolin or cefamandole 흉관제거 때까지 사용 (나머지는 다른 이식과 비슷)

2. 조혈모세포이식(HCT, SCT)/골수이식(BMT)

시기 및 위험인자	부위	파종성	피부/점막	호흡기(폐)	기타
생착 전 (<1개월)	<u>Neutropenia</u> 피부/점막손상	호기성 G(+)/G(−)세균 Candida	HSV	<u>호기성 G(+)/G(−)세균</u> <u>Candida, Aspergillus</u> HSV	위장관; C. difficile 설사, typhlitis
초기 생착 후 (1~3개월)	Acute GVHD 및 그 치료 세포/체액면역↓	Candida Aspergillus EBV	HHV−6	**CMV** 호흡기 바이러스 Pneumocystis Toxoplasma	위장관; CMV, adenovirus 신장; BK virus, adenovirus 뇌; HHV−6, Toxoplasma BM; CMV, HHV−6
후기 생착 후 (>4개월)	Chronic GVHD 및 그 치료 세포/체액면역↓	피막세균; S. pneumoniae H. influenzae N. meningitidis	VZV HPV(사마귀)	Pneumocystis Nocardia S. pneumoniae	위장관; EBV, CMV 뇌; Toxoplasma 　　JC virus드뭄 BM; CMV, HHV−6

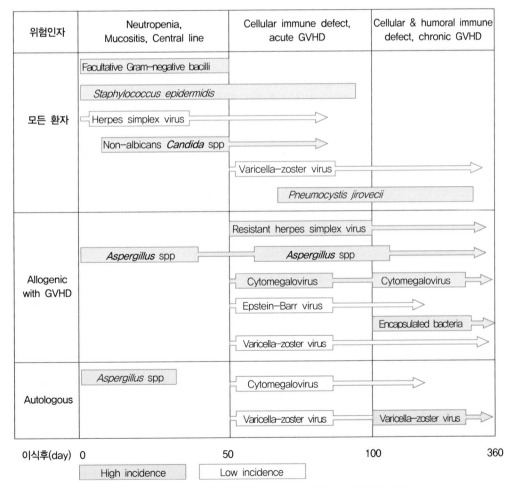

* HSV, VZV, CMV, EBV 등은 이식전 seronegative였던 환자에서 주로 발생

< SCT 이후 표준 감염예방요법을 시행한 환자에서의 기회감염 >

※ 표준 감염예방요법
┌ 광범위 항생제 (neutropenia 기간 동안)
│ Fluconazole (이식 후 75일까지)
│ Acyclovir (이식초기 HSV, 1년까지 VZV 예방위해)
└ TMP-SMX (이식 후 180일 or 면역억제치료 중단 때까지)

(1) 생착 전 시기(preengraftment period) : 30일 이내

• 위험인자 ; neutropenia (m/i), 피부점막 손상, 전처치와 관련된 기관장애, CVC 등
• 세균 감염이 주로 문제 ⋯ neutropenic fever 때와 비슷함 (→ 앞 참조)
  - 호기성 Gram(+) 및 Gram(-) 균 ; 이식 내내 문제지만, 특히 초기 neutropenia 기간에 위험
  - 예방적 항생제 사용으로 과거에 비해 *Pseudomonas*는 감소
• 진균 감염 ; 예방적 항진균제(e.g., fluconazole) 사용으로 감소하기는 했지만 *Candida* 및
  invasive aspergillosis가 문제
• 바이러스 감염
  - 주로 HSV 재활성화가 문제 (특히 alloSCT에서) ; 점막염(m/c), 식도염, 기관기관지염, 폐렴
    ⇨ 예방적 acyclovir 치료 권장 (acyclovir 내성시 foscarnet) : VZV 예방도 위해 1년까지
      ↳ alloSCT 환자, 점막염 발생 위험이 높은 autoSCT 환자
  - 기타 일반적인 호흡기 바이러스들 (이식 내내 가능하지만, 생착 후에 감염 더 흔함)

(2) 초기 생착 후 시기(early postengraftment period) : 이식 후 30~100일

• 위험인자 ; 세포면역저하, acute GVHD, CVC, neutropenia 지속/재발 등
  (autoSCT는 alloSCT에 비해 면역기능 회복이 빠름 → 감염 적음)
• CMV ; 경험적/선제치료 도입 전에는 alloSCT의 70~80%에서 재활성화 (이중 1/3은 CMV dz.)
  - 현재는 5% 미만으로 감소했지만, 치료 지연시 치명적이므로 적극적인 감시/치료가 중요
    (CMV Ag/PCR로 monitoring하다가 적응이 되면 IV ganciclovir 등으로 선제치료 시행)
  - risk factor ; GVHD, 고용량 steroid, 이전의 CMV viremia, alemtuzumab 등의 mAb
• EBV-LPD (lymphoproliferative disorder)
  - 골수 전처치 때 recipient의 잠복 EBV는 제거될 수도 있음
    → 생존 recipient B cells에서 발생보다는 EBV에 감염된 donor cells의 증식이 더 흔함
  - 생착 1~3개월 뒤부터 발생 가능, alloSCT의 0.6~1%에서 발생 (SOT보다 드묾)
• HHV-6 ; 보통 소아 때 mild, self-limited dz. (roseola)로 앓고 지나감
  - 이식 2~4주 뒤 ~50%에서 재활성화되어 폐렴, 간염, 뇌염, BM suppression 유발 위험
  - risk factor ; GVHD로 steroid 치료 필요, 두 번째 이식
• 진균 감염 (*Candida* 감염 위험은 감소)
  - invasive aspergillosis가 주로 문제 ; 진균성 폐 감염의 약 90% 차지 (주로 nodular)
  - *P. jirovecii* 폐렴 (PCP) ⇨ TMP-SMX : 6개월까지 (or 면역억제치료 중단시까지)
• hemorrhagic cystitis (c.f., 이식 초기 7일 이내는 주로 항암제가 원인)
  - 원인 ; BK polyomavirus (BKPyV)[m/c], adenovirus, CMV, JC polyomavirus (JCPy) 등
  - BKPyV에 의한 hemorrhagic cystitis ; 이식 3~6주 이후에 호발, 임상양상은 cystitis ~
    gross hematuria, 폐쇄에 의한 신부전까지 다양 → 치료는 면역억제제 감량 등
• chronic GVHD만 안 생기면, 이식 3개월 이후에는 감염의 위험이 크게 감소됨
  (↳ 계속 면역억제치료 필요)

(3) 후기 생착 후 시기(post postengraftment period) : 100일 이후

- alloSCT : <u>chronic GVHD</u> 발생 시기 → 면역억제제 장기간 복용 ; 면역 회복 지연
  - → 세포 및 체액 면역저하, hyposplenism, opsonization↓ 등
- autoSCT : 면역계가 재구성되어 회복됨 → 기회감염 위험 거의 사라짐
- 세균 ; <u>encapsulated bacteria</u>, *Staphylococci*, *Pseudomonas* 등의 Gram(-)균
  - ↳ *S. pneumoniae, H. influenzae, N. meningitidis* 등에 의한 상기도감염 호발
- 폐렴 ; 초기 생착 후 시기와 비슷한 원인으로 발생 가능(e.g., CMV, PCP, 호흡기 바이러스)
- VZV 재활성화 (대상포진) ; 생착 후에 흔함, alloSCT에서 발생 및 dissemination 더 흔함
  - → 치명적이진 않으므로 발병시 acyclovir 등 일반적 치료 (생백신은 SCT 환자에서 금기)
- 결핵 ; 드물지만 생착 후기에 재활성화 위험↑

■ 이식환자의 예방접종 → Ⅰ-8장 참조

4 의료관련감염

정의

1. Nosocomial infections (Hospital-acquired infections, HAIs)원내감염/병원감염

- 병원 입원 당시에 없었던 혹은 잠복하고 있지 않았던 감염이 입원기간 중 발생한 것
  - 대개 입원 48시간 이후에 증상이 발생하는 경우를 말함 (잠복기 고려)
  - 수술 부위 감염의 경우처럼 퇴원 후 (30일 내) 증상이 발생하는 경우도 포함됨
- 병원에서 발생하는 직원들의 감염도 이에 포함될 수 있음

Definitions of HAI used in surveillance 예
1. Urine : $\geq 10^5$ colonies/mL
2. Postop. wound : pus at incision site
3. Blood : positive culture
4. Lung : new infiltrates on chest film + purulent sputum
5. Burns : 10^6 organisms/g biopsy tissue

2. Healthcare-associated infections의료관련감염

- 원내감염보다 광범위한 용어로 병원, 노인병원, 요양원, 재활원, 투석실 등 모든 의료시설과 관련되어 발생한 감염을 지칭함
- 집에서 가정 간호를 받다가 감염된 경우도 포함됨

3. 기타

- 의인성감염(iatrogenic infection) : diagnostic or therapeutic procedures에 의해 발생한 감염
- 내인/자발생감염(autochthonous infection) : 환자 자신의 flora에 의한 감염
- 기회감염(opportunistic infection) : 정상인에서는 병원성/독성이 없는 미생물이 방어기전이 저하된 숙주에서는 병원성/독성 미생물로 작용하여 감염을 일으키는 것
  - 원인 ; 면역저하(e.g., cellular or humoral immunity↓, asplenia), 동반질환(e.g., 암, 간경화, 신부전), 쇠약(e.g., 영양실조, 수술, 화상, 심한 외상), invasive procedures (e.g., TPN, HD), CNS 장애, 광범위항생제 사용 ...
  - 예 ; *Pneumocystis carinii*, CMV, aspergillosis, candidiasis ...

c.f.) 입원 환자의 noninfectious fever

- nosocomial fever의 약 25% 차지
- 원인 ; drug fever, nonspecific postoperative fevers (atelectasis, tissue damage or necrosis), hematoma, pancreatitis, pulmonary emboli, AMI, ischemic bowel dz. ..

역학

- 급성기병원(acute care hospital)에 입원한 환자의 3~5%에서 발생 (미국)
  → 매년 ~170만 명의 HAIs 발생, 100~330억불의 추가 경비 소요
- 우리나라 : 전체 6.4%, ICU 39.7%
- 면역억제자에서 특히 호발하나 normal host에서도 많이 발생
- 주요 형태
  ① UTI (urinary tract infection) : 14~34% (m/c)
  ② SSI (surgical-site infection, wound infection) : 17~24%
  ③ pneumonia : 13~24%
  ④ intravascular catheter-related bloodstream infection (BSI, bacteremia) : 10~15%
- 원인균 ; *E. coli* (15%), *S. aureus* (12%), *Klebsiella* species (8.0%), coagulase-negative *Staphylococci* (8%), *E. faecalis* (7%), *P. aeruginosa* (7%), *Candida albicans* (7%), *Enterobacter* species (4%), *E. faecium* (4%) ...
- 원내감염의 증가 원인 (위험인자)
  - 의료기술의 진보 → 미숙아/고령자의 증가, 종양 및 장기이식환자의 증가, 면역억제제 사용의 증가, 진단 및 치료에서 invasive procedures의 증가
  - 항생제의 개발 및 사용 → 감염균의 변화와 내성균의 출현 초래
    * R-factor - 다제 약제 내성 전달 가능 (cross spiecies, even genera)
- 아무리 병원 감염관리 체계가 잘 조직되어 있어도 30~50%만 예방 가능

병인

1. 전파경로

① cross-infection (m/c) : 의료인의 손을 통해 환자→환자로 전파
② autoinoculation (e.g., endotracheal tube를 통해 oropharyngeal flora가 폐로 흡입)
③ 기침이나 콧물을 통한 직접 전파
④ 공기를 통한 전파
⑤ 오염된 환경, 기구를 통한 전파

2. 원인균

- G(+) cocci → 2, 3세대 cepha. 등장 후 MRSA 및 *S. epidermidis*가 현저히 증가
  (penicillin에 내성인 pneumococcus 및 enterococcus의 출현도 문제)
- G(-) bacteria → *E. coli & Klebsiella*가 주였으나 3세대 cepha. 등장 후 *Pseudomonas, Enterobactor, Citrobacter* 등의 분리 빈도 증가
- 기타 fungus, virus, low virulence bacteria에 의한 감염의 증가

CATEGORIES

1. UTI (Urinary tract infection)

- 원내감염의 14~34% 차지 (m/c HAI)
  - 80%는 catheter 사용과 관련 (catheter-associated UTI, CAUTI)
    ; bacteriuria의 daily incidence 3~7%, 이중 10~25%에서 symptomatic UTI 발생
  - 5~10%는 요로 시술 후 발생
- UTI 발생 위험인자
  ① 장기간의(≥6일) urinary catheter 유치 (m/i)
  ② systemic antibiotics 불충분 (→ 1~5일간만 사용시 UTI↓)
  ③ open system, catheter 관리 부실, closed catheter system 깨짐(e.g., 소변 채취, 소변백 교체)
  ④ 여성, 고령, 심한 or 신경계 기저질환, DM 등
- 병인(pathogenesis)
  - 남성 : intraluminal spread
  - 여성 : fecal flora의 periurethral colonization이 ascending
- 원인균 : 통상의 UTI는 *E. coli*가 대부분을 차지하나, 원내감염시는 다양한 G(-)균이 원인
  (대개 환자 자신의 enteric bacilli에 의한 감염)
  ; *E. coli* (m/c), *Pseudomonas, Klebsiella, Proteus, Serratia, Acinetobacter* 등
- 치료 : 무증상 세균뇨만 있고 증상이 없으면 치료 안함, catheter 제거하면 대개 소실됨
  (e.g., 발열, 급박뇨, 빈뇨, 배뇨통, 치골상부 압통)
- 합병증 : 10~30%에서 symptomatic UTI, 장기간 catheter 사용시 UTO, stone,
  chronic infection (renal or perirenal), 신기능장애도 발생 가능
- 예방지침(preventive intervention bundle)
  - 꼭 필요한 경우만으로 catheter 사용 제한 (e.g., obstruction)
  - catheter system 삽입/조작시 aseptic technique 철저히
  - 폐쇄배뇨시스템(closed catheter system) 유지관리 ; 잦은 조작 피함
  - indwelling catheter 대신 intermittent catheterization 고려
- 예방적 항생제는 CA-UTI 감소 효과 없어 권장 안됨
  (↳ 권장되는 경우 ; 임신부, 요로계 시술 예정자, 신장이식 환자, 면역저하자 등)

→ 신장내과 13장 참조

2. Surgical-site infection (SSI, Wound infection)

- 원내감염의 17~24% 차지 (퇴원 후에도 발생 가능)
- 기전 : 수술 부위에 존재하던 resident skin flora가 가장 중요
　(기타 의료인의 손이나 기구 및 공기를 통한 감염도 가능)
- 원인균 ; *S. aureus*, CoNS, *Pseudomonas*, *Enterococcus* 등이 흔함
  - *Staphylococcus* (특히 MRSA) : 수술 후 4~6일 경에 많다
  - Group A streptococci or *Clostridia* spp. : 수술 후 1~2일내 발생
  - G(-) bacilli & anaerobe : 수술 후 1주 혹은 그 이후까지 가능
- 위험인자
  - 예방적 항생제 부적절, 외과의사의 기술 부족, 긴 수술 시간, 수술 전날 면도칼로 제모
  - 오염된 상처, 괴사조직이나 foreign body가 남아있을 때, 다른 부위의 감염 존재(e.g., UTI)
  - 환자요인 ; 고령, 기저질환, 면역저하, DM, 심한 비만, 수술 전 긴 입원 기간
- 예방지침(preventive intervention bundle)
  - 적절한 예방적 항생제 투여 ; IV cefazolin을 흔히 사용 (수술 종류마다 다름), 피부 절개 전
    <u>1시간 이내</u>에 투여 (c.f., 투여시간이 긴 vancomycin or fluoroquinolone은 2시간 이전에)
    → 보통 redosing은 수술 중까지만 or 수술 이후까지 투여가 필요하면 24시간 이내까지만
  - 수술 기법 향상, 수술실 및 의료진의 철저한 감염관리(e.g., 손씻기 등)
  - 수술 중 정상 수준의 혈당 유지 (∵ 고혈당은 감염 위험↑, 저혈당은 부정맥 등 사망 위험↑)
  - 수술 중 정상 체온 유지 (∵ hyperthermia는 coagulopathy, 감염, 약물 작용시간↑ 등 부작용)
  - 피부 소독 ; chlorhexidine 권장 (∵ 피부 자극 적고 잔류효과 有, 혈액/체액에 의해 불활성화×)
  - 제모는 꼭 필요한 경우에만 의료용 전기면도기 or 제모제 사용 (면도칼은 금기)
  - 기타 ; 수술 전 *S. aureus* 보균자에게 비강 내 mupirocin 도포, 수술 전 소독제 목욕 등

3. Pneumonia

- 원내감염의 13~24% 차지
- 사인으로는 1위 (사인의 20~50% 차지), 사망률 20~50% (attributable mortality는 6~14%)
- 원인균 ; *S. aureus* (m/c, MRSA 포함), *Pseudomonas aeruginosa*, *Acinetobactor*,
  K. pneumoniae 등의 GNB ...
- 특히 ICU 입원 환자나 ventilator 사용 환자에서 호발함 (ventilator-associated pneumonia, VAP)
- 발생 위험인자
  ① 병원균의 구인두 점착(colonization) 증가 ; 이전의 항생제 사용, 오염된 의료인이나 장비를
  　통한 전파(e.g., ventilator), 위의 pH↑
  ② aspiration 증가 ; intubation, 의식저하, NG tube, supine position
  ③ 방어기전의 장애 ; cough or gag reflex 저하 (e.g., 고령, 의식저하, 수술),
  　mucociliary clearing 장애 (e.g., COPD, CHF)
→ 호흡기내과 4장 참조

4. intravascular catheter-related bloodstream infection (BSIs)

- 원내감염의 10~15% 차지 (예방 노력으로 발생률은 꾸준히 감소), 기여 사망률 12~25%
- 대부분(90%) underline{central venous catheter (CVC)}^{중심정맥관}, 일부 intravascular (IV) catheter와 관련
- 주요 원인균 ; *S. epidermidis* (m/c), *S. aureus*, enterococci, GNB, *Candida* spp.
  (c.f., 화상은 *P. aeruginosa*, 악성종양은 GNB, 고농도 hyperalimentation시에는 진균이 흔한 원인)
- 병인 (감염 경로)
  ① 환자 피부의 정상 집락균 (m/c) ; *S. epidermidis* (CoNS)와 *S. aureus*가 대부분
  ② CVC의 intraluminal and/or hub 오염 ; 잦은 혈액 채취나 약물 주입 조작으로 오염 가능
      (특히 2주 이상된 CVC or surgically implanted device에서 중요 원인)
  ③ 다른 감염원(e.g., GI)에서의 hematogenous seeding ; 중증 환자 및 장기 CVC 거치시 중요
  ④ 오염된 주입액(infusate) ; 드묾

- 정의/진단
  ① **카테터 관련 혈류감염(catheter-related BSI, CRBSI)**
    - intravascular catheter를 가진 환자에서 전신감염 증상(e.g., 발열, 오한, 저혈압)을 보이고
      catheter (CVC)와 말초혈액에서 동일한 균이 동정된 경우 (다른 부위의 감염은 관련 없음)
    - 다음 검사기준 중 한 가지 이상을 만족해야 됨
      (1) catheter tip 배양 양성 → CVC를 제거해야 되는 제한점
        ┌ 반정량 ; catheter 말단 5 cm을 잘라 배지에 굴려 배양시 ≥15 CFU (절대적이진 않음)
        └ 정량 ; 초음파(sonication)로 catheter 부착 biofilm을 분리한 부유액을 배양 ≥10^2 CFU
      (2) 정량 혈액배양 : CVC에서 채혈한 혈액에서 자라는 균량이 말초혈액보다 3배 이상 많음
      (3) 혈액배양 양성의 시간차(differential time to positivity, DTP) : 자동혈액배양장비에서
          CVC에서 채혈한 혈액이 말초혈액보다 2시간 먼저 양성으로 보고됨
  ② 중심정맥카테터 관련 혈류감염(central line-associated BSI, CLABSI)
    - CVC를 삽입하고 2일이 지난 후에 전신감염 증상(e.g., 발열, 오한, 저혈압)을 보이고
      임상적으로 의미 있는 bacteremia가 새롭게 발생한 경우 (다른 부위의 감염은 관련 없음)
    - 하나의 검체에서 의미 있는 균 검출 or 피부 상재균의 경우 둘 이상의 검체에서 균 검출
    - CRBSI의 진단기준이 복잡하고 어렵기 때문에, 주로 의료관련감염의 감시를 목적으로 간단하고
      쉽게 정의한 기준임 (실제 임상에서의 의미는 동일하지만, CRBSI보다 specificity 낮은 단점)
- 치료 ; catheter 제거 여부, 적절한 항생제, 치료기간 등을 고려

- **catheter를 제거해야 하는 경우 ★**
  ① 환자의 상태가 severe할 때 ; severe sepsis, hemodynamic instability
  ② 합병 감염 ; septic thrombophlebitis, metastatic infection, endocarditis, osteomyelitis
  ③ 72시간 이상의 적절한 항생제 치료에도 호전이 없을 때 (합병증에 대한 evaluation도 실시)
  ④ 치료가 어려운 균 ; *S. aureus*, *P. aeruginosa*, *Acinetobacter,* 내성 GNB, VRE, *Candida*
  ⑤ 피하조직의 catheter tunnel or implantable port/device의 감염

    - catheter 제거 후에는 같은 위치에 다시 삽입하지 않는 것이 좋음
    - CoNS (*S. epidermidis*) : 오염균(pseudobacteremia)일 가능성이 높고 or vancomycin 등의
      항생제로 치료 가능하므로 catheter는 제거하지 않고 계속 유지 가능함!

- 경험적 항생제 : 배양/감수성 결과 나오기 전에 시행, Gram stain 결과에 따라
  - G(+) ; CoNS와 MRSA 고려 ⇨ <u>vancomycin</u> 등 (c.f., linezolid는 권장×)
  - G(−) ; *Pseudomonas* spp.가 의심되지 않으면 ⇨ ceftriaxone 등
    (*Pseudomonas* spp. 의심 ⇨ ceftazidime, cefepime, piperacillin-tazobactam, or carbapenems)
- 원인균 동정 이후의 항생제 치료

Pathogen	1st choice	Duration (균 음전 이후로)
Staphylococci – Methicillin 감수성	Nafcillin, Oxacillin, or Cefazolin	*S. aureus** : 4~6주 이상 CoNS : CVC 제거시 5~7일 (제거 안하면 10~14일 + ALT)
Staphylococci – Methicillin 내성	Vancomycin	
Enterococci – Ampicillin 감수성	Ampicillin	7~14일 (CVC 제거 안하면 14일 + ALT)
Enterococci – Ampicillin 내성, Vanco. 감수성	Vancomycin	
Enterococci – Vancomycin 내성 (VRE)	Daptomycin, Linezolid 등	
Enterobacteriaceae – ESBL(−)	Ceftriaxone	14일 + ALT (antibiotic lock therapy)
Enterobacteriaceae – ESBL(+)	Carbapenem	
Pseudomonas spp.	Ceftazidime, Cefepime, or Piperacillin-tazobactam	

* *S. aureus* : catheter 제거, endocarditis의 가능성을 R/O해야 (→ TEE 시행)
** *Candida* 감염은 IV-6장 참조

- ALT (antibiotic lock therapy) ; 고농도 항생제를 catheter lumen에 주입 후 일정 기간 잠가 둠
  - CVC를 제거하기 않는 경우 전신 항생제 치료와 함께 시행
  - 항생제는 vancomycin, cefazolin, ceftazidime, GM 등이 흔히 사용됨 (+ 금기 없으면 heparin도)
  - 예방 목적 : routine으로는 시행×, 장기 CVC 유치 환자에서 CRBSI가 자주 반복되는 경우 고려

- 예방지침(preventive intervention bundle)
  - CVC 삽입시 maximal sterile barrier precautions (MBP) 시행
  - 삽입 부위 : 상지가 하지보다 감염률이 낮음 (peripheral IV catheter는 상지에 권장)
    → CVC 우선순위 ; subclavian vein (m/g) > internal jugular vein > femoral vein (권장×)
  - 삽입 부위 소독 : 2% <u>chlorhexidine</u> gluconate (CHG) in 70% isopropyl alcohol 권장
    (없으면 10% povidone iodine [Betadine] or 70% isopropyl alcohol 사용)
  - CVC 삽입 부위 관리 ; clean dry dressing 유지 (거즈는 2일마다, 투명필름은 7일마다 교체)
  - 수액주입세트 ; 4일 이상의 간격으로 교체, 혈액제제/지방액 주입시에는 24시간 이내에 교체
  - catheter의 교체는 규칙적인 간격보다는 임상적으로 감염 여부를 평가한 뒤에 고려
    (CVC or pulmonary artery catheters의 guidewire 이용 교체는 권장× → 다른 부위에 새로)
  - 항생제/소독제 코팅 카테터(antimicrobial/antiseptic impregnated catheter)
    ; chlorhexidine/silver sulfadiazine- or minocycline/rifampin-impregnated catheters
    → BSI 감소에 효과적 (특히 상대적으로 CRBSI 발생률이 높은 ICU에서 효과 큼)
  - 삽입부위에 항균제 연고 도포는 권장× (∵ 진균이나 내성균 집락화 조장 위험)
    (예외 ; 혈액투석용 CVC는 삽입 부위에 항생제 or povidone-iodine 연고 도포시 감염↓)
  - 매일 평가하여 catheter가 필요 없어지면 즉시 제거
- 예방지침을 잘 수행하면 거의 다 예방은 가능함 (원내감염 중 가장 예방하기 쉬움)

* 국소 감염 … 대개는 bacteremia 동반 안함
  (1) 출구 감염(exit site infection) : catheter 출구 2 cm 이내의 국소 염증 (발적, 열감, 압통),
    대부분 *Staphylococci*가 원인 → 국소 항생제로 치료(e.g., mupirocin)
  (2) 터널 감염(tunnel infection) : 출구로부터 2 cm 이상 파급된 염증 소견 (발적, 열감, 압통)
  (3) 포켓 감염(pocket infection) : implanted ports에서 피하 포켓에 염증/pus 존재
    → (2)(3)은 catheter 제거 & 전신 항생제 치료

예방

1. 일반 원칙

- 감염의 많은 경우가 진단/치료를 위한 장치(e.g., catheter) 사용의 결과이다
- 원내감염이 발생한 환자는 대개 위중하며 (ICU 입원), 장기간 입원해 있고, 광범위 항생제를 사용한
  경우가 많다 → MRSA, MRSE, VRE 등이 병원 감염균으로 증가
- 항생제의 사용은 감염이 확인된 경우로 최대한 억제하여, 불필요한 항생제 남용을 피해야 됨
  - 발열 환자의 혈액배양에서 *S. epidermidis*가 분리되었을 때 실제 bacteremia는 10~20%에 불과
    → 최소한 2군데 이상의 부위에서 혈액배양 결과가 일치해야 vancomycin으로 치료
  - 염증/감염의 signs이 없는 wound culture (+), CXR상 infiltrates가 없는 sputum culture (+),
    pyelonephritis의 Sx/signs 없는 urine culture (+) 등은 대개 infection이 아니라 colonization 임
- foley catheter, IV line, Levin tube 등의 장치들은 환자에게 반드시 필요한 경우에만 사용하며,
  사용 후에는 가능한 빨리 제거
- peripheral IV line은 3일 마다, arterial line은 4일 마다 자리를 바꿈
- central venous line은 무기한 방치할 수 있으나, 감염이 의심되거나 막혔거나 더 이상 필요 없는
  경우에는 교환 또는 제거
- 최선의 간호도 중요 (e.g., 욕창 예방을 위한 체위 변화, wound care, feeding시 head elevation)

2. 감염환자의 격리 지침

(1) 표준안전지침 : 표준주의(standard precautions) … 모든 환자에게 적용
  - 환자와 접촉하기 전/후로 시행함
  - 손위생(hand hygiene) ; 가장 중요하고 확실, 장갑을 끼더라도 꼭 손은 씻고 껴야 함
    - 알코올젤 손소독제(alcohol-based hand disinfectant)
    - 물과 비누(일반 or 항균)를 이용한 손씻기 ; 눈에 보이는 오염시, 원인을 모르는 급성 설사,
      norovirus, rotavirus, *C. difficile* 등 때
  - 개인보호구(personal protective equipment, PPE) ; 장갑, 가운, 필요시 입/코/눈 보호 등
  - 호흡기/기침 예절(respiratory hygiene/cough etiquette) ; 환자/방문자는 기침시 입/코를 가림
    or 마스크 착용, 다른 환자/방문자와 1 m 이상 거리 유지

(2) 전파경로별 주의(transmission-based precautions) … 표준주의에 더하여

접촉주의	비말주의		공기주의 ★
다제내성균 ; MRSA, VRE, 내성 G(-)균 등	*N. meningitidis*	Influenza	TB
장관감염(설사) ; norovirus, rotavirus, *C. difficile*, *E. coli* O157:H7	*H. influenzae* type B	Rubella, Mumps	Measles
	M. pneumoniae	Adenovirus	Varicella
HSV, VZV, RSV, parainfluenza virus,	*Bordetella pertussis*	Parvovirus B19	Disseminated zoster
adenovirus, enterovirus, rhinovirus,	Group A	Rhinovirus	Smallpox
SARS, MERS, COVID-19 등	*Streptococcus*	SARS, MERS	SARS*, MERS*, COVID-19
	Diphtheria	COVID-19 등	*Aspergillus* spores

*주로 비말과 직접접촉을 통해 전파되지만, airborne도 가능 (특히 endotracheal intubation 같은 aerosol-생성 시술)

① 접촉주의(contact precautions)
- 직접/간접 접촉에 의해 전파되는 병원균
- 가능하면 1인실 사용 (or 없으면 동일 병원균 환자들끼리 한 병실에 입원 = 코호트 격리)
- 물품은 가능한 한 1회용품을 사용, 병실은 다른 병실보다 더 자주 청소 & 소독

② 비말주의(droplet precautions)
- 기침, 콧물, 침 등의 비말로 전파되는 것 (크기 ≥5 μm)
  ; 공기 중에는 짧은 시간만 부유, 전파는 대개 1~2 m 이내에서 이루어 짐
- 가능하면 1인실 사용 (or 없으면 코호트 격리), 병실 문은 열어놓아도 됨
- 의료진 및 환자 이동시 수술용 마스크(surgical mask) 착용

③ 공기주의(airborne precautions)
- 작은 크기의 비말(<5 μm)이 공기를 타고 먼 거리를 이동 (비말핵은 공기 중에 오래 부유함)
- 음압격리실(negative-pr. ventilation system) 사용 (or 없으면 공기의 흐름이 독립된 방)
- 의료진은 N95 mask 착용 / 환자는 이동시 수술용 마스크 착용

④ 감염 저장소 (의료기구, 수액, 가습기 등) → 병원 내 outbreak 위험
  예) *Pseudomonas, Burkholderia, Acinetobacter* ...

감염별 격리 종류와 기간 (예)

질환	전염물질	격리방법	격리기간 (~까지)
Abscess/Wound infection	화농성 분비물	표준 (+ 접촉)*	배액이 되지 않을 때
Diarrhea/Gastroenteritis	대변	표준 (+ 접촉)**	접촉주의 균은 질병기간
Multidrug−resistant organisms (e.g., MRSA, VRE, ESBL)	농, 병변 분비물	표준 + 접촉	항생제 사용 후 배양 음성
Acute viral/hemorrhagic conjunctivitis	화농성 분비물	표준 + 접촉	질병기간
Head Lice (pediculosis)		표준 + 접촉	치료 시작 후 24시간
Meningococcal infections	호흡기 분비물	표준 + 비말	치료 시작 후 24시간
Measles	호흡기 분비물	표준 + 공기	발진 발생 후 4일
Mumps	호흡기 분비물, 타액	표준 + 비말	이하선 부종 발생 후 5일
Rubella	호흡기 분비물, 소변	표준 + 비말	발진 발생 후 7일
HAV hepatitis	대변	표준 (+ 접촉: 설사시)	
HBV, HCV, HIV	혈액, 체액	표준	
Varicella zoster	호흡기(공기), 병변 분비물	표준 + 접촉, 공기	발진 발생 후 5일 이상 or 모든 병변에 가피 형성
Herpes zoster (면역저하)	병변 분비물	표준 + 접촉, 공기	질병기간
Herpes zoster (면역정상)	병변 분비물	표준	모든 병변에 가피 형성
Pneumococcal pneumonia		표준 (+ 비말)***	
Adenovirus pneumonia		표준 + 접촉, 비말	질병기간
Pulmonary tuberculosis	호흡기 분비물	표준 + 공기	연속 3회 이상 도말 음성
Extrapulmonary TB (화농성)	화농성 분비물	표준 + 접촉, 공기	연속 3회 이상 도말 음성
Extrapulmonary TB		표준	
SARS, MERS	호흡기 분비물	표준 + 접촉, 비말, 공기	질병기간 + 10일
Viral hemorrhagic fevers (e.g., Lassa, Ebola)	혈액, 체액, 정액 등	표준 + 접촉, 비말	질병기간

* Major draining
** Norovirus, rotavirus, *C. difficile*, *E. coli* O157:H7
*** 병실/원내 전파가 발생하면 비말 격리도 시행

정의

1. Bacteremia (fungemia)	혈액배양에서 bacteria (fungi)가 양성
2. Septicemia	혈류를 통해 미생물 또는 그 toxins이 퍼져서 발생한 systemic illness
3. Systemic inflammatory response syndrome (SIRS)	아래 4가지 중 2가지 이상 존재시 ① 구강체온 >38℃ or <36℃ ② 호흡수 >24 회/분 or PaCO₂ <32 mmHg ③ 맥박 >90 회/분 ④ WBC >12,000/μL or <4,000/μL or bands >10%
4. Sepsis	감염에 의해 발생한 SIRS
5. Severe sepsis ("sepsis syndrome"과 비슷)	1개 이상의 organ dysfunctions의 signs을 동반하는 sepsis (e.g., hypoperfusion, hypotension, metabolic acidosis, 의식의 급격한 저하, oliguria, ARDS)
6. Hypotension	다른 hypotension의 원인 없이 수축기 혈압 <90 mmHg or 환자 baseline의 40 mmHg 미만
7. Septic shock	Sepsis + hypotension (충분한 수액공급에도 반응이 없거나, systolic BP ≥90 mmHg or mean arterial pr. ≥70 mmHg 유지위해 vasopressor가 필요한 경우)
8. Refractory septic shock	치료에 반응하지 않고 1시간 이상 지속되는 septic shock
9. Multiple-organ dysfunction syndrome (MODS)	2개 이상의 organs의 dysfunction

■ 최근의 정의

International Consensus Definitions for Sepsis [Sepsis-3] (2016년 SCCM/ESICM)	
Sepsis	감염에 대한 숙주 반응의 조절 장애로 생명을 위협하는 장기부전(organ dysfunction)이 발생한 상태 - Organ dysfunction의 정의: SOFA 점수*가 2점 이상 급격히 증가
Septic shock	순환기 및 세포/대사 이상이 심해져 사망률이 매우 높은 sepsis 상태 - 정의: 수액 치료에도 불구하고 mean arterial pressure (MAP) ≥65 mmHg를 유기하기 위해 vasopressors 필요 & serum lactate >2 mmol/L (18 mg/dL)인 지속적인 저혈압 sepsis 환자

* SOFA (Sequential Organ Failure Assessment) score
** 과거의 severe sepsis 정의가 sepsis로 바뀐 셈이며 (기본 조건이 SIRS에서 organ dysfunction [SOFA]으로 바뀜) septic shock은 과거랑 비슷함 (SIRS는 삭제됨)

SOFA (Sequential Organ Failure Assessment) score – organ dysfunction 평가

Score	0	1	2	3	4
호흡(PaO$_2$/FiO$_2$)	≥400	<400	<300	<200	<100
응고(platelet count/μL)	≥150,000	<150,000	<100,000	<50,000	<20,000
간(serum bilirubin mg/dL)	≤1.2	>1.2	>2	>6	>12
심혈관-혈압(MAP, mmHg) vasopressor 사용여부	≥70	<70	Dopa ≤5	Dopa ≤15 or epi ≤0.1 or NE ≤0.1	Dopa >15 or epi >0.1 or NE >0.1
뇌기능(Glasgow coma score)	15	13~14	10~12	6~9	<6
신기능(serum Cr, mg/dL) urine output (mL/day)	≤1.2	>1.2	>2.0	>3.5 <500	>5.0 <200

c.f.) Early sepsis의 indicators

qSOFA (quick SOFA)	Respiratory rate (RR) ≥22/minute Systolic blood pressure (SBP) ≤100 mmHg Altered mentation ▶2개 이상 + 감염 소견이 있으면 sepsis 의심 → ICU 입원 치료
NEWS*	RR, O$_2$ saturation, SBP, PR, 의식상태, 체온 등으로 계산 ▶5점 이상이면 sepsis 의심

* National Early Warning Score (NEWS)

– Sepsis 위험군 (감염) 환자들을 대상으로 감시하다가 (or 응급실에서) 조기에 발견하기 위함
– SOFA는 복잡하기 때문에, qSOFA를 먼저 사용하기도 함 (주로 적극 치료 대상의 환자를 분류하기 위해)

원인균

- 모든 organism이 가능하나 frank shock은 주로 G(-) rods에 의해 발생
- sepsis의 30~60%, septic shock의 60~80%에서 혈액배양 양성 (균을 증명 못하는 경우도 많음)
  - 이중 G(-)균이 38~62%, G(+)균이 40~52%, fungus 5~19%, virus 1~7% 차지
  - G(-) rods : *E. coli, Klebsiella, Proteus, Enterobacter, Serratia, Pseudomonas* 등
  - G(+) cocci : *Staphylococcus, Pneumococcus, Streptococcus*
- G(-) bacteria의 25~40%에서, G(+) bacteria의 5~15%에서 shock 발생
- suppurative Cx.은 G(+) bacteria에서 더 흔함
- predisposing factors
  - G(-) bacteria ; DM, chronic liver dz., lymphoproliferative disease, burns, invasive procedure or device, drug-induced neutropenia
  - G(+) cocci ; vascular catheter, indwelling catheter, burns, IV drug user (최근 이에 의한 원내 sepsis의 빈도 증가 추세 : 30% 차지)
  - fungus ; 심한 neutropenia를 동반한 면역저하자, 광범위 항생제

* 선행감염 (빈도순) ; 폐렴, 복막염, UTI, SSTI 등

병인

- G(-)균의 <u>LPS</u> (특히 lipid A), G(+)균의 peptidoglycan과 lipoteicoic acid, toxins 등의 성분이 염증세포와 내피세포에 작용
- Toll-like receptor (TLR) : LPS가 TLR_4 (peptidoglycan은 TLR_2)에 결합하면 세포내 신호체계를 촉진 다량의 cytokines을 생성하여 sepsis 유발
- TNF-α, IL-1, 2, 4, 6, 8, PG, PAF, kinin 등의 cytokines 분비
  - 이중 <u>TNF-α</u> (m/i), <u>IL-1</u>, PAF 등이 중요 (TNF-α → 혈관확장, 심근저하, 응고 활성화)
  - LPS와 CD14의 상호작용으로 TNF-α 등의 중요 매개인자가 생성
- complement 활성화, coagulation & fibrinolysis 활성화 (→ DIC)
  - C3a, C5a → 혈관확장, 혈관투과성 증가, 혈소판 응집, WBC chemotaxis
- 혈관내피세포 ; 투과성↑, 내피세포에서 EDRF (Nitric Oxide) 분비 → 저혈압
- neutrophil에서 분비된 free oxygen radical, lysosomal enzyme → 조직손상
- PAF ; 혈소판 응집을 촉진 → 조직 손상

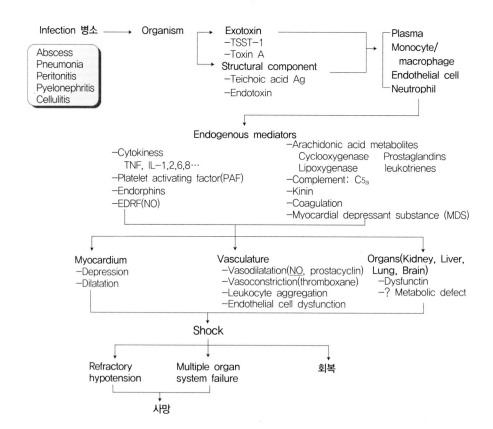

임상양상

---

1. **Systemic inflammatory response**
   Fever or hypothermia, chills
   Tachycardia
   Leukocytosis or leukopenia

2. **Shock-induced organ dysfunction**
   Respiratory : ARDS
   Cardiovascular : hypotension, myocardial depression, lactate 생성
   Renal : AKI (대부분 ATN), oliguria
   Hepatic : hyperbilirubinemia
   Coagulation : thrombocytopenia, **DIC**
   CNS : confusion, stupor, obtundation

- sepsis 환자의 약 15%는 septic shock으로 진행함
  - ICU 환자의 약 10%, 사망자의 약 50% 차지
  - 고령화(→ 기저 만성질환 증가), invasive procedures, 면역억제제 등의 증가로 계속 증가 추세임
- infection focus 있는 환자가 갑자기 fever, chills, tachycardia, 의식변화, 저혈압 등을 보이면
  의심 (천천히 발생하거나 임상증상이 애매한 경우도 있음)
- 신생아, 노인, uremia, 알코올중독자 등에서는 열이 없거나 체온저하도 가능
- vital organs의 관류 감소와 저혈압 ; 광범위한 혈관내피세포 손상, fluid extravasation &
  microthrombi 형성, lactic acidosis ... (신장과 폐가 손상에 더 민감하고, 심장과 뇌는 덜 민감함)
- Lab ; WBC count↑/↓ (약 1/3은 >12,000/μL, 약 5%는 <4,000/μL), immature neutrophils↑,
  CRP↑, procalcitonin↑ (진단보다는 항생제 중단 시기 판단에 유용)
  - serum <u>lactate</u>가 상승되어 있으면 떨어질 때까지 약 6시간 간격으로 측정 (POCT 측정기 많음)
    ↳ tissue hypoxia/hypoperfusion (shock) 반영 ⋯ septic shock의 진단기준 중 하나
    (c.f., lactic acidosis는 알코올 중독, 간질환, DM, TPN, ART 등에서도 나타날 수 있음
    → 단독으로 septic shock marker로 사용하기는 곤란하고, hypoperfusion 반응 파악에도 부적절)
  - ABGA : SOFA score의 변수 중 하나인 PaO$_2$/FiO$_2$ 감시에 필요
- 특징적인 피부 병변
  - petechiae or purpura ; overwhelming meningococcal or *H. influenzae* infection
  - ecthyma gangrenosum ; *P. aeruginosa*
  - hemorrhagic bullae ; *V. vulnificus*
  - generalized erythema ; TSS

- **acute phase (early septic shock)**
  ┌ myocardial contractility↓, EF↓ (→ mean arterial pr.↓) ┐ → HR↑, CO↑ (but, BP↓)
  └ systemic vascular resistance↓ (vasodilatation, CVP↓) ┘

- **recovery phase (late septic shock)**
  ; normotensive, vascular resistance↑ (→ CVP↑), CO↓

합병증

1. 심폐 합병증

(1) ARDS (shock lung)
- sepsis가 ARDS의 가장 큰 원인이며 sepsis의 20~50%에서 ARDS 발생
- PCWP 상승시엔 (>18 mmHg) ARDS보다는 fluid overload or cardiac failure

(2) septic shock
- 주요기전
  ① diffuse vasodilation (∵ NO, prostacyclin), capillary leak, maldistribution of blood flow
    ↳ systemic vascular resistance 감소 ⋯ functional hypovolemia
  ② dehydration (∵ 기저질환, 불감수분소실, 구토, 설사, 다뇨)
  ③ myocardial function 저하 ; 양심실 EF↓, 이완기말 용적↑, 맥박↑ ⋯ CO은 증가
- cardiac output : 초기엔 정상 or 증가! (CO이 증가하는 유일한 shock)

2. 신장 합병증
- ATN이 가장 많으며 기타 GN, renal cortical necrosis, interstitial nephritis 등
- drug-induced nephrotoxicity 주의 (C_{Cr}에 맞추어 용량 조절)
- D/Dx of prerenal azotemia & ATN

3. 응고장애
- DIC (severe sepsis의 30~50%에서) ; 출혈이 m/i 임상양상
  ① platelet count <100,000/μL
  ② fibrin degradation products (FDP), D-dimers 증가
  ③ PT or APTT 연장 (upper normal limit의 1.2배 이상)
  ④ endogenous anticoagulants (e.g., antithrombin, protein C) 감소

4. 기타
- 소화기 ; 위/십이지장 erosion/ulcer bleeding, 담즙울체성 황달(bilirubin↑), AST-ALT↑, ALP↑
  (hepatic failure는 드묾)
- 내분비 ; adrenal insufficiency (e.g., hyponatremia, hyperkalemia), sick euthyroid syndrome
- serum lactate↑ : organ hypoperfusion 시사, poor Px

5. Multiple organ dysfunction syndrome (MODS)
- 급성 중증 환자의 progressive organ dysfunction, 정립된 기준은 없지만 대개 SOFA 점수로 평가함
- sepsis : microbial-induced SIRS (multiple inflammatory response syndrome)
- D/Dx ; acute pancreatitis, burns, trauma, adrenal insufficiency, pulmonary embolism,
  occult bleeding, cardiac tamponade, anaphylaxis, drug overdose ...

치료

1. 일반적인 소생/지지 치료

- sepsis/septic shock은 내과적 응급임! → ICU 입원, hemodynamic monitoring (e.g., 심초음파)

> ■ 일반적 치료 목표
> - MAP (mean arterial pressure) >65 mmHg (≒ systolic BP >90 mmHg)
> - 기타 perfusion index ; urine output >0.5 mL/kg/hr (약 30 mL/hr), arterial lactate <2 mmol/L
> - mental status, skin perfusion 정상화 등
>
> c.f.) EGDT (early goal-directed therapy) … 과거에 사용하던 치료 목표
> ┌ central venous oxyhemoglobin saturation (ScvO$_2$) ≥70%
> │ central venous pressure (CVP) 8~12 mmHg
> └ mean arterial pressure (MAP) ≥65 mmHg, urine output ≥0.5 mL/kg/hr
> → central venous catheter를 이용하지 않는 일반적인 목표를 사용해도 예후에 차이가 없어, 현재는 사용 안 함

- initial IV fluid replacement : 1시간 이내에 투여 시작, <u>3시간</u> 이내에 완료
  - 30 mL/kg (actual body weight) 이상 투여
  - crystalloid fluids가 권장됨 ; 0.9% normal saline, balanced crystalloids (e.g., Ringer's lactate)
- vasopressors/inotropics : 적절한 fluid 치료에도 불구하고 계속 저혈압인 경우 사용
  - <u>norepinephrine (NE)</u>이 first-line으로 권장됨
  - 필요시 epinephrine, vasopressin, dobutamine 등을 추가 가능
  - vasopressin : distributive shock 환자에서 NE 감량에 도움 (e.g., 부정맥 부작용 등 감소)
  - fluid & vasopressors 치료에도 불구하고 계속 unstable (hypoperfusion) → dobutamine 투여
  - dopamine은 특별한 경우에만 고려 (e.g., tachyarrhythmias or relative bradycardia 고위험군)
  - c.f.) vasopressors/inotropics를 사용하거나 혈압계로 혈압 측정이 어려울 정도로 불안정하면
    arterial catheter 삽입 고려
- RBC 수혈 : Hb <7 g/dL인 경우에만 고려 (예외; 급성 출혈, 심근 허혈, 심부전, 심한 hypoxia)
- platelet 수혈 : 출혈의 증거가 없으면 platelet count <10,000/μL인 경우
  (출혈이 있으면 <20,000/μL, 수술/시술 예정이면 <50,000/μL인 경우)
- 인공호흡기(mechanical ventilation)
  - sepsis-induced ARDS → low tidal volume : 6 mL/kg
    (plateau pr.를 30 cmH$_2$O 이하로 유지할 수 없으면 4 mL/kg)
  - sepsis-induced moderate~severe ARDS → higher PEEP 권장
  - severe ARDS (PaO2/FiO2 <150 mmHg) → prone positioning, alveolar recruitment maneuver
    (폐포동원술, 일시적으로 PEEP을 많이 높이는 것), 근이완제/신경근육차단제 등 고려
- steroid (e.g., hydrocortisone 200 mg/day IV)
  - 대부분은 필요 없음 (routine 사용×), adrenal insufficiency시에도 생존율↑ 효과 없음
    (∵ 거의 대부분 relative adrenal insufficiency 상태이고, 중환자에서는 진단검사가 부정확함)
  - refractory shock (적절한 fluid & asopressors/inotropics 치료에도 반응×)의 경우만 사용 고려
- 혈당 조절 ; 2회 이상 >180 mg/dL면 insulin 투여 → glucose level ≤180 mg/dL 목표로
- AKI → continuous or intermittent RRT (renal replacement therapy)
- venous thromboembolism 예방 → 금기가 없으면 unfractionated heparin or LMWH 투여

- GI bleeding 위험군(e.g., 응고장애, 48시간 이상 기계호흡, 저혈압, 신부전, 다발성 외상, 심한 화상, 장기이식, 항혈소판제, NSAIDs) → stress ulcer 예방 조치(e.g., PPI)
- 영양공급 ; 가능하면 경구가 권장됨 (경구 섭취가 불가능하고 7일 이상의 parenteral nutrition이 필요한 malnutrition 환자에서만 parenteral nutrition 시작)

c.f.) recombinant activated protein C (aPC) : 한때 severe sepsis에서 약간 생존율 향상이 기대되어 사용되었었으나, 이후 생존율 향상 효과는 없고 부작용(출혈) 위험으로 현재는 퇴출되었음

2. 경험적 항생제

- 배양검사용 검체를 채취한 뒤 즉시 IV 광범위 항생제 투여 (가능하면 <u>1시간</u> 이내에)
- 항생제의 선택은 감염원, 감염 장소, 과거력, 지역의 유행 균 및 내성 양상에 따라 다름

감염원	초기 권장 경험적 항생제 (예)
Community-acquired pneumonia	3세대 cepha. (e.g., cefotaxime, ceftriaxone, ceftizoxime) + Fluoroquinolone (e.g., ciprofloxacin, levofloxacin, moxifloxacin) or Macrolide (e.g., azithromycin)
Hospital-acquired pneumonia	Vancomycin (or Linezolid) + Carbapenem (e.g., Imipenem, Meropenem) + Fluoroquinolone (e.g., ciprofloxacin, levofloxacin)
복강내 감염 (peritonitis), GI perforation	3/4세대 cepha. (e.g., ceftriaxone, cefotaxime, cefepime) or Piperacillin-tazobactam (or Ticarcillin-clavulanate) or Carbapenem (e.g., imipenem, meropenem)
UTI	3세대 cepha. (e.g., cefotaxime, ceftriaxone, ceftizoxime)
Cellulitis (severe)	Vancomycin + Piperacillin-tazobactam
Necrotizing fasciitis	Vancomycin + Piperacillin-tazobactam + Clindamycin
Primary bacteremia	Vancomycin + Piperacillin-tazobactam (IV drug user는 Vancomycin + Fluoroquinolone)
Catheter-related bloodstream Infection (CRBSI)	Vancomycin ± Cefepime
Febrile neutropenia	Vancomycin + Cefepime (진균 감염 의심시 항진균제도)
Bacterial meningitis	Ceftriaxone + Ampicillin + Vancomycin + Dexamethasone

- 배양 결과가 나온 뒤에는 감수성이 있는 항생제로 de-escalation
  (∵ 광범위 항생제를 오래 사용하면 내성균↑, *C. difficile* 감염↑, 사망률↑)
- 경험적 항진균제는 *Candida* or *Aspergillus* 감염이 강력히 의심되거나 neutropenia일 때 고려

3. 감염원(infection source)의 제거

- 치료 시작 후 가능한 빨리 감염원을 파악하고, 필요시 제거해야 됨
  - abscess, necrotic tissue 등의 배농 또는 수술적 제거
  - 특히 necrotizing fasciitis, peritonitis, cholecystitis, intestinal infarction 등
- 가능하면 indwelling catheter도 제거 (catheter tip을 잘라 정량적인 배양검사)

예후

- 사망률 (30일 이내) : severe sepsis 20~35%, septic shock 40~60%
- 지연 사망(late death)의 원인
  ① 감염의 부적절한 치료
  ② 집중치료(ICU)의 부작용
  ③ multiple organ failure
  ④ 환자의 기저 질환
  ⑤ immunosuppression
- indicators in course
  ① pulmonary circulation (S-G catheter) - PCWP or CVP
  ② pulse pressure - stroke volume 반영
  ③ cutaneous vasoconstriction - 말초저항 반영
  ④ hourly urine output (30 mL/hr 이상 유지) - renal blood flow 반영
  ⑤ 기타 ECG, ABGA, electrolytes, renal function tests, abdominal sono

예방

* severe sepsis와 septic shock : 대부분 nosocomial, 50~70%에서 덜 심한 stage
  (e.g., SIRS, sepsis)가 선행됨

(1) sepsis를 신속하고 적극적으로 치료
(2) invasive procedures 줄임
(3) indwelling catheter의 사용 줄임
(4) neutropenia (<500/ μ L)의 빈도/기간을 최소화
(5) localized nosocomial infection의 보다 적극적인 치료
(6) 항생제와 steroid의 무분별한 사용 제한

6
중추신경계 감염

개요

1. 수막염(Meningitis)

- 정의 : 수막(연막, 거미막)을 포함한 지주막하(거미막밑) 공간의 염증성 반응을 일으키는 질환
    ⇨ 발열, 심한 두통, 수막자극증(meningismus), 비정상적인 CSF 소견 (pleocytosis) 등이 특징
- acute meningitis (>75%) : Sx duration이 5일 이내 / 원인 ; 모름(m/c) > 바이러스 > 세균
- subacute meningitis : Sx duration이 5일~30일 / 대개 mycobacteria, 진균이 원인
  (면역저하 등 기저질환을 가지고 있는 경우 많음)
- chronic meningitis : Sx duration이 30일 이상 / mycobacteria, brucellosis, syphilis, 진균, 기생충, sarcoidosis, autoimmune, paraneoplastic disorders, vasculitis 등 다양한 원인이 가능

2. 뇌염(Encephalitis)

- 정의 : 뇌실질(parenchyma)의 염증성 반응을 일으키는 질환
    ⇨ 발열, 뇌기능 장애, 발작(seizure), 국소 신경이상, CSF pleocytosis, MRI/EEG 이상 등이 특징

Encephalitis 및 Encephalopathy의 진단기준	
Major Criteria (필수)	24시간 이상의 정신상태 변화(altered mental status, AMS) : 의식 저하/변화, 기면(lethargy), 성격/언어/행동의 변화 등
Minor Criteria	발병 전/후 72시간 이내에 발열 발생(≥38℃) Generalized or partial seizures (발작) Focal neurologic findings 새로 발생 (e.g., 운동 or 감각 이상) CSF WBC count ≥5/mm³ 영상검사에서 encephalitis 의심 (새로 발생한 뇌 실질 이상) EEG에서 encephalitis 의심

Possible encephalitis = Major + Minor 2개
Probable or confirmeda encephalitis = Major + Minor 3개 이상
Confirmed encephalitis = 위 + 병리학적으로 뇌의 염증 확인 and/or
    진단검사(e.g., PCR)로 뇌염의 원인균 or 자가면역 소견(e.g., Ab) 확인

- 원인 ; 바이러스(약 50%, HSV, VZV, EBV가 흔함)[m/c] > 세균 (약 25%), 모름 (약 25%)
- CSF 이상 소견에 비해 의식 저하 등 뇌기능 장애가 더 심함
- meningitis에서도 두통, 의식변화, 기면, 발작 등이 동반될 수 있지만, 뇌 기능은 정상임!
  (but, 일부 환자는 두 양상을 모두 가지고 있는 경우도 있음)

세균성 수막염(Bacterial meningitis)

1. 원인균

	신생아	소아	성인
H. influenzae	0~3	10	1~3
S. pneumoniae	0~5	20~50	25~50 (m/c)
N. meningitidis	0~1	30~60	10~25
Gram-negative bacilli	50~60	1~2	1~10
Group B Streptococci	20~40	2~4	5~15
Staphylococci	5	1~2	5~15
L. monocytogenes	2~10	1~2	2~8

① *S. pneumoniae* ; 성인에서 m/c 원인
  - 위험인자 ; pneumonia, sinusitis, OM, , head injury (CSF leakage), DM, alcholism, asplenia, sickle cell anemia, HL, multiple myeloma, 장기이식, 면역억제, 보체결핍 등
  - 예방접종 도입 이후 감소 추세 (특히 소아에서), penicillin 내성균이 증가하는 것은 문제
② *N. meningitidis* ; 주로 젊은 성인에서 호발 (sporadic or cyclic outbreak), 대개는 위험인자 無 (드물게 보체결핍시 호발), 피부의 자반/점상출혈이 특징, 예방접종 도입 이후 감소 추세
③ *H. influenzae* type b (Hib) ; 소아에서 흔했었으나 예방접종으로 크게 감소, 성인에서 발견되면 면역저하 혹은 해부학적 구조 이상 등을 의심
④ *S. aureus* ; 외상/수술/시술, bacteremia, endocarditis, cellulitis 등 때 호발
⑤ *S. epidermidis* ; 외상/수술/시술 이후에 호발 (특히 V-P shunt)
⑥ Group B streptococci (*S. agalactiae*) ; 주로 신생아에서 발생했었으나, 최근에는 성인에서도 증가 (미국 3rd m/c 원인), 노인 및 기저질환자에서 호발(e.g., 면역저하, endocarditis)
⑦ G(-) bacilli ; 신생아 및 노인, 기저질환, CNS 외상/수술/시술 후 등 때 호발하며 증가 추세임, 성인에서는 *E. coli, K. pneumoniae* 등의 장내세균 및 *P. aeruginosa*가 대부분을 차지
⑧ *L. monocytogenes* ; 신생아, 임산부, 노인, DM, 세포성 면역저하(e.g., 이식[특히 신장], steorid), CTx., 알콜중독자 등에서 호발! ⇨ 이 위험군에서는 경험적 항생제 투여 때 ampicillin도 추가!

* 면역저하자 ; *S. pneumoniae, L. monocytogenes*, tuberculosis, cryptococcal meningitis 등
* 암환자 ; G(-) bacilli (*P. aeruginosa, E. coli*), *L. monocytogenes, S. pneumoniae, S. aureus* 등

2. 임상양상

• 갑자기 고열, 심한 두통, 경부강직(neck stiffness), 의식변화/저하, N/V 등 발생
  ± 선행/위험인자(e.g., URI, OM, pneumonia, sepsis, endocarditis, 외상/수술/시술, 면역저하)
• 수막자극증(meningismus, meningeal irritation signs) … *L. monocytogenes*에서는 드묾!
  - 경부강직(neck stiffness, nuchal rigidity)
  - Brudzinski's sign : passive neck flexion → hip과 knee가 flexion
  - Kernig's sign : hip flextion 상태에서 knee의 passive extension 안됨
• 피부에 petechiae, purpura, ecchymosis 등 출혈성 병변이 발생하면 즉시 meningococcus를 의심
  (드물게 *Staphylococcus,* pneumococcus, *H. influenza,* echovirus 때도 가능)

• 신경학적 증상 또는 합병증
  - cranial nerve abnormalities (10~20%에서) ; 3, 4, 6, 7 뇌신경 장애
  - seizure (20~40%), hearing loss (특히 meningococcus)
  - cerebral edema & IICP ; 심한 두통, N/V, 의식저하 → cerebral herniation 등 Cx 발생 위험
  - CSF pr. 높아도 papilledema는 매우 드묾(<5%)
    * papilledema 있으면 subdural empyema or brain abscess 합병 의심
  - focal cerebral sign ; hemiparesis, dysphasia, visual fields defect ...
• 신경증상 지속 혹은 coma → brain swelling, subdural effusion, hydrocephalus,
    loculated ventriculitis, cortical vein thrombosis 등을 의심해야 하며 CT or MRI check

3. CSF 검사

• spinal tapping (lumbar puncture, 요추천자) → 3개의 tube에 sampling (순서 중요!)
  ① 생화학/면역검사 ② 미생물검사(Gram stain, culture 등) ③ cell count, cytology
• 천자 부위 : L4-5, L5-S1
• CSF pressure (ICP)
  - 정상 (누웠을 때) : 50~180 mmH$_2$O
  - 증가되는 경우 (IICP, 200↑) ; meningitis, 대뇌 정맥 폐쇄, 뇌실질내 SOL (뇌종양, ICH), CHF
• Queckenstedt test
  - 음성 (정상) : 양측 경정맥 동시 압박 → 대뇌 정맥 흐름 차단 → ICP & CSF pr. 급격히 상승
      → CSF 흐름 저하로 척추 지주막하 압력 상승 → epidural pr. 상승
      & 압박을 풀면 정상으로 회복 ⋯ ICP가 요추 부위까지 전달되는 것을 의미
  - 양성 : ICP 상승이 없거나 느리게 상승 → arachnoid block을 의미
      (e.g., TB meningitis, cord tumor, epidural abscess)
• Tobey-Ayer test : 양측 경정맥을 교대로 압박시 한쪽에 이상이 있으면
    → transverse sinus or internal jugular vein의 thrombosis 가능성을 시사

★	WBC (Cells/ μL)	Glucose (mg/dL)	CSF/serum glucose ratio	Protein (mg/dL)	Opening Pressure
정상	0~5	45~85 (>혈당의2/3)	0.6	15~45	50~180 mmH$_2$O
Bacterial meningitis*	10~10,000 대부분 neutrophil	↓(<40)	<0.4	↑(>45)	↑↑↑
Granulomatous meningitis (e.g., 결핵, 진균)	10~500 대부분 lymphocyte	↓(<50)	<0.5	↑(>50)	↑↑
Aseptic (viral) meningitis	25~500 대부분 lymphocyte**	N***	0.6	정상~약간↑ (20~80)	N~↑ (100~350)
Spirochetal meningitis (neurosyphilis)	10~1,000 대부분 lymphocyte	N or ↓	<0.6	↑(>50)	↑

  * 예외 : L. monocytogenes에서는 WBC 대개 ~1000/μL, 다른 세균보다 neutrophil% 낮음, glucose 정상
  ** 예외 : West Nile virus (WNV) meningitis의 약 45%에서는 neutrophils 우세
  *** 예외 : 드물게 echovirus 등의 enteroviruses, HSV-2, VZV, mumps 등에서는 glucose가 감소될 수도 있음

• glucose↓ : meningitis의 초기 진단에 중요, 치료 반응 관찰에도 유용
• CSF를 이용한 추가 검사
  – bacterial meningitis ; Gram stain (60~90% 양성), culture (70~90% 양성), <u>multiplex PCR</u> 등
                 가장 정확하지만 항생제 감수성 때문에 배양 검사는 필수 ↵
    (c.f., latex agglutination [rapid tests] : 몇몇 세균 항원을 빠르게 검출할 수 있지만 sensitivity
      낮고 Gram stain 대비 특별한 이득이 더 없어서 routine으로 권장되지는 않음)
  – aseptic meningitis ; PCR, viral culture
  – TB meningitis ; PCR, AFB stain, culture, ADA
  – fungal meningitis ; crytococcal Ag, India-ink stain, culture

* RBC가 많이 나올 때의 보정

$$True\ CSF\ WBC = measured\ CSF\ WBC - blood\ WBC \times \frac{CSF\ RBC}{blood\ RBC}$$

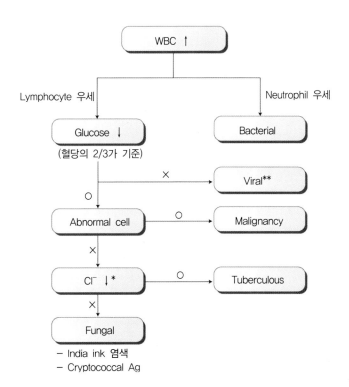

    * Cl⁻ : TB에서는 탈수, 전해질 소실 때문에 감소되지만, 진단에 유용하지는 않음
          (대신 TB PCR, culture 등을 고려)
    ** HSV, CMV, EBV, VZV, HHV-6, enteroviruses 등에서는 CSF PCR이 choice!

* 급성 세균성 수막염 의심시 즉시 **혈액배양, 요추천자(CSF) 검사** 시행 후 바로 경험적 항생제 치료!
              ↳ 일반적으로 66~74%에서 양성

* 최근의 두부외상, 면역저하, 악성종양, <u>CNS 병변</u>, 국소신경증상(e.g., <u>papilledema</u>), <u>의식저하</u> 등이
있는 경우에는 lumbar puncture보다 <u>brain CT/MRI</u>를 먼저 시행! (다른 원인/합병증 발견 목적)

4. 항생제 치료

(1) BBB 통과 가능한 bactericidal 항생제로 즉시 치료 시작! (내과적 응급)

① BBB 통과 잘하는 (CNS에 잘 들어가는) 약물

; chloramphenicol, sulfonamides, bactrim, pyrazinamide, INH, rifampin, ethambutol, ethionamide, metronidazole, moxalactam, vidarabine

- penicillin 계열, cephalosporins, vancomycin 등은 염증시에만 잘 통과

② BBB 통과 안 되는 약물

; AG, clindamycin, lincomycin, colistimethate, bacitracin, amphotericin B, ketoconazole ...

(2) 반드시 IV로 투여하고, 호전되어도 감량 or oral로 바꾸지 말것!

(3) 권장 경험적 항생제

Gram stain	원인균	항생제
G(+) cocci	S. pneumoniae	Ceftriaxone (or cefotaxime) + Vancomycin
G(−) cocci	N. meningitidis	Ceftriaxone (or cefotaxime)
G(+) rods	L. monocytogenes	Ampicillin (or penicillin G) + GM
G(−) rods	장내세균, H. influenza, P. aeruginosa	Ceftriaxone (or cefotaxime) Cefepime or antipseudomonal carbapenem

세균학적 결과가 없는 경우	
Age/Risk factor	Antimicrobial therapy
0~1개월	Ampicillin + Cefotaxime
1~3개월	Ampicillin + Cefotaxime (or Ceftriaxone)
3개월~55세	Cefotaxime (or Ceftriaxone, Cefepime) + Vancomycin
55세 이상	Cefotaxime (or Ceftriaxone, Cefepime) + Vancomycin + Ampicillin
면역저하	Cefepime (or Meropenem) + Vancomycin + Ampicillin
CSF leak, basal skull fracture	Cefotaxime (or Ceftriaxone) + Vancomycin
두부외상/수술, CSF shunts	Cefepime + Vancomycin

■ 3개월~55세의 권장 경험적 치료

Dexamethasone + Ceftriaxone/Cefotaxime/Cefepime + Vancomycin (+ Acyclovir)

• L. monocytogenes 위험군(e.g., 면역저하)에서는 ampicillin도 추가!

• Rifampin : vancomycin과 synergistic effect를 가지므로 추가 가능

(4) 원인균이 증명된 경우

• S. pneumoniae (penicillin 내성은 흔하고, 3세대 cepha. 내성도 증가 추세)

- penicillin-sensitive → penicillin G (ampicillin) or 3세대 cepha.

- penicillin-resistant → 3세대 cepha. (ceftriaxone or cefotaxime) + vancomycin (+ rifampin)

- penicillin allergy → vancomycin + rifampin / vancomycin allergy → moxifloxacin

- *N. meningitidis* (penicillin 내성 多) → 3세대 cepha. / 감수성 있으면 penicillin or ampicillin
- *H. influenzae* (β-lactamase 多) → 3세대 cepha. (ceftriaxone or cefotaxime)
- Staphylococcal meningitis
  - methicillin-sensitive *S. aureus* → nafcillin or oxacillin
  - MRSA, *S. epidermidis*, pencillin allergy → vancomycin
- *S. agalactiae* (group B streptococci) → ampicillin or penicillin G
- *L. monocytogenes* (3세대 cepha.는 감수성 없음) → ampicillin (or penicillin G) ± AG (GM)
  (penicillin allergy → TMP-SMX)
- G(-) bacilli (최근 내성이 많으므로 반드시 감수성 확인) → ceftriaxone or cefotaxime
  * *P. aeruginosa* → ceftazidime, cefepime, or meropenem

(5) 치료기간
- 대개 지속적인 원인 focus 없으면 10~14일간의 치료로 충분
- G(-) bacilli or *L. monocytogenes* - 최소 3주 치료
- 균 확인되고 경과 양호하면 추적 척추천자는 불필요
- G(-) bacilli or foreign body 있으면 추직 칙추천자 필요

5. 기타 치료

(1) steroid (dexamethaone)
- 기전 : 항생제에 의해 파괴된 세균에서 유리되는 endotoxin에 의한 inflammatory cytokines
  (e.g., IL-1, TNF)의 합성 유도를 억제 → 수막 염증 및 신경학적 후유증 감소
- 첫 항생제 주기 20분전에 투여하는 것이 가장 효과적 (최소한 항생제 주기 직전에는 투여)
  - 10 mg IV & 6시간마다 10 mg IV 4일 동안 투여
  - 항생제 준 후 6시간이 지난 뒤에 시작하면 거의 효과 없음
- streptococcal meningitis에서 가장 효과적이었음 (사망률도 약 1/2 감소 효과)
- vancomycin의 CSF 통과를 감소시킬 수 있음 (→ vancomycin의 intraventricular 투여 고려)

(2) IICP 조절
- head elevation (30~45˚), mannitol, intubation & hyperventilation (PaCO$_2$ 25~30 mmHg)
- hyponatremia, SIADH → fluid restriction

(3) 발작
; diazepam, phenytoin, phenobarbital

6. 예후

- 원인균별 사망률 ; *L. monocytogenes* (15~30%) > *S. pneumoniae* (18~26%) > GNB (다양)
  > *N. meningitidis*, Group B streptococci (*S. agalactiae*) (3~15%) > *H. influenzae* (<5%)
- 신경학적 후유증 (~28%) ; 정신상태 변화, IICP & 뇌부종, 발작, 국소 신경이상(e.g., 뇌신경 마비,
  hemiparesis), 뇌혈관 이상, 감각신경성 난청, 지능 저하 등
  (pneumococcal meningitis에서 m/c ; 사균의 debris에 의한 면역반응 → 조직 손상 유발)

• 예후가 나쁜 경우 (사망률↑ or 합병증 발생↑)

① 입원 당시 의식저하 (Glasgow Coma Scale 낮은 점수)

② 입원 24시간 이내에 경련 발생

③ 저혈압, 빈맥, 발작, 뇌신경 마비, IICP의 징후

④ 소아, 고령(>65세), 알코올 중독

⑤ 심한 동반질환 (e.g., shock, respiratory arrest)

⑥ 항생제 치료 시작의 지연

⑦ CSF ; glucose↓ (<40 mg/dL), protein↑↑ (>300 mg/dL)

⑧ 혈액배양 양성, serum CRP↑

무균성 뇌수막염(Aseptic meningoencephalitis)

1. 원인

• enterovirus (m/c, 이중 coxsackievirus B가 m/c)

 – 원인 확인 가능한 acute viral miningitis의 80~85% 차지

 – 주로 소아에서 발생, 여름 및 가을에 발생 (fecal-oral route)

• mumps virus (약 50%에서 mumps parotitis 소견 없음)

• HSV meningitis : benign, self-limited, rare (3% 이하)

 – 대개 HSV-2에 의한 genital infection 동반

 – D/Dx : HSV-1 encephalitis (선진국에서 viral encephalitis의 m/c 원인, potentially fatal)

• 기타 herpesviridae (VZV, CMV, EBV), HIV, HHV-6 등도 가능

• 절지동물 매개 arbovirus (WNV, 일본뇌염 등) : 전 세계적으로는 viral encephalitis의 m/c 원인

	Meningitis (%)	Encephalitis (%)
Enterovirus	83	23
Arbovirus	2	30*
Mumps	7	2
HSV	4 (HSV-2)	27 (HSV-1)
Varicella (VZV)	1	8
Measles	1	<1

Arbovirus에 의한 뇌염
– 절지동물에 의해 매개되어 epidemic하게 발생
– 미국은 West Nile virus (WNV)가 m/c 원인

→ V-4장 참조

2. 임상양상/진단

• 대부분 bacterial meningitis보다 증상이 경미하고, 자연 치유됨

• HIV meningitis에서는 cranial nerve palsy가 흔함 (5, 7, 8)

• 특별한 검사 소견은 없다

• CSF PCR – viral encephalitis 진단에 m/g (e.g., HSV의 경우 sensitivity ~96%, specificity ~99%) (c.f., viral culture는 시간이 오래 걸리고 sensitivity 낮아 권장×)

• MRI : 비특이적이나, HSV encephalitis에서는 특징적인 temporal lobe hyperintensity를 보임

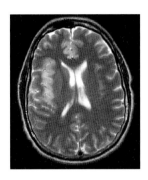

Rt. temporal lobe의 intensity 증가
→ HSV encephalitis를 강력히 시사
    (but, VZV, EBV, HHV-6에서도 가능)

- thalamus or basal ganglia 침범 ; respiratory viral infection, Creutzfeld-Jacob disease, arbovirus, tuberculosis
- hydrocephalus ; 세균, 진균, 기생충 등을 시사
- postinfectious encephalitis는 대개 multifocal lesions

3. 치료

- 대부분 특별한 치료법이 없으므로 대증적 치료
- but, HSV에는 acyclovir가 효과적이므로 viral encephalitis가 의심되면 경험적으로 acyclovir 투여
  (HSV 음성이라도 VZV or EBV에 의한 severe encephalitis는 acyclovir 계속 투여)
- 기타 항바이러스제가 효과적인 경우 ; CMV → ganciclovir + foscarnet / HHV-6 → ganciclovir or foscarnet / influenza → oseltamivir / measles → ribavirin / HIV → cART

■ 결핵성 수막염(Tuberculous meningitis)

1. 개요

- "chronic meningitis"의 m/c 원인 (기타 원인균 ; *C. neoformans, H. capsulatum* ...)
  ┌ primary infection의 dissemination : 주로 소아
  └ chronic reactivation bacillemia : 성인 면역저하자(e.g., 고령, 알코올중독, 영양실조, HIV, 암)
- basilar distribution → cranial nerve sign 흔함 (특히 4th nerve palsy)
- bacterial meningitis보다 경과가 길고, hydrocephalus도 흔함

2. 검사소견/진단

- CSF ; lymphocytic pleocytosis, protein↑(100~500 mg/dL), glucose <45 mg/dL
  (초기, 특히 증상 발현 10일 이내에는 neutrophils이 우세할 수 있음)
  - AFB smear (30~60%), culture (33~88%)
  - adenosine deaminase (ADA)↑ : nonspecific
  - TB PCR (NAT) : specificity는 높지만 (99%),
    sensitivity가 낮으므로 주의 (82%)
- CT 소견 ; hydrocephalus, basilar exudates (enhancement),
  tuberculoma (ring enhancement + central hypodense lesion)

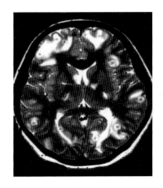

3. 치료/예후

- 효과적인 (BBB 통과하는) 항결핵제 (총 9~12개월)
  ; INH, RFP, EMB, PZA 2개월 → INH, RFP, EMB 7~10개월
- steroid : 모든 환자에서 dexamethasone 병용
- 치료해도 합병증 25~50%, 사망률 15~30% (HIV 환자는 55~75%)
- 후유증 ; 뇌신경 마비, 보행장애, 편마비, 실명, 치매, hypothalamic/pituitary dysfunction 등

뇌농양(Brain abscess)

: 뇌실질의 화농성 감염, 전형적으로 vascularized capsule 형성

1. 발병기전

(1) 인접 부위에서의 직접적인 파급 (47%, 대개 single abscess) ; 중이염, 부비동염, 치과질환 등
  - otitis media, mastoiditis → inferior temporal lobe, cerebellum
  - frontal or ethmoid sinusitis → frontal lobes
  - dental infection → 대개 frontal lobes

(2) distant infection (bacteremia)의 혈행성 전파 (25%, 대개 multiple abscesses)
  ; 흉부, 골반, 복강내, 심내막염 등의 pyogenic infections

(3) 두부 외상 or 수술 후 (13%)

(4) 원인 모름 (15~25%)

2. 원인균

- 30~60%가 mixed infection
- *Streptococcus* spp. (*viridans*, anaerobic, aerobic)가 m/c (40%)
              ↳ 특히 *S. anginosus* (과거 *S. milleri*) group (조직 파괴를 잘 함)
- 혐기성균(e.g., *Bacteroides, Prevotella, Fusobacterium*) 30%
- 장내세균(e.g., *Proteus, E. coli, Klebsiella pneumoniae*) 25%, *Staphylococci* 10%
              ↳ community-acquired primary liver abscess의 전이로 발생 가능

* 면역저하자(e.g., HIV, 장기이식, 암, 면역억제제) ; *Nocardia* spp., *Listeria*, *Toxoplasma gondii*,
  진균(e.g., *Aspergillus, Candida, C. neoformans, Coccidioides immitis*) 등이 흔한 원인

3. 임상양상

- 농양에 의한 압박 (IICP) 증상 ; 심한 두통 (m/c, 농양이 있는 쪽의 편두통이 흔함),
    N/V, papilledema, confusion or 졸리움 등
- 뇌조직의 파괴/부종 ; 발작(seizures), 국소 신경장애(e.g., hemiparesis, aphasia, visual field defects)
- 선행 감염이 심하지 않으면 발열(50%) 등의 전신증상은 없는 경우가 많음

- 부위별 증상 ; occipital lobe → neck stiffness / frontal lobe → hemiparesis / temporal lobe → 언어장애(dysphasia) / cerebellar abscess → nystagmus, ataxia, IICP (papilledema, N/V)

4. 진단

- 국소 증상/징후(e.g., 편두통, 일측성 뇌신경장애, hemiparesis), papilledema 존재시에는 척추천자 금기 (∵ IICP 상태에서 감압에 따른 brainstem herniation 발생 위험)
- CT/MRI 먼저 시행 (정상이면 척추천자 고려), EEG
   ↳ stereotactic CT/MRI-guided aspiration or surgery → 미생물검사(Gram stain, culture 등)

5. 치료/예후

(1) 경험적 항생제 요법
- community-acquired brain abscess (대개 두경부 origin)
   ⇨ 3/4세대 cepha. (e.g., cefotaxime, ceftriaxone, or cefepime) + metronidazole
- hematogenous spread 의심 (e.g., bacteremia, endocarditis)
   ⇨ vancomycin (MRSA cover) ± metronidazole (혐기성균 cover)
      (↳ 감수성이 있으면 nafcillin or oxacillin으로 대치)
- 관통성 두부 외상, 신경외과 수술 이후
   ⇨ vancomycin + ceftazidime (or cefepime, meropenem) : *Pseudomonas* spp. cover
      (paranasal sinuses도 침범시에는 metronidazole 추가)
- 원인을 모르는 경우 ⇨ vancomycin + 3/4세대 cepha. + metronidazole

(2) surgical drainage (aspiration or excision) ; 대개 2~3 cm 이상의 abscess에서

(3) steroid (IV dexamethasone) : 농양주위 뇌부종이 심한 경우에만 (mass effect, IICP)

(4) prophylactic anticonvulsant therapy : 농양 호전 후 3개월 이상 시행 (EEG 정상될 때까지)

* 예후 ; 사망률 <10~15%
- 생존자의 20% 이상에서 심각한 신경학적 후유증 발생 ; seizures (m/c), persisting weakness, aphasia, 정신장애 등
- poor Px ; 입원 전 급격한 진행, 심한 정신상태 변화, stupor or coma, ventricle로 파열

7 기타 감염 질환

감기(Common cold)

1. 개요

- 동의어 = (viral) URI, viral rhinitis, acute viral respiratory infection
- 원인균 ; rhinovirus (m/c, 40%), coronavirus (10~35%), parainfluenza virus, RSV, influenza virus, adenovirus ...
- serologic types이 워낙 많기 때문에 효과적인 치료 및 예방법이 없다
- 감염된 분비물 (대개 resp. droplet)의 직접 접촉에 의해 전파
- hand-to-hand contact이 가장 중요한 전파 경로 (→ 자신의 결막이나 비점막에 autoinoculation)
- 가정이 가장 중요한 전파 장소

2. 임상양상

- 잠복기 ; 대개 1~2일
- 증상 ; 콧물, 재채기, 코막힘, 인후통(sore throat)
- 전신적인 증상 (두통, 미열, 권태감)은 드물거나 미약함
- 대개 4~9일간 지속 뒤 후유증 없이 자연 회복됨
- Cx ; 0.5~2%에서 2차 세균감염 합병(e.g., otitis media, rhinosinusitis, pneumonia)
  - 영아, 노인, 만성질환자에서 발생 위험 증가
  - 증상이 1주일 이상 지속되거나, 농성 분비물 배출시 의심
- 임상적으로 진단 (특별한 검사 필요 없다)

3. 치료

- 대부분 치료할 필요 없다 (self-limited)
- 증상이 심한 경우 증상 개선을 위해 antihistamine, NSAID, decongestant, nasal spray 등을 사용
- 세균성 합병증이 없으면 항생제는 쓰지 않는다!
  (항생제 투여로 병의 경과가 단축되거나 2차 세균감염의 빈도를 줄이지 못함)
- 전파의 예방 ; 손씻기 (m/i), 환경오염 제거, autoinoculation 방지

급성 인두염(Acute pharyngitis)

- 주로 virus가 원인임 ; RSV, influenza virus, parainfluenza virus, adenovirus, EBV, *Coxsackie* virus, HSV ... (VZV는 아님)
- bacterial pharyngitis의 원인균 ; *S. pyogenes* (group A β-hemolytic streptococci), *Mycoplasma pneumoniae*, *Chlamydia pneumoniae* ...
- 증상 ; sore throat (인후통), 마른 기침, congestion, malaise, 두통 등 (EBV, *S. pyogenes* → fever, exudative pharyngitis)
- 대부분 virus 감염이므로 항생제는 필요없고, 대증적 치료 (e.g., AAP)
- 항생제 사용의 적응 (*S. pyogenes*에 의한 경우)
  - *Streptococcus* 신속항원검사 (+) : sensitivity 80%, specificity 90%
  - 임상소견(Centor 기준) ; 발열(>38℃), 편도삼출, 압통을 동반한 전경부 림프절염, 기침이 없는 경우
  ⇨ penicillin, 1세대 cepha., amoxicillin, amoxicillin/clavulanate 등

급성 부비동염(Acute sinusitis)

- 정의 ; sinusitis로 인한 증상이 6~8주 미만이면서 1년에 4회 미만
- 원인균
  - 바이러스감염이 더 흔함
  - 세균 ; *S. pneumoniae*와 *H. influenzae*가 흔함 (기타 *Moraxella catarrhalis*, other streptococci, anaerobes)
- 증상 ; 안면부 통증, 두통, 부비동의 압통, nasal congestion, 화농성 비루, 코뒤흐름/후비루(postnasal drip), 발열 ...
- X선 소견 ; 혼탁, air-fluid level … 세균성 부비동염 의심시 시행
  - frontal sinus → Water's view
  - ethmoid sinus → Caldwall's view
- 치료
  - 대증적 ; analgesia, topical/systemic decongestants, steam inhalation
  - 증상이 10일 이상 지속되거나 재발/악화되면 세균성 의심
  - 항생제 (세균성 의심시) ; amoxicillin/clavulanate, cefditoren 등 (penicillin, 기존 cepah., macrolide 등은 내성률이 매우 높음)

복강내 농양(Intraabdominal abscess)

- 원인균 (대개 GI tract의 상재균, polymicrobial)
  - *E. coli,* enterococci, streptococci, *Klebsiella* ...
  - 혐기성균 (90% 이상에서 발견됨) ; *B. fragilis, Clostridium*이 m/c
- 발생부위 (빈도순) ; subphrenic (m/c, 26%), pelvic (20%), periappendicula, paracolic,
  retroperitoneal, hepatic ...
- 진단 ; CT (m/g), MRI, US
- 치료
  ① 경험적 항생제 (호기성 + 혐기성 모두 cover) → 배양 결과 나오면 원인균에 따라

  > - **Low-risk** community-acquired intra-abdominal infections
  >   - Ertapenem, or Piperacillin-tazobactam
  >   - Cefazolin (or Cefuroxime, Ceftriaxone, Cefotaxime, Ciprofloxacin, Levofloxacin) + Metronidazole
  > - **High-risk** community-acquired intra-abdominal infections
  >   - 고위험군(e.g., 심한 증상, 고령, 기저질환, 면역저하, drainage 곤란) or 내성균 감염 위험(e.g., 원내감염)
  >   - Imipenem-cilastatin, Meropenem, Doripenem, or Piperacillin-tazobactam
  >   - Cefepime (or Ceftazidime) + Metronidazole

  ② percutaneous CT-guided catheter drainage
      → 장관과 교통이 없는 단일 농양의 경우 90% 이상에서 성공
  ③ 수술(laparoscopic or open drainage) : 위 치료에 실패시

골수염(Osteomyelitis, OM)

- 원인 ; pyogenic bacteria, *Mycobacteria* ... (*S. aureus*가 m/c)
- 급성 골수염의 호발부위
  - 소아 : 장골(long bone)의 metaphysis (뼈몸통끝, 골간단)
  - 성인, IV drug abuser ; 척추 (척추 골수염의 호발부위 ; 화농성 – 요추, 결핵성 – 흉추)
- 만성 골수염 : previous surgery, trauma, devascularization 부위에 발생
- 감염경로
  ① 인접 감염병소에서의 전파 (80%) : 대개 성인 (수술, injury, 인접 연조직 감염 등)
    - 수술 뒤에는 *S. aureus*가 m/c 원인균
    - 인공삽입물과 관련된 감염은 CoNS가 m/c 원인균
    - 심장수술 후 sternal OM에서는 G(-) bacilli, NTM, *Mycoplasma* 등이 흔함
  ② hematogenous (20%) ; 대개 소아, IV drug abuser
- 임상양상
  ① 성인 ; localized pain, swelling, redness (vertebral osteomyelitis의 경우엔 back pain)
  ② 소아 ; 병변 부위의 tenderness, ROM 감소 (femur, tibia 같은 long bone을 잘 침범)
- 검사소견/진단

① bone X-ray : 초기 진단율 떨어짐 (10~14일 지나야 보임)
② bone scan (^{99m}Tc-MDP) : 1~2일 이내에 진단 가능
③ <u>MRI</u> : vertebral osteomyelitis에서 choice (CT는 급성골수염 진단에 별로임)
④ culture & Gram's stain (blood, bone biopsy, aspirated pus 등)
⑤ ESR, CRP 상승 (→ 치료 효과 monitoring도 가능)
• 급성골수염의 항생제 치료 (4~12주, IV 권장)
① 경험적 치료 → vancomycin + 3/4세대 cepha. (e.g., ceftriaxone, ceftazidime, or cefepime)
  – 배양검사를 위한 검체를 채취한 뒤 투여, MRSA와 G(−)균 cover
  – sepsis 등 심하지 않은 경우에는 원인균이 확인 된 뒤에 감수성 항생제로 치료 시작이 권장됨
② 원인균에 따른 치료
  – MSSA → nafcillin, oxacillin, cefazolin, flucloxacillin, or ceftriaxone
  – MRSA → vancomycin (or daptomycin, teicoplanin)

> ■ *S. aureus*는 IV 항생제 치료 며칠 뒤 보조적으로 rifampin (or fusidic acid)도 투여 고려
>   (∵ biofilm의 균 치료 ; 특히 인공삽입물 관련시)
> ■ *S. aureus*의 경구전환요법(step-down) : 4주 정도의 IV 치료 이후, anti-biofilm activity 있는 항생제 권장
>   ; <u>rifampin + levofloxacin</u> (or TMP-SMX, fusidic acid)

  – penicillin-sensitive *Streptococci* → penicillin G, ampicillin, ceftriaxone, or vancomycin
  – 장내세균(quinolone-susceptible) → fluoroquinolone (e.g., ciprofloxacin, levofloxacin)
  – 장내세균(quinolone-reistant, ESBL 포함) → carbapenem (e.g., ertapenem, meropenem)
  – *P. aeruginosa* → cefepime (or ceftazidime, piperacillin-tazobactam) + AG / 이후 quinolone
  – 혐기성균 → clindamycin
③ 수술의 적응 (대부분은 항생제로 치료됨)
  – 급성골수염 ; abscess or necrosis, 항생제 치료 실패, 인공삽입물 등
  – 급성 척추골수염 ; 신경손상(e.g., 마비, 근력저하), epidural or paravertebral abscess,
    vertebral collapse and/or spinal instability, 항생제 치료 실패, 인공삽입물 등

■ 피부연조직감염(Skin and Soft Tissue Infections, SSTIs)

• 농가진(impetigo), 모낭염(folliculitis), 종기(furuncle), 큰종기(carbuncle) → II-1장 참조
• 단독(erysipelas), 봉와직염(cellulitis), 괴사근막염(necrotizing fasciitis) → II-2장 참조
• 근육괴사(myonecrosis, gas gangrene) → II-2, II-4장 참조

부고환염(Epididymitis)

1. 원인

• *Chlamydia* or *N. gonorrhoeae* 감염이 흔한 원인
• *E. coli, Pseudomonas*에 의한 감염, prostatitis의 전파
• 외상, 무균뇨의 역류, 결핵 (우리나라는 흔한 편) ...

2. 임상양상

- 급성 부고환염 ; 음낭의 심한 통증/압통, 부종, fever/chilling
  - ┌ acute epididymitis : 음낭을 치골부 위로 올리면 통증 감소 (Prehn's sign)
  - └ testicular torsion : 음낭을 치골부 위로 올리면 통증이 심해져
    - 성적 활동이 왕성한 청장년기에 호발
- 만성 부고환염 ; 부고환 부종(비대), 음낭의 만성 불쾌감/통증 (심한통증은 無)

3. 치료

- 절대 안정 (3~4일간), 음낭을 받쳐준다
- 고열시 → 환부에 냉습포 (열 없으면 → 온습포)
- 진통제(1% lidocaine), 해열제, 항생제
- * **결핵성 부고환염** ; 만성 부고환염과 증상 비슷 or 특별한 증상 無, 음낭에서 딱딱한 결절이 만져짐, 음낭 피부의 고름 ...
  - 폐결핵, 요로결핵 동반 확인
  - 치료 : 항결핵화학요법 (고환 종양이 의심되거나 4개월의 약물치료에도 호전 없으면 수술)

성병(sexually-transmitted diseases, STD)

	세균	바이러스	기타
주로 성교로 전파 되는 병원균	Neisseria gonorrhoeae Chlamydia trachomatis Treponema pallidum Haemophilus ducreyi Ureaplasma urealyticum	HIV, HBV Human T-cell lymphoma virus type I HSV type 2 Human papillomavirus	Trichomonas vaginalis Phthirus pubis

성교로도 전파
가능한 병원균
	Mycoplasma hominis
	Mycoplasma genitalium
	Gardnerella vaginalis
	  등의 질 세균
	Group B Streptococcus
	Helicobacter cinaedi
		CMV, EBV(?)
		HCV(?), HDV(?)
		Human T-cell lymphoma
		  virus type II
		Kaposi's sarcoma-assoc.
		  herpesvirus
			Candida albicans
			Sarcoptes scabiei

c.f.) Genital ulcerations의 원인

(1) 감염 ; herpes (m/c), syphilis, chancroid (*Haemophilus ducreyi*), lymphogranuloma venereum (LGV; *Chlamydia trachomatis*), donovanosis (granuloma inguinale), candidiasis, traumatized genital warts ...

(2) 광범위한 피부병이 생식기까지 침범한 경우

(3) 전신 질환 ; Behçet's disease, Crohn's disease, Stevens-Johnson syndrome ...

	Herpes	Syphilis	Chancroid	LGV
원인균	HSV-2	*T. pallidum*	*H. ducreyi*	*C. trachomatis*
잠복기	2~7일	9~90일	1~14일	3일~6주
초기 병변	vesicle	papule	pustule	papule, pustule, vesicle 등
병변의 수	multiple	대개 하나	대개 multiple	대개 하나
궤양의 직경	1~2 mm	5~15 mm	다양	2~10 mm
통증	흔함	드묾	보통 매우 심함	다양
림프절병증	압통, 단단함, 양측성	압통無, 단단함, 양측성	압통, 고름, 일측성	압통, 고름, 일측성
치료	acyclovir	penicillin	ceftriaxone 등	DC, EM

기타

* Food poisoning ⇨ 소화기내과 Ⅰ-2장 참조
* Infective endocarditis, Rheumatic fever ⇨ 순환기내과 14, 15장 참조
* UTI, pyelonephritis ⇨ 신장내과 13장 참조
* Infectious arthritis ⇨ 류마티스내과 11장 참조

8
예방접종

능동 면역 (Active immunization)

(1) 개요
- 특징 ; delayed onset of effect, long-term immunity
- vaccine ; live, live-attenuated, or killed/inactivated agents
- toxoid ; alteration of toxin (immunogenic, but not toxic) (e.g., Td ; tetanus, diphtheria)
- 유전자재조합으로 얻은 specific subunits/antigens (e.g., hepatitis B)

(2) 약독화 생백신 (live-attenuated vaccine)
- disease natural course와 비슷함, 활동성 감염을 일으킬 위험이 있음!
- 소량의 약독균 백신 → 생체 내에서 증식하지만 immune response에 의해 cut-off
- subclinical or mild clinical illness → humoral immunity 유도
- 예 ; 경구용 소아마비(OPV), 수두(varicella), 대상포진(zoster vaccine live, ZVL), MMR, BCG, Ty-21a (oral typhoid vaccine), oral rotavirus ...

(3) 불활화백신(killed or inactivated vaccine)
- 활동성 감염의 위험은 적으나, 면역반응이 효과적으로 일어나지 않기 때문에
  접종자가 바이러스를 전파할 위험이 있음!
- 대량의 항원이 필요하며 생백신에 비해 multiple dose 필요
- 예 ; hepatitis A, B, influenza, rabies, typhoid (ViCPS), cholera ...

(4) 동시 접종
- 불활화백신 : 다른 불활화백신 or 생백신과 동시 or 전, 후 언제든지 접종 가능
  → 소아는 가능한 모든 백신의 동시 접종이 권장됨 (병원 방문 최소화)
- 생백신 : 다른 생백신과 동시접종 or 아니면 4주 이상의 간격을 두고 접종함
  - 접종 간격이 너무 짧으면 첫 접종시 생성된 interferon이 다음 백신의 바이러스 증식을 억제 가능
  - 만약 4주 미만의 간격으로 접종했다면, 4주 이상 지난 뒤에 재접종함
  - 경구용 생백신(e.g., 폴리오, 장티푸스)은 주사용 생백신과 투여 간격에 제한 없이 접종 가능함
- 예외 … asplenia 소아
  ① 수막구균 단백결합백신은 폐렴구균 단백결합백신의 면역반응을 방해 → 폐렴구균 먼저 접종
  ② 폐렴구균 다당류백신(PPSV)은 단백결합백신(PCV)의 면역반응을 방해

수동 면역 (Passive immunization)

: 면역성이 없는 사람에게 일시적인 면역성을 부여

(1) 종류
- standard human immune globulin (e.g., γ-globulin) → measles, hepatitis A
  (rubella : 효과 불확실, 임신 1기때 노출된 항체음성 임신부에서만 권장)
- special IG ; HBIG, VZIG, RIG, TIG, CMV-IG, RoGAM
- antitoxin (animal serum) ; diphtheria, botulinum

(2) 특징
- pre- or post-exposure, short term prophylaxis에 이용
- antitoxin의 경우 skin test 필요

적응 및 금기

(1) 적응증 (성인)
- universal ; influenza, Td/Tdap, MMR, 수두, 대상포진(≥60세), 폐렴구균(≥65세), A형간염 등
- optional ; 폐렴구균(<65세), 수막구균, 일본뇌염, b형 *H. influenzae* 등

(2) 금기
- 면역 저하자 (e.g., malignancy, immunosuppressive agent, transplantation, AIDS)
  : MMR, VZV 등과 같은 생백신(live-attenuated vaccine)은 금기임

  * 심한 면역저하(CD4+ cell <200)가 없는 HIV 감염자는 MMR 예방접종 권장
    : infection 위험 있지만 예방접종하는 것이 더 이득 (∵ measles or rubella 발생시 치명적)

- acute febrile illness : 증상이 사라진 후 접종
- **pregnant women** : 생백신(live vaccine)은 선천성 감염의 위험 때문에 원칙적으로 금기임!
  - 생백신 ; MMR, 수두, 대상포진 생백신 등 → 접종 후에는 4주간 임신을 피함
  - HPV와 폐렴구균 백신도 권장 안됨
  c.f.) Tdap 및 인플루엔자(현재 불활화백신만 유통됨) 백신은 권장됨
        ↳ Td/Tdap 추가접종 안한 경우 임신 27~36주에 접종 (∵ 신생아 백일해 예방 효과)
- passive immunization 받은 지 3개월 이내 : active immunization시 효과에 문제
  (OPV, yellow fever vaccine은 무방)

* breast feeding - 효과나 부작용 면에서 별문제 없음

우리나라 성인의 권장 예방접종

백신		19~29세	30~39세	40~49세	50~59세	60~64세	65세 이상
인플루엔자	불활화백신	모든 성인에서 매년 1회 접종 (10~11월)					국가예방접종사업
폐렴구균	다당류백신(PPSV23)	고위험군에서 PCV13 ▶ PPSV23 순차 접종 (1년 이상 간격)					1회
		└ 만성질환자(심혈관질환, 폐질환, DM, 간질환, 알코올중독, CKD),					국가예방접종사업
	단백결합백신(PCV13)	뇌척수액 누수, 인공와우 삽입자, 면역저하자, asplenia 등					
		[PCV13은 1회 접종, PPSV23은 5년 이상의 간격으로 1~2회 재접종]					
파상풍 –디프테리아 –백일해	성인용 Tdap 성인용 Td (독소이드백신)	소아때 DTP 접종자 : 매 10년마다 Td 접종 (이 중 한번은 Td 대신 Tdap로 접종!) 소아때 DTP 미접종/불확실 or 1958년 이전 출생자 : 3회 접종 (Tdap 1회, Td 2회) 이후 매 10년마다 Td 접종					
A형 간염	불활화백신 (x2회)	항체검사 없이 권장		항체검사 후 음성인 경우 권장			
B형 간염	유전자재조합백신	소아때 B형 간염 미접종/미완료자 (0, 1, 6개월 간격으로 3회 접종)					
수두	약독화생백신 (x2회)	1970년 이후 출생자, 노출위험군 (학생, 교사, 의료기관종사자, 군인, 임산부 등)					
대상포진	약독화생백신 (x1회) or 불활화백신 (x2회)				대상포진, PHN 민감군	모든 60세 이상에서 권장 (면역저하자는 불활화로)	
홍역–볼거리 –풍진	MMR 혼합백신 (약독화생백신)	면역이 없을 것으로 예상되는 경우 1회 이상 접종 (노출 고위험군은 2회)			(임신 예정인 경우 풍진 항체검사 권장)		
HPV	유전자재조합백신	3회 접종*					

국가예방접종사업으로 무료 접종

* 인유두종바이러스(HPV) : 소아 때 미접종/미완료자 중 여성은 ~26세까지, 남성은 ~21세까지 접종 권장
  (HIV 감염자를 포함한 면역저하자, 남성 동성애자는 ~26세까지 접종 권장)
  ▶ 0, 1~2, 6개월에 3회 접종 (동일 제품이 원칙, 일정 지연시 다시 시작할 필요는 없고 가능한 빨리 다음 스케줄 접종)

질환(상황)에 따른 성인 예방접종 ★

	인플루엔자	폐렴구균	파상풍–디프테리아–백일해	A형간염	B형간염	대상포진	수두	홍역–볼거리–풍진	HPV	수막구균	일본뇌염	b형 헤모필루스 인플루엔자
당뇨병, 만성 심혈관/폐 질환												
만성 신질환												
만성 간질환												
항암치료 중인 고형암*												
면역억제제 사용 (이식 이외)*												
고형장기이식(SOT)												
조혈모세포이식(HCT)	3~4회	소아용 3회								2회		3회
무비증(asplenia)												
HIV 감염자 CD4 <200/mm³												
HIV 감염자 CD4 ≥200/mm³												
임신부												
의료기관 종사자												

- 접종 필요성이 강조됨
- 일반적 권고기준에 따름 (감수성, 연령, 위험인자, 유행 등)
- 금기
- 생백신은 금기

* 혈액암(특히 rituximab, 고용량 steroid 치료 등), 항암치료 중인 고형암 환자에서 인플루엔자 예방접종시 항체 생성률은 낮음
  → 일반적으로 항암치료 시작 2주 전 (or 2주 이상 경과 후)에 접종 권장 / 폐렴구균은 항암치료 시작 4~6주 전 권장

* 의료인에게 필요한 예방접종

① 병력이 불확실하거나 항체 검사 (–)인 경우 ; 수두, MMR, B형간염, A형간염(40세~)

② 모든 의료인에게 검사 없이 접종 ; 인플루엔자, Tdap, A형간염(~39세),

　　MMR(검사 비용이 제한되어 일괄 접종이 경제적인 경우)

③ 기타(optional) ; 수막구균(병원내 유행시 or 실험실 근무자), 폐렴구균(고위험군이면) ...

■ 이식 환자의 권장 예방접종

(1) 고형장기이식

	백신	이식 전	이식 후[1]	가족/의료진
인플루엔자	불활화백신	권장	권장(매년)	권장
폐렴구균	PCV13, PPSV23	권장	권장	권장
Td *or* Tdap	톡소이드백신	권장	권장(10년마다)	권장
A형간염[2]	불활화백신	Ab 없으면 권장	권장	권장
B형간염[2]	불활화백신	Ab 없으면 권장	권장	권장
수두[3]	약독화생백신	Ab 없으면 권장	금기	권장
MMR[3]	약독화생백신	Ab 없으면 권장	금기	권장

* 가능한 이식 전에 면역상태(e.g., Ab)를 확인하고 접종 계획을 수립해야 됨

1) 보통 이식 후 3~6개월 뒤에 기초 면역억제가 안정된 이후에 실시

2) 예방접종 이후 Ab titer monitoring도 필요

3) 생백신이므로 이식 최소 4주 이전에 접종 (이식 이후에는 금기)

(2) 조혈모세포이식

• 이식 및 조혈모세포 종류에 관계없이 권장됨 (∵ memory cells도 소실 → 과거 예방접종 효과 사라짐)

• 조혈모세포이식 후 면역회복시기 ; NK cells 3~6개월 / B cells, CD8+ T cells, plasma cells

　　6개월~1년 / CD4+ T cells 1년 이상

	3개월~	6개월~	12개월~	24개월~
인플루엔자	매년 1회			
폐렴구균	3~4회			
소아용 DTP		3회		
불활화 폴리오		3회		
b형 헤모필루스		3회		
수막구균		2회		
A형간염		2회		
B형간염		3회		
수두[1]				1회
MMR[1]				1~2회

1) 생백신으로 24개월 이후에 GVHD가 없고, 면역억제제 중단 3개월 이상 경과한 경우 고려

* 대상포진, 폴리오 생백신, 장티푸스 생백신, BCG 등은 금기임

** 가족/의료진 ; 인플루엔자 등 일반적인 예방접종, 경구 폴리오백신 및 인플루엔자 생백신은 전파 가능하므로 금기

　　(MMR도 생백신이지만 사람간 전파 증거가 없으므로 접종 가능)

▶ 우리나라는 경구 폴리오백신과 인플루엔자 생백신은 단종 → 불활화 폴리오(IPV) 및 인플루엔자 백신만 사용됨

■ 해외여행자의 권장 예방접종

여행지 입국에 필수로 요구되는 백신

황열[1] : 아프리카, 중남미의 황열 발생 지역 중 백신증명서를 요구하는 국가 (도착 10일전까지 접종)
수막구균[2] : 사우디아라비아 메카 성지순례 (도착 10일전까지 접종)

개발도상국 여행시 일반적으로 필요한 백신

A형 간염 : 모든 개발도상국, 면역이 없는 모든 여행객 (특히 40세 이하)
장티푸스 : 인도, 파키스탄, 방글라데시, 네팔, 인도네시아, 필리핀, 파푸아뉴기니 등 … 장기간 or 시골 여행
수막구균 : 아프리카 중부 국가들, 사우디아라비아 … 선교 또는 의료봉사 (∵ 현지인과 접촉 多)
수두 : 모든 개발도상국, 면역력이 없는 30대 이하 여행객 (항체검사 필요)
홍역–볼거리–풍진 : 모든 개발도상국, 면역력이 없는 20~30대 여행객
공수병[3] : 남아메리카, 멕시코, 아시아(특히 인도, 태국) … 1개월 이상 여행, 시골에서 봉사활동 or 동물연구
인플루엔자 : 여름에 남반구를 여행하는 인플루엔자 고위험군

특수한 상황에서 필요한 백신

진드기매개 뇌염[4] : 러시아 남부, 동유럽 … 여름에 산림 지역에서 활동시
콜레라[5] : 콜레라 유행지역 중 위생이 좋지 않은 시골에서 근무/활동시(e.g., 난민 캠프)
　　　　콜레라균을 다루는 실험실 종사자

여행을 계기로 면역상태를 검사하거나 예방접종을 하는 질환

A형, B형 간염
폐렴구균 : 소아, 노인, 고위험군 성인
인플루엔자
파상풍–디프테리아–백일해
홍역–볼거리–풍진 : 면역력이 없는 성인

1) 황열 ; 아프리카와 중남미의 열대지방에서 발생, 사망률 5%, 백신으로 100% 예방 가능
2) 수막구균 ; 아프리카 중부 지역에서 주기적으로 유행, 심한 경우 1일 이내 사망 위험
3) 공수병 ; 발병시 치명적, 후진국은 애완동물에 대한 예방접종률이 낮으므로 위험
4) Tick–borne encephalitis virus가 원인, 국내에는 백신이 없으므로 현지에서 접종함
5) 최근에는 콜레라에 대한 vaccination은 잘 하지 않음 (난민 캠프 등의 특수한 경우만 권장)
　　[이유] ┌ 여행지에서 콜레라에 이환될 위험이 낮고, 수분 공급만으로도 거의 다 치료됨
　　　　　 └ vaccination의 효과가 60~80% 정도로 완벽하지 못함 (현재 경구 불활화백신만 사용)
　　　→ 백신보다는 음식물 위생과 수분 보충에 더 주의하는 것이 권장됨

c.f.) **2020년 국가무료접종 대상 백신 (17종) – 소아**
　　결핵(BCG, 피내용), B형간염(HepB), 디프테리아/파상풍/백일해(DTaP), 파상풍/디프테리아(Td),
　　파상풍/디프테리아/백일해(Tdap), 폴리오(IPV), 디프테리아/파상풍/백일해/폴리오(DTaP–IPV),
　　디프테리아/파상풍/백일해/폴리오/b형헤모필루스인플루엔자 (DTaP–IPV/Hib),
　　b형헤모필루스인플루엔자(Hib), 폐렴구균(PCV), 홍역/유행성이하선염/풍진(MMR), 수두(VAR),
　　일본뇌염 불활성화 백신(IJEV), 일본뇌염 약독화 생백신(LJEV), A형간염(HepA),
　　사람유두종바이러스(HPV), 인플루엔자(IIV)
　　(로타바이러스는 아님)

■ 법정감염병 (2020)

	제1급 (17종)	제2급 (20종)	제3급 (26종)	제4급 (23종)
특성 ★	생물테러 또는 치명률이 높거나 집단발생 우려가 커서 발생/유행 즉시 신고하여야 하고, 음압격리와 같은 높은 수준의 격리가 필요	전파가능성을 고려하여 발생/유행시 24시간 이내에 신고해야 하고, 격리가 필요한 감염병	그 발생을 계속 감시할 필요가 있어 발생/유행 시 24시간 이내에 신고해야 하는 감염병	제1~3급감염병까지의 감염병 외에 유행 여부를 조사하기 위해 표본감시 활동이 필요한 감염병
질환	에볼라바이러스병 마버그열 라싸열 크리미안콩고 출혈열 남아메리카 출혈열 리프트밸리열 두창 페스트 탄저 보툴리눔독소증 야토병 신종감염병증후군[1] 중증급성호흡기증후군(SARS) 중동호흡기증후군(MERS) 동물인플루엔자 인체감염증 신종인플루엔자 디프테리아 붉은색 ▶ 병원체 보유자도 신고해야 됨	결핵 수두 홍역 콜레라 장티푸스 파라티푸스 세균성이질 장출혈성대장균 감염증 A형간염 백일해 유행성이하선염 풍진 폴리오 수막구균 감염증 b형 헤모필루스 인플루엔자 폐렴구균 감염증 한센병 성홍열 VRSA 감염증 CRE 감염증	파상풍 B형간염 일본뇌염 C형간염 말라리아 레지오넬라증 비브리오패혈증 발진티푸스 발진열 쯔쯔가무시증 렙토스피라증 브루셀라증 공수병 신증후군출혈열 후천성면역결핍(AIDS) 크로이츠펠트-야콥병(CJD) 및 변종(vCJD) 황열 뎅기열 큐열 웨스트나일열 라임병 진드기매개뇌염 유비저 치쿤구니야열 중증열성혈소판감소증후군(SFTS) 지카바이러스 감염증	인플루엔자 매독[5] 회충증 편충증 요충증 간흡충증 폐흡충증 장흡충증 수족구병 임질 클라미디아감염증 연성하감 성기단순포진 첨규콘딜롬 VRE 감염증 MRSA 감염증 MRPA 감염증 MRAB 감염증 장관감염증[2] 급성호흡기감염증[3] 해외유입기생충 감염증[4] 엔테로바이러스 감염증 사람유두종바이러스 감염증
감시 방법	전수감시[6]	전수감시	전수감시	표본감시
신고 보고	즉시	24시간 이내	24시간 이내	7일 이내

VRE: Vancomycin-Resistant *Enterococci*, MRPA: Multidrug-Resistant *Pseudomonas aeruginosa*, MRAB: Multidrug-Resistant *Acinetobacter baumannii*, CRE: Carbapenem-Resistant *Enterobacteriaceae*

1) 신종감염병증후군 : 급성 출혈열/호흡기/설사/황달/신경 증상을 나타내는 신종감염병
2) 장관감염증 : 살모넬라, 장염비브리오균, 장독소성대장균(ETEC), 장침습성대장균(EIEC), 장병원성대장균(EPEC), 캄필로박터균, 클로스트리듐 퍼프린젠스, 황색포도알균, 바실루스 세레우스균, 예르시니아 엔테로콜리티카, 리스테리아 모노사이토제네스, 그룹 A형 로타바이러스, 아스트로바이러스증, 장내 아데노바이러스, 노로바이러스, 사포바이러스, 이질아메바, 람블편모충, 작은와포자충, 원포자충 등의 감염증
3) 급성호흡기감염병 : 아데노바이러스, 사람 보카바이러스, 파라인플루엔자바이러스, 호흡기세포융합바이러스, 리노바이러스, 사람 메타뉴모바이러스, 사람 코로나바이러스, 마이코플라스마 폐렴균, 클라미디아 폐렴균 등의 감염증
4) 해외유입기생충감염증 : 리슈만편모충증, 바베스열원충증, 아프리카수면병, 샤가스병, 주혈흡충증, 광동주혈선충증, 악구충증, 사상충증, 포충증, 톡소포자충증, 메디나충증
5) 매독 신고범위 : 제1·2기 매독, 선천성매독(소아)
6) 전수감시 : 감염병의 예방 및 관리에 관한 법률 제11조에 의하여 모든 의사, 치과의사, 한의사, 의료기관의 장, 부대장(군의관), 감염병 병원체 확인기관의 장이 신고 의무를 갖는 감시체계임

기타 감염병 분류	
기생충감염병 (7종)	회충, 편충, 요충, 간흡충, 폐흡충, 장흡충, 해외유입기생충감염증
세계보건기구 감시대상 감염병 (9종)	두창, 폴리오, 신종인플루엔자, 중증급성호흡기증후군(SARS), 콜레라, 폐렴형 페스트, 황열, 바이러스성 출혈열, 웨스트나일열
생물테러감염병 (8종)	탄저, 보툴리눔독소증, 페스트, 마버그열, 에볼라바이러스병, 라싸열, 두창, 야토병
성매개감염병 (7종)	매독, 임질, 클라미디아, 연성하감, 성기단순포진, 첨규콘딜롬, 사람유두종바이러스 감염증
인수공통감염병 (10종)	장출혈성대장균감염증, 일본뇌염, 브루셀라증, 탄저, 공수병, 동물인플루엔자 인체감염증, 중증급성호흡기증후군(SARS), 변종크로이츠펠트-야콥병(vCJD), 큐열, 결핵
의료관련감염병 (6종)	VRSA, VRE, MRSA, MRPA, MRAB, CRE
검역감염병	콜레라, 페스트, 황열, SARS, 동물인플루엔자 인체감염증, 신종인플루엔자감염증, 중동호흡기증후군(MERS), 에볼라바이러스, 그 외 보건복지부장관이 고시하는 감염병 (신종감염병증후군, 세계보건기구가 공중보건위기관리 대상으로 선포한 감염병)

Part II

그람양성세균 감염

1
Staphylococcus

개요

- *Staphylococcus* ; gram-positive cocci, "grape-like" clusters, catalase-positive
- coagulase-positive *Staphylococci* (CPS)
  - *S. aureus* : only important human pathogen
  - most virulent, BAP에서 β-hemolysis (완전 용혈) 보임
- coagulase-negative *Staphylococci* (CoNS)
  - *S. epidermidis* : m/c nonurinary human isolates (white, nonhemolytic)
    ; 정상 상재균으로 피부, 구인두, 질 등에 존재 (피부의 m/c 균)
  - *S. saprophyticus* : m/c urinary isolate
- 국내 nosocomial infections의 주요 원인균 (대부분 MRSA)

Staphylococcus aureus (황색 포도알균)

1. 개요

- 성인에서의 보균율 20~40%, 자신이 보유하고 있는 상재균에 의한 감염이 흔함
- 보균 장소 ; 콧구멍(m/c), oropharynx, 손상된 피부, 겨드랑이, 질, 회음부, GI tract
- staphylococcal infection 발생 위험이 높은 경우
  ① frequent or chronic disruptions in epithelial integrity : 피부/점막 손상
    ; injection drug users, chronic onychomycoses of the fingers or toes
  ② disordered leukocyte chemotaxis
    ; Chediak-Higashi or Wiskott-Aldrich syndrome
  ③ phagocytes의 oxidative killing 결함
    ; neutropenia (e.g., CTx), chronic granulomatous dz.
  ④ 기타 면역저하 ; DM, HIV 감염, 혈액투석(ESRD) ...
  ⑤ prosthetic devices

2. Staphylococcal intoxications

(1) Staphylococcal toxic shock syndrome (TSS, 독성쇼크증후군)

- acute, life-threatening intoxication
- *S. aureus*에서 생성되는 toxic exoproteins에 의해 발생
  ① TSST-1 (m/c) ⋯ *S. aureus*의 10~20%가 TSST-1을 생산
  ② staphylococcal enterotoxin (ET) B, C
- <u>임상양상으로 진단</u> (TSST-1 생산 *S. aureus*의 분리동정은 소용없다)
- 10대 후반 ~ 20대 초반의 젊은 연령층에서 호발
- NMTSS의 발생 빈도는 남녀간 차이는 없지만, 남성에서 mortality가 높다

■ 원인

① **menstrual TSS** ; menstruation (m/c), barrier contraceptives, puerperium, septic abortion, nonobstetric gynecologic surgery
② **nonmenstrual TSS (NMTSS)** ⋯ 우리나라 TSS의 대부분!
  - skin lesions ; chemical or thermal burn, insect bite, varicella lesion, surgical wound (overt infection이 아닌, toxigenic strain의 단순한 colonization 만으로도 충분)
  - musculoskeletal infections, respiratory infections, bacteremia ...

■ 임상양상 (Case definition)

- 갑자기 발생, 고열 (≥38.9℃), 저혈압
- diffuse macular rash (<u>sunburn rash</u>) → <u>표피박리(desquamation)</u> : 1~2주 뒤 (특히 손/발가락)
- 장기 이상 (아래 중 3개 이상)
  - 소화기 : N/V, 설사, 복통
  - 근육 : severe myalgias, serum CK ↑
  - 점막 : vaginal, oropharyngeal, conjunctival hyperemia
  - 신장 : BUN or Cr ↑, pyuria (UTI 없이)
  - 간 : total bilirubin or aminotransferase ↑
  - 혈액 : thrombocytopenia (≤ 100,000/μL)
  - CNS : disorientation, 의식 저하 (focal neurologic sign은 없음)
- blood, throat, CSF 등의 culutre (−), 기타 serologic tests (−)
- Cx : ARDS, pul. edema, AKI (prerenal or renal)

■ 감별진단

; streptococcal TTS, SSSS, Kawasaki syndrome, Rocky mountain spotted fever, leptospirosis, meningococcemia, gram(−) sepsis, exanthematous viral syndrome
(staphylococcal TTS와 streptococcal TTS는 임상적으로는 구별 힘듦)

■ 치료

① toxin 생성 부위의 decontamination : 화농병변 배농, 감염원 절제
② aggressive fluid Tx., electrolytes & acid-base 장애 교정 (특히 Ca, Mg)
  - vasoactive agent : vasoconstriction을 유발하지 않을 정도의 dopamine

③ 항생제 투여 (→ 감염원 제거 & 재발 방지)
- staphylococcal TSS가 의심되는 sepsis의 경험적 치료
  ⇨ vancomycin + clindamycin + β-lactam/β-lactamase inhibitor
    (e.g., piperacillin-tazobactam) or carbapenem (e.g., imipenem, meropenem)
- MSSA에 의한 TSS ⇨ oxacillin/nafcillin/1세대 cepha.(cefazolin) + clindamycin
- MRSA에 의한 TSS ⇨ vancomycin + clindamycin

④ IV immunoglobulin or anti-cytokine agents
; 심한 경우 (vasopressors, mechanical ventilation 등이 필요하거나, 신기능 악화시) or
  감염 부위를 decontamination 시킬 수 없을 때

• steroid는 도움 안됨!
• NMTSS의 경우 재발률은 극히 드물다

(2) Staphylococcal scalded skin syndrome (SSSS)

• *S. aureus*의 exfoliative toxin (ET)-producing strains에 의한 피부 질환군
; Ritter's disease, toxic epidermal necrolysis (TEN), pemphigus neonatorum, bullous impetigo

■ Staphylococcal TEN or Ritter's disease

• 신생아와 소아에서 호발, 5세 이상에서는 잘 안 생김
  (∵ 대부분의 성인은 ETs에 대한 Ab를 가지고 있음)
• acute phase ; erythematous rash (periorbital & perioral areas → trunk, limbs), Pastia's lines,
    skin (sandpaper texture, tender), periorbital edema
• exfoliation (→ large, flaccid bullae도 생길 수)
  - Nikolsky's sign ; 피부를 조금만 문질러도 벗겨짐
  - 대량의 fluid & electrolyte loss 발생 가능
• exfoliated areas가 건조되고, secondary desquamation 시작 (48시간 이내에)
• 전체 illness는 약 10일 이내에 회복
• mortality (∵ hypovolemia or sepsis) ; 약 3% (소아) / 50% (성인)
• Tx : 항생제, fluid & electrolyte 교정, denuded skin에 대한 local care

(3) Staphylococcal food poisoning

• 보균자에 의한 식품 오염이 주된 원인
• 식품 내에서 균 증식 enterotoxin 생산 → 잠복기 짧음 (2~6시간)
• enterotoxin : 내열성 강함 → 끓는 물에 30분 이상 끓여도 파괴 안됨
• Sx ; N/V, crampy abdominal pain, diarrhea (noninflammatory, low volume)
    (fever, rash는 없음!)
• Dx ; 오염된 음식에서 균 배양 또는 toxin 검출
• 대부분 self-limited, 8~10시간 뒤에 회복 (항생제 치료는 필요없음)
• 예방 ; 개인위생(e.g., 손씻기), 음식은 5℃ 이하로 냉장 보관

3. Staphylococcal infections

(1) 피부 및 연조직 감염 (skin & soft tissue infection, SSTI)

- *S. aureus* : skin & soft tissue infections (SSTI)의 m/c 원인균 → 다음 장 참조!
- 보통 endogenous flora에 의해 발생

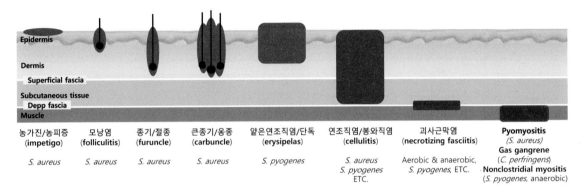

농가진/농피증 (impetigo)	모낭염 (folliculitis)	종기/절종 (furuncle)	큰종기/옹종 (carbuncle)	얕은연조직염/단독 (erysipelas)	연조직염/봉와직염 (cellulitis)	괴사근막염 (necrotizing fasciitis)	Pyomyositis (*S. aureus*) Gas gangrene (*C. perfringens*) Nonclostridial myositis (*S. pyogenes*, anaerobic)
S. aureus	*S. aureus*	*S. aureus*	*S. aureus*	*S. pyogenes*	*S. aureus* *S. pyogenes* ETC.	Aerobic & anaerobic, *S. pyogenes*, ETC.	

① 농가진(impctigo)
- 표피(epidermis)의 감염, 얼굴과 사지 같은 노출 부위에 호발
- 대부분 *S. aureus*가 원인 (드물게 β-hemolytic streptococci, CA-MRSA 등)
- 구진(papules) → 수포(vesicles), 농포(pustules), 딱지(crusts)로 진행
- 치료 ; topical mupirocin or retapamulin (병변이 광범위하면 경구 항생제 → 다음 장 참조)

② 모낭염(folliculitis)
- 모낭(hair follicle)을 포함한 superficial dermis의 감염, 습한 부위에 호발(엉덩이, 겨드랑이 등)
- 대부분 *S. aureus*가 원인 (기타 *P. aeruginosa*, *Malassezia* spp., *Demodex*^{모낭충} mites 등)
- 2~5 mm의 반구진(maculopapules), 가려움, 가운데 작은 농포 흔함, 대개 multiple
- 치료 ; 온찜질(e.g., 식염수팩 → 배농 촉진), topical mupirocin (or clindamycin)

③ 종기/절종(furuncle) : 모낭 감염이 깊게 진행되어 피하에서 결절/농양을 형성한 것, 통증 동반

④ 큰종기/옹종(carbuncle) : 여러 개의 종기가 합쳐져 더 크고 깊어진 것 → 짜면 농 배출
  ⇨ 온찜질 (종기가 크면 절개 & 배농), 광범위하거나 열이 있거나 안면 중앙부면 항생제 치료
    - 1세대 cepha., amoxicillin-clavulanate, clindamycin 등
    - 과거 MRSA 감염/집락화 병력 → vancomycin 등
    - *S. aureus*에 의한 재발성 피부 감염 → 비강 내 mupirocin 연고 2회/day, 매달 5일간

⑤ 단독(erysipelas) : 진피(dermis) 상층부의 감염, 융기된 피부 경계 - 주로 *S. pyogenes*가 원인

⑥ 연조직염(cellulitis) : 진피와 피하조직의 감염, 경계가 불분명

(2) 폐렴

- 원내 폐렴 원인균의 20~30% 차지
- 지역사회 폐렴(CAP)의 원인균으로는 드묾 (1~5%)

① upper respiratory flora의 aspiration
- Sx ; chest pain, dyspnea, systemic toxicity
- 유발인자 ; 입원, 요양원 거주, 최근의 항생제 사용 …
- 흔히 tracheal intubation, resp. virus 감염 (*e.g.*, influenza) 후에 발생

② hematogenous seeding
- pul. embolization의 위험인자 ; Rt-sided endocarditis (특히 IVDU),
  septic thrombophlebitis (indwelling venous catheter의 m/c Cx)
- chest X-ray : multiple nodular infiltrates, empyema 흔함

(3) 혈관내 감염

① primary bacteremia (& sepsis)
- community-acquired & health care-associated bacteremia의 m/c 원인

Uncomplicated bacteremia의 정의
항생제 치료 3일 이내에 fever와 전신증상 호전, 혈액배양 (−) 감염의 원발 병소가 밝혀지고 제거가 용이하거나 제거됨 Endocarditis 및 위험인자, osteomyelitis, metastatic seeding, prosthetic device 등 없음

- 합병증(e.g., sepsis, endocarditis, metastasis) 발생 위험 인자 [complicated bacteremia]
  ; 균혈증기간↑, DM, HIV 감염, 신부전, community-acquired *S. aureus* 균혈증,
  prosthetic devices, 감염의 원발 병소를 모를 때
- 특히 endocarditis의 가능성을 반드시 고려해야 됨! → 심장초음파 검사 필수!
  ↳ 발생위험↑ ; 인공심장판막, 기존 심장질환, IVDU, catheter 감염, 지속적인 균혈증
② acute bacterial endocarditis (*S. aureus*가 m/c) → 순환기내과 15장 참조
- 특히 health care-associated (nosocomial) NVE로 증가 추세임 (대개 MRSA)
  ; intravascular devices 사용 증가 등으로 인해(e.g., catheter, pacemaker, VAD)
- septic embolization (~1/3에서) ; 뇌, 폐, 신장, 비장, 위장관, 대혈관 등으로
③ metastatic seeding (bacteremia의 ~31%) ; 뼈, 관절, 신장, 폐로 전이 흔함

(4) 골관절 감염

① acute osteomyelitis : *S. aureus*는 혈행성 골수염의 m/c 원인균
② chronic osteomyelitis
③ **septic arthritis** : *S. aureus*는 세균성 관절염의 m/c 원인균
- 유발인자 ; IVDU, rheumatoid arthritis, steroids 사용, 관통형 외상,
  과거의 trauma/disease에 의해 손상된 joints
- knees, hips, sacroiliac joints에 호발
- Tx : antibiotics, aspiration, open/arthroscopic debridement & drainage

관절천자 이후 synovial fluid Gram 염색 결과에 따라 바로 경험적 항생제 IV 투여 시작
- G(+) cocci → cefazolin, oxacillin, or nafcillin (MRSA 의심시 vancomycin)
- No organism or G(−) bacilli → 3세대 cepha. (cefotaxime, ceftriaxone)
  (면역저하, IVDU, traumatic septic arthritis 등 때는 3세대 cepha. + vancomycin 병합요법)
- G(−) diplococci (임균성 관절염) → ceftriaxone IV + oral azithromycin

④ pyomyositis ; 큰 골격근 감염의 80% 이상이 *S. aureus*가 원인

4. 진단

(1) *S. aureus* Infection
- Gram's stain : clustered gram (+) cocci, neutrophils↑
- culture : standard lab. media (e.g., blood, chocolate agar)에서 잘 자람
  - catalase (+), coagulase/protein A (+)
- commercial identification kit

(2) Staphylococcal Intoxication
- 진단 어려움 → 대개 임상양상에 의해 진단!

5. 치료

(1) 감염의 원발 병소 제거 (e.g., abscess, infected foreign materials)

(2) 항생제 감수성
- penicillin resistance : *S. aureus*의 β-lactamase (주로 penicillinase) 생산 때문
- methicillin resistant *S. aureus* (MRSA) : *S. aureus*의 60~70%
  - MRSA 검사법 (c.f., methicillin은 내성 검출이 어려워 사용 안함)
    - (a) 항생제 감수성 검사(AST) : oxacillin or cefoxitin^(권장) disk 이용
      ; 배지의 salt 농도↑(6.5% NaCl), 저온(≤35℃)에서 24시간 배양
    - (b) real-time PCR (*mecA* gene 검출) : 빠르고 정확해서 최근 많이 이용
    - (c) *mecA*에 의해 생성된 variant PBP 검출 (→ 보통의 검사실에서는 어려움)
    - (d) 기타 ; 여러 rapid culture 기법들, PBP2a latex agglutination 등
  - semisynthetic penicillinase-resistant penicillin (SPRP; oxacillin, nafcillin)은 물론 cephalosporins 등 모든 β-lactam에 내성 (최근 개발된 ceftaroline, ceftobiprole은 제외)
  - 우리나라 3차병원에서는 60~80%로 매우 높으며, 1-2차병원도 증가 추세임(최근 약 45%)
    - ① methicillin resistance determinant (*mec* gene) → classic methicillin resistance
      - <u>*mecA* gene</u> : <u>variant PBP</u> (PBP 2' or PBP 2a)를 encode
        - → β-lactam 항생제에 대한 affinity↓
      - *mecR* gene : PBP2'의 억제 조절인자 (*mecR1* : 유도, *mecI* : 억제 유전자)
    - ② β-lactamase의 hyperproduction … borderline methicillin-resistant phenotype (BORSA)
      - (→ Tx : high-doses semisynthetic penicillins)
    - ③ *femA* gene : PBP2'의 생성에는 영향을 미치지 않으면서, *S. aureus*의 세포벽 구성 성분의 조성에 관여
- vancomycin에 대한 감수성 (teicoplanin도 비슷) : 2006년 MIC 기준이 낮아졌음
  - VSSA (susceptible) : MIC ≤2 μg/mL
  - VISA (intermediate) : MIC 4~8 μg/mL (vancomycin-intermediate *S. aureus*)
  - VRSA (resistant) : MIC ≥16 μg/mL

- hetero-VISA (hVISA) : vancomycin에 대한 MIC ≤2 μg/mL이면서, 약 $1/10^5$의 비율로
  MIC ≥4 μg/mL인 subpopulation을 가지는 것 → vancomycin 치료 실패 위험
  (vancomycin MIC가 2 μg/mL인 MRSA 균주의 50~60%가 실제로는 hVISA)
  c.f.) VISA와 hVISA의 내성기전은 모름, 내성 gene은 검출되지 않아 VRSA와는 다름
  　　(e.g., 세포벽 두께↑, GNAM 대량 생산), 내성이 전달되지는 않음
- VRSA : VRE에서 전이된 *vanA* gene 때문, 아직 드묾, 모든 VRSA는 MRSA임

(3) 항생제의 선택

- MSSA에 의한 invasive infections (bacteremia 등)
  ⇨ semisynthetic penicillinase-resistant penicillin (nafcillin, oxacillin, cloxacillin, flucloxacillin),
  or 1세대 cepha. (e.g., cefazolin)
  (vancomycin은 β-lactam보다 효과 떨어짐 / AG와의 병합요법은 권장×)
- 피부 등 minor infections의 경구치료 or 유지요법 ⇨ dicloxacillin, cephalexin, or cefadroxil
  (병변이 적은 impetigo는 국소치료도 가능 ⇨ topical mupirocin, retapamulin, ozenoxacin 5일)
- MRSA severe infections (e.g., severe SSTI, bacteremia) ⇨ vancomycin or daptomycin이 DOC
- MRSA mild SSTI ⇨ 경구치료 가능 ; TMP-SMX, TC (e.g., DC, minocycline), or clindamycin
  (fluoroquinolone은 내성으로 권장× / 새로 개발된 delafloxacin은 MRSA에도 사용 가능)
- 병합요법
  - 아직 감수성을 모를 때 MSSA + MRSA에 대한 경험적 치료 ⇨ β-lactam + vancomycin
  - AG와의 병합은 권장× (∵ 효과적인 단일 약제 대비 추가적인 이득 없고, 부작용만 증가)
  - rifampin + vancomycin : device-related bone infection, prosthetic joint infection,
    prosthetic valve endocarditis, or salvage therapy 때에만 고려
  - salvage therapy (적절한 항생제 치료 3~4일 후에도 bacteremia 지속시) → VISA/VRSA 참조

* **MRSA에 효과적인 항생제**
  ① <u>vancomycin</u> : vancomycin의 남용은 VRE or VISA의 증가를 가져오고, vancomycin 자체의
  　　치료 효과가 β-lactam보다는 떨어지므로 꼭 적응이 될 때에만 사용하는 것이 좋음
  ② teicoplanin : vancomycin과 항균력/효능 비슷
  ③ oxazolidinones (<u>linezolid</u>, tedizolid) : 조직 투과율 우수 → 피부연조직감염에 효과적
  　　　　　　　　↳ 폐 상피조직에도 고농도 (폐렴에서는 vancomyin보다 효과 우수함)
  ④ daptomycin : 균혈증(우측심내막염 포함), complicated SSTI에 효과적 (호흡기감염엔 효과×)
  ⑤ tigecycline : SSTI, 복강내 감염, 지역사회 폐렴에 사용 (균혈증 등 중증감염엔 권장×)
  ⑥ telavancin, dalbavancin, oritavancin : complicated SSTI와 폐렴에 사용 가능
  ⑦ ceftaroline, ceftobiprole : MRSA에 항균력이 있는 5세대 cephalosporin
  　　(vancomycin/daptomycin 감수성이 감소된 경우 포함), complicated SSTI와 폐렴에 효과적

* **VISA or VRSA** : 아직 확립된 치료법은 없음
  ① daptomycin (or vancomycin) + ceftaroline (or 다른 β-lactams)
  ② daptomycin (or ceftaroline) + TMP-SMX
  ③ 기타 단일요법 ; telavancin, ceftaroline, linezolid 등

6. 예방

- 병원내에서 m/i 전염원은 의료인의 손 → 환자와 접촉시 손을 철저히 씻어야
- *S. aureus*는 postoperative wound infections의 m/c 원인
    - → perioperative antibiotics 투여로 감소
- 재발성 피부감염 → staphylococcal decolonization ; 비강 내 mupirocin 연고 도포,
    chlorhexidine 비누로 목욕, 동거인도 decolonization, 환경/물품 소독 등
    - 재발성 심한 피부감염은 diluted bleach^{표백제} baths가 도움 될 수
    - 경구 항생제는 도움× (∵ 비점막 분비액에서 살균 농도에 도달×)
    [예외적으로 (감수성이 있는 경우) clindamycin을 매일 3달 투여시 재감염률 ~80% 감소]

c.f.) CA-MRSA (community-acquired MRSA)
- 정의 ┌ 외래 or 입원 48시간 이내에 MRSA 동정
  (모두) │ MRSA 감염/보유 과거력 無
         └ health care-associated MRSA (HA-MRSA) 획득 <u>위험인자</u> 無
            (최근 1년 이내 입원/수술, 장기 요양소, 투석, 카테터 등의 기구가 체내 존재 등)
- 소아, 젊은 성인에서 호발
- 대부분 경미한 피부연조직감염을 일으킴
- 일부 PVL toxin (+)인 경우는 괴사성피부감염, 폐렴 등으로 빠르게 진행, poor Px (국내 거의 無)
- <u>SCCmec</u> (Staphylococcal cassette chromosome mec)
    - mecA gene이 균 사이를 이동하게 해주는 유전자 복합체
    - HA-MRSA는 type I, II, III / CA-MRSA는 type IV, V

* **피부연조직감염(SSTI)의 치료** : 비 β-lactam계 항생제에 감수성 有
  ① mild ⇨ 경구제 ; clindamycin, TMP-SMX, or TCs (DC or minocycline)
    - 위 약제에 반응이 없거나 부작용시 → oxazolidinones (linezolid, tedizolid), fluoroquinolone
        (delafloxacin), omadacycline 등
  ② <u>severe</u> ⇨ 주사제 ; vancomycin, daptomycin, teicoplanin 등
    ↳ 광범위한 연조직 침범, 전신 증상, 급격한 악화, 경구제 사용 2~3일 뒤에도 증상 호전×,
        면역저하, 감염 부위가 indwelling device와 가까울 때 등

Coagulase-Negative *Staphylococci* (CoNS, CNS)

1. 개요

- nosocomial infection의 주요 원인균
  - *S. epidermidis* (m/c) : 피부 상재균, 피부 분리 *Staphylococci*의 반 이상 차지
  - *S. saprophyticus* : UTI를 일으킴 (160-kDa hemagglutinin/adhesin → uroepithelial cells에 잘 결합)
  - *S. lugdunensis* : invasive infections (endocarditis, osteomyelitis, sepsis)을 일으킴
  - *S. schleiferi* : coagulase (+) subspecies도 있음, 개의 피부/귀 감염과 관련,
    사람에서는 창상/수술부위 감염, endocarditis, meningitis 등을 일으킬 수 있음
- CoNS 감염의 특징 (70~80%가 *S. epidermidis*)
  ① indolent ; long latent period
  ② 대부분 nosocomial infections으로 발생
      (예외: native valve endocarditis, *S. saprophyticus*에 의한 UTI)
  ③ 대부분의 임상적으로 중요한 감염은 다제 항생제 내성을 보이는 CoNS에 의해 발생
  ④ 대부분의 CoNS 감염은 medical devices와 관련

  > 인공삽입물은 체내에서 빠르게 혈청/조직 구성물로 코팅됨(e.g., fibrinogen, fibronectin)
  >   → CoNS가 결합하는 가교 역할
  > Staphylococcal surface proteins이 인공삽입물 표면에 부착하는 데 관여
  >   ↳ autolysin (AtlE), fibrinogen-binding protein, accumulation-associated protein (AAP),
  >   capsular polysaccharide adhesion (PS/A) 등
  > InterCellular Adhesion (ica) 유전자는 삽입물 표면에 집락 형성을 잘하는 *Staphylococci*에서 더 흔함
  >   → biofilm 형성에 기여 (숙주의 방어기전으로부터 세균을 보호하는 장벽 역할)
  > *S. epidermidis*는 특히 polysaccharide (glycocalyx or slime)를 만들어 biofilm을 잘 형성함

- CoNS 감염의 위험인자
  ① foregn body의 존재 (특히 indwelling catheter)
  ② phagocytic function 감소 (특히 neutropenia) ; chemotherapy, leukemia ...
  ③ 참작 사유 존재시 (e.g., abnormal native valve를 침범하는 subacute endocarditis,
      cardiac surgery 뒤의 sternal osteomyelitis)

2. 임상양상

(1) 인공삽입물 감염
- CoNS가 m/c 원인균
- IV catheters, hemodialysis shunts & grafts, CSF shunts, pacemaker wires & electrodes,
  prosthetic joints, vascular grafts, prosthetic valves ...

(2) 면역저하자, 신생아의 bacteremia

(3) 심내막염
- prosthetic valve endocarditis의 m/c 원인균 (대부분 implantation 몇 개월 이내에 감염 발생)
- native valve endocarditis : 5% 미만의 원인 차지 (보통 abnormal valves에 감염을 일으킴)

(4) 요로감염
- *S. saprophyticus* : *E. coli* 다음으로 흔한 UTI의 원인균
- 젊은 여성에서 호발

3. 진단

- nosocomial bacteremia의 m/c 원인균이면서, 혈액배양에서 m/c 분리균
- 혈액배양에서 동정시 10~25%만 true bacteremia
  (∵ 혈액배양 채혈시 부적절한 피부소독으로 오염되는 경우가 많음)
- 혈액배양이 true positive (bacteremia)일 가능성이 높은 경우
  ① 감염이 의심되는 임상 증상
  ② indwelling catheters나 다른 CoNS 감염의 위험인자 존재시
  ③ 여러 부위의 혈액배양에서 양성
- 호기성 및 혐기성 혈액 배양병에서 모두 자람
- catalase (+), coagulase/protein A (−)
- novobiocin
  - 내성 ; *S. saprophyticus, S. xylosus*
  - 감수성 ; *S. epidermidis, S. haemolyticus, S. hominis, S. lugdunensis ...*

4. 치료

- 인공삽입물(foreign body) 제거 - 대부분에서 필요
- 항생제만으로 치료해볼 수 있는 경우
  ; peritoneal dialysis catheters 감염, central venous catheters 감염
- bacteremia 등 심한 CoNS 감염의 경험적 치료 (MRSA에 준함) ⇨ vancomycin이 DOC
  or daptomycin, linezolid, tedizolid, telavancin, dalbavancin, oritavancin, ceftaroline 등
  (∵ CoNS는 methicillin과 semisynthetic penicillins 및 여러 항생제에 대한 내성이 매우 흔함)
- 인공삽입물을 제거하지 않고 치료해야 할 경우(e.g., endocarditis)
  ⇨ vancomycin + rifampin ± aminoglycoside (gentamicin)

개요

- gram-positive cocci, 특징적으로 chains 모양을 형성, catalase (−)
- respiratory, GI, GU tracts의 정상 상재균
- 용혈양상(hemolytic pattern)에 따른 분류
  ① β-hemolytic streptococci : BAP에서 집락 주위로 완전 용혈 발생 (투명)
  　; Lancefield groups A, B, C, G
  ② α-hemolytic streptococci : 불완전 용혈 (회녹색)
  　; viridans streptococci, *Streptococcus pneumoniae*
  ③ nonhemolytic streptococci (γ-hemolysis) – group D streptococci
- enterococci는 현재 DNA homology studies에 따라 다른 genus로 분류됨

Lancefield Group	Species	Hemolysis	감염 예
A	*S. pyogenes*	β	Pharyngitis, pyoderma, bacteremia, streptococcal shock syndrome, necrotizing fascitis, acute RF, GN
B	*S. agalactiae*	β	Neonatal sepsis & meningitis, bacteremia, endocarditis, UTI, SSTI, diabetic foot ulcer infection
C, G	*S. dysgalactiae* subsp. *equisimilis*	β	SSTI, bacteremia, endocarditis
D	Enterococci: *E. faecalis*, *E. faecium*	None	UTI, bacteremia, endocarditis ...
	Non-enterococci: *S. gallolyticus* (과거 *S. bovis*) 등	None	Bacteremia, endocarditis ...
Nongroupable or variable	Viridans streptococci: *S. mutans*, *S. mitis* *S. salivarius* *S. sanguinis* (과거 *S. sanguis*)	α	Endocarditis, brain abcess, bacteremia in neutropenic patients, dental abscess
	S. anginosus (과거 *S. milleri*) group: *S. intermedius* *S. anginosus*, *S. constellatus*	Variable	Invasive pyogenic infecitons ; abdominal cavity, brain, dental abscess
	Anaerobic streptococci: *Peptostreptococcus* spp.	None	Oral infection, aspiration pneumonia, lung abscess, brain abcess, female genital tract infection

Group A *Streptococci* (GAS)

- single species – *S. pyogenes* : Group A β-hemolytic streptococci
- 다양한 **화농성** 감염 및 postinfectious syndromes (acute RF, PSGN, reactive arthritis)을 일으킴

1. 병인

- M protein ; major surface protein, *emm* gene에 의해 생성
  - strains serotyping의 기준, 200개 이상의 types 존재(→ vaccine 개발 어려움)
  - major somatic virulence factor : neutrophils에 의한 phagocytosis에 저항
    (→ M protein type-specific Ab 존재시 저항력 소실)
- polysaccharide capsule ; hyaluronic acid로 구성, phagocytosis로부터 보호, weak immunogen,
  CD44에 결합하여 oropharynx에 colonization하는 역할도 (→ pharyngitis, SSTI 등에 중요)
- binding proteins
  - Ig-binding M-like proteins ; 여러 항체 및 complement와 결합하여 phagocytosis에 저항
  - Protein F ; fibronectin-binding domains을 통해 상피세포에 결합, biofilm 형성에 기여
- extracellular products (toxin 등의 secreted virulence factors)
  ① streptolysin O (SLO) : BAP 배지의 넓은 hemolysis에 관여, 세포막의 cholesterol과 결합한 뒤
    toxin-cholesterol membrane pores를 형성하여 colloid-osmotic mechanism에 의해 세포 파괴
    - <u>anti-streptolysin O (ASO)</u> ; GAS 감염시 상승 (GAS 억제 기능은 없음)
      ↳ 급성 감염보다는 모르고 지나간 과거의 감염 확인에 유용(e.g., acute RF, PSGN)
  ② streptolysin S (SLS) : direct/contact cytotoxicity (BAP 배지에서 넓게 퍼지지 않음)
  ③ 기타 효소 ; hyaluronidase, streptokinase, deoxyribonuclease (DNase), SpySEP, protease ...
  ④ streptococcal <u>pyrogenic exotoxins</u> (Spe) A, B, C 등 (과거 erythrogenic toxins으로도 불림)
    - superantigen으로 작용 → cytokines storm 유발 (T-cells에서 TNF-β, IFN-γ, IL-2,
      monocytes에서 TNF-α, IL-1, IL-6 등 분비) → shock & organ dysfunction
    - SpeA : scarlet fever 및 streptococcal TSS와 관련
    - SpeB : necrotizing fasciitis 및 shock과 관련

2. 인두염(Pharyngitis)

(1) 역학
- 소아/청소년의 흔한 세균감염 (exudative pharyngitis의 20~40% 차지)
- 성인 : acute pharyngitis의 5~15% 차지 (세균 중에서는 m/c) / 호흡기 바이러스가 m/c (25~45%)
- 감염경로 : respiratory droplet (m/c), food-borne (드묾)

(2) 임상양상
- 잠복기 : 1~4일
- 갑자기 sore throat, high <u>fever</u>, chills, malaise, headache, 가끔 복통/N/V (콧물/<u>기침은 없음!</u>)
- <u>throat (tonsil 주변)의 exudate</u>, <u>painful ant. cervical lymphadenitis</u>, uvular edema ...

(3) 미생물학적 진단

- throat culture (gold standard) ; 양쪽 tonsils을 swab, sensitivity 90~95%
- rapid Ag detection (latex agglutination, EIA) ; sensitivity 70~90%, specificity >95%
  → 빠른 POCT 검사로 항생제 사용 결정에 유용 / false(-)가 있으므로 culture도 반드시 시행
- NAT (PCR) ; 가장 정확, 여러 호흡기 병원체들과 함께 진단하는 rapid multiplex 검사도 있음

(4) 치료

- 경험적 항생제 치료는 권장×, 미생물학적으로 GAS가 확인되어야 치료
- 목적 ; suppurative Cx, acute RF, PSGN 등의 예방, 빠른 증상 호전, 다른 사람에 전파 감소
- penicillin (DOC) … 아직 β-lactam계 항생제에 내성을 보이는 GAS는 없다!
  - oral penicillin V, amoxicillin(소아에서 물약으로 선호) 10일 or IM benzathine penicillin G(비쌈) 1회
  - GAS eradication (→ acute RF 등의 면역 합병증 예방)을 위해 10일 치료가 권장됨
  - 합병증이 없으면, 보통 3~5일 뒤 회복됨
- 기타 ; amoxicillin/clavulanate, cepha (e.g., cefuroxime, cephalexin, cefadroxil), clindamycin 등
- penicillin allergy → 심하면 azithromycin or clindamycin / 경미하면 cephalosporins도 가능
  (macrolides와 clindamycin은 지역에 따라 내성률이 높기도 하므로 주의)

(5) 합병증

- suppurative Cx ; cervical lymphadenitis, peritonsilar or retropharyngeal abscess, sinusitis, otitis media, meningitis, bacteremia, endocarditis, pneumonia ..
- nonsuppurative Cx ; acute rheumatic fever, PSGN ..
  - streptococcal infection에 대한 면역반응으로 발생
  - 인두염의 치료로 acute RF는 예방이 가능하지만, PSGN의 예방효과는 약간 불확실함

(6) 예방

- 손씻기 등의 일반 위행 (아직 상용화된 백신은 없음)
- postexposure prophylaxis ; 증상이 있는 경우, acute RF 과거력력, acute RF or PSGN의 유행, 가족 등의 밀접접촉자 등에서만 권장
- acute RF의 과거력이 있는 환자 (재발 위험↑) → 3~4주마다 IM benzathine penicillin G
- chronic GAS carriers (전파 위험은 낮음) → acute RF or PSGN의 유행시, 밀접접촉자에서 GAS 감염 발생시에는 치료 ; clindamycin, amoxicillin/clavulanate, penicillin + rifampin

3. 성홍열(Scarlet fever)

- streptococcal pyrogenic exotoxins A, B, C (예전엔 erythrogenic or scarlet fever toxin으로 불림)
- pharyngitis의 합병증으로 1~2일 후 특징적인 rash 발생
  - upper trunk → extremities로 번짐 (손바닥과 발바닥은 제외)
  - 작은 구진(papules)으로 구성 → 피부가 sandpaper 모양
  - circumoral pallor, "strawberry tongue", Pastia's lines 등도 동반
- 6~9일 후 회복되면서 손바닥과 발바닥의 desquamation 발생
- D/Dx ; measles등의 viral exanthem, Kawasaki's dz, TSS, systemic allergic reaction
  (e.g., drug reaction)

4. 피부 및 연조직 감염(SSTI)

(1) Impetigo (농가진/고름딱지증) or Pyoderma (농피증/고름피부증)

- 표피(epidermis)의 세균 감염으로 비수포성과 수포성 두 가지 양상으로 발현
  - 비수포성 ; *S aureus*, group A streptococci (일부 다른 streptococci도), or 두 세균의 복합감염
  - 수포성(bullous impetigo) ; 주로 *S aureus*가 원인
- skin abscess보다는 CA-MRSA의 비중이 적지만, CA-MRSA 감염은 점점 증가 추세임
- 소아, 더운 계절, 열대/아열대 지방, 위생불량자 등에서 호발
- 호발 부위 : face (특히 코와 입 주위), legs (not painful)
- red papules로 시작 → vesicular → pustular → honeycomb-like crusts
- 대개 fever와 통증은 없음 (fever 존재시엔 심부 감염이나 다른 진단 의심)
- 경험적 치료 (streptococci와 *S aureus*를 모두 cover)
  - 병변이 적으면 → topical mupirocin, retapamulin, or ozenoxacin 5일
  - 병변이 많으면 → oral dicloxacillin, cephalexin, or amoxicillin/clavulanate 7~10일
- MRSA R/O이 필요하면 culture도 시행 (특히 경험적 Tx에 반응이 없을 때)
- Cx : PSGN 발생할 수 (rheumatic fever는 안 생김)

(2) Erysipelas (단독/얕은연조직염)

- 거의 대부분 *S. pyogenes*가 원인, 주로 어린 소아와 노인에서 발생, 하지에 m/c (70~80%)
- cellulitis보다 경미한 진피 상층부(upper dermis, superficial lymphatics)의 감염
- nonpurulent, 갑자기 발생 & 빠른 진행, 경계가 뚜렷한 융기된 붉은 rash, 심한 통증
- 전신증상(fever/chills, malaise, headache) 선행, 2~3일후 쉽게 터지는 수포(flaccid bulla) 발생
- *S. pyogenes*에 대한 경험적 치료 ; cefazolin, ceftriaxone, or flucloxacillin

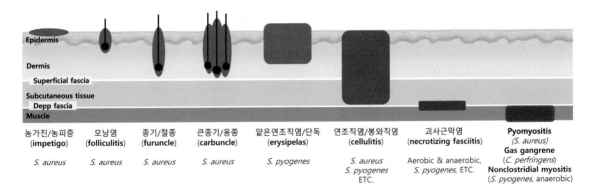

농가진/농피증 (impetigo)	모낭염 (folliculitis)	종기/절종 (furuncle)	큰종기/옹종 (carbuncle)	얕은연조직염/단독 (erysipelas)	연조직염/봉와직염 (cellulitis)	괴사근막염 (necrotizing fasciitis)	Pyomyositis (*S. aureus*) Gas gangrene (*C. perfringens*) Nonclostridial myositis (*S. pyogenes*, anaerobic)
S. aureus	*S. aureus*	*S. aureus*	*S. aureus*	*S. pyogenes*	*S. aureus* *S. pyogenes* ETC.	Aerobic & anaerobic, *S. pyogenes*, ETC.	

(3) Cellulitis (봉와직염/연조직염)

- 진피 하층부 ~ 피하조직의 급성 화농성 염증
- 대부분 피부상재균(*S. aureus*, *S. pyogenes*)이 원인이지만, 다양한 다른 균들도 가능
- local erythema & edema (병변의 경계부는 erysipelas와는 달리 융기되거나 뚜렷하지 않음!), tenderness, fever, chilling
- 호발 부위 ; 하지, 안면의 malar area (nasal bridge 포함)
- 유발인자 ; 외상/수술 상처, 궤양, 벌레 물림, 피부감염증(e.g., 모낭염), 진균증(특히 발가락사이)

- 전형적인 경우 culture (흡인/생검) 검사는 필요 없지만 DM, neutropenia, CTx, 면역저하, 동물에 물린 상처, 물에 빠진 상처 등에서는 다른 원인 R/O을 위해 검사 고려
- 경험적 치료 (streptococci와 *S aureus*를 모두 cover)
    - mild ⇨ 경구제 ; 1세대 cepha. (cephalexin, cefadroxil), dicloxacillin 등 [5일~]
              (MRSA 의심시 TMP-SMX, amoxicillin + DC/minocycline, or clindamycin)
    - 주사제 (Ix ; 빠른 진행, 경구제 사용 2일 후에도 호전×, 경구제 복용 불가능)
         ; 1세대 cepha. (e.g., <u>cefazolin</u>), penicillinase-resistant penicillin (e.g., nafcillin, oxacillin), <u>ampicillin/sulbactam</u>, or clindamycin IV
    - severe [전신증상(fever, chilling, tachycardia 등), 감염 부위가 indwelling device와 가까울 때]
      or MRSA 의심시 ⇨ vancomycin, daptomycin, teicoplanin, or linezolid IV

- **Animal bite**
    - Dog (90%, 주로 소아) ; *Staphylococcus intermedius*, *Pasteurella* spp., *Capnocytophaga canimorsus* 등
    - <u>Cat</u> ; *Pasteurella multocida* (m/c, 75%), *Bartonella henselae*, *Bacteroides* 등의 혐기성균 등
          ↳ 개보다 상처는 경미해도 골수염이나 화농성 관절염 같은 합병증 발생 더 많음
    - 항생제 ; oral Amoxicillin-clavulanate, IV Ampicillin-sulbactam, Piperacillin-tazobactam 등
- **Human bite** ; oral flora (*Eikenella*, GAS, *Fusobacterium*, *Peptostreptococcus*, *Prevotella*, *Porphyromonas* 등)
  및 skin flora (*Staphylococci*, streptococci)
    - mild ⇨ oral Amoxicillin-clavulanate
    - 전신독성증상(고열, 저혈압, 빈맥), 심부 감염, 빠른 악화, 경구 항생제에 반응×, 인공삽입물과 가까운 부위 등
         ⇨ IV <u>Ampicillin-sulbactam</u>, Piperacillin-tazobactam, or
               3세대 cepha (e.g., Ceftriaxone) + Metronidazole (or Clindamycin)
- **민물에 상처 노출** ; *Aeromonas hydrophila*, *Burkholderia pseudomallei*, *Edwardsiella tarda*, *Mycobacterium fortuitum*, *Pseudomonas aeruginosa*, *Streptococcus iniae* 등 다양한 원인균에 의한 감염 가능
  (바닷물 ; <u>*Vibrio vulnificus*</u>, *Shewanella* spp, *Mycobacterium marinum* 등)
  ⇨ 예방/경험적치료 ; 1세대 cepha. (or Clindamycin) + Levofloxacin
               (+ 바닷물: DC) (+ 흙탕물/오수: Metronidazole - Clindamycin 사용 시에는 필요 없음)

---

(4) 심부 연조직 감염

① <u>necrotizing fasciitis (괴사근막염)</u> : rapidly spreading necrosis (gangrene)
- superficial and/or deep fascia의 감염 (상대적으로 skin과 muscle은 침범 덜함)
- type Ⅰ necrotizing fasciitis (55~80%) : aerobic & anaerobic bacteria의 혼합 감염
    - 대개 고령 및 기저질환자에서 발생
    - 위험인자 ; DM, 말초혈관질환, 수술/시술로 인한 점막 손상(e.g., GI, GU), 관통상 등
- type Ⅱ necrotizing fasciitis : 단독 감염, GAS (*S. pyogenes*)가 원인균의 60% 차지
    (기타 MRSA, *Clostridium perfringens*, *P. aeruginosa*, *Vibrio*, *Aeromonas* 등)
    - 기저질환이 없는 모든 연령에서 발생 가능, 20~40%는 myositis도 동반
    - 위험인자 ; 경미한 외상, 수술 (but, 약 1/2은 감염 경로를 모름 → 아마 혈행성 전파)
- 초기 병변은 cellulitis와 유사하지만 (e.g., erythema, edema, tenderness → 진단 어려움)
  <u>급격히 진행</u>하여 <u>심한 통증</u> 및 <u>전신 독성</u>(e.g., 발열, 빈맥, 저혈압, 권태감, 근육통) 발생
         ↳ 피부색이 자주색에서 청회색으로 변함, bullae, ecchymosis, gangrene (skin necrosis)
- 촉진 ; 피하조직이 딱딱하고 나무 같은 느낌, 마찰음(crepitus), 국소 <u>피부 감각 저하</u> 호소
- 진행하면 DIC, 다장기부전.. 사망률 20~25%   (소혈관의 혈전, 표재신경의 파괴 ↗)
- Dx ; CT/MRI, 수술실에서 surgical exploration (가장 확실, culture도 시행)

- Tx : <u>surgical</u> drainage & debridement, antibiotics, fluid, dialysis or ventilator 등

Necrotizing soft tissue infections (NSTIs)의 항생제 치료 (IV)
■ 경험적 치료 : G(+) [MRSA 포함], G(−), 혐기성균 모두 cover
(1) carbapenem (or piperacillin/tazobactam) + vancomycin (or daptomycin) + clindamycin
(2) cefotaxime + metronidazole (or clindamycin)
■ 원인균이 밝혀지면
(1) Group A streptococci (*S. pyogenes*) ⇨ penicillin + clindamycin
(2) Clostridial infection ⇨ penicillin + clindamycin
(3) *Aeromonas hydrophila* ⇨ DC + ciprofloxacin (or ceftriaxone)
(4) *Vibrio vulnificus* ⇨ 3세대 cepha (cefotaxime, ceftriaxone) + TC (minocycline, DC) (or quinolone)

② **pyomyositis** (근육의 abscesses) ; 주로 *S. aureus*가 원인
③ **myonecrosis** ; *S. pyogenes*가 m/c 원인, 혈행성 전파로 감염 (e.g., from 인두염), 사망률 높음

5. Bacteremia/Sepsis

- bacteremia ; necrotizing fasciitis에서 비교적 흔히 발생
- GAS sepsis ⋯ risk factors (15세~40대에서는 GAS sepsis 드묾)
  - 소아 : burn, cancer, 면역억제제, 수두, influenza, 2세 이하의 저연령
  - 50세 이상 : cellulitis, erysipelas 같은 SSTI, DM, cancer, steroid 치료, 말초혈관질환
- puerperal sepsis ; 분만에 의한 감염 합병증 (보통 endometritis & bacteremia)
  - 현재는 group B streptococci가 더 흔한 원인균

6. Streptococcal Toxic Shock Syndrome (TSS, 독성쇼크증후군)

- SPE (Streptococcal pyrogenic exotoxin) A가 m/i (미국) ⋯ TSST-1과 유사
- GAS sepsis와는 달리 기저질환이 없는 경우가 더 많음
- 선행질환 ; soft tissue infection (necrotizing fasciitis, myositis, cellulitis), C/S

TSS의 진단기준
Ⅰ. Group A streptococci (*S. pyogenes*)의 분리
Ⅱ. 임상양상
① 저혈압 (성인은 systolic BP ≤90 mmHg, 소아는 연령대비 5% 이하) &
② 아래중 2개 이상 존재
1. 신기능 이상 : serum creatinine ≥2 mg/dL
2. 응고장애 : Thrombocytopenia (≤ 100,000/μL) or DIC 소견
3. 간기능 이상 : AST/ALT or total bilirubin ≥UNL×2
4. ARDS
5. Generalized erythematous macular rash (→ desquamation)
6. Soft-tissue necrosis (e.g., necrotizing fasciitis, myositis, gangrene)

- 대부분 bacteremia 동반 (↔ Staphylococcal TSS는 대부분 혈액배양 음성임!)
- mortality : ≥30% (대부분 shock과 respiratory distress syndrome으로 사망)
- Tx : 항생제 + septic shock에 대한 보존적 치료 + 필요시 surgical debridement
  - penicillin G + clindamycin (protein toxins 합성 억제)
  - IV immunoglobulin도 함께 투여 (toxins을 중화)

Group B *Streptococci* (GBS)

- single species - *S. agalactiae* (여성 생식기에 존재하는 정상 상재균의 일종)
- *E. coli*와 함께 신생아의 sepsis와 meningitis의 m/c 원인균, peripartum fever의 흔한 원인
  - early-onset GBS (≤출생 24시간) : 우리나라는 산모의 GBS 집락률이 낮아 서양보다 덜 흔함
  - late-onset GBS (7~89일, 주로 4~5주), very-late-onset GBS (3달 이후)
- 신생아 GBS의 치료 ⇨ 경험적 IV ampicillin + GM (meningitis 의심시 cefotaxime도 추가)
  - → GBS 확인되면 IV penicillin G (치료 기간 ; bacteremia 10일, meningitis 2~3주)
- 신생아 GBS의 예방
  - 임신 36~37주에 anogenital colonization screening (swab culture) 시행
  - 예방적 치료 대상 산모
    - ① screening culture (+)
    - ② 고위험군 ; GBS 감염 신생아 출산력, GBS bacteriuria, 조산, 조기 양막파열, 지연 진통, 발열, 융모막염(chorioamnioniti) 등
    - ⇨ 출산시 penicillin or ampicillin (penicillin allergy시에는 ; 경미하면 cefazolin, 심하면 clindamycin [감수성 있을 때에만], clindamycin 내성이면 vancomycin)
  - GBS 백신 : capsular polysaccharide Ag 및 proteins이 target, 임상시험 중, 효과 좋고 부작용 적을 것으로 기대됨
- 성인(nonpregnant)의 GBS 감염
  - 신생아 GBS의 감소로 증가 추세, 특히 미국에서 많음(invasive GBS infection의 3/4 이상 차지)
  - 위험인자 ; 고령, DM, obesity, malignancy
  - cellulitis 등의 SSTI, UTI, pneumonia, endocarditis, septic arthritis, <u>meningitis</u>, osteomyelitis ...
  - Tx ; IV high-dose penicillin G (∵ GAS보다는 penicillin에 less sensitive) or ceftriaxone (심한 penicillin allergy시에는 vancomycin)
  - macrolides (e.g., EM), tetracyclines, clindamycin 등은 내성 많음

Group C & G Streptococci (*S. dysgalactiae* subsp. *equisimilis*)

- single species - *S. dysgalactiae* subsp. *equisimilis*
- 큰 colony의 β-hemolytic streptococci, Lancefield group C or G Ag (드물게 A group도 있음) (↔ *S. anginosus* [과거 *S. milleri*] group은 작은 colony의 β-hemolysis)
- 피부, 호흡기, 위장관, 여성 생식기에 존재하는 정상 상재균의 일종
- pharyngitis, cellulitis, soft tissue infections, pneumonia, bacteremia, endocarditis, septic arthritis 등을 일으킴, 대부분 고령 or 기저질환이 있음 (특히 종양과의 관련성이 매우 높음)
- Tx : penicillin (DOC), GAS의 치료와 비슷함

Enterococci & Group D *Streptococci*

1. Enterococci^{장알균}

- human pathogens : *E. faecalis* (80~90%), *E. faecium* (5~10%, but VRE의 대부분)
- Gram(+) facultatively anaerobic cocci (oval), 대개 diplococci, or short chains
  - esculin을 가수분해하여 pyrrolidonyl arylamidase (PYR) 생성 (*S. gallolyticus*와의 차이)
  - 위장관/비뇨생식계의 정상 상재균, 항생제 사용 등으로 평형이 깨지면 colonization↑
    (∵ cephalosporins 등 다양한 항생제에 내인성 내성을 가지고 있음) → 기회감염으로 발생
  - 외독소가 없고 독성이 약해 건강한 사람은 발병 잘 안하고, invasive infections은 드묾
  - 병원 환경내 생존력 높음 → 의료관련감염(healthcare-associated infections)의 주요 원인균(VRE)
- 감염 호발 조건 ; 노인, 기저질환자, 면역저하, mucosal/epithelial barriers 파괴, 항생제 사용 등
- UTI를 흔히 일으킴 (특히 항생제 치료 중이거나, instrumentation 중인 환자에서)
- endocarditis의 흔한 원인균 (보통 subacute) ; 3rd m/c (staphylococci와 streptococci 다음),
    community-acquired endocarditis의 5~15%, nosocomial endocarditis의 ~30% 차지
- 기타 biliary surgery, liver abscess, intraabdominal abscess, abdominal surgical wounds, SSTI,
  diabetic foot ulcers 등에서 발견됨 (하기도 감염은 거의 안 일으킴)

		E. faecalis	VRE (E. faecium)
UTI	P/A 감수성	Ampicillin or Amoxicillin	Ampicillin or Amoxicillin
	P/A 내성	<u>Fosfomycin</u>, Vancomycin, or Nitrofurantoin	<u>Fosfomycin</u>, Nitrofurantoin, Linezolid, Daptomycin, or Oritavancin
Bacteremia	P/A 감수성	<u>Ampicillin (or penicillin) ± AG (or ceftriaxone)</u>	Ampicillin (or penicillin) ± AG (or ceftriaxone)
	P/A 내성	Vancomycin, Linezolid, or Daptomycin ± ETC*¹	<u>Daptomycin ± AG ± ETC*³</u>, Linezolid, Oritavancin, or Q/D
Endocarditis	P/A & AG 감수성	<u>Ampicillin (or penicillin) + AG</u>, or Vancomycin + AG	<u>Daptomycin ± AG ± ETC*²</u>, or High-dose ampicillin ± AG
	P/A 감수성 & AG 내성	<u>Ampicillin + ceftriaxone</u>, Daptomycin ± ETC*², or Ampicillin + imipenem	Linezolid ± α , Ampicillin + imipenem, Q/D + DC + rifampin, Q/D + high-dose ampicillin 등
	P/A & AG 내성	High-dose ampicillin, Ampicillin-sulbactam, Daptomycin, or Linezolid	Linezolid ± α , Daptomycin + ETC*³, or Q/D + DC + rifampin 등

P/A: penicillin/ampicillin, Q/D: quinupristin/dalfopristin

ETC: *¹AG, ampicillin, ceftaroline, or tigecycline / *²ampicillin, ceftaroline, or tigecycline / *³ceftaroline or tigecycline

■ 항생제 내성 및 치료

(1) <u>모든 cephalosporins</u>에 내인성 내성을 가지고 있으므로 cepha.는 단독으로 사용하면 안 됨!
    (*Enterococci*의 PBP는 cepha.에 대한 affinity가 낮음)

(2) penicillin (β-lactam)의 내성 기전

① β-lactamase 생성 (*E. faecalis*) → fosfomycin (UTI 때만), ampicillin-sulbactam, vancomycin, daptomycin, linezolid 등

② penicillin-binding proteins (PBP)의 변형 (*E. faecium*) : 보통 *E. faecalis*에 비해 내성 더 큼 (c.f., ampicillin 내성은 대개 *E. faecium*을 시사함)

    → fosfomycin (UTI 때만), vancomycin, linezolid, daptomycin ± AG 등

(3) aminoglycosides 고도내성(high-level resistance, HLR)

- GM 고도내성 (MIC >500 μg/mL) → streptomycin 감수성 검사

  ; streptomycin 감수성 → ampicillin + streptomycin

- streptomycin 고도내성 (MIC >2000 μg/mL) ; 확립된 치료 없음

  - 둘 다 내성 → ampicillin 장기간 지속적 주입, ampicillin + ceftriaxone 등

  - streptomycin만 내성이면 GM은 사용 가능

  * 심한 enterococcal infections의 병합요법으로는 AG로 gentamicin과 streptomycin만 권장됨 (amikacin은 금기, TM은 *E. faecium*에는 금기, AG 단독요법도 금기)

(4) vancomycin-resistant enterococci (VRE)

- 1974년 유럽에서 닭/돼지 사료에 avoparcin (vancomycin과 구조 비슷)을 첨가하면서 가축에서 VRE가 증가, 1980년대부터는 사람에서도 VRE 검출 → avoparcin은 사용 중지됨 (미국/우리나라는 가축과 사람 VRE의 유전형이 다름 ; 항생제 남용 등 감염관리 소홀이 원인)
- 급격히 증가하다가 최근 약간 주춤 (*E. faecium*의 20~40%, *E. faecalis*의 1~3%)
- 위험인자 ; 이전의 항생제 사용(특히 vancomycin, 3세대 cepha.), 3일 이상 입원, ICU 입원, 요양원, 심한 기저질환(e.g., ESRD, 이식, 항암제), steroid, 위관삽입, NS 환자 (CVA) 등
- 내성 유전자가 다른 병원균에도 전달될 수 있어 그 중요도가 큼
- 3 major vancomycin resistance phenotypes (→ 내성기전은 I-2장 참조)

① VanA (m/c) : vancomycin과 teicoplanin 모두에 고도 내성을 보임!

② VanB : vancomycin에는 저도 내성 + teicoplanin에는 감수성 (but, 치료중 teicoplanin에 대한 내성도 발생 가능)

③ VanC : vancomycin에는 내재 내성이며 저도 내성 + teicoplanin에는 감수성

  - VanA or VanB는 획득 내성이므로 다른 균에도 내성 전파 가능 ⋯ PCR로 흔히 검사함!

- 치료

① vancomyin 내성 & ampicillin 감수성 → ampicillin + GM

② vancomyin 내성 & ampicillin 내성 (확립된 치료는 없음)

  - linezolid : *E. faecium*과 *E. faecalis* 모두에 효과적이므로 선호됨, 유일하게 FDA 허가 (but, bacteriostatic이라 심한 감염에서는 효과 불확실할 수 있고, 장기 사용시 독성↑)

  - quinupristin/dalfopristin (*E. faecalis*는 내재 내성) : FDA 허가되었다가 취소되었음

  - 기타 ; daptomycin, ceftaroline, tigecycline, oritavancin ...

- VRE의 예방 및 관리 (∵ 접촉에 의해 전파 가능)

① vancomycin 등의 광범위 항생제 사용 제한

② 환자의 격리 (→ 대변/직장 screening culture에서 3회 연속 검출되지 않을 때까지)

③ 기본 예방조치 ; 의료진의 손씻기, 장갑 착용, 환경 소독 등

2. Non-enterococcal Group D *Streptococci*

- *S. gallolyticus* (과거 *S. bovis*) group 등, 위장관의 상재균
- bacteremia, infective endocarditis[IE] (전체 IE 원인의 약 7%, streptococcal endocarditis의 약 20%)
  → 위장관의 악성종양과 관련 흔함 (m/c colon cancer or polyp) → colonoscopy도 시행해야!
- Tx : β-lactam (ceftriaxone or penicillin G) [사용 못하면 vancomycin] + AG

Viridans & Other *Streptococci*

1. Viridans streptococci: *S. salivarius, S. sanguinis, S. mutans, S. mitis*

- α-hemolysis / oropharynx의 정상 상재균 (특히 teeth, gingiva)
- 식사, 칫솔질, 치간청소 등의 minor trauma에 의해 일시적인 viridans streptococcal bacteremia
  발생 → endocarditis 일으킬 수 있음
  (viridans streptococci : subacute bacterial endocarditis[SBE]의 m/c 원인균)
- sinusitis, brain abscess, liver abscess 등에서 mixed flora의 일부로 발견됨
- viridans streptococcal bacteremia의 위험인자
  - 심한 neutropenia (특히 BMT or high-dose CTx 환자에서)
  - 이전의 TMP-SMX or fluoroquinolone 사용
  - mucositis
  - antiacids or histamine antagonists 치료
- Tx
  - bacteremia는 대개 penicillin에 내성 → 우선 vancomycin 사용 (→ 감수성 결과에 따라 조절)
  - 다른 감염들은 대개 penicillin에 감수성 → penicillin G

2. *S. anginosus* (과거 *S. milleri*) group: *S. intermedius, S. anginosus, S. constellatus*

- α-, β-, or non-hemolysis / oropharynx와 상기도의 정상 상재균
- 주로 화농성 감염(abscesses)을 잘 일으킴 (∵ proteolytic enzymes 함유 → tissue necrosis 유발)
  ; brain, 복부장기, peritonsillar, lung abscesses, empyema
- Tx ; abscess drainage, 항생제(e.g., ceftriaxone)

3. Anaerobic *Streptococci* (*Peptostreptococci*)

- oral cavity, bowel, vagina의 정상 상재균의 일종
- 감염증 ; brain abscess, sinusitis, dental abscess, & other odontogenic infections,
  aspiration pneumonia, lung abscess, empyema, intraabdominal & pelvic abscess,
  invasive soft tissue infections ...

3
Pneumococcus (폐렴구균/폐렴알균)

개요

1. 미생물학

- *Streptococcus pneumoniae* (= pneumococcus)
  - pairs & chains 형태의 gram-positive cocci (약간 길쭉한 모양)
  - catalase(−), optochin test (+), BAP에서 α-hemolysis (불완전 용혈) 보임
  - serotypes 97가지 이상 ; 6, 14, 18, 19, 23 등이 흔함 (but, 예방접종에 따라 계속 변함)
- virulence factors ; capsular polysaccharide (phagocytosis 방지, complement 활성화),
    LytA (cell wall autolysis → 면역체계 회피 → 감염 초기 균의 생존↑),
    Hic (C3 convertase 억제), PspA (C3b 억제), PspC/CbpA (factor H 억제),
    PsaA (adherence 유도), NanA (숙주세포의 sialic acid 분해) 등 (pili는 드묾)

2. 역학

- nasopharynx에 colonize ; 소아의 20~50%, 성인의 5~15%에서
- 환기가 잘 되지 않는 매우 밀집된 공간에서 전파
- 발생률
  - 2세까지는 비교적 많다가, 10대와 성인 때는 감소, 65세 이후 증가
  - 성인은 겨울에 최고, 여름에 최저 (소아는 연중 균일, 여름에만 최저)

3. Pneumococcus 감염의 위험인자

1. 항체 형성 장애 ; Lymphoma, Multiple myeloma, CLL, Hypogammaglobulinemia
2. Complement 기능 장애
3. 세균의 제거 장애 ; Asplenia, Splenectomy, Sickle cell disease
4. 노출의 위험 증가 ; 병원, 군대, 감옥, 기숙사
5. 호흡기 질환/감염 ; Influenza 등의 viral infections, 대기오염, 알레르기, 흡연,
    COPD, 기타 만성 호흡기 감염/폐쇄
6. Multifactorial conditions ; 영아, 노인, 만성질환, 입원, 영양실조, 알콜중독,
    Steroid 치료, AIDS, LC, CKD, CAD, DM, 피로, 스트레스, 추위에의 노출

- 호흡기바이러스(특히 influenza) 감염 : 숙주세포의 surface receptors를 증가시킴 (→ pneumococcal adherence & invasion 촉진), 바이러스에 의한 세포 손상으로 pneumococcal clearance도 감소됨

- IgG 합성 and/or neutrophils과 macrophages의 phagocytic function 장애
- spleen : bacteremia시 antibody-coated pneumococci의 제거에 중요
  (asplenia → pneumococcal bacteremia시 24시간 이내 사망 가능)

■ 임상양상

┌noninvasive ; otitis media, sinusitis, non-bacteremic pneumonia
└invasive ; bacteremic pneumonia, meningitis
* primary bacteremia : 2세 이하 소아에서는 흔하지만, 성인에서는 드묾

1. 중이염(AOM)/부비동염

- *H. influenzae*와 함께 m/c 원인균
- respiratory virus 감염 or allergy에 의해 감염 위험 크게 증가

2. 수막염(Meningitis)

- 성인에서 bacterial meningitis의 m/c 원인균!
- sinuses or middle ear로부터 direct extension or bacteremia에 의해 발생
- 갑작스런 발열, 두통, 경부강직, 의식혼탁 ...
- CSF ; WBC↑ (500~10,000/μL, neutrophils ≥85%), protein↑ (100~500 mg/dL),
  glucose↓ (<30 mg/dL)

3. 폐렴 (m/c)

: 성인에서 community-acquired pneumonia[CAP]의 m/c 원인균! (감소 추세, 바이러스가 증가)

(1) 위험인자

- 대부분의 pneumococcal pneumonia 성인은 위험인자가 있음
- 바이러스성 호흡기질환(e.g., influenza), 알코올 중독, 흡연, 만성 폐질환(e.g., COPD, asthma),
  hyposplenism/splenectomy, 면역저하(e.g., HIV 감염, multiple myeloma, leukemia, lymphoma,
  이식, CTx, SLE, steroid), 만성 심장질환, 만성 간질환, CKD, DM, 임신, 마약, 영양실조 ...

(2) 임상양상

- "classic" Sx (m/c) ; fever, cough, sputum (purulent)
- 노인에서는 증상이 경미하여, 단지 피곤해 보이기만 할 수도 있음
- empyema - m/c Cx (2%)
- 영상(CXR) 소견 ; air-space consolidation 등 (but, 비세균성 폐렴과 감별 어려움)
  ┌성인 : segmental or lobar involvement   ↳ 우선 경험적으로 치료 시작
  └소아/노인 : patchy involvement

(3) 미생물학적 진단

- sputum Gram's stain ; 다수의 neutrophils, Gram-positive cocci in pairs & chains
- sputum culture : Gram's stain보다 more sensitive
- blood culture : 25%에서 positive
- pneumococcal urinary Ag test (UAT) : pneumococcal capsular polysaccharide[PPS]를 검출
  - BinaxNow® *S. pneumoniae* ; sensitivity 75%, specificity 95%, serotype은 감별×,
    성인에만 사용 (∵ colonization이 흔한 소아는 감염 없이도 양성이 가능해 PPV 낮음)
  - Sofia® *S. pneumoniae* fluorescence immunoassay[FIA] ; BinaxNow보다 빠르고 sensitivity 높음
  - serotype-specific multiplex UAT (e.g., Luminex®) ; (colonization이 아닌) 흔한 pathogenic
    serotypes만 검출할 수 있는 장점은 있지만, 예방접종의 확대에 따라 임상적 유용성 떨어짐
- NAT (real-time PCR) ; 빠르고 정확, 일부 내성 유전자도 검출 가능
  (여러 호흡기바이러스/세균을 동시에 검출하는 multiplex PCR 검사들로 흔히 이용됨)

치료

1. 일반원칙

- 모든 pneumococcal pneumonia 환자는 입원 치료하는 것이 좋다
- ICU에 바로 입원시켜야 할 경우 ; hypotension, substantial oxygen desaturation, pCO_2↑,
  CXR상 1 lobe 이상의 침범, WBC count↓ (<6000/μL)

2. 항생제 감수성

- β-lactam antibiotics ⋯ 기본
- penicillin 내성 기전 : PBPs (1a, 2b, 2x)의 변화 → penicillin affinity↓
- 대부분 cefotaxime, ceftriaxone, imipenem, vancomycin, fluoroquinolones에는 감수성을 가짐
  - cefotaxime, fluoroquinolone에 대한 내성도 약간 증가 추세
  - cefuroxime은 국내 *S. pneumoniae* 내성률이 높아 권장 안 됨

폐렴구균의 항생제 감수성 정의 (MIC, μg/mL) ★

	Penicillin (경구)	Penicillin (주사)	Amoxicillin	Cefotaxime/Ceftriaxone
감수성	≤0.06	≤2 (CNS 감염 ≤0.06)	≤2	≤1 (CNS 감염 ≤0.5)
중간내성	0.12~1	4	4	2
고도내성	≥2	≥8 (CNS 감염 ≥0.12)	≥8	≥4 (CNS 감염 ≥2)

* 2008년부터 비수막염균주(non-CNS) 감염의 penicillin (주사) 내성 기준이 2 mg/dL에서 8 mg/mL로 상향 조정되었음
  → 과거에 비해 non-CNS 감염의 penicillin 내성 크게 감소! (약 1~8%)
    (과거 기준으로는 penicillin 내성 매우 높았음, 70~80%)
  → mild non-CNS 감염(e.g., 폐렴)에서는 amoxicillin or amoxicillin/clavulanate 사용이 권장됨
* 수막염균주(CNS) 감염의 penicillin 내성은 여전히 높음 (약 77%)

- macrolide 내성 기전 (①, ②가 主)

  ① drug efflux pump (*mefA* gene) : macrolide만 내성, 대개 low-level resistance와 관련

  ② target-site modification [ribosomal methylation] (*ermB* gene) : MLS (macrolide, lincosamide, streptogramin) 내성 → high-level resistance와 관련, clinamycin 내성도 유도 가능

  ③ 일부는 ribosomal mutations에 의해서도 내성 가능

  - 1990년대 이후 전 세계적으로 내성 증가, 최근에는 *mefA*와 *ermB* gene을 동시에 가지는 균주↑
  - 특히 azithromycin을 경험적으로 사용했던 경우 내성↑
  - 우리나라는 macrolide 내성이 가장 큰 문제 (약 80%), 대개 고도내성으로 macrolide 사용 불가
    → 폐렴(CAP)의 경험적 치료로 macrolide 단독 사용은 권장 안 됨!
- quinolones 내성 기전 (아직은 드묾 → *S. pneumoniae* 폐렴에서 fluoroquinolones 단독 사용 가능)

  ① target-sites (topoisomerases II, IV) 변화 (主)

  ; *gyrA* (topoisomerases II), *parC* (topoisomerases IV) genes의 point mutations

  ② efflux pump도 일부 관여할 수
- 다제내성(multidrug-resistant *S. pneumoniae*, MDR-SP) : 3가지 이상의 약제에 내성인 경우
  - penicillin 내성이며 macrolides, TC, TMP-SMX 등 다른 항생제에 대한 감수성도 낮은 경향
  - 아시아에서는 40~80%로 높음
  - vancomycin, linezolid, telavancin, tigecycline, ceftaroline 등으로 치료

3. 질환별 항생제 선택

(1) 폐렴

- penicillin 감수성 *S. pneumoniae* ⇨ β-lactams
  - 외래(oral) ; penicillin V, amoxicillin, amoxicillin/clavulanate
  - 입원(IV) ; penicillin G, ampicillin, ampicillin/sulbactam, cefotaxime, ceftriaxone
  - 1세대 cepha.는 CSF 투과도가 낮아 meningitis를 유발할 위험이 있으므로 금기!
  - TC, EM, TMP-SMX 등에는 내성임

DRSP (drug-resistant *S. pneumoniae*) 감염의 위험인자
최근의 항생제 사용 (최근 3~6개월에 어떤 항생제를 사용했는지가 중요; β-lactam, macrolide, or quinolone 중 하나를 사용했으면 다른 종류의 항생제 사용 권장) 연령(<2세 or >65세), 기저질환, 면역저하(e.g., HIV 감염, 알코올 중독) 어린이집/유치원 근무자, 최근의 병원 or 요양원 거주

- penicillin 내성 *S. pneumoniae* ⇨ 고도 내성만 아니면 그래도 β-lactams이 가장 좋음
  - 외래(oral) ; high-dose amoxicillin, fluoroquinolone (e.g., levofloxacin, gemifloxacin, moxifloxacin) / or linezolid, clindamycin
  - 입원(IV)* ; high-dose ampicillin/sulbactam, cefotaxime, ceftriaxone, ceftaroline
    / or fluoroquinolone, vancomycin, linezolid, clindamycin, tigecycline, 광범위 β-lactams
- 치료를 시작할 땐 항생제감수성을 모르므로 경험적으로 사용
  - life-threatening pneumococcal pneumonia (e.g., hypotension, respiratory failure, ICU 입원)
    ⇨ β-lactams* + macrolide [e.g., azithromycin] (or fluoroquinolone) 병합요법
    (ceftriaxone 내성균이 유행시엔 vancomycin)

- 심각한 β-lactam allergy를 가진 환자 ⇨ fluoroquinolone
    (or clindamycin, linezolid, vancomycin)
- 치료에 즉시 반응이 없는 경우 (내성균일 확률↑) → vancomycin
- 치료 기간 ; 치료 시작 2~3일 이내 반응이 좋으면 대개 총 **5~7일** 투여
    - 치료 중단 기준 ; 2~3일간 fever 無, 산소공급 없이 호흡 가능,
        clinical instability factor ≤1개 (HR >100회/분, RR >24회/분, SBP ≤90 mmHg)
    - bacteremic pneumococcal dz.는 10~14일 (더 심한 경우에는 그 이상도)
        ↳ metastatic Cx (e.g., empyema, meningitis, endocarditis, septic arthritis) 없음을 확인해야
    - 치료 중단 결정에 procalcitonin (PCT)이 도움 될 수 (∵ 세균 감염시 빨리↑, 호전시 빨리↓)
- glucocorticoids : 심한 감염(ICU 입원) or 전신염증반응시 도움 될 수 (∵ 항염증 효과)

(2) 중이염(AOM)/부비동염
- <u>amoxicillin</u>이 choice [→ 실패하면 amoxicillin/clavulanate → 실패하면 ceftriaxone]
    ↳ amoxicillin/clavulanate : 최근의 β-lactam 사용, purulent conjunctivitis 동반, or recurrent AOM 병력시
- 치료 기간 ; mild~moderate 6세 이상 5~7일 / 6세 이하 or severe AOM 10일
- 통증 조절 ; ibuprofen or AAP

(3) 수막염
- "3세대 cepha. (ceftriaxone or cefotaxime) + vancomycin" 병합요법 → 감수성 결과 보고 조절
    (심각한 β-lactam allergy시에는 rifampin + vancomycin)
    - penicillin 감수성으로 나오면 vancomycin은 중단 (cepha.대신 penicillin or ampicillin도 가능)
    - penicillin & cepha. 내성으로 나오면 cepha. high-dose로 & rifampin 추가
- 치료 기간 : 대개 10~14일
- <u>early</u> glucocorticoids (dexamethasone) : 사망률과 난청 등의 심각한 신경후유증 감소 효과
    - 첫 항생제 시작 전 or 동시에 투여 (이미 항생제 시작했으면 도움 안됨), rifampin도 추가
    - CSF Gram stain or culture (+)인 경우에만 계속 투여

(4) 심내막염
- IE의 드문 원인, 대개 폐렴에 합병되어 발생 (meningitis도 동반 가능), acute, AV 침범 흔함
- "3세대 cepha. (ceftriaxone or cefotaxime) + vancomycin" 병합요법 → 감수성 결과 보고 조절

■ 예방

1. Pneumococcal PolySaccharide Vaccine (PPSV23)^{다당류백신}
- T cell 도움 없이 독립적인 B-cell immunity로 항체를 만들어냄 (→ Ag-Ab affinity↓, 지속시간↓)
- 흔한 23개의 serotypes의 capsular polysaccharide로 구성 (23가 백신)
    - 소아에 비해 다양한 serotypes이 문제가 되는 성인에서는 더욱 효과적
    - 예방효과 : 55세 미만은 85% 이상 (나이가 들수록 효과 감소, 80세는 약 50%)
        (but, 점막면역에 영향이 없어 colonization↓ 효과 無, 비침습적 중이염/폐렴 예방 효과는 적음)

- 1회 근육 또는 피하 접종
- 접종 대상
  ① first category (면역기능은 정상이나 pneumococcal infections and/or serious Cx. 발생 위험이 높은 경우) ; 65세 이상, 만성 폐질환, 심한 심혈관질환, DM, alcoholism, LC, CKD, NS, CSF leakage, 요양소 등에 거주 ┈┈▸ 일반적으로 추가 접종은 권장 안됨
  ② second category (면역저하 환자) ; splenic dysfunction/asplenia, multiple myeloma, lymphoma, HIV 감염, 장기이식, steroid 사용 ┈┈▸ 5년마다 추가 접종!
- 2세 미만 유아에서는 PPSV23 백신이 효과 없음! (∵ B-cell 미성숙)

2. Protein-Conjugate Vaccine (PCV13)^{단백결합백신} [Prevenar®13]

- 다당질 백신과 달리 T cell-mediated immunity를 유도 가능
  → 장기간 양질의 항체 생산, 점막면역도 유도(→ 비강내 colonization↓ → 주변 사람도 감염↓)
- 2~5세 이하의 소아에서 흔한 13개의 serotypes으로 구성
  → 중이염의 67%, 균혈증 및 수막염의 98%에 해당(예방 가능)
- 어깨세모근에 근육내 주사
- 우리나라도 2014년부터 국가 예방접종사업에 포함되어 무료 접종 : 2개월~59개월(<5세), 4회

3. 성인의 예방접종 권장

(1) 건강한 65세 이상 고령자

▶ PPSV23 1회 접종 *or* PCV13⇨PPSV23 순차적으로 1회씩 접종
* PCV13을 먼저 투여하면 면역증강현상이 나타나고, PPSV23을 먼저 투여하면 면역저하현상 발생

(2) 고위험군

성인 폐렴구균 예방접종 대상 고위험군
만성질환 ; 심혈관질환, 폐질환, 간질환, 알코올중독, DM 면역저하 ; <u>CKD</u>, NS, HIV 감염, 백혈병/림프종, 암, 장기이식(SOT, SCT), 면역억제제, 장기간 steroid 뇌척수액 누수, 인공와우 삽입, 무비증(asplenia)

▶ PCV13⇨PPSV23 순차적으로 접종

		PCV13	⇨	PPSV23		
≥65세			≥1년			
	만성질환	PCV13	⇨ ≥1년	PPSV23	⇨	PPSV23 ≥5년 & 65세 이상
18~ 64세	뇌척수액 누수 인공와우 삽입	PCV13	⇨ ≥8주	PPSV23	⇨	PPSV23 ≥5년 & 65세 이상
	면역저하 무비증	PCV13	⇨ ≥8주	PPSV23	⇨ ≥5년 (이때 ≥65세면 2회로 완료)	PPSV23 ⇨ ≥5년 PPSV23 (이때 ≥65세면 추가로)

4
Clostridia

- genus _Clostridium_ ; gram-positive, spore-forming, 대부분 obligate anaerobes (편성 혐기성균)
  - gram stain : 성장 초기에는 (+)지만, 후기나 감염조직에서는 (−) or variable일 수 (주의 필요),
    영양세포(vegetative cells)는 pleomorphic, rod-shaped, single or short chains
  - 대부분 motile / nonmotile strains은 _C. perfringens, C. ramosum, C. innocuum_ 등
  - 특징 : 인공배지에서 다량의 gas 생성, subterminal endospores 형성
  - 토양 및 동물/사람의 구강과 소화기, 여성 생식기, 피부 등에 분포
  - 수많은 protein toxins을 생성하여 여러 질병을 일으킴 ; 파상풍, 장관염, 근육괴사 등
- severe infection의 발생에는 2 factors가 필요
  ① tissue necrosis
  ② 매우 낮은 산화환원전위(oxidation-reduction potential, ORP) ⋯ 편성 혐기성균

임상양상

1. 장관 감염

(1) Food poisoning
- _C. perfringens_ (주로) type A에서 생성되는 enterotoxin에 의해 발생
  ↳ 웰치간균(Welch bacillus)으로도 불림, A~E의 5 strains 존재
- 식중독의 2nd or 3rd m/c 원인 ; 오염된 육류/가금/육류가공식품을 덜 익히거나 재가열시
  - _C. perfringens_의 아포(spores)는 열에 매우 강함 → 보통의 조리 열로는 살균되지 않음
    (가열 조리한 육류를 실온에 5시간 이상 방치시 균 증식↑)
  - 다량($>10^6$/g)의 vegetative cells을 섭취해야 발병 → 소장에서 enterotoxin 생성
- 잠복기 (섭취~설사) : 6~24시간 (보통 10~12시간)
- Sx ; 수양성 설사 (때때로 점혈변), 복통 / 발열, 구토는 드묾 → 대개 24~48시간 뒤 자연 호전
  (소아, 고령, 면역저하자 등에서는 증상이 더 심하고, 사망도 가능)
- 예방 : 호열성 → 조리한 음식은 빨리 섭취 or 냉장 보관,
  혐기성 → 음식 보관시 소량씩 밀폐 용기에 보관

(2) Necrotizing enteritis

- *C. perfringens* type C에서 생성되는 β toxin에 의해 발생 (출혈성 jejunum 괴사), 사망률 40%
- 1960년대 파푸아뉴기니에서 돼지고기를 먹은 소아에서 유행했었으나, 다른 나라는 드묾
- Sx ; acute abdominal pain, bloody diarrhea, vomiting, peritonitis (~40%), shock

■ *Clostridioides difficile* infection (CDI) ★

(1) 개요

- healthcare-associated diarrhea의 m/c 원인
- 원인균 : *C. difficile* (대개 병원에서 환자/보균자의 대변을 통해 전파됨)

   c.f.) 2016년 *Clostridium difficile*에서 *Clostridioides difficile*로 이름이 바뀌었음

   (유전자 분석 결과 family *Peptostreptococcaceae*로 밝혀져, 원래는 *Peptoclostridium difficile*로 바꾸려고 했지만 임상에서 익숙한 *C. difficile*의 유지를 위해 *Clostridioides*로 결정)

- pathogenesis : 항생제 사용 (거의 모든 항생제가 다 가능)

High risk	Moderate risk	Low risk
Clindamycin Fluoroquinolones Cephalosporins (2세대 이상)	Penicillins, Macrolides β-lactam/β-lactamase inhibitors Carbapenems Vancomycin Metronidazole	Aminoglycosides Tetracyclines TMP-SMX Rifampin

   → 대장의 정상 세균총↓, 항생제 내성 *C. difficile*의 증식 → *C. difficile*의 colonization

   ; 독성이 강한 *C. difficile* strain에 노출되거나, 숙주의 면역(antitoxin IgG Ab) 부족

   → toxin A (enterotoxin), B (cytotoxin) 생성 ↑ → CDI (microbial invasion은 없음)

- 전파 ; *C. difficile* spores가 환자/의료진의 손 or 환경에 오염되어 (환경에서 ~1달 생존 가능)
- *C. difficile* 감염 위험인자 ; 입원기간↑, 위생 불량, 고령(>65세), 심한 기저질환, 면역저하, 위장관 수술, 직장 체온계 사용, enteral tube feeding, 제산제, PPI, NAP1/BI/027 strain ...
- 신생아/영아는 *C. difficile* 보균율은 높지만 (흔히 50%↑) CDI는 발생 안함

   (∵ GI mucosal toxin receptors가 부족하기 때문)

* toxinotype III / REA type BI / RCR ribotype 027 / pulsed-field type NAP1 (NAP1/BI/027)

   - 2000년대 북미/유럽에서 발생하여 이후 발생률/사망률 대폭 증가를 이끈 hypervirulent strain

   - 기존보다 16~23배 많은 양의 toxins 생산 (*tcdC* gene mutation → toxins A & B 생산↑)

   - 3번째 toxin인 binary toxin CDT (cytoskeletal distending toxin) 존재 (역할은 불확실)

   - fluoroquinolones에 고도 내성을 보임

(2) 임상양상

- 거의 다 항생제 사용과 관련("antibiotics-associated colitis, AAC")
- 대부분 항생제 치료 시작 4~10일 후에 Sx 발생

   (but, 약 25%에서는 원인 항생제의 사용 중단 후에도 발생, 일부는 4주 이후에도 발생 가능)

- 경미한 설사 ~ 심한 설사, PMC, fulminant colitis까지 다양한 양상을 보임
- 설사(soft~watery or mucoid / grossly bloody×), 특징적인 냄새, 발열(28%), 복통(22%) ...
- leukocytosis (50%), adynamic ileus (~20%)
- 심한 합병증도 발생 가능 ; sepsis, shock, megacolon, perforation ...

┌ severe CDI : WBC >15,000/μL, sCr ≥1.5 mg/dL
└ fulminant CDI : severe CDI + hypotension/shock, ileus, or toxic megacolon

(3) 진단

① 항생제 사용 도중 혹은 중단 4주 이내 <u>설사</u> 발생 (하루 3회 이상, 2일 이상 지속)

② 설사 유발 가능한 다른 질환의 배제

③ <u>CDI에 대한 검사</u> (+)

  (a) *C. difficile* stool culture : sensitivity는 가장 높지만, 검사시간이 오래 걸리고, 정상 상재균과 toxin-producing 병원균을 구별 못함! (specificity 약간↓)

  (b) cell culture cytotoxin/cell cytotoxicity (stool) : specific 하지만, 시간이 오래 걸리고 비쌈

  (c) *C. difficile* toxin A or A+B EIA (stool) : sensitivity는 낮지만, **빠른 검사가 가능** (완치된 환자의 50%에서 6주까지 양성으로 나오므로, 치료 후 F/U에는 권장 안 됨!)

  (d) *C. difficile* common Ag EIA (stool) : GDH (glutamate dehydrogenase) 검출(but, 정상 상재균에서도 나옴), toxin EIA보다는 sensitivity는 높지만 specificity 떨어짐

  (e) <u>*C. difficile* toxin A or B gene 핵산증폭검사^{NAAT}</u> (stool) : sensitivity & specificity 높음!

  (f) <u>colonoscopy or sigmoidoscopy</u> : 가장 빠르고 specific한 검사 (sensitivity는 가장 낮음)

    – 대장 점막층 위의 exudative plaque (yellow-white membrane : <u>pseudomembrane</u>)

    – 10~20%는 우측 결장에 발생하므로 sigmoidoscopy 만으로는 놓칠 수 있음

    – CDI 환자의 약 <u>50%</u>에서만 pseudomembrane이 발견됨

      ⇨ 위막성대장염/거짓막잘록창자염("**peudomembranous colitis, PMC**")

        : CDI의 진행된 형태, 심한 경우 고열 및 systemic toxicity (→ 사망률 30%)

▶ **위막성 결장염의 내시경 및 barium enema 소견**

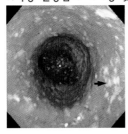 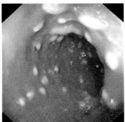 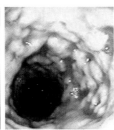 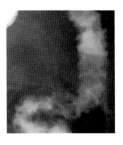

(4) 치료

① 원인 항생제의 중단, 수액공급 등 보존적인 치료

  (원인 항생제의 사용 중단만으로는 환자의 약 20% 밖에 회복 안됨)

② 항생제(<u>oral</u>) : 증상(설사) 기간을 단축!

  – oral <u>vancomycin</u> : 가장 효과적, IV vancomycin은 효과 없음

  – oral <u>fidaxomicin</u> : vancomycin만큼 효과적이면서 재발률이 매우 낮음 (but, 매우 비쌈)

  – oral metronidazole : 효과가 떨어지므로 vancomycin, fidaxomicin을 사용 못할 때에만 고려

  – 적어도 10일 이상 투여, 평균 2~4일 뒤면 설사는 회복됨 (metronidazole은 더 오래 걸릴 수)

  – **fulminant CDI** : severe CDI + 저혈압/shock, ileus, toxic megacolon 등

    ⇨ oral vancomycin + IV metronidazole (ileus 존재시 rectal vancomycin 추가) 2주 이상

  – 기타 ; nitazoxanide, rifaximin, tigecycline, teicoplanin 등 (bacitracin은 효과가 적어 권장×)

- antiperistaltic agent는 피하는 것이 좋다
- 치료 종료 후 3~10일 내에 15~30%에서 재발, 한번 재발하면 2번째 재발 위험은 33~65%
  - 재발 위험이 높은 경우 ; 65세 이상, CDI 치료 중 계속 항생제 사용, 입원기간↑, 면역저하 등
  - recurrent CDI는 fulminant CDI로 진행할 위험도 높음(~11%)
- 재발한 경우의 치료 (확립된 치료법은 없음)
  - (1) 첫 번째 재발
    - 이전에 metronidazole 사용 → oral vancomycin
    - 이전에 vancomycin 사용 → vancomycin pulse & taper 요법 *or* fidaxomicin
  - (2) 두 번째 재발 ⇨ vancomycin pulse & taper 요법
    - 4회/day (10일), 2회/day (1주), 1회/day (1주), 2-3일에 한 번씩 장기간(2~8주) 투여
    - 단점 ; 비용이 많이 들고, *Enterococcus*나 *Staphylococcus*의 과증식을 일으킬 수
    (c.f., metronidazole의 지속/반복 투여는 신경독성 발생 위험이 있으므로 권장×)
  - (3) 다발성 재발(multiple recurrences)

    > Vancomycin + *Saccharomyces boulardii*
    > Rifaximin 추격자 치료 (vancomycin 10~14일 이후 rifaximin 2주)
    > Nitazoxanide, Tigecycline, Teicoplanin ...
    > Fecal microbiota transplantation (FMT, 분변미생물이식술) – 효과 우수, 최근에 많이 사용!
    > Intravenous immunoglobulin
    > Anti-toxin A and anti-toxin B monoclonal antibodies
    > Non-absorbed toxin-binding agents ; Cholestyramine/colestipol, Tolevamer

  ③ 수술 : subtotal colectomy (but, 사망률 높음 ~50%)
    - 적응 ┌ perforation, toxic megacolon, acute abdomen
           └ 내과적 치료에 반응 없는 fulminant CDI
    - 매일 WBC count와 serum lactate level을 monitoring하며 수술 시기 결정
      (가능하면 WBC >50,000/μL, lactate >5 mmol/L 이전에 수술해야 예후 좋음)
    - diverting ileostomy & colonic lavage (polyethylene glycol) & ileostomy로 vancomycin 투여
      ; 수술보다 사망률 낮고(~19%), 대장도 보존 가능

(5) 예방

- 균/아포 전파 방지(contact precautions) ; 손 위생(m/i), 장갑 착용, 병원 환경 소독 등
  - alcohol or chlorhexidine 손소독제는 아포 제거에 불충분 → 비누로 손씻기(washing) 권장
  - 환경 소독은 아포를 제거할 수 있는 염소계 소독제 사용
- CDI 발병 방지 ; 불필요한 항생제 사용 자제 (특히 clindamycin, cephalosporins)

2. 화농성 심부조직 감염

- suppurative infections ; intraabdominal sepsis, empyema, pelvic abscess, subcutaneous abscess, frostbite with gas gangrene, amputation stump의 infection, brain abscess, prostatic abscess, perianal abscess, conjunctivitis, RCC의 infection, aortic graft의 infection ...
- *C. septicum* – GI tract (특히 colon)의 malignancy와 관련
- *C. perfringens* – female genital tract의 suppurative infections
- emphysematous cholecystitis, lung abscess

3. 피부와 연조직 감염 (SSTI)

(1) 피부와 연조직의 국소 오염/감염
- 비교적 indolent, pain & edema 없음, cellulitis, perirectal abscesses, diabetic foot ulcers
- Tx : systemic antibiotics보다는 debridement으로 치료
    (항생제 : 인접 조직으로 번지거나, fever나 sepsis의 증상이 있을 때만)

(2) Spreading cellulitis & fasciitis with systemic toxicity
- 갑자기 발생하여, 급격히 진행
- P/Ex : subcutaneous crepitus^{마찰음} (localized pain은 적음)
- 다른 균에 의한 necrotizing fasciitis와의 차이 : rapid mortality, rapid tissue invasion, toxin의 systemic effects (massive intravascular hemolysis)

(3) Clostridial myonecrosis (gas gangrene, 가스괴저/근육괴사)
- 원인균 : *C. perfringens*가 대부분
- 원인 : 외상 (특히 deep muscle laceration 시), 수술, IM 주사
    * **spontaneous gas gangrene** ; 외상없이 hematogenous seeding에 의해 발생
        - GI tract source ; 대장암, IBD, diverticulitis, necrotizing enterocolitis, 수술/시술 등
        - 위험인자 ; leukemia, lymphoma, CTx, RTx, AIDS 등의 면역저하
- 잠복기 짧고(<4일, 평균 24시간 이내), 진행이 매우 빠름
- Sx : 상처부위의 극심한 통증, 부종, crepitus (gas), thin/hemorrhagic exudate, bullae (검붉음)
    - 피부색은 처음에는 창백하다가 빠르게 갈색 → 보라/빨강색으로 변색됨
    - systemic toxicity도 빠르게 발생 ; fever, tachycardia → shock, multiorgan failure
- 진단
    - Gram stain (drainage or tissue biopsy) : 많은 large gram(+) rods, 소수의 염증세포
    - blood & tissue cultures (혐기성배양 포함)
    - CT/MRI ; 조직 내의 gas
- 치료
    - 즉각적이고 광범위한 감염 부위의 수술적 제거(surgical debridement)
    - 항생제 : penicillin + clindamycin (or TC)
        (혼합감염 의심시에는 piperacillin/tazobactam + clindamycin)
        (penicillin allergy시에는 clindamycin, metronidazole, or vancomycin 단독)
    - hyperbaric oxygen 및 antitoxin의 효과는 논란

4. Bacteremia and Sepsis
- 원인균 : *C. perfringens* (m/c), *C. tertium, C. septicum* … 모든 bacteremia의 약 3% 정도 차지
- 원인 ; septic abortion, GI or biliary tract, malignancy (특히 GI tract → *C. septicum*이 m/c)
- 약 1/2은 임상적으로 의미 없는 오염 or 일과성 bacteremia
- 악성종양, neutropenia 등의 기저질환자는 rapid (<12시간) severe sepsis 위험 (사망률 40~60%)

- 검사소견 (진단은 anaerobic blood culture & Gram stain)
  - neutrophils↑, intravascular hemolytic anemia 소견, platelet↓ 등의 DIC 소견
  - blood나 buffy coat의 Wright's or Gram's stains에서 clostridia 관찰
- Tx : penicillin + clindamycin (or TC)
  - (*C. tertium*은 penicillin & clindamycin에 내성 → vancomycin or metronidazole)

TETANUS (파상풍)

1. 개요

- *Clostridium tetani*의 외독소(exotoxin)에 의해 발생하는 치명적인 신경마비 증후군
  - ↳ anaerobic, motile, spore-forming, gram-positive rod
  - 끝부분에 포자(spores)를 형성하면 특징적인 "drumstick" or "tennis racket" 모양을 취함
  - 포자(spores) : 토양, 사람(건강인의 약 25%)/동물의 대장과 내변 등에 널리 존재함,
    몇 년간 생존할 수 있음, 열과 일반적인 소독제에 강함 (20분 이상 끓여야 파괴됨)
- 발생 조건 : 오염된 상처를 통해 spores가 침투하여 발생
  - acute injury (날카로운 물체에 찔린 puncture wound^{자상}, laceration^{열상}, abrasion^{찰과상}) 후 m/c
  - chronic conditions (e.g., skin ulcers, abscesses, gangrene)에 합병되어
  - 복합골절, 화상, 총상, 동상, 중이염, 수술(대장의 괴사 관련), dental infections, DM ulcer,
    septic abortion, 신생아의 umbilical stump 감염, drug abuse (오염된 IM or SC) 등
- 감염이 면역을 유도하지 않으므로 백신접종에 의해서만 예방 가능
  - → 대부분 면역이 없거나(백신접종×) 부족한 사람에서 tetanus 발병
- 제3급 법정감염병, 국내 매년 약 10명 내외 발생

2. 병인

- *C. tetani*의 spores가 피부 상처를 통해 침입 → 혐기 조건에서 발아 → 여러 toxins을 생산
  - ① tetanospasmin (tetanus toxin) ⋯ CNS의 신경세포에 결합해 tetanus의 임상증상 유발
    ; inhibitory neurotransmitters (glycine, GABA)의 분비 억제
    - α motor neuron의 firing rate↑ → rigidity
    - sympathetic hyperactivity → circulating catecholamine level↑
  - ② tetanolysin ; 초기에 감염부위 주변의 세포를 파괴하여 균 증식에 적합한 환경을 만듦
- 유발 조건 (건강한 조직에서는 *C. tetani* 잘 못자람 → 혐기성 조건 필요)
  ; 괴사된 조직, foreign bodies, localized ischemia, 다른 세균의 중복감염 등

3. 임상양상

(1) Generalized tetanus (m/c)
- 잠복기 : 상처 뒤 평균 8일 (대개 3~21일), CNS에 가까운 상처일수록 빨라짐
- masseter muscles^{저작근} tone↑ (trismus or lockjaw^{개구장애}) ⋯ m/c 첫 증상
- dysphagia, neck, shoulder & back muscles의 stiffness & pain
- rigid abdomen, stiff proximal limb muscles (hands와 feet은 제외!)
- 안면 근육의 지속된 수축 → grimace^{찡그림} or sneer^{비웃음} (risus sardonicus: 경소, 痙笑)
- 등 근육 수축 → arched back (opisthotonos: 활모양강직) / 목 근육 수축 → stiff neck
- paroxysmal, violent, painful, generalized muscle spasms
  → cyanosis, ventilation↓, apnea, laryngospasm
- autonomic dysfunction ; HTN, tachycardia, arrhythmia, hyperpyrexia, profuse sweating, peripheral vasoconstriction, plasma & urinary catecholamine↑
- 감각 및 의식은 intact, DTR은 증가할 수 있음
- Cx ; aspiration pneumonia (주요 사인), fractures, muscle rupture, DVT, pul. emboli, decubitus ulcer, rhabdomyolysis

(2) Neonatal tetanus
- 보통 generalized form으로 발생, 치료 안하면 fatal (사망률 3~88%, 어릴수록 높음)
- 면역이 부족한 산모에서 살균되지 않은 기구로 탯줄을 자를 때 발생
- Sx ; poor feeding, rigidity, spasms

4. 진단

- 임상양상으로 진단!
- wound culture는 의미 없음
  (∵ tetanus가 없어도 균이 발견되기도 하고, tetanus가 있어도 균이 분리될 확률은 30% 이하)
- leukocytosis, muscle enzyme↑, CSF는 정상 소견!
- EMG 소견
  - motor units의 continuous discharge
  - action potential 이후에 정상적으로 나타나는 silent interval의 감소/소실
- serum antitoxin (anti-tetanus Ig) level ≥0.1 IU/mL → protective (진단과는 관련×)

5. 치료

(1) 일반 원칙
- 치료 목표 ; toxin의 source (이물질, 포자, 괴사조직 등) 제거(e.g., wound debridement), unbound toxin 중화, 근육경련 예방, supportive care (특히 respiratory support가 m/i) 등
- 반드시 ICU의 조용하고 어두운 방에 입원시켜서 치료하고, 불필요한 자극 피함

(2) 항생제

- 입증된 효과는 없지만, vegetative cells (toxin의 source)을 없애기 위해 모두 투여
- metronidazole 6~8시간마다 IV (DOC)
  or penicillin G 4~6시간마다 IV (penicillin allergy시 → DC, macrolides, clindamycin 등)
- 치료기간 : 7~10일
- 혼합감염이 의심되면 cepha. (e.g., cefazolin, cefuroxime, ceftriaxone)
  or DC, macrolides, clindamycin, vancomycin, or chloramphenicol

  * 동물 교상은 oral amoxicillin-clavulanate (or IV ampicillin/sulbactam, piperacillin/tazobactam, ceftriaxone/cefotaxime + metronidazole/clindamycin)

(3) Antitoxin

- 혈중의 toxin 및 상처의 unbound toxin을 중화 (이미 세포에 결합된 toxin엔 효과 없음!)
- 효과적으로 사망률을 낮출 수 있음, tetanus 의심되면 가능한 빨리 투여
- 종류 ; human tetanus immune globulin (TIG), equine tetanus antitoxin (TAT),
  없으면.. pooled intravenous immunoglobulin (IVIG)
- intrathecal antitoxin therapy : 증상 시간을 단축시킬 수는 있지만, 사망률에는 별 영향 없음

(4) Muscle spasms의 치료

- 주로 benzodiazepines을 사용 ; diazepam, lorazepam, midazolam → 매우 높은 용량 필요
- 기타 ; chlorpromazine, phenobarbital, propofol, magnesium sulfate, intrathecal baclofen 등
  ↳ 장기간 사용시 lactic acidosis, TG↑, 췌장염 위험
- benzodiazepines이 효과 없으면 neuromuscular blocking agents 사용
  ; pancuronium, vecuronium

(5) Autonomic dysfunction의 치료

- sympathetic overactivity → labetalol (α & β-blocker), esmolol, verapamil, morphine sulfate
  - IV magnesium sulfate
    ┌ presynaptic neuromuscular blocker로 신경세포에서 catecholamine 분비 억제
    └ 근육경련 및 심혈관계(autonomic dysfunction) 치료에 도움 (→ 다른 약제 필요량 감소)
  - β-blockers만의 투여는 금기 (∵ hypotension, arrest로 인한 사망↑)
- hypotension → volume expansion, vasopressors (NE)
- bradycardia → chronotropic agents, pacemaker insertion

(6) Respiratory care 등의 보존적 치료

- 근육경련 치료시 호흡근 마비가 올 수 있으므로 mechanical ventilation 가능한 곳에서 치료
- intubation or tracheostomy (심한 경우 후두근육 경련으로 intubation이 불가능)
- pul. thromboembolism 예방 ; heparin, LMWH 등의 항응고제도 조기에 투여
- 충분한 hydration 및 영양공급 (∵ tetanus 때 에너지 요구량↑↑)
- 물리치료 : contracture 예방위해, 경련이 멈추면 바로 시작

6. 예방

(1) Active immunization

- 백신의 종류 (소문자는 함량이 낮은 것을 뜻함!)
  - 소아용 ; DTP (Diphtheria-Tetanus-Purtussis) = DTaP (acelluar Purtussis), DTaP-IPV (inactivated poliovirus) or DTaP-IPV/Hib 혼합백신으로도 가능
  - 성인용 ; Td (Tetanus-diphtheria), Tdap (Tetanus-diphtheria-acelluar purtussis) (Td는 7세 이상, Tdap는 10~11세 이상에서 사용하도록 허가)
- 소아 기본접종 ⇨ 2개월, 4개월, 6개월에 기초접종 3회, 15~18개월 & 4~6세에 추가접종 2회, 11~12세에 6차 마지막 접종은 Tdap로 (총 6회 접종)
- 소아기에 기본접종을 한 성인 ⇨ 매 10년마다 Td로 추가 접종 시행!
  - 이 중 한번은 Td 대신 Tdap를 접종해야 됨 (가능하면 초회 접종으로 권고)
  - 예방접종의 효과가 10년 뒤 크게 감소하고, tetanus에 걸렸어도 항체 형성이 불충분하기 때문
- 소아 때 DTP 접종을 받지 않은 성인, 기록 불분명, 1958년(DTP 도입 시기) 이전 출생자 등
  ⇨ 3회 접종 (1차 Tdap, 4~8주 뒤 2차로 Td, 6~12개월 뒤 3차로 Td), 이후 10년마다 Td

(2) Wound와 관련된 immunization

* 예방접종을 다 받은 지 5년이 넘지 않은 경우엔 철저한 상처 소독만으로 충분!

예방접종력	Clean & small wounds		All other wounds*	
	Td	TIG	Td	TIG
<3회 or 모름	○	×	○	○
≥3회	× (마지막 예방접종 후 10년 넘었으면 투여)	×	× (마지막 예방접종 후 5년 넘었으면 투여)	×

TIG (tetanus immunoglobulin)

* 흙, 먼지, 대변, 타액 등으로 오염된 상처, 자상, 열상, 박리, 화상, 동상 등

- active immunization (Td/Tdap vaccine)
  - clean minor wounds에서 Td/Tdap를 투여해야할 경우
    ① tetanus immunization history를 모를 때
    ② vaccine을 3회 미만 맞았을 때
    ③ vaccine을 3회 이상 맞았으나, 마지막 접종 후 10년 이상 경과시
  - contaminated or severe wounds → 위와 동일
    (차이점 : vaccine을 3회 이상 맞았으나, 마지막 접종 후 5년 이상 경과시에도 추가 접종)
- passive immunization (TIG, tetanus immunoglobulin)
  - clean minor wounds에는 투여 안 해도 됨
  - 다른 wounds에서는 vaccination history를 모르거나 partial immunization (3회 미만)의 경우 투여 (반드시 wound 치료 전에 먼저 TIG 투여)
  - Td vaccine과 TIG는 반드시 서로 다른 부위에 주사해야 됨

(3) Neonatal tetanus

- maternal vaccination (임신 중이라도)
- 분만은 병원에서, 분만 관련 기구들은 철저히 소독하여 관리

7. 예후

- 사망률 20~25%, 진단 & 치료를 빨리 받으면 대부분 회복 (회복되는 경우 대부분 완전히 회복됨)
- poor prognostic factors ; 신생아, 고령, 짧은 잠복기(<7일), 급격한 진행, HR >140회/분, SBP >140 mmHg, 체온 >38.5℃, 입원시 심한 증상, 분만/IV/수술/화상 등

BOTULISM (보툴리눔독소증)

1. 개요

- *Clostridium botulinum*의 neurotoxins에 의해 발생하는 신경마비 증후군
  - ↳ Gram(+) rod-shaped, spore-forming, strict anaerobes
  - subterminal spores 형성 (열에 매우 강함, 토양과 바다 퇴적물에 널리 존재)
    ; 채소(특히 감자!), 과일, 천연 꿀, 해산물, 해양포유류 등에서 발견됨
  - A~H 8가지의 toxins 생성 (알려진 독소 중 가장 강력, 생물 테러에도 이용됨)
- toxin이 parasympathetic nerve 침범 (nerve ending에서 Ach. 방출 저지)

2. 임상양상

(1) Food-borne botulism (식중독)

- preformed botulinum toxin에 오염된 음식 섭취 후 발병 (toxin A가 m/c)
  - ⎡ spores는 열에 매우 강해 120℃에서 4분 (100℃에서 6시간) 이상 가열해야 완전히 사멸됨
  - ⎣ toxin은 열에 약하므로 가열 조리시 식중독 예방 가능
  - 주로 가정에서 만든 젓갈, 상한 음식, 통조림 등을 먹은 후 발생
  - 잠복기 : 12~36시간
- 초기 증상 (cranial nerve 침범) ; blurred vision, diplopia, ptosis, dysarthria, dysphagia
- symmetric descending weakness가 특징 ; 어깨 → 팔 상부 → 팔 하부 → 허벅지
  → 심하면 호흡근 마비로 사망도 가능 (사망률 5~10%)
- N/V, abdominal pain, paralytic ileus, severe constipation, urinary retention
- pupillary reflex↓, gag reflex↓, DTR 정상~↓, HR 정상~↓, BP 정상
- 감각 정상, 의식은 대개 정상, 열은 없음!

(2) Wound botulism

- 상처에 toxin을 분비하는 *C. botulinum* 감염되어 발생, 잠복기 긺(평균 10일), GI Sx 없음
- 원인 ; traumatic injury, chronic drug users, C/S

(3) Infant botulism (m/c)

- *C. botulinum*의 spores 섭취 → 감수성 있는 유아의 장내에서 colonization → toxin 생성
- 12개월 미만에서 (평균 3~4개월) 발생, sudden infant death를 일으킬 수도 있음

3. 진단

- 대개 병력과 임상양상으로 진단
- 검체(serum, vomitus, gastric fluid, stool, tissue, pus 등)와 음식에서 organism or toxin을 규명
- 검사법 ; toxin assay (mouse bioassay, ELISA), culture (완벽한 혐기 필요), PCR, MS 등
  → 대개 특수한 연구소에서만 가능
- EMG 소견 ; small M wave, low-voltage compound motor units의 short bursts 등

* D/Dx ; myasthenia gravis, Guillain-Barre syndrome (ascending paralysis, sensory도 이상), Lambert-eaton syndrome, poliomyelitis, tick paralysis, diphtheria, intoxications (버섯, 약물, 화학물질 등), hypermagnesemia

4. 치료

┌ 반드시 입원시켜서 close monitoring
└ 기도확보 : intubation & mechanical ventilation (VC가 30% 미만인 경우)

(1) Food-borne botulism

- antitoxin이 가장 중요 (가능한 빨리 투여할수록 효과적)
  - equine-derived heptavalent botulism antitoxin (HBAT) : type A~G cover, 1세 이상 모든 botulism에 사용 가능, HBAT로 치료시 사망률 ~7%로 감소
  - human-derived botulism immune globulin (BIG-IV or BabyBIG) ; type A and/or B 1세 미만 유아에서만 사용
- 장내 toxin 제거 : laxatives, cathartics, enema (ileus 없으면) - 음식 섭취 후 오래 안 되었을 때
- paralysis의 치료 : guanidine hydrochloride 등의 drugs (효과는 모름)
- 예방 : spores는 토양에 널리 존재 → 채소/곡물은 반드시 깨끗이 세척
  - 병조림/통조림 제조시 spores의 완전 사멸을 위해 고온으로 멸균 처리

(2) Infant botulism

- antitoxin & supportive care
- wound botulism을 제외하고는 항생제는 권장 안됨!
  (∵ 장내 *C. botulinum*이 분해되면 흡수되는 toxin 양이 더 많아질 위험)

(3) Wound botulism

- antitoxin / wound의 완전한 exploration & debridement
- 항생제 ; penicillin G (or metronidazole)
  (leukocytosis, fever, abscess, cellulitis 등 때는 혼합감염을 대비해 광범위 항생제 투여)

5. 예후

- toxin A가 severe ; A (60~70% 사망), B (10~30%), E (30~50%)
- 노인에서 mortality 높음
- food-borne botulism의 사망률은 적극적인 치료로 약 7.5% 정도로 감소되었음

c.f.) botulinum toxin therapy → strabismus, blepharospasm, dystonia 등의 치료에도 이용

MEMO

5
Listeria

개요

- *L. monocytogenes* : aerobic & facultatively anaerobic, nonsporulating, **gram(+) rod**
  - Gram stain에서는 pneumococci (diplococci) or diphtheroids (*Corynebacteria*) 비슷해 보임
  - tumbling motility를 보이는 것이 특징
  - 식품과 자연환경에 널리 분포함, 냉장 온도에서도 생존 가능 (~4℃)
  - 건강한 성인에서는 감염을 잘 일으키지 않음, GI flora의 일종으로 발견되기도 함
    (gastric acidity 부족, abnormal GI function → 감염 위험 ↑)
  - intracellular pathogen → cell-mediated immunity 결핍 환자에서는 invasive infections을 일으킴
- 대부분 food-borne transmission ; 오염된 치즈, 유제품, 육류, 야채, 어패류 등
  (감염된 동물/동물배설물을 통한 직접 전파도 가능)

┌ invasive infections (e.g., bacteremia, CNS infections) ; 주로 면역저하자에서
└ self-limited febrile gastroenteritis ; 건강한 성인에서

임상양상

1. Febrile gastroenteritis

- 드묾, 잠복기 짧음 (평균 24시간, 대부분 2일 이내), 대부분 2일 이내에 완전 호전됨
- 오염된 음식을 먹은 후 발열, 설사 등의 증상을 보이면 의심 (산발적 or 집단 식중독)

2. Invasive infections

- bacteremia가 m/c, 잠복기가 긺 (평균 11일)
- 임산부 Listeriosis ; 감염 위험 일반인의 17배, 노인의 6배, invasive Listeriosis의 약 1/6 차지
  - 임신 어느 때나 감염 가능하지만, 3rd trimester 때 m/c
  - nonspecific flu-like Sx.이 m/c
  - 예후 좋음 ; 다른 위험인자 없으면 CNS 침범 드묾, 임산부의 사망은 매우 드묾

- 합병증 ; 조산(m/c), ~20%에서 유산/사산, chorioamnionitis / 출생아의 약 68%가 감염됨
- Dx : blood culture　(rectal/vaginal culture는 의미 없음, ∵ 정상인도 5% 보균율)

• 신생아 Listeriosis (드묾) ; 임신중 or 분만시 감염
  ① early-onset disease (출산 며칠 이내) : infected amniotic fluid의 aspiration으로 발생
    - 대개 조산, chorioamnionitis, bacteremia, pneumonia 등과 관련
    - Sx ; respiratory distress, meconium staining, fever, jaundice, lethargy, rash
    - granulomatous infantiseptica ; 드묾, 광범위한 microabscesses & granulomas, 사망률 높음
  ② late-onset disease (출산 5~14일) : meningitis 등 (분만시 문제가 없었던 신생아에서 발생)

• 임신과 관련 없는 Listeriosis
  - 대부분 면역저하자 or 노인에서 발생, 사망률 높음! (20~30%)
  - 위험인자 ; steroid 장기 사용, 악성종양, CTx, 장기이식, DM, LC, HIV 감염 등의 면역저하
  ① septicemia (m/c)
  ② CNS infection ; meningitis (2nd m/c), meningoencephalitis, cerebritis, abscesses
    - meningeal irritation 증상(e.g., nuchal rigidity목경직)은 드묾!
    - 미국은 community-acquired bacterial meningitis 원인의 5~10% 차지
  ③ endocarditis ; 주로 prosthetic or previously damaged valve에서
  ④ 기타 focal infections ; 피부, 눈, 담낭염, 간염, 복막염 ...

진단

• culture ; blood, CSF, amniotic fluid 등
• CNS infections
  - CSF 검사 (일반적인 세균과 약간 다름) ; WBC 100~5,000 (대개 <1,000)/μL,
    neutrophils이 우세하지만 다른 세균에 비해 % 낮음, glucose 정상!, Gram(+) rod
    (균 이름처럼 말초혈액이나 CSF에서 monocytosis가 나타나는 것은 아님)
  - MRI ; cerebellum, brainstem, cortex에서 *Listeria* 병변 발견에 도움
  - multiplex PCR ; *L. monocytogenes*를 포함한 여러 meningitis/encephalitis의 원인 세균, virus,
    *Cryptococcus neoformans/gattii*를 동시에 검출하는 제품도 있음 (FilmArray® M/E panel)
• anti-listeriolysin O (LLO) Ab. ; invasive infections 진단에는 도움 안 되고,
  식중독 유행시 febrile gastroenteritis 진단에는 도움 가능

* D/Dx
  - prematurity, spontaneous abortion, stillbirth → group B streptococci, congenital syphilis,
    toxoplasmosis
  - 신생아의 meningitis, sepsis → group B streptococci, *E. coli*
  - 면역저하자(특히 steroid 치료, 혈액종양, 장기이식 환자, HIV 감염)에서 meningitis 시
    → 반드시 *Listerial* infection을 고려해야

치료/예후

- 성인의 listerial bacteremia or CNS infection (가능한 빨리 치료를 시작하는 것이 중요)
  - ⇨ IV <u>ampicillin (or penicillin) + GM</u>
    - penicillin allery시엔 → TMP-SMX
    - chloramphenicol, rifampin : penicillin의 작용을 antagonize
    - cephalosporins은 효과 없음
- 면역억제치료 중인 경우, 가능하면 면역억제제 감량 권장 (특히 항생제의 초기 반응이 안 좋을 때)
- febrile gastroenteritis ; 대부분은 항생제 치료 필요 없음 (self-limited)
  - ⇨ 노인 or 면역저하시 oral amoxicillin or TMP-SMX
- 임산부 ⇨ IV ampicillin or penicillin
    - penicillin allery시엔 → TMP-SMX (1st trimester와 마지막 달은 금기)
        or meropenem or vancomycin
    - 증상이 없으면 항생제 치료 필요 없음
- 예후 ; 즉시 진단/치료받으면 50~70%는 완전히 회복됨
    (but, brain abscess or rhombencephalitis 환자는 영구적인 신경 후유증이 흔함)
- 음식에서 흔히 발견되므로, 음식을 통한 전염을 예방해야 됨 (특히 고위험군)
    - 살균 안된 우유/치즈/아이스크림, 미리 가공되어 보관되어 있던 음식, 육류 가공식품 등은 피함
    - 고기는 완전히 익혀서 먹음 (e.g., 소, 돼지, 닭)
    - 야채는 깨끗하게 씻어서 먹음
    - 조리 중 날고기가 야채나 다른 음식에 묻지 않도록 주의
    - 익히지 않은 음식을 조리한 뒤에는 손, 칼, 도마 등을 세척

6
Corynebacteria

DIPHTHERIA

1. 개요

- *Corynebacterium diphtheriae*에 의한 점막이나 피부의 localized infections
  - respiratory diphtheria : 보통 toxigenic (tox⁺) *C. diphtheriae*에 의해 발생
  - cutaneous diphtheria : 보통 non-toxigenic (tox⁻) *C. diphtheriae*에 의해 발생
- 감염 부위에 회백색의 pseudomembrane (위막) 형성이 특징
- *C. diphtheriae* : 곤봉모양(club-shaped)의 gram(+) rod
  - 흔히 clusters (한자 모양) or parallel arrays (palisades) 형태로 배열되어 존재
- 주로 겨울에 유행, 과거에는 15세 이하에서 주로 발생 (1960년대에는 매년 수백~천명)
- 제1급 법정감염병, 우리나라는 예방접종 후 급격히 감소, 1987년 이후 새로운 환자 발생이 없음

2. 임상양상

(1) 호흡기 감염

- 주로 diphtheria 환자/보균자와의 밀접 접촉을 통해 전파 (fomites를 통해)
- 잠복기 2~5일, 점진적으로 발병
- 감염부위 ; tonsillopharyngeal (m/c), laryngeal, nasal, tracheobronchial
- Sx ; sore throat (m/c, 주로 소아), N/V, low-grade fever (37.8~38.9℃), dysphagia, cough, hoarseness, chills, rhinorrhea, cervical lymphadenopathy ...
  ("bull-neck" diphtheria : 일부에서 tonsils의 심한 부종에 의해 목이 두꺼워짐)
- 위막(pseudomembrane) ; 발병 수일 뒤, toxin에 의한 괴사 침전물, 조직에 강하게 붙어있어 위막을 제거하면 출혈 발생, tonsils 범위를 넘는 경우가 흔함 (streptococci와 차이)
- 위막이 커지면 toxin에 의한 systemic toxicity↑ ; pallor, tachycardia → vascular collapse

(2) 피부 감염

- 열대 지방에서 더 흔히 발생
- 보통 preexisting dermatoses에 이차 감염으로 발생
- 잠복기 : primary skin lesions 발생 평균 7일 후
- 감염부위 : lower extremities, upper extremities, head, trunk
- 특징적인 "punched-out" ulcers

3. 합병증

- resp. tract obstruction (∵ 광범위한 위막 형성과 부종) ; 가장 치명적, 소아에서 위험
- diphtheria toxin이 흡수되어 파급되면 전신 독성 발생
- myocarditis (10~25%에서) ; 대개 호흡기 증상이 호전될 때 발생
  - EKG ; ST-T wave changes, QT prolongation, first-degree AV block
  - 심음↓, gallop rhythm, 심장확장, 호흡곤란, 심부전, 고도 AV block, 부정맥
  - 증상이 없어도 치명적인 부정맥이 발생 가능하므로 EKG monitoring 필요
- 신경침범 (10%에서) ; polyneuropathy, 발병 3~5주 뒤 발생하여 서서히 진행
- renal failure, encephalitis, cerebral infarction, pneumonia, PE, bacteremia ...

4. 경과 및 예후

- 대부분 nonimmunized 환자에서 발생
- 사망률 2~10%
- 사망률이 높은 경우 : myocarditis (VT, AF, complete AV block), bull-neck diphtheria, 5세 미만, 60세 이상, 감염 첫 주, 기대한 위막, 후두/기관/기관지 침범, 알코올 중독 ...
- cutaneous diphtheria는 사망률 낮고, myocarditis나 neuropathy 발생 드묾

5. 진단

- 특징적인 pseudomembrane : 호흡기 감염에서는 특징적이나, 피부 감염에서는 없을 수도 있음
- 확진 : *C. diphtheriae*의 분리동정(culture)
  - 검체 ; 궤양이나 위막 부위 (가능하면 위막 아래 부분이 좋음)
  - 특수배지 필요(e.g., Loffler's or Tindale's media)
- toxin 검출 (toxigenic strains 진단위해 필요) ; Elek test (antitoxin을 이용한 면역기법), EIA, toxin gene에 대한 PCR 등

6. 치료

- diphtheria antitoxin IV ; toxin이 조직에 결합한 뒤에는 효과가 없으므로, 의심되면 빨리 투여
  - 말 혈청으로 제조하므로 ~10%에서 serum sickness 등 과민반응 위험 → 검사 이후 투여
- 항생제 ⇨ 목적 ; 감염 초기 균주↓(→ toxin 생산↓), 국소감염의 파급 지연, 균 전파↓
  - EM or penicillin G IV → 경구섭취 가능하면 oral penicillin V로 전환 : 총 14일
  - alternatives ; rifampin, clindamycin, clarithromycin, azithromycin, linezolid, vancomycin 등
  - 전신감염(e.g., myocarditis) ; penicillin (or ampicillin) + AG 4~6주
- 치료 완료 후 1~2일 & 2주 뒤에 F/U culture 시행 → 계속 검출되면 추가로 10일 더 치료
- 회복 이후 diphtheria toxoid 예방접종도 시행해야 됨 (∵ 자연 감염은 면역을 유도 못함)

7. 예방

- diphtheria toxoid vaccine : diphtheria toxin을 formaldehyde로 처리한 nontoxic products
- DTP (diphtheria, tetanus, pertussis), Td (diphtheria toxoid 적게 포함), Tdap 등의 형태로 접종

→ Ⅱ-4장 참조

■ 기타 Corynebacteria 감염

- *C. diphtheriae*를 제외한 corynebacteria 감염 (diphtheroids or coryneforms)
  - 물과 토양의 환경에 널리 분포, 사람/동물의 피부/점막에 상재하는 기회감염균
  - 과거에는 집락/오염균으로 여겼으나, 최근에는 중요 병원균의 하나로 생각되어 짐
  - 특히, 면역저하자나 인공물 삽입 환자에서 감염이 증가 추세
- *C. ulcerans* ; diphtheria 비슷한 병을 일으킴, diphtheria toxin 및 dermonecrotic toxin 생산
- *C. jeikeium* ; 혈액암, neutropenia, AIDS, 장기입원환자 등에서 sepsis를 일으킴
- *C. urealyticum* ; 면역저하자나 요로계 시술 환자에서 severe UTI를 일으킴
  (alkaline-encrusted cystitis)
- *C. minutissimum* ; 피부감염(erythrasma), 드물게 abscess, sepsis, endocarditis ...
- *C. pseudodiphtheriticum* ; normal flora의 일종, diphtheria toxin 생산 안함
- 치료 ; glycopeptide (e.g., vancomycin, teicoplanin)[m/g], daptomycin, linezolid 등

* *Rhodococcus* (e.g., *R. equi*)
  - 계통발생학적으로 corynebacteria와 비슷
  - 토양과 초식동물 등의 환경에 분포, 기회감염균으로 드물게 사람에게 감염됨
  - 대부분 cell-mediated immunity 저하자에서 감염 발생(e.g., AIDS, 장기이식)
  - 결핵 비슷한 감염을 일으킴 (necrotizing granulomatous reaction)
  - 폐 감염(m/c) ; subacute, 고열, 기침, 심한 피곤, 흉통, 체중감소, cavitation (>50%)
    (TB or nocardiosis와 비슷한 상엽의 nodular cavitary pneumonia)
  - 폐외 감염 ; skin (subcutaneous abscess), brain, bone 등
  - 치료 (감수성이 있는 항생제 2~3가지 병합으로 2개월 이상 치료 필요)
    ; vancomycin, teicoplanin, linezolid, carbapenem, rifampin, fluoroquinolone, AG,
      or macrolide 등

7
Bacillus

ANTHRAX (탄저병)

1. 개요

- 탄저균(*Bacillus anthracis*)에 의한 acute bacterial infection
- *B. anthracis* ; large, spore-forming gram(+) rod
  - spores 형성 (토양에서 몇 년간 생존 가능) → 10분간 끓이거나, potassium permanganate or hydrogen peroxide 같은 oxidiziang agents, dilute formaldehyde 처리에 의해 파괴됨
  - 배양시 특징적인 "Medusa's head appearance", 가운데 spore를 함유한 막대균이 사슬처럼 연결
- 인수공통감염증 ; 소, 말, 양 등의 초식동물에게 주로 발생 (사람은 우연한 숙주)
- infected animals or contaminated animal products, insect bites, inhalation, ingestion 등에 의해 *B. anthracis*의 아포(spores)가 침입하여 발생
- virulence factors
  - ┌ pX02 plasmid ; antiphagocytic poly-d-γ-glutamic acid capsule
  - └ pX01 plasmid (3 toxins) ; protective antigen (PA), edema factor (EF), lethal factor (LF)
- 무색, 무취의 아포로 인해 쉽게 퍼질 수 있으므로 생물무기로도 사용될 위험이 있음
  (e.g., 2001년에는 9.11 테러 이후, 우편물을 이용한 탄저 테러가 발생하여 5명이 사망)
- 국내에서는 2000년 탄저병에 걸린 소를 밀도살해 먹고 5명 감염, 2명 사망한 적 있음

2. 임상양상

┌ agricultural cases : anthrax를 가진 동물과의 접촉 (m/c), 감염/오염된 벼룩의
│   bites, 오염된 고기의 섭취 등에 의해 발생
└ industrial cases : 오염된 가죽, 염소털, 양털, 뼈 등에 노출되어 발생

(1) Cutaneous Anthrax (95%)

- *B. anthrax* spores가 피하에 inoculation (잠복기 5~7일) → small, painless, pruritic papule → 빨리 커짐, central vesicle or bulla 발생 → ulcer (→ black, depressed eschar), 특징적인 심한 brawny (hemolytic) edema로 둘러싸임 (∵ toxin 분비)
- painful nonspecific regional lymphadenopathy & lymphangitis 동반 흔함
- 80~90%는 자연 치유됨, 치료하면 사망률 <1% (치료 안하면 ~20%)

(2) Inhalation Anthrax (Woolsorter's disease)

- aerosolized anthrax spores의 흡인에 의해 발생 (→ alveolar macrophages에 의해 탐식된 뒤 mediastinal LNs로 이동 ; 증식하여 toxin 분비 → hemorrhagic mediastinitis 유발)
- 잠복기 1~7일, 비특이적인 전구증상(근육통, 발열, 피곤 등) 4~5일 지속 → rapidly fulminant bacteremic phase (e.g., dyspnea, stridor, hypoxia, hypotension) ; 치료 안하면 사망률 ~100%
- CXR ; 종격동 확대(hemorrhagic mediastinitis), hilar abnormalities, pleural effusion
- non-CE CT (CXR보다 우수) ; hyperattenuating mediastinal adenopathy (∵ LN 출혈)
- 약 1/2에서는 hemorrhagic meningitis (anthrax meningitis)도 합병 ⋯ 사망률 최고
  → 모든 inhalation anthrax 환자는 lumbar puncture도 시행

(3) GI Anthrax (1%)

- 조리가 덜 된 오염된 동물을 먹고 감염, 잠복기 1~5일, 사망률 4~60%
- upper GI 상피에 피부감염과 비슷한 병변 발생, 복통, N/V, GI bleeding → ascites, hypotension

3. 진단

- 노출 병력이 중요 (∵ 특히 inhalation, GI anthrax는 증상이 비특이직임)
- 검체 ; blood, pleural fluid, CSF, 피부병변(vesicular fluid, ulcer base swab, eschar) 등
- 확인 검사 ; Gram's stain, culture, PCR, direct fluorescent Ab (DFA) stain 등
- 혈청(Ab) 검사(e.g., ELISA) ; 회복기에 4배 이상 titer 증가 확인 → 초기 진단에는 부적합
- anthrax toxin tests → 초기에도 진단 가능

4. 치료

- systemic anthrax (e.g., inhalation anthrax) : IV 병합요법으로 2~3주 이상 치료
  ① meningitis 無 ⇨ ciprofloxacin + clindamycin (or linezolid)
  ② meningitis 의심 ⇨ ciprofloxacin + meropenem + linezolid
- antitoxin도 투여 ; mAbs (raxibacumab, obiltoxaximab), anthrax Ig 등
  ↳ protective antigen (PA)이 receptor에 결합하는 것을 차단
- cutaneous anthrax ⇨ 단일약제(ciprofloxacin, or DC, levofloxacin, moxifloxacin) 7~10일
  - 두경부 침범, 심한 부종, 전신 증상 동반시에는 systemic anthrax처럼 치료
  - 생물테러(bioterrorism)-관련 노출시에도 단일약제로 60일간 투여
- 모든 심한 경우에는 glucocorticoid도 투여

5. 예방

- anthrax vaccine adsorbed (AVA, Biothrax®) ; 유일하게 FDA 허가된 백신
  - subunit vaccine으로 protective antigen (PA)과 보조제인 aluminium hydroxide로 구성
  - 비독성 균 배양액의 여과물에서 추출한 단백으로, 생균이나 사균은 포함하고 있지 않음
- pre-exposure prophylaxis
  - AVA 백신 5회 접종 (0, 4주, 6개월, 12개월, 18개월) + 매년 booster
  - 대상 ; 탄저균에 노출될 위험이 있는 실험실 종사자, 수입 동물 취급자, 군인 등

- postexposure prophylaxis (PEP)
  ① AVA 백신 3회 접종 (0, 2, 4주)
  ② 예방적 항생제(ciprofloxacin or DC) 60일
  ③ antitoxin ; mAbs (raxibacumab, obiltoxaximab)

B. cereus group

- 토양, 물 등의 자연환경에 널리 분포 (spore를 형성하여 장기간 생존)
- spore/세균에 오염된 음식 섭취를 통해 GI 감염(e.g., 식중독)을 일으킴
  or 오염된 의료기구를 통해 bacteremia를 일으키거나 혈액배양의 오염균으로 나올 수도 있음
- toxin-mediated food poisoning ⇨ self-limited, 항생제 치료 필요 없음
  ┌ 구토형 독소(emetic toxin) ; 직접 섭취, 내열성(→ 더 쉽게 병을 일으킴), 잠복기 1~5시간
  └ 설사형 독소(diarrheal toxin) ; 장내에서 세균이 생산, 열/효소등에 약함, 잠복기 6~15시간
  – 전세계적으로 산발적 식중독 발생 (미국 매년 수십~수백 건 발생), 중국식 볶음밥이 중요 원인
  – 우리나라 ; 제4급 법정감염병(장관감염증), 매년 수~수십 건 발생
  – 구토형 독소에 의한 식중독은 쌀에서 미리 형성된 toxin에 의해 발생
    (→ 볶음밥, 김밥, 떡 등과 주로 관련)
  – 설사형 식중독은 육류, 유제품, 채소, 생선 등 다양한 식품으로 발생
- 기타 감염 ; bacteremia, endocarditis, 근골격계/CNS/눈 감염
  ⇨ 항생제 치료 (대부분 β-lactamases 생성 → penicillins과 cephalosporins은 금기)
      ; vancomycin, or carbapenems, fluoroquinolones

Part III

그람음성세균 감염

1
그람음성 장내세균 감염

개요

- 장내세균과(family *Enterobacteriaceae*) ··· m/c Gram(-) 병원균
  - non-spore-forming, facultative anaerobic, gram-negative bacilli (GNB), 대부분 motile
  - glucose fermentation^{발효} (+), oxidase (-), catalase (+), nitrate를 nitrite로 환원
  - 외막(outer membrane) ; LPS (lipid A = endotoxin), porins 등으로 구성 → Gram(-)의 특징
    ↳ 독성과 항생제 내성에 중요
  - 3 surface antigens : O (somatic) Ag of LPS, H (flagellar) Ag, K (capsular) Ag
- *E. coli, Klebsiella, Proteus, Enterobacter, Serratia, Citrobacter, Morganella, Salmonella, Shigella, Yersinia* 등 매우 많음
- 대장의 상재균으로 환경에 널리 존재 (c.f., 일반 대장균과 병원성 대장균은 항원성에 차이 있음)
  - 정상인의 구인두와 피부에도 일시적으로 colonization 가능
  - 병원/요양원 환자는 피부/점막에 GNB colonization 흔함 → 산발적 or 집단 감염 유발
- 독성이 강하기 때문에 모든 사람에게 (거의 모든 장기에) 감염을 일으킬 수 있음
- septicemia의 1/3, bacterial gastroenteritis의 2/3, UTI의 3/4 차지

대장균(*Escherichia coli*) 감염

1. 장관감염
┌ 정상인의 대변에서는 거의 발견 안됨 (colonization ×)
└ 주로 오염된 음식/물, 다른 사람/동물 등에서 전파되어 감염 발생

(1) STEC (Shiga toxin [Stx]-producing *E. coli*) ; EHEC, ST-EAEC 포함
- 주로 선진국에서 발생하는 식품매개 hemorrhagic colitis와 HUS의 원인 (주로 outbreak로)
  - 2011년 유럽 : 새싹채소(→ 이후 사람간 전파)로 4천명 이상 감염, 54명 사망 (O104:H4)
  - 미국 : bacterial diarrhea의 4th m/c 원인 (*Campylobacter, Salmonella, Shigella* 다음)
  - 우리나라 : 제2급 법정감염병, 최근 매년 약 50~100명 보고
- 병인 ; 장점막에 심한 손상을 일으키고 RBC를 파괴하는 cytotoxin (Shiga toxin)이 주원인
  - 매우 적은 수(10~100 CFU)의 균으로도 감염 유발 가능!

- Shiga toxins (= verotoxins, VT) ; 구조적으로 *Shigella dysenteriae* toxin과 유사
  ↳ Stx2a~g and/or Stx1a,c,d (Stx2가 신장 내피세포에 더 독성 → HUS 발생에 더 중요)
- serotypes ; O157:H7 (m/c, 약 1/3), O104:H4, O121, O26 등등 매우 많음(>400가지)
  ↳ EHEC : 전통적 HUS 원인   ↳ ST-EAEC : 가장 대규모 outbreak (유럽), HUS 더 호발
* **EHEC (enterohemorrhagic *E. coli*)** : Shiga toxin + locus of enterocyte effacement (LEE)

> LEE : EPEC에서 처음 발견된 pathogenicity island로 type III secretion system을 encodes (*eae* gene)
> → 대장 점막의 attaching & effacing (AE) 병변에 관여하는 intimin, Tir, EspC, EspF, EspH 등을 분비

* **ST-EAEC (Shiga toxin-producing enteroaggregative *E. coli*)** : Shiga toxin + EAEC-관련
  virulence factors (e.g., AAF/I fimbriae, SigA, SepA), 2011년 유럽 outbreak의 원인
- 전염경로 : 오염된 음식물 섭취(m/c), 사람-동물간 접촉 or 사람간 접촉으로도 전파도 가능!
  - 소/송아지가 주 natural reservoir → 감염원 ; 갈거나 가공된 소고기(m/c), 소와 다른 동물의
    분변(비료 포함)에 오염된 농산물(e.g., 양상추, 시금치, 콩나물, 과일), 유제품, 가공식품 등
    (햄버거, 우유, 샐러드, 김밥, 비빔밥 등 거의 모든 음식이 가능)
  - 내산성(acid tolerance) 우수 (→ 위에서도 생존), 낮은 온도에서도 음식에 오래 생존 가능
  - 소아/노인에서 더 심한 증상, 가정과 시설(어린이집, 학교, 양로원)내 유행 가능
  - 잠복기 : 평균 3~4일 (2~10일) / ST-EAEC (O104:H4)는 평균 8일
- Sx ; 갑자기 심한 복통 → 선홍색 혈변(>90%, 장관 하부의 출혈 때문), fever는 대개 없음
  - leukocytosis (심한 anemia는 없음), LFT 및 U/A는 정상, stool WBC (70%에서)
  - 무증상인 경우 보균자가 되어 1~2달까지도 균 전파 가능
- 심각한 합병증이 문제
  ① HUS (hemolytic uremic syndrome) : thrombotic microangiopathy[TMA], 햄버거병
    - STEC의 2~8%에서 발생, 소아 HUS의 대부분을 차지, 사망률 0.5~11%
    - 설사 시작 2~14일 (대개 3~5일) 뒤 발생 (특히 어린 소아와 노인에서 호발)
    - hemolytic anemia, thrombocytopenia, AKI (약 5%는 사망), ESRD 및 여러 합병증 유발
    * ST-EAEC ; HUS 발생 더 흔함(~22%), 젊은 성인에서도 발생 (특히 여성)
  ② 기타 ; TTP, intussusception (소아에서, 매우 드묾)
- Dx : 다른 *E. coli*와 달리 STEC가 의심되면 빨리 진단적 검사 시행 (∵ HUS 위험)
  ① selective culture (*E. coli* O157:H7만 가능) ; sorbitol 발효 못함(→ 무색 colony), serotyping
  ② Shiga toxin EIA ; PCR보다는 sensitivity 조금 떨어짐
  ③ Shiga toxin genes (*stx1, stx2*) 검출 ; multiplex real-time PCR 등, 가장 정확하고 빠름
    (*stx1, stx2* genes은 *S. dysenteriae*에서도 발현되므로 *E. coli*인지 확인하는 검사도 필요함)
- Tx ; 수액 등 보존적 치료가 우선 (antimotility agents는 금기!)
  - **항생제는 사용하면 안됨!** (∵ 효과 불확실, 균 사멸로 toxin 방출↑ → HUS 발생 위험)
- Px ; 대부분은 1주일 뒤 자연 회복되지만, 4~22%에서는 HUS 등의 심각한 합병증 발생
- 예방 ; 식품위생(e.g., 철저한 세척, 가열조리, 냉장보관), 목장관리, 손씻기 등

(2) ETEC (enterotoxigenic *E. coli*)
- 후진국에서 급성 설사의 흔한 원인, 여행자 설사(traveler's diarrhea)의 m/c 원인균(25~75%)
- toxins이 병인 ; heat-labile toxin (LT, cholera toxin과 유사) and/or heat-stable toxin (ST)
- fecal-oral route로 감염 (끓이지 않은 물 or 익히지 않은 야채), 잠복기 12~72시간 (평균 2일)
- Sx ; 수양성 설사 & 복통 / 구토나 발열은 드묾 / 드물게 심한 cholera-like 설사도 가능

- Dx ; LT or ST gene detection (e.g., multiplex PCR)
- Tx ; 대부분 경미하고 self-limited (3~5일 뒤 자연 회복), 충분한 수분 & 전해질 보충
  - 항생제 ; azithromycin, fluoroquinolone, rifaximin 등
    ↳ 증상 기간 단축 (traveler's diarrhea에서는 일부 권장)   → 소화기내과 I-2장 참조

(3) EPEC (enteropathogenic *E. coli*)

- 후진국에서 <u>2세 미만 영유아</u> 설사의 주원인균 (오염된 분유, 이유식, 물이 원인)
  → 모유 수유시 감소 (∵ 모유에 BFP, intimin, EspA, EspB 등에 대한 항체 함유)
- 현재는 주로 사람간 전파로 감염 (오염된 손), 잠복기 1~2일로 짧음 (3시간~ 까지도)
- 병인 ; 소장 점막의 미세융모면에 부착(attaching) 후 미세융모의 소실(effacement) 유발
  - virulent factors ; EAF$^{(E.\ coli\ adherence\ factor)}$(bundle-forming pili^{BFP} → localized adherence^{LA}),
    Enterocyte Effacement^{LEE} (*eae* gene → intimin, Esp$^{(EPEC-secreted\ protein)}$A, EspB, EspD 등)
  - toxin 생산이나 장점막 invasion은 안함!
- Sx ; 갑자기 심한 수양성 설사, 흔히 구토와 때때로 발열 동반
- atypical EPEC (aEPEC) ; LEE는 있지만 BFP (bundle-forming pili)가 없음
  - 선진국에서도 발생, 모든 연령 및 HIV 감염자에서 발생 가능, 설사는 덜 심함
- Dx ; *eae*A ± *bfp*A 검출(e.g., multiplex PCR), EspB에 대한 rapid agglutination test 등
- Tx ; 대증요법 (대개 5~15일 뒤 자연호전), 심한 설사 or 원내감염시에는 항생제 투여

(4) EIEC (enteroinvasive *E. coli*)

- 주로 후진국에서 드문 설사의 원인 (소아 or 여행자 설사), 병인 & 증상이 Shigella와 비슷함
  (Shigella보다는 발병에 많은 균이 필요하고, 독성 약함)
- 병인 ; 대장 점막세포에 <u>invasion</u> & 증식한 뒤 염증반응을 일으킴 (inflammatory colitis)
- 오염된 물/음식으로 전파, 드물게 사람간 전파도 가능, 잠복기 1~3일
- Sx (이질과 비슷함) ; 수양성으로 시작 → 점액성 또는 농과 혈액이 섞인 설사, 복통과 발열 동반
- Dx ; *ipa*H ± virulence genes (e.g., *ial, vir*F, *inv*E) 검출 … *Shigella*와 많이 겹침
- Tx ; 대증요법 (대개 7~10일 뒤 자연호전), 심하면 항생제 투여

	STEC (EHEC 포함)	ETEC	EPEC	EIEC	EAEC
발병기전	Shiga toxin	Toxin (LT, ST)	국소 부착	장점막 침입/증식	응집성 부착
잠복기	3~4일	1~3일	0.5~2일	1~3일	0.5~2일
설사	출혈성 HUS로 진행 위험	수양성	수양성 (영유아에서) 구토 동반, 심함	이질성 (소아에서) ; 점액 및 출혈성	수양성 (일부 소아와 HIV에서 만성 설사)
발열	−	−	±	+	±
주요감염부위	대장	소장	소장	대장	소장
Infective dose	<u>소량</u>($<10^2$)	다량	다량	다량	다량
전염경로	오염된 음식/물 (사람간 전파도 가능)	오염된 음식/물	사람간 전파 (접촉 or 비접촉)	오염된 음식/물 (사람간 전파 가능)	오염된 음식/물 (?)
유전자 진단	*stx1, stx2*	*lt, sth, stp*	*eaeA, bfpA*	*ipaH*	*aggR*
주 발생지역	선진국	후진국	후진국	후진국	골고루

– 주요 병원보유체(reservoir)는 STEC/EHEC만 소, 나머지는 사람
– Traveler's diarrhea의 원인 ; ETEC (m/c), EAEC (인도, 멕시코에서 흔함), EPEC, EIEC
– ETEC와 EIEC는 위산에 약함 → 위산 저하시 infective dose 100~1000배 감소

(5) EAEC (enteroaggregative *E. coli*)

- 주로 후진국에서 소아 or 여행자 설사의 원인 → 최근엔 선진국에서도, 모든 연령에서 발생
- 병인 (EPEC와 유사) ; 소장 점막에 부착 후 염증 유발 및 enterotoxins (e.g., EAST-1) 분비
   (tissue culture에서는 특징적인 "stacked brick" pattern aggregative adherence[AA]를 보임)
- 오염된 음식으로 전파, 잠복기 8~52시간 (평균 14시간)
- Sx ; 수양성 설사 (소아, 영양결핍, HIV 환자 등에서는 만성 설사도 가능)
- Dx ; tissue culture adhesion assay, *agg*R ± *ast*A (EAST-1) gene 검출
- Tx ; 대증요법 (대개 7~10일 뒤 자연호전), 심하거나 오래 지속되면 항생제 투여

2. 장관외 감염

(1) 개요

- ExPEC (extraintestinal pathogenic strains of *E. coli*) strains에 의해 발생
   (장관외 감염을 일으키는 enteric GNB중 m/c)
- 장관감염 strains과 달리, 정상인의 대장에 colonization하며, 장관감염(장염)을 일으키지는 않음
- 감염 발생은 colonization 부위(e.g., 대장, 질, 구인두)에서 장관외 sterile 부위로의 침투가 중요
   (e.g., 요로, 복강, 폐) → 다양한 지역사회 및 원내 감염 유발

(2) 요로감염

; UTI의 m/c 원인균, sexually active female에서 흔함 (→ 신장내과 참조)

(3) Bacteremia

- G(-)균에 의한 bacteremia의 m/c 원인균, UTI가 m/c 원인
- systemic inflammatory response syndrome (SIRS)
- septic shock : sepsis-induced hypotension → organ dysfuction (신부전, 간부전, ARDS, coma)

(4) 기타 감염

- intraabdominal infections, abscess, septic arthritis, endophthalmitis, suppurative thyroiditis, endocarditis, osteomyelitis, sinusitis, pneumonia ...
- 신생아 (특히 premature infants) - K1 encapsulated *E. coli*에 의한 bacteremia/meningitis

3. 진단

- 임상양상 + *E. coli* 분리/동정 ± toxin/virulence genes 검출(e.g., multiplex PCR)
- 정상적으로 sterile한 곳 (blood, CSF, biliary tract, pleural fluid, peritoneal cavity)에서 *E. coli*가 분리되면 *E. coli* 감염이 diagnostic
- ExPEC의 90% 이상은 rapid lactose fermenter
- 일반적으로 정확한 균의 동정까지는 필요 없고, empirical antibiotic therapy로 접근
   (→ 치료해도 설사가 지속되면 반드시 *Giardia* or *Cryptosporidium*을 R/O)
- bacteremia, 폐렴, 복강내 감염 등 심한 경우는 항생제 감수성검사, 내성관련 검사(e.g., CRE) 시행

Klebsiella, Enterobacter, & Serratia 감염

- tribe *Klebsiellae*에 속함
- human GI tract에 상재, 정상인에서는 거의 질환을 일으키지 않음
- 의료관련감염 및 기회감염의 주요 원인균

1. *Klebsiella* 감염

(1) 개요

- <u>*K. pneumoniae*</u> (m/c, m/i), *K. oxytoca* (대부분 병원/요양원 감염)가 주 병원균

  ┌ *K. pneumoniae* subsp *pneumoniae* → 대부분이므로 통상 *K. pneumoniae*로 지칭함
  │ *K. pneumoniae* subsp *rhinoscleromatis* : rhinoscleroma^{코경화증} 유발
  └ *K. pneumoniae* subsp *ozaenae* : chronic atrophic rhinitis 유발

- *K. pneumoniae* ; 자연 환경에도 널리 존재함

  - 건강한 사람의 보균율 : 대장 5~38%, 구인두 1~6% (→ 병원/요양원 입원시 보균 증가)

  ┌ classic *K. pneumoniae* (cKP) ; 다양한 감염을 일으키며, 항생제내성 증가로 골치 (m/c CRE)
  └ hypervirulent *K. pneumoniae* (hvKP) ; 환태평양(아시아, 특히 대만)에서 유행 & 증가 추세,
     대개 hypermucoviscous phenotype → string test (+) [집락을 당기면 5 mm 이상 실처럼 늘어남]

(2) 폐렴

- 지역사회 획득 폐렴(CAP) ; 40대 이상, alcoholic men, DM, COPD 등이 위험인자
  - currant jelly sputum, bulging fissures 등이 특징이지만, 최근엔 초기의 mild한 경우가 더 흔함
  - CXR : 우상엽에 호발, bulging fissures, 때때로 폐용적 증가
- hvKP에 의한 CAP ; 기저질환이 없는 젊은이에서 증가 추세
- 혈행성 전파(e.g., 간농양)에 의한 hvKP 폐렴 ; bilateral nodular, 하엽에 호발
- 병원/요양원 획득 폐렴이 더 흔함 ; mechanical ventilation이 위험인자
- pleural effusion, lung abscess, empyema 등으로도 진행 가능

(3) 기타 감염

- cKP ; 복부감염(*E. coli* 비슷), 수술부위감염, SSTI (주로 devitalized tissue [욕창, 당뇨발, 화상]
  및 면역저하자에서) 등 다양한 감염 유발 ⋯ 주로 원내감염으로 발생
- hvKP ; monomicrobial 지역사회 획득 간농양(<u>pyogenic liver abscess, PLA</u>), necrotizing fasciitis,
  meningitis, <u>endophthalmitis</u>^{안내염}, CNS abscess, purulent pericarditis, mycotic aneurysm 등의
  invasive infections (destructive tissue abscess)을 일으킬 수 있음 ⋯ 아시아 환태평양에서 호발
  - *** hvKP에 의한 CA-PLA** ; DM 환자에서 호발, 기저 간담도질환이 없는 경우가 많음,
    비교적 젊음, 눈(endophthalmitis)/폐/CNS 등으로 <u>원격전이</u> 잘함, 치료 어려움
- bacteremia ; 모든 부위의 감염에서 합병될 수 있음 (but, 다른 GNB처럼 endocarditis는 드묾)

- *** UTI** ; cKP는 uncomplicated UTI의 1~2%만 차지하지만, complicated UTI에서는 5~17% 차지
  (hvKP에 의한 UTI는 대개 ascending infection에 의한 renal or prostatic abscess로 나타남)

(4) 치료

- 보통 항생제감수성 결과를 보고 선택, 세계적으로 ESBL 및 CRE 증가로 문제
- ESBL (penicillin, cepha., aztreonam 등 대부분의 β-lactams에 내성)
  ⇨ carbapenem (e.g., imipenem)
- CRE (모든 β-lactams에 내성) ; AG 및 fluoroquinolone 내성 동반도 흔함, 치료 어려움
  ⇨ tigecycline, polymyxins (e.g., colistin), ceftazidime-avibactam 등
  ⇨ 심한 pan-resistant 감염은 병합요법 ; tigecycline + colistin + carbapenem 등

2. Enterobacter

- *E. cloacae* (65~75%), *E. aerogenes* (15~25%)가 대부분
  ↳ *Klebsiella aerogenes*로 이름이 바뀌었음
- 의료관련감염의 중요 원인균 (건강한 사람은 드물고, 장기간 입원할수록 colonization↑)
- 위험인자 ; 이전의 항생제 치료, 기저 질환, ICU 입원, 요양원
- 폐렴, UTI, catheter 감염, 상처부위감염, 복부감염 등을 일으킴
  (드물게 수술관련 sinusitis, meningitis, osteomyelitis, endophthalmitis 등도 유발 가능)
- Tx ; 항생제 내성 심함, 약 20%는 치료 도중에도 내성 발생 가능
  - 염색체성 AmpC β-lactamases (cephalosporinases) 생산 ; ampicillin, 1~3세대 cepha.는 내성
    → 4세대 cepha. (cefepime)는 효과적(but, ESBLs 동반시에는 내성 가능)
  ⇨ 대개 carbapenems, ceftazidime-avibactam, ceftolozane-tazobactam, amikacin, tigecycline
    등이 효과적 (but, 최근엔 CRE도 증가했으므로 감수성 결과에 따라 치료)

- * *Cronobacter sakazakii* (과거 *Enterobacter sakazakii*)
  - 신생아(특히 저체중)에서 bacteremia, enterocolitis, meningitis 유발 가능 → 사망률 매우 높음
    (최근에는 면역저하 노인에서의 감염도 보고)
  - 조제가루분유 (m/c 전파경로), 채소, 과일, 물, 조리도구, 환경 등에서 검출 가능
    ↳ 예방을 위해 70℃ 이상 뜨거운 물로 타고, 탄 분유의 보관은 냉장고에서 최소한으로만

3. Serratia

- *S. marcescens*가 대부분 (>90%)
  ↳ 많은 환경 분리균과 일부 인체 분리균이 배양시 red-pigmented colonies를 보임
- 환경에 흔히 존재하고, 주로 의료관련감염을 일으킴 (생존력이 강해 여러 의료기구에 오염 가능)
- 입원환자의 호흡기와 요도에 colonization 가능 (대개 normal GI flora는 아님)
- UTI, 폐렴, 상처부위감염, CABSI, SSTI, IAI 등을 일으키지만, 흔한 원인균은 아님
- Tx (AmpC β-lactamases, ESBLs, carbapenemases 등 항생제 내성 흔함)
  ⇨ 대개 carbapenems, ceftazidime-avibactam, ceftolozane-tazobactam, amikacin 등이 효과적

Proteus 감염

- *P. mirabilis* (~90%) ; indole (−), 특징적인 "swarming" motility (∵ 수백 개의 flagella 때문)
    - 그리스 신화에 나오는 변신술에 능한 바다의 신 Proteus에서 이름을 따옴
      (X-man 영화에서는 Proteus의 엄마인 Moira MacTaggert만 나온 적이 있음)
    - 사람의 normal colonic flora로 (50%에서), 여러 동물들에 널리 존재함
    - *P. mirabilis*와 *P. vulgaris*가 인체 감염의 대부분을 차지함
    * *P. vulgaris*$^{indole(+)}$, *P. penneri*$^{indole(-)}$ → 주로 기저질환자에서, 의료관련감염을 일으킴
- 다양한 의료관련감염/기회감염 or 지역사회획득감염을 일으킴
- UTI의 1~2% (complicated UTI는 10~15%)의 원인, 주로 catheterization과 관련
    - *Proteus*는 장기 catheterization 환자의 소변에서 분리되는 균의 20~45% 차지
    - <u>urease 생성 → urea를 ammonia로 분해 → 소변 알칼리화 (⋯ staghorn stone↑) 때문</u>
- 기타 ; 폐렴(주로 의료관련감염), 부비동염, 복강내감염, 담도감염, 수술부위감염, 연조직감염
      (특히 decubitus, diabetic ulcers), sepsis, 골수염, 신생아 수막염 등을 드물게 일으킬 수 있음
- Tx (항생제 내성 많음 ; *P. vulgaris*와 *P. penneri*가 더 심한 내성을 보임)
    ⇨ 대개 carbapenems, 4세대 cepha. (cefepime), ceftazidime-avibactam, ceftolozane-tazobactam,
      amikacin 등이 효과적

Citrobacter 감염

- *C. freundii*와 *C. koseri*가 인체 감염의 대부분을 차지함
    - carbon source로 citrate만을 사용해서 *Citrobacter*로 명명됨
    - 물, 토양, 음식, 일부 동물 등에 널리 존재, 일부 건강한 사람에서는 normal fecal flora
    - 임상역학적으로 *Enterobacter* 감염과 비슷함
- 병원/요양원 입원자는 colonization↑ → 거의 대부분 의료관련감염으로 발생
    - 의료관련감염의 1~2% 차지, 장내세균의 3~6% 차지
    - 위험인자 ; ICU 입원, 면역저하, 기저질환, 피부/점막 방어 손상
- UTI (m/c), 담관염(특히 담석 or 폐쇄시), 폐렴, 수술부위감염, 연조직감염(e.g., decubitus ulcers),
  sepsis, 복막염, CABSI 등을 일으킴 (드물게 골수염, CNS 감염, myositis 등)
- **neonatal meningitis** ; 50~80%에서 multiple brain abscesses 합병, 사망률 매우 높음
    - *Citrobacter, S. marcescens, P. mirabilis, Cronobacter sakazakii* 등이 abscess 동반 가능
    - 외국은 주로 *C. koseri*가 원인
- Tx (항생제 내성 많음)
    ⇨ 대개 carbapenems, amikacin, cefepime, tigecycline, ceftazidime-avibactam,
      ceftolozane-tazobactam, fosfomycin, colistin 등이 효과적

c.f.) 2017년 이대목동병원 신생아실 주사제의 *C. freundii* 오염에 의한 sepsis로 신생아 4명 사망 사건

MEMO

항생제 내성

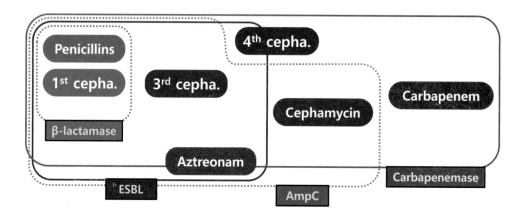

	Ambler class	Enzymes	Substrates	Clavulanic acid에 내성
Restricted-spectrum β-lactamases	A	TEM-1, TEM-2, SHV-1	Penicillins, 1세대 cepha.	−
Extended-spectrum β-lactamases (ESBL)	A	TEM-3, SHV-2, CTX-M	+ 3세대 이상 cepha., Aztreonam	−
AmpC β-lactamases (cephalosporinases)	C	AmpCs	+ Cephamycin (cefoxitin, cefotetan), Aztreonam	○
Carbapenemases	A	KPC GES, SME, IMI	All β-lactams, Aztreonam All β-lactams	−
	B	NDM, IMP, VIM	All β-lactams + ceftazidime-avibactam 등	○
	D	OXA-48, OXA-23, OXA-24/40, OXA-58 등	All β-lactams	○

1. Restricted-spectrum β-lactamases

- G(−)균의 m/c β-lactamase, 주로 plasmid로 매개됨(horizontal transmission → 여러 세균에 전파)
- 1961년 G(−)에도 작용하는 ampicillin을 개발했지만, 몇 달 뒤 TEM-1 β-lactamase를 가진
  E. coli가 등장하여 ampicillin에 내성을 보이게 됨, 현재는 E. coli의 40% 이상에서 존재
  (c.f., 최초의 β-lactamase는 1940년 E. coli에서 발견된 penicillinase → plasmid를 통해 S. aureus에 전파되었음)
- target ; aminopenicillin (e.g., ampicillin), carboxypenicillin (e.g., ticarcillin), 1세대 cepha.
- 종류
  ① TEM-1 (m/c), TEM-2 ; 다양한 Enterobacteriaceae, P. aeruginosa, H. influenzae,
     N. gonorrhoeae 등에 널리 퍼져있음 (c.f., TEM : 최초로 분리된 환자 이름이 Temoniera)
  ② SHV-1 (sulfhydryl variable) ; E. coli와 K. pneumoniae에서 흔함
- β-lactamase inhibitor (clavulanic acid)에 의해 억제됨

2. Extended-spectrum β-lactamases (ESBLs)

- 1980년대 초, 3세대 cepha.를 도입하자마자 oxyimino-cepha. (e.g., cefotaxime, ceftazidime, ceftriaxone)를 분해하는 SHV-2 ESBL이 발견됨, 그 뒤 TEM 유래 등 다양한 ESBL이 등장함 (plasmid로 매개되어 여러 세균들로 널리 전파되었음)
- target ; 위 + 광범위(3세대, 일부 4세대) cepha., monobactam (aztreonam)
  * cephamycin (cefoxitin, cefotetan)과 carbapenem (e.g., imipenem)은 분해 못 함
- G(-)균에만 존재 ; *K. pneumoniae*와 *E. coli*가 m/c, 다른 enteric GNB에서도 흔함
- ESBL의 종류
  ① TEM-derived β-lactamases ; TEM-3 등 220가지 이상 존재
  ② SHV-derived β-lactamases ; SHV-2 등 190가지 이상 존재, 주로 *K. pneumoniae*에서 발견
  ③ CTX-M derived ESBLs ; 160가지 이상 존재, *Salmonella*를 포함한 다양한 장내세균에서 발견
       ↳ cefotaxime을 더 잘 분해함 (일부는 ceftazidime을 더 잘 분해)
     - *Kluyvera* spp.의 유전자가 plasmid에 의해 전파되어 와 빠르게 확산, 현재 중요 ESBL이 됨
          e.g.) ST131 (O25:H4) *E. coli* : CTX-M-15, 미국/유럽에서 다제내성 *E. coli*로 중요
     - clavulanic acid보다 tazobactam에 의해 더 잘 억제됨
     - carbapenemase activity를 가지는 변이도 있음 (국내에 흔함)
  ④ OXA-derived β-lactamases ; 주로 터키/프랑스의 *P. aeruginosa*에서 발견됨 (e.g., OXA-48)
       ↳ oxacillin 계열을 잘 분해함
     - β-lactamase inhibitors에 의해 잘 억제되지 않음 → 내성
     - carbapenemase activity를 가지는 것도 많음 (→ 아래 CPE 참조)
- 대개는 β-lactamase inhibitor (clavulanic acid)에 의해 억제됨!
- ESBL 생성균 감염의 위험인자 ; 입원기간↑ (특히 ICU, 요양원), 광범위 cepha. 등의 항생제 남용, invasive procedures, catheters (arterial, central venous, urinary) 등
- 치료 ; carbapenem (e.g., imipenem, meropenem)이 m/g
  - carbapenem-sparing alternatives ; 감수성 있으면 piperacillin-tazobactam (+ amikacin), ceftazidime-avibactam, ceftolozane-tazobactam, tigecycline, eravacycline, plazomicin 등
  - oral alternatives (제한적) ; fosfomycin, nitrofurantoin, pivmecillinam 등

▶ CTX-M ESBL, AmpC 등에서는 porin mutations도 동반 가능
  - cepha. β-lactam/β-lactamase inhibitor, carbapenem 등의 세포막 투과성 저하 → MIC↑
  - fluoroquinolone, TMP-SMX, TC 등의 다른 내성유전자도 동반되는 경우 많음

3. AmpC β-lactamases (cephalosporinases)

- 염색체에 의해 매개(vertical transmission, 선천적)
  - 평상시는 억제되어 있다가 β-lactam 항생제에 노출되면 활성화됨 → 치료 도중 내성 발생 위험
      (β-lactam 항생제 노출이 중단되면 AmpC β-lactamases 생산도 다시 감소됨)
  - 예 ; *Enterobacter, Citrobacter freundii, Serratia, M. morganii, Providencia, P. aeruginosa* 등
- 2000년대 초부터 plasmid-mediated AmpC β-lactamase (PABL) 증가 (→ 내성 전파↑)
  - 예 ; *K. pneumoniae, E. coli, Salmonella, Proteus mirabilis* 등

- target ; 위 + cephamycin (cefoxitin, cefotetan), aztreonam
- old β-lactamase inhibitor (clavulanic acid)에 의해 억제되지 않음
- carbapenem과 4세대 cepha. (cefepime)는 잘 분해 못 함 (cefepime 분해 가능한 변이도 있음)
- 치료 ; carbapenem (m/g), ceftazidime-avibactam, ceftolozane-tazobactam 등
  - ESBL이 동반되지 않았으면 [MIC ≤1 μg/mL면] cefepime도 가능 (c.f., 최근에는 동반 多)
  - carbapenem-sparing alternatives ; 감수성 있으면 fluoroquinolones, piperacillin-tazobactam, new BL/BLIs, TMP-SMX, tigecycline, AG 등

4. Carbapenemases (CPE)

- ESBL 등장이후 ESBL 치료에 carbapenem을 많이 사용함에 따라 carbapenem 내성도 발생
- 2001년 carbapenem을 분해하는 KPC를 가진 *K. pneumoniae* 등장, 급격히 증가, m/c & m/i
- *K. pneumoniae*가 m/c (70~80%), 그 외 *E. coli* 등 다른 여러 enteric GNB에서도 존재
- carbapenemases의 종류
  ① KPC (*K. pneumoniae* carbapenemase) : Ambler class A (우리나라 m/c, 70%)
    - target ; 모든 penicllin & cepha. (cephamycin도 포함) + carbapenem, aztreonam
    - *E. coli, Citrobacter, Enterobacter, Salmonella, Serratia, P. aeruginosa* 등 G(-)에 널리 퍼짐
    - β-lactamase inhibitor (clavulanic acid)에 의해 억제됨
  ② metallo-β-lactamases (MBLs) : Ambler class B
    - target ; 모든 penicllin & cepha. (cephamycin도 포함) + carbapenem, ceftazidime-avibactam 등 [aztreonam은 제외]
    - β-lactamase inhibitors (clavulanate, sulbactam, tazobactam, avibactam)에 억제되지 않음
    (1) NDM (<u>N</u>ew <u>D</u>elhi <u>m</u>etallo-β-lactamase) ; *K. pneumoniae*외에도 여러 장내세균에 퍼짐
      ↳ NDM-1-producing *K. pneumoniae* : 2008년 인도에서 처음 발견된 뒤 전 세계로 전파됨
    (2) 기타 ; IMP (mipenem), VIM (Verona integron-encoded metallo-β-lactamase) 등등
  ③ OXA-type β-lactamases : Ambler class D
    - OXA-48 ; 장내세균(특히 *K. pneumoniae, E. coli, E. cloacae*)에 흔함
    - OXA-23, OXA-24/40, OXA-58 등은 주로 *A. baumannii*에 존재
    - target ; 모든 penicllin & cepha. (cephamycin도 포함) + carbapenem [aztreonam은 제외]
    - β-lactamase inhibitors (clavulanic acid, sulbactam, tazobactam)에 의해 억제되지 않음
- 주로 <u>plasmid</u>를 통해 여러 G(-)균으로 많이 전파되어 현재 병원에서 가장 큰 골칫거리
  - fluoroquinolones, TMP-SMX, TC, AG 등 다른 내성유전자와 함께 전파되는 경우가 흔함
  - 무증상 intestinal carrier에 의한 전파가 문제
- carbapenemases 없이 carbapenem 내성을 보이는 경우 (non-carbapenemase-producing[CP] CRE)
  - permeability↓, efflux↑, AmpC β-lactamase and/or ESBL 과다생성 등의 복합기전
  - 처음에는 non-CP CRE의 비중이 높았으나, 현재는 CPE가 대부분을 차지하며 유행중

* CRE 감염의 위험인자
  ① 1년 이내 CRE 환자와 접촉, CRE 집단 발생 지역 의료기관 방문
  ② CRE 발생 고위험군과 밀접 접촉
  ③ 장기간 입원

④ 중심정맥관이나 기계환기 같은 침습적 치료

⑤ 항생제 노출력

• 치료 (사용 가능한 항생제가 제한적이라 매우 어려움)

① polymyxins : 살균제, polymyxin B, polymyxin E (colistin)

- CRE에 대한 단일 요법으로는 가장 선호되지만, 최근엔 내성↑(e.g., *mcr-1* gene 등)

→ 대개 병합요법으로 사용함(+ meropenem, tigecycline, eravacycline 등)

- *Proteus, Serratia, Morganella, Providencia, Burkholderia* 등은 자연내성임

② tigecycline : 광범위 TC derivatives, 정균제, CRE의 약 10%는 내성을 보임

- 조직 투과도가 좋고 담즙에서 고농도라 SSTI와 복강내 감염에는 효과적이지만,

혈액 및 소변 내 농도가 낮아 sepsis/bacteremia, UTI 등에서는 효과 떨어지므로 주의

- *P. aeruginosa, Proteus, Morganella, Providencia* 등은 자연내성임!

* eravacycline : new TC (fluorocycline), 실험실에서는 tigecycline보다 2~4배 더 강력하지만

내성이 좀 있고 아직 data 부족, cIAI에 허가(FDA[2018])

* omadacycline : new TC (aminomethylcycline), 폐렴과 SSTI에 허가(FDA[2018])

③ fosfomycin : 살균제, 대개 병합요법으로 or cUTI에 사용

④ AGs (GM, plazomicin) ; 내개 병합요법으로 or cUTI에 사용

↳ 차세대 AG로 AG-modifying enzymes 분비 균에도 효과적

⑤ carbapenem : 병합요법에 중요하게 사용됨 (∵ 서로 다른 기전들의 항생제가 상승작용)

⑥ newer β-lactam/β-lactamase inhibitors (BL/BLI)

- ceftazidime-avibactam : metallo-β-lactamases (e.g., NDM) 생산 균에는 효과 없음

↳ ESBLs ~ KPC, OXA-48도 억제함 (NDM은 억제 못함)

- aztreonam-avibactam : metallo-β-lactamases (e.g., NDM) 생산 균에도 효과적

⋯▶ ceftazidime-avibactam + aztreonam 병합요법으로도 씀

- meropenem-vaborbactam : ESBLs ~ carbapenemase (only KPC)에 효과적

(*Acinetobacter*와 *Pseudomonas*에는 효과×)

- imipenem-cilastatin-relebactam : ESBLs ~ carbapenemase (only KPC)에 효과적

- ceftolozane-tazobactam (Zerbaxa®) : CRE 포함 다양한 다제내성 G(-)균에 효과적

↳ 5세대 cepha (ceftazidime의 개량형), AmpC에 대한 효과↑

- 연구중 ; cefepime-zidebactam, cefepime-enmetazobactam, sulbactam-durlobactam,

meropenem-nacubactam, ceftaroline-avibactam ...

⑦ 기타

- cefiderocol : new cepha.로 세포벽을 더 잘 통과하고 모든 β-lactamases에 저항성 강함,

CRE, MDR *P. aeruginosa*, MRAB 등 다제내성 G(-)균에 의한 cUTI에 허가(FDA[2019])

- murepavadin : 새로운 계열의 항생제로 MDR (CR 포함) *P. aeruginosa*에 효과적

KPC ⇨ ceftazidime-avibactam, meropenem-vaborbactam, imipenem-relebactam 등의 new BL/BLIs
Metallo-β-lactamases ⇨ polymyxin [colistin] + meropenem (or 위장관/폐 감염시에는 tigecycline)
심한 감염은 ⇨ polymyxin [colistin] + tigecycline + carbapenem [meropenem] ⋯ 현재 최선의 치료

* CRAB (*A. baumannii*) 및 CRPA (*P. aeruginosa*) → Ⅲ-5장 참조

* CRE의 전파 방지
- 주로 CRE 보균자/환자와의 직/간접 접촉, 오염된 기구/물품/환경을 통해 전파됨
- CRE의 대부분은 단순 보균자로 치료의 대상은 아님 (→ 약 15%가 감염으로 진행 위험)
- CRE (+) 입원 환자는 모두 격리가 원칙, 접촉주의, 손위생, 환경소독

5. 검사법

(1) ESBL phenotype 검사
- disk diffusion method (CLSI)
  - 선별 : cefpodoxime, ceftazidime, aztreonam, cefotaxime, ceftriaxone 중 1개 이상의 항균제에서 기준치 이하의 억제대 발생
  - 확진 : ceftazidime, cefotaxime에 대하여 항균제 단독 및 clavulanic acid 혼합 disk를 검사하여, clavulanic acid 혼합 disk의 억제대가 5 mm 이상 더 커짐
- double disk synergy test : β-lactamase inhibitor를 함유한 disk에서 억제대 더 커짐
- ESBL E-test : strip 한쪽은 β-lactam만, 다른 쪽은 β-lactam/β-lactamase inhibitor 함유
- 감수성검사 자동화장비(e.g., MicroScan, VITEK)

> 과거에는 ESBL 검사를 시행하여 양성 균주는 감수성시험 결과에 관계없이 모든 penicillin 계, cepha 계 (cephamycin 계는 제외) 및 aztreonam에 내성으로 보고하라고 하였으나,
>
> 2010년 CLSI에서 cepha. 일부, aztreonam, carbapenem의 감수성시험 결과 기준(breakpoint)을 낮추면서 감수성 보고를 위한 ESBL이나 carbapenemase 검출 검사는 필요 없다고 함
> (∵ 새로운 기준으로 ESBL, AmpC, carbapenemase를 포함한 중요 내성기전을 모두 검출 가능)
>
> - ESBL이나 carbapenemase 검사는 치료 목적으로는 필요 없고, 역학조사나 감염관리 목적으로 시행
> - but, 일부 감수성 기준과 실제 치료 효과와의 관련성 부족, 자동화장비 감수성검사의 낮은 정확도 등으로 인해 보통 carbapenemase 검사(e.g., MHT, carba NP)는 추가로 시행하는 편임

(2) CRE phenotype 검사
- CRE : 자동화장비, disk diffusion, microdilution 등에서 carbapenems 1개 이상에 내성인 경우 (doripenem, imipenem, meropenem의 MIC ≥4 μg/mL or ertapenem의 MIC ≥2 μg/mL)
- carbapenemase inhibition test (CIT) ; carbapenemase 억제제를 추가하여 class A, B 검출 가능
- modified hogde test (MHT) ; CRE 선별검사(sensitivity 높음 >95%), 하루 이상 소요, 판독이 주관적, carbapenemases 종류는 감별×, NDM은 sensitivity↓, porin 소실 동반시 위양성 가능
- carba NP test ; sensitivity & specificity 매우 높음(90~100%), 2~3시간 소요, 판독 쉬움
  - RAPIDEC® CARBA NP (bioMérieux)로 kit화 되어 많이 사용됨
  - carba NP II test는 class A, B, D도 감별 가능

(3) CPE (carbapenemases) 검사
- multiplex PCR ; Allplex™ Entero-DR (씨젠) 등 많은 상용화된 검사 kit가 있음
  ↳ KPC, NDM, VIM, IMP, OXA-48, CTX-M, VanA, VanB를 한번에 검출
  - 빠르고 정확하지만, 몇 가지 흔한 carbapenemases 유전자만 검출 가능
  - Xpert® Carba-R, BD-MAX™ CPO (carbapenemase-producing organisms) 등의 신속진단 유전자검사가 많이 사용됨 (매우 빠르고 간편함)
  ⇨ stool or rectal swab으로 바로 검사를 시행하므로, 배양이 필요한 다른 검사들보다 훨씬 빠름

- 기타 분자유전검사 ; sequencing, DNA microarrays, Luminex® VERIGENE™ BC-GN 등
- MALDI-TOF MS based carbapenem degradation assay ; carbapenem 분해 산물을 검출
 (빠르고 저렴하지만, carbapenemases의 종류는 감별할 수 없음)
- multiplex immunochromatographic lateral flow test (ICT) ; POCT로 매우 빠르고 간편함
 예) RESIST-5 O.K.N.V. (CorisBioconcept) : 5가지의 carbapenemases 검출 가능

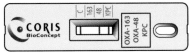 

2
Salmonellosis

개요

- *Salmonella enterica* : non-spore-forming, gram-negative bacilli (family *Enterobacteriaceae*)
  - DNA에 의한 분류 ; 2개의 종(species), 6개의 아종(subspecies)
  - Serotypes ; somatic (O), flagellar (H), capsular (Vi) Ag에 따라 >2500개의 serotypes으로 분류

Species	Subspecies		흔한 Serotypes (serovars)	
S. enterica	*enterica* (I)	Typhoidal *Salmonella*	Typhoid fever ; **Typhi** Paratyphoid fever ; **Paratyphi A, B, C**	
		Non −Typhoidal *Salmonella* (NTS)	**위장관염**	Self−limiting (non−invasive) ; **Typhimurium, Enteritidis** 외 1500개 이상의 serotypes Bacteremia (invasive) ; Typhimurium, Enteritidis, Dublin, Virchow, Heidelberg
			장관외 감염	Focal infection ; Choleraesuis, Typhisuis, Typhimurium, Enteritidis, Dublin Bacteremia ; holeraesuis, Typhisuis, Typhimurium, Enteritidis, Dublin, Virchow, Heidelberg 등
	salamae (II) *arizonae* (III a) *diarizonae* (III b) *houtenae* (IV) *indica* (V)	Non−*enterica* subspecies	냉혈동물 및 환경에 주로 존재 (매우 드물게 기저질환자, 면역저하자, 소아 등에서 감염 가능)	
S. bongori			냉혈동물 및 환경에 주로 존재	

- 실제로는 *S. enterica* subspecies *enterica* serotype Typhi 등을 간단히 *S.* Typhi 등으로 부름
- 다른 *Enterobacteriaceae*처럼 glucose fermentation^{발효} (+), oxidase (−), nitrate를 nitrite로 환원
  - lactose 발효(+) ; *E. coli, K. pneumoniae, Enterobacter* 등 (→ MacConkey agar에서 분홍색)
  - lactose 발효(−) ; *Salmonella, Shigella, Proteus* 등 (→ MacConkey agar에서는 흰색/무색 군집)
- 사람에 병을 일으키는 것은 대부분 *S. enterica* subspecies *enterica* (>200개의 serotypes 有)
  - Typhoidal *Salmonella* (*S.* Typhi, *S.* Paratyphi) ; 사람만이 숙주임
    → enteric (typhoid, paratyphoid) fever를 일으킴
    (c.f., Paratyphi A, B는 사람에게만 병을 일으키고 Paratyphi C는 사람 & 동물 모두)
  - 나머지 serotypes (Non-Typhoidal *Salmonella*, NTS) ; 포유류, 파충류, 조류, 곤충 등 여러 동물의 위장관에 colonization 가능 → 사람에서 위장염, 국소감염, 균혈증 등을 일으킴

창자열(Enteric fever)
= 장티푸스(typhoid fever)/파라티푸스(paratyphoid fever)

1. 원인

- *S.* Typhi (장티푸스), *S.* Paratyphi (파라티푸스) 감염에 의한 bacteremia를 동반한 <u>전신적인</u> 질병 ("enteric fever"라고도 부름)
- 대개 보균자의 대변/소변(→손)에 오염된 물, 음식 등을 통해 전파됨 (수인성)
  - 체외에서 장시간 생존가능 : 대변(60시간), 물(5~15일), 얼음(3개월), 아이스크림(2년), 육류(8주)
  - 사람에게만 병을 일으킴!
- 불현성 감염이 가능하며 (10~15%), 불현성 감염 후에는 만성 보균자(chronic carrier)도 가능
  - 만성 보균자는 보통 50세 이상, 여성에 많고, gallstones 동반이 흔함
    (e.g., 1900년대 초 미국의 "Typhoid Mary" 사건: 보균자인 요리사에 의해 51명 감염, 3명 사망)
    ↳ 미드 The Knick 시즌1 6화에 나옴 (더불어.. 의대생에게 가장 추천하는 미드는 "ER")
  - *S.* Typhi는 bile 내에 살다가 대변으로 배설됨
- 우리나라 : 상하수도의 발달로 옛날에 비해 크게 감소, 5~10월에 호발
  - 매년 장티푸스 약 100~300명, 파라티푸스 약 30~100명 발생
  - 동남아, 인도, 아프리카, 중남미 등 유행지역 여행에 의한 해외유입이 더 많음
- 제2급 법정감염병이므로 24시간 이내에 보건소에 신고해야 함

2. 병인

- 균 섭취 (위산에도 일부 생존) → 소장 점막을 침입 & 통과 (monocytes/macrophages 침윤)
  → Peyer's patch와 mesenteric LNs의 macrophages에 탐식된 뒤 증식 → 림프관과 혈류를 통해 전신으로 퍼짐(bacteremia) → RES (간, 비장, LN, BM)에 정착 ⋯ 잠복기 (증상이 없거나 경미함)
- RES의 macrophages 내에서 증식↑ → cytokines 분비↑ → enteric fever의 전신 증상 유발
- GB & Peyer's patch 내의 균 증식↑ → 균이 장관 내로 reentry → 대변으로 배설 (2주째 시작)

* 감염 위험↑ ; 위산↓(제산제, 무산증), IBD, 위장관 수술, 장기능↓, 항생제투여로 인한 상재균↓

3. 임상양상

- 잠복기 : 5~21일 (보통 10~14일) ⋯ 균의 양과 숙주의 면역에 따라 다양
- <u>고열</u> (>75%) : 가장 특징적, 3~4일간 step-like increase (38.8~40.5℃)
  → prolonged persistent fever가 특징, 치료 안 하면 4~8주 지속 가능
- 두통(80%), 식욕감퇴(55%), 오한(35~45%), 기침(30%), 근육통(20%), 쇠약감(10%) 등
- 초기 GI 증상 ; 복통(30~40%), 설사(22~28%, 주로 소아, HIV 감염자), 변비(13~16%, 주로 성인), 구토(18%), 복부팽만감 등
- "<u>rose spot</u>" : small (1~5 mm), pale red, blanching, slightly raised, nontender papules
  (복부와 흉부에서, 누르면 소실, 1~2주째에 발생 & 2~5일 뒤 소실, 항생제 사용으로 매우 드묾)

- P/Ex ; 설태(51~56%), mild hepatosplenomegaly (5~6%), 복부압통(4~5%)
  - relative bradycardia (fever에 비해) ; clinical clue이지만 일부에서만 발생

	Sx.	Signs	Pathology
1주	발열, 오한, 두통	복부 압통	Bacteremia (90%)
2주	발진, 복통, 설사/변비, delirium, prostration	Rose spots, 간/비장 비대	피부의 mononuclear cell vasculitis, Ileal Peyer's patches의 hyperplasia, 간/비장의 typhoid nodules
3주	장 출혈 & 천공, shock	흑색변, 장폐색, 복부경직, 혼수	Peyer's patches의 궤양 → 천공, 복막염
4주 이후	증상소실 or 재발	체중감소	담낭염, 만성 보균자

* 파라티푸스는 장티푸스에 비해 증상이 경미하고 경과도 양호하지만, 증상으로 구별은 어려움

4. 경과/합병증

(1) GI bleeding (10~20%) & intestinal perforation (1~3%) - m/i
- 복통↑, 복부팽만, 압통, 반동 압통, 장음 감소, BP↓, pulse↑ ...
- 3~4주경에 호발, 균의 첫 증식 장소인 ileocecal Peyer's patches의 괴사로 발생
- 생명을 위협하는 중대한 합병증으로 즉시 치료 필요

(2) 신경 합병증 (2~40%) ; meningitis, Guillain-Barré, neuritis, 신경정신증상(e.g., 섬망) ...

(3) 기타 ; DIC, hematophagocytic syndrome, 췌장염, 간/비장 농양/육아종, 심내막염, 심낭염, 심근염, 고환염, 골수염, 폐렴, 간염, glomerulonephritis, PN, HUS, endophthalmitis, parotitis ...

(4) 만성 무증상 보균자 (1~5%)
- 1년 이상 소변/대변으로 균 배출 (bacteremia는 없음)
- 발생↑ ; 여성, 소아, 담도계 이상(e.g., 담석, 담낭암), 위장관 악성종양

(5) 재발 : 치료 끝나고 대개 1~2주 후 발생 (5~10%에서 1달 이내 재발), 증상이 경미하고 기간도 짧음, bacteremia 존재
- 항생제 조기 사용시엔 10~20%로 증가 (∵ 적절한 면역반응을 방해)
- 초기 치료와 동일하게 치료

5. 진단

- 전형적인 임상양상 : rose spot, prolonged high fever, relative bradycardia, leukopenia
- 25%에서 leukopenia with neutropenia, relative lymphocytosis (대부분은 WBC 정상), ALT↑

(1) Widal test (Ab detection)
- somatic (O, LPS), flagellar (H) Ag에 대한 agglutinating Ab (5주에 최고치)
  - O 항체 (m/i) : >1:160 (법정감염병 진단기준에는 ≥1:320)
  - H 항체 : ≥1:320 ··· O 항체보다 더 진단적
  - S. Paratyphi의 O Ag에 대한 항체 ; para-A, para-B : ≥1:160

- 단일 검사시 titer가 위 기준 이상이거나, 연속검사로 titer 증가 (더 진단적) 확인
- sensitivity 및 specificity가 매우 나빠 진단적 가치는 떨어짐 (선진국은 거의 시행 안함)
  (∵ NTS 및 다른 장내세균도 양성 가능, 항생제 투여시 titer가 증가하지 않을 수 있음)

(2) 기타 면역검사(serology)

- outer membrane protein (OMP), Vi, or O9 등에 대한 항체를 검출하는 여러 RDT (rapid diagnostic test, POCT), ELISA 등 ; Widal보다는 좀 더 정확하지만, 실제 활용에는 아직 부족함
- 소변 등에서 surface Ag 검출법 (monoclonal Ab 사용) ; 역시 정확도는 부족함
- anti-HlyE (hemolysin E) Ab, anti-CdtB Ab ; 연구 중, 좀 더 좋을 것 같음

(3) 분자유전검사(NAAT)

- *S.* Typhi 및 *S.* Paratyphi의 여러 genes에 대한 PCR 등 ; 이론상 sensitivity & specificity 최고
- 검체에 따라 sensitivity가 문제될 수 있고, 유행지역(대개 후진국)에서는 사용하기 곤란하고 항생제감수성은 알 수 없기 때문에 culture 검사를 대치하기는 어려움

(4) *S.* Typhi의 배양/동정(culture) … 확진!

: 배양에 시간이 걸리고 sensitivity가 부족할 수는 있으나, 항생제감수성 검사 때문에 필수!

① blood : <u>1주</u> (70~80% 양성률) → 3주 (40~50%), 시간이 지나거나 항생제 사용시 양성률↓
② urine : 2주 째에 균 분리 잘됨 (stool과 비슷)
③ stool : 1주 (10~15%), 치료 안하면 <u>3주</u> (75%), 8주 (10%), 1년 뒤 (3~5%)
④ <u>BM</u> : 양성률 높음 (70~90%), 항생제 사용 후에도 검출됨!
⑤ <u>intestinal secretion</u> : BM보다 양성률 좀 더 높음, 발열 기간이나 항생제 사용 여부와 관련×
    ↳ duodenal string test로 채취 (끈 달린 gelatin 캡슐을 삼킨 후 몇 시간 뒤 빼냄, 간단 & 비침습적)
⑥ rose spots (punch-biopsy) : 양성률 63%, 항생제 사용 후에도 검출 가능

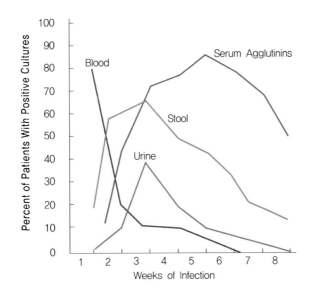

6. 치료

(1) 항생제

- MDR (multi-drug resistant) *S.* Typhi의 증가로 chloramphenicol, ampicillin, TMP-SMX, streptomycin, sulfonamide, TC 등은 모두 내성 (1,2세대 cepha, AG도 임상적으로는 효과 없음)
- 경험적 치료 ; <u>ceftriaxone</u> IV or oral azithromycin
  (severe typhoid fever는 합병증 예방을 위해 즉시 주사제로 치료 시작)
- fluoroquinolones (17세 이상) : <u>ciprofloxacin</u> (oral DOC), ofloxacin IV
  - 감수성이 좋게 나오는 경우에는 fluoroquinolones이 m/g (but, 내성률 크게 증가해 제한적)
  - nalidixic acid (1세대 quinolone) 내성은 quinolones 내성을 잘 반영 못하므로 검사 권장×
- fluoroquinolones 내성이면 → azithromycin (oral)
- MDR *S.* Typhi → 3세대 cepha. (ceftriaxone or cefotaxime IV) or azithromycin (oral)
- extensively drug-resistant[XDR] *S.* Typhi (특히 파키스탄) : fluoroquinolone 및 3th cepha.도 내성
  → meropenem IV

(2) high-dose dexamethasone IV

- Ix : <u>severe typhoid fever</u>, CNS 증상, DIC, shock, delirium, coma
- 신속한 해열 및 전신증상의 호전을 보이고, 사망률을 감소시킴!
- 다른 합병증을 증가시키지는 않지만, intestinal perforation 증상을 차폐 가능 → ~2일만 사용

(3) Bowel perforation의 치료

- 즉시 수술(e.g., wedge or segmental resection) & 복막염에 대한 광범위 항생제
- perforation 후 오래된 경우 → 수술 곤란 → 수액/항생제 단독치료 고려

(4) 대증요법

- 충분한 수액 공급, 장관방역(enteric precaution)
- fevers & malaise ⇨ 일반적인 antipyretics (e.g., ibuprofen)로 치료
  (salicylates는 위장관출혈 위험 때문에 금기)
- 식사는 큰 제한 없음 (설사를 유발하거나 섬유질 많은 음식은 피할 것)

(5) 만성 보균자의 치료

- 1년 이상 대변에서 균이 나오는 경우 (특히 <u>gallstones</u> 동반시)
- (감수성이 있으면) fluoroquinolone으로 4~6주간 투여 → 제거율 ~80%
- fluoroquinolone 내성이면 high-dose amoxicillin, TMP-SMX + rifampin 등 (명확하지 않음)
- 구조적 이상(e.g., biliary or kidney stones) 동반시에는 항생제만으로는 박멸이 안되고
  수술적 교정 필요(e.g., cholecystectomy)

7. 예방

- 감염원의 규명과 감염경로를 파악하여 전파를 차단하고 조절하는 것이 중요
- 환경 위생의 개선 (상하수도 포함)
- 보균자에 의한 음식물 조리시 주의, 보균자의 배설물 처리가 특히 중요

- 예방접종 : 유행지역(e.g., 인도, 동남아시아, 아프리카, 남미) 여행자, 보균자와 밀접 접촉, 대유행, 실험실 근무자 등에 권장 … 예상 노출일로부터 최소 2주 이전에 접종을 완료해야 됨
  ① Ty21a (live attenuated *S.* Typhi) ; 약독화 경구용 생백신, 3~4회 복용, 5세 이상
  ② Vi CPS (purified capsular polysaccharide vaccine)^{다당류백신} ; 1회 주사, 2세 이상
  ③ 단백결합(conjugated) 다당류백신 : Vi Ag에 여러 운반 단백을 결합한 것
    (1) Vi-TCV (typhoid conjugate vaccine) ; 1회 주사, 6개월 이상 (2018년 WHO 승인)
    (2) Vi-rEPA (recombinant exoprotein A of *Pseudomonas aeruginosa*)
        ; 2회 주사, 2~5세에서 특히 효과적이었지만, 여러 논란으로 아직 WHO 승인×

Nontyphoidal *Salmonella* (NTS)

1. 원인

- *S.* Typhi, *S.* Paratyphi 이외의 *Salmonella enterica* 모든 serotypes에 의한 감염
- 전 세계적으로 식품매개질병(food borne dz.^{FBD}/diarrhea, 식중독)의 매우 중요한 원인
  - 우리나라 ; 매년 1~2천 건 발생 (*Salmonella* 감염의 90% 이상), 식중독의 흔한 원인(1~3위)
- 흔한 serotypes ; *S.* Enteritidis와 *S.* Typhimurium이 전계적으로 m/c (우리나라도 몇 년 전까지)
  - 최근 우리나라는 매년 다양해짐 ; Thompson, Montevideo, Braenderup, Enteritidis 등
  - 미국 ; typhoid fever는 크게 감소된 대신, NTS는 꾸준히 증가되어 오다가 최근 크게 증가
            (Enteritidis, Typhimurium, Newport, Javiana, Heidelberg 등이 흔한 serotypes)
- 감염경로 … 감염된 가축/가금류가 사람의 주요 감염원 (outbreak or sporadic하게 발생)
  - 덜 익은 계란/고기, 우유/유제품, 동물 배설물에 오염된 농산물 등 … 여름에 호발
  - 균에 오염된 요리사, 조리환경, 식수를 통해서도 감염됨
  - 냉동 또는 건조된 식품 내에서도 균 생존 가능 → 선진국에서 더욱 문제
  - 일부는 파충류 등 애완동물과의 접촉에 의해서도 감염됨 (more severe, 유아에서 더 흔함)
- 우리나라 ; 닭고기(수입 포함), 케이크, 계란, 조리식품, 생선 등이 흔한 원인
- 열에 약하므로 74℃ 이상으로 1분 이상 가열하면 불활성화됨
- 항생제 내성도 꾸준히 증가 추세
  - 미국 (2014년) ; ciprofloxacin 4.3%, ceftriaxone 2.4% 내성 (AmpC β-lactamases)
  - 가축 사육시 항생제(e.g., ceftiofur)의 광범위한 사용으로 내성균↑

2. 임상양상

(1) Gastroenteritis/식중독 (m/c)

- 발병에 비교적 대량의 균 필요 … 대개 미리 증식이 일어난 후 감염됨
- typhoid fever (monocytes)와 달리 장점막에는 주로 neutrophils이 침윤됨(→ 설사 유발)
- 잠복기: 8~72시간 (대개 1~2일)
- 다른 병원균의 gastroenteritis와 비슷한 양상 ; N/V, 설사, 복통, 발열 (가끔 dysentery와 유사)

→ 확진은 stool culture
- 대개 다른 병원균보다 gastroenteritis 심함
- acute NTS gastroenteritis 앓고 나면 1년 뒤 dyspepsia와 IBS 발생 3배 증가

Severe NTS gastroenteritis (invasive NTS)의 위험인자
영유아, 고령
면역 저하 ; 암, 면역억제제, AIDS 등
탐식기능 저하 ; 혈색소질환, 만성육아종성질환, Malaria, Histoplasmosis, Schistosomiasis
위 산도 저하 ; 제산제, 위산분비억제제, 무산증
장기능 저하, IBD, 위장관 수술, 항생제투여로 인한 상재균↓ 등

(2) Localization of systemic infections (focal infection)
- endocarditis (드물다) ; destructive cardiac lesions (e.g., valve perforation)
- arterial infection ; 보통 arteriosclerotic infrarenal aortic aneurysms에서 발생
- IAI (담낭염, 비장 농양), 폐렴, meningitis (사망률 높음), UTI, septic arthritis, osteomyelitis 등

(3) Bacteremia & sepsis (<5%)
- prolonged fever with positive blood culture
- 전형적인 장티푸스 소견 (rose spot, relative bradycardia, leukopenia)은 드물며,
  대개 more acute onset, high mortality

3. 치료

(1) Gastroenteritis : <u>self-limited</u>, 대증적 치료!
- 수분 보충 및 전해질 교정이 치료의 중심
- 대개는 항생제 권장✕ (∵ 경과를 단축시키지 못하고, 오히려 재발 및 무증상 보균 기간 증가)
- 항생제 치료를 고려해야 할 경우 (severe/invasive infection의 위험이 높을 때)
  ① high/persistent fever, 심한 설사(장운동↑), 입원 필요
  ② 영유아(~12개월), 50세 이상
  ③ 면역저하 ; 장기이식, AIDS, 혈액종양, sickle cell dz.
  ④ 심장/혈관/혈관내 이상 or 심한 관절질환, 인공관절

(2) 항생제
- 경험적 치료 ⇨ fluoroquinolones (e.g., ciprofloxacin, levofloxacin)$^{m/g}$ 2~3일
- severe gastroenteritis ⇨ fluoroquinolones, 3세대 cepha. (e.g., ceftriaxone, cefotaxime),
  azithromycin, TMP-SMX, or amoxicillin 3~7일 (면역저하자는 7~14일)
- bacteremia ⇨ 3세대 cepha. or fluoroquinolones 7~14일
- endovascular infection or endocarditis ⇨ 3세대 cepha., fluoroquinolones, or ampicillin 6주
  (대개 감염 부위의 surgical resection도 필요 → 불가능하면 평생 항생제 억제 요법 시행)
  - 기타 focal infections ⇨ 〃 2~4주
  - meningitis ⇨ 〃 2~3주

* typhoid fever와는 달리 (건강한 성인은) 만성 무증상 보균자는 드묾
  (고령, 담석 등 담도질환시에는 증가)

4. 예방

- 균이 자연계에 널리 분포하므로 예방이 힘들다
- 환경 및 개인 위생이 중요함
- 식품 중의 균 증식 방지 → 가열 조리 (60℃에서 20분 or 74℃에서 1분 이상이면 균 사멸)
- 생식 및 불완전한 조리를 한 계란을 피할 것 (특히 면역저하자)
- 효과적인 vaccine의 개발은 어려움 (∵ 매우 많은 serotypes)
  c.f.) 후진국에서 invasive NTS를 예방하기 위한 Enteritidis와 Typhimurium에 대한 백신은 개발 중
    – 아프리카와 남아시아에서는 매년 NTS로 60만명 이상 사망
    – GMMA (Generalized Modules for Membrane Antigens)^{항원막일반화모듈} 기술로 연구 중
      ; 저렴하게 대량으로 쉽게 *Salmonella* LPS O Ag을 제조 가능, 효과도 우수함

3
Shigellosis

개요

- *Shigella*에 의한 acute infectious colitis, 흔히 "bacillary dysentery"로 불림
- *Shigella* : slender, gram-negative bacilli (미생물학적으로 *E. coli*와 매우 비슷)
- 4 species
  ① *S. dysenteriae* - 후진국의 주 type, 가장 severe
  ② *S. flexneri* - 개도국의 주 type
  ③ *S. boydii*
  ④ *S. sonnei* - 선진국의 주 type (우리나라도 90% 이상), 가장 mild
- 감염균의 추이 : *S. dysenteriae* → *S. flexneri* → *S. sonnei*
- 장기간의 무증상 보균자는 드물고, 대개 몇 주 이내에 균 소실
- 제2급 법정감염병 (매년 약 1~2천명 발했다가, 2000년대 이후 감소하여 요즘엔 약 100~200명)
  - 40~80%는 해외에서 감염된 것으로 해외유입 비율이 크게 증가 (*S. sonnei*가 m/c)
  - 과거에는 주로 여름에 발생했었지만, 현재는 해외여행이 많은 겨울 및 여름 방학기간에 호발
- 전 세계적으로 (주로 위생이 불량한 후진국에서) 아직 많은 사망자 발생 (주로 소아에서)

병태생리

- 자연계의 병원소는 사람 (드물게 영장류에서도 유행 가능), 환경에서 잘 생존 못함
- 매우 낮은 infective dose (10~100 CFU) → 손에 묻은 균만으로 감염 가능 (성관계로도 가능)
- 위생이 불량한 곳과 인구밀집 지역에서 사람간 전파 증가(fecal-oral route) : 주로 직접 접촉에
  의해 전파되나, 가끔 오염된 음식/물/파리/fomites에 의해서도 전파됨 (수질 개선해도 크게 감소×)
- 다른 장내세균에 비해 위산에 resistant (low pH에서 잘 생존) → 감염 유발이 쉬움
- colonic epithelial cells invasion → 세포내 증식, cell-to-cell spread (→ host defense를 피할 수)
- 내시경상 특징적인 다발성 궤양 (심한 부위는 pseudomembrane과 비슷)
  ; distal colon에 m/c, 초기엔 rectosigmoid → 점차 proximal로 퍼짐
- Shiga toxin - *S. dysenteriae* type 1만 생성
  ; endothelial cells을 침범하여 더 심한 질환을 일으킴 → fluid loss & systemic Sx
    (신장으로 전파되어 HUS 유발 위험) ⋯ 주로 개도국에서 (↔ EHEC는 주로 선진국에서)

■ 임상양상

* 균을 섭취했을 때 → 1/4은 정상, 1/4에선 transient fever, 1/4에선 fever & self-limited watery
　　diarrhea, 1/4에선 fever & bloody diarrhea와 dysentery로 진행하는 watery diarrhea 발생
* 잠복기 : 대개 1~4일 (12시간 ~ 8일)

(1) Dysentery 형 (세균성 이질)
- severe dysentery는 주로 *S. dysenteriae* type 1 or *S. flexneri*에 의해 발생
- 잦은 (10~30회/day) 소량의 설사(수양성 → <u>점액 및 혈변</u>), 복통, 고열(소아는 ~40-41℃까지도),
  <u>tenesmus</u> (배변시 painful straining with stooling → 특히 소아에선 rectal prolapse도 발생 가능)
- 다른 세균성 설사들과 달리 탈수(dehydration)는 심하지 않음
- endoscopy : hemorrhagic mucosa, mucous discharge, focal ulcerations
  　　(대부분의 병변은 distal colon에 보이며, proximal로 갈수록 점차 감소)

(2) Cholera 형
: cholera와 유사 - 갑작스런 심한 설사 (심한 탈수 및 전해질 이상 초래)

(3) Diarrhea 형 (m/c)
- 단순한 설사가 주요 증상 (enterotoxin에 기인)
- 대개 *S. sonnei* or *S. boydii*에 의함

(4) 장관 합병증
- colonic toxic dilatation (**toxic megacolon**), perforation ; 1~3%로 드물지만 치명적
  - 주로 *S. dysenteriae* type 1 or *S. flexneri*에 의해 발생, 영유아 or 심한 영양실조시 위험
  - Shiga toxin이 아니라, 심한 염증에 의한 pancolitis에 의해 발생
- proctitis, rectal prolapse, intestinal obstruction ...

(5) 장관외(전신) 합병증 : 드묾
- dehydration ; 대개 mild, 심한 경우는 드묾(2%), 신부전 및 사망 위험
- bacteremia ; 드묾(0~7%), 대부분 5세 이하에서 발생, 사망↑(특히 어리고, 영양실조일수록)
- HUS ; Shiga toxin을 생성하는 *S. dysenteriae* type 1에 의해 발생
  - 수일간의 설사 이후 회복기(1주 말경)에 발생 ; TMA, AKI, ~10%에서는 신경증상도
  - 항생제 사용시 HUS 발생 위험 감소 가능 (↔ STEC/EHEC와 차이)
- 신경증상(e.g., seizures, delirium, coma) ; 주로 *S. flexneri*에 의해 발생, 5세 이하에서
- 드물게 폐렴, 뇌막염, 질염, 결막염 등도 발생 가능
- reactive arthritis (postinfectious immunologic Cx) ; sterile inflammatory arthritis
  - *S. flexneri* 감염 시에만, 수주 ~ 수개월 뒤 1~3%에서 발생 (항생제 치료와 관계없이)
  - 70%는 HLA-B27 (+), Reiter's syndrome도 발생 가능
  c.f.) 기타 reactive arthritis의 원인균 ; *Campylobacter jejuni*, *Salmonella enteritidis*,
  　　　　Salmonella typhimurium, *Yersinia enterocolitica*, *Yersinia pseudotuberculosis* 등

* 사망위험↑ ; nonbloody diarrhea, 심한 탈수, bacteremia, 발열 無, 복부 압통, rectal prolapse 등

진단 및 검사소견

- bloody diarrhea를 보이는 경우 반드시 의심해야 함 … 유행지역 여행력이 중요
  (but, 선진국에선 fever & non-bloody diarrhea가 많음 : *S. sonnei*)
- 확진 : stool or rectal swab culture (∵ *Shigella*는 잘 죽으므로 적절한 배지에 빨리 접종해야 됨!)
  - 위음성 많음 (∵ 검체 채취 부족, 처리 지연, 적절한 배지에 접종×, 항생제 사용)
  - 가능한 빨리 채취해야 좋음, bloody and/or mucopurulent stool에서 양성률 높음
  - high-selective media ; Hektoen, *Salmonella-Shigella* (SS), xylose-lysine-deoxycholate (XLD)
  - low-selective media ; MacConkey or eosin-methylene blue (EMB) agar 등
- 분자유전검사 … multiplex PCR로 요즘 많이 시행 (e.g., BD-MAX®, Seegene®, Filmarray®)
  ; *ipa*H, *vir*F 등 검출 … but, EIEC와 많이 겹치므로 배양/생화학검사도 필요
    (↳ invasion plasmid antigen H)
- serologic typing : 일반적으로는 시행×, 주로 역학조사 용으로 특수기관에서 사용

* D/Dx ; STEC/EHEC, EIEC, *Salmonella, Campylobacter jejuni, C. difficile, Yersinia enterocolitica, Entamoeba histolytica*, IBD (CD, UC) …

치료

- 항생제 (organism & severity에 따라 사용)
  - *S. sonnei* : 대개 self-limited (평균 7일 뒤 회복) → 증상 호전되면 항생제 필요 없음
  - 혈성 설사나 dysentery 같은 심한 경우 → 항생제 치료시 증상 호전 및 균배출 기간 단축!
  - fluoroquinolones (e.g., ciprofloxacin, levofloxacin) ; 모든 strains에 매우 효과적,
    최근에는 내성 약간 증가 (2.5~5%), 17세 미만 소아는 금기
  - 2nd-line drugs ; ceftriaxone (IV/IM), cefixime (oral), azithromycin, pivmecillinam,
    TMP-SMX, ampicillin 등 → 가능하면 항생제 감수성 검사 시행 후 선택
    (c.f., nalidixic acid : 과거 *S. dysenteriae* type 1 감염의 DOC였으나, 내성 증가로 안씀)
  - sulfonamides, streptomycin, chloramphenicol, tetracyclines, ampicillin, TMP-SMX 등에는
    내성, amoxicillin은 효과 없음
- 보균자는 항생제 치료 필요 없음 (대개 수주 후 자연소실) → 요식업 종사자는 치료!
- mild~moderate dehydration → oral rehydration solutions
- antimotility agents : 논란은 있지만 사용× 권장, 특히 bloody diarrhea or dysentery시에는
    (∵ 균 배출을 지연 → mucosal invasion 더 촉진 → severity↑ & megacolon, HUS 등 Cx↑)
- 식사 : initial rehydration이 완료되면 가능한 빨리 시작 (안전하고 회복에도 도움)

예방

- 환경과 개인 위생의 개선 → direct-contact transmission 예방
- 서양에서 종종 남자 동성애자들 사이에서 유행 (∵ 항문 → ? → 입) → 콘돔 사용!
- 아직 효과적인 vaccine은 없음

c.f.) 상용화된 multiplex PCR 위장관염(설사) 검사 예

⊘ Seegene

Allplex™ GI-Bacteria(II) Assay	Allplex™ GI-Bacteria(I) Assay
· EAEC[1] (aggR)	· Aeromonas spp. (Aer)
· EPEC[2] (eaeA)	· Campylobacter spp. (Cam)
· Escherichia coli O157 (E. coli O157)	· Clostridium difficile toxin B (CdB)
· ETEC[3] (lt/st)	· Salmonella spp. (Sal)
· Hypervirulent Clostridium difficile (CD hyper)	· Shigella spp./EIEC[5] (Sh/EI)
· STEC[4] (stx1/2)	· Vibrio spp. (Vib)
	· Yersinia enterocolitica (Yer)

Allplex™ GI-Parasite Assay	Allplex™ GI-Virus Assay
· Blastocystis hominis (BH)	· Adenovirus (AdV)
· Cryptosporidium spp. (CR)	· Astrovirus (AstV)
· Cyclospora cayetanensis (CC)	· Norovirus GI (NoV-GI)
· Dientamoeba fragilis (DF)	· Norovirus GII (NoV-GII)
· Entamoeba histolytica (EH)	· Rotavirus (RotV)
· Giardia lamblia (GL)	· Sapovirus (SV)

Enteric Bacterial Panel		Extended Enteric Bacterial Panel	BD MAX™ Enteric Viral Panel
Salmonella spp.		Yersinia enterocolitica	
Shigella spp.	➕	Enterotoxigenic E. coli (ETEC)	1. Norovirus GI & GII
Campylobacter spp. (C. jejuni and C. coli)		Plesiomonas shigelloides	2. Rotavirus A 3. Adenovirus F40/41 4. Sapovirus (genogroups I, II, IV, V)
Shiga toxin-producing Escherichia coli (STEC)		Vibrio (V. vulnuficus/ V. parahaemolyticus/V. cholerae)	5. Human Astrovirus (hAstro)

THE BD MAX® SYSTEM
MA XIMIZE SUCCESS

BIOMÉRIEUX   **Gastrointestinal(GI) panel**   FilmArray®

22 pathogens

Bacteria:
Aeromonas
Campylobacter
Clostridium difficile (Toxin A/B)
Plesiomonas shigelloides
Salmonella
Vibrio
Vibrio cholerae
Yersinia enterocolitica

Diarrheagenic E. coli / Shigella
E. coli O157
Enteroaggregative E. coli (EAEC)
Enteropathogenic E. coli (EPEC)
Enterotoxigenic E. coli (ETEC)
Shiga-like toxin-producing E. coli (STEC)
Shigella/Enteroinvasive E. coli (EIEC)

Protozoa:
Cryptosporidium
Cyclospora cayetanensis
Entamoeba histolytica
Giardia lamblia

Viruses:
Adenovirus F 40/41
Astrovirus
Norovirus GI/GII
Rotavirus A
Sapovirus

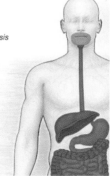

4
Yersinia

개요

- *Yersinia enterocolitica*, *Y. pseudotuberculosis*, *Yersinia pestis* 등이 주요 인체 감염균
  - pleomorphic gram-negative coccobacilli, facultative anaerobes, family *Enterobacteriaceae*
  ┌ 페스트균 (*Yersinia pestis*) ; urease(-)
  └ enteropathogenic *Yersinia* (<u>*Y. enterocolitica*, *Y. pseudotuberculosis*</u>) ; urease(+)
             (대부분)   ↳ rhamnose도 (+)
- 공통 virulence factor (3종 모두) ; plasmid-encoded *Yersinia* outer proteins (Yops)
- enteropathogenic *Yersinia* (yersiniosis)
  ┌ 25℃에서 ; motile, urease와 invasin (Inv) 발현
  └ 37℃에서 ; non-motile, 다른 virulence factors도 발현 (e.g., Ail, YadA, Yops)
  - YadA ; <u>T3SS</u>를 통해 숙주세포 내로 Yops 주입 → 면역세포들의 여러 기능 억제 → 균 증식↑
               ↳ type III secretion system (injectisome) ; <u>pYV</u> plasmid-encoded
                          (plasmid of *Yersinia* virulence)
  - Ail ; *ail* (attachment & invasion locus) gene → A & E 및 serum resistance에 관여
  - Yst (*Yersinia*-stable toxin) heat-stable enterotoxin ; ETEC의 enterotoxin과 유사 → 설사
  - 일부는 yersiniabactin (Ybt, iron-binding siderophore) 발현 → iron 섭취↑
        → 균 증식↑, 면역세포의 reactive oxygen species 생산↓
- 호냉성 균 (5℃에서도 증식) → 추운 계절에도 발생 가능, 수혈혈액으로도 전파 가능
- 인수공통감염증
  - 야생동물, 가축(돼지, 소, 염소, 양), 조류, 어류 등 다양한 동물에서 발견 (애완동물 포함)
  - 오염된 음식(주로 돼지고기)/물에 의해 감염 (사람→사람, 동물→사람 전파 : "fecal-oral")
- *Y. enterocolitica* ; 전 세계에 골고루 분포하지만 북유럽에서 호발 (특히 독일, 스칸디나비아)
  - 주로 야생동물 또는 가축에 의해 감염 (특히 돼지)
  - 급성 세균성 설사의 1~3%, food bacterial pathogen 중 5번째로 흔함 (미국)
  - 우리나라 매년 약 50~100건 보고, 4급 감염병 (약수터에서도 종종 균 발견)
  - 6개의 biotypes ; <u>1A</u>, <u>1B</u>, 2, 3, 4, 5 (2~5는 weakly pathogenic)
        non-pathogenic ↵   ↳ highly pathogenic
- *Y. pseudotuberculosis*
  - 사람의 감염은 매우 드묾, 법정감염병에 포함×
  - 우리나라 : 약수터 물의 음용에 의해 주로 소아에서 산발적으로 발생

임상양상

1. *Y. enterocolitica*

Yersiniosis 발생 or Severe yersiniosis (septicemia)의 위험인자
덜 익거나 익히지 않은 <u>돼지고기</u> 섭취, 오염된 물에 노출 영유아, 고령, DM, 간질환, 악성종양, HIV/AIDS, 영양결핍, 알코올중독, 위장관질환 수혈 <u>Iron overload</u> (e.g., thalassemia, hemochromatosis) or iron-chelating agents (e.g., deferoxamine)

- 잠복기 : 1~14일 (보통 4~6일)
- acute enterocolitis (주로 4세 미만 <u>소아에서</u>) : m/c
  - self-limiting diarrhea, 발열, 복통, N/V, hematochezia (설사는 평균 2주간 지속)
  - pharyngitis도 동반 가능 (~20%) ⋯ 다른 acute bacterial diarrhea에서는 드묾
- mesenteric lymphadenitis & terminal ileitis (주로 청소년~성인에서)
  - RLQ pain, fever, vomiting, leukocytosis, mild diarrhea ⋯ "acute appendicitis"와 비슷
- Cx (드묾) ; septicemia, mycotic aneurysm, 다양한 장기의 focal infection (abscess)
- 전체적인 예후는 좋음 (사망률 <1%)

2. *Y. pseudotuberculosis*

- mesenteric lymphadenitis가 더 흔함 ; RLQ pain, fever (설사는 드묾)
- <u>scarlet fever-like syndrome</u>, acute interstitial nephritis, HUS 등도 발생 가능
  - ↳ Kawasaki dz., idiopathic acute systematic vasculitis of childhood와 비슷
    (Far East scarlet-like fever[FESLF] : 러시아, 일본, 한국에서 superantigenic toxin <u>YPM</u>에 의해)
    (*Y. pseudotuberculosis* mitogen)

3. Post-infectious sequelae

- 균 성분에 대한 자가면역반응으로 발생 가능
- reactive arthritis ; 10~30%에서 발생 (특히 핀란드), 2~4주 뒤 발생, 70~80%는 HLA-B27 (+)
  - synovial fluid : sterile, WBC↑ (몇 백 ~ 60,000/μL, 대부분 PMNs)
  - ESR↑(> 100) / rheumatoid factor와 ANA는 대개 (-)
- erythema nodosum ; 핀란드에서 주로 발생(특히 여성), 몇 달 뒤 발생, HLA-B27과 관련 없음
- 기타 ; reactive uveitis, iritis, conjunctivitis, urethritis, myocarditis, glomerulonephritis 등

진단

- 배양/분리동정 (검체 ; 대변, 혈액, 수술 조직, mesenteric LN, pharyngeal exudates 등)
  - routine enteric media : 낮은 온도(25~30℃)에서 48시간 동안 배양
  - *Yersinia*-selective media : cefsulodin-Irgasan-novobiocin (CIN) agar

- 일반 대변 배양에서는 다른 상재균들보다 *Yersinia*의 성장속도가 느려 검출하기 어려움
  → 특수 배양이 어려운 검사실의 경우 MALDI-TOF를 이용한 동정도 유용함
- serologic tests (e.g., agglutination assay, ELISA) ; retrospective diagnosis (e.g., reactive arthritis)
- multiplex PCR (e.g., *ail, yst, inv* 등을 검출) ; 쉽고 빠르게 진단 가능

치료/예방

- 대개 self-limited & 예후 좋음 → 대증적 치료 (항생제 사용×)
- 항생제 사용 ⇨ 영유아(<3개월), septicemia, metastatic infections, 기저질환/면역저하자의 경우
  - fluoroquinolones (m/g), TMP-SMX (→ 소아), 3세대 cepha, TC/DC, AG 등이 감수성
    (penicillin, ampicillin, carbenicillin, 1/2세대 cepha. 등은 내성)
  - severe (e.g., septicemia) → IV 3세대 cepha (e.g., ceftriaxone) (or ciprofloxacin) + GM
- 식품의 관리 및 조리에 주의 (특히 육류), 냉장고에 오래 보관해도 안됨
- 수혈 혈액 (RBC)은 수혈 전에 눈으로 확인
  (*Yersinia* 오염시 혈액이 검게 변색됨; ∵ 산소포화도 감소 및 용혈 때문)

PLAGUE (黑死病[흑사병], 페스트)

1. 개요

- 페스트균(*Yersinia pestis*) 감염에 의해 발생하는 급성 열성 전염병
  - 1894년 프랑스 의사/미생물학자 Alexandre Yersin이 홍콩에서 흑사병 원인균을 최초 배양 성공
    → *Pasteurella pestis*라고 명명 → 1944년 Yersin의 이름을 따서 *Yersinia pestis*라 개명
  - 대부분의 배지에서 잘 자람 (22℃~40℃에서), non-motile, non-spore forming
  - Wayson or Wright-Giemsa stain에서 bipolar appearance ( )
- virulence factors ; *Y. pseudotuberculosis*와 공통부분이 많음 (1~2만 년 전에 떨어져 나와 진화)
  - capsular Ag (Caf1 or fraction 1 [F1] Ag) ; 37℃에서 발현, phagocytosis에 저항
    ↳ pFra plasmid에 有 (페스트균이 벼룩 내에서 증식하는데도 중요)
  - pPst plasmid ; plasminogen activator (Pla) → 감염 초기 균 전파에 중요
  - Ail ; adhesion, Yop delivery, serum resistance에 중요
- 인수공통감염증
  - 유행지역의 야생 쥐(설치류)와 그에 기생하는 벼룩(flea)에 토착화 (→ 도시 쥐에도 전파 가능)
    → 벼룩이 번식하는 계절(습도 >60%, 기온 20℃~26℃)과 페스트 유행이 일치
  - 사람을 포함한 여러 포유동물(e.g., 토끼, 들개, 코요테)은 일시적 숙주로 함 (애완동물도 가능)
  - 사람의 감염 ; 감염된 벼룩에 물림 (m/c), 오염된 동물의 섭취/접촉, 폐 흑사병은 aerosol로도
- 인류 역사상 최악의 전염병 ; 14세기 유럽 인구의 1/3 사망

- 현재는 주로 아프리카(남동부), 중국, 중앙아시아, 북미(남서부), 남미(북서부) 등에 부분적으로 분포 (우리나라는 아직 보고된 적은 없지만, 외국에서의 유입 가능성은 열려있음)

2. 임상양상

(1) 림프절형 페스트(bubonic plague)
- 페스트의 80~95% 차지, 상대적으로 사망률은 낮음 (적절한 치료시), 잠복기 2~6일
- 갑자기 오한, 발열, 근육통, 두통 → painful lymphadenopathy (가래톳, bubo, groin hump) (∵ 벼룩이 주로 다리를 물기 때문에 서혜부와 대퇴 LNs를 m/c 침범, 팔을 물면 겨드랑이)
- 치료 안하면 ~50%는 파종성으로 진행 ; 2ndary pneumonia, meningitis, DIC, septic shock

(2) 패혈증형 페스트(septicemic plague)
- 페스트의 10~20% 차지, bubo 없이 sepsis 증상 발생 + GI 증상 (N/V/D, 복통)
- 다른 severe virus 질환과 비슷해 진단 어려움
- 진행되면 DIC, shock, multiorgan failure 발생, 치료 안하면 2~3일 뒤 전신이 흑색이 되어 사망

(3) 폐렴형 페스트(pneumonic plague)
- primary pneumonia ; 호흡기 분비물이나 droplets을 통해 감염, 잠복기 짧음 (1~3일)
  - 갑자기 dyspnea, 고열, 흉통, 기침, 혈성(or 거품 많은 점액성) 객담 (→ 객혈) 발생
  - droplets을 통해 사람간 급격한 전파 가능 (→ 생물 테러에 이용 위험)
- 2ndary pneumonia ; bubo 등으로부터의 혈행성 전파로 발생 (~10~15%에서), 객담이 거의 없는 미만성 간질성 폐렴 형태로 나타남

3. 진단

- 페스트가 사라지거나 없는 지역에서는 진단이 어려우므로, 의심 증상 & 역학적 평가가 중요
- *Yersinia pestis*의 미생물학적 확인
  ① culture & stain, biochemical test ; 혈액, 객담, bubo aspiration, CSF 등에서 (균의 성장이 느리므로 자동화장비는 권장×)
  ② F1 Ag 확인 ; anti-F1 Ab를 이용한 direct immunofluorescence assay (DFA), RDT 등
  ③ real-time PCR ; *pla, caf1, inv* 등 검출

4. 치료/예방

- 치사율이 매우 높으므로 의심되면 바로 항생제 투여
- streptomycin or GM이 choice (7~14일간 투여)
- alternative ; fluoroquinolone (e.g., levofloxacin), TC (or DC), chloramphenicol, TMP-SMX
- 예방 ; 유행지역 피함 / 쥐 박멸, 살충제, 야생동물과 접촉 주의 / 손 씻기 등의 개인위생
  - 폐렴형 페스트는 호흡기 격리 시행 (e.g., N95 마스크 등의 보호장비 착용)
  - post-exposure prophylaxis ; DC or levofloxacin
    (↳ inhalational anthrax^{탄저}의 예방도 가능: FDA 허가)
  - 고위험군은 예방접종 고려 (e.g., oral F1-V subunit vaccine)

5
비발효 그람음성막대균

- glucose 및 다른 당을 발효(fermentation)하지 못하는 aerobic gram-negative bacilli (GNB)
- 토양 등 자연환경에 널리 존재, 대개 숙주의 방어가 저하되었을 때 감염을 일으킴
- *Pseudomonas* (m/c), *Acinetobacter*, *Stenotrophomonas maltophilia*, *Burkholderia cepacia* 등

P. aeruginosa 감염

1. 개요

- *P. aeroginosa* (녹농균) : small gram(-) rod, single polar flagellum에 의해 motile
  - lactose fermentation (-), oxidase (+), 특징적인 포도 비슷한 과일 냄새
  - 청록색 colonies (∵ pyocyanin [청색], pyoverdin [녹색] 색소 생성) → 자외선 하에서는 형광
- 습기가 많은 환경에 존재 ; 토양, 물, 동식물 등의 자연환경, 수영장, 싱크대, 목욕탕, 세척액, 병원환경(e.g., 작업대, 내시경, 인공호흡기, 투석액/장비, 소독제) 등
- 정상인의 약 7%가 보균 ; 피부, 외이, 상기도 및 대장에 colonization
- 대부분의 *P. aeruginosa* 감염은 원내 감염 ; 의료인의 손 or fomites를 통해 전파됨

2. 병인

- 정상인에서는 거의 감염을 일으키지 않지만, 독소가 많아 침습성을 보임
- 감염 위험이 증가되는 경우
  ① 정상 피부/점막 장벽의 파괴 or bypass ; 화상/외상/수술, endotracheal intubation (기계호흡), urinary catheterization, IV drug abuse, 구조적폐질환(e.g., bronchiectasis, COPD) 등
  ② 면역저하/만성질환 ; CTx., neutropenia, WBC 기능 장애, hypogammaglobulinemia, 고령, steroid 사용, 알코올 중독, 영양결핍, DM, cancer, cystic fibrosis, AIDS, ICU 입원 등
  ③ 광범위 항생제 사용에 의한 normal flora의 방어기능 상실
  ④ 병원 내에서 reservoirs에 노출시

3. 임상양상

(1) 호흡기 감염

- 대부분 원내감염으로 발생, 주로 ventilator-associated pneumonia (VAP)
- 급성 폐렴 (acute pneumonia)
  - 인공호흡기를 달고 있는 ICU 환자에서 호발 (VAP의 1 or 2번째 m/c 원인균)

　　　　－ 발열, 오한, 기침, 호흡곤란 등의 증상이 급격하게 진행 가능

　　　　－ CXR ; bilateral necrotizing pneumonia

　　• 만성 하기도 감염

　　　　－ 손상된 기관지와 폐조직에서 만성적으로 집락을 형성하여 감염을 일으킬 수 있음

　　　　－ 기관지확장증 환자에서 흔하며, 백인에서는 cystic fibrosis 환자에서 호발

(2) 균혈증(bacteremia)

　　• 면역저하자에서 life-threatening gram(−) bacteremia의 흔한 원인균중 하나

　　• 발생 위험인자 ; <u>hematologic malignancies</u>, <u>neutropenia (CTx.)</u>, immunoglobulin deficiencies, severe burns, dermatitis, DM, AIDS, prematurity ...

　　• 대개 원내감염 (흔히 iatrogenic), 사망률 28~44% (∵ 내성 증가로 치료 어려움)

　　• iatrogenic 유발인자 ; cancer CTx. (→ neutropenia, mucosal ulcer), GU instrumentation, intravascular device, surgery, steroid or 항생제 치료

　　• "괴저성농창(ecthyma gangrenosum)" : 특징적 피부 병변이지만, 소수(1.3~3%)에서 발생

　　　　－ 서혜부, 액와부, 체간에 호발 / 혈관벽 침범에 의해 발생 ; 무통성 빨간 반점 → 농포/수포로 커짐 (통증, 출혈, 괴사) → 중심에 딱지가 있는 괴저성 궤양 & 주변부의 홍륜 (12~18시간내)

　　　　－ 다른 세균이나 진균 감염 때도 발생할 수 있지만, *P. aeruginosa*가 m/c 원인 (74%)

(3) 심내막염

　　• IV drug users에서 오염된 기구에 의해 native valves 감염 가능 (multiple-valve 감염이 흔함)

　　• *S. aureus*에 의한 심내막염보다는 경과가 느림

(4) CNS 감염

　　• meningitis, brain abscess

　　• 유발인자 ; 최근의 NS 수술, 두부 손상, 두경부 암, 척추 천자/마취, 수막주위 감염, disseminated *P. aeruginosa* 감염 ...

(5) 눈의 감염

　　• keratitis, corneal ulcers ; 흔히 콘택트렌즈와 관련, 내과적 응급(∵ endophthalmitis로 진행 위험)

　　• endophthalmitis ; 외상, 수술, keratitis/ulcers의 진행, bacteremia의 전파 등으로 발생 가능

(6) 귀의 감염

　　• 특히 귀에 물이 자주 들어가면 발생 ("swimmer's ear")

　　• acute external otitis (nonmalignant) ; *P. aeruginosa*가 m/c 원인, 이통, 화농성 분비물

　　• malignant external otitis ; 거의 대부분 *P. aeruginosa*가 원인, 치료 매우 어려움, 연조직/연골/뼈까지 서서히 침범, 주로 노인 DM 환자에서 발생

　　• chronic suppurative otitis media

(7) 위장관 감염

　　• infants와 hematologic malignancies & neutropenia adults에서 흔함

　　• necrotizing enterocolitis − m/c site : distal ileum, cecum, colon

(8) 피부와 연조직 감염

　　• pyoderma, burn wound sepsis, 오염된 물에 의해 발생한 dermatitis

　　• ecthyma gangrenosum ; 면역저하/bacteremia 없는 정상인도 드물게 국소 피부 감염으로 가능

4. 치료

Antipseudomonal antibiotics (intrinsic resistance는 없음)

• Antipseudomonal penicillins ; ticarcillin-clavulanate, piperacillin-tazobactam ...
• Antipseudomonal cepha. ; ceftazidime, cefepime, cefoperazone
• Monobactams ; aztreonam
• Group 2 carbapenems ; imipenem, meropenem, doripenem
   – 감수성만 있다면 가장 효과적! (폐렴에서는 치료중 내성 발생 때문에 단독으로는 사용×)
   – ertapenem : 유일한 group 1 carbapenem으로 *P. aeruginosa*와 *A. baumannii*에는 효과 없음!
• New BL/BLIs ; ceftazidime-avibactam, ceftolozane-tazobactam, meropenem-vaborbactam ...
• AGs ; TM, GM, amikacin → 단독으로는 권장×
• New AG ; plazomicin
• Fluoroquinolones ; ciprofloxacin이 가장 강력함
• Polymyxins ; polymyxin B, colistin → 다제내성일 때에만 고려

* Tigecycline 계열에는 자연 내성임!

- 항생제 내성 … 다른 다제내성균들에 비해서는 적은 편임
  - carbapenem, fluoroquinolone, piperacillin, ceftazidime 등에 대한 내성이 많음
    (15~24%)　　(20~50%)　　(10~20%)　　(~15%)
  - carbapenem 내성이면(CRPA) 다른 항생제에도 내성인 경우 흔함
    (일부는 다른 β-lactams에 감수성이 남아있을 수도 있음)
  - 다제내성(multidrug-resistant) *P. aeruginosa* (MRPA) ; 10~30%, 4급 법정감염병
    ↳ AG, fluoroquinolone, carbapenem에 모두 내성인 PA
    ⇨ 결국엔 colistin 투여 필요
    　　(기타 ceftazidime-avibactam, ceftolozane-tazobactam, plazomicin 등)
- anti-pseudomonal antibiotics 중에서 감수성검사 결과에 따라 항생제를 선택하고,
  일반적으로 단독요법과 병합요법의 효과는 비슷함 (단, AG는 단독으로 사용하면 안됨)
- 심한 감염시에는 병합요법 or β-lactams extended infusion (∵ time over MIC↑) 고려
  　　　　　　　　　　(↳ cefepime, piperacillin/tazobactam, meropenem 등)
- 다제내성녹농균(MRPA)의 병합요법

Ceftazidime-avibactam Ceftolozane-tazobactam Meropenem Meropenem-vaborbactam Piperacillin-tazobactam 등	+	Colistin Fosfomycin Amikacin Gentamicin inhaled colistin 등

■ 질환별 치료

- 심한 감염 (e.g., 균혈증, 심내막염, 폐렴)
  - 사망률이 매우 높으므로 즉시 경험적 항생제 투여 후 감수성검사 결과에 따라 조절
    (*P. aeruginosa* 감염이 의심되는 상황이면 반드시 antipseudomonal antibiotics 포함)
  - antipseudomonal β-lactam ; ceftazidime, piperacillin-tazobactam, meropenem 등
  - shock or 내성률이 높은 병원은 AG (amikacin, TM) or fluoroquinolone을 추가하여 병용요법
- CNS 감염 → ceftazidime, cefepime, piperacillin-tazobactam, or meropenem
  - 초기 항생제 치료에 반응이 없으면 AG를 경막 내로 직접 투여
  - brain abscesses, epidural & subdural empyema 등은 surgical drainage 필요

- 눈 감염
  - keratitis/ulcer → 국소 항생제(e.g., TM, ciprofloxacin, levofloxacin 점안액)
  - endophthalmitis → intravitreal & 전신 항생제(e.g., ceftazidime, cefepime) + vitrectomy
- UTI (complicated UTI로 간주) → fluoroquinolones, AG, or β-lactams 7~10일
- 양성 외이도 감염(acute external otitis)
  - 3% N/S으로 외이도 세척 후 곧바로 건조
  - mild → topical acid & steroid (e.g., acetic acid-hydrocortisone), 항생제는 필요×
  - moderate (중간 정도의 통증 및 소양증, 부종으로 외이도 부분 폐쇄)
    → topical acid & antibiotics & steroid (e.g., Cipro HC, Cortisporin)
  - severe (심한 통증, 외이도 완전 폐쇄, 귀 주위 erythema, regional lymphadenopathy)
    → Cipro HC (or Cortisporin) by 면구(ear wick) ± 전신 항생제(e.g., quinolones)
  - 악성 외이도 감염(연골, 뼈 침범) → 항생제 + surgical debridement 필요
- 뼈 감염, 악성 외이도 감염 → antipseudomonal cepha (cefepime, ceftazidime), fluoroquinolones
- surgical intervention : necrotic tissue, prosthetic or foreign material, loculated pus,
  left-sided endocarditis, perforated bowel, urinary tract obstruction 등 때

5. 예후

- bacteremic pneumonia, septicemia, burn wound sepsis, meningitis 등은 항생제 치료해도
  사망률이 매우 높다
- 일반적으로 Gram-negative bacilli 중 가장 예후 나쁨!

Acinetobacter 감염

- *A. baumannii*가 대부분의 원인을 차지
  - aerobic gram-negative coccobacilli, oxidase (-), nitrate reduction (-), motility (-)
  - 자동화장비(생화학적)로는 정확한 species 감별이 어려움 → MALDI-TOF or gene study
  - 생존 능력이 뛰어나 다양한 환경에서 장기간 생존 가능, 자연에 널리 존재
- 환자/의료진의 피부에 흔함 (정상인은 ~25%), 인체 분비물에서도 잘 자람
  - 기계환기를 받는 환자의 구인두와 기관절개 부위에 colonization
  - 대부분이 원내 기회감염으로 발생(주로 기저질환 or 면역저하자에서), 주로 폐렴
  - ICU와 신생아실에서 더 흔함 → 병원 환경, 기구의 철저한 소독과 손 씻기 등이 매우 중요
- *Enterobacteriaceae*와 비슷한 감염 일으킴 : pneumonia (m/c, VAP의 흔한 원인, 사망률 40~70%),
  bacteremia/sepsis, 상처/화상 감염, SSTI, UTI, meningitis ...

치료

- 단순 colonization인 경우도 흔하므로, 임상적으로 의미있는 감염인 경우에만 치료
- 항생제 내성 증가로 상당히 어려움, 우리나라는 매우 심해 가장 골치 아픈 G(-)균, 사망률 1위!
  예) carbapenem ~90%, ciprofloxacin ~90%, amikacin ~70% 내성

- ampicillin/sulbactam, imipenem, colistin, tigecycline, minocycline 등을 사용 가능
  - 대부분 내성이 있을 수 있으므로 감수성 검사 결과에 따라 사용
  - amikacin, rifampin은 병합요법으로 고려 가능하지만 연구 결과 사망률 감소 효과×
- colistin (polymyxin E) ; 가장 효과적이지만, 독성이 심하고, 투여 중 colistin 내성 발현 위험
  - 심한 감염에서는 carbapenem 등의 광범위 β-lactams과 병합요법 고려
  - 감수성이 있다면 ampicillin/sulbactam, imipenem, colistin 등의 치료 효과는 비슷함
- 모두 내성이면 tigecycline과 minocycline만 쓸 만함
  - P. aeruginosa와 달리 감수성인 경우 많음, 다른 약제보다 효과는 조금 떨어짐
  - 혈중 농도가 낮아 bacteremia에는 사용×
- foreign body (e.g., catheter)의 제거 및 괴사조직의 debridement

* 다제내성(multidrug-resistant) A. baumannii (MRAB) ; ~90%, 4급 법정감염병
  - AG, fluoroquinolone, carbapenem에 모두 내성인 AB
  - 최근 carbapenem 내성이 급격히 증가 (~90%)
    - carbapenem 내성이면(CRAB) 대부분 다른 항생제에도 내성인 MRAB임
    - 대개 colistin (polymyxin E) 정도만 유일하게 감수성으로 남음
    - SSTI와 IAI에는 tigecycline도 사용 가능
  - MRAB의 병합요법 ; colistin + carbapenem (or minocycline, tigecycline, fosfomycin 등)
    (colistin + high-dose ampicillin-sulbactam도 효과적이라는 연구 有)
    ↳ A. baumannii에 항균력 좋음

기타

1. *Stenotrophomonas maltophilia* (과거 *Pseudomonas/Xanthomonas maltophilia*)

- 물, 토양, 음식 등 다양한 환경에 존재 / 병원 환경, 기구에도 오염 가능 → 원내감염 (특히 ICU)
- 병원성은 약하지만 면역저하자, 광범위 항생제 사용자 등에서 기회감염 발생 위험
- pneumonia (대개 HAP), bacteremia (대개 catheter와 관련)가 m/c
- 기타 endocarditis, mastoiditis, peritonitis, meningitis, SSTI, wound infection, UTI 등
- 치료 ; 단순 집락일 수도 있으므로 임상적으로 의미있는 감염인 경우에만 치료
  - 대부분의 항생제에 자연내성을 가지고 있어서 치료 어려움
  - TMP-SMX (but, 최근엔 내성↑), fluoroquinolone, ticarcillin-clavulanate,
    ceftazidime-avibactam, tigecycline, minocycline 등이 감수성 높음
  - 초기 경험적 치료로 TMP-SMX (bactrim) + ticarcillin-clavulanate 병합요법 권장

2. *Burkholderia cepacia* (예전의 *P. cepacia*)

- 환경에 널리 존재하는 기회감염균 / 인공호흡기, 중심정맥관, ICU 입원 등이 위험인자
- 주로 cystic fibrosis, chronic granulomatous dz. 등의 만성 폐질환 환자에서 감염을 일으킴
  (*B. cepacia* 감염 환자는 폐이식 후 예후 매우 나쁨)

- 주로 pneumonia, bacteremia를 일으킴
- 치료 ; 대부분의 항생제에 자연내성으로 치료 매우 어렵고, 사망률 높음
  - ceftazidime-avibactam, ceftolozane-tazobactam, TMP-SMX, meropenem, minocycline 등이 감수성 높음 (일부는 advanced cepha., fluoroquinolone에도)
  - MDR 균에 의한 심함 감염은 TMP-SMX + meropenem 등의 병합요법

3. Melioidosis (유비저)

- *Burkholderia pseudomallei*에 의한 감염 (흙에 존재), facultative intracellular G(−) bacilli
- 큰 비가 온 뒤에 물에 젖은 흙이나 고인 물이 땅 속의 균에 오염 → 손/발의 상처를 통해 감염
  - 동남아시아, 호주 북부, 남중국 등에서 주로 발생하는 열대 풍토병, 5~7월 우기에 호발
  - 제3급 법정감염병, 국내 2010년 이후 3건의 사례 보고 (모두 해외 유입)
- 위험인자 ; DM, 알코올 중독, CKD, cystic fibrosis 등
- 임상양상 (잠복기 : 1~21일, 평균 9일)
  - pneumonia (m/c) ; 주로 혈행성 전파로 발생, CXR 소견이 TB와 비슷
  - localized suppurative skin infections, 그 외 어느 장기에도 침범 가능
  - subclinical infections으로 진행되는 경우도 많음 (→ ~수십 년 뒤 재활성화 가능)
- Tx ; antibiotics, surgical drainage, aggressive supportive care
  - IV ceftazidime 2주, 이후에 oral TMP-SMX 3개월 이상 (∵ 재발 방지)
    - ↳ severe, CNS 침범시에는 meropenem / shock이면 G-CSF 추가
  - 폐 이외의 국소 감염 → ceftazidime (or carbapenem) + TMP-SMX (∵ 조직 투과도 우수)

4. Glanders (마비저)

- *Burkholderia mallei*에 의한 equine infection (말, 노새, 당나귀) → 사람에도 전염 가능
  - 다른 균들과 달리 환경에 존재× → 숙주인 말을 벗어나면 생존 못함
  - 아프리카, 아시아, 남아메리카 일부에서만 발생
  - 1~2차 세계대전 때는 적의 말(+ 사람)을 죽이기 위해 생물무기로 쓰였었음
    (2차 세계대전 이후로는 실험실에서의 감염만 극히 드물게 보고됨)
- 임상양상
  - 말과 접촉 → 피부감염 / 말의 호흡기 분비물 흡인 → 폐렴, fever, trachea ulcer
  - 혈행성 전파로 sepsis 발생 위험 (사망률 매우 높음), 만성 파종성 농양으로 진행도 가능
- 치료는 melioidosis와 비슷

6
Vibrio

■ genus *Vibrio*
- actively motile, facultatively anaerobic, curved gram-negative rods (쉼표 모양)
- 1개 이상의 polar flagella를 가짐
- *V. cholerae*와 *V. mimicus*를 제외하고는 모두 성장에 salt가 필요 ("halophilic^{호염성}")
- 자연에서는 바닷가의 하천 및 만에 흔히 존재, 수온이 20℃가 넘는 여름철에 증식↑

CHOLERA

1. 원인

- 콜레라 : *V. cholerae* serogroup O1 or O139에 의해 발생하는 심한 탈수성 설사병
  (LPS O Ag에 따라 >200가지의 serogroups 존재하지만, O1과 O139만 콜레라를 일으킴)
- *V. cholerae* serogroup O1
  - 과거~현재 cholera의 주요 원인
  - 2 biotypes으로 구성 : classical, <u>El Tor</u> (classical이 주로 유행하다가, 현재는 El Tor가 유행)
    ↳ 1961년 인도네시아에서 시작 → 전 세계로 퍼짐
  - 혈청형에 따라 3 serotypes으로 분류 : *Inaba, Ogawa, Hikojima*(드물고 불안정)
- *V. cholerae* serogroup O139 ; 1992년, 인도 남부와 방글라데시의 epidemic cholera로 발생한 뒤
  조금 유행하다 사라짐 (임상양상과 역학적 특징은 O1 cholera와 비슷)
- *V. cholerae* "non-O1, non-O139" → 뒷부분 참조

2. 역학

- 사람은 우연히 감염되며, 일단 감염되면 전파의 매개체로 작용함
- 전파 경로 : 감염된 환자의 대변에 오염된 물/음식의 섭취 (fecal-oral route)
  - 유행지역에서는 물이 주요 reservoir (→ 플랑크톤에서 증식하므로 필터만으로도 많이 예방 가능)
  - 사람간 직접 전파도 가능 (특히 감염된 환자의 설사에서 나오는 균이 전염력이 강함)
- 전 세계적으로 매년 100~300만명 발생 (5~10만명 사망), 최근에는 100만명 이하로 감소 추세
  - 아프리카, 인도-아시아 등 전 세계적으로 유행 발생 (주로 빈곤층 or 난민층에서)
  - 최근에는 2010년 아이티 대지진 뒤, 2015년 예멘 내전 이후 콜레라 창궐하여 많이 사망

- endemic areas에서는 소아에서 여름과 가을에 호발
- 발병에 비교적 많은 균 수가 필요하나, 위산이 적은 조건에서는 훨씬 적은 균 수로도 발병
  (e.g., 제산제 복용, 음식에 의한 위산의 중화, 위절제술)
- 모유 수유시 infection 감소
- 불현성 감염도 흔함 (El Tor > classical), 유행시 주민의 10%, 가족의 20%가 보균자로 됨
- ABO 혈액형과 관련 : O형에서 호발, AB형에서 가장 드묾 (원인은 모름)
- 국내 현황 ; 2001년 이후 국내 유행은 없고, 대부분 해외에서 유입 (<10명/yr)
  - 상가 및 결혼식장 등에서 제공되는 음식물과 관련이 있었던 적도 있음
  - 국내 유입균은 주로 El Tor-*Ogawa*형 *V. cholerae* O1
  - 주로 인도, 필리핀 여행 중 감염된 여행객
- 제2급 법정감염병이므로 24시간 이내에 보건소에 신고해야 됨

3. 병인

(1) Exotoxin (cholera toxin; CTX) … toxin-mediated disease
- 특징적인 watery diarrhea 발생의 원인 (CTXΦ bacteriophage의 *ctxAB* gene을 보유한 경우)
- 소장에 colonization → adenyl cyclase 활성화 (c-AMP 증가)
  → Na 흡수 장애, chloride 배설 촉진 (with passive water excretion)
  → isotonic secretory diarrhea
- 이때 장의 조직학적 변화나 전해질 흡수 장애는 없음

(2) Colonization & CTX 생성
① hostile enviroments를 극복해야 (gastric acidity, 상부 장관의 mucosal layer)
② attachment ; toxin-coregulated pilus (TCP)에 의해 매개
③ colonization된 뒤에 CTX 생성

4. 임상양상

- 잠복기 : 24~48시간
- painless watery diarrhea가 갑자기 시작 → voluminous, 특징적인 "쌀뜨물(rice-water)" stool
- 오심/구토가 동반되기도 하지만, 열은 대개 없음
- muscle cramps (∵ 전해질 불균형 및 탈수) 흔해 → 다리에.. "쥐병"
- 수분 소실에 따른 Sx (체중의)
  - <5% 소실 → 갈증
  - 5~10% 소실 → postural hypotension, 빈맥, 쇠약, 피부긴장도 감소, 구강 건조
  - >10% 소실 → oliguria, 맥박이 약해지거나 소실, 눈이 움푹 들어감, 피부 주름, 의식저하
- 탈수와 전해질 불균형에 의한 Cx 발생 위험 → 치료 안하면 ATN에 의한 renal failure
- 설사는 self-limited (4~6일 뒤 호전, rehydration시 사망률 <1%), 치료 안하면 사망률 50~70%
- 검사소견 ; Hct↑(∵ hemoconcentration), mild neutrophilia, BUN & Cr↑, Na/K/Cl는 정상,
  pH↓ (약 7.2), bicarbonate↓↓(<15 mmol/L), anion gap↑, urine SG↑
  (장 점막을 침범하지는 않으므로 stool WBC는 거의 없음)

5. 진단

- 대부분 임상적으로 추정 가능 (acute severe watery diarrhea & rapid/severe volume depletion)
- 가검물은 가능한 신속히 검사 or 수송배지(Carey-Blair transport medium) 이용
- 분리동정(culture) ⋯ 확진 (but, 특수 배지 필요)
  - thiosulfate-citrate-bile salts-sucrose (TCBS) or taurocholate-tellurite-gelatin (TTG) agar
  - 확인동정 ; 생화학시험(자동화장비) or MALDI-TOF 이용
- 신속 검사 ; culture가 어려운 경우
  - stool wet mount & dark-field microscopy ; highly motile *Vibrio* 균을 직접 관찰 가능, specific하지만, sensitivity가 부족함
  - immunochromatographic lateral flow tests (dipsticks, POCT) ; O1 or O139 Ag 검출 (e.g., Crystal VC, Abbott SD bioline Cholera Ag test) ⋯ sensitive하지만, specificity는 부족
  - PCR ; *ctx, hly* gene 검출 (상용화된 신속진단 PCR도 있음; Biofire Filmarray® 등)

6. 치료

(1) 소실된 수분 및 전해질의 보충/유지 (m/i)

① oral rehydration solution (ORS) : hexose-Na^+ cotransport 기전을 이용
  - low-osmolarity ORS (WHO 권장) / Rice-based ORS가 좀 더 효과 좋음
  - 없으면 homemade ORS : 물 1 L, 소금 1/2 t, 설탕 6 t 정도
  - K^+ 추가 공급도 필요함 (e.g., 코코넛, 바나나, 오렌지 쥬스)

	Na^+	K^+	Cl^-	HCO_3^-	Carbohydrate	Osmolarity
Severe cholera stool	130	20	100	44	–	
Low-osmolarity ORS (WHO)	75	20	65	10 (citrate)	75 (glucose)	245
Rice-based ORS	90	20	80	10 (citrate)	rice syrup	270
Home-made ORS	~75	0	~75	0	~75	
Ringer's lactate solution	130	4	109	28	0	271

② IV fluid replacement ⋯ severely dehydrated patients
  - Ringer's lactate solution 권장 (∵ K^+과 bicarbonate 함유), K^+ 추가 공급도 필요(oral or IV)
  - 평균 200 mL/kg/day 필요, 첫 3시간 동안 100 mL/kg 투여 (1세 미만은 6시간 동안), 빠르게 시작해서 속도를 줄여나감 → 의식이 회복되거나 경구 섭취 가능해지면 ORS로
  - 적절한 수액요법을 시행하면 severe cholera의 사망률은 <0.2%

(2) 항생제

- 완치에 필수는 아니지만, 설사의 양/기간 및 균배설 기간(경과)을 단축시키기 위해 사용
- macrolides (EM or azithromycin, 임산부/소아에서도 권장) or fluoroquinolones (e.g., ciprofloxacin), tetracyclines (DC or TC, but 내성 흔함) 등
- furazolidone과 TMP-SMX은 내성이 아주 많음

(3) 장관방역(enteric precaution)

7. 예방

(1) 환경 및 개인 위생

- 마시는 물은 끓이거나(56℃에서 15분, 끓는 물에서 수분 내 균 사멸), 필터로 정수
- 환자 의심/진단 시 즉시 보건소에 신고하고 대변, 구토물은 반드시 소독
- 의심되는 환자나 접촉자는 5일간 감시

(2) Vaccine

- traditional killed cholera vaccine (IM) ; 예방효과가 낮고, 부작용이 많아 WHO에서 권장×
- 경구용 불활화백신(oral killed vaccines) ; 투여가 쉽고, 자연 감염에 의해 유도되는 면역반응과 유사하게 장관 내 국소면역을 자극하는 장점, 2~3회 복용이 필요함, 면역저하자도 가능
  ① WC-rBS (whole cell + recombinant B subunit vaccine) [Dukoral®]
    - serogroup O1의 몇몇 serotype & biotype의 불활화 전세포 및 recombinant cholera toxin B subunit로 구성 (serogroup O139에 대한 방어 기능은 없음)
      ↳ ETEC도 교차 방어 가능, 위산에 약하므로 완충액과 함께 복용해야 됨
    - 첫 몇 달 동안 ~60-85% 예방 효과, 1~2주 간격으로 2회 접종 (2~5세 소아는 3회)
    - 콜레라 토착 지역을 방문하는 여행자에게 주로 사용, 필요시 2년마다 추가접종
  ② BivWC (bivalent killed whole-cell vaccine) [Shanchol®, Euvichol®]
    - serogroup O1의 몇몇 serotype & biotype 및 serogroup O139의 불활화 전세포로 구성
    - 후진국을 위해 개발된 저가형 백신, 복용시 완충액 필요 없음, ETEC 교차 방어×
    c.f.) Euvichol® ; 국제백신연구소(IVI)가 개발하고, 국내 업체인 유바이오로직스에서 생산
- 경구용 생백신(oral live attenuated vaccines) ; CVD 103-HgR (Vaxchora®), 연구에 따라 예방효과는 다양함(70~90%), 미국에서 콜레라 위험지역으로 여행하는 18~64세 성인에게 사용 승인, 1회만 복용하는 것이 장점
- 접종 대상 제한적 (∵ 안전한 식수와 오수처리가 더 중요하고, 여행지에서 이환 위험은 낮은 편)
  - 유행지역 중 위생이 좋지 않은 곳에서 근무/활동(e.g., 난민 캠프), 실험실 종사자에 권장
  - 여행자들에게 의무적으로 콜레라 백신 접종이 권장되지는 않음

기타 *Vibrio* SPECIES

① gastrointestinal illness : *V. parahaemolyticus*, non-O1/O139 *V. cholerae*, *V. mimicus*, *V. fluvialis*, *V. hollisae*, *V. furnissii*
② soft tissue infections : *V. vulnificus*, *V. alginolyticus*, *V. damsela*
③ primary sepsis : *V. vulnificus* (일부 compromised hosts에서)

1. *V. parahaemolyticus* (장염비브리오균)

- 여름철에 어패류 생식 후 발생하는 설사(식중독)의 대표적 원인균 (일본/중국의 주요 식중독균)
  - 전파양식 ; 해산물 생식, 오염된 해수에 노출된 음식 (미국: 생굴이 m/c)
  - 우리나라 ; 지정감염병, 매년 10~20건 발생

- 병인 ; enterotoxin 분비(主) or 염증반응(invasion) 모두 가능
    ① toxins ; Vp-TDH (thermostable direct hemolysin), Vp-TRH (Vp-TDH-related hemolysin)
        ↳ modified blood agar (Wagatsuma agar)에서 β-용혈 (Kanagawa phenomenon)
    ② 일부는 (V. cholerae와 달리) type III secretion system을 가짐 → toxic bacterial proteins을
        장점막세포에 주입 ; 더 심한 염증성 설사 유발 (Shigella, Salmonella 등 처럼)
- 잠복기 : 5~92시간 (평균 12~24시간)
- 임상양상 : mild watery diarrhea ~ dysentery까지 다양
    ① gastroenteritis (대부분)
        - watery diarrhea (m/c) ; 대개 복통/N/V 동반, 발열/오한은 25% 미만 (평균 2~3일 Sx 지속)
        - dysentery (10~20%) ; 심한 복통, N/V, bloody~mucoid diarrhea (이질보다 조직손상 mild)
        - 심한 fluid loss는 드물고, 사망률도 매~우 낮음
    ② 기타 (드묾)
        - 상처감염 ; 대개 mild / 기저질환자는(e.g., 간질환, 알코올중독, DM) 심한 감염 가능
        - septicemia ; 특히 기저 간질환시 위험, 사망률 ~29%
- 진단 (stool or rectal swab)
    - culture ; selective TCBS (thiosulfate citrate-bile salts-sucrose) agar에서 잘 자람
    - PCR ; tlh (thermolabile hemolysin), tdh, trh genes 검출 (상용화된 multiplex PCR도 있음)
- 치료
    ① gastroenteritis ; 대부분 self-limited → 보존적 치료 (e.g., 수분 보충)
        - 심한 경우엔 항생제 치료도 고려 ; DC, fluoroquinolones, macrolides, or 3세대 cepha.
    ② 상처감염 → debridement & 항생제 치료
    ③ septicemia (or severe wound infection) → 강력한 항생제 치료 ; TC + 3세대 cepha.
- 예방 : 여름철에 해산물 생식을 피할 것 (60℃ 15분 이상 가열 or 2℃ 이하 1~2일이면 균 사멸)

2. Non-O1/O139 (Non-cholera) *V. cholerae*

- 생화학적으로는 V. cholerae O1/O139과 같으나, O1/O139 antiserum에 응집 안함
- 생존에 미량의 NaCl 만 필요 (nonhalophilic), 17℃ 이상 수온에서 잘 성장
- 우리나라 연안의 해수나 해산물에서도 흔히 분리됨
- 주된 감염원 : 오염된 어패류, 특히 생굴

┌ 장내 감염 : 무증상 ~ 대개 mild, watery diarrhea, abdominal pain, N/V
└ 장외 감염 : otitis media, wound infection, sepsis ⋯ 주로 해수에 노출된 경우 발생
    ↳ 항생제 치료 필요   ↳ 주로 liver dz. 환자에서 발생
    - DC/TC, ciprofloxacin, 3세대 cepha. 등 (내성이 증가 중이므로 감수성검사 필요)
    - severe한 경우엔(e.g., liver dz., 면역저하자) 3세대 cepha. + TC

3. *V. vulnificus* (패혈증 비브리오균)

(1) 개요

- severe *Vibrio* infections의 m/c 원인균 (미국: 해산물/어패류 관련 사망의 90% 차지)
- 그람음성 호염성 세균, 단모성 편모 (+), "comma" 모양, lactose 분해 (+)

- 20℃ 이상에서 균 증식이 증가, 37℃에서 가장 잘 증식 (45℃에서는 사멸)
  - 추운 계절에는 갯벌에서 소수만 생존하다가, 해수가 따뜻해지는 여름철에 증식
  - 낮은 염도(0.5~2%)의 해수에서 잘 자람 → 바닷물과 민물이 만나는 <u>해변/하구</u>에서 잘 증식
  - 최적 pH 7~9 → gastrectomy or 제산제 복용 환자에서 감염 위험 증가
- 병인(virulence factor) : tissue invasion에 의해 발생
  ① polysaccharide capsule ; phagocytosis에 저항, TNF-α 등의 cytokines 분비 유발
  ② toxins ; cytolysin/hemolysin (VvhA), metalloprotease (VvpE), multifunctional
     autoprocessing repeats-in-toxins (MARTX) 등
- 40세 이상 남자에 호발

(2) 감염경로

① 해산물/어패류의 생식 → 균이 장관벽을 뚫고 혈류로 침입 → primary sepsis
② 균에 오염된 해수에 상처의 노출 → wound infections (or sepsis)
* 사람간 전파는 없음

(3) Primary *V. vulnificus* septicemia (괴저병, 비브리오 패혈증) ★

- 특별한 유발요인(e.g., 상처) 없이 *V. vulnificus* septicemia가 발생한 것
  - 우리나라 ; 매년 약 30~60명 발생, 그중 약 20~50% 사망 (저혈압 발생시 90% 이상)
  - 제3급 법정감염병
- 대부분 기저질환자에서 발생 ⇨ <u>위험인자</u> : **만성 간질환**(m/c; LC 등), <u>hemochromatosis,</u>
  알코올중독, 만성신부전, DM, 암, 면역저하, 혈액질환, splenectomy ... (COPD는 아님)
  - 특히 만성 간질환 환자에서 호발하는 이유
    ① portal HTN → shunting of portal vein (균이 RES를 bypass)
    ② Kuffer cell 기능장애 (RES에서의 균 제거 장애)
    ③ 보체 작용 및 화학주성의 저하
  - iron overload (e.g., hemochromatosis, chronic hemolysis) ; *Vibrio*는 특히 가용 철 증가시
    증식↑↑ & toxin 생산↑ ··· 호철성 or 철민감성(ferrophilic or iron-sensitive) 세균임
- 주로 <u>여름철</u>에 어패류/해산물 <u>생식</u> 후 발생
  ; 굴(세계적으로 m/c), 조개류, 젓갈, 해삼, 망둥어, 새우, 낙지, 바지락, 미역, 송어 등
- 임상양상 ··· 잠복기 24시간 이내 (평균 16시간)
  - 갑자기 오한, 발열, 전신쇠약 → hypotension (33%), sepsis, DIC (설사, 복통의 GI Sx도 동반)
  - 특징적 **피부 병변** (대부분에서, ~36시간 이내에 발생, 주로 하지에서, 빠르게 진행)
    ; erythema & swelling → <u>출혈성 수포</u> → <u>괴사성 궤양</u> (심한 통증과 부종 동반)

 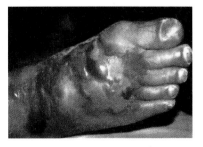

  - Lab ; leukopenia, thrombocytopeia, FDP↑ 등

- pathology : 괴사성 근막염(necrotizing fasciitis)
- 사망률 20~50% (대부분 uncontrolled sepsis 때문)
  - poor Px : hypotension, advanced liver dz., severe anemia, leukopenia, thrombocytopeia
  - good Px : IgE↑, C3, C4↑

(4) Wound infections (상처 감염)
- 주로 건강한 사람에서 발생!
- 피부 상처가 오염된 바닷물에 접촉 or 오염된 게, 조개껍질, 배^{boat} 등에 상처를 입었을 때 발생
- 잠복기 짧음 : 4~96시간 (평균 <12시간)
- swelling, erythema, 상처 주위의 심한 통증 → cellulitis로 빠르게 진행
  - 일부에서는 vesicular, bullous, necrotic lesions도 발생
  - 기저질환자, 면역저하자 등에는 급격히 확대되어 severe myositis, necrotizing fasciitis,
    V. vulnificus septicemia로도 진행 가능
- 빨리 치료하면 대부분 local care와 항생제(e.g., TC, fluoroquinolone)로 완치됨

(5) 기타 (드묾)
- 위장관염 ; acute, self-limited diarrhea (위산억제제 복용자에서), 비교적 젊은 연령에서 발생
- ocular infections, septic arthritis 등

(6) 진단
- 특징적인 임상양상 ; 해산물/어패류 생식 + 피부소견(hemorrhagic bullae) + 패혈증
  → primary sepsis는 주로 2일 이내에 사망하므로, 임상적으로 의심되면 즉시 치료 시작!
- 확진 … 배양(균 분리/동정)
  - 검체 ; 혈액, 대변, 소변, 직장도말, 구토물, 수포액, 조직 등
  - 표준 혈액배양병을 포함한 대부분의 배지에서 잘 자람
  - 선택배지 ; TCBS (초록색 colony), CPC (cellobiose-polymyxin B-colistin, 노란색 colony)
- PCR ; vvhA 등의 gene 검출 (상용화된 multiplex PCR도 있음)

(7) 치료
- 의심되면 즉시 경험적 항생제 & debridement (괴사조직 제거)
  ; 3세대 cepha. (cefotaxime, ceftriaxone) + DC (or minocycline or fluoroquinolone) 권장
- 철저한 debridement (e.g., curretage, I & D, 근막절개, amputation)도 매우 중요함
  → 증상 완화, 감염의 전파 차단, 혈류내로의 파급 감소, DIC 감소
- sepsis, shock, DIC 등에 대한 보존적 치료

(8) 예방
- 여름철에는 어패류의 생식을 피할 것 (특히 고위험군)
- 피부에 상처가 있는 사람은 바닷물과의 접촉을 피함, 바닷가에서 상처가 나지 않도록 주의
  (우리나라는 특히 남서해안)

7
Haemophilus

Haemophilus influenzae

1. 개요

- small, pleomorphic Gram(−) coccobacilli
- aerobic growth에는 2 factors 필요 : ① hemin (X factor), ② NAD (V factor)
- ⌈ encapsulated form : polysaccharide capsule에 따라 6 serotypes으로 분류 (a~f)
  ⌊ nonencapsulated form : nontypeable strains
  - type b stains (Hib)과 nontypeable strains (NTHi)이 임상적으로 의미

	Type b strains (Hib) (PRP encapsulated)	Nontypeable strains (NTHi) (unencapsulated)
상기도 보균율	2~4% (예방접종시 <1%)	30~80%
병인	**침습성 감염** (혈행성 전파)	**점막의 국소 감염** (근접 확장)
진화	Clonal	다양
자연감염/노출 후	면역력 발생 (나이들수록 증가)	서로 다른 균주에 의한 감염 가능
임상양상	백신 미접종 영아~소아에서 Meningitis, epiglottitis, 폐렴, 관절염 등의 침습성 감염	영아~소아에서 중이염 성인에서 하기도감염(CAP), COPD의 급성악화
예방접종	Conjugate vaccines	아직 無

- *H. influenzae* type b (Hib) … 2013년부터 제2급 법정감염병, 최근 매년 몇 명씩 발생
  - 소아의 2~4%에서 nasopharynx에 상재 (→ 예방접종으로 <1% 감소)
  - invasion & hematogenous spread로 systemic dz.를 일으킴
  - capsular polysaccharide (polyribitol ribose phosphate: PRP)에 대한 maternal serum Ab는 생후 6개월까지 감소하여, 2~3세까지 low level → Hib 감염 위험 증가
    (6세 이후에는 protective Ab 증가로 인해 systemic Hib dz.는 드묾)
- nontypeable *H. influenzae* strains (NTHi)
  - nasopharynx의 흔한 상재균 ; ~1살 약 20%, ~5살 >50%, 성인 ~80%
    (여러 strains에 의한 동시/교대 colonization도 가능)
  - 드물게 여성 생식기에도 colonization & 감염 유발 가능
  - mucosal surfaces를 local invasion (invasive dz.는 드묾)
- 전파 ; airborne droplets이나 직접접촉(secretions, fomites)에 의해

2. *H. influenza* 감염의 위험인자

- AIDS, COPD, malignancy
- alcoholism, sickle cell anemia, splenectomy
- 소아, 고령, 임신, low birth weight
- neutropenia, globulin deficiency, CSF leaks

3. 임상양상

(1) *H. influenzae* Type b (Hib) ··· 백신 미접종 소아
- <u>meningitis</u> (m/c, 50%) ; 가장 심각, 주로 2세 이하에서 발생, 치료하면 사망률 2~5%
  - 발열, 의식 변화, 목덜미 강직(neck stiffness) 등 다른 bacterial meningitis와 비슷한 증상
  - subdural effusion (m/c Cx) : 항생제 치료 후 2~3일이 지나도 seizure, hemiparesis, 의식둔화 지속 등을 보이면 의심
  - morbidity 높음 : 영구적 감각신경난청(6%) 등 1/4에서 심각한 신경학적 후유증 발생
- epiglottitis (17%) ; 주로 2~7세에서 발생 (성인도 발생 가능)
  - life-threatening infection → acute airway obstruction 위험 (몇 시간 내 사망 가능)
  - sore throat, fever → dysphagia, drooling, 기도폐색으로 급격히 진행
- cellulitis (6%) ; head or neck에서 호발, bluish-red color가 특징
- 기타 ; pneumonia (15%), septic arthritis (8%), osteomyelitis (2%), bacteremia (2%), pericarditis, endocarditis, otitis media, orbital cellulitis, endophthalmitis, peritonitis ...
- 드물게 nontype b serotypes에 의함 감염도 있음 (사망률 높음)

(2) Nontypeable *H. influenzae* (NTHi)
- 대개 nasopharynx 균의 local spread로 감염 발생
- 성인 ; <u>폐렴(CAP)</u>의 주요 원인균 (다른 세균성 폐렴과 증상 비슷), COPD의 급성악화
  - ↳ 위험인자 ; 고령, 흡연, COPD, AIDS 등
- 소아 ; <u>중이염(acute otitis media)</u>, <u>결막염(conjunctivitis)</u>의 주요 원인균
  - ↳ 유치원 등에서 단체 발병 가능 (다른 감염들은 sporadic)
- 성인 & 소아 ; <u>부비동염(acute sinusitis)</u> / bacteremia, meningitis 등 Hib 비슷한 감염도 가능
- 임산부 ; 조산, 사산, 산후 sepsis, 신생아 sepsis (미숙아는 사망률 ~50%)
- 드물게 endometritis, amnionitis, Bartholin gland abscess 등의 여성생식기 감염도 유발 가능

4. 진단

- 호흡기감염 (NTHi) → 대개 임상양상으로 진단하고 경험적으로 치료 (∵ 상기도 상재균)
  (중이염이나 부비동염도 검체 채취시 침습적인 시술이 필요하므로 경험적 치료가 선호됨)
- invasive infections (Hib)
  - sterile fluids (e.g., CSF, blood, joints/pleural/subdural/pericardial fluid)에서 배양되면 확진
  - Gram's stain에서 small Gram(-) coccobacilli가 보이면 Hib를 강력 시사
  - capsular Ag (PRP) detection rapid test ; 빠른 진단 가능 (특히 항생제 치료로 배양 음성시)
  - NAAT (e.g., PCR) ; sensitivity & specificity 매우 높음, 상용화된 multiplex PCR도 많음

5. 치료

- severe infections (e.g., meningitis, epiglottitis, bacteremia, 입원이 필요한 폐렴)
  - 대개 1~2주 항생제 투여 (endocarditis, osteomyelitis 등 다른 장기의 합병증 동반시엔 3~6주)
    - IV 3세대 cepha. (ceftriaxone or cefotaxime)가 DOC
    - alternative : ampicillin + chloramphenicol
  - meningitis 소아는 steroid (e.g., dexamethasone)도 같이 투여 → 신경학적 후유증 감소
  - epiglottitis는 medical emergency로 기도확보가 중요
- mild~moderate infections (e.g., COPD 급성악화, 폐렴)
  - ⇨ 대개 oral β-lactam (e.g., amoxicillin-clavulanate), 2/3세대 cepha. (e.g., cefuroxime, cefdinir, cefixime, or cefpodoxime)를 사용함 / azithromycin, clarithromycin, fluoroquinolone도 효과적 (fluoroquinolone은 연골손상의 위험 때문에 소아나 임산부에서는 금기)
- 항생제 내성
  - β-lactamase 생성균 (25~60%) → ampicillin (~1970년대까지 DOC였었음) 내성
  - β-lactamase negative ampicillin resistant (BLNAR) ; β-lactamase 외 다른 기전으로 내성 (e.g., penicillin-binding proteins 변화), 일본 및 유럽에서 흔함 (우리나라는 5~10%) → 증가 추세, MDR (4가지 이상에 내성)인 경우도 많음
  - ampicillin과 2세대 cepha.는 감수성이 확인된 경우에만 사용, TMP-SMX은 자연 내성임

6. 예방

(1) Vaccination

- 단백결합백신(Hib conjugate vaccine) ; PRP-CRM, PRP-T, DTaP-IPV/Hib 등
  - Hib capsular polysaccharide (polyribosylribitol phosphate, PRP)를 운반단백에 결합한 것
  - 운반단백의 예 ; CRM_{197} (nontoxic diphtheria toxin), tetanus toxoid (T) ...
  - 소아 invasive Hib 감염 예방에 매우 효과적 (2, 4, 6개월에 기본접종, 12~15개월에 추가접종)
  - 성인은 고위험군만 권장 (소아때 접종과 상관없이 1회) ; asplenia (sickle cell anemia 포함), complement or Ig (특히 IgG2) 결핍, SCT 수혜자(6~12개월 이후, 1~3개월 간격 3회 접종)
- nontypeable *H. influenzae*에 대한 백신은 아직 없음

(2) Chemoprophylaxis

- oral rifampin 4일 (→ 예방효과 >95%)
- 대상 ; invasive Hib 감염의 밀접 접촉자 (nontypeable *H. influenzae* 감염은 필요 없음)
  - 가족 구성원 모두 (예외 : 예방접종을 완료한 4세 이하 소아)
  - 어린이집/유치원 : 60일 동안 2명 이상의 invasive Hib 감염자 발생시 전원이 대상
  - * invasive Hib 감염으로 입원했다가 퇴원하는 환자도 퇴원 전후 rifampin 복용 (∵ nasopharyngeal colonization 제거 위해)

■ *H. influenzae*, biogroup *aegyptius* (Koch-Weeks bacillus)

- 소아에서 epidemic purulent conjunctivitis ; 열대지방이나 여름철에 발생
- Brazilian purpuric fever (1970~80년대 소수 발생 이후엔 없음)
  ; 소아 일부에서 conjunctivitis 수일~수주 뒤에 발생, 사망률 ~70%

Haemophilus ducreyi (Chancroid)

- 성병의 일종인 <u>연성하감(chancroid)</u>의 원인균
- *H. ducreyi* : highly fastidious, gram(-) coccobacilli, 성장(배양)에 X factor가 필요
- 후진국에 만연, 주로 이성간 성접촉으로 전파, 남자에 多 (남:여=3:1~25:1), 매춘부가 전파에 중요 (genital ulcers는 HIV의 전파에도 중요한 역할을 함)
- 잠복기 4~10일 (성관계시 성기에 상처가 있으면 감염됨)
- 홍반을 동반한 papule^{구진} (초기 병변) → 2~3일 뒤 pustule^{농포}로 빠르게 진행 → 농포가 터지면서 원형의 painful ulcer 형성 (지름 1~2 cm, 경계 뚜렷, 여러 개가 뭉쳐서 큰 ulcer가 될 수도 있음)
- 약 1/2에서는 painful inguinal lymphadenitis 동반 (남>여) → 액상으로 괴사 가능(buboes)
- Dx ; 임상소견만으로는 부정확하므로, laboratory Dx가 중요 (ulcer swab/exudate, LN aspiration) ; Gram's stain, culture (특수배지 필요, m/g), NAAT (e.g., PCR)
- Tx (임상역학적으로 의심되면 경험적 치료)
  - oral azithromycin or IM ceftriaxone 1회 요법이 권장됨
  - alternative ; ciprofloxacin 3일, EM base 7일
  - HIV 감염자는 반응이 느리므로 치료 기간 더 연장
  - 증상 발생 10일 이내의 환자와 성접촉한 사람들도 모두 치료해야 됨 (증상이 없어도)

기타 *Haemophilus*

- human pathogens ; *H. parainfluenzae, H. parahaemolyticus, H. haemolyticus ...*
  - c.f.) *H. aphrophilus, H. paraphrophilus, H. segnis* 등은 *Aggregatibacter* genus로 바뀌었음
  - * para- → 성장에 V factor만 필요로 하는 species
- 대개 성인 상기도의 상재균으로, 병독성이 낮아 질병 유발은 드묾 (but, *H. parainfluenzae, A. aphrophilus, A. paraphrophilus*는 endocarditis의 원인으로 증가 추세)

c.f.) HACEK group organisms

- *Haemophilus* spp. ; *H. parainfluenzae*가 m/c
- *Aggregatibacter* (과거 *Actinobacillus*) spp. (m/c HACEK) ; *A. actinomycetemcomitans* 등
- *Cardiobacterium* spp. ; *C. hominis*가 m/c
- *Eikenella corrodens,*
- *Kingella kingae*

  - fastidious, slow-growing, G(-) bacteria (성장에 CO_2 필요)
  - 구강 상재균으로 국소 구강감염 및 systemic infections도 일으킬 수 있음
  - bacterial endocarditis 원인균의 1~6% 차지
    - (→ 1/2 이상은 *Haemophilus* spp.가 원인 ; *H. parainfluenzae*가 m/c)

8

Legionella

원인

- order[목] Legionellales, family[과] Legionellaceae, genus[속] *Legionella* ; >60 species[종], >70 serogroups
- <u>*L. pneumophila*</u>가 인체감염의 80~90% 차지
  - >15 serogroups, 이중 serogroups 1$^{(m/c)}$, 4, 6 등이 주로 인체감염을 일으킴
  - thin, aerobic, pleomorphic, non-encapsulated Gram(−) bacteria
  - flagella(+), capsule(−), hydrophilic (친수성)
  - 그 외 *L. longbeachae* (2nd m/c), *L. micdadei, L. bozemanii, L. dumoffii* 등이 흔함
  - 일반배지에서는 잘 안자라고, <u>BCYE</u> (buffered charcoal yeast extract) agar에서 자람 (3~5일)
- 자연에서는 호수, 강, 농수, 온천 같은 담수에 존재 (물에서는 플랑크톤처럼 살거나 원충에 기생)
  → 홍수 때 다량의 균이 급수 시스템으로 유입될 수 있음
- 전파경로 (폐렴)
  ① 오염된 물을 마시거나 흡인 (m/c) : 구인두 집락의 파급인지, 오염된 물의 직접 섭취인지는 불확실함
  ② 오염된 물의 미립자(aerosol) 흡입(inhalation) … 공기 매개 감염
  ③ 시술 과정에서 직접적인 폐 주입 (e.g., NG tube, 전신마취)
  (animal reservoir 無, 사람에 colonization 안함!, 사람간 전파는 없음)
- <u>오염된 물(aquatic reservoir)</u> ; 급수 시스템, 냉각탑, 에어컨, 가습기, nebulizer, 월풀 욕조, 수도 등
  (냉각탑의 소독에도 불구하고 계속 발생했던 것으로 보아 마시는 물의 오염이 더 중요해 보임)
  - amplification (colonization↑) ; 따뜻한 온도(25~42℃), 정체(e.g., 물이끼[물때], 침전물)
  - biofilm 안에서 생존/증식하다가 수압이나 유량이 변할 때 파열되어 균 전파 가능
  - 큰 빌딩(e.g., 병원, 호텔, 크루즈선) ~ 작은 가정집에서도 outbreak 가능
- 병인/방어기전
  ① intracellular pathogen으로 Th1 cell-mediated immunity가 주 방어기전
    - cell-mediated immunity 저하시 호발 ; <u>AIDS</u>, steroid 사용, 장기이식 등
    - hairy cell leukemia 환자에서도 호발 (다른 type의 leukemia는 아님)
  ② mucociliary clearance (pili에 의해 호흡기 상피세포에 부착하는 것을 억제)
    ; 흡연, 폐질환, 알코올중독 등 섬모운동 장애시 감염 위험↑
  ③ humoral immune system : 감염 수주 이내에 *Legionella*-specific IgM & IgG Ab 생성하지만
    숙주 방어에서는 보조적인 역할 뿐 (e.g., phagocytes에 의한 살균을 일부 촉진)
- Pontiac fever는 대부분 오염된 물의 aerosol에 의한 공기 매개 감염 → 집단 감염으로 발생

역학

- 전 세계적으로 발생(outbreak or sporadic), 고온 다습한 여름철에 호발
- 국내 : 1984년 고려병원(現 강북삼성병원) 의료진들에서 pontiac fever 집단 발병 (에어컨이 원인),
  이후 대부분은 개별적인 감염 사례 (폐렴 85%, pontiac fever 15% 정도)
  - *L. pneumophila* serogroups 1이 m/c / 다중이용시설 조사 결과 약 10%에서 *Legionella* 검출됨
  - 제3급 법정감염병, 2000년 지정 이후 꾸준히 증가하여 매년 20~30명 발생하다가,
    최근에는 급격하게 증가하여 매년 300~400명 발생
  - 여름과 초가을에 호발(≒ 에어컨과 관련?), 남성/고령/기저질환에서 호발

* Pneumonia (Legionnaires' dz., 재향군인병)
  - attack rate 0.1~5% (입원자는 0.4~14%), 잠복기 2~10일 (~20일까지도), 남자에서 3배 흔함
  - 지역사회획득폐렴(CAP)의 1~10% (평균 2%, atypical의 ~25%), 주로 severe CAP를 일으킴
  - risk factors ; ESRD, hairy cell leukemia, 폐암 및 기타 악성종양, anti-TNF-α, steroid,
    alemtuzumab (anti-CD52), 항암제, 장기이식, <u>HIV 감염</u>, <u>고령</u>, 흡연, 알코올중독, DM, 수술,
    만성 폐질환, 이전의 입원 & 퇴원 후 10일 이내에 폐렴 증상 발생 등
  - 소아에서는 매우 드물지만, 최근 신생아와 면역저하 소아에서 HAP로 발생
  - 1976년 필라델피아의 호텔에서 열린 미국 재향군인(legionnaire) 총회의 폐렴 outbreak에서 유래

* Pontiac fever (폰티악열)
  - epidemic하게 발생, high attack rate (>90%), 잠복기 12~36시간, airborne transmission
  - no risk factors ; 건강한 젊은 층에서 많이 발생
  - 1968년 디트로이트 폰티악에서 발생한 열병을 지칭했다가, 후추 원인균이 *Legionella*로 밝혀짐
    (c.f., 2010년 폐지되었지만 GM 산하에 Pontiac 브랜드가 있었음, 우리나라에서도 인기였던 미드 Knight Rider
    [전격 Z 작전]의 주인공 KITT가 <u>Pontiac Firebird</u> 3세대였음; 80년대 맥가이버, 에어울프와 함께 3대 미드^^)

임상양상

1. Pneumonia (Legionnaires' disease[LD], 재향군인병)

- 흔히 atypical pneumonia의 범주에 포함되나, 대개는 더 심함
  - but, 경과와 예후는 bacteremic pneumococcal pneumonia와 더 비슷함
  - 면역저하자에서는 증상이 경미할 수 있음
- 다른 폐렴들과 비슷한 증상 ; 권태감, 두통, 근육통, 발열(약 20%에서는 >40℃의 고열),
  → 기침(대개는 마른기침), pneumonic Sx (dyspnea, pleuritic pain)
- GI Sx ; 복통/N/V (10~20%), <u>설사</u> (25~50%)
- 심한 경우 salt & water loss로 인해 <u>hyponatremia</u> 발생
- Cx ; lung abscess, empyema, resp. failure, shock, DIC, rhabdomyolysis, TTP, AKI
* Legionnaires' dz.를 좀 더 시사하는 소견 ; GI Sx, hyponatremia, AST-ALT↑, CRP >100 mg/L,
  β-lactams (penicillin, cephalosporin)이나 AG에 반응 안함!!

2. Extrapulmonary Legionellosis

- 매우 드묾, 폐 감염의 Cx (혈행성 전파)[대부분] or 독립적으로 발생 가능, 대부분 면역저하자에서
- cellulitis, SSTI, septic arthritis, osteomyelitis, peritonitis, pancreatitis, pyelonephritis, meningitis 등
- 심장 감염(e.g., myocarditis, pericarditis, prosthetic-valve endocarditis) ; 폐 감염 없이
    오염된 물에 의한 IV, chest tube, 수술 등으로 발생 가능

3. Pontiac fever

- acute, self-limited, flulike illness (비특이적 증상 ; 발열, 오한, 두통, 근육통, N/V/D 등)
- Legionnaires' dz.에서 보이는 하기도 증상은 없음
- 치료 안 해도 1~9일 (평균 4일) 뒤 회복됨 (→ 잠복기도 12~36시간으로 짧으므로 진성 감염이
    아닌 endotoxin에 대한 hypersensitivity가 병인으로 추정됨)
- Dx : 역학(오염/노출력)과 임상양상으로 진단, Ab seroconversion (4배↑)으로 확인 (균 발견 안됨)

4. 폐렴의 CXR 소견

- 다양하고 비특이적이지만, patchy unilobar infiltrations이 흔함 (하엽에 m/c)
    - dense opacification이 흔하지만, interstitial or nodular opacities도 나타날 수 있음
    - 대부분 증상이 발생시 이미 광범위한 infiltrations을 보임 (진찰 소견에 비해 CXR 소견이 심함)
    - 항생제 치료에도 불구하고 infiltrations은 계속 진행하는 경우가 흔함
- 약 1/3은 pleural effusions 동반
- cavity or abscess는 드물지만, 대부분 면역저하자 (특히 steroid 투여자)에서 발생 가능
- CXR 소견은 임상 증상이 호전되고 3~4일 이후에 좋아지기 시작, 1~4개월 뒤에 완전히 소실됨

진단

	Sensitivity (%)	Specificity (%)
Culture		
Sputum	10~80	100
Transtracheal aspirate	20~95	100
DFA (sputum)	50~70	96~99
Urinary Ag test	70~80	95~100
Serology (IFA)	20~70	95~99
NAAT (PCR)	70~95	95~99

(1) 배양

- 확진(gold standard), 특수배지(e.g., BCYE agar)가 필요 → 주로 reference lab.에서만 가능
- 3~5일 뒤부터나 확인 가능 → 실제 치료방침 결정에는 도움 안 됨
- sputum culture : 폐렴의 약 1/2에서 객담이 없는 것이 문제 → 유도객담 or 기관지내시경 권장
- 항생제감수성 검사는 대개 시행 안함 (표준화된 방법도 없음)

(2) 염색

- Gram's stain ; 다수의 neutrophils 관찰
  - 균은 안 보이는 경우가 많다! (∵ intracellular pathogen) ★
  - 보이는 경우 → small, pleomorphic, faint, gram(-) bacilli
- acid-fast stain ; false-positive acid-fastness 보이는 경우도 흔함 (→ TB로 잘못 치료할 수)
- DFA (direct fluorescent Ab) stain ; rapid & specific하지만 sensitivity가 낮음 → 잘 안 쓰임

(3) Urinary antigen detection test

- 소변에서 *Legionella* soluble Ag 검출 ; 빠르고, 쉽고, specificity 높아 가장 흔히 이용됨!
  (상품화된 immunochromatographic assay [rapid test] 많음)
- 증상 발생 3일 후부터 검출 가능, ~10개월까지 검출 가능 (항생제 치료해도)
  (감염이 심할수록 검출이 잘 되고, 장기간 검출됨)
- 단점 ; *L. peumophila* serogroup 1만 검출 가능 (*Legionella* 감염의 80~90% 차지)
  → 음성으로 나와도, 임상적으로 *Legionella*가 의심되면 반드시 다른 검사도(e.g., PCR) 시행

(4) 혈청(Ab) 검사

- 간접형광항체법(indirect fluorescent Ab assay)[IFA] ; 급성기→회복기 Ab titer 4배↑면 확진 가능
  (single titer ≥1:256면 추정 진단 가능, ≥1:128면 *Legionella*에 노출 증거)
- but, 최소 4~12주 걸림 → 역학적 목적의 retrospective Dx (e.g., Pontiac fever) 진단에나 이용

(5) NAAT (e.g., PCR)

- 빠르고 정확한 진단이 가능해 선호됨 (culture보다 약 30% 더 sensitive)
- *L. pneumophila*를 포함하는 상용화된 multiplex PCR 검사도 많음 (→ Ⅳ-2장 참조)
  ; 모든 *Legionella* 종을 검출할 수 있고, 종 감별까지 위해서는 대개 sequencing 필요
- 제대로 된 객담 검체를 얻는 것이 관건 (상기도 검체로는 sensitivity 떨어짐)

■ 치료

- 대개 azithromycin or levofloxacin 단일요법이 TOC (5일 이상 & 해열되고 2일 이상)
- newer macrolides (e.g., azithromycin, clarithromycin, roxithromycin)
  - 장점 : greater intracellular & lung tissue penetration, 부작용 적음
  - Gram stain에서 균이 안 보이는 면역저하자의 지역사회획득폐렴(CAP)에서 선호
    (∵ *M. pneumoniae, C. pneumoniae*도 치료 가능하므로)
  - *S. pneumoniae, H. influenzae, Moraxella catarrhalis, S. aureus*에도 active
- respiratory quinolones (e.g., levofloxacin, ciprofloxacin, moxifloxacin)
  - macrolide보다 해열 기간 빠르고, 재원 기간 짧고, 부작용 적음
  - 장기이식 환자에서 선호 (∵ macrolides와 rifampin은 장기이식시 사용하는 면역억제제인
    cyclosporine or tacrolimus 등과 상호작용이 있으므로)
- alternatives : TC (e.g., DC, minocycline, tigecycline), telithromycin, TMP-SMX, rifampin 등
  (rifampin은 macrolide or quinolone과 병용요법으로만 3~5일간만 사용함)

- severe Legionnaires' dz. ⇨ <u>rifampin</u> + macrolide (or quinolone) 7~10일 이상
  (macrolide + quinolone 병합요법 - 더 효과적이지는 않음)
  - steroid도 과도한 면역반응을 억제해 도움이 될 수 있음 (→ 호흡기내과 4장 참조)
  - severe acute respiratory failure 시에는 ECMO 고려
- IV 약제에 대한 임상적 호전은 대개 3~5일 뒤 나타남 → 이후는 oral 약제로(e.g., azithromycin)
  (치료 반응이 느린 경우에는 abscess, empyema, extrapulmonary infection 등의 합병증 고려)
- 면역저하(e.g., 장기이식) or advanced dz.의 경우는 더 오래 치료 (최소 14일 이상)
  ↳ 가능하면 면역억제제도 감량 (감량 못하는 상황이면 3~6개월 장기간 항생제 치료 고려)
- 예후 ; 적절한 치료를 받으면 mortality 3~10% (치료 안하면 ~30%)
  - dz. severity, 환자의 기저질환, 면역상태에 따라 다양함
  - 장기이식 환자는 8~70%, AIDS 환자는 ~20%
  - 생존한 경우에도 63~75%의 환자에서 피곤, 신경증상, 허약 등의 후유증이 남음

* Pontiac fever : 대증적인 치료만! (항생제는 필요 없음), mortality 0%

예방

- 사람간 전파는 거의 없으므로 환자 격리나 접촉 주의는 필요 없음
- 원내감염 예방을 위해 병원 급수 시스템의 정기적인 배양검사 권장
- 급수 시스템의 유속이 느려지거나 정체를 방지하도록 하도록 설계 (→ biofilm 형성↓)
- 수온 ; 냉수는 <20℃, 온수는 >50℃ 유지
- 급수 시스템의 소독 (*Legionella* 균은 60℃ 이상에서 사멸됨)
  - 구리이온화법(copper-silver ionization) ; 병원 환경에서 가장 신뢰할 만함
  - 기타 ; superheat & flush method (응급 상황시), chlorine dioxide, monochloramine,
    point-of-use filters, hyperchlorination (발암 위험, 파이프 부식 등으로 권장×) ...
- 비말이 생성될 수 있는 분무기나 가습기를 세척할 때는 수돗물이 아닌 멸균수를 사용해야 됨
- vaccine은 없음 / 이전에 감염되었어도 재감염 가능
- 집단 발병시 면역저하자는 항생제 chemoprophylaxis 시행

	Legionnaires' dz. (pneumonia)	Pontiac fever
잠복기	2~10일 (평균 4일)	12~36시간
Attack rate	5%	95%
기저 질환	>60%	없음
주요 감염원	cooling tower, water	air-conditioner, hot spring
경과	progressive	self-limited
사망률	3~10% (치료 안하면 ~30%)	0%

- 면역저하자의 Legionnaires's dz.는 치료 안하면 사망률 ~80%

9
Campylobacter

개요

- *Campylobacter* : small, motile, non-spore-forming, <u>curved</u> gram(−) rods (vibrio-like)
  (그리스어 kampylos = curved에서 유래)   ↳ comma- or s-shaped
  - microaerophilic : 저산소(5~10% O₂) 필요 → 위장관을 포함한 여러 부위에서 잘 생존
  - 다른 위장관 세균에 비해 증식이 느리므로 일반 배지에선 배양 힘듦 → 특수배지 필요
  - 4℃의 물, 우유, 음식에서 수 주간 생존 가능 (→ pasteurization이나 염소 소독 필요)
- 인수공통감염증 ; 가축, 애완동물을 포함한 다양한 동물의 위장관과 비뇨생식기에 colonization
  (e.g., *C. jejuni* : 소와 가금류, *C. coli* : 돼지, *C. upsaliensis* : 개, *C. fetus* : 양과 소)
- 감염경로 ; 주로 덜 익힌 육류(특히 가금류) or 오염된 음식/우유/음료수 섭취 … 식품매개질환
  - <u>닭고기</u>의 감염률이 매우 높음(40~80%), 주방 내 교차오염도 흔함(e.g., 싱크대, 칼, 도마, 손)
    ↳ 생닭 취급시엔 다른 곳에 오염되지 않도록 주의, 닭 조리시 중심온도 >75℃ 1분 이상
  - 감염된 동물과의 직접 접촉을 통해서도 감염 가능, 사람간 전파도 가능함(fecal to oral route)
- 역학 ; 설사병은 모든 연령에서 발병 가능하지만, 소아와 젊은 성인에서 호발
  - 토착화된 후진국에서는 2세 미만 소아에서 호발, 이후엔 항체 보유 증가로 대부분 무증상 감염
  - 선진국에서는 *Salmonella*, *Shigella*보다 더 흔한, 세균성 설사병의 m/c 원인균
    (우리나라도 세균성 설사병 원인의 2~3번째 차지 [*E. coli*가 m/c], 육류 섭취 증가에 따라 증가)
  - 여행자 설사의 주요 원인균 (특히 아시아 후진국)
  - 온도와 습도가 올라가는 여름철에 많이 발생
- 2 major groups
  ① diarrheal dz. : ***Campylobacter jejuni*** (모든 *Campylobacter* 감염의 80~90% 차지),
    - 기타 *C. coli*, *C. upsaliensis*, *C. lari*, *C. hyointestinalis*, *C. fetus*, *Arcobacter butzleri*,
      Arcobacter cryaerophilus, <u>*Helicobacter cinaedi*, *Helicobacter fennelliae*</u> 등
    - inflammatory diarrhea   ↳ 위가 아닌 장을 침범: *H. pylori*보다는 *Campylobacter*를 닮았음
  ② extraintestinal dz. : 주로 *C. fetus* … capsule-like 단백(S-layer)으로 인해 숙주의 면역 회피
    - *C. fetus* 외에도 모든 *Campylobacter* & related species가 전신감염(bacteremia) 유발 가능
    - 주로 면역저하/기저질환자에서 발생 ; AIDS, hypogammaglobulinemia, 악성종양, DM,
        간질환(특히 alcoholic LC), 심혈관질환(atherosclerosis), 신생아, 임산부, 고령 등
- 병인 ; 숙주의 방어는 humoral immunity가 좀 더 중요 (e.g., hypogammaglobulinemia에서 호발),
  cellular immunity도 관여하지만 아직 불확실함 (e.g, AIDS 환자에서도 호발)

균 섭취 → 주로 소장에 colonization → portal entry → bacteremia가 없거나 일시적

정상인

⋮ 면역저하/기저질환자

설사   지속적인 bacteremia → sepsis

(위산에는 약하지만, 담즙에서는 잘 증식 → 초기에는 담즙이 풍부한 상부 소장을 주로 침범)

임상양상

1. *Campylobacter* 장염/식중독

- 모든 *Campylobacter* & related species에 의한 장염의 임상양상은 비슷함
- 잠복기 1~7일 (대개 2~4일, 다른 식중독균보다 긴 편)
- 전구증상 (약 1/3에서) ; fever, headache, myalgia, malaise (설사 시작 12~48시간 전)
- 위장관증상 ; 설사(대개 수양성, 하루 10회 이상인 경우 흔함), 심한 복통(cramping), 발열, N/V …
  - 약 15%에서 설사 2~3일 째 혈변도 관찰될 수 있음
    (high-molecular-weight plasmid [pVir]가 더 심한 침습성 감염과 혈성 설사를 일으킴)
  - RLQ pain → appendicitis로 오인될 수 있음
  - 임상양상 만으로는 *Salmonella, Shigella, Yersinia* 감염과 구별 어려움
- 일부는 acute colitis (혈성 설사) 양상으로 발현 … IBD (CD, UC)와 비슷 (조직 소견도 비슷)
- 대부분 self-limited ; 설사는 평균 1주 지속 (10~20%는 1주 이상 지속 가능)
- 설사가 호전된 뒤에도 복통은 지속 가능, 균 배출은 임상적 호전 이후에도 몇 주 더 지속 가능
- 드물지만 bacteremia, sepsis or focal metastatic infections도 합병 가능

2. *C. fetus* 감염

- 정상인의 감염은 일부에서만 설사 질환 유발 (*C. jejuni* 비슷한 양상) → 치료 안 해도 호전됨
- 면역저하/기저질환자에서는 bacteremia 유발 ; 발열, 오한, 근육통
  → sepsis or focal metastatic infections 합병 가능
    ; endovascular infections (e.g., endocarditis, mycotic aneurysm, septic thrombophlebitis), meningoencephalitis, osteomyelitis, cholecystitis, pericarditis, myocarditis, peritonitis …
- 임신 중 감염 → septic abortion 유발 가능

합병증

- bacteremia – *C. fetus*를 제외하고는 드묾
- local suppurative complications ; cholecystitis, pancreatitis, cystitis
- distant Cx ; meningitis, endocarditis, arthritis, peritonitis, cellulitis, septic abortion
- hepatitis, interstitial nephritis, HUS

- reactive arthritis ; 2.5%에서 발생, HLA-B27 (+)에서 호발, 설사의 severity와는 관련 없음
  (비특이적인 관절 증상은 ~10%에서 발생)
- Guillain-Barré syndrome[GBS] ; 드묾(0.1%), 모든 GBS 원인의 20~40% 차지, 심하고 예후 나쁨
  (subclinical *Campylobacter* 감염도 GBS를 유발 가능)

진단

- Lab ; neutrophilic leukocytosis (mild leukopenia도 가능), stool WBC (75%) or RBC (50%)
- 대변 현미경검사 → 초기 진단에 유용 (but, sensitivity 낮음 ; 50~75%)
  - Gram stain ; faint, curved vibrio-like gram(-) rods (나선형, S, 갈매기 날개, 콤마 모양)
  - dark-field or phase-contrast ; 특징적인 "darting" motility (나선형으로 앞으로 빠르게 전진 운동)
- culture (확진) ; stool, blood 등
  - fastidious → 반드시 selective media 사용, microaerobic condition에서 배양
  - *Campylobacter*-selective media ; CCDA, CSM, Skirrow, Campy-CVA 등
  - 여과법(membrane filtration method) ; *Campylobacter*는 크기가 작으므로 cellulose acetate filter
    (구멍크기 0.65 μm)로 대변 현탁액을 걸러 배양, sensitivity 약간 떨어지므로 보완적으로 이용
- NAAT (e.g., PCR) ; 배양보다 빠르고 sensitivity 더 높아 많이 이용
  - 상용화된 multiplex PCR 위장관염(설사) 검사도 많음 (→ Ⅲ-3장 참조)
  - 단점 ; 사균도 검출되므로 반드시 임상양상과 함께 해석해야 됨, 항생제감수성 검사는 불가능

* D/Dx ; *Salmonella, Shigella, Yersinia,* UC/CD, appendicitis

치료

- *Campylobacter* 장염의 치료는 수분과 전해질 공급이 중심, 대부분 항생제는 필요 없음
- 항생제 치료
  - Ix (severe dz.) ; high fever, bloody diarrhea, 장관외 감염, 1주 이상 지속, 증상 악화/재발
    severe dz. 발생 위험군(e.g., 고령, 임신, 면역저하)
  - oral macrolides (e.g., azithromycin) 3일이 DOC (complicated or 면역저하자는 7~14일)
  - very severe dz. or systemic infections
    ⇨ IV carbapenems (e.g., imipenem, meropenem) ± GM
  - fluoroquinolone은 내성률이 높아 권장× (우리나라는 ~90% 내성)
    (∵ 가금류에서 사용, 염증성/혈성 설사에서 경험적 항생제로 사용으로 내성률 높아짐)
- 지사제(e.g., loperamide)는 금기 (∵ 질병 기간을 오히려 연장, toxic megacolon 유발 위험)
- 예방 : vaccine은 아직 없음, 한번 감염되었어도 재감염 가능
  - 감염원 차단이 중요 ; 육류(특히 가금류)는 충분히 가열 조리, 우유 멸균, 물은 염소처리 or 끓임
  - 고위험 지역으로의 여행시 예방적 항생제(e.g., rifaximin)는 효과 없음

■ 예후

- *Campylobacter* 장염의 거의 대부분은 합병증 없이 완전히 회복됨, mortality 0.24%,
  치료 안한 환자의 5~10%는 재발 가능
- *C. fetus* 전신 감염은 빨리 치료 안하면 사망 가능 (건강한 사람은 대부분 후유증 없이 회복됨)
- 면역저하자는 다양한 *Campylobacter* 종에 의한 심각한 감염 or 재발 감염 위험이 있고,
  만성 보균 상태도 가능함

10
백일해(Pertussis)

개요

- pertussis (**whooping cough**, 百日咳^{백일해}) : *Bordetella pertussis*에 의한 아급성 호흡기감염
- *B. pertussis* ; small, gram(−) coccobacilli
  - 8종의 *Bordetella*가 있음 ; *B. parapertussis, B. bronchiseptica, B. holmesii* 등도 인체감염 가능
    ↳ *B. pertussis* 비슷 ↳ 면역저하자에서 ↳ *B. pertussis*와달리 bacteremia 가능
  - 사람에게만 병을 일으킴, 사람이 유일한 보유 숙주
- 전파 ; respiratory droplets을 통해 (기침시 aerosol 형태로 퍼짐)
  - 전염력이 매우 높음 : 면역이 없는 사람에게 노출시 attack rates 50~100%
  - 경미하거나 무증상 감염 청소년/성인이 reservoir로 작용하여 영유아/소아에게 전파 위험
- 병인 ; *B. pertussis*가 비인두(nasopharynx) 상피세포에 부착하여 증식하면서 toxins 생산
  - tracheal cytotoxin^{PT} (m/i), dermonecrotic toxin, adenylate cyclase 등 → 국소 점막 손상
    → 호흡기 방어 세포들 소실 → microaspiration↑ → cough 자극 (일부 자가면역기전도 관여)
  - lymphocytosis 등의 전신증상도 유발 (혈행성 전파를 통한 전신 감염은 일으키지 않음)
- 역학
  - 1940년대 killed whole-cell vaccine (DTwP) 도입 이후 급격히 감소해서 매우 드물다가,
    2000년대 들어 다시 서서히 증가, 6개월 미만 소아 및 청소년/성인에서 재유행 중
  - 재유행 원인 ; vaccine의 효능↓(추가접종↓), PCR에 의한 진단 증가, 변형 균주의 출현 등
    → 과거와 달리 청소년/성인 감염자 증가 : 영유아/소아에 비해 증상 경미함
      (진단 안 된 감염자도 많아, 실제 환자는 훨씬 많을 것으로 추정됨)
  - 모든 연령이 감염 가능하지만.. <6개월, >65세, asthma, COPD, 비만 등이 감염 위험 높음
- 우리나라 (제2급 법정감염병)
  ; 1954년 vaccine 도입 후 1994년까지 급격히 감소하여 2001년 이후에는 매년 20명 내외였다가,
    2009년부터 다시 증가해 매년 100~300명 발생, 2018년에는 980명 발생 (10세 미만이 54.7%)

임상양상

- 1~2주 이상 지속되는 paroxysmal cough가 특징 (이환 기간이 김, 평균 6~8주)
- 잠복기 : 1~3주 (대부분 7~10일)

1. Classic Pertussis (3 stages) : 소아

(1) Catarrhal stage : 1~2주
- mild nonspecific (URI) Sx ; 콧물, 경미한 기침, 식욕부진 (발열은 대개 없고, 있어도 미열)
  (다른 URI와 달리 기침이 지속적으로 심해지고, 콧물은 계속 watery함)
- 초기 catarrhal stage가 전염성이 가장 높음!

(2) Paroxysmal stage : 2~8주
- 발작성 기침(sudden, forceful, repetitive coughing) ; 한 번의 호기 때 5~10회의 반복성 기침,
  physical effort (e.g., 경정맥 확장, 눈이 부음, 혀가 나옴, cyanosis) 동반
  - 발생 횟수는 다양 (5~10회/day ~ 1시간에 몇 회), 흔히 밤에 악화됨 (→ 수면 방해)
  - severity는 처음 1~2주 동안 증가, 이후 2~3주 동안의 평형 상태 이후 점차 감소함
- inspiratory whoop (기침 후 강한 흡기에 의한 소음, 22~44%), post-tussive vomiting (~60%)
- 발작은 외부의 자극 (e.g., 소음, 접촉, 연기, 온도변화)에 의해서도 유발될 수 있음
- 발열은 드묾 (발열 동반시에는 2차 세균 감염 의심)

(3) Convalescent stage : 1~3개월
- 발작성 기침의 횟수와 severity가 계속 감소하여 수주~수개월 뒤 소실됨
- 다른 호흡기 감염이 동반되면 발작성 기침 재발 가능

2. 청소년/성인의 감염
- 예방접종을 받았던 청소년/성인은 만성 기침 or 무증상 (classic pertussis 양상은 드묾)
- 소아에 비해 whooping과 lymphocytosis 드묾
- 유행 지역에서는 2주 이상의 기침이면 강력히 의심

3. 합병증
- 영아(<6개월)에서 흔하고, 예후 나쁨 (사망률 1%) ; apnea, 폐렴, seizures, pulmonary HTN 등
  - tracheal cytotoxin[PT]-induced lymphocytosis → pul. HTN 유발 (청소년/성인에서는 드묾)
  - 격렬한 기침에 의한 신체 장기의 손상, 지속적인 구토에 의한 영양결핍/체중감소도 발생 가능
  - 백일해에 의한 사망의 대부분은 2개월 이하 영아에서 발생
- 큰 소아 ~ 성인은 대부분 예후 좋음
  - 폐렴(대부분 다른 세균에 의한 2차 감염), 부비동염, 수면장애, 정서장애
  - 기침에 의한 subconjunctival hemorrhage, hernia, rib fractures, 요실금, lumbar strain

진단

- nasopharyngeal swab or aspirate에서
  ① 배양 ; 특수배지 필요(Bordet-Gengou or Regan-Lowe agar), 발병 2주부터는 sensitivity 감소
  ② PCR ; 빠르고 정확함 (but, 발병 3주 이후부터는 sensitivity 감소)

- 혈청(Ab) 검사 ; 발병 2~8주 이후에나 진단 가능, 주로 역학조사나 연구용으로 사용
- DFA (direct fluorescent Ab test)도 있었지만, 정확도가 낮아 사용 안됨
- leukocytosis (absolute lymphocytosis)도 특징임 (→ poor Px)

백일해의 진단	
Confirmed	기간에 관계없는 기침 질환 + 균 배양(+) or Clinical Pertussis + PCR(+) or Clinical Pertussis + 확진자와 접촉력
Probable	Clinical Pertussis + 배양/PCR(−) + 확진자와 접촉력(−) or 1세 미만 영아에서 기간에 관계없는 급성 기침 질환 + 다음 중 1개 이상 (발작성 기침, inspiratory whoop, post-tussive vomiting, apnea) + PCR(+) or 확진자와 접촉력
Clinical Pertussis	2주 이상 지속되는 기침 질환 + 다음 중 1개 이상 (발작성 기침, inspiratory whoop, post-tussive vomiting, apnea)
Laboratory Dx	Nasopharyngeal swab or aspirate에서 배양(+) : 기침 발생 후 2주 이내 PCR(+) : 기침 발생 후 3~4주 이내

치료

1. 항생제

- 치료목적 ┌ 비인두의 백일해균 제거 → 전파 예방 (주목적)
  └ 증상 발생 1주일 이내에 투여하면 증상 기간과 severity 완화 가능
    (증상 발생 1주일 이후에 투여하면 임상경과에 거의 영향을 미치지 못함)
  * 기침 발생 후 3주까지는 균 배출됨 ⇨ 첫 증상 발생 4주 이내의 모든 환자에게 항생제 투여!
    – 고위험군(e.g., 임산부, 천식, COPD, 면역저하, >65세)은 기침 발생 후 6주 이내까지 투여
    – 의심되는 환자는 확진 전이라도 치료 시작
- new macrolides (DOC) ; azithromycin 5일 or clarithromycin 7일
- macrolides를 사용하지 못할 때는 TMP-SMX 14일

2. 보존적 치료

- 심한 경우에는 반드시 입원하여 치료 (특히 합병증 발생 위험이 높은 영아는 반드시 입원 치료)
  – apnea와 cyanosis에 대한 monitoring 및 호흡관리, hydration, 영양 보충 등
    ↳ severe hypoxemia (pul. HTN) 등 매우 심각한 경우엔 ECMO 고려
      (severe lymphocytosis와 관련이 있어 leukapheresis or 교환수혈 시도했었지만 근거는 부족)
  – 자극에 의해 기침 발작이 유발될 수 있으므로 조용하고 편안한 환경 유지
- steroids, β-agonists, pertussis-specific Ig, antihistamines 등을 사용하기도 했었지만 근거는 부족함
- cough suppressants는 효과 없음, dextromethorphan 정도는 사용 가능
  (손상되었던 upper respiratory ciliated cells이 재생되는 수 주 뒤에나 기침이 호전됨)

예방

1. 입원환자의 격리

- standard & droplet precautions (e.g., surgical-type mask 착용)
- 항생제 치료 시작 후 5일이 지나야 균 배출 사라짐 (치료 안했을 때에는 3주)
    → <u>5일간</u> 격리 필요

2. 접촉자의 관리

- 모든 <u>밀접 접촉자</u>는 예방접종력과 관계없이 반드시 chemoprophylaxis 시행 (치료 약제와 동일)
    ↳ 기침이 시작된 지 3주 이내의 확진자와 접촉한 사람 (e.g., 가족, 동거인)
        : 접촉 후 3주 이내인 경우, 고위험군(or 고위험군과의 접촉자)은 접촉 6~8주까지도
- 노출 후 예방접종 : 현재의 감염 예방 효과는 없음
    → 예방접종이 불완전한 사람은 연령에 따른 표준 예방접종 시행

3. 예방접종(vaccines)

- DTP (= DTaP), Tdap 등의 형태로 접종 　　　　　　　　　　　→ Ⅱ-4장 참조
- 과거에는 killed whole-cell *B. pertussis* organisms 백신 ; 85~94% 효과, 2~3년 지속
    (후진국에서는 아직도 사용 중)
- 1990년대 이후 대부분의 선진국은 acellular pertussis (<u>aP</u>) 백신을 사용함
    - 효과 비슷하면서도 부작용이 훨씬 적어 안전함
    - PT, FHA, PRN, FIM, DT, TT 등의 항원(toxin)을 함유함
- 예방접종 효과는 시간이 갈수록 약해지므로 10년마다 booster vaccination 필요

* 백일해(DTP) 예방접종력이 없거나 불확실한 임산부
    ⇨ 신생아 백일해 예방을 위해 <u>임신 27~36주</u>에 Tdap 접종 권장
        (∵ 임신 중 아무 때나 가능하지만, 이 시기가 탯줄혈액에서 항체 농도가 가장 높아짐)
    - 엄마의 항체 형성 자극 → 항체가 태반을 통과 → 신생아의 백일해 예방 효과
    - 임신 중 Tdap 접종은 부작용 빈도가 높지 않아 안전함
    - 임신 중 Tdap를 접종한 경우 다음 임신까지 신생아 백일해를 예방할 정도로 항체 농도가
        충분히 유지되지는 않음 → 임신할 때마다 Tdap 접종 권장

* 지역사회에서 백일해가 유행하는 경우
    - 영아 : 생후 6주부터 DTP 접종 시작, 4주 간격으로 접종
    - 12개월 미만 영유아를 돌보는 가족, 의료종사자 : Tdap 접종 권장 (이전 스케줄과 관계없이)

11
Brucellosis

원인

- *Brucella melitensis* (세계적 m/c), *B. abortus* (우리나라 m/c), *B. suis, B. canis* 등이 인체 감염을 일으킴
    - small, nonmotile, facultative intracellular aerobic, unencapsulated gram(−) rods/coccobacilli
    - 햇빛, 방사선, 끓이거나 저온 살균에 의해 사멸 /but, 냉동이나 건조에는 강함
    - intracellular pathogen이지만 toxins 분비×, LPS의 면역반응 유도 약함 → 장기간 생존 가능, 관절염 등의 합병증은 주로 innate immune response에 의한 조직 파괴 때문
- 인수공통감염증(zoonosis)으로 소(m/i), 염소, 돼지에서 주로 발생
- 감염경로 ; 감염된 동물의 체액이 피부/점막의 상처와 접촉, 호흡기 감염, 동물 가공품 섭취/접촉
    - 외국에서는 저온 살균 안한 우유, 생치즈, 아이스크림 등이 m/c 원인
    - 우리나라는 감염된 소와의 직접 접촉이 m/c 원인
    - 사람 사이의 전염성은 거의 없지만, 드물게 성접촉, 수유 등으로도 전파 가능
    - 종종 검사실내 부주의 or 동물 처치 중 많은 감염자가 발생 가능
- 감염 위험군 ; 축산업 종사자, 수의사, 축산 부산물 처리자, 도축업자, 관련 검사실 종사자 등
- 우리나라 ; 제3급 법정감염병, 2002년 처음 1명 확인 뒤 증가, 2006년 215명으로 정점을 보인 이후 계속 감소하여 최근에는 매년 10명 미만 발생 (소브루셀라병의 유행 추이와 동일)

임상양상

- 잠복기 : 1주 ~ 몇 개월 (보통 1~2개월) ⋯ 급성 및 만성 염증반응이 모두 발생
- 급성 브루셀라증 ; 발열, 오한, 허약, 피로, 식욕부진, 두통, 근육통, 요통, 식은땀, 체중감소 ⋯
    (약 50%에서 hepatomegaly, 약 30%에서 splenomegaly)
- 합병증 (다양함) ; 관절염(m/c, 80%), 척추골수염, 비뇨생식기 감염(e.g., orchitis, epididymitis), 폐렴, 농흉, 심내막염, 심근염, 간/비장 농양, 신경침범(e.g., meningitis, 우울증/졸음증 동반) ⋯
    - 사망은 드물지만, 사망하는 경우는 대개 *B. melitensis*에 의한 심내막염이 m/c 원인
    - 임산부 감염시에는 유산, 자궁내 태아 사망, 조산, 자궁내 감염 등 위험
- 만성 브루셀라증 (발병 후 1년 이상 지속되는 경우) ; 만성 피로, 전신 무력감 등의 비특이적 증상
- Lab (정상이 더 흔함) ; AST-ALT↑, CRP↑, anemia, relative lymphocytosis, platelet↓ ⋯
    - body fluid (e.g., CSF, joint fluid) 소견 ; lymphocytosis, glucose↓ (CSF에서는 ADA도↑)

진단

- 증상이 뚜렷하지 않으므로, 노출력 및 검사실 검사가 진단에 중요함 (⋯ 결핵과 감별 필요)
- culture (blood, BM, tissue, CSF, joint fluid, urine) : 시간이 오래 걸리고, 50~70%만 진단 가능
- 혈청(Ab) 검사 ⋯ sensitivity 가장 높아 진단에 선호됨
  - IgG ; 발병 2주후부터 증가, 감염기간 동안 높은 항체가, 치료 후 급감, 재발 평가에도 도움
  - IgM ; 가장 빨리 증가, 급성 브루셀라증 진단에 유용 (몇 개월 뒤에는 감소)
  ① standard tube agglutination test (SAT) ; 표준, ≥1:160이면 양성, IgG와 IgM은 구별×
    - Brucella microagglutination test (BMAT) : modified SAT
  ② Rose-Bengal slide agglutination test (RBT), lateral flow immunochromatographic assay
      (LFA) ; 간편하고 저렴해 screening에 유용
  ③ ELISA ; IgG와 IgM 각각 검사 가능
  ④ complicated and/or chronic infection시 유용한 검사 ; 2-mercaptoethanol (2-ME)
      agglutination test, immunocapture agglutination (Brucellacapt) test, indirect Coombs test
- 유전자 검사 ; 16S rRNA gene sequencing, *bcsp31, omp2* 등의 PCR (표준화는 아직 부족)
  - 장점 ; 조기진단 가능, sensitivity 높음, biohazard 없음
  - 단점 ; 균혈증, 재발, 만성브루셀라증 등을 구별 못함
- biopsy (e.g., LN, liver) ; noncaseating granulomas (AFB는 없음)

치료

- 표준 치료 ; DC (or TC) + streptomycin (or GM or rifampin) 6주
  - 8세 미만 소아 or 임산부는 TMP-SMX + rifampin
  - fluoroquinolone은 재발률이 높아 1차로는 권장 안 됨
- neurobrucellosis → DC + rifampin + ceftriaxone 3~6개월
- endocarditis → DC + streptomycin (or GM) + rifampin 4~6개월
- 치료에 대한 반응은 좋은 편이고, 재발률은 약 5~10% 정도

예방

- 가축의 브루셀라증을 예방하는 것이 m/i (약독화 생백신 접종)
- 아직 사람에게 접종 가능한 표준화된 백신은 없음
- 살균되지 않은 우유/유제품의 섭취 피함
- 감염된 동물의 체액/조직에 노출되지 않도록 함 (고위험군은 보호구 착용)
- 노출 후 예방 : DC + rifampin 3~6주

12 그람음성구균(Gram-Negative Cocci) 감염

■ Meningococcal Infections ■

개요

- *Neisseria meningitidis* (수막구균/수막알균)
  - aerobic, gram-negative diplococci, 특징적인 biscuit shape
  - enriched media (*e.g.*, Mueller-Hinton or chocolate agar)에서 잘 자람
  - capsular polysaccharides에 따라 serogroups 나뉨 ; A, B, C, X, Y, Z, W135, L 등이 흔함
  - 건조나 냉각에 매우 민감하므로, 검체 채취 즉시 배양해야 됨 (냉장 보관×)
- nasopharyngeal carriage rate : 약 10% (3~25%), 영아/소아에서는 낮고, 청소년기에 최고
  - closed populations에서는 60~80%까지 증가 (e.g., 신병훈련소, 학교)
  - carriage는 일시적이거나(~40%) 며칠/몇 주(~33%), 몇 달(~25%) 지속될 수도 있음
- 전파 : 보균자와의 밀접한 접촉을 통하여 (호흡기 분비물의 접촉 or droplets의 흡인)
  - 보균자(carrier)가 있어야 환자도 발생함
  - 균 획득시 99% 이상은 asymptomatic carrier로, 1% 미만만 bloodstream invasion
- 잠복기 2~10일 (대부분 7일 이내)
- 발생률 ; 선진국 0.5~4명/10만, 후진국 10~25명/10만
  (특히 중부 아프리카, 사우디아라비아의 성지순례 등에서 주기적인 유행 발생)
- 발생위험이 높은 경우
  - 연령 ; ① 6개월~3세의 소아, ② 14~20세의 청소년
  - 위험요인 ; 환자/보균자와 접촉, 인구밀집, 흡연, 최근의 viral URI
- 겨울 및 초봄에 주로 발생
- 제2급 법정감염병 (우리나라 매년 약 10~30예 보고)

병인

: nasopharyngeal colonization → mucosal penetration → adaptation phase → circulation

(1) Virulence factors
- pili (fimbria), opacity proteins (e.g., Opa, Opc) ; nasopharyngeal epithelial mucosa에 결합 & colonization에 중요
- lipo-oligosaccharide (LOS) ; G(−) bacilli의 LPS와 비슷, 대개 nonenteric surfaces에 결합하는 G(−) 병원균에 존재(e.g., *Neisseria, Haemophilus, Moraxella, Campylobacter, Bordetella*)
    - endotoxin으로 작용하여 proinflammatory cytokines 분비 활성화, severe dz. 발생에 중요
        ↳ LOS의 lipid A portion은 장내세균 LPS의 lipid A (endotoxin moiety)와 구조 비슷함
    - plasma내 LOS levels과 dz. severity와 비례, CSF내 LOS levels은 plasma의 100~1000배
    - 일부 strains에서는 complement-mediated lysis에 저항하는 역할
- capsular polysaccharides ; phagocytosis or complement-mediated lysis에 저항
- type 2 IgA1 protease ; host 점막의 secretory IgA를 분해하여 colonization에 도움

(2) Host immunity
- protective bactericidal Ab.가 부족하면 invasive dz. 발생 위험 증가
- 영아의 경우는 maternal Ab.에 의해 첫 몇 달 동안 protection ⋯▸ maternal Ab가 소실됨에 따라 susceptibility↑ ⋯▸ 성인이 되면 *N. meningitidis* 및 다른 enteric bacteria의 colonization 으로 인해 meningococci에 대한 natural immunity 획득

(3) Risk factors
- host defense에는 complement system이 매우 중요 − complement deficiency시 감염 위험↑
    - terminal complement components (C5−9), properdin, or factor D deficiencies
    - eculizumab (C5 inhibitor), systemic disease (e.g., SLE, MPGN) ...
- 면역저하 ; hypogammaglobulinemia, splenectomy, 장기이식(면역억제제) ...
- 만성 기저질환 ; ESRD, DM, 알코올중독, 담도계질환 ...

임상양상

- 균주 독성, 숙주 방어상태, 환경적 인자 등에 따라 transient fever ~ fulminant dz.까지 매우 다양
- severe meningococcal infection은 보균자에서 발생하는 경우보다는 새로 감염된 사람에게서 흔함

1. Meningococcemia

: 10~30%는 meningitis 없이 균혈증의 형태로만 발생

(1) Mild Meningococcemia
- 인두염 증상, 고열(39~41℃), 근육/관절통, 두통, 전신쇠약 등
- 특징적인 피부병변 (주로 몸통, 하지에) ; maculopapular rash → petechiae

* severe meningococcemia/meningitis로의 진행을 시사하는 소견
    ; 다리 통증, 손발이 참, 피부색 이상(e.g., 창백, 얼룩/반점)

(2) Fulminant Meningococcemia (Waterhouse-Friderichsen syndrome)

- circulating endotoxin ↑↑
- meningococcemia + vasomotor collapse
- 갑자기 발생, 급격히 진행, overwhelming character (shock, DIC, MOF)
- ecchymoses & fulminant purpuric rash (급격히 커짐)
- myocardial depression
- metabolic acidosis, electrolyte 이상, oliguria, leukopenia (neutropenia), DIC

2. Meningitis

- meningococcemia와 흔히 동반됨, 6개월~10세 사이에 호발
- 젊은 성인에서 community-acquired meningitis의 2nd m/c 원인
- 대개 URI Sx 후 발생 (over several days), 25%에선 abrupt & rapid
- meningitis + skin lesion시 우선 의심
- CSF 소견 ; pr.↑, protein↑, glucose↓, neutrophil↑, Gram stain (~80%에서 균 발견됨)
  (c.f., hypovolemic shock 때는 lumbar puncture 금기)

3. 기타

URI, arthritis, pneumonia, sinusitis, otitis media, conjunctivitis, endophthalmitis, endocarditis, pericarditis, urethritis, endometritis ...

	Meningococcal meningitis	Fulminant meningococcemia
증상 발생에서 병원을 찾기까지의 기간	길다 (24시간 이상)	짧다 (평균 12시간)
임상양상	발열, 두통, 수막자극증, 의식변화, 경련	허탈, 점상출혈, 자반, 발열
CSF 배양	대개 양성	흔히 음성
CSF endotoxin, cytokine	↑	↓
혈중 endotoxin, cytokine	↓	↑
사망률	3~10%	20~40%

진단

(1) culture : blood, CSF, skin lesion (petechial aspirate), joint (throat swab은 가치 없음)

(2) Gram's stain : gram-negative diplococci

(3) immunoassays (latex agglutination test) : less sensitive

(4) PCR : 항생제 투여로 culture가 의미 없을 때 유용, multiplex PCR도 있음 (FilmArray® ME)

⇨ 위 방법의 조합으로 95% 이상 진단 가능

치료

1. 항생제

- 3세대 cepha. (ceftriaxone or cefotaxime) IV : DOC
  - 이유 ; 다른 흔한 meningeal pathogens에도 잘 들음, CSF에 잘 투과됨, 독성 적음, 사용 간편
  - 면역저하자, 신생아, 노인에서는 penicillin도 추가 (∵ *L. monocytogenes*)
- *N. meningitidis* 동정 전 경험적 bacterial meningitis 치료로는 3세대 cepha. + vancomycin 권장
- penicillin-sensitive *N. meningitidis* → penicillin G (but, 최근엔 내성 증가)
- penicillin or cephalosporin allergy 시엔 → chloramphenicol
- 기타 ; meropenem, aztreonam, fluoroquinolones (e.g., gatifloxacin, moxifloxacin, gemifloxacin)
- * 항생제 투여 전 dexamethasone 투여도 보통 시행됨 (→ I-6장 참조)

2. Fulminant meningococcemia의 보존적 치료

- shock → 적극적인 수액요법 (첫 24시간에 몇 L 필요) (→ 반응 없으면 steroid 고려)
  + vasopressors (e.g., dopamine, NE) ± HD or hemofiltration
- acute pulmonary failure → mechanical ventilation, ECMO
- DIC → 보존적 치료 ; FFP, platelet, antithrombin III 등
  (c.f., recombinant activated protein C는 사망률↓ 효과 없고 출혈↑로 퇴출되었음)
- adrenal hemorrhage (Waterhouse-Friderichsen syndrome) 발생 위험 → hydrocortisone IV
- anti-toxins ; hyperimmune serum, antibodies, recombinant bactericidal/permeability-increasing
  protein (rBPI) 등 → survival 향상은 없음

예후

- 사망률 약 10% (치료 안하면 70~90%), 항생제 등 치료의 발전에도 불구하고 별 개선은 없음
- 빨리 meningococcemia를 의심해서 적절한 항생제를 투여하는 것이 예후에 가장 중요
- 예후가 나쁜 경우
  - shock (저혈압), coma, purpura fulminans (광범위한 acute ecchymosis)
  - 유아, 청소년, 고령
  - DIC, thrombocytopenia, leukopenia
  - meningitis 無
  - metabolic acidosis
  - antithrombin↓, protein C or S↓, PAI-1↑, ESR or CRP↓

예방

(1) Chemoprophylaxis

- 감염 첫 1주일 동안이 전염 위험 제일 높음
- 대상 (close contacts) : 의료인, 환자의 가족, 기숙사, 만성병 치료병원, 군대 등에서 노출될
    위험이 높은 사람들 (→ 발병위험 500~1000배, 노출 수 시간 내에 발병 가능)
  - 환자의 증상 발생 7일 전 ~ 항생제 치료 시작 후 24시간까지의 접촉자에게 시행
      (치료 시작 후 24시간 뒤에는 환자도 격리 해제 가능)
  - casual contact은 위험을 높이지 않음! (e.g., 직장, 강의실)
- 약제 ; rifampin, ceftriaxone (IM), ciprofloxacin, or azithromycin

	연령	용법	기타
Rifampin	1개월 미만 소아 1개월 이상 소아 성인	5 mg/kg, oral, 2회/일, 2일간 10 mg/kg, oral, 2회/일, 2일간 600 mg, oral, 2회/일, 2일간	임산부에는 권장×
Ceftriaxone	15세 미만 소아 15세 이상 소아, 성인	125 mg, 1회 IM 250 mg, 1회 IM	임산부에서 권장됨
Ciprofloxacin	성인	500 mg, 1회, oral	18세 이하는 일반적으로 권장× 임신/수유시에는 금기, 내성에 주의
Azithromycin		10 mg/kg, 1회, oral	First-line으로는 권장×

(2) Vaccination

- 과거의 다당류백신(polysaccharide vaccines) : T cell 비의존형 Ag → 면역기억반응 유발×
    → 면역력이 오래 지속되지 못함(3~5년), 군집면역 유도 못함 (현재는 생산 중단)
- 현재는 단백결합백신(polysaccharide-protein conjugate vaccines)을 사용함 ; 좀 더 오래 지속
    ↳ protein carriers → T cell 비의존형 Ag에서 T cell 의존형 Ag으로 변함
        ↳ diphtheria or tetanus toxoid를 주로 이용
- **4가 단백결합백신**(quadrivalent meningococcal conjugate vaccine) : serogroups A, C, Y, W135
  - Menactra®, Menveo®, Nimentrix® 등 (보통 ACYW or ACYW-135로도 부름)
  - 면역 효과 : 80~95% (but, 5년 이후에는 50%로 감소 → 필요시 5년 후 재접종 권장)
  - 대상 : 비장절제/기능저하, complement deficiency, 군인(특히 신병), 노출위험 실험실 근무자,
      기숙사 거주 대학생/직장인, 유행지에서 현지인과 밀접접촉 예상 여행자, HIV 감염자 등
      (c.f., 2012년부터 국방부는 신입 훈련병에 수막구균 백신 접종을 의무적으로 시행중)
  - 접종방법 … 55세까지만 접종 허가되어 있음 (56세 이상이라도 고위험군은 접종 고려)
    ┌ 건강한 성인 : 1회 IM
    └ 무비증, 보체결핍, HIV 감염자 : 2개월 간격으로 2회 IM
- serogroup B meningococcal conjugate vaccines ; Trumenba®, Bexsero® (menB로도 부름)
  - 고위험군 및 유행지역에서 권장 (미국/유럽은 산발 유행, 호주/뉴질랜드는 B형이 80%로 m/c)
  - 접종방법 : 2~3회 IM (아직 우리나라는 도입×)
- 절대 빈도가 높지는 않아 소아 기본접종에는 포함되어 있지 않음

■ Gonococcal Infections ■

개요

- **임균**(*Neisseria gonorrhoeae*) ; <u>gram-negative diplococci</u>, 보통 pairs 형태
  (신장이 마주 보고 있는 모양)
- gonococcus의 직접 감염 부위 ; urethra, rectum, conjunctiva, pharynx, endocervix
- gonorrhea는 대개 무증상의 보균자에 의해 전파 (주로 <u>성 접촉</u>을 통해)
  (∵ 증상이 있는 경우는 치료를 받게 됨)
  → gonorrhea 의심시엔 반드시 그들의 최근 성 접촉력도 확인해야 됨
- incidence는 남자가 높으나, prevalence는 여자가 높다
- *N. gonorrhoeae*에 한번 노출된 남자의 감염될 확률은 약 20% (여자는 50%)
- 매춘부 gonorrhea 환자의 경우엔 HIV 감염의 위험도 증가
- 선진국에서는 꾸준히 감소되었지만, 우리나라는 아직 많은 편 (매년 약 500~1000명 보고)

임상양상

1. 남성의 임질(Gonorrhea)

- 잠복기 2~5일, 보통 nongonococcal urethritis보다 증상이 심함
- <u>purulent urethral discharge</u>, dysuria, meatal erythema ...

2. 여성의 임질(Gonorrhea)

- endocervical inflammation : mucopurulent (yellow) discharge, cervical bleeding
- fallopian tube로의 upward extension (15%에서 발생)
- acute endometritis : 월경불순, 복통 및 압통, dyspareunia
- acute salpingitis (gonorrhea의 major Cx)
- pelvis의 감염 ; pelvic peritonitis의 Sx & signs, N/V, pelvic abscess ...
- gonococci나 chlamydiae의 상복부로의 전파
  → perihepatitis (Fitz-Hugh-Curtis syndrome) 일으킬 수 있음
- Bartholin's gland의 급성 염증 : 보통 unilateral
- peripartum endocervical gonococcal infections
  → PROM, preterm delivery, postpartum endometritis 등을 일으킬 수 있음

3. 소아의 임질(Gonorrhea)

- 분만도중 conjunctiva, pharynx, respiratory tract, anal canal 등에 감염 가능
- gonococcal ophthalmia의 예방 : 1% silver nitrate eyedrops, EM or TC
- *N. gonorrhoeae*에 대한 IgM Ab가 부족한 신생아/영아는 bacteremia의 위험 증가

4. Disseminated Gonococcal Infection (DGI)

- 남<여 → 남>여로 (∵ HIV 감염 MSM↑)
- 위험인자 ; 최근의 월경, 임신, complement deficiency, SLE, eculizumab, 면역저하 등
- gonococcemia의 Sx
  - fever, polyarthritis (무릎, 손목, 발목 및 more distal joints)
  - skin lesions (~75%에서) : 5~40개의 hemorrhagic papules & pustules
  - 간혹 위의 전구 증상이 없이 septic arthritis도 발생 가능
- mild myopericarditis, toxic hepatitis, endocarditis, meningitis 등도 발생 가능

진단

(1) <u>Gram stain</u> : WBC내 intracellular G(−) diplococci (urethral/endocervical exudate)
      ┌ 증상이 있는 남성의 sensitivity & specificity는 95~100%
      └ 여성(cervicitis)의 경우는 sensitivity가 50%에 불과
(2) culture (gold standard) : selective media 사용 (*eg*, Thayer-Martin medium)
(3) gonococcal Ag의 검출 : ELISA, DNA amplication tests (PCR, LCR)
(4) *N. gonorrhoeae*에 대한 Ab (predictive value가 매우 낮아 안 쓰임)
    - 과거의 gonorrhea 감염과 현재의 감염을 구분 못함
    - *N. meningitidis*에 대한 Ab와 cross-reactivity → false (+)

* D/Dx ; *C. trachomatis*의 genital infections
    (약 ~40%에서 *N. gonorrhoeae*와 *C. trachomatis*가 co-infection)

치료

* 항생제 내성
  - penicillin에 감수성인 균은 없다!
  - penicillinase-producing *N. gonorrhoeae* (PPNG)가 70% 정도 됨
  - fluoroquinolone 내성균도 증가하기 시작 (우리나라는 거의 대부분 내성)

1. Uncomplicated gonococcal Infections (성인)

- <u>ceftriaxone</u> high-dose (250 mg) 1회 IM + oral <u>azithromycin</u> 1회 (or DC 7일)
  - ↳ 임균에 DOC　　　　　　　　　　　↳ *Chlamydiae*의 co-infection 가능성 때문!
    　　　　　　　　　　　　　　　　　(임신부는 DC 금기이므로 azithromycin 사용)
- ceftriaxone의 alternative ; IM ceftizoxime, cefotaxime, spectinomycin, cefoxitin (+ probenecid),
  cefotetan (+ probenecid), or oral cefixime 등
- cephalosporin을 사용할 수 없을 때는 (e.g., β-lactam allergy) 대신 spectinomycin을 사용
- quinolone은 내성이 많아져 임질 치료에 사용하지 않음!
- 모든 환자는 syphilis 및 HIV 감염에 대한 검사를 받아야 됨

2. F/U & 치료 실패

- 치료 실패는 드물다 → follow-up culture는 반드시 할 필요 없음
- 치료 후 gonococcal infections의 재발은 대부분 reinfection 때문
- postgonococcal urethritis (PGU) : 흔히 *C. trachomatis*에 의해 발생
  → Tx : DC/TC (7일) or azithromycin (1회)

3. DGI (disseminated gonococcal infection)

- 반드시 입원하여, high-dose로 장기간 치료
- 초치료 ; parenteral <u>ceftriaxone</u> (or cefotaxime, ceftizoxime, β-lactam allergy시엔 spectinomycin)
  + oral azithromycin 1회 (or DC 7일)
- 유지요법 ; oral cefixime (감수성 있으면) or low-dose ceftriaxone
  ⋯ gonococcal arthritis 없으면 총 ~7일간 치료
- gonococcal arthritis ; 대개 ceftriaxone 7~14일 사용
  - repeated joint aspiration or irrigation, temporary immobilization, NSAIDs
  - 항생제는 직접 joint 내로 주입하면 안됨
- meningitis or endocarditis : high-dose IV ceftriaxone 10~14일 (meningitis), ≥4주 (endocarditis)
- gonococcal conjunctivitis : irrigation (saline lavage) 1회, IV ceftriaxone 1회

4. 소아 Gonococcal infection의 치료

- gonorrhea 산모에서 태어난 아기
  - ceftriaxone (single dose)
  - neonatal ophthalmia에 대한 topical prophylaxis
- DGI : ceftriaxone, cefotaxime
- uncomplicated gonococcal ophthalmia ; ceftriaxone, irrigation
  (topical antibiotics는 필요 없다)
- 체중 45 kg 이상의 소아 : 성인과 같이 치료
- 체중 45 kg 이하의 소아 : ceftriaxone or spectinomycin (8세 이상은 DC 추가)

예방

- 환자의 발병 60일 이전부터의 성 접촉자는 모두 *N. gonorrhoeae*와 *C. trachomatis*에 대한 검사 및 치료 필요!
- 아직 효과적인 vaccine은 없다
- 전파를 막기 위해서 condom 사용
- 예방적 항생제 : 감염 위험이 감소되기는 하지만, 일반적인 사용은 권장 안 됨

c.f.) *Moraxella catarrhalis*

1. 개요

- Gram-negative diplococci (때때로 pairs, *Neisseria*의 kidney-bean^{강낭콩} 모양과 비슷함)
  → 확진을 위해서는 배양/동정 or PCR 필요
- 비인두와 상기도에 상재균(episodic colonization) ; 소아의 30~100%, 성인의 1~5%에서
  (chronic bronchitis 환자는 10%, bronchiectasis 환자는 25%로 높음)
c.f.) 과거에 잠시 *Branhamella catarrhalis*로 분류되기도 했었음

2. 임상양상

(1) otitis media, rhinosinusitis
; 소아 중이염(otitis media)의 주요 원인균

(2) purulent tracheobronchitis, pneumonia
- 대부분 50세 이상, 장기간의 흡연력, 대부분 기저 폐질환(e.g., COPD, 폐암)을 가지고 있음
  (정상인에서는 드묾)
- COPD 급성 악화의 흔한 원인 ; cough, purulent sputum의 증가 등
- 대개 mild fever (<38.3℃)를 보이며, WBC count는 대개 정상임, bacteremia 동반도 드묾
- 고령의 pnuemonia는 임상양상 및 검사소견, CXR 소견이 pneumococcal or *Haemophilus* pneumonia와 비슷함

3. 치료

- 대개 경험적으로 치료함
- 대부분 β-lactamase 생성 → 90% 이상이 penicllin, ampicillin, amoxicillin에 내성을 보임
  (clindamycin와 vancomycin에도 내성임)
- β-lactam/ β-lactamase inhibitor가 DOC (e.g., amoxicillin-clavulanate)
- alternative ; 광범위 cephalosporins, macrolides (azithromycin, clarithromycin), TMP-SMX, fluoroquinolones (but, macrolides와 fluoroquinolones은 내성 증가)
- 예후는 기저질환, 영양상태에 따라 결정됨

13
혐기성세균 감염

개요

- 정의
  - 혐기성(anaerobe) : 성장 조건으로 reduced oxygen tension이 필요 (10% CO_2에서는 안 자람)
  - 미소기성(microaerophilic) : 10% CO_2 하에서도 성장 가능
- 특징 ; mixed infection이 많음, endogenous origin, 유발인자 존재
- 사람 점막 표면의 주요 정상 상재균 ; 구강, 비강, 위장관(colon), 피부, 여성생식기 등
  - 호기성균보다 수적으로 우세함
    (혐기성:호기성 ratio → 치아표면 1:1, 잇몸틈새 1000:1, 대장 1000:1, 여성생식기 1~10:1)
  - 병원성 세균의 정착 방해, 정상 소화기능 유지, 대부분 인체에 무해함
- 숙주와 세균간의 조화로운 관계가 깨질 때 감염 발생
  ; skin & mucosal barrier 파괴 및 local oxidation-reduction potential 감소가 발병에 중요
    (tissue ischemia, trauma, surgery, perforated viscus, tumor, shock, aspiration 시 호발)

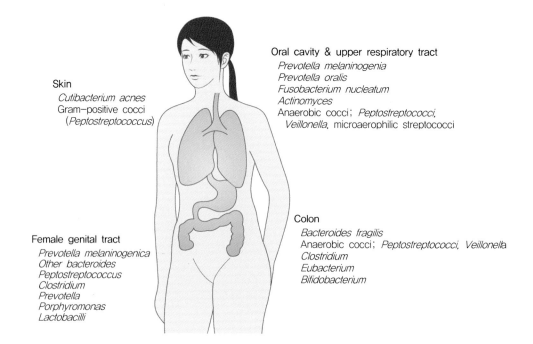

Skin
  Cutibacterium acnes
  Gram-positive cocci
    (*Peptostreptococcus*)

Oral cavity & upper respiratory tract
  Prevotella melaninogenia
  Prevotella oralis
  Fusobacterium nucleatum
  Actinomyces
  Anaerobic cocci; *Peptostreptococci,*
    Veillonella, microaerophilic streptococci

Female genital tract
  Prevotella melaninogenica
  Other bacteroides
  Peptostreptococcus
  Clostridium
  Prevotella
  Porphyromonas
  Lactobacilli

Colon
  Bacteroides fragilis
  Anaerobic cocci; *Peptostreptococci, Veillonella*
  Clostridium
  Eubacterium
  Bifidobacterium

원인

(1) Spore-forming
- *Clostridium* (gram-positive rods) → 앞의 G(+) 세균편 참조

(2) Non-spore forming
- G(+) cocci ; _Peptostreptococcus_ (*P. intermedius, P. micros, P. magnus, P. asaccharolyticus,
  P. anaerobius, P. prevotii* ...)
- G(+) rods (드묾) ; *Actinomyces, Eubacterium, Bifidobacterium* ...
- G(−) rods (m/c) ; *Bacteroides* "family" : _Bacteroides fragilis_ group (m/c), *Fusobacteria,
  Prevotella, Porphyromonas* ...

  * *B. fragilis* group (normal bowel flora) ; *B. fragilis* (m/c), *B. thetaiotaomicron, B. distasonis,
  B. vulgatus, B. uniformis, B. ovatus* ...

혐기성균 감염의 유발인자	
General	**Decreased Redox Potential**
Diabetes mellitus	Obstruction and stasis
Corticosteroids	Tissue anoxia
Neutropenia	Tissue destruction
Hypogammaglobulinemia	Foreign body
Malignancy	Calcium salts
Immunosuppression	Burns
Cytotoxic drugs	Vascular insufficiency
Splenectomy	
Collagen vascular disease	

임상양상

- head & neck, mouth ; gingivitis, pharynx의 acute necrotizing infection, fascial infection,
  sinusitis, otitis media ...
- CNS ; brain abscess (85%에서 anaerobes 검출)
- lung (주로 saliva의 aspiration으로 발생) ; aspiration pneumonia (90%), necrotizing pneumonitis,
  lung abscess (90%), empyema (75%)
- intraabdominal (95%) ; peritonitis, intraabdominal/perirectal abscess, diverticulitis, appendicitis
- pelvic ; PID, endometritis, tuboovarian abscess, septic abortion, puerperal & postabortal sepsis,
  postoperative wound infection, bacterial vaginosis
- skin & soft tissue ; feces나 upper resp. secretion에 오염되기 쉬운 장소에서 호발
  (e.g., intestinal surgery와 관련된 wounds, decubitus ulcer, human bites)
  → progressive necrosis, 악취

- bone & joint ; soft tissue infections 주위에서 호발
- bacteremia ; *B. fragilis*가 가장 흔하고 치명률 높다
- endocarditis & pericarditis (드물다)

진단

- 배양이 어렵기 때문에 흔히 presumptive evidence에 근거하여 진단
  - 호발 조건 및 특징적 소견 있을 때 의심
  - anaerobic infection이 호발하는 질환에서 우선 의심 (경험적)
  - Gram stain에서는 균이 보였으나, 일반배양에서 균이 안 자라면 의심
- 진단의 3 critical steps
  ① 적절한 specimen collection
    - 주사기의 air를 즉시 빼고, 고무마개로 막아야
    - 일반적으로 swab은 사용 안함
  ② 검사실로 신속히 운반 (가능하면 anaerobic transport medium 사용)
  ③ 검사실에서 적절한 specimen 처리/배양

혐기성균 감염의 단서(clue)	
점막 주위의 감염 (normal flora)	Dental infection
분비물이나 상처부위의 악취	DM foot infection
Gas or crepitus	복부 또는 골반 수술 이후의 감염
Abscess 형성 or fistulous tracts	Gas gangrene이나 necrotizing fasciitis의 임상양상
Sulfur granules (actinomycosis) ★	그람염색에서 혐기성균 의심시 (pleomorphic cocci & bacilli)
괴사조직 또는 악성종양과 관련된 감염	일반 세균배양에서 자라지 않을 때 (특히 그람염색에서는 균이 보이고)
황달을 동반한 bacteremia	혐기성균에 듣지 않는 항생제 치료에 실패시 (e.g., AG, TMP-SMX,
Human or animal bite 뒤의 감염	tetracyclines, earlier quinolones)

혐기성 배양에 적합한 검체	부적합 검체
Blood	Sputum
Any aspirate : abscess, joint, transtracheal, lung, pleural fluid,	Bronchoscopy specimen
empyema, suprapubic (urine), brain, CSF, myringotomy,	Voided urine
percutaneous abdominal/pelvic, culdocentesis fluid,	Nasal discharge
antral sinus puncture, deep gingival pocket	Feces/diarrhea
Tissue biopsy, Surgical specimen	Vaginal discharge
Bile	Superficial wounds
Superficial debris의 debridement 뒤의 cellulitis	Mucous membrane

치료

: 항생제 + 배농(drainage) ± 괴사조직 제거(debridement or surgical resection)

■ 항생제

- 배양/감수성검사가 어렵고 부정확, 상재균과 혼동 가능 → 대개 경험적으로 치료함 (효과적)
- aerobes와의 혼합감염이 대부분이므로, aerobic & anaerobic bacteria에 모두 감수성을 가진 항생제 or 병합요법으로 치료 [aerobes : 횡격막 상부일 때는 G(+), 하부일 때는 G(−)를 cover]
- metronidazole ; *Bacteroides* spp.에 choice
  (but, aerobes와 *Actinomyces, Cutibacterium* (Propionibacterium), *Peptostreptococcus*에는 효과 없음)
- penicillin ; 대부분의 *Peptostreptococcus*와 *Clostridium*에 효과적 → G(+) 감염 의심시 포함
  (but, 임상적으로 중요한 *Bacteroides* spp. 대부분은 penicillin에 내성임)
- cephalosporins은 대부분의 혐기균(∵ cephalosporinases 생성)에 효과 없음
  (cephalosporinase는 cephamycin [cefoxitin, cefotetan]은 분해 못함)
- newer cepha/BLI (e.g., ceftolozane-tazobactam, ceftazidime-avibactam)는 효과 별로임

혐기성균에 대한 항균력에 의한 분류 ★

Group	내성 정도	항생제 예	
1	<2%	Metronidazole	대부분의 G(−) 혐기균에 효과적 (but, *Cutibacterium, Actinomyces, Peptostreptococci*, microaerophilic streptococci에는 효과×)
		β-lactam/β-lactamase inhibitor (e.g., ampicillin-sulbactam, ticarcillin-clavulanate, <u>piperacillin-tazobactam,</u>	β-lactamase 생성 혐기균에 효과적, 내성률 낮음 (*Bacteroides fragilis* group 포함) but, 최근에는 일부 G(−) 혐기균에 대한 내성 증가
		Carbapenem (e.g., imipenem, meropenem)	*B. fragilis* group을 포함한 대부분의 혐기균에 효과적 (but, 최근에는 일부 지역에서 내성 약간 증가)
		Chloramphenicol	In vitro activity는 우수하지만 실제 임상효과↓, BM 독성이 문제
2	<15%	Clindamycin	많은 혐기균에 효과적이었지만, 최근에는 내성 증가 추세; 특히 *B. fragilis* group에 대한 내성(~60%), cIAI에는 권장×
		Cephamycin (cefoxitin, cefotetan)	내성 증가 추세, cefotetan은 cIAI에 권장×
		고농도 antipseudomonal penicillins (e.g., carbenicillin, ticarcillin, piperacillin, mezlocillin)	대부분의 혐기균에 효과적이지만, *B. fragilis* group에 대한 내성 증가(~30%)
		Tigecycline	*Bacteroides*를 포함한 거의 모든 혐기균에 효과적
3	다양 (사용제한)	Penicillin	Penicillinase-producing 혐기균에 효과× (e.g., 대부분의 *B. fragilis*, 다수의 *Prevotella*)
		Cephalosporin (cephamycin 제외)	*B. fragilis* group, 다수의 *Prevotella, Porphyromonas, Fusobacterium* 등에 효과×
		TC (DC, minocycline)	내성 많음
		Macrolides	*B. fragilis* group과 G(−) 혐기균에는 효과×
		Fluoroquinolones (moxiflocacin)	*B. fragilis* group에 대한 내성 증가, cIAI에는 권장×
		Vancomycin	G(+) 혐기균에는 효과적이지만, G(−) 혐기균에는 효과×
4	내성 (사용금기)	Aminoglycoside Monobactam (aztreonam) TMP-SMX	

■ **부위별 치료**

- 횡격막 상부 감염 ; 대개 구강/치아의 anaerobes가 원인 (→ *B. fragilis* 無)
    ⇨ anaerobes (*Prevotella, Fusobacterium, Peptostreptococcus, B. fragilis* 이외의 *Bacteroides*)
        + streptococci (aerobic & microaerophilic)에 대응해야됨
    - β-lactamase[BL] 생성 anaerobes가 많음 → penicillin or cepha.는 효과↓
    - BL/BLI (e.g., ampicillin/sulbactam) (or clindamycin, metronidazole)
        + streptococci 대응 항생제(e.g., penicillin, 3세대 cepha.) 병합요법 권장
    - empyema시엔 chest tube나 surgical drainage도 시행
- CNS 감염 (e.g., brain abscess) ; 구강/치아/부비동 유래시
    - metronidazole + 3세대 cepha. (ceftriaxone, cefotaxime → streptococci 대응)
        ↳ G(+) anaerobes (e.g., *Peptostreptococcus*)시에는 penicillin G도 가능
    - clindamycin과 cefoxitin은 CSF에 잘 투과 안 되므로 금기
    - 필요시 needle aspiration or surgical excision도 시행
    c.f.) 수술/외상 등으로 *S. aureus* 감염이 의심되는 경우에는 vancomycin + 3~4세대 cepha.
- 횡격막 하부 ; intra-abdominal infection[IAI] (e.g., 복막염, 대장게실염)
    ⇨ anaerobes (*B. fragilis* 포함) + aerobic enteric GNB (e.g., *E. coli*)에 대응해야됨
    - 단독요법 ; carbapenem or BL/BLI (e.g., piperacillin-tazobactam) 권장
        * cefoxitin, moxifloxacin, tigecycline 등도 가능했었지만, 최근에는 내성 증가로 권장×
    - 병합요법 ; 3~4세대 cepha. (or fluoroquinolone) + metronidazole
        (↳ cefotaxime, ceftazidime, cefepime 등)
        * enterococci 같은 facultative G(+)균도 의심되면 ampicillin or vancomycin도 추가
    - clindamycin과 cefotetan은 *B. fragilis* group에 대한 내성 증가로 권장×
    - 경구요법 ; fluoroquinolone (e.g., ciprofloxacin) + metronidazole
- bacteremia & endocarditis ; anaerobic/microaerophilic *Streptococcus* → penicillin G
- skin & soft tissue infections ; aggressive surgical debridement + 광범위 항생제
    (e.g., vancomycin + metronidazole + GM/TM)

■ 기타 세균 ■

NOCARDIOSIS

class^강 Actinobacteria, order^목 Actinomycetales,

　　　　suborder^{아목} Corynebacterineae, family^과 Nocardiaceae,　<u>genus^속 *Nocardia*</u>

　⇨ 기타　　　　　　　　　　　〃　　　　　　　　　　　〃　　　　genus *Rhodococcus*
　　비슷한 균들의　　　　　　〃　　　　　family Mycobacteriaceae,　genus *Mycobacterium*
　　예　　　　　　　　　　　　〃　　　　　family Corynebacteriaceae,　genus *Corynebacterium*
　　　　　　　　　　　　　　　　　　　　　family Actinomycetaceae,　genus *Actinomyces* (혐기성)

* Actinomycetales (≒ Actinomycetes^{방선균})
　- weak G(+) bacilli, 균사 형성 → 분지하는 실 모양(filamentous branching) 형태
　- (*Actinomyces*는 제외하고) 다양한 정도의 acid-fastness를 보임 (∵ 세포벽에 **mycolic acid** 함유)
　- 토양(m/c), 식물, 동물, 하천, 해수 등 자연계에 널리 존재함

- 현재 100가지 이상의 *Nocardia* species^종가 존재
  - *N. farcinica, N. nova, N. brasiliensis, N. cyriacigeorgica, N. beijingensis, N. abscessus,*
    N. asiatica, N. otitidiscaviarum, N. transvalensis, N. elegans 등이 흔히 인체 감염을 일으킴
    (c.f., *N. asteroides*(과거 m/c)는 새로운 분자유전기법 분류에 따라 다른 여러 종으로 명명됨)
  - aerobic Gram(+) filamentous branching rods, <u>AFB 약양성</u>, modified acid-fast stain에 양성
  - 토양과 썩은 식물 부패균으로 전 세계에 널리 분포 / 사람의 정상 세균총 아님!
- 감염경로 (사람 간 전파는 없음) ; 오염된 입자의 직접 흡입^{inhalation}(m/c), 상처 등을 통한 피부 접종
- 대부분 cell-mediated immunity 저하자에서 호발하지만, 정상 면역인 경우도 많음
  ; <u>장기이식</u>, HSCT, 혈액종양, 악성종양, <u>steroid</u> or cytotoxic agents 사용(e.g., SLE),
  　Cushing syndrome, LC, ESRD, AIDS ...
- 임상양상
  ; 주로 아급성~만성 경과의 화농성 감염 유발 (면역저하자는 급격한 경과를 밟을 수도 있음)
  ① 호흡기 감염 (m/c, 75%) ; 대부분 **폐렴**, 약 1/4에서는 empyema도 발생
    - Sx ; 기침, 소량의 짙은 화농성 가래 (악취는 無), 발열, 체중감소, 호흡곤란, 흉통 ...
    - 영상검사에서 variable infiltrates, nodules, cavitation 경향 (→ 폐암으로 오인될 수)
    - 드물게 laryngitis, tracheitis, bronchitis, sinusitis 등도 일으킬 수 있음
  ② 폐외 감염 … 폐 감염의 약 1/2에서 동반, 약 1/5은 폐 감염 없이 발생
    - <u>brain abscess</u> (m/c) ; 뇌 실질 모든 부위에서 발생 가능 → 의심되면 brain CT/MRI 시행
    - 기타 ; osteomyelitis, septic arthritis, meningitis, keratitis, disseminated infection ...
  ③ 피부접종에 의한 감염 (오염된 흙/기구/환경에 의해)
    - 상처, 수술, vascular catheter, insect bite 등에 의해 감염 가능 (*N. brasiliensis*가 m/c 원인균)
    - 피부 감염 ; ulcer, pyoderma, cellulitis, nodules, subcutaneous abscesses 등
    - lymphocutaneous nodules ; 피부 감염이 주변 LN로 파급되어 발생

- actinomycetoma (손, 발에 m/c) ; 접종 부위에서 만성적으로 진행하는 painless nodules, 진행되면 sinus tract을 형성하여 주위 조직 괴사 및 화농(균 덩어리로 구성된 과립 분비)

> c.f.) Mycetoma (균종) : 피부/피하조직의 만성 염증에 의한 부종 & 화농 (sinus tract 형성)
> ┌ actinomycetoma : actinomycetic bacteria가 원인 (e.g., *Nocardia, Streptomyces, Actinomadura*)
> └ eumycetoma : fungi가 원인 (e.g., *Madurella mycetomatis, Pseudallescheria boydii*)

• 진단 (검체 ; 객담, 고름, CSF, blood, skin biopsy 등)
 - 직접 관찰 (stains) ; Gram(+), AFB(±) filamentous branching rods

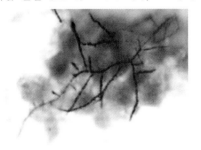 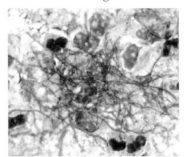

Gram stain (+)　　　　　　　　Modified acid-fast (Ziehl-Neelsen) stain (+)

 - 배양 ; 시간이 오래 걸림 (2주 이상 필요), 혈액은 4주 이상 배양해야 됨
   ↳ 객담처럼 오염균이 많은 경우 선택배지 필요 ; colistin-nalidixic acid agar,
     BCYE (buffered charcoal yeast extract) agar, modified Thayer-Martin agar
 - 동정 ; 생화학적 방법은 부정확함 → 16s rRNA PCR or sequencing, MALDI-TOF
   (e.g., *N. farcinica*의 경우 독성이 강하고, 항생제 내성이 많으므로 정확한 균 동정이 중요)

• 치료 (재발이 흔하므로 장기간 치료가 필요함)

	권장 항생제	치료기간
폐렴(mild~moderate)	TMP-SMX	6~12개월 (면역저하시 12개월)
폐렴(severe) or disseminated dz.	TMP-SMX (or imipenem) + Amikacin	12개월
단독 CNS 감염	TMP-SMX + Imipenem	12개월
다른 장기 침범을 동반한 CNS 감염	TMP-SMX + Imipenem + Amikacin	12개월
단독 피부 감염	TMP-SMX or minocycline	3~6개월
Mycetoma (mild~moderate)	TMP-SMX ± dapsone	6~12개월
Mycetoma (severe)	Imipenem ± amikacin	6~12개월

 - <u>TMP-SMX</u> (DOC), imipenem, amikacin (*N. transvalensis*에는 효과×) 등이 가장 효과적
 - 기타 ; minocycline (효과 낮음), linezolid (부작용으로 장기간 사용×), amoxicillin-clavulanate
   (*N. nova*에는 효과×), extended spectrum fluoroquinolones (e.g., moxifloxacin),
   3세대 cepha. (일부 종에는 효과×), tigecycline (일부 종에 효과), dapsone 등
 - 심한 경우에는 병합요법
 - 기저질환 때문에 면역저하치료가 필요한 경우, 다른 방법이 없으면 시행함
 - 시술/수술도 필요한 경우(e.g., aspiration, drainage, excision)
   ; CNS abscess, large soft tissue abscesses, deep/extensive mycetoma
• 예후 ; CNS는 침범 안한 폐 or 전신 침범은 적절한 치료시 mortality <5%
   (면역저하 or CNS 침범시에는 mortality ~22%)

ACTINOMYCOSIS방선균증

- *Actinomyces israelii*가 m/c 원인균 (>75%)
  - anaerobic gram(+), filamentous branching rods (자연에는 존재 안함)
  - 사람의 정상 상재균임 ; 구강(m/c), 편도선, 담관, 대장, 생식기, 호흡기 ...
  - 다른 균들과의 혼합 감염이 흔함(75~95%)
- 발치나 외상 이후에 주로 감염 발생, 중년에서 호발, 남:여 = 3:1
- 위험인자 ; 구강위생 불량 및 foreign body가 중요(e.g., IUCD), HIV 감염, 면역저하, DM,
  장기이식, 악성종양, steroid, anti-TNF-α (e.g., infiximab), bisphosphonates, RTx or CTx,
  궤양성 점막감염, 복부 수술, 외상 등   (bisphosphate-related osteonecrosis)
- 임상양상
  - 매우 다양함, 서서히 진행하는 것이 특징(chronic, indolent course)
  - 주로 얼굴/목(m/c; 50%), 복부(20%), 흉부(15~20%), 골반 등을 침범
  - tissue invasive하지만 통증, lymphadenopathy, 혈행성 전파 등은 드묾
  - mixed suppurative & granulomatous infection, sinus tract을 잘 형성

  ① 경부안면형 (대개 jaw angle 침범) ; soft tissue swelling, abscess, mass lesion (→ 종양 비슷),
      draining sinus tracts, fistula, tissue fibrosis
  ② 복부형 ; 복강 내 모든 장기를 침범 가능하지만 appendix와 ileocecal area에 호발,
      abscess or mass (→ 종양, CD, TB 등으로 오인될 수) ⋯ 조직검사로 진단되는 경우가 많음
                      (↔ actinomycosis는 단일 병소에 국한됨, 장관외 증상 無)
  ③ 흉부형 ; mass lesion or pneumonia (→ 폐암, TB, 다른 폐렴으로 오인될 수)
      * 방선균증을 시사하는 소견 ; fissures/pleura를 cross, mediastinum/bone/chest wall 침범,
                      sinus tract 형성 등
  ④ 골반형 ; 여성 생식기에도 존재하여 기회감염을 일으킬 수 (특히 chronic IUCD 사용자)
- 진단 : 드물고 비특이적 증상 때문에 진단이 어려움 → 임상적으로 의심하는 것이 중요
  ① pus or tissue에서 특징적인 "sulfur granules유황과립"이 관찰되면 진단 가능 (but, 40% 미만)
  ┌육안 : 작은 노란 덩어리
  │저배율 : 모래알과 같은 균 집락, 바퀴살(ray) or 꽃양배추(cauliflower) 모양으로 배열
  └고배율 : neutrophils로 둘러싸인 filamentous actinomycete microcolonies
      ↳ Gram 염색에서는 Gram 양성(보라색)으로 보임 (*Nocardia*와 구별×)
      AFB는 음성 (↔ *Nocardia*와 차이!)

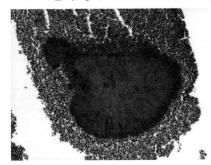

Sulfur granules
(저배율)

② 배양(pus or tissue) ; 혐기성 조건, 2~4주 이상 필요

- 부적절한 배양 및 이전의 항생제 사용 등으로 배양률은 50% 미만

- 배양되는 colonies는 어금니(molar tooth)를 닮은 모양

- 정상 상재균이므로 sulfur granules 없이 동정되면 별 의미 없음

③ 동정 ; 생화학적 방법은 부정확함 → 16s rRNA PCR or sequencing, MALDI-TOF

④ 영상검사 (검체 채취, 치료 후 F/U에 유용)

- 검체를 얻기 위한 US- or CT-guided aspiration or biopsy (항생제 투여 전 시행)

- CT (m/g) ; 비특이적, 경계가 불분명한 solid masses or 벽이 두꺼운 cystic masses

- FDG-PET ; hypermetabolism

• 치료

- abscess drainage, foreign body 제거, 필요시 수술

- high-dose penicillin G IV (4~6주) → oral penicillin or amoxicillin (6~12개월간)

- 기타 ; ceftriaxone, amoxicillin, EM, TC, DC, minocycline, clindamycin ...

  (metronidazole, AG, oxacillin, dicloxacillin, cephalexin, fluoroquinolones 등은 효과 없음)

- 배양에서 다른 혼합 감염균도 우세해 보이면 항생제 조절 필요

  → β-lactam/β-lactamase inhibitor (e.g., piperacillin-tazobactam, amoxicillin-clavulanate)

Part IV

기타 미생물 감염

1
Mycoplasma

개요

- class Mollicutes, order Mycoplasmatales, family Mycoplasmataceae, genus *Mycoplasma, Ureaplasma*
- smallest free-living bacteria (크기 150~350 nm, 바이러스와 유사)
- 식물, 동물, 사람에서 흔히 발견
- <u>cell wall이 없음!</u> → Gram 염색 안됨, β-lactam에 자연 내성, 심한 cellular pleomorphism 보임
  ↳ "atypical" pathogen
- 세포 외에서 (인공 배지에서) 증식 가능, RNA & DNA를 갖고 있고 세포 분열로 증식
- 점막 표면에 colonize → resp. tract, urogenital tract, joints의 만성 염증성 질환
- 사람에서는 17 species 발견 (5 species만 <u>pathogen</u>)
  - *M. orale, M. salivarum* : 구강 상재균
  - *M. pneumoniae* : URI/폐렴의 흔한 원인균
  - *M. hominis, M. genitalium, U. urealyticum, U. parvum* : 비뇨생식기의 상재균(or 병원균)
- intracellular survival도 하는 것 : *M. pneumoniae, M. genitalium, M. fermentans, M. penetrans*
  → Ab.와 항생제로부터 보호 → 질병의 만성화에 기여
- *M. pneumoniae*는 IgM autoAb. (cold agglutinins) 형성 유도 가능

Mycoplasma pneumoniae

1. 역학

- 기침시 respiratory droplets을 통해 사람간 서서히 전파 (∵ 잠복기 2~3주)
  → 밀접 접촉자(e.g., 가족, 학교, 기숙사, 군대)에서 집단 발병 가능
- URI & acute bronchitis (폐렴보다 ~20배 더 많음), 폐렴(CAP)의 매우 흔한 원인균
- 학동기(5~9세), 사춘기(10~14세), 젊은 성인에서 호발하지만 모든 연령에서 발생 가능
- 연중 발생하지만 가을~초겨울에 좀 더 호발, 3~7년마다 발생 증가(epidemics)
- 대부분 mild URI로 지나가고, 폐렴으로의 진행은 감염 환자의 3~13% 정도
- 다른 여러 호흡기 병원체들과 함께 제4급 법정감염병 (표본감시)

2. 임상양상

(1) URI (pharyngitis) & acute tracheobronchitis (m/c)
- 다른 호흡기 병원체들과 유사한 증상 ; cough (m/c), sore throat, rhinorrhea, coryza, ear pain
  - 소아나 영아는 wheezing도 잘 동반 (∵ bronchiolitis)
- self-limited → 검사나 항생제 치료 필요 없음

(2) Pneumonia
- "atypical pneumonia"의 주요 원인 (전체 pneumonia의 10~20% 차지)
- cough (m/c, 대개 nonproductive), isolated crackles/wheezing (주로 하엽에서)
- 증상은 점진적으로 발생하며, 두통, 권태감, 미열, 때때로 인후통이 선행함
- 증상/임상양상/진찰소견이 CXR 소견과 잘 일치하지 않는다!
  (증상에 비해 CXR 소견이 심한 것이 특징, 청진 소견도 경미함)
- 전체적으로 다른 CAP와 임상양상이 크게 차이나지는 않아, 경험적 β-lactam (e.g., cepha.)
  치료에 반응하지 않으면 *Mycoplasma*를 의심해야 됨
- 대개는 mild & self-limited (치료 안 해도 2~3주 뒤 호전)

(3) 폐외 증상
- *Mycoplasma*의 직접 감염 or immune-mediated에 의해 발생
- 혈액 증상 ; hemolytic anemia (~60%, 대부분 mild & subclinical), DIC, hypercoagulopathy
  ↳ immune-mediated, cold agglutinin 때문 (Raynaud's phenomenon은 드묾)
- 피부 증상 (흔한 편) ; rash, erythema multiforme (다형홍반), stomatitis, conjunctivitis,
  Stevens-Johnson syndrome (약물이 m/c 원인이지만, 감염 중에서는 *Mycoplasma*가 흔한 원인)
- 신경 증상 (드묾, 입원시엔 ~7%) ; encephalitis, aseptic meningitis, peripheral neuropathy,
  transverse myelitis, Guillain-Barré syndrome, cranial nerve palsies ...
- 심장 침범 (드묾) ; pericarditis, myocarditis, cardiac thrombi, 전도장애 ...
- 기타 ; arthritis (immune-mediated), sinusitis, OM, hepatitis, N/V/D ...

3. 진단

(1) 일반 검사
- Lab ; 대개는 정상, mild leukocytosis (~25%), immune hemolytic anemia [direct Coombs(+)]
- CXR ; 다양, diffuse reticulonodular or interstitial infiltrates (보통 하엽에)
  - 흔히 hilus에서 base로 뻗어나가는 선 모양을 띰
  - lateral decubitus view : 5~20%에서 소량의 pleural effusion (대개 unilateral) 발견
- Lab과 CXR 소견은 다른 CAP와의 감별에 별 도움 안됨
- sputum ; 대개 양이 적고 점성이 낮음, Gram stain에서 세균은 보이지 않음!

(2) 확진
- culture ; 특수 배지로 가능하지만 까다롭고, 2~3주 이상 걸리고, sensitivity 낮아 권장×
- NAT (e.g., P1 adhesin gene 검출) ; sensitivity와 specificity 뛰어남, 상품화된 제품 많이 있음
- 검체 ; 비인두, 구인두, 하기도 검체 모두 가능 (CNS 침범 의심시엔 CSF도)

(3) 혈청검사(anti-*Mycoplasma* Ab)

- ELISA or CLIA (자동화장비, DiaSorin LIAISON® systems) 권장
- IgG ; 감염 2주 뒤에나 검출 가능, 급성기→회복기 혈청에서 titer 4배 이상 증가해야 진단적
  (→ 초기 진단에 이용은 불가능), 과거에 감염된 적이 있어도 (+) 가능
- IgM ; IgG보다 빨리 증가 (7~9일 뒤), 소아는 single high titer로 진단 가능, 성인에서는 ~1년간
  지속 가능하므로 양성인 경우 급성 감염이 아닌 최근의 감염일 수도 있음
- *Mycoplasma pneumoniae*의 진단에는 주로 PCR과 항체검사를 이용함

(4) 기타

- 신속검사(rapid Ag detection test) ··· Ribotest Mycoplasma® (일본 Asahi 개발)
  - ribosomal protein L7/L12 검출, 매우 간편하고 빠름
  - specificity는 높지만, sensitivity가 낮아(60~70%) 대부분 NAT (PCR) 검사를 선호함
- 한랭응집소(cold agglutinin) : ≥1:32~64 or 4배 이상 증가시 의의
  - RBC membrane의 I Ag에 대한 IgM autoAb (4℃에서 RBCs를 응집시킴)
  - 7~10일 이내에 나타나며, 50~70%에서 양성 (폐렴시엔 ~80%), hemolytic anemia의 원인
  - nonspecific (rubella, IM, influenza, adenovirus, malaria, psittacosis 등도 양성) → 권장×

4. 치료

- 대개 self-limited이지만, 빠른 증상 호전을 위해 항생제 치료 (7~14일)
- *Mycoplasma*에 효과적인 항생제
  ① macrolides ; azithromycin, clarithromycin, EM (효과↓) ··· 내성률 높은 지역은 ②,③으로
  ② TCs ; doxycycline (치아 변색을 거의 안 일으켜 소아에서도 3주 이내로 사용 가능)
      ↳ 신생 골과 소아의 치아에 침착되어 성장억제, 변형, 변색 등 부작용을 유발하므로
         일반적으로 임산부와 치아의 법랑질이 형성되는 시기인 8세 이하 소아는 금기
  ③ respiratory fluoroquinolones ; levofloxacin, gatifloxacin, moxifloxacin
         (ciprofloxacin과 ofloxacin은 *Mycoplasma*에 효과가 낮아 권장 안 됨)
- 대부분 *Mycoplasma* 감염의 확진 없이 경험적으로 치료함 (URI는 치료×)
  - 전세계적으로 macrolide 내성균 크게 증가 (우리나라도 ~80%) ··· DC or fluoroquinolone
  - 항생제로 증상은 호전되지만, 균은 잘 제거되지 않아 수개월간 배양 or PCR 양성일 수 있음
- 대증적 치료 ; cough suppressants, antipyretics, analgesics
- 매우 심한 폐렴의 경우 (근거는 부족하지만) steroid 추가도 고려

5. 예방

- 아직 효과적인 백신은 없음
- postexposure prophylaxis : 대개는 필요 없고, 밀접접촉자나 고위험군(e.g., 면역저하자)에서 고려
- 전파차단(감염관리)이 중요 : droplet precautions
    (회복 이후에도 장기간 균을 전파할 수 있으므로 밀접접촉자들은 특히 주의 필요)

Urogenital Mycoplasmas

1. 개요

- *Mycoplasma hominis*, *Mycoplasma genitalium*, *Ureaplasma urealyticum*, *Ureaplasma parvum*
- 여성 vigina에서 분리율 : *Ureaplasma* 40~80%, *M. hominis* 21~70%, 둘 다 31~60%
  - ↳ *U. parvum*이 더 흔하지만 주로 상재균, 병원균은 주로 *U. urealyticum*
  - 주로 성관계로 전파됨 → sex partner가 많을수록 보균율 증가
  - 남성에의 분리율은 더 낮음
  - *M. genitalium* ; 가장 드물고(1~6%), *C. trachomatis*와 *Neisseria gonorrhoeae*과 역학이 비슷함
    (↳ 유전적으로는 *M. pneumoniae*와 매우 유사함)
- 신생아의 colonization (vertical transmission rate) : 18~55%, 자연분만시 높고 C/S시 낮음,
  대부분은 일시적으로 3개월 이상이 되면 거의 사라짐

2. 임상양상

(1) 비뇨생식기 감염

- *M. hominis*와 *Ureaplasma* spp.의 비뇨생식기와 산과 감염에서의 정확한 역할은 불분명함 (이유)
  ① 많은 건강한 사람들의 비뇨생식기에서도 분리됨(colonization)
  ② 다른 균과 함께 분리되는 경우가 많음 → *Mycoplasma*가 원인균인지 아닌지 판별 어려움
  ③ PCR로 *Mycoplasma* 검출이 쉬워졌지만, 반드시 인과성 확립에 도움이 되지는 않음
- bacterial vaginosis (BV) ; 원인균은 아니지만, BV시 *M. hominis*와 *Ureaplasma* 양도 많아짐
  → 다른 원인균(e.g., *Gardnerella vaginalis*)과 공생 관계로 보임
- 자궁경부염(cervicitis) ; *M. genitalium*만 원인균임
- 골반내감염(PID) ; *M. hominis*와 *M. genitalium*은 원인균일 수 있음 (*Ureaplasma*는 아님)
- 남성의 비임균요도염(nongonococcal urethritis, NGU) ; *C. trachomatis*가 m/c 원인,
  *M. genitalium*이 2nd m/c, *Ureaplasma*는 3~11% 차지 (균수가 많아야 의미)
- 부고환-고환염(epididymo-orchitis) ; 드물게 *Ureaplasma*와 *M. genitalium*도 원인균임
- UTI ; *M. hominis*는 APN의 ~5% 차지, *Ureaplasma*는 APN의 원인균은 아니지만
  urease를 생성하여 감염석(struvite stones, infection-associated stone) 생성에 기여 가능

(2) 산과 감염

- 유산, 조산, PROM, 저체중 출생아, 사산 등에서 *M. hominis*와 *Ureaplasma*가 많이 분리되지만
  인과관계는 불명확함 (∵ 산모의 보균율 높음)
- 출산/유산 후 균혈증/발열(postpartum/postabortal bacteremia/fever)
  ; *M. hominis*는 3~8%에서 분리됨 (*Ureaplasma*는 더 드묾)

(3) 비뇨생식기외 감염

- 주로 면역저하자나 기저질환자에서 드물게 *M. hominis*와 *Ureaplasma* 감염 발생 가능
  (e.g., congenital antibody deficiencies, 장기이식, 악성종양, instrumentation)
- arthritis, osteomyelitis, wound infections, bacteremia, endocarditis, 호흡기 감염, CNS 감염 등

3. 진단

- 비교적 드문 균이므로, 임상적 의심이 중요 (특히 비뇨생식기 이외의 감염에서)
  ; 조산아, 면역저하자, wound infections 등에서 일반 Gram stain & culture 음성일 때
- culture : *M. hominis*는 가끔 일반배양에서 자랄 수 있지만, 나머지 urogenital Mycoplasmas는
  특수한 방법이 필요하므로 reference lab.에서만 가능
- NAT (PCR 포함) ; urogenital Mycoplasmas를 포함한 상품화된 성병 multiplex 검사들이 많음

  (예 ; 랩지노믹스 STDetect® Chip, 씨젠 STI-7) Anyplex™ II   · *Chlamydia trachomatis* (CT)
                                                  STI-7 Detection   · *Mycoplasma genitalium* (MG)
                                                                · *Mycoplasma hominis* (MH)
         · *Neisseria gonorrhoeae* (NG)
         · *Trichomonas vaginalis* (TV)
         · *Ureaplasma parvum* (UP)
         · *Ureaplasma urealyticum* (UU)

4. 치료

(1) *M. hominis*

- 효과적인 항생제 ; TC (e.g., DC), clindamycin, fluoroquinolones
  (but, 일부 지역에서는 DC 내성률이 높고, fluoroquinolones 내성도 약간 보고됨)
- *M. hominis*는 macrolides (e.g., azithromycin)에는 모두 내성임

(2) *M. genitalium*

- *C. trachomatis*를 포함한 NGU의 경험적 치료로 azithromycin or DC를 흔히 사용하지만,
  *M. genitalium*에 대한 치료는 실패하는 경우가 많음
- *M. genitalium*에는 moxifloxacin이 권장됨
  (e.g., 초기 NGU 치료 실패 or PCR에서 *M. genitalium* 검출시)

(3) *Ureaplasma* spp.

- 효과적인 항생제 ; TC (e.g., DC), macrolides (e.g., azithromycin, clarithromycin, EM),
  fluoroquinolones (e.g., levofloxacin, moxifloxacin)
- 비뇨생식기외 *M. hominis, Ureaplasma* spp. 감염에는 fluoroquinolones이 권장됨

2
Chlamydial diseases

개요

- class^{강} Chlamydiae, order^{목} Chlamydiales, family^{과} Chlamydiaceae, genus^{속} *Chlamydia* (*Chlamydophila*)
  (*Chlamydia* genus 하나였으나, 16S rRNA gene 연구에 따라 *Chlamydia*와 *Chlamydophila* 두 개의 genus로
  나누었다가 논란이 일자, 추가적인 연구 결과 최근에는 다시 *Chlamydia* genus 하나로 통일하기로 함)

- *Chlamydia*
  - obligate intracellular pathogen → virus와 비슷하나, bacteria를 닮았음
  - RNA와 DNA 모두 가짐
  - G(−) bacteria와 비슷한 ribosome과 cell wall 가짐, TC 같은 항생제에 억제 → bacteria로 분류
  - ATP-generating enzyme이 없으므로 energy production은 전적으로 host cell metabolism에 의존
    → 세포 내에서만 생존/증식 가능
  - 건조, 햇빛, 소독제 등에 약해 환경에서는 쉽게 사멸됨

- 9 species ; <u>*C. trachomatis*</u>*, *C. pneumoniae, C. psittaci, C. pecorum, C. muridarum, C. felis,*
       ↓   *C. abortus, C. suis, C. caviae*
         *trachoma biovar와 lymphogranuloma venereum (LGV) biovar로 나뉨

  - 주 target 숙주세포(principal host cells)

    ┌ columnar epithelial cells ; *C. trachomatis* trachoma biovar, *C. pneumoniae*
    └ macrophages ; *C. trachomatis* LGV biovar, *C. psittaci* → granulomatous inflammation

- 특징적인 biphasic developmental cycle (48~72시간)
  (intracellular membrane-bound vacuoles [inclusions] 안에서만 성장/증식함)

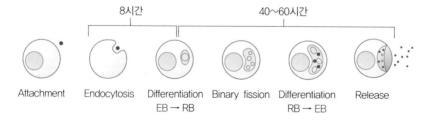

     8시간   40~60시간

Attachment   Endocytosis   Differentiation   Binary fission   Differentiation   Release
                               EB → RB   RB → EB

  ┌ • : EB (elementary body)^{기본체} : extracellular ⋯ 감염성 있지만, 대사성 無 (증식 불가능)
  └ ○ : RB (reticulate body)^{봉입체} : intracellular → binary fission → "inclusion body"
       └ 대사성은 있지만 (증식 가능), 감염성 無

C. trachomatis 감염

- 19개의 serovars, 3 groups으로 분류됨 (OmpA types에 따라) → 치료는 동일하므로 임상적으로
    - trachoma serovars ; A~C ┐ trachoma biovar　　　　　　　구별할 필요는 없음
    - oculogenital serovars ; D~K ┘
    - LGV serovars ; L1, L2, L3　…　LGV biovar

1. 비뇨생식기 감염

- 우리나라/미국에서 bacterial sexually-transmitted diseases (STDs)^{성매개감염병}의 m/c 원인균
    (우리나라^{2018년} ; *Chlamydia* 34.2%, genital herpes 33.4%, HPV 17.4%, 임질 7.6%, 매독 7.4%)
- 임상양상은 임질(gonococcal infection)과 비슷하지만, 증상이 경미하거나 무증상인 경우가 많음
    - 여성의 80~90%, 남성의 50% 이상은 무증상임
    - 전체 감염자 중에서 실제로 진단되는 경우가 적음, 수개월의 무증상 감염은 성매개 전파에 기여
- 20~30대의 젊은 성인에서 호발, 남<여, 계속 증가 추세 (∵ PCR 등의 진단기법 발전)
- oculogenital serovars D~K가 원인, 잠복기 1~3주로 긴 편임
- 임균(*N. gonorrhoeae*)에 감염된 사람의 약 30~50%는 *Chlamydia*도 동시감염

(1) Nongonococcal & postgonococcal urethritis^{요도염} (NGU, PGU)

- NGU : urethritis의 Sx/signs을 가진 남성에서 gonorrhea를 제외한 뒤 진단
- PGU : gonococcal urethritis를 치료한 뒤 2~3주 후에 발생한 NGU
- *C. trachomatis*는 NGU의 m/c 원인 (30~60%)
- Sx ; 요도 분비물(흔히 하얗고 점액성), 가려움, 배뇨통, 요도구의 발진/압통 (1/3 이상은 무증상)

(2) Epididymitis^{부고환염}

- 35세 이하 남성에서 epididymitis의 m/c 원인(~70%) (↔ 노인에서는 그람음성균)
- 한쪽 고환의 통증, 압통, 종창, 발열 (대개 urethritis와 함께 발생)
- testicular torsion을 반드시 R/O 해야 함

(3) Reactive arthritis (Reiter's syndrome)

- conjunctivitis, urethritis (or cervicitis), arthritis가 triad, ~50%에서 피부병변(손/발바닥의 구진)
- 관절염은 대개 요도염 발생 4주 후 발생 (요도염은 모르고 지나갈 수 있음), 무릎이 m/c
- *C. trachomatis* STI의 1~2%에서 발생, 80% 이상이 HLA-B27 (+)　→ 류마티스내과 4장 참조

(4) 기타

- 여성의 cervicitis (대부분은 무증상), urethritis (dysuria-pyuria syndrome)
    ↳ Sx ; 점액화농성 분비물, 약한 자극에도 출혈, 경부의 외반/부종
- 골반염질환(PID) : 하부 생식기로부터 상부 생식기로 intraluminal spread를 통해 발생
    - 자궁경부염 → 자궁내막염, 난관염 → 골반염증 (Sx ; 복통, 골반통, 골반/자궁부속기의 압통)
    - 증상이 경미하거나 없는 경우기 많아 대개 그냥 지나침 → 난관 흉터 → 자궁외 임신, 불임
    - 여성에서 *Chlamydia* screening & Tx.는 PID 유병률 감소에 기여
    - PID로 인한 불임 환자에서 혈청 항체 양성률이 70%로 정상인보다 높음

- 직장염(proctitis) ; 항문 성교하는 남여에서 발생 (주로 남성 MSM에서)
  - oculogenital serovars D~K ; 대부분 무증상
  - LGV serovars L1~3 (심함) ; 항문 통증, 피고름, 직장 뒤무직(tenesmus) → 아래 참조
  - IBD와 증상이 비슷할 수 있음, LGV proctitis는 조직학적으로 CD와 비슷함
- 간주위염(perihepatitis, <u>Fitz-Hugh-Curtis syndrome</u>)　　　　　　　→ 1권 II-8장 참조
  - 원인 ; *C. trachomatis* (3/4), *N. gonorrhoeae*
  - 성생활이 활발한 젊은 여성에서 발생 가능, acute PID (e.g., 난관염) 동반 가능 (5~15%)
  - Sx ; RUQ or pleuritic pain, fever, nausea (간효소는 정상임)

(5) 주산기 감염
- 임산부의 5~25%가 cervix에 *C. trachomatis* 감염 (국내 4.8~13.3%)
  - → 분만 중 노출된 신생아의 1/2~2/3에서 *C. trachomatis* 감염 발생
  - → 감염된 신생아의 약 1/2에서 inclusion conjunctivitis, 10%에서 폐렴 발생
    - (*C. trachomatis*는 6개월 미만 영아 폐렴 원인의 20~30% 차지)
    - * 치료 ; oral EM base 50 mg/kg/day 2주
- 신생아의 inclusion conjunctivitis
  - 잠복기 길다 : 5~14일 (↔ gonococcal conjunctivitis : 1~3일)
  - neonatal conjunctivitis의 주요 원인 ; *C. trachomatis, N. gonorrhoeae, H. influenzae,*
    - *S. pneumoniae,* HSV 등 → 임상양상으로는 구별 어려움
  - 진단 : NAT, culture, Ag detection test, Giemsa-stained conjunctival smear

2. 눈의 감염

(1) 성인의 inclusion conjunctivitis
- oculogenital serovars D~K가 원인, infected genital secretions에 눈이 노출되어 감염됨
- acute unilateral follicular conjunctivitis, preauricular lymphadenopathy
  (conjunctival scarring과 eyelid distortion은 드묾)
- 치료 : oral azithromycin 1회 or DC 10일 (topical Tx는 필요 없음)
  - 환자의 성 접촉자도 동시에 치료해야 됨

(2) Endemic (classic) trachoma
- trachoma serovars A~C 감염에 의한 chronic keratoconjunctivitis
- 전 세계적으로 감염에 의한 (예방 가능한) 실명의 m/c 원인, 위생이 불량한 후진국에서 호발
- 감염자의 눈/코 분비물의 접촉에 의해 전파 (손, 식기, 수건, 파리 등을 통해), 전염력 강함
- 임상양상
  - 초기 감염 ; mild, self-limited follicular conjunctivitis (대부분은 무증상)
    - → chronic conjunctivitis (눈 충혈, 불쾌감, 점액고름, light sensitivity)
  - 반복 재감염 ; 심한 결막 염증 → 흉터 → 위축 → 안검내반(entropion), 속눈썹증(trichiasis)
    - → 각막 궤양, 흉터, "dry-eye" syndrome → 실명
- 진단 ; 대부분 임상양상으로 / 기타 NAT (가장 sensitive & specific), cytology, Giemsa stain 등
- 치료 ; oral azithromycin 1회 (DOC), topical TC … 밀접 접촉자 or 지역사회 전부 치료
  (기타 ; trichiasis에 대한 수술, 얼굴 청결, 환경 개선 등)

3. LymphoGranuloma Venereum (LGV)^{성병림프육아종}

- *C. trachomatis* serovars L1, L2, L3 (LGV biovar)에 의한 침습적인 성매개감염병 (드묾)
  - 가끔 nonsexual contact, fomites, laboratory accident를 통해서도 전파 가능
  - oculogenital serovars D~K에 의한 감염과 달리 심한 염증과 침습성 감염을 일으킴
- 발생률은 sexual activity와 비례 (20~30대 호발), 전 세계적으로는 감소 추세, 선진국은 드묾
  - 남성 동성애자(MSM)에서 주로 발생 (대부분 proctitis 형태로), 거의 대부분 HIV도 동반
  - 노출 후 감염률은 매독이나 임질보다는 낮음
- 1기 : primary genital or anorectal lesions
  - 노출 3일~3주 뒤 노출 부위에 발생, 남자의 1/3 미만에서 발생 (여자에서는 드묾)
  - 외음부 or 직장항문부위의 2~3 mm 수포성 궤양/구진 (통증은 없음), scar 없이 며칠 뒤 치유됨
- 2기 (lymphadenopathy stage)
  - 노출 2~6주 뒤에 발생 (1기 병변이 치유된 후 수일~수주 이내에)
  - 감염의 국소적인 직접 전파에 의해 발생(e.g., inguinal and/or femoral LNs)
  - inguinal syndrome (painful inguinal lymphadenopathy, m/c) ; 남자에서 더 흔함
    (∵ 여자의 vagina & cervical LNs는 retroperitoneal LNs로 drain)
  - anorectal syndrome (rectum & retroperitoneum의 염증성 종괴) ; proctocolitis의 증상,
    합병증으로 colorectal fistula, abscess, stricture 발생 가능
    (조직학적으로 Crohn's disease와 유사함 ; giant cell formation, granulomas)
  - 전신증상도 흔히 동반 ; fever, chills, headache, meningismus, anorexia, myalgias, arthralgia
- 3기 (late LGV) : anogenital tract의 섬유화/협착 → 흉터, 만성 궤양, 다양한 크기의 육아조직 등
  - lymphedema, genital elephantiasis (코끼리피부병), frozen pelvis (고착골반), 불임
  - esthiomene : 여성 외음부의 elephantiasis (전반적인 궤양 & 파괴)

4. 진단

(1) Nucleic acid amplification test (NAAT) – choice!

- PCR, LCR (ligase chain reaction), TMA (transcription mediated amplification) 등
- sensitivity & specificity 가장 우수, 상용화된 STD multiplex PCR 제품도 많음 ⋯ 앞 장 참조
- STD POCT (rapid) NAAT 검사도 많음 (예)
  - BD MAX™ CT/GC/TV [*C. trachomatis* (CT), *N. gonorrhoeae* (GC), *Trichomonas vaginalis* (TV)]
  - Cepheid Xpert® CT/NG [*C. trachomatis* (CT), *N. gonorrhoeae* (NG)]
- 검체
  - cervical or urethral swab ; sensitivity는 가장 높지만, 침습적인 것이 단점
  - urine ; 비침습적이고 NAAT에서는 sensitivity도 우수해 권장됨 (특히 screening에 유용)
  - vaginal swab ; urine보다 약간 더 sensitive (자가 채취도 가능)
  - penile-meatal swab ; urine과 sensitivity 동일해 권장×
  - 기타 ; conjunctival swab, rectal swab, pharyngeal swab 등
- 죽은 균도 검출되므로 치료 후 ~3주 동안은 (+) 가능 → 3주 이내는 치료반응 평가에 사용×

(2) 혈청(Ab) 검사

- microimmunofluorescence (micro-IF, MIF) : specificity 높지만, 주로 reference lab.에서 시행
- complement fixation (CF) test : sensitivity↓, 다른 *Chlamydia* spp.와도 반응
- Ab titer가 높게 나오는 invasive infections (e.g., infant pneumonia, LGV)의 진단에 도움
  - infant pneumonia ; MIF IgM ≥1:32면 진단 가능
  - LGV ; CF Ab >1:64 or MIF Ab >1:256이면 진단 가능
  - 회복기에 환자가 다시 안 오는 경우가 많으므로 대개 single titer로 진단함
- 비뇨생식기와 눈 감염의 진단/screening에는 권장×

(3) 기타

- Ag detection
  - cervix or urethra swab 검체 필요, sensitivity 80~95%
  - DFA (direct fluorescent Ab) slide test, ELISA
- cell culture ; 까다롭고 비용/시간/위험성 증가, NAAT로 대치되어 reference lab.에서만 시행

5. 치료

- *C. trachomatis*에 효과적인 항생제 ; TC (e.g., DC), macrolides (e.g., EM, azithromycin),
  fluoroquinolones (ofloxacin, levofloxacin) [c.f., 다른 fluoroquinolone은 효과 적거나 경험 부족]
  ↳ 18세 미만과 임산부에는 금기 (∵ 근골격계 부작용) → 2nd-line agent
- uncomplicated genital infections (e.g., urethritis, cervicitis)
  ⇨ <u>oral azithromycin 1회</u> (선호!) or DC 7일
  ↳ 반감기 5~7일, 복약순응도 측면에서 큰 장점, EM보다 GI 부작용 적음
  * 임산부 ; azithromycin 권장 (FDA 허가는 없지만 비교적 안전하고 효과적) or amoxicillin 7일
         (DC와 fluoroquinolones은 금기)
- complicated genital infections (e.g., PID, epididymitis)
  - *N. gonorrhoeae*와 동시감염이 많으므로 둘 다 목표로 경험적 항생제 치료
  - epididymitis ⇨ IM ceftriaxone 1회 + oral DC 10일 (DC를 사용 못하면 azithromycin)
  - PID ⇨ IM ceftriaxone 1회 + oral DC 2주 ± metronidazole 2주
         (if 입원시 ; IV cefoxitin/cefoteten + oral DC → 호전되면 DC로만 2주)
- proctitis (non-LGV) ⇨ DC 1주 + IM ceftriaxone 1회
- LGV, severe proctitis ⇨ DC 3주 + IM ceftriaxone 1회
- HIV 감염자의 *C. trachomatis* 치료도 동일함
- 성 접촉자도 (증상이 없어도) 같이 치료해야 됨
- F/U 및 완치 판정 : 적절한 치료를 받았고 재감염의 위험이 없는 경우에는 일반적으로 필요 없음
       (예외 ; 증상 지속, 임산부)
  - 완치 판정을 위한 검사는 치료 종료 후 3~4주 뒤에 시행 : NAAT (∵ 3주 이내는 사균도 검출)
  - 재감염이 흔하므로 3~6개월 뒤 다시 NAAT 검사 F/U 권장
       (∵ sex partners가 치료 안했거나 재감염 되었거나, 새로운 partners)
  - 치료 실패는 순응도 불량 or 재감염 때문 (아직 *C. trachomatis*에 대한 의미 있는 내성은 없음)
- 예방 ; 아직 효과적인 vaccine은 없음 → 콘돔 사용, 위험군에 대한 screening 등

■ 참고: *C. trachomatis* screening 권장 대상 (미국 CDC)

성관계가 있는 모든 24세 이하 여성
24세 이상 고위험군 여성 ; 새로운 또는 다수의 sex partners, 성병을 가진 sex partners, 콘돔 사용 부정확
24세 이하 모든 임산부, 25세 이상 고위험군 임산부
HIV 감염자
*남성 ; HIV 감염자, MSM (여성과만 성관계를 하는 남성은 근거 부족)

PSITTACOSIS (앵무새병)

1. 원인

- *C. psittaci*에 의한 인수공통감염증
  (c.f., 한때 *Chlamydophila* genus로 재분류되었다가, 다시 *Chlamydia*로 분류됨)
- 주로 조류의 감염 ; 관상조류(앵무새, 잉꼬 등), 가금류(오리, 칠면조, 닭 등), 야생조류(비둘기)
- 사람 및 포유동물은 조류의 코분비물, 배설물, 조직, 털 등에 존재하는 균에 의해 감염됨
  - 전파경로 ; <u>aerosol 흡입(m/c)</u>, 조류와 직접 접촉 등 (사람간 전파는 없음)
    ↳ 새장에서 새가 날갯짓하거나, 깃털 먼지가 날릴 때 (몇 분만 노출되어도 감염)
  - pet-shop 근무자, 가금류 농장 근무자, 박제사, 수의사, 동물원 근무자 등이 고위험군
    (주로 조류 가공 공장 근무자에서 증가 추세)

2. 임상양상

- 잠복기는 대개 5~15일 (~39일까지도 가능)
- 호흡기 증상이 m/c ; 발열, 오한, 심한 두통 (photophobia도 동반 가능), 근육통, 마른기침
  - 기타 pharyngitis, 설사(~25%), 간비종대, 의식저하 등 동반 가능
  - CXR (50~90%에서 비정상) ; 주로 하엽의 patchy infiltration, 약 1/4은 multilobar changes
- 전신 합병증 (드물지만, 심각할 수 있음) ; respiratory failure, hepatitis, endocarditis, encephalitis, ocular adnexal lymphoma (OAL), ITP, TTP, reactive arthritis ...
- Lab ; WBC count는 대개 정상, toxic or left-shifted neutrophils, ESR-CRP↑, hyponatremia ...
- 임산부의 감염은 매우 위험 (특히 2~3기) ; respiratory failure, liver failure, DIC 등으로 사망 가능
  ↳ 태반을 통과하여 자궁내 태아도 감염 및 사망 위험

3. 진단

- 혈청(Ab) 검사를 통해 주로 진단 : 4배 이상 상승 or MIF IgM ≥1:16
  - MIF (microimmunofluorescent) test (m/g) : *C. psittaci*에 sensitive & specific
  - CF Ab test : *C. trachomatis, C. psittaci, C. pneumoniae* 모두 양성
- PCR : 다른 *Chlamydia* spp.보다 sensitivity 낮고, 상용화 부족함
- 균 분리 : 어렵고, 검사실내 감염 위험으로 reference lab.에서만 시행
- 진단은 주로 조류 노출력과 임상양상으로 → 경험적 항생제 치료

4. 치료

- DOC : oral doxycycline[DC] or TC hydrochloride 10~21일 (심한 경우엔 IV로)
- TC/DC를 사용 못하면 macrolide (EM or azithromycin)

■ *C. pneumoniae* 감염

- *C. pneumoniae*는 사람에서 주로 경미한 호흡기 감염을 유발
  (c.f., 한때 *Chlamydophila* genus로 재분류되었다가, 다시 *Chlamydia*로 분류됨)
  - respiratory droplet, aerosol, fomite 등을 통해 person to person 전파
  - 밀집된 생활을 하는 학교, 군대, 감옥, 요양원 등에서 유행 위험 (attack rates 10~68%)
  - 성인의 항체 보유율은 50~85% (나이가 들수록 증가) → 무증상 감염이 많음을 시사,
    방어력은 오래 유지 안됨 (→ 재감염 가능), 지속적인 보균/감염 상태도 가능
- 임상양상 ; 무증상(m/c) ~ acute pharyngitis, sinusitis, bronchitis, pneumonia 등 다양함
- pneumonia (주로 젊은 성인에서) ··· 다른 **atypical CAP** (e.g., *M. pneumoniae*)와 비슷함
  - URI Sx 선행, fever, nonproductive cough (leukocytosis 無)
  - CXR ; 대개 비특이적 소견, small segmental infiltrates (청진에서는 별 소견 없음)
  - 대부분 mild, 기침은 오래 지속 가능 (1~64일, 평균 21일), 사망률 0~4%
- persistent *C. pneumoniae* 감염과 만성 질환과의 관계(e.g., asthma, atherosclerotic dz.)
  - 관련성이 있다는 역학적 연구도 많았지만, randomized clinical trials에서는 근거 부족함
  - chronic bronchitis와 asthma 환자에서 급성악화에는 기여 가능
- 진단
  - NAAT (e.g., PCR)가 선호됨, 상품화된 multiplex 제품도 많음 (··→ 옆)
  - 혈청(Ab) 검사(e.g., MIF) ; 급성 감염 진단에는 회복기 titer 4배 상승 확인이 필요해 비실용적
    (single titer ≥1:16은 *C. pneumoniae* 노출 병력을 시사)
  - cell culture ; 어렵고 시간이 오래 걸려 시행 안함
  - Ag detection ; 조직이나 cell culture에서 DFA (direct fluorescent Ab)로 확인 가능
- 치료
  - azithromycin 5일 *or* EM, clarithromycin, DC, levofloxacin, moxifloxacin 10~14일
  - 만성 감염시엔 macrolides 6주

⊘ Seegene

Allplex™
PneumoBacter
Assay

· *Bordetella pertussis* (BP)
· *Chlamydophila pneumoniae* (CP)
· *Haemophilus influenzae* (HI)
· *Legionella pneumophila* (LP)
· *Mycoplasma pneumoniae* (MP)
· *Streptococcus pneumoniae* (SP)

The BioFire® FilmArray® Pneumonia (PN) Panel

VIRUSES:

- Adenovirus
- Coronavirus
- Human Metapneumovirus
- Human Rhinovirus/Enterovirus
- Influenza A
- Influenza B
- Parainfluenza Virus
- Respiratory Syncytial Virus

ANTIMICROBIAL RESISTANCE GENES:

Methicillin resistance:
- *mec*A/C and MREJ

Carbapenemases:
- KPC
- NDM
- Oxa-48-like
- VIM
- IMP

ESBL:
- CTX-M

BACTERIA:
Semi-Quantitative Bacteria

- *Acinetobacter calcoaceticus-baumannii* complex
- *Enterobacter cloacae* complex
- *Escherichia coli*
- *Haemophilus influenzae*
- *Klebsiella aerogenes*
- *Klebsiella oxytoca*
- *Klebsiella pneumoniae* group
- *Moraxella catarrhalis*
- *Proteus* spp.
- *Pseudomonas aeruginosa*
- *Serratia marcescens*
- *Staphylococcus aureus*
- *Streptococcus agalactiae*
- *Streptococcus pneumoniae*
- *Streptococcus pyogenes*

ATYPICAL BACTERIA:
Qualitative Bacteria

- *Chlamydia pneumoniae*
- *Legionella pneumophila*
- *Mycoplasma pneumoniae*

BioFire® Respiratory 2.1 (RP2.1) Panel with SARS-CoV-2

BioFire RP2.1 Panel Menu

VIRUSES

Adenovirus
Coronavirus 229E
Coronavirus HKU1
Coronavirus NL63
Coronavirus OC43
Severe Acute Respiratory Syndrome Coronavirus 2 (SARS-CoV-2)
Human Metapneumovirus
Human Rhinovirus/Enterovirus
Influenza A

Influenza A/H1
Influenza A/H3
Influenza A/H1-2009
Influenza B
Parainfluenza Virus 1
Parainfluenza Virus 2
Parainfluenza Virus 3
Parainfluenza Virus 4
Respiratory Syncytial Virus

BACTERIA

Bordetella pertussis
Bordetella parapertussis
Chlamydia (Chalmydophila) pneumoniae
Mycoplasma pneumoniae

3
Rickettsial diseases

개요

- order^목 Rickettsiales, family^과 Rickettsiaceae, genus^속 *Rickettsia, Orientia* 등
  (ㄴ typhus와 spotted fever groups으로 나뉨)
  - obligate **intracellular** Gram(−) bacteria (일반 세균보다 약간 작고, 간균~구균의 다양한 형태)
  - DNA & RNA 有, enzymes & cell wall 有, 다른 세균처럼 이분열로 증식
  - 진핵세포 내에서만 증식 / 일반배지에서는 자라지 않고 세포배양, 발육란, 동물 등에서만 자람
    (*Coxiella burnetii*만이 cell-free medium에서도 자랄 수 있음)

Vector	참진드기(tick)		벼룩(flea)	이(louse)	좀진드기(mite)
홍반열군 (spotted fever group *Rickettsia*, SFGR)	*R. rickettsii* *R. conorii* *R. japonica* *R. sibirica* *R. australis* *R. slovaca* *R. africae*	*R. honei* *R. helvetica* *R. parkeri* *R. heilongjiangensis* *R. raoultii* *R. massiliae* *R. monacensis*	*R. felis*		*R. akari*
티푸스군(typhus group *Rickettsia*, TGR)			*R. typhi*	*R. prowazekii*	
Scrub typhus (*Orientia*)					*O. tsutsugamushi*

- life cycle ; reservoir (대부분 설치류) → vector (작은 곤충) ⋯→ human infection
  - 대부분 작은 곤충(절지동물)에 의해 매개되어 피부를 통해 감염됨
    (예외 ; Q fever - 주로 호흡기를 통해 직접 감염됨)
  - 사람은 우연한 숙주임 (예외 ; epidemic typhus [*R. prowazekii*] - 사람이 주요 숙주)
  - *Coxiella burnetii, R. prowazekii, R. typhi*는 열악한 환경에서도 생존 가능! → 전염성 높음
- 작은 혈관의 vasculitis (endothelium에 침범하여 증식)이 기본 병변 (Q fever는 granuloma)
- 초기에 fever 및 centrifugal rash (trunk → limbs)가 특징
  - 예외 ; Q fever [*Coxiella burnetii*] (no rash), RMSF [*R. rickettsii*] (centripetal rash)
- 한번 감염되면 long-lasting immunity를 가짐 (예외 ; scrub typhus는 Ag이 다양해서 재감염 가능)
  - *R. prowazekii*는 체내에 남아 있다가 면역저하시 재활성화 감염 가능 (Brill-Zinsser dz.)
  - *Coxiella burnetii*는 만성 감염으로 진행할 수 일으킬 수 있음(e.g., chronic endocarditis)
- 대부분 TC (doxycycline)과 chloramphenicol로 잘 치료됨 (2~3일내 해열)

진단

(1) **혈청(Ab)검사** (m/c)
- 대개 발병 2주 이후에나 진단이 가능 (→ 임상적으로 진단하고 경험적 치료를 시작함)
- Weil-Felix test ; 쉽고 간단하지만, sensitivity & specificity가 낮아 현재는 거의 안 쓰임
  - *Proteus vulgaris*의 OX19, OX2와 *P. mirabilis*의 OXK 균주를 항원으로 응집(교차) 반응
    - OX19, OX2 (+) : spotted fever group
    - OX19 (+) : epidemic & endemic typhus
    - OXK (+) : scrub typhus
    - 모두 음성 : Brill-Zinsser dz., rickettsial pox, Q fever, trench fever
  - 공통 항원을 이용하므로, 개개의 *Rickettsia* 감염을 구별할 수 없음
- indirect immunofluorescent antibody test (IFA) ; 현재 주로 사용됨!
  - 특이 항체를 검출(type-specific, 개개의 *Rickettsia* 감염 진단 가능)
  - 약 2주 이상의 간격 동안 IgG Ab titer가 4배 이상 증가하면 진단 가능
- 기타 ; dot blot immunoassay dipstick (rapid test), ELISA, passive hemagglutination (HA) 등
(2) **배양** ; 조직이나 동물 접종에서만 배양됨 → reference lab.에서만 가능
(3) **PCR** ; 혈액, 가피, 조직 등으로 가능 ⎤→ 감염 초기에 빠른 진단이 가능
(4) **immunohistochemical detection** ⎦

쯔쯔가무시증(Scrub typhus)

1. 개요

- 원인균 : *Orientia tsutsugamushi* (과거 *R. tsutsugamushi*, 1995년 genus *Orientia*로 재분류됨)
  - 다른 *Rickettsia*와의 차이점 ; peptidoglycan과 LPS 無, 외막(outer membrane)이 매우 두꺼움
  - 56-kDa type-specific antigen (TSA56) : 외막의 주요 단백 → 매우 다양한 항원성을 보임
    - → serotypes : Boryong (우리나라 m/c), Gilliam, Karp, Kato, Kawasaki 등 30여가지 有
    - → 다양한 항원성 때문에 한번 감염되었어도 다시 재감염이 가능!
  - 숙주 세포에서 떨어져 나올 때 숙주의 세포막과 함께 budding 됨
- 병원소(reservoir) : 설치류 (야생성이 있는 들쥐, 집쥐, 다람쥐 등)
- 매개충(vector) ⋯ trombiculid mite (털진드기) ; 주로 genus *Leptotrombidium*
  - 우리나라 ; *Leptotrombidium pallidum*^{대잎털진드기} (전국), *L. scutellare*^{활순털진드기} (남부) 등등

---
*Orientia*에 감염된 털진드기 →(수직감염)→ 알 → 유충(chigger) ⎤ 번데기 → 성충 (자유생활)
  포유류의 조직액이 필요 → 일시적으로 설치류에 기생

*설치류 대신 사람을 만나면 피부에 부착하여 조직액 흡입 (이때 침샘에 있는 *Orientia*가 설치류나 사람에게 전파됨)
털진드기(유충)는 일생에 한번만 포유류를 물은 뒤 떨어져나감, 이후에는 식물에만 붙어서 생활

  - 유충(chigger = tsutsugamushi_(일본명)) ; 번데기로 될 때 동물(설치류, 사람)의 조직액이 필요하며,
    감염된 유충은 성충이 된 뒤 산란으로(egg) 균을 물려줌 (transovarian transmission, 수직감염)

- 전파경로 : mite (chigger) → 설치류 → mite (chigger) ⋯→ 사람
  - 유충(chigger)이 사람의 피부를 물고 조직액을 흡입할 때 감염됨 (크기는 0.1 mm로 눈에 안보임)
  - 사람은 우연한 숙주임 (사람간 전파는 없음)
  - 털진드기는 숲속에 많이 분포 → "scrub (관목, 덤불) typhus"

2. 역학

- 1986년 이후 매년 수백 명 이상의 환자 발생, 2004년 이후 급증 (매년 약 5천~1.1만 명 발생)
- 대부분 가을철 특히 10~11월에 집중적으로 발생 (= 털진드기 유충들의 활동 시기)
- 남:여=1:1.6, 50~60대 이상에서 호발 (∵ 농촌에서 노인 여성이 밭일을 주로 함)
- 농촌지역 거주자뿐만 아니라 최근에는 도시인의 야외활동(e.g., 벌초, 등산)에 의한 감염도 증가
- 제3급 법정감염병
- 세계적으로 한국, 중국, 대만, 일본, 파키스탄, 인도, 태국, 말레이시아, 호주 북부 등이 유행지역

3. 임상양상

- severity 다양 (mild & self-limiting ~ fatal)
- 잠복기 : 1~3주 (보통 8~10일)
- Sx & signs - 고열과 가피(eschar)가 특징
  - ① **가피/딱지(eschar)** : 50~90%의 환자에서 유충(chigger)이 물은 부위에 발생 ⋯ 진단에 중요!

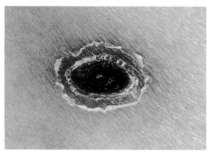

  - 직경 5~10 mm 정도의 까만 딱지
    (주위는 붉은색 홍반으로 둘러싸여 있음)
  - 서혜부, 액와부, 유방주변/아래 등 피부가 접혀서 습하고 따뜻한 부위에 호발 (주로 인체 전면 쪽)
  - 가피는 통증/소양감이 없으나, 주변 LN는 압통/종창이 흔함 → 세밀한 P/Ex으로 가피를 잘 찾아야
  - Boryong 혈청형(strain)에서 더 많이 관찰됨

  * bite → papule^{구진} → vesicle^{수포} → pustule^{농포} → ulcer^{궤양} → eschar^{가피} 순서로 진행되며, 대개 pustule^{농포}에서 ulcer^{궤양}로 이행되는 시기에 발병

  - ② <u>fever</u>, chills, severe <u>headache</u> 등이 갑자기 발생
    - ↳ 1주일 동안 점진적으로 증가 (2주 동안 고열 지속 후 해열)
    - relative bradycardia 동반 흔함 (정의: 체온 1℃ 상승마다 HR 10 bpm 미만으로 상승)
    - 결막충혈(conjunctival injection), <u>근육통</u>, 기침, N/V/D, 복통, 인후염 등도 동반 가능
  - ③ <u>skin rash</u>^{발진} : macular or maculopapular rash, 3~5 mm, 경계 명확, 소양증 동반×
    - ↳ 발병 3~5일째 발생 9일째 소실, centrifugal (몸통/얼굴에서 시작하여 점차 사지로 퍼짐)
  - ④ <u>painful lymphadenopathy</u> (localized → generalized), splenomegaly
  - ⑤ 기타/합병증 ; 간기능이상 (46~92%), 신기능이상 (15~40%), meningitis/encephalitis (10~70%), interstitial pneumonia, pulmonary edema, ARDS, AV block, CHF, myocarditis, DIC ...

- CXR ; 70%에서 이상소견 보임 (대개 양측성 reticulonodular), 28%에서 pleural effusion 동반

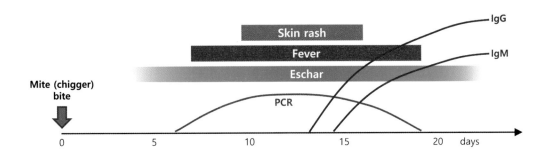

4. 진단

- 혈청(Ab) 검사 (m/c) ; IFA (표준), ELISA, passive HA, dot blot immunoassay dipstick 등
  - *Orientia tsutsugamushi* 항체(IgG, IgM)를 검출하는 여러 rapid tests가 상품화되어 많이 이용됨
  - 발병(fever 발생) 후 약 1주일은 경과해야 Ab 검출 가능 → 조기 진단은 불가능
- PCR (serum, eschar) ; 초기에 빠른 진단 가능, 정확도 높음 (but, 항생제 투여시 sensitivity↓)
- 균 분리/배양(culture) ; 매우 어려워 특수한 기관에서만 가능, sensitivity도 낮음
- 농촌에서는 쉽게 검사를 이용할 수가 없는 경우가 많아 조기 진단은 임상소견에 많이 의존함
  ; 발생 계절, 산야 노출, eschar, lymphadenopathy, skin rash 등 → 90% 이상 진단 가능
- D/Dx ; HFRS, Leptospirosis, Rickettsial disease ...

5. 치료/예후

- 항생제 ; 1~2일내에 해열되며, 해열 후 수일간 더 사용 (∵ 짧게 투여하면 재발 위험)
  - doxycycline^DC (DOC) ; 7~15일 (보통 7일) 투여
    (TC도 효과는 비슷하지만, DC보다 bioavailability가 낮아 잘 사용 안됨)
  - azithromycin ; 3일 투여, DC와 효과는 비슷, 임신부에서 choice (DC는 금기)
    (c.f., scrub typhus는 임신부에서 자연유산, 사산, 조산 등을 유발 위험)
  - chloramphenicol ; DC와 효과는 비슷하지만, BM toxicity 등으로 잘 사용하지 않음
  - TC/DC에 감수성이 저하된 경우 (e.g., DC 투여 후 2일이 지나도 호전×)
    ⇨ azithromycin ± rifampin *or* DC에 azithromycin (or chloramphenicol) 추가
- 치료하지 않은 경우도 대부분 2~3주 뒤에 서서히 회복됨
- 사망률 0.5~10% (치료시에는 매우 낮음) / 주요 사인 ; 심부전, 순환장애, 폐렴(호흡부전)

6. 예방

- 진드기에 물리지 않도록 주의 (m/i) ; 접촉기회 차단, 긴 옷 착용, 진드기 기피제/살충제 등
  - DEET ; m/c 기피제, 10~30% (농도↑∝작용시간↑), 저농도는 소아도 사용 가능, 피부에 바름
  - icaridin (or picaridin) ; 7~20% (농도↑∝작용시간↑), 냄새 無, 인체 독성 無, 피부에 바름
  - IR3535 (ethyl butylacetylaminopropionate, EBAAP) ; 냄새 無, 인체 독성 無, 피부에 바름
  - permethrin ; 진드기 살충제 → 옷, 침구, 텐트에만 사용! (c.f., 옴 치료제로 쓸 때는 몸에 바름)
- 아직 다양한 serotypes에 모두 효과적인 vaccine은 없음
- chemoprophylaxis (고위험군) : oral DC 200 mg 1회/week → leptospirosis, rickettsia 모두 예방

■ 우리나라에서 <u>가을철</u>에 주로 발생하는 급성 열성질환!

① 쯔쯔가무시병(scrub typhus) - m/c
② 신증후군 출혈열(HFRS) ; Hantaan, Seoul virus
③ 렙토스피라증(leptospirosis)　④ 발진열(murine/endemic typhus)

	HFRS	Scrub typhus	Leptospirosis
병원체	Hantaan virus, Seoul virus	*O. tsutsugamushi*	*Leptospira interrogans*
Host	등줄쥐, 집쥐, 실험용 쥐	설치동물(주로 등줄쥐)	등줄쥐, 야생동물, 족제비, 개 (오줌)
Vector		Chigger (털진드기 유충)	
감염경로	호흡기	mite bite	소변으로 배출된 균이 상처를 통해
위험군	농부, 군인, 등산	농부, 군인, 성묘, 등산	가을철 홍수후 논일
잠복기	2~3주	6~21일	4~19일
증상	고열, 두통, 복통, 출혈, <u>신부전</u>	발열, 두통, 발진, 결막충혈	고열, 오한, 근육통 (LD, CK↑↑)
진단	특이항체(IFA) PCR	특이항체(IFA, rapid test) PCR	특이항체(MAT, ELISA, rapid test) PCR
치료	대증요법	DC, azithromycin	Penicillin G, ampicillin, DC 등
예후	미치료시 사망률 약 7%	사망률 약 1%	Severe (Weil synd.) 경우 약 20%
예방접종	있음 (고위험군 대상)	없음	있지만 잘 쓰이진 않음

*등줄쥐(*Apodemus agrarius*) : 우리나라 들쥐의 약 80%를 차지하는 가장 흔한 종으로, 사람의 식량도 축내고
쯔쯔가무시병, HFRS, 렙토스피라병의 주 매개동물임

■ 참고: 주요 Arthropod vectors에 의한 질환

Arachnida^{거미강} (다리 8개, 유충 때는 다리 6개)		Insecta^{곤충강} (다리 6개)	
참진드기(tick)	털진드기(mite) - 매우 작음	몸이(body louse)	쥐벼룩(flea)
중증열성혈소판감소증후군(SFTS) 일본홍반열 [*R. japonica*] RMSF [*R. rickettsii*] 　(Rocky Mountain Spotted Fever) Tick-borne relapsing fever 　[Relapsing Fever *Borrelia*, RFB] Lyme disease 　[*Borrelia burgdorferi*] Tick-borne encephalitis Ehrlichiosis & Anaplasmosis Babesiosis Theileriasis 야생토끼병(야토병, tularemia) *Q fever [*C. burnetii*] - 주로 가축 　체액 aerosol의 직접 흡인에 의해	(좀진드기라고도 부름) <u>쯔쯔가무시증</u>(scrub typhus) 　[*Orientia tsutsugamushi*] Rickettsialpox [*R. akari*]	발진티푸스 　(epidemic typhus) 　[*R. prowazekii*] 참호열(trench fever) 　[*Bartonella quintana*]	발진열(murine, 　endemic typhus) 　[*R. typhi*] 흑사병(plague) 　[*Yersinia pestis*]
		파리	모기
		Leishmaniasis Tularemia 아프리카 수면병 　(African 　trypanosomiasis) 회선사상충증 　(onchocerciasis) Pappataci fever	Malaria Yellow fever Dengue fever West Nile fever Chikungunya fever Zika virus infection Japanese encephalitis Lymphatic filariasis

Tick

Mite
chiggar

Louse

Flea

c.f.) 인체질병매개 tick은 대부분 hard tick (참진드기, 경진드기)이고, soft tick (연진드기)는 아프리카돼지열병(ASF)를 매개함

발진열(Murine, endemic, or flea-borne typhus)

1. 개요

- 원인균 : *R. typhi*
- 병원소(reservoir) ; 시궁쥐/집쥐(*Rattus rattus*^{애급쥐/곰쥐}, *Rattus norvegicus*^{야생집쥐})^{m/c}, 주머니쥐, 고양이
- 매개충(vector) ; **쥐벼룩**(oriental rat flea, *Xenopsylla cheopis*)^{m/c}, 고양이벼룩, 쥐이 등
  - 쥐벼룩이 *R. typhi*에 감염된 쥐를 흡혈할 때 감염(→ 영원한 보균 상태가 됨)
  - 다른 쥐를 물 때 전파 (쥐들 사이에서 빨리 전파됨), 수직전파(transovarian transmission)도 가능
- 인체감염 경로
  ① 쥐벼룩(flea)이 사람의 피를 빨아먹는 동안 피부에 오염된 변을 배설
    → 손으로 긁거나 문지를 때 작은 상처를 통해 체내로 침투 (m/c)
  ② 드물게 쥐벼룩이 물 때 직접 침투, 변이 건조되어 호흡기를 통해 흡입
- 사람간 전파는 없고, 한번 감염되면 평생 면역

2. 역학

- 1930년대부터 보고되었으며, 1959년에 CF test로 확진된 환자가 발견된 후, 거의 없다가
  1990년부터 환자가 증가, 2000년대에는 50~80명까지 증가했다가, 현재는 매년 10~20명 발생
- 제3급 법정감염병 … 쯔쯔가무시병과 더불어 우리나라에서 유행
- 대부분 늦가을 (10~12월)에 발생하나, 1~2월에도 많이 발생 (쯔쯔가무시병보다 유행시기 더 넓음)
- 전 세계적으로 쥐가 많은 대부분의 연안/항구지역에서 1930~40년대 많이 발생하다가, 쥐가 줄면서
  현재는 산발적으로 발생 (2018년, 미국 LA에서 방치된 쓰레기와 관련, 노숙자들에서 유행 발생)

3. 임상양상/치료

- 잠복기 8~16일 (평균 11일)
- 발진티푸스와 비슷하지만, 훨씬 경미하고 mortality 낮음 (약 1%)
  - 두통, 근육/관절통, 오심, 권태감 → 1~3일 뒤 fever/chilling ; 9~18일 (평균 12일) 뒤 자연 소실
  - rash (40~50%) ; 발병 4~6일 뒤 발생, 복부/흉부 → 배부, 사지로 퍼짐
    (얼굴과 손/발바닥의 침범은 드물고, petechia도 드묾)
  - 폐 증상 ; 35%에서 nonproductive cough, 23%에서 CXR상 폐침윤을 보임
  - Lab ; anemia, leukopenia (→ 후기엔 leukocytosis), thrombocytopenia, hyponatremia,
    hypoalbuminemia, AST-ALT↑, prerenal azotemia
- 합병증(severe dz.) ; AKI, resp. failure, hematemesis, cerebral hemorrhage, hemolysis, shock
  - poor Px (severity↑) ; 고령, 기저질환, G6PD 결핍, sulfonamide 치료
- Dx ; IFA (m/c, titer 4배 이상 상승), 배양, PCR
  (대부분 쥐벼룩에 물린 것은 기억하지 못함, 의심되면 경험적 항생제 치료)
- Tx ; oral DC 7~15일 (or azithromycin, chloramphenicol, ciprofloxacin)
- 예방 ; 백신 無, 쥐와 쥐벼룩 퇴치 (e.g., 쥐벼룩 살충제 ; carbaryl, permethrin 가루 살포)

발진티푸스(Epidemic or louse-borne typhus)

1. 개요

- 원인균 ; *R. prowazekii*
- 병원소(reservoir) ; 주로 사람 (다른 rickettsia와 차이)
- 매개충(vector) ; **몸'이'**(human body 'louse', *Pediculus humanus corporis*)
  - 옷에 살며, 위생 불량시 호발 (→ 뜨거운 물로 빨래, 드라이클리닝, 다리미질 등으로 쉽게 죽음)
  - 추운 날씨, 가난, 전쟁 & 피난, 재난, 군대, 감옥 등에서 유행 증가
- 전파 ; 감염된 사람의 피를 빨아먹은 몸이(louse)가 다른 사람을 물거나, 피부에 오염된 변을 배설
  - 손으로 긁거나 문지를 때 피부/점막을 통해 침투, 드물게 흡입을 통해서도 전염 가능
  - 몸이는 *R. prowazekii*를 자손으로는 전파 못하고 죽음 → 몸이에 의해 사람에서 사람으로 전파!
  - c.f.) 미국에서는 eastern flying squirrel^{남부하늘다람쥐}(*Glaucomys volans*)를 병원소로하고, 여기에 사는
    벼룩/이를 통해 사람으로 전파되기도 함 (겨울철에 건물 내로 들어와서) - "Sylvatic Typhus"
- 병태생리
  - endothelium 침범 → microthrombosis → necrotizing fibrinoid arteritis
  - skin, heart, lung, skeletal muscle, brain, kidney를 주로 침범
- 역학 ; 역사적으로 주로 전쟁과 함께 큰 유행을 일으켜 수만~수십만 명씩 사망
  - 아직 세계 여러 곳에서 산발적으로 발생 ; 부룬디, 르완다, 알제리, 미국, 페루, 러시아 등
  - 국내에서는 1945년과 1951년에 대유행, 1950년대에 소멸된 뒤로는 발생 보고 없음
- 제3급 법정감염병

2. 임상양상

- 잠복기 : 8~16일 (평균 11일)
- 갑자기 증상 발생 ; 허탈, 심한 두통, 발열 (3~4일에 걸쳐 step-ladder 양상으로 빨리 증가,
  38.8~40.0℃, 10~14일간 지속 → 2~3일에 걸쳐 해열), 기침, 근육통, 관절통 ...
  - rash ; 발열 4~6일째 몸통/겨드랑이에서 시작 → 몸 전체로 퍼짐 (얼굴, 손/발바닥은 침범 안함)
  - 복통, N/V, photophobia, conjunctival injection, eye pain, dry/furred tongue
- 심한 경우 renal insufficiency, shock, 손/발가락의 necrosis & gangrene 발생
  - 치료 안하면 → 2주 째 BP↓, pulse↑, 혼돈, 의식장애, coma
  - 사망률 : 치료 안하면 10~40% (치료시에는 매우 낮음)
- Dx ; 항체 검출(IFA), PCR or immunohistochemical detection
- Tx ; doxycycline이 DOC (TC와 chloramphenicol도 매우 효과적)
- 예방 ; 개인위생 관리(e.g., 목욕, 세탁), '이'를 박멸하는 것이 중요, 예방적 DC (200 mg/week)

3. Brill-Zinsser disease (Recrudescent typhus)

- 발진티푸스(epidemic typhus)에서 회복 후 체내 LN에 남아 있던 균이 수년 뒤에 reactivation
  (면역저하시) → bacteremia → 경증의 발진티푸스 유발, 몸이에 의해 새로운 유행도 유발 가능
- W-F test (-), late or recurrent type specific IgG↑

Spotted fever group^{홍반열군} Rickettsia (SFGR)

1. RMSF (Rocky Mountain Spotted Fever)

- 원인균 : *R. rickettsii*
- 참진드기(tick)에 물려 감염됨, 진드기가 reservoir & vector
- 미국 전체, 캐나다, 멕시코, 중남미 일부에서 발생, 대부분 봄~초여름에 호발
- 잠복기 : 2~14일 (대부분 5~7일)
- 임상양상 ; 발열, 두통, 근육/관절통, N/V, 복통
  - rash ; 대부분에서 발병 3~5일째 발생, 손목/발목에서 시작되어 몸통 쪽으로 번짐
    * eschar는 거의 없음 (c.f., 티푸스군인 *R. typhi*와 *R. prowazekii*도 eschar 없음)
  - severe ; 피부괴사, gangrenous digits, 신경증상, AKI, pulmonary edema, ARDS
  - mortality ; 치료 안하면 (대개 8~15일 뒤) 23%, 적절한 항생제 치료를 해도 ~4%
- 진단 ; IFA (느림), IHC or PCR (초기에 진단 가능)
  - → 대부분은 가능한 빨리 경험적으로 치료 시작 (치료가 5일 이상 지연되면 mortality↑)
- 치료 : doxycycline 7~10일이 DOC (다른 SFGR에서도)
  - 소아나 임산부도 doxycycline이 안전한 편이므로 DC 권장
  - 기타 ; chloramphenicol (사망률↑), mild한 경우 azithromycin or clarithromycin
- 예방 ; 백신 無, 진드기에 물리지 않도록 주의하는 것이 최선
  - 진드기에 물린 것을 빨리 발견하고 제거
  - 진드기에 물리면 → 14일 동안 증상 발생 여부 F/U,
    예방적 DC 투여는 권장× (∵ 유행지역에서 진드기의 *R. rickettsii* 보균율 <2%)

2. 기타 SFGR

- 모든 SFGR은 참진드기(tick)에 의해 전파됨 (예외 ; rickettsialpox → mite, *R. felis* → cat flea)
- Rickettsialpox
  - *R. akari*가 원인균, 집쥐가 reservoir, house mouse mite (*Liponyssoides sanguineous*)가 vector
  - 전 세계적으로 발생하지만 미국 뉴욕에서 특히 흔함 (우리나라 털진드기에서도 발견됨)
  - 잠복기 10~17일, rash (100% → 수포로 진행), eschar가 특징 (90%에서 발견)
- Japanese spotted fever (JSF)
  - *R. japonica*가 원인균, 주로 일본 남서부에서 발생하지만 우리나라와 중국에서도 드물게 발생
  - 잠복기 2~8일, 고열, rash (erythema → petechiae), eschar (60~90%)
  - 쯔쯔가무시증과 다르게 painful lymphadenopathy는 드묾

Q FEVER

1. 개요

- 원인균 : *Coxiella burnetii*
  - 1935년 호주 도축장에서 outbreak 최초로 보고 (원인을 몰라 Query fever라 함), 원인균이 *Rickettsia*인 줄 알았다가, 이후 전혀 다른 genus인 것으로 밝혀져 1948년 *Coxiella*로 명명됨
  - 매우 다양한 모양을 가진 intracellular Gram(-) bacteria, 주로 monocytes에 감염됨 (order^{목} Legionellales, family^{과} Coxiellaceae, genus^{속} *Coxiella*)
  - 독성이 낮아 감염자의 대부분은 무증상이지만, 감염력이 매우 강함! (사람은 감수성이 강해 극소수의 균만으로도 감염됨, 단 하나의 균으로도 가능)
  - 세포 외에서는 (성장/증식은 불가능하지만) 포자 형태로 변하여 생존
    → 열, 압력, 건조, 살균제 등에 저항성이 매우 강해 환경에서 수주~수개월 생존 가능
  - antigenic variation (phase variation)을 보임
    - phase Ⅰ ; 사람/동물/환경에 존재하는 형태, 감염력 높음, chronic severe dz. 유발에 관여
    - phase Ⅱ ; 배양시 약독화된 항원성을 가진 형태(truncated LPS), 감염력 없음, acute dz.시에 더 강한 반응을 유발
- animal reservoir ; 포유류, 조류, 어류, 절지동물(주로 soft tick) 등 광범위함
- 사람의 감염원 ; 소, 염소, 양이 m/c / 기타 말, 돼지, 개, 고양이, 토끼, 오리 ...
  ⇨ 젖, 소변, 대변, 양수, 태반 등으로 다량의 균을 배출시키면서 오염원으로 작용함
  (c.f., 진드기^{tick}에 의한 사람의 직접 감염은 극히 드묾)
- 전파경로 ; 체액으로부터 발생한 (건조된) aerosol의 **흡입** → 바람을 타고 수 km까지 확산 가능
  - 드물게 오염된 우유/고기의 섭취, 오염된 조직과 접촉으로도 감염 가능
  - 사람간 전파도 가능하지만 극히 드묾(e.g., 성교, 수혈, 출산) → 환자 입원시 격리할 필요 없음
  - 사람이 동물에게는 다시 전파 못시킴 (사람이 종말 숙주)
  * 다른 *Rickettsia*와 달리 사람의 감염에 설치류(쥐)와 절지동물(곤충)은 거의 관련 없음!
- 역학 ; 전 세계적으로 존재하고, 환경에 오래 생존하는 균의 특성으로 여러 곳으로 전파 가능
  - 가축과 접촉이 잦은 축산업자, 수의사, 도축관련 종사자 등이 고위험군 (직업병)
  - 우리나라 ; 2006년부터 보고 시작, 매해 10명 내외 발생하다가 최근 증가하여 100명 초과 (제4군감염병)

2. 임상양상

* 다양한 임상양상을 보임 ; 무증상(60%), self-limited dz. (38%), 2%만 진료/검사 필요
  - acute Q fever : 균수 매우 적음, severe cellular response, phase Ⅱ Ag에 대한 Ab↑
  - chronic Q fever : 균수 많음, moderate cellular response, phase Ⅰ Ag에 대한 Ab↑
    ↳ 발병은 숙주의 면역반응에 의해 결정됨

(1) Acute Q fever

- 잠복기 7~32일 (평균 18일), 접종 균수가 많을수록 짧음(~2일까지도), 사망률은 1~2%로 낮음
- self-limited flu-like syndrome (m/c) ; 고열(~40℃), 오한, 심한 두통, 근육통 등, 1~3주 지속

- pneumonia (~37%) ; 대부분 mild, 마른기침, 발열 등 viral 폐렴과 비슷 (일부는 세균성비슷)
  - 10~70일 지속됨,
  - CXR 소견은 다양하지만, 유행지역에서 multiple rounded opacities는 Q fever를 시사함
- hepatitis (~60%) ; 발열 ~ AST-ALT↑, RUQ 통증, 간비대 (황달은 드묾)
- 기타 드물게 acute endocarditis, pericarditis, myocarditis, meningoencephalitis ...
- 임신중 감염 ; 대부분은 무증상, 30~50%는 만성 자궁감염(→ 자연유산, 태아 사망, 조산)
- lab : WBC count는 대개 정상, thrombocytopenia (~25%), 회복기에 reactive thrombocytosis
- 다른 *Rickettsia*와 차이점 : rash 거의 없고, W-F test 음성, 만성 감염 가능

(2) Post-Q fever fatigue syndrome (QFFS)

- acute Q fever 환자의 ~20%에서 발생
  ; 심한 피곤, 두통, 야간 발한, 근육통, 관절통, 수면 장애, 우울증, 인지 저하, 단기 기억력↓ 등
- 자연치유 및 항생제 치료 받은 환자 모두에서 발생 가능, 대부분 특별한 기저질환은 없음
- 검사상 과거 감염의 증거는 나오지만, chronic Q fever에 해당하는 소견은 없음

(3) Chronic Q fever (persistent localized infection)

- *Coxiella burnetii* 감염 환자의 1~5%에서 발생 (acute Q fever 환자의 ~50%에서)
- macrophages 내에서 균이 증식하며 prolonged bacteremia를 유발
- risk↑ ; 이전의 심장판막/혈관질환, 면역저하(e.g., steroid or anti-TNF 치료), CKD, 임신
- endocarditis (대부분) ; AV와 MV를 흔히 침범
  - 피곤, 허약, 체중감소 등의 전신증상 (발열은 없거나 low-grade)
  - hepatomegaly/splenomegaly, digital clubbing, purpuric rash (주로 사지와 결막에 발생)
  - valvular vegetations은 TEE에서 20~50%에서만 발견됨
  - 진단을 놓치면 점진적 판막손상으로 인한 심부전, embolization Cx 발생 가능
  - culture-negative endocarditis 환자는 반드시 Q fever를 의심해봐야 됨
- 기타 ; 혈관감염(e.g., vascular prosthesis), 뼈관절감염, 골수염, 폐섬유화, 간섬유화/LC ...

3. 진단

- serology (m/c) ; IFA (choice)
  ┌ acute Q fever : anti-phase Ⅱ IgM ≥1:50 & IgG ≥1:200 or 회복기에 4배 이상 증가
  └ chronic Q fever : anti-phase Ⅰ IgG ≥1:800 (& anti-phase Ⅱ titer보다 높아야)
  - 증상 발생 1~2주 후부터 검출, 약 3주경에는 90%에서 (+) → 초기 진단에는 활용 어려움
  - RF 존재시 IgM과 IgA 검사에 간섭 가능 → 검사 전 혈청에서 RF를 흡착 제거해야 됨
- direct detection ; 혈액, 체액, 여러 조직에서
  - PCR (or immunochemistry) → 초기 진단 및 serology 결과의 확인에 유용
  - culture ; embryonated eggs or animal, cell culture / shell vial culture는 간단한 편
    (but, 증식 속도가 느려 오래 걸리고, 고전염성이라 생물안전 3등급 실험실[BSL-3] 필요)
- PET-CT ; chronic Q fever에서 감염 부위 확인에 유용

4. 치료

- acute Q fever
  - doxycycline^{DC} (2주)가 choice
  - TC/DC를 복용 못하는 경우 TMP-SMX, chloramphenicol, azithromycin, fluoroquinolone 등
  - 임산부 → TMP-SMX 권장 (~임신기간 내내 투여), folic acid 보충도 병행해야 됨
  - 심한 면역반응으로 항생제에 반응 없는 hepatitis의 경우 단기간 steroid 사용
  - valvulopathy and/or cardiomyopathy 동반시 → DC + hydroxychloroquine 1년
  - 치료 종료 후 3, 6개월 뒤 완치 여부 확인을 위해 serology 검사 시행
- chronic Q fever : 적어도 2개 이상의 항생제를 병합해 사용
  - DC + hydroxychloroquine^{HCQ} (18개월)이 choice
        ↳ monocytic vacuoles의 산성 환경을 알칼리화하여 DC의 살균 효과↑
      (DC에 의한 photosensitivity, HCQ에 의한 retinal toxicity 위험 → 햇빛에 노출을 피해야)
  - 기타 ; rifampin + DC (or ciprofloxacin) 최소 3년 이상
  - 보통 anti-phase I IgG 4배 이상 감소하고 anti-phase II IgM은 검출 안 되면 치료 종료 가능

5. 예방

- 일부 국가에서 vaccine이 개발되어 고위험군에서 사용됨 (효과적)
  → Q fever 병력이 없고, serology(-), skin test(-)인 경우에만 vaccine 접종 가능
- *C. burnetii* 감염 동물 회피 ; 태반 등 부산물의 철저한 폐기/소각, 유산시 14일간 격리, 우유 살균, 수입 가축/부산물의 검역, 가축 예방접종 등

Ehrlichiosis & Anaplasmosis

- order^목 Rickettsiales, family^과 Anaplasmataceae, genus^속 *Ehrlichia, Anaplasma* 등
  - obligate intracellular gram(-), 백혈구 세포질의 vacuoles 내에서 morulae 군집을 형성해 증식
  - 인수공통감염증 ; 진드기(mite)가 매개체(vector)로 포유동물(e.g., 사슴)과 사람에 감염을 일으킴
  - 국내는 매우 드물지만, 열성환자 역학(Ab) 조사시 약 2%에서 양성, 진드기들에서도 일부 검출됨
- human monocytic ehrlichiosis (HME)
  - *Ehrlichia chaffeensis*가 주원인, 주로 미국 남부 지역과 대서양 중부 연안에서 발생
  - monocytes 내에서 주로 증식
- human granulocytic anaplasmosis (HGA)
  - *Anaplasma phagocytophilum*이 주원인, 미국에서는 HME보다 좀 더 흔함
  - 미국 동북부~중북부 지역 (주로 사슴진드기$^{Ixodes\ scapularis}$가 매개), 유럽 일부에서 발생
                      ↳ Lyme dz.도 매개하므로 서로 유행 지역이 비슷함
  - neutrophils 내에서 주로 증식

- 임상양상
  - 무증상 ~ 아급성, 만성까지 다양 (대개는 mild)
  - 잠복기 1~2주 → 발열, 오한, 두통, 근육통 등 비특이적 증상(약 2/3에서), N/V (25~50%)
  - rash (HME의 약 36%에서, HGA에서는 매우 드묾), 신경증상(15~57%)
  - Cx ; septic shock, AKI, 호흡부전, 심부전 등 (risk↑ ; 항생제 치료 지연, HIV, 장기이식)
    → 사망 위험↑ (특히 HME에서), mortality HME 3~5%, HGA 1~3%
- Lab ; 50~90%에서 leukopenia, thrombocytopenia, AST-ALT↑, CRP↑
- 진단
  - 어렵고 시간이 걸릴 수 있으므로, 의심되면 경험적 치료 시작 (PBS와 PCR은 빠른 진단 가능)
  - IFA (Ab 생성에 2~3주 필요), culture (어렵고 1달 이상 필요), PCR (sensitivity 60~70%)
  - PB smear ; HME의 1~20%, HGA의 20~80%에서 intracytoplasmic inclusions (<u>morulae</u>) 관찰

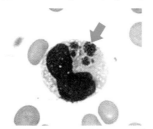 

HME (<u>monocyte</u> 내의 morulae)   HGA (<u>neutrophilic granulocyte</u> 내의 morula)

- 치료 ; DC 5~10일, 임산부나 DC를 사용 못하는 경우에는 rifampin (chloramphenicol은 사용×)
    → 빨리 치료해야 증상기간 단축, 심한 합병증/후유증 발생 예방
- 예방
  - 진드기에 물리지 않도록 주의하는 것이 최선
  - 진드기에 물린 뒤 DC의 예방적 투여는 권장 안됨 → 증상 발생 유무만 F/U
  - 진드기에 물린 뒤 ehrlichiosis는 36시간 이내에, anaplasmosis는 12시간 이내에 제거하면
    감염을 최소화할 수 있음!

4
Leptospirosis

개요

- class^강 Spirochaetes, order^목 Spirochaetales, family^과 Leptospiraceae, genus^속 *Leptospira*
- 원인균 ; *Leptospira interrogans* (serovar *lai*가 우리나라의 주 원인)
  - spiral-shaped (18회 꼬임, 양끝은 고리 모양), highly motile, aerobic spirochetes
  - order^목 Spirochaetales, family^과 Leptospiraceae, genus^속 *Leptospira*
  - 유전적분류(e.g., 16S RNA gene sequencing)에 따라 현재 23종 有, 이 중 10종이 pathogens
  - 항원 구성에 따른 혈청학적분류로는 약 250가지 이상의 pathogenic serovars 有
    ↳ 임상 역학적 측면에서 중요 (e.g., 일부 serovars는 특정 지역, 동물과 관련)
- 전 세계적으로 널리 분포하는 인수공통감염증(zoonosis)
  ; 매년 약 100만명 발병, 약 5~6만명 사망, 대부분 endemic 형태 (열대지방에서 약 10배 더 호발)
- 병원소(reservoir) : 설치류(특히 **등줄쥐**가 m/i), 족제비, 개, 소, 돼지, 물고기, 새 등
- 전파 : 감염된 동물의 소변에 오염된 환경(특히 물)에 노출 (m/c) *or*
  감염된 동물의 소변/혈액/조직과 직접 접촉, 물림, 오염된 음식/물 섭취, 호흡기 등을 통해
  - 피부의 작은 상처, 점막(특히 conjunctiva, oro- & nasopharynx)을 통해 침투
    → leptospiremia 발생 → 전신에 퍼짐 (4~10일 사이에 blood와 CSF에서 발견됨)
  - 사람은 우연한 숙주임, 사람간 전파는 거의 없음
- 감염 위험이 높은 군 (보균 동물 & 오염된 환경에 노출이 많을수록 감염↑)
  - 쥐가 많이 다니는 습한 토양이나 물과 관련된 작업 환경(e.g., 논)
  - 농부, 광부, 오수 처리자, 어부, 군인, 낚시꾼, 수상 레저활동 ...
  - 가축과 관련된 감염 : 수의사, 도살장 근무자, 낙농업 종사자
- 우리나라 : 1984년부터 혈청학적 진단이 가능해지면서 보고됨
  - 제3급 법정감염병, 매년 약 50~100명 발생
  - 8월 초부터 시작하여 9~11월에 주로 발생 ; 홍수/태풍, 추수기의 벼베기 작업 등과 관련
  - 기침, 혈담, 객혈 등이 특징인 호흡기 증상이 50~100%에서 동반됨
    (심한 경우는 발병 초 대량의 폐출혈로 사망도 가능)
- capillary endothelium의 손상 → vasculitis (임상증상 발생에 m/i)
- serovar-specific LPS에 대한 Ab 생성이 *Leptospira*에 대한 immunity에 중요
  ↳ LipL32 : major outer membrane lipoprotein으로 면역반응의 주 target
    (Lipoprotein of *Leptospira*)

임상양상

- 무증상, mild ~ severe, fatal 까지 매우 다양함
  - mild leptospirosis (90% 이상) ; 치료 안 해도 대부분 자연 회복됨
  - severe leptospirosis (Weil's syndrome, 5~10%) ; 출혈 증상, 황달, AKI … 사망률 높음
- 잠복기 : 2~30일 (보통 1~2주)

1. Mild leptospirosis (2 phases)

: 대부분 (90%)

(1) Acute leptospiremic phase : 4~7일
- acute flu-like Sx ; <u>fever</u>, chills, <u>severe headache</u> (frontal or retroorbital), N/V/D,
  <u>severe myalgias</u> (특히 종아리/장딴지, 등, 배 부위 … leptospirosis의 중요한 특징)
- <u>폐 침범</u>이 흔함 : nonproductive cough, chest pain, hemoptysis, dyspnea
- photophobia, mental confusion
- P/Ex ; <u>conjunctival suffusion</u>^{결막충혈}(약 55%에서, leptospirosis의 특징!), muscle tenderness,
  lymphadenopathy, hepatosplenomegaly, pharyngeal injection, rash
- 대부분 1주일 이내에 회복 → 1~3일의 무증상기 후 일부에서는 2nd phase 발생

  * 국내 환자는 발병 2~3일 경에 호흡기 증상 및 객혈을 보이는 것이 특징 (1/2 이상에서)

(2) Second (immune) phase : 4~30일
- IgM 항체의 생성과 함께 시작 (blood, CSF에서 균은 사라짐)
- rash, fever (mild), <u>aseptic meningitis</u>, uveitis, iritis, iridocyclitis, chorioretinitis
- 대부분 7~10일 이내에 자연 회복 (일부는 몇 주간 지속 가능) or 경미한 경우엔 없을 수도 있음

2. Severe leptospirosis (Weil's syndrome)

- 특징 : 황달, 출혈 증상, AKI, hypotension → mortality 높음(5~15%)
- 시작은 mild leptospirosis와 비슷하지만 4~9일째 jaundice 발생
  (1주일 뒤 약간 해열은 있을 수 있으나, mild leptospirosis처럼 biphasic pattern을 보이진 않음)
- 신부전(AKI) : 1~2주째 호발, nonoliguric type이 더 흔함, hypokalemia 동반도 흔함
  (oliguric AKI로 진행하면 hemodialysis 시행) → 회복되면 보통은 완전히 회복됨
- 폐 침범 : cough, dyspnea, chest pain, hemoptysis → 심한 폐출혈은 mortality ~50%
- 출혈 증상 : epistaxis, petechiae, purpura, ecchymoses
- 심한 경우 : rhadomyolysis, hemolysis, myocarditis, pericarditis, CHF, cardiogenic shock,
  ARDS, necrotizing pancreatitis 등 발생 위험

* 예후가 나쁜 경우 (mortality↑)
- 고령, Weil's syndrome (폐출혈, AKI), 호흡부전, 저혈압, 부정맥, 의식저하
- oliguria, WBC >12,900/mm^3, repolarization abnormalities (EKG), alveolar infiltrates

	Mild Leptospirosis		Severe Leptospirosis (Weil's Syndrome)

Figure showing First Stage 3~7일 (Septicemic), Second Stage 0~1개월 (Immune); Fever curves; Important Clinical Findings — Myalgia, Headache, Abdominal pain, Vomiting, Conjunctival suffusion, Fever / Meningitis, Uveitis, Rash, Fever (mild) / Jaundice, Hemorrhage, Renal failure, Myocarditis, ARDS; Leptospires present — Blood, CSF, Urine.

3. 검사소견 (대개 비특이적)

- WBC N~↑ (left-shifted), mild thrombocytopenia (50%), ESR↑, CRP↑, procalcitonin↑ 등의 일반적인 세균 감염 소견
- aminotransferases↑ (40%에서, ~200 U/L), severe leptospirosis시에는 bilirubin & ALP↑
- CK↑↑ (50%에서) : 1주째, viral hepatitis와 감별에 도움
- severe leptospirosis에서는 PT↑ (→ vitamin K에 의해 정상화됨) ~ DIC 양상
- 신장 침범 : mild proteinuria, pyruia, granular casts ~ renal failure, azotemia
- CSF : 처음엔 neutrophils이 주로 증가 (→ 나중에 lymphocytes 증가), protein↑, glucose 정상
- CXR : severe leptospirosis에서 이상 소견 흔함 (P/Ex.보다 심한 소견)
  - patchy alveolar pattern (m/c) : alveolar hemorrhage 때문, 하엽 변연부에서 흔함
  - 심해지면 ARDS or pulmonary edema 소견 (confluent consolidation or GGO)

진단

- 확진
  ① 균 배양 : 발병 첫 10일간은 blood, CSF → 1주 이후부터는 urine에서 검출됨 (2~4주에 최고)
    - EMJH or Fletcher agar 등의 특수 배지 필요 (reference lab.에서나 이용됨)
    - sensitivity 낮고(5~50%), 시간이 오래 걸림(4~6주) → 진단/치료에는 도움 안됨
    - 항생제를 사용해도 urine에서는 수개월간 배양(+)일 수 있음
    c.f.) darkfield microscopy ; sensitivity & specificity 낮아 진단에는 권장 안됨
  ② microscopic agglutination test (MAT)현미경응집법 titer ≥1:800 or 급성기→회복기 4배 이상 증가
    - 여러 pathogenic leptospiral strains (생균들)을 배양하여 사용함, reference lab.에서나 가능
    - reference standard 혈청검사지만, sensitivity & specificity는 만족스럽지 못한 편임 (약 90%)
    - leptospirosis의 대부분은 혈청(Ab) 검사로 진단되지만, 대개 5일 이후에나 Ab 검출 가능 (초기에는 sensitivity↓) → 빠른 진단/치료에는 도움 안됨 / 항생제를 사용시 Ab↓

③ 유전자검사 ; *LipL32, flaB, secY* 등의 특이 유전자 PCR, real-time PCR, NGS 등
    - sensitivity & specificity 가장 높음
    - leptospirosis 초기(<5일)에도 진단 가능 → 매우 유용, 점점 더 많이 이용됨
• 추정 진단
  ① MAT에서 Ab titer 1:100 ~ 1:400
  ② MAT 이외의 혈청검사 (+)
    - ELISA (broadly reacting Ag 이용) ; IgG와 IgM 구분 가능 (leptospirosis 초기에는 IgM↑)
    - 기타 macroscopic slide agglutination test (killed Ag 사용), indirect HA 등
    - rapid tests (많이 이용됨) ; 주로 IgM 검출, sensitivity & specificity 좋음, screening에 유용
    * (MAT 제외) 대부분의 혈청검사는 nonpathogenic L. *biflexa* serovar Patoc을 사용함
  c.f.) *L. interrogans* anti-LipL32 Ab를 사용한 Ag capture ELISA or rapid tests도 연구 중

■ D/Dx : malaria, enteric fever, viral hepatitis, dengue, Hantavirus infections, richettsial diseases

치료

• 항생제 (최대한 빨리 투여, 4일 이내에 투여해야 효과↑) … 의심되면 경험적 치료 시작!
    ↳ 질병 기간 단축, severe leptospirosis로 진행 예방, 소변으로 균 배출 감소 등의 효과
  - mild (oral) ; <u>DC, azithromycin</u>, amoxicillin, ampicillin
               ↳ 쯔쯔가무시병을 포함한 rickettsial dz. 유행 지역에서 DOC!
  - moderate~severe (IV) ; penicillin G, DC, 3세대 cepha. (ceftriaxone, cefotaxime) 모두 효과적
• severe leptospirosis는 보존적 치료도 중요함 ; 신대치요법(RRT), 기계호흡, 수혈 등
• 대부분은 완전히 회복됨

예방

• 병원소 관리 ; 가축의 예방접종 (감염시에는 살처분), 환경을 깨끗이 관리
  (but, 야생 들쥐 병원소를 근절시키는 것은 불가능)
• 개인 위생관리 ; 오염된 환경에서 작업시 보호구(긴 바지, 장화, 장갑 등) 착용, 작업시간 최소화
• vaccine (사균 백신) ; 일부 국가에서 특정 serovar에 대해서는 효과적이었음 (but, 다양한 균주간의
  교차방어 결여, 효과 짧고 불완전), 상용화되어 널리 사용되는 백신은 없음
• chemoprophylaxis - DC (oral, 주 1회) ; 단기간 노출 위험이 증가되는 경우 단기간 투여
  (직업적으로 반복 노출되는 경우 일상적 투여는 권장되지 않음)

Lyme disease (Lyme Borreliosis)^{라임병}

1. 개요

- 원인균 ; order^목 Spirochaetales, family^과 Leptospiraceae, genus^속 *Borrelia*
  - *Borrelia burgdorferi, Borrelia afzelii, Borrelia garinii* → 유럽/아시아에서는 3가지 모두 발견
    ↳ 미국 라임병의 only 원인   (but, *B. afzelii, B. garinii*가 주원인)
  - spiral-shaped (매우 얇음), motile, microaerophilic spirochetes
  - 배양은 까다롭지만 (매독균과 달리) Barbour-Stoenner-Kelly (BSK) 배지에서 배양 가능함
  - 1975년 미국 코네티컷주 Lyme 지역에서 유행한 원인미상의 관절염을 Lyme dz.라 부름,
    1978년 참진드기와의 연관성 확인, 1981년 Willy Burgdorfer가 원인균 *B. burgdorferi* 규명
- 인수공통감염증 ; **참진드기**를 매개체(vector)로 다양한 동물들 사이에서 감염을 일으킴
  - vector ; 사슴참진드기(*I. scapularis*)^{미국}, 산림참진드기(*I. persulcatus*), 일본참진드기 등등
    ↳ 미국에서는 *Babesia microti, Anaplasma phagocytophilum, Ehrlichia* spp.도 매개
  - 사람으로의 전파는 주로 약충(nymphal tick) 단계로 봄~초여름에 가장 많이 활동함 [미국]
    c.f.) 성충(adult tick)은 주로 늦가을에 숙주를 물음 (우리나라는 특별한 호발 계절은 아직 無)
  - 유행지역에서 참진드기에 물린 사람의 1% 정도에서만 Lyme dz. 발생
- 역학 ; 남미와 남극을 제외한 전 세계에서 발생
  - 북미과 유럽의 m/c 진드기(vector)-매개성 감염! (미국 매년 3만 명 이상 발생, 실제론 30만?)
  - 우리나라도 예전부터 드물게 사례가 있었으며, 최근 해외유입을 포함 매년 20~30명으로 증가
  - 제3급 법정감염병 (2010년 지정)

2. 임상양상

(1) Stage I (early localized infection)
- 잠복기 3~32일 (진드기/약충이 매우 작기 때문에 대부분 물린 것을 모르고 넘어감)
- erythema migrans (EM)^{이동/유주성 홍반} ; 70~80%에서 진드기가 물은 부위에 발생
  - 붉은 반점/구진으로 시작 → 서서히 커져서 target 모양이 됨 (bull's eye appearance)
  - 경계 뚜렷, 납작하고 따뜻 (압통은 없는 경우가 많음)
  - 오금(무릎 뒤), 사타구니, 겨드랑이 근처에 호발
- 경미한 독감 유사 증상 ; 열감, 두통 등
- Lab ; 경미한 ESR-CRP↑, AST-ALT↑ 등

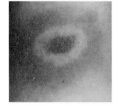

(2) Stage II (early disseminated infection) ; 대부분 자연 호전
- EM 발생 수일~수주 뒤 (노출 3~10주 뒤) 혈행성 전파로 발생, Lyme dz.의 첫 증상일수도 있음
- secondary EM (30~50%) ; target 모양 피부병변
- 심한 전신증상(발열, 오한, 피로, 권태감 등), 이동성 근육/관절통
- 신경증상(15%) ; meningitis, cranial neuropathy (특히 Ⅶ), motor/sensory radiculoneuropathy
- 심장증상(5~10%; AV block, mild myopericarditis), conjunctivitis (~10%) ...

(3) Stage III (late persistent infection)

- 치료 안하면 수개월~수년 뒤 만성감염 형태로 발생 (현재는 stage Ⅰ, Ⅱ에 치료 받으므로 드묾)
- **관절염**(60%) ; intermittent or persistent, 1~2개의 큰 관절에서 발생 (특히 무릎 → 절뚝거림)
- 신경증상(10%) ; Lyme encephalopathy (단기기억력, 집중력, 감정, 수면 등의 장애),
  chronic axonal polyneuropathy (말초감각이상, 척추 방사통)
- 만성위축성선단피부염(acrodermatitis chronica atrophicans) ⋯ 유럽에서 주로 발생 (*B. afzelii*)

3. 진단

- 진드기 노출력 & 임상양상이 진단에 중요함
  - erythema migrans (EM) ⇨ 혈청검사 없이, 바로 경험적 항생제 치료
  - oligoarticular arthritis ⇨ 혈청검사에서 (+)면 항생제 치료
  - 비특이적증상(e.g., 근육/관절통, 피곤) ⇨ F/U
  - meningitis 의심 ⇨ CSF 검사 시행 (주로 다른 원인 R/O 위해) ; Ab(+), lymphocytes and/or
    monocytes↑(~수백/μL), protein↑, glucose 정상 (PCR은 sensitivity가 낮아 권장×)
- 검사는 주로 혈청(Ab)검사를 이용하지만, 진단에는 보조적인 역할 (Ab 결과만으로는 확진 불가)
  - 2단계 혈청검사 ; ① whole cell-based ELISA에서 (+)/(±)면 ②단계 시행
    ② VlsE C6 ELISA *or* Western blot (or immunoblot)
  - 급성기에는 20~30%만 (+), 회복기(2~4주 뒤)에는 70~80% (+), 4~8주 이후에는 99% (+)
  - but, 항생제 치료시 titer 낮을 수 있고, 치료 후 수년 뒤까지 (+)일 수 있음 (IgG, IgM 모두)
- 직접 검출법들은 비실용적 ; PCR (위음성이 많고, 양성이어도 active infection은 아닐 수 있음),
  culture (특수 배지에서 배양은 되지만, reference lab.에서만 가능함)

4. 치료/예방

- early localized/disseminated infection (항생제에 반응 좋음)
  - oral <u>DC</u> (choice) or amoxicillin (소아에서 choice), cefuroxime axetil 2주 이상
    ↳ 다른 진드기 매개 질환도 cover 가능(e.g., rickettsia, ehrlichiosis, anaplasmosis)
  - 심한 심장증상(e.g., high-degree AV block), 지속성 관절염, 심한 신경증상 → Ⅳ ceftriaxone
- late Lyme dz. (일부는 항생제에 반응 없을 수 있음, 대부분은 호전됨)
  - 관절염 → oral DC or amoxicillin 4주 이상 (반응 없으면 Ⅳ ceftriaxone 2~4주)
  - 신경증상 → Ⅳ ceftriaxone, cefotaxime, or penicillin G 4주 이상
- post-Lyme dz. syndrome (chronic Lyme dz.) ; 적절한 치료 이후에도 비특이적 증상이 지속
  (e.g, 근육/관절통, 두통, 피곤) → 대개 6개월~1년 뒤 호전, 보존적 치료 (항생제는 효과 없음!)
- 예방 ; 진드기에 물리지 않도록 주의하는 것이 최선 (→ 앞 장 scrub typhus 부분 참조)
  - 진드기가 24~72시간 흡혈을 해야 spirochete 전파 가능 → 24시간까지는 <u>진드기 제거</u>면 충분함!
    (핀셋을 이용하여 머리 부분을 잡고, 비틀거나 회전하지 말고, 천천히 위로 당김!)
  - 진드기가 배가 불러있으면 oral DC 200 mg 1회 투여
  - vaccine ; 과거 효과적인 vaccine이 개발되었지만 독성으로 퇴출, 현재는 상용화된 vaccine 없음
  - 환자 및 접촉자 격리는 필요 없음, 환자의 헌혈은 금지
- 한번 감염되면 대개 수년간 면역이 유지되지만, 드물게 재감염도 가능함

5
매독(Syphilis)

개요

- *Treponema pallidum* (*T. pallidum* subsp. *pallidum*) : thin spiral (코일 형태), gram(-) spirochete
  - order^목 Spirochaetales, family^과 Spirochaetaceae, genus^속 *Treponema*
  - 고온과 건조에 매우 약함 / fluids에서는 며칠 동안 생존 (→ blood로 전염 가능)
  - 실험실에서 배양 불가능 / 사람만이 자연 숙주임
- 전파 : 성접촉이 주 감염경로
  - 기타 ; 키스, 밀접한 접촉, 수혈, needle stick injury, 피부 상처, 장기이식 등
  - 임신중 언제라도 태아에게 전파 가능(congenital syphilis), pathologic change는 4개월 이후부터
- 감염성이 있는 환자와 접촉시 감염 확률 : 약 50%
- 감염력 : 질병 초기에 높고 점차 감소 (대개 1년), 4년 이후에는 감염력 없음
- 우리나라 VDRL 양성률 : 계속 감소되어 현재는 약 0.1~0.2%
- 제4급 법정감염병, 2000년까지는 감소하다가 이후 다시 증가 추세 (c.f., 미국도 최근에 많이 증가)
  - 매년 1기매독 1000~1600명, 2기매독 200~700명, 선천성매독 20~40명 보고
  - 음성적인 성매매↑, Men who have sex with men (MSM)↑, AIDS↑ 등 때문

임상양상

1. Early (Infectious) syphilis

* 잠복기 (감염 ~ 경성하감 발생) : 3~90일 (평균 3주)

(1) Primary syphilis (1기 매독)
- 경성하감(chancre) ⋯ 전형적인 병변이지만, 통증이 없어 간과하고 넘어가는 경우가 많음
  - painless superficial ulcer (clean ulcer base, firm/indurated margins), 약 1~2 cm 크기
  - 성접촉(균 침투) 부위에 발생 ; penis, labia, cervix, anorectal region, oral cavity 등
- regional lymphadenopathy : rubbery, discrete, nontender
- immunofluorescence or darkfield microscopy : 병변의 fluid에서 *T. pallidum* 발견 (95%)
- serologic tests for syphilis (+)
- chancre는 2~12주 (보통 4~6주) 뒤 자연 소실됨, lymphadenopathy는 더 오래 지속됨

(2) Secondary syphilis (2기 매독)

- 균이 증식하고 전신으로 퍼져 발생 (치료 안한 경우 chancre 발생 4~8주 뒤, 약 25%에서)
- 체내(특히 혈액)에 많은 수의 *T. pallidum*이 존재할 때 발생
- localized/diffuse symmetric 피부점막 병변 (m/c) ⋯ highly infectious
  - 반점(macule), 구진(papule), 반점구진(maculopapular rash), 편평콘딜롬(condyloma lata) ...
  - 몸통, 손/발바닥에 호발
- 전신증상 ; 미열, 권태감, 체중감소, 식욕부진, 두통, generalized nontender lymphadenopathy, meningismus/meningitis, hepatitis, nephropathy, arthritis, osteitis, iridocyclitis ...
- 모든 serologic tests for syphilis (+)
- 1~6개월 (대개 2~3개월) 뒤 자연 소실됨
- 치료는 primary와 같으나 환자의 격리가 중요함

(3) Latent syphilis (잠복 매독)

- 정의 ; serologic tests for syphilis (+), 매독의 임상 증상 없음 & normal CSF
  - 조기 잠복매독 (≤1년) : 2기 매독으로 재발 가능 → 전염성이 있을 수 있음
  - 후기 잠복매독 (>1년) : 면역력이 형성되어 재발 거의 안하고 전염성도 없음
    (태반 또는 수혈을 통한 전파는 가능)
- syphilis의 병력이 있거나, 환자와 접촉한 병력으로 의심
- blood에서 가끔 *T. pallidum* (+)
- 경과 ; 계속 잠복 매독 (70%), 3기 (후기) 매독으로 진행 (30%)
  (3기 매독이 의심되거나 AIDS 환자의 경우는 반드시 CSF 검사)
- 자연적으로 완치되는 경우는 드묾!

2. Late (tertiary) syphilis (3기 매독, 후기 매독)

- 감염 후 2년 이상 경과, 치료 안한 환자의 약 1/3에서 발생
  (secondary syphilis 이후 아무 때나 발생 가능)
- 병변 부위에서 *T. pallidum*을 발견하기는 어렵다
- tissue reaction (vasculitis, necrosis)이 심함 ⋯ hypersensitivity 현상

(1) Localized gummatous reaction (고무종, 양성 3기 매독)

- 고무종(gumma) : 만성적인 nonspecific granulomatous inflammation
  - central area of necrosis 동반
  - 신체 어느 부위에도 발생 가능 ; 피부(m/c, 70%), 뼈(10%), 입, 상기도, 후두, 간, 위 ...
- 치료가 불완전한 잠복 매독 환자의 약 15%에서 발생, VDRL은 항상 (+)

(2) Cardiovascular syphilis (심혈관매독)

- 감염 10~40년 뒤, 치료 안한 잠복매독 환자의 약 10%에서 발생
- aortitis, aortic aneurysm, AR, coronary artery ostial stenosis
- CXR상 대동맥 벽에 선 모양의 석회화가 관찰됨

(3) Neurosyphilis (신경매독)

: 다양한 임상양상, cardiovascular syphilis와 잘 동반

① asymptomatic neurosyphilis
- 항생제 사용의 증가로 신경매독의 대부분을 차지
- 신경매독의 증상이 없으면서 CSF 이상 소견이 관찰됨
    (mononuclear cells↑, protein↑, glucose↓, VDRL 양성)
- 치료 안한 1, 2기 매독 환자의 약 40%에서 발생 가능

② meningeal syphilis : 감염 1년 이내에 발생 (조기/급성 신경매독) or 이후도 발생 가능
- N/V, neck stiffness, cranial nerve 침범, 경련, 의식변화, 청력소실
- Argyll-Robertson pupil (ARP) : 양안의 축동(miosis), 대광반사 소실, 대광-근접반사해리

③ meningovascular syphilis : 감염 5~10년 후 발생
- pia & arachnoid의 미만성 염증 + 동맥 침범
- 임상양상 다양 ; 비교적 젊은 성인에서 middle cerebral artery 침범에 의한 CVA가 m/c

④ general paresis (진행마비) : 감염 20년 후 발생
- 집중력 감소, 기억력 감퇴, dysarthria, 손가락/혀의 tremor, irritability, mild headache, personality change, psychosis
- 눈 : Argyll-Robertson pupil (빛에는 반응 안하고, 거리 변화에는 반응)

⑤ tabes dorsalis (척수로) : 감염 25~30년 후 발생
- ataxia, deep pain & temp. sense 상실, paresthesia, shooting pain
- joint damage (Charcot's joint), foot ulcer, Argyll-Robertson pupil, optic atrophy

3. 무증상 VDRL 양성

- 검사 중 우연히 VDRL (+) & treponemal Ab (+) 발견 … 실제 임상에서 가장 흔함!
- 잠복매독이거나 3기 매독의 미묘한 증상들이 간과된 경우가 많다
    (e.g., 복통, 피부병변, 뇌경색, 치매, 신경통, 퇴행성관절염 등)
- 신경 증상/징후가 있거나 HIV (+)면 CSF 검사도 시행
- 위험 시기인 20~30대를 감염 시점으로 가정하여 감염 기간을 계산
    → 후기(>1년) 잠복 매독으로 가정하고 치료!

진단

배양은 불가능 / 매독균 직접 검출은 거의 reference lab.에서만 가능
screening & F/U ; VDRL, RPR
confirm ; FTA-ABS, TPPA, TPLA, EIA/CIA, PCR

1. 매독균 직접 검출

- dark-field microscopy (매우 숙련된 경험과 주의 필요) ; flat wave (물결) 모양
- DFA-TP (direct fluorescent Ab *T. pallidum*) ; 간편하여 더 많이 이용
- 조직검사 ; silver stain (artifacts가 흔함), immunofluorescent or immunohistochemical stains

• PCR ; sensitive & specific, 상용화된 STI multiplex PCR도 있음(e.g., 씨젠 Seeplex® STI Master)

2. 혈청검사(antibody tests)

(1) Nontreponemal test (reagin Ab, 비특이 항체검사)

⌐ cardiolipin-lecithin-cholesterol Ag complex에 대한 IgG & IgM Ab
└ nonspecific, screening에 유용

• VDRL test
  - 감염 4~6주 (chancre 발생 1~3주) 후 양성 (초기에는 severity와 비례), specificity 97~99%
  - 2기 매독은 거의 다 양성(high titer >1:32), 3기 매독은 양성률이 낮아짐(→ 반복 검사 필요)
  - 현미경으로 판독하는 manual 검사라서 대부분 RPR 검사로 대치되었음

• RPR (rapid plasma reagin) test
  - VDRL과 기본적으로 같은 검사지만, 더 간단하고 빠름 (육안 판독 or 생화학자동화장비)
  - 신경매독(CSF) 검사에서는 아직 VDRL보다 자료가 부족하여, VDRL 검사가 권장됨

• 반정량검사로 치료경과 F/U에 유용! (치유되면 역가 감소)
  - 1, 2기 매독 : titer 4배 감소에 6개월, 8배 감소에 12개월 걸림
  - 1기 매독의 72%, 2기 매독의 56%에서 3년 뒤 seronegative 됨

• false (+) VDRL or RPR
⌐ acute false (+) (<6개월) ; 임신, virus 감염(e.g., EBV, HSV), 예방접종, malaria, brucellosis,
│   rickettsia, *M. pneumoniae*, IVDU (IV drug user), endocarditis, 수혈, 종양 등
└ chronic false (+) (≥6개월) ; 자가면역질환(특히 SLE), virus 감염(e.g., HBV, HCV, HIV),
      IVDU, hypergammaglobulinemia, leprosy, 만성 간질환, 고령 등
  - 과거에는 흔했지만, 검사기술의 발달로 현재는 약 1~2% 정도
  - 보통 low titer (<1:8) & transient → treponemal Ab test (-)로 false (+) R/O

(2) Treponemal Ab. test (특이 항체검사)

⌐ nontreponemal test 양성 or 임상적으로 매독이 의심될 때 확진 검사로 시행 (specific!)
└ 현재 or 과거의 매독 감염을 의미, 한번 양성이면 치료 후에도 거의 평생 양성임!

• FTA-ABS (fluorescent treponemal Ab-absorption) test
  - 검사가 어려우므로 주로 reference lab.에서나 이용됨
  - 1기 매독의 초감염시 적절한 치료로 음성으로 될 수도 있음 (영원히 양성은 아님)
  - false (+) : 드물게 SLE, hypergammaglobulinemia, Lyme dz. 등 때

• 응집법(agglutination assay) ⋯ 대부분의 검사실에서 간편하게 사용 가능
  - TPPA (*T. pallidum* particle agglutination) ⋯ 가장 sensitive & specific
    ; 모든 stage의 매독에서 양성 (처음 3~4주는 예외), CSF는 검사에는 사용 못함
  - TPLA (*T. pallidum* latex agglutination)
  - TPHA (*T. pallidum* hemagglutination) ; manual 검사로 현재는 거의 사용×
  - MHA-TP (microhemagglutination assay for *T. pallidum*)

• TP-EIA ; ELISA, chemiluminescence immunoassays (CIA, CLIA) ⋯▸ 자동화로 가장 선호됨
  - sensitivity가 매우 높기 때문에, 유병률이 낮은 지역에서는 위양성도 증가함
  - RPR(-) & TP-EIA(+)인 경우는 다른 방법의 treponemal test (e.g., FTA-ABS)로 재검해봄!

- rapid test (POCT) ; 비교적 정확한 편으로 주로 후진국에서 많이 사용됨
- treponemal Ab. test는 대개 IgM과 IgG를 구분하지는 않음 (상용화된 검사는 대부분 함께 측정)
  - 치료 후 IgM titer는 감소하지만, IgM 존재 여부가 active syphilis와 반드시 일치하지는 않음
  - 상용화된 IgM Ab 검사들이 있지만 권장되지는 않음 (congenital syphilis 포함)

혈청검사의 진단 민감도(%) 비교

Stage	VDRL	RPR	FTA-ABS	TPPA	CIA
1기(primary)	78	86	84	88	98
2기(secondary)	100	100	100	100	100
잠복(latent)	96	98	100	98	100
3기(tertiary)	71	73	96	94	100

* 요즘은 자동화된 TP-EIA (e.g., CLIA)로 먼저 screening 시행 (→ 양성이면 RPR 검사 시행)
  or TP-EIA & RPR 동시에 같이 검사하는 경향임

3. 신경매독 (CSF)

- CSF 검사의 적응증 ★
  ① 모든 매독 환자에서 신경학적 이상이 있을 때(e.g., meningitis, uveitis, 시력감소, 청력소실)
  ② nontreponemal test (VDRL or RPR) ≥1:32
  ③ 다른 장기의 3기 매독 증상 존재 (e.g., 동맥염, 홍채염, 고무종)
  ④ 치료 실패 의심 : 1년 이상 된 환자에서 VDRL 감소× or 증가, 매독 병변 발생 or
    이환 기간을 알 수 없는 경우
  ⑤ HIV 감염자 (CD4+ T cells ≤350/μL)
- "classic" case ; CSF lymphocytes >5/μL, protein >45 mg/dL, (+) VDRL
- CSF VDRL ⋯ neurosyphilis에 매우 specific (RPR은 권장 안됨)
  - 양성이면 neurosyphilis 확진 가능하나, sensitivity는 낮음(67~72%) → 음성이어도 R/O은 못함
  - meningovascular syphilis와 general paresis에서 sensitivity 가장 높고,
    tabes dorsalis와 asymptomatic neurosyphilis에서는 낮음
- CSF treponemal tests (e.g., FTA-ABS, TP-EIA) ; sensitive하지만, specificity는 낮음
  (∵ serum Ab가 CSF로 통과 가능) → but, 음성이면 neurosyphilis R/O 가능
- CSF PCR ; 양성이면 neurosyphilis 확진 가능하나, 음성이어도 R/O은 못함
- CXCL13 (B cell chemokine) ; neurosyphilis와 HIV에 의한 CSF 이상소견의 감별에 도움

4. Congenital syphilis

- 직접 검출법 or PCR이 선호됨 (혈액, CSF, 병변, 양수, 태반, 탯줄, 조직, 분비물 등에서)
- 신생아의 VDRL (or PRP) titer ; 엄마보다 4배 이상 높거나, 증가하면 congenital syphilis 가능성↑
- IgM FTA-ABS ; 태아가 생산 (IgG는 엄마의 것일 수 있으므로 sensitivity↓) ⋯ 진단에 권장은×
- 실용적인 이유로 엄마가 syphilis였으면 신생아에게 바로 경험적 항생제 치료를 하는 것도 좋음

■ 치료

: penicillin이 TOC (효과 우수하고, 아직까지 내성 발생이 없음) → 95% 이상 cure

1. 1기, 2기, 조기 잠복매독

- benzathine penicillin G (BPG) IM (240만 U) 1회 … DOC!
- alternatives (BPG가 없거나 penicillin allergy시) ⇨ doxycycline^{DC} 2주 (권장), or TC 2주,
  amoxicillin + probenecid 2~4주, ceftriaxone 10~14일, azithromycin 1회 등
  ↳ allergy 가능　　　　↳ 내성 발생으로 권장×
- F/U : 6, 12개월 뒤에 serum VDRL (or RPR) 정량검사 (HIV 감염자는 3, 6, 9, 12, 24개월)
  - treponemal Ab test (e.g., FTA-ABS, TP-EIA)는 계속 양성이 많으므로 안 됨

2. 후기 잠복매독, 이환기간 모르는 경우, 신경매독 이외의 후기(3기)매독

- 신경매독은 아닐 때 (CSF 정상) ⇨ benzathine penicillin G IM (240만 U) 매주 1회×3주
  - severe penicillin allergy시에는 penicillin desensitization 후 penicillin 치료
  - desensitization 불가능 or mild penicillin allergy ⇨ DC/TC 4주 or ceftriaxone 10~14일
- CSF 비정상 (무증상 신경매독)은 신경매독과 동일하게 치료
- F/U : 6, 12, 24개월 뒤에 serum VDRL (or RPR) 정량검사 (HIV 감염자는 6, 12, 18, 24개월)

3. 신경매독

⌈ (high-dose short-acting) aqueous crystalline penicillin G IV (2400만 U/day) 10~14일 or
⌊ procaine penicillin G IM (240만 U/day) + oral probenecid 10~14일 (IV보다 효과 떨어짐)
　　- benzathine penicillin G는 CSF 농도가 낮아 사용×
　　- penicillin IV는 하루라도 빠지면 처음부터 다시 시작함
- severe penicillin allergy시에는 penicillin desensitization 후 penicillin으로 치료
- mild penicillin allergy ⇨ ceftriaxone 10~14일 (or high-dose DC 3~4주도 가능하지만 권장×)
- cell count 정상화될 때까지 6개월마다 CSF F/U
- F/U ⌈ CSF : cell count (activity와 비례), VDRL, protein
　　　⌊ serum VDRL (or RPR) : 3, 6, 12, 18, 24개월

4. 임산부의 매독

- 임신이 아닌 경우와 동일하며 penicillin이 권장됨
- TC or DC은 금기 (penicillin allergy시에는 desensitization 후 penicillin으로 치료)

* syphilis vaccine은 없음
* post-exposure prophylaxis ; 90일 이내에 매독 환자와 성접촉이 있는 경우
　　⇨ 혈청검사 결과에 관계없이 penicillin으로 치료 (BPG IM 240만 U 1회)

6
진균 감염

- 진균/곰팡이(fungus) : 사람과 같은 진핵세포(eukaryotic cell), 세균보다 크고 세균에는 없는 mitochondria와 endoplasmic reticulum이 있음, 세포막에는 진균 고유의 ergosterol이 있음
- fungus의 microscopic appearance
  ① **효모형(yeast-like)** : unicellular, 둥근 공 모양, 발아(budding)로 증식, smooth colonies
     ; *Candida, Cryptococcus*
     c.f.) *Coccidioides, Rhinosporidium seeberi, Pneumocystis jirovecii* 등은 조직에서는 둥글지만 budding은 하지 않고, 세포질이 많은 internal spores를 형성한 뒤 파열되며 유리됨
  ② **곰팡이형(mold)** : multicellular, 막대기 모양 균사(hyphae), 가지치기하면서 증식, fuzzy colonies
     ┌ 유격 균사(septate hyphae) ; *Aspergillus*, dermatophytes (ringworm fungi로도 불림)
     └ 무격 균사(non-septate hyphae) ; *Rhizopus, Mucor, Absidia* 등
  ③ **이형(dimorphic)** : 실온(culture)에서는 mold form, 체온(tissue)에서는 yeast-like form
     - *Histoplasma, Blastomyces, Coccidioides, Sporothrix* (sporotrichosis) 등
     - *Candida*는 단순 배지에서는 yeast-like form, 조직에서는 가성균사(pseudohyphae)로 길어짐
- airborne spores의 inhalation, hyphae/spores의 skin/cornea inoculation 등으로 감염 발생
  (다른 사람 or 동물로부터 직접 감염되는 것은 매우 드묾)
- cell-mediated immunity가 대부분의 deep mycosis 감염에서 가장 중요함
- neutropenia에서는 invasive aspergillosis or deep candidiasis 호발
- immunoglobulin deficiencies는 mycosis의 호발 조건이 아님

숙주 방어기전의 변화에 따른 기회 진균감염

Mechanical barriers의 장애 or indwelling foreign bodies	Candidiasis (deep, invasive)
Granulocyte의 감소/기능장애 예) leukemia, CTx	Aspergillosis, Candidiasis, Cryptococcosis, Zygomycosis
Cell-mediated immunity 저하 예) 장기이식, AIDS, 면역억제제 (e.g., steroid)	Aspergillosis, Candidiasis (mucosal) Coccidioidomycosis, Cryptococcosis Histoplasmosis, Pneumocystosis
DM (DKA)	Mucormycosis
IV drug abuse	Candida endocarditis Basal ganglia mucormycosis

항진균제(Antifungal agents)

종류	작용기전
Polyenes	
Amphotericin B Nystatin	진균 세포막의 ergosterol과 결합하여 세포막 파괴, 투과성↑ → 진균 세포 파괴 가장 넓은 항진균 범위를 가짐
Azoles	
Ketoconazole Fluconazole Itraconazole Voriconazole Posaconazole Isavuconazole	1. Cytochrome P-450 dependent enzyme, 14α-demethylase를 억제하여 ergosterol 생합성을 차단 → ergosterol 결핍 2. 국소적으로 target cytoplasmic membrane에 직접 손상
Substituted pyrimidine	
Flucytosine	진균 세포 내로 들어간 뒤 5-fluorouracil로 전환되어 DNA와 protein 합성을 억제
Allylamines/thiocarbamates	
Naftifine Terbinafine Tolnaftate	Squalene epoxidase를 억제 → 세포막의 주성분인 ergosterol이 감소됨
Echinocandins	
Caspofungin 등	β-1,3-D-glucan synthase를 억제 → 세포벽 합성을 방해

1. Systemic antifungals

(1) Polyenes ; Amphotericin B (AmB)

- 대부분의 진균 감염증의 gold standard, fungicidal, 광범위 항진균 효과
- 기전 : 세포막의 ergosterol에 결합하여 세포막을 파괴하고 막투과성을 증가시킴
- 항진균력 : histoplasmosis, blastomycosis, paracoccidioidomycosis, candidiasis, cryptococcosis
  - coccidioidomycosis, extraarticular sporotrichosis, aspergillosis, mucormycosis에는 덜 효과적
  - intrathecal amphotericin B : coccidioidal meningitis, refractory cryptococcal meningitis
- 약동학 : 지용성, 대사 매우 느림 (→ 간부전, 신부전, hemodialysis의 영향을 받지 않음)
  - 경구 투여시 5% 미만만 흡수되어 systemic mycoses에는 IV로만 사용
  - CSF & vitreous humor에는 잘 투과 못함
  - 모든 AmB 제재는 dextrose solution에 용해시켜야 됨 (∵ 전해질 용액에 녹이면 응집 발생)
- 부작용 ⋯ original "amphotericin B deoxycholate (ABD)" formulation
  ① infusion과 관련된 부작용 ; fever, chills, tachycardia, nausea, anorexia, headache ⋯
    * thrombophlebitis : 작은 정맥에 주사시 발생 가능
  ② 신독성(m/i, ~80%) ; GFR↓ (dose-dependent, 대부분 가역적), distal tubular membrane
    permeability↑ (→ hypokalemia, hypomagnesemia, hyperchloremic acidosis)
  ③ anemia (매우 흔함) ; 대부분 mild & 가역적, EPO 생산 감소로 발생
  - leukopenia, AST-ALT↑은 드묾 / severe allergic reactions (anaphylaxis)도 매우 드묾

- 새로운 "amphotericin B lipid formulations" … 현재 주로 사용 (후진국에서는 ABD 많이 사용)
  - 예 ; liposomal amphotericin B (L-AmB), amphotericin B lipid complex (ABLC),
    amphotericin B colloidal dispersion (ABCD, infusion Cx이 심해 거의 안 쓰임)
  - 같은 용량 투여시 ABD보다 90%~500%의 조직 농도와 낮은 신장 농도를 보임
  - 장점 ; 조직 농도↑, 신독성↓, infusion Cx↓ → 대개 ABD보다 3~12배 용량으로 치료
  - 단점 ; 비쌈, ABD보다 치료 효과가 더 뛰어난 것은 아님

(2) Azoles

- 기전 : 세포막의 ergosterol 생합성을 방해, fungistatic
- 장점 : AmB에 비해 신독성이 거의 없고, 경구제제도 많음

- imidazoles ; miconazole, ketoconazole, clotrimazole … 부작용으로 경구용은 사용× → topical
- triazoles ; fluconazole, itraconazole, voriconazole, posaconazole, ravuconazole

① Ketoconazole

- 항진균력 ; *Candida tropicalis, Aspergillus, Phycomycetes*를 제외한 모든 진균에 효과적
- 부작용 … 다른 항진균제 대비 간독성 위험이 커서 경구 제제는 대부분 나라에서 판매 금지됨
  - dose-related : GI distress (m/c; A/N/V/복통), endocrine effects (e.g., gynecomastia,
    testosterone/libido/potency↓, menstrual irregularity, alopecia), pruritus, rash …
  - idiosyncratic : hepatotoxicity (심한 경우 간이식 필요)

② Fluconazole

- 항진균력 ; cryptococcal meningitis, coccidioidal meningitis, 대부분의 candidiasis
  - vulvovaginal candidiasis에 사용 가능한 경구 제제로는 fluconazole이 유일
  - aspergillosis, mucormycosis, *Scedosporium apiospermum*에는 효과 없음!
- 대사 : 80%는 소변으로 배설 (신기능 감소시 용량 줄여야)
- 경구 투여 시에도 bioavailability 좋음, 반감기 깊, CSF 포함 모든 체액에 잘 분포됨
- 부작용 ; GI distress (m/c; N/V, abdominal distress), allergic rash, Stevens-Johnson
  syndrome (AIDS에서), alopecia, dry mouth (metallic taste), anaphylaxis …
- 임신(특히 초기) 시에는 유산 위험으로 금기임

③ Itraconazole

- 항진균력 ; aspergillosis (e.g., ABPA), blastomycosis, histoplasmosis, coccidioidomycosis,
  sporotrichosis, 일부 ringworm (onychomycosis 포함) 등
- 간에서 대사, CSF로의 투과력 나쁨, 혈중 농도가 불규칙 (→ blood level monitoring 필요)
- 부작용 ; nausea & 복부불편감 (m/c), hypokalemia (간독성은 드묾) / 임신시 금기

④ Voriconazole : 2세대 triazole, fluconazole 유도체 (fluconazole보다 비쌈)

- 항진균력 향상 (fluconazole보다 광범위) ; invasive aspergillosis, non-albicans *Candida* spp.,
  (모든 *Candida*에 매우 효과적), *Scedosporium, Fusarium, Coccidioides* 등에도 효과적
  → 대개 aspergillosis 치료의 1st-line drug!
- 간에서 대사, CSF에 잘 투과됨, 약물상호작용이 많음
- 부작용 ; 일시적인 시각장애 (m/c), 간독성 (→ 간기능 저하시 감량 필요),
  발진(photosensitivity 포함), 드물게 피부암도 발생 (→ 정기적 피부암 monitoring 필요)

    - 신기능 저하시 감량은 필요 없지만, IV 제제에 포함된 cyclodextrin의 신독성 위험 때문에
      심한 신부전(CCr <50 mL/min) 시에는 주의 필요

⑤ Posaconazole
  • 광범위한 항진균력 ; <u>mucormycosis</u> 및 약제내성 aspergillosis/candidiasis에도 효과적
  • 면역저하자(e.g., neutropenia, CTx., SCT, GVHD)에서 invasive fungal infections
    (e.g., aspergillosis, candidiasis) 예방에 많이 사용됨
  • fluconazole 만큼 부작용 적은 편 ; GI distress, headache, rash 등

⑥ Isavuconazole
  • 광범위한 항진균력 ; 특히 invasive aspergillosis 및 mucormycosis 치료에도 허가(FDA[2015])
  • 다른 triazoles보다 약물상호작용 적음, 부작용도 더 적음(e.g., N/V/D, headache)

(3) Echinocandins
  • 약제 ; **Caspofungin**, Micafungin, Anidulafungin (각 약제의 항진균력/부작용은 비슷함)
    - 분자량이 크기 때문에 경구 제제는 없고 IV 제제만 존재
  • 기전 ; β-1,3-D-glucan synthase를 억제 → 진균 세포벽의 주요 성분인 β-glucan 결핍
            → 세포벽 약화 (사람 등 포유동물에는 세포벽 및 β-glucan 없음!)
  • 항진균력 ; *Candida* (거의 모든 종 및 azole 내성균에도 효과적!)와 *Aspergillus*에 우수한 효과
              ↳ fungicidal   ↳ fungistatic
    - 대부분의 candidiasis 치료에 AmB or fluconazole과 동등 or 그 이상의 효과를 보임
    - febrile neutropenia의 경험적 치료에도 사용 가능
    - *Cryptococcus, Mucor, Histoplasma*에는 효과 없음
  • 약동학 ; 간에서 대부분 대사 (→ 간기능 저하시 용량↓), CSF 투과도는 낮음
  • 부작용 (AmB보다 적고 경미함) ; fever, rash, nausea, phlebitis ...

(4) Flucytosine (5-fluorocytosine)
  • 기전 : <u>cytosine permease</u>에 의해 진균 세포내로 들어가서 5-fluorouracil로 전환됨
              ↳ 사람은 매우 적음, 소실시 내성 유발   ↳ 핵산 및 단백질 합성 억제
  • flucytosine만 사용하면 drug resistance 발생 → 반드시 amphotericin B와 병합하여 사용
    ⇨ AmB + flucytosine : 주로 cryptococcal meningitis, candidial meningitis에 사용됨
  • 약동학 ; GI tract에서 잘 흡수, 소변으로 배설 (신기능 감소시 감량해야), CSF에 잘 투과됨
  • 부작용 (심함) : neutropenia, thrombocytopenia, colitis, hepatotoxicity, allergic rash

(5) Griseofulvin
  • 오래된 약제, 일부 dermatophytoses (ringworm)에만 유용 → 경구로만 사용 (topical은 효과×)
  • *Microsporum scalp* (두부백선의 일부 원인)를 제외하고는 다른 항진균제(e.g., terbinafine)보다
    더 효과적이지도 않고 장기간 투여가 필요하므로 잘 안 쓰임

(6) Terbinafine
  • 항진균력 ; onychomycosis (손발톱무좀의 1st-line oral agent), dermatophytoses (ringworm)
    (itraconazole과 효과 같고, griseofulvin보다 더 효과적)
  • 부작용 : GI distress (m/c), rash, hepatitis, pancytopenia

2. Topical agents

(1) Azoles

- cutaneous application
    - imidazoles ; clotrimazole, econazole, ketoconazole, sulconazole, oxiconazole, miconazole, flutrimazole, isoconazole, sertaconazole
    - triazoles ; fluconazole, efinaconazole (Jublia®, topical 중에서는 손발톱무좀에 m/g)
- vaginal formulation
    - imidazole ; miconazole, clotrimazole, tioconazole, butoconazole
    - triazole ; terconazole
- 효과 : cutaneous candidiasis, tinea (pityriasis) versicolor, ringworm of glabrous skin

(2) Polyenes

- 효과 : skin & mucous membrane의 candidiasis (ringworm에는 안 들음)
- nystatin & amphotericin B suspension → oral thrush
- vaginal troches → vulvovaginal candidiasis

(3) 기타

- allylamines ; amorolfine, terbinafine ⎤
- ciclopirox olamine, haloprogin .. ⎦ imidazoles과 비슷한 효과
    ↳ 풀케어®네일라카 등 (efinaconazole보다 효과 떨어짐)
- tolnaftate, undecylenic acid … ringworm에는 효과적이나 candidiasis에는 안 들음

CANDIDIASIS (MONILIASIS)

1. 원인

- genus *Candida*, 약 200 species ; 사람, 동물, 자연환경 등에 널리 존재함, m/c 진균 감염
    - 약 30 species 이상이 인체 감염을 일으킴 ; *C. albicans* (m/c), *C. glabrata*, *C. krusei*, *C. parapsilosis* (endocarditis), *C. tropicalis* (neutropenia에서) 등이 흔한 원인
    - 구강, 소화기, 질, 피부 등의 정상 상재균으로 기회감염을 일으킴, 병원 환경에도 흔함
  ⎡ 단순 배지에서는 25~37℃에서 budding을 통해 빠르게 자람(ovoid cells, blastospores)
  ⎣ 특수 배지와 조직에서는 hyphae or pseudohyphae (elongated buds) 형태로 변하는 dimorphism을 보임 (길어질수록 virulence gene expression 증가) … *C. glabrata*는 제외 (항상 yeast 모양)

Yeast   Pseudohyphae   Hyphae
(c.f., 다른 dimorphic 진균들은 조직에서 yeast-form)

- 배양 ; 대부분 1~2일이면 자람 (예외 : *C. glabrata*는 며칠 더 걸림)
- *C. albicans* : 혈청에서 germ tube 형성 and/or 특수 배지에서 chlamydospores (thick-walled large spores) 형성으로 확인 가능 (최종 확진은 biochemical tests 등으로)

2. 위험인자

- mucocutaneous candidiasis : 주로 CMI 감소와 관련(e.g., steroid, AIDS, 장기이식)
  - <u>oropharyngeal candidiasis</u> ; 신생아, 노인(의치), DM, AIDS, 항생제(→ 정상 상재균↓), steroid (oral or inhaler), CTx, 두경부 RTX, 구강건조증, iron or folate deficiency ...
  - vulvovaginal candidiasis ; DM, 항생제, estrogen↑ (e.g., 임신), 면역저하 등에서 호발 (여성의 75%가 평생 1번 이상은 경험하므로 위험인자가 없는 경우가 대부분임)
  - urinary tract candidiasis ; indwelling bladder catheter
  - cutaneous candidiasis ; macerated skin (e.g., 기저귀, 거대유방, 계속 장갑 착용 or 물에 담금)
- deep/invasive candidiasis (대부분 피부/점막의 integrity 파괴로 혈류로 침투)
  ① neutropenia 등의 면역저하
  ② 광범위 항생제 사용
  ③ intravascular <u>catheter</u> (e.g., CVC)
  ④ trauma, surgery, peptic ulcer, cytotoxic drugs 사용에 따른 점막손상 등에 의한 GI perforation
  ⑤ ICU 입원, IV drug user (IVDU), 3도 화상, TPN

3. 임상양상

(1) Mucocutaneous candidiasis

- oral thrush (아구창)/candidiasis ; 대부분 *C. albicans*가 원인
  - oral & pharyngeal mucosa의 유착성 백색판(white plaques)
  - 입안과 혀에 흔함, 보통 통증 無 (입 가장자리에서 균열이 발생하면 통증이 있을 수 있음)
  - 면역저하자는 esophageal candidiasis (or 때때로 laryngeal candidiasis)도 동반 흔함
  - unexplained oropharyngeal thrush → HIV 감염 가능성↑

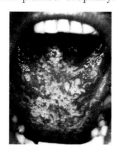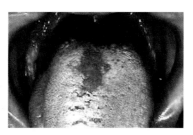

- esophageal candidiasis (*Candida* esophagitis)
  - odynophagia, dysphagia, substernal pain 등의 증상이 특징 (무증상도 흔함)
  - 내시경 (대부분 distal 1/3에 발생) ; redness, edema, white mucosal plaque-like lesions
  - 대부분 면역저하자에서 발생(e.g., HIV) → biopsy or brushing 필요 (HSV, CMV R/O)
  - neutropenia or lymphocytopenia 환자는 hematogenous spread도 발생 가능

- *Candida* vulvovaginitis[m/c] (normal vaginal flora지만 과잉증식하면 vulvovaginitis 유발)
  - 원인균 ; *C. albicans* (80~92%), *C. glabrata*
  - 회음부의 심한 가려움, 작열감, 부종, 두꺼운 백색 curd(응고된 우유) 모양 분비물, 성교/배뇨통
- cutaneous candidiasis ; folliculitis, balanitis, intertrigo, paronychia, diaper rash 등
- chronic mucocutaneous candidiasis (CMCC)
  - hyperkeratotic skin lesions, crumbling dystrophic nails, partial alopecia, 잦은 oral thrush
  - 드묾, 대부분 소아 때 발생, 면역계의 유전적 결함이 원인
  - 약 1/2에서 내분비 이상 동반 (e.g., hypoparathyroidism, hypothyroidism, hypoadrenalism)
    → autoimmune polyendocrinopathy – candidiasis – ectodermal dystrophy (APECED) syndrome
    ; autoimmune regulator gene (*AIRE*) mutations 때문

(2) Deep invasive (disseminated) candidiasis

- 원인 : *C. albicans* (50~70%)[m/c] > *C. tropicalis* > *C. glabrata* (최근 non-*albicans*가 증가)
- hematogenous spread (m/c), local inoculation, contiguous spread 등에 의해 발생 가능
  ↳ 뇌, 눈(chorioretina), 심장, 신장 등을 흔히 침범 / 기타 간, 비장 등 거의 모든 부위 가능
  - catheter-associated infection (원내감염) : 환경에 있는 균
  - neutropenia 환자 : 대개 장내 정착균이 손상된 장점막을 통해 감염
- 다양한 임상양상 : fever ~ septic shock
- ocular candidiasis ; endophthalmitis[안구내염] (보통 chorioretinitis[맥락망막염]까지 포함하여 부름)
  - 기전 ; hematogenous seeding (m/c, 2주 이내 발생) or direct inoculation (e.g., 외상, 수술)
  - 모든 candidemia 환자는 반드시 안저검사로 눈 감염을 확인해야 됨!
- skin lesions ; painless pustules ~ large erythematous macular nodules (central necrosis)
  - 신체 어느 부위에서도 발생 가능
  - candidemia의 단서일 수 있으므로 진단을 위해 punch biopsy 시행!
- hepatosplenic candidiasis ("chronic disseminated candidiasis")
  - 주로 hematologic malignancy 환자에서 발생 (neutropenia에서 회복 직후)
  - 임상양상 ; persistent fever, RUQ pain/discomfort, A/N/V, skin lesions, ALP↑
  - abdominal US/CT/MRI : 간과 비장의 multiple small abscesses가 특징
  - 진단 (biopsy) ; multiple granulomas, special stains에서 yeasts/pseudohyphae
      (culture는 대개 음성임)
- 요로계의 candidiasis … 단순 colonization과 감염을 구분해야 하지만 어려움
  - candiduria (소변배양에서 *Candida*+) 대부분은 indwelling catheter에 의한 단순 colonization
    or contamination (colony count도 의미 없음) → 치료×, 경과관찰!
  - 요로 폐색시 cystitis, pyelitis, renal papillary necrosis 등을 일으킬 수 있음
  - candiduria가 지속되면 (특히 DM 등의 면역저하자에서) 영상검사(US, CT)를 시행해
    신장 침범 여부 파악 ; hydronephrosis, fungus balls, perinephric abscesses
  - disseminated infection에 의한 신장 침범이 의심되면 혈액배양 실시
- *Candida* endocarditis ; 드물지만 치명적인 candidemia의 합병증, IVDU에서 흔함
- acute *Candida* meningitis ; 전신 감염의 일부로 발생 가능 (특히 저체중 신생아에서)
- chronic *Candida* meningitis ; 드묾, 증상과 CSF 소견은 cryptococcal or TB meningitis와 비슷

4. 진단

(1) 배양 (gold standard)

- 정상 상재균이므로 병변 부위의 배양이 아니면 해석에 주의!
  (혈액, CSF, 복막액 등 무균 검체에서 배양되면 진단 가능)
- 혈액 배양 ; deep candidiasis (e.g., systemic dissemination, endocarditis) 진단에 유용
  ↳ sensitivity는 떨어지지만(50~70%), specificity는 높음 (채혈 과정 중 오염균 아님!)
- 동정 ; biochemical test (자동화장비), DNA sequencing, MALDI-TOF (빠름, ~30분) 등
- 단점 ; 배양에 1~3일 + 동정에 1~2일 필요 (→ 심각한 환자는 더 빠른 진단법 필요)

> C.f.) *C. auris* : 기존의 방법으로는 다른 종으로 잘못 동정되는 경우가 많아 진단에 MALDI-TOF가 필요함
> - 주로 혈액, 소변, 귀 등에서 발견됨 / 1996년 우리나라에서 처음 발견됨 / 침습성 의료관련감염 유발 위험
> - azole에는 대부분 내성, 다제 내성 흔함, 사망률 높음 → IV echinocandin으로 치료 (*albicans*보다 MIC 높음)

(2) 기타 진단법

- 검경 (*Candida*를 직접 관찰)
  - wet mount (10% KOH), Gram/PAS/silver stain 등에서 budding yeast, pseudohyphae 관찰
  - germ tube test (GTT) : 혈청에 접종 후 35~37℃로 2~3시간 배양 후 발아관 형성을 관찰
    ↳ hyphal growth가 시작되는 것 ⋯ *C. albicans*, *C. dubliniensis*
- rapid colorimetric detection (e.g., β-galactosaminidase, L-proline aminopeptidase, PRO)
- chromogenic agar culture medium (CHROMagar)
- Ag test (e.g., β-D-glucan test) ; 정확도가 낮아 단독 사용은 곤란 (c.f., Ab 검사는 더 부정확)
- NAT (e.g., PCR, T2Candida) ; sensitivity는 배양보다 높지만(70~90%), 역시 다른 검사도 필요
  ↳ 전혈에서 DNA 증폭, magnetic probe와 target DNA 결합, T2MR로 검출하는 신속검사

(3) 감염 부위별 진단

- superficial (mucocutaneous) candidiasis ⋯ 검체 ; scraping, vaginal discharge, biopsy 등
  ; wet mount (선호됨), Gram stain, culture, histopathology, NAT 등
  ⌈ mucocutaneous candidiasis (e.g., oral, vulvovaginal thrush)는 대개 임상적으로 진단함
  ⌊ 심하거나 재발성, 치료에 반응이 안 좋으면 검사 고려(e.g., wet mount, culture)
- deep candidiasis ⋯ 검체 ; blood, CSF, joint fluid, biopsy, surgical specimen, catheter tip 등
  ; culture, histopathology, Gram stain, special stains, NAT 등
- UTI ; urine (or suprapubic aspiration) culture

5. 치료

(1) Mucocutaneous candidiasis

- oropharyngeal candidiasis
  - topical therapy (7~14일) ⋯ HIV 감염자에서 mild case, HIV 비감염자에서 권장
    ; clotrimazole troche^구내정 or miconazole mucoadhesive buccal tablets이 효과적이라 선호됨
    (nystatin 현탁액은 덜 효과적 / refractory thrush는 amphotericin B 현탁액도 가능)
  - oral fluconazole (7~14일) ⋯ 국소치료 실패, 심하거나 재발성, 심한 면역저하(CD4+ <100)
    ; 효과적이고 순응도 좋음
    → 반응 없으면 itraconazole solution, posaconazole suspension, or oral voriconazole 등

- oral thrush의 예방 ; 당뇨환자는 혈당조절, steroid inhaler는 spacer device 사용 or 치료 후 입안세척, 틀니는 하루에 6시간 이상 벗어놓고 청결하게 관리 ...
- esophageal candidiasis
  - 경험적 항진균제 ; oral (or IV) <u>fluconazole</u> (2~3주) → 3일 뒤에도 호전 없으면 내시경 시행
  - fluconazole 치료 1주일 이후에도 반응이 없으면 (fluconazole-resistant)
    - 외래 ; oral voriconazole, posaconazole oral suspension *or*
    - 입원 ; IV echinocandin (caspofungin, micafungin, or anidulafungin)
    - c.f.) itraconazole oral solution도 효과적이지만 오심 부작용 및 약물상호작용이 많은 단점
      (itraconazole capsule은 여러 흡수 영향에 의한 효과 저하로 금기)
  - IV amphotericin B : 효과적이나 독성이 심해 권장× ⇨ Ix ; 약제내성 *Candida* 감염, 임신
    (*C. glabrata*와 *C. krusei*는 고용량의 amphotericin B 필요)
- *Candida* vulvovaginitis (특별히 우월한 것은 없고 기호와 부작용에 따라 선택)

	Uncomplicated vulvovaginitis	Complicated vulvovaginitis
기준	Mild~moderate, Sporadic, 면역정상, *C. albicans* 모두 만족	Severe, 재발성, 면역저하/기저질환/임신, Non-albicans species 중 하나 이상
권장 치료	Oral fluconazole 1회	Oral fluconazole 2회 (3일 간격)

  - 심한 음문염(vulvitis) → topical steroid (clotrimazole-betamethasone, nystatin-triamcinolone) 2일
  - *C. glabrata* 감염 → IV boric acid (or intravaginal nystatin pessary, AmB or flucytosine cream)
  - *C. krusei* 감염 → topical azole (cream or suppository)
  - 임신 → topical imidazole (clotrimazole, miconazole) 7일
  - recurrent vulvovaginitis (≥4회/yr) → suppressive maintenance Tx (fluconazole) 1회/주 6개월간
- cutaneous candidiasis ; 습기/피부마찰 감소, topical agents (e.g., azoles, nystatin, ciclopirox)
- chronic mucocutaneous candidiasis ; fluconazole, 호르몬 보충요법

(2) Deep invasive (disseminated) candidiasis

- 초치료 : <u>IV echinocandin</u> (caspofungin, micafungin, or anidulafungin) 5~7일
- 이후 step down 경구 치료 (항진균제 감수성검사 후 hematogenous dissemination 없으면)
  - oral <u>fluconazole</u> : 배양 음전 후 2주간 투여 (눈, 뼈, 심장, 간 등에 metz. 있으면 더 장기간)

    - *C. albicans* ; fluconazole, echinocandins, AmB에 거의 대부분 감수성 (fluconazole 내성은 0.3~2%)
    - *C. krusei* ; fluconazole에 자연내성 (→ 용량 높이면 효과적), voriconazole 내성은 7.4%, posaconazole은 대개 감수성, echinocandins은 거의 다 감수성, AmB는 감수성 낮음 (→ 용량↑)
    - *C. glabrata* ; azoles은 내성 많음, echinocandins은 대개 감수성, AmB는 감수성 낮음 (→ 용량↑)
    - *C. parapsilosis* ; fluconazole 내성은 2~6%, echinocandins은 감수성은 낮지만 실제 효과는 괜찮음

  - IV amphotericin B : 효과적이나 독성이 심해 권장× ⇨ Ix ; 약제내성 *Candida* 감염, 임신
- <u>prostheses는 제거!</u> (e.g., central venous catheter[CVC], CAPD, prosthetic valves/joints)
- exogenous endophthalmitis
  - vitritis → intravitreal AmB (or voriconazole) ± vitrectomy (심하면)
  - endophthalmitis → oral fluconazole (or voriconazole)
- endogenous endophthalmitis
  - chorioretinitis (vitritis 동반×) → oral fluconazole (or voriconazole)
    (macula[황반] 침범시에는 intravitreal AmB or voriconazole 추가)
  - vitritis 동반 → intravitreal & systemic antifungals + vitrectomy

- *Candida* UTI (candiduria)
  - 단순 집락이 많음 → 무증상 candiduria는 F/U (대부분 indwelling catheter 제거로 치유됨)!
  - 항진균제 치료 적응 ; dissemination 고위험군(e.g., neutropenia, 극소저체중출생아[<1.5 kg], 비뇨기계 시술), 증상이 있거나 환자 상태가 심각, catheter 제거 후에도 candiduria 지속
    → oral fluconazole (AmB bladder irrigation은 효과가 일시적이라 권장×)
      [fluconazole 내성인 *C. glabrata* or *C. krusei* → IV AmB (or echinocandins)]
- *Candida* CNS infections → IV AmB ± oral flucytosine

6. 예방

- hematologic malignancies 환자 (e.g., leukemia CTx, SCT)
  - oral <u>fluconazole</u>이 많이 사용되어 선호됨 (or voriconazole, posaconazole, echinocandins)
      ↳ 단점 ; 항진균 범위는 echinocandins이 더 넓음, 일부 내성균, *Aspergillus*에는 효과×
  - *Aspergillus* 예방도 필요하면 posaconazole or voriconazole
- neutropenia 환자 → 기관마다 다양하지만 posaconazole이 선호되는 추세임
- ICU 입원 환자 ; invasive candidiasis 유병률이 높은 경우에(>5%) 고위험군에서만 일부 고려
      (e.g., central venous catheters, TPN, 혈액투석, 외상, 수술, 광범위항생제 사용)
    → fluconazole or echinocandins 투여, 매일 chlorhexidine 목욕
- HIV 감염자는 잦은/심한 재발의 경우를 제외하고는 예방 필요 없음

CRYPTOCOCCOSIS

1. 원인

- *Cryptococcus neoformans* (m/c), *Cryptococcus gattii* 2종이 인체감염을 일으킴
- budding으로 분열하여 yeast-like round cell 형성
- 분류 … 5 capsular serotypes ; A, B, C, D, AD (hybrid) ⤳ 분자 분류로 변하는 중
  - *C. neoformans* var. *grubii* : serotypes A (대부분)
  - *C. neoformans* var. *neoformans* : serotypes D
  - *C. gattii* (과거 *C. neoformans* var. *gattii*) : serotypes B, C

2. 역학

- *C. neoformans* ; 비둘기 분변, 토양 등의 환경에 존재
      ↳ 주로 T-cell 기능 저하시 감염, 면역저하가 없는 환자에서도 감염될 수 있음 (20%에서)
- *C. gattii* : 조류 분변에는 無, 나무에서 발견, 주로 열대/아열대 지역의 풍토성 (우리나라는 4%)
      ↳ 면역 정상인 사람에서 더 흔함, 임상양상은 비슷하지만 *C. neoformans*보다 폐 감염이 더 흔함,
        더 큰 mass lesions (cryptococcomas) 형성, 상대적으로 예후 좋음 (∵ 면역 정상 多)
- 동물(고양이)도 감염될 수 있으나, 사람이나 다른 동물로 전염시키지는 못함
- 사람의 감염원은 대부분 모름 (비둘기 배설물이 알려진 주된 감염원), 정상 상재균 아님

- 위험인자 ; <u>HIV 감염</u>, 장기이식, lymphoproliferative d/o., mAb (e.g., anti-TNF, anti-CD52),
  TKIs (e.g., ibrutinib), CTx, steroid, DM, 간질환, 혈액투석, SLE, aspergillosis, sarcoidosis ...
  - 외국은 HIV 감염이 m/c, 우리나라는 신장이식이 m/c
  - ART 도입이전에는 AIDS 환자의 5~10%에서 발생했었음 (대부분 CD4+ count <50 cell/μL)
    ↳ ART 도입 이후 미국/유럽은 크게 감소 / 주로 아프리카에서 발생

3. 병인

- 환경에서 건조된 균/포자를 흡입(inhalation)하여 감염 (일부 외상에 의한 국소 피부감염 가능)
- pulmonary infection ; 대개 무증상, 자연 제거 or 폐에 국한된 무증상 감염(보균)
  → 면역저하시 재활성화 or 파종성 감염 : brain 등으로 (*Cryptococcus*는 CNS에 친화성을 가짐)
- lung lesions : intense granulomatous inflammation
- tissue staining : methenamine, periodic acid-Schiff (PAS), mucicarmine

4. 임상양상

(1) CNS 감염 (m/c)

- <u>subacute</u> meningoencephalitis : 1~3주에 걸쳐 서서히 진행 (↔ bacterial meningitis와 차이)
- 발열(약 1/2), 권태감, 점차 심해지는 두통 등이 흔한 증상
- 1/4~1/3에서는 <u>meningismus</u>^{수막자극증} (nuchal rigidity [neck stiffness], photophobia), vomiting
  ↳ bacterial meningitis 때보다 드물고, 없을 수도 있음
- 기타 ; 뇌신경 마비(asymmetric), 기억상실, 성격변화, 혼돈, 기면, 혼수, 시력장애, papilledema
- 노인의 경우 다른 증상 없이 치매만 나타날 수도 있음
- AIDS 환자 ; 균량↑, 뇌압↑, 증상은 더 비특이적으로 발열, 두통만 보일 수도 있음
- 심한 경우(e.g., AIDS, CD4+ count <50 cell/μL) 치료 안하면 대부분 2주 이내 사망

(2) 폐 감염 (2nd m/c)

- HIV 비감염자의 위험인자 ; COPD (m/c), steroid, 장기이식 등
- 무증상 폐렴 ~ 심한 폐렴, 호흡부전까지 다양 (면역 정상이면 무증상이 흔함)
- Sx. ; cough (54%), chest pain (46%), sputum (32%)
- CXR ; 하나 ~ 여러 개의 경계가 분명한 noncalcified nodules이 m/c (흉막에 가까움)
- 신경증상이 있거나 cryptococcal Ag titer >1:512이면 CNS 감염 가능성↑ → CSF 검사 시행

(3) 기타

- <u>피부</u> (3rd m/c) ; papules & maculopapules, abscess, vesicles, cellulitis, ulcers 등 다양
  ↳ disseminated cryptococcosis 환자에서 흔함! (→ biopsy로 진단 → 진단되면 CSF 검사 시행)
- 뼈 (10~20%) ; osteolytic lesions ("cold abscess"), 피부로 draining sinus 가능

5. 진단

(1) 진균 검출

- <u>india ink 염색</u> (CSF, blood 등의 체액)

- cryptococcus의 두꺼운 capsule은 염색되지 않고 배경만 검게 염색됨
- 빠르고 유용하지만 sensitivity가 낮음 (CSF는 약 50%, HIV 감염자는 ~75%)

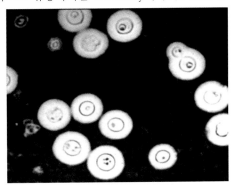

CSF india ink 염색
: 검은색 배경 &
  염색 안 된 동그란 형태

- cryptococcal Ag (CRAg) test ; latex agglutination, EIA, lateral flow analysis (LFA)^{신속검사}
  - 매우 빠르고 간편하고, CSF에서는 sensitivity & specificity 매우 높음 (93~99%)
    (blood에서는 sensitivity가 떨어지므로, 특히 HIV 비감염자에서는 사용하기 어려움)
  - 검체(CSF, blood) 희석을 통해 반정량도 가능 ; titer 높을수록 균량↑(→ poor Px),
    연속 측정하여 치료 결정 및 예후 F/U에 이용하기에는 신뢰도가 부족함
- cryptococcal PCR ; 상용화된 multiplex PCR 제품도 있음 (e.g., BioFire FilmArray® ME panel)
  - 정확하고 간편하지만 비쌈, 그래도 뇌수막염/뇌염 진단에 큰 도움이 되므로 점점 많이 사용
  - sensitivity & specificity 매우 높지만, HIV 비감염자는 균량이 적으므로 sensitivity가 떨어짐
- culture ; 확진 및 항진균제 감수성검사 가능 (sensitivity CSF 90~95%, blood 55~67%)
  - 대부분의 배지에서 잘 자람 (3~7일이면 검출 가능)
  - 동정(identification) ; biochemical, MALDI-TOF mass spectrometry, NAT 등

(2) Meningoencephalitis
- lumbar puncture (CSF) ; india ink, Ag test, PCR, culture 등으로 진균 검출
  - opening pressure↑ ; AIDS 환자의 70%는 >200 mmH₂O, >350이면 poor Px
  - WBC↑ (주로 lymphocytes) ; HIV 비감염자는 20~200 cells/μL, 감염자는 0~50 cells/μL
  - protein↑, glucose↓ 흔함 (일부는 정상일 수도 있음)
  - AIDS 환자 : CSF 소견은 덜 현저, india ink 양성률은 더 높음(~75%)
- brain CT/MRI ; hydrocephalus, nodules (일부는 cryptococcomas, 특히 C. *gattii* 때) 등
  - MRI가 좀 더 sensitive, cryptococcosis에 특이적인 소견은 없음
  - AIDS 환자에서는 다른 기회감염이나 lymphoma도 발견될 수 있음

(3) Pulmonary Cryptococcosis
- Sx과 영상검사는 malignancy와 비슷 ; patchy pneumonitis, multiple nodules, cavities, mass,
  diffuse pulmonary infiltrates (AIDS) 등
- HIV 비감염자는 culture (객담, BAL), serum Ag test의 sensitivity가 매우 낮아 진단에 도움×
  (AIDS 환자에서는 sensitivity 훨씬 높음, serum Ag test 56~70%에서 양성)
- HIV 비감염자는 진단을 위해 대개 biopsy 필요 (→ culture & histology)

6. 치료/예후

- 면역저하자의 meningoencephalitis (e.g., HIV 감염, 장기이식)

> Induction : <u>IV liposomal amphotericin B + oral flucytosine</u> (2주 이상)
> Consolidation : oral fluconazole (10주 이상)
> Maintenance : oral fluconazole [1/2 용량] (평생) /cART로 면역이 회복되면 중단 가능

- 면역정상자의 meningoencephalitis

  (면역저하/정상자의 severe pulmonary or disseminated dz.도 동일)

> Induction : IV liposomal amphotericin B + oral flucytosine (2주 이상)
> Consolidation : oral fluconazole (8주)
> Maintenance : oral fluconazole [1/2 용량] (1년)

- mild~moderate pulmonary cryptococcosis ⇨ oral fluconazole (6~12개월)

  (fluconazole을 복용할 수 없으면 itraconazole, voriconazole, posaconazole, isavuconazole 등)

- 뇌압이 높으면 lumbar puncture도 시행 (자주 필요하면 lumbar or ventricular drains)

- meningoencephalitis의 <u>치료효과 판정(monitoring)</u>

  - CSF 검사 ; culture, opening pressure, glucose level 등 ⋯ induction Tx 완료 (2주) 후 확인

    (증상이 호전되어도 검사로 확인해야 됨)

  - serum Ag titer는 권장×

- meningoencephalitis의 poor Px factor ; 처음 india ink 염색(+), 처음 CSF/serum Ag titer ≥1:32,

  CSF pressure↑, CSF glucose↓, CSF WBC count↓(<2/μL), 신경 이외의 조직에서 진균 검출,

  capsular polysaccharide Ab 無, hematologic malignancy or steroid 치료 동반

- m/i Px factor는 기저질환의 심한 정도 및 회복 가능성 여부임

  ┌ 면역정상 → 항진균제로 완치 가능
  └ 심한 면역저하(e.g., AIDS) → 사망률(6개월~1년) 10~25% (후진국은 50~100%)

    예) 악성종양 환자는 HIV 감염자보다 median survival 짧음, 간경화 환자는 사망률 매우 높음

      (c.f., 장기이식 환자에서는 재발률 낮음)

- 치매, 성격변화, 청력소실, 시력소실 등은 감염이 완치되어도 회복 안 될 수 있음

> ■ Immune reconstitution inflammatory syndrome (IRIS)
> - 항진균제 치료 중 면역이 회복되면서 염증 증상이 악화되는 것 ; fever, lymphadenitis, meningitis 증상 등
> - HIV 감염자 (10~30%) : 대개 cART 시작 2달 이내에 발생 → 뇌수막염 치료 2~10주 뒤에 cART 시작
> - 고형장기이식 (약 14%에서) : 면역억제제 양이 줄어드는 수주~수개월 사이에 발생
> - 치료 실패가 아니므로 항진균제는 지속 / 증상이 심하면 steroid 사용

ASPERGILLOSIS

1. 원인

- genus *Aspergillus* ; mold with septate hyphae (*Mucorales*보다 얇음), 45° 정도의 예각으로 분지
- 자연에 널리 존재 ; 섞은 식물, 죽은 나뭇잎, 곡식, 짚, 건초더미, 퇴비, 수조 표면, 물속 등

- 과거의 표현형 분류는 불완전 → 분자기법으로 분류시 250가지 이상의 species 존재
  → 복잡해지고 분자형 검사도 어려우므로 "species complex"로 분류
  (e.g., *A. fumigatus* species complex → 간단히 *A. fumigatus* species로 부름)

Species	빈도	임상양상	집락(colony)		검경(microscopy)
A. fumigatus	50~67% (m/c)	Invasive aspergillosis의 대부분 Chronic aspergillosis의 거의 다 Allergic aspergillosis의 대부분		Smoky gray green	
A. flavus	8~14%	Sinusitis, 피부감염, 각막염		Olive ~lime green	
A. niger	5~9%	호흡기에 단순 집락, 외이도염 (Invasive aspergillosis는 드묾)		White → black	
A. terreus	3~7%	Invasive aspergillosis만 일으킴 (poor Px)		Beige~ cinnamon	

2. 병인

- *Aspergillus* spores의 inhalation은 매우 흔하지만, 정상인에서 질병을 일으키는 경우는 드묾!
- 대부분 면역저하자에서 폐조직의 invasion 발생
  ⇨ 약 90%에서 3가지 classic risk factors 중 2가지 이상 존재
  ① 장기간의 심한 neutropenia ($<500/\mu L$) ; 혈액종양의 induction CTx가 흔한 예
  ② 면역저하 ; 면역억제제(e.g., SCT, 장기이식, 자가면역질환), AIDS, chronic granulomatous dz.,
  ③ 고용량 steroid 치료 (e.g., ICU에 입원한 COPD 환자 – 면역저하가 심하지 않아도)
- 면역저하가 심하고 오래 지속되었을수록 invasive aspergillosis 잘 생기고 severity↑ (poor Px)

3. 임상양상

(1) Invasive aspergillosis

- 분생포자(conidia) 흡입에 의해 lungs, sinuses 등에 주로 발생
  (드물게 GI tract에서 전파 or 피부의 직접 접종에 의해서도 발생 가능)
- pulmonary aspergillosis (m/c, >80%) : acute ~ subacute
  - Sx ; 발열, 기침, 호흡곤란, pleuritic chest pain, hemoptysis ~ 무증상
  - 비특이적이라서 진단을 놓치는 경우가 많음 → 고위험군에서 의심되면 CT, Ag test 등 검사!
  - CT ; nodules, wedge-shaped infiltrates, halo sign, air-crescent sign 등이 특징!
    - halo sign : 결절 주위의 흐릿함(ground-glass infiltrates)
    - air-crescent sign : 결절 내 초승달 모양 공기음영 ⋯ neutropenia에서 회복되면서 발생
      (but, halo sign은 다른 진균이나 *P. aeruginosa* 감염에서도 보일 수 있음)
  - 피부, 뇌, 눈, 간, 신장 등으로 hematogenous dissemination도 가능 → very poor Px
- tracheobronchitis
  - 폐이식(m/c), hematologic malignancy, SCT, HIV, COPD 등에서 발생 가능
  - 심한 호흡곤란, 기침, wheezing, 때때로 intraluminal mucus plugs를 뱉음

- invasive sinusitis (단독 발생 or pulmonary aspergillosis와 동반 가능)
  - paranasal sinus에서는 mucormycosis 비슷하게 나타날 수 있지만, 주로 neutropenia에서 발생
    (↳ 주로 DM or hematologic malignancy에서 발생)
    ; 코막힘, 발열, 얼굴~코, 눈 주위 통증 (심한 면역저하시에는 무증상도 가능)
  - ethmoid & sphenoid sinus는 cavernous sinus thrombosis로 진행하여 뇌신경 침범 가능
  - CT/MRI 소견은 비특이적이라 진단을 위해서는 biopsy 필요
- CNS aspergillosis (m/c 혈행성 전파) ⋯ 가장 예후 나쁨
  - 폐에서 혈행성 전파 or 부비동에서 국소 파급되어 발생 가능
  - 출혈성 경색, 뇌 농양, 뇌 육아종, 수막염, mycotic aneurysms (→ 파열, 출혈) 등
    ↳ multiple ring-enhancing lesions (+ surrounding edema, mass effect)
- 기타 ; endocarditis, GI infections, keratitis, endophthalmitis, invasive skin infections ...

(2) Chronic aspergillosis

- chronic pulmonary aspergillosis
  - 거의 대부분 *A. fumigatus*가 원인 (but, DM 환자에서는 *A. niger*도 흔함)
  - 만성 폐질환에서 발생(e.g., TB, COPD, sarcoidosis, 폐암, 과거 기흉), 면역은 정상
  - innate immunity의 유전적 결함을 가지고 있는 경우도 많음, IFN-γ 반응↓
  - 피곤, 체중감소, chronic productive cough, hemoptysis, 호흡곤란 등이 3개월 이상 지속
  - 영상검사 ; 한 개 이상의 cavities (대부분 upper lobe에) ± fungus ball (aspergilloma)
    air-crescent sign, Monod sign (aspergilloma 둘레로 원형 공기 음영) ↵
    (chronic cavitary pulmonary aspergillosis, semi-invasive aspergillosis, complex aspergilloma로도 부름)
- simple (or single) aspergilloma (fungus ball)
  - 다른 폐 질환(e.g., TB)에 의한 pulmonary cavities 내에 *Aspergillus*가 colonization되어 발생
    (complex와 차이 ; 전신증상 無, paracystic lung opacities 無, 진행성 흉막 비후 無)
  - 한 개면 보통 진행이 느리고, 증상 및 염증소견도 거의 없음 (경미한 기침 정도만)
  - 대부분 upper lobe에 존재, 몇 cm 크기 (약 10%는 자연 호전, tissue invasion은 안 일어남)
- sinus의 fungus ball (maxillary sinus에 국한) / 심장과 눈에는 chronic aspergillosis 없음

(3) Allergic aspergillosis

- allergic bronchopulmonary aspergillosis (ABPA)   → 호흡기내과 10장 참조
  - *Aspergillus* spp. (*Aspergillus fumigatus*가 m/c) Ag.에 대한 과민반응
  - 주로 asthma or cystic fibrosis에서 발생 / eosinophilia, 혈청 IgE, 침강항체, 피부검사로 진단
- 기타 ; severe asthma with fungal sensitization (SAFS), allergic *Aspergillus* sinusitis ...

4. 진단

- invasive aspergillosis의 확진 : 특징적인 유격균사(有隔菌絲, septate hyphae)의 발견
  ① sterile site에서 배양 양성 (e.g., brain abscess)
  ② 침범 장기의 조직검사 & 배양 양성 (e.g., 피부, 부비동)
- 배양 ; invasive aspergillosis 환자 호흡기 검체의 10~30%에서만 양성
  - 환경에 흔히 존재하므로 배양 양성 소견만으로는 진단 어려움
  - 혈액 배양은 대부분 음성으로 가치 없음

- galactomannan Ag test (blood, BAL, CSF 등) … 배양보다 빠르고 sensitivity 높아 많이 사용
  - *Aspergillus* 세포벽 성분으로 균사 증식시 떨어져 나옴, 심하고 빠르게 진행할수록 sensitivity↑
  - neutropenia, allo-SCT 등 면역저하 환자에서 진단적 가치 큼!
- NAT (e.g., real-time PCR) ; 배양보다 빠르고 Ag 검사보다 약간 더 sensitive
- BAL, needle aspiration, VATS or open lung biopsy 등에서 *Aspergillus* 확인 (histopathology)
  - invasive aspergillosis 진단을 위해 대부분 필요하지만, 환자 상태에 따라 불가능한 경우도 많음
  - 규칙적으로 평행한 벽을 가진 유격균사(septate hyphae), 45° 정도의 예각으로 분지
    (dichotomous branching)

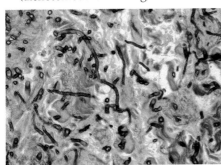 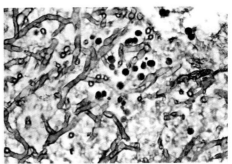

* chronic pulmonary aspergillosis의 진단 : 주로 혈청검사로
  - 대부분 serum *Aspergillus* IgG Ab (+), 50% 이상에서 *Aspergillus* IgE (+), total IgE 약간↑
  - serum Ag tests ; galactomannan은 대개 음성, β-D-glucan은 대개 양성
  - sputum ; 배양은 음성인 경우가 많고, PCR은 양성인 경우가 많음
    (c.f., *Aspergillus* 검출에 실패하면 폐암 R/O을 위해 bronchoscopy or aspiration/biopsy 고려)

5. 치료

- invasive aspergillosis (면역상태와 치료반응에 따라 3개월~수년 치료)
  - 1st-line (DOC) ; [IV or oral] voriconazole or isavuconazole이 가장 효과적!
    (voriconazole 부작용시 → liposomal AmB or isavuconazole로 대치)
  - 2nd-line ; liposomal AmB, posaconazole, echinocandin (e.g., caspofungin, micafungin)

    > c.f) 항진균제 내성
    > - Fluconazole은 효과 없음 (다 내성)
    > - Amphotericin B는 *A. terreus*와 *A. nidulans*에 내성임
    > - *A. fumigatus*의 multi-azole 내성은 아직은 드물지만, 증가 추세 (특히 유럽)
    > - *A. niger*는 itraconazole과 isavuconazole에 내성임

  - 병합요법 (voriconazole/isavuconazole + echinocandin) : 단독요법보다 더 효과적인지는
    논란이지만, severe invasive aspergillosis에는 1~2주 시행 고려 가능
  - 일부에서는 수술 or 면역저하제 감량도 필요
    ↳ recurrent hemoptysis, bacterial superinfection, invasion/bleeding 위험 등
    (조절되지 않는 객혈은 bronchial artery embolization이 도움)
  - 면역이 회복되면 완치도 가능함 (사망률 30~70%)
- single aspergilloma ⇨ 수술(lobectomy)로 완치 가능 (항진균제 투여는 효과 없음)

- 기타 수술(괴사조직 제거)이 도움이 되는 경우
  - rhinosinusitis, primary cutaneous infection, endocarditis, osteomyelitis, septic arthritis, keratitis, endophthalmitis 등의 접근이 용이한 국소 감염
  - hematologic malignancy 환자들은 출혈이나 2차감염 위험이 높아 수술이 불가능한 경우가 많음
- chronic pulmonary aspergillosis ⇨ voriconazole (좀 더 좋음) or itraconazole 6개월 이상
  (완치는 어렵고, 예후도 나쁨: 5YSR 30~60%)
- allergic aspergillosis (e.g., ABPA) ⇨ voriconazole or itraconazole 등   → 호흡기내과 10장 참조

MUCORMYCOSIS (털곰팡이증)

1. 원인

- order^{목} *Mucorales*, genus^{속}/species^{종} *Rhizopus* (m/c, 47%), *Mucor* (18%), *Cunnighamella* (7%),
  ↳ *Rhizopus oryzae*, *Rhizopus delemar* 등이 흔함
  Apophysomyces (5%), *Absidia* (= *Lichtheimia*, 5%), *Saksenaea* (5%), *Rhizomucor* (4%) ...
- 특징적인 hyphae (broad, non-septated), 가지는 직각~둔각을 이룸
- 섞은 식물, 퇴비, 흙, 동물 배설물, 음식(high sugar foods) 부패물 등 자연에 널리 존재함

2. 병인

- 자연으로부터 감염되며(inhalation, ingestion, skin inoculation), 사람간 전파는 없음
- 정상인에서는 드물며, 주로 기저질환자에서(e.g., DM, 면역저하) 공격적인 혈관침습 감염을 일으킴
  [↳ innate immune responses (e.g., phagocytosis)가 sporangiospores를 제거하여 감염을 방지함]
  - vascular invasion of hyphae → "ischemic (thrombosis) or hemorrhagic necrosis"이 특징
  - 면역저하(e.g., hematologic malignancy, SCT, 장기이식, steroid)가 risk factor이기는 하지만, candidiasis나 aspergillosis보다는 10~50배 정도 적음
  - aspergillosis에 대한 예방적 항진균제 사용 환자에서 돌발 감염으로 발생할 수도 있음
- *Rhizopus* spp.는 ketone reductase 가짐 → 고혈당 & 산성 환경에서 잘 자람
  (또한, 산성 혈액은 iron-transferrin 해리 촉진 → free iron↑)
- mucormycosis 발생에는 free iron이 중요함 ⇨ 진균의 성장 촉진
  - iron overload (e.g., CKD, 혈액질환 등으로 만성 수혈, hemochromatosis)
  - deferoxamine (iron chelator) : 진균이 철결합체(xenosiderophore)로 이용하여 진균 성장↑
    c.f.) xenosiderophore activity가 없는 iron chelators (e.g., deferasirox, deferiprone)는 iron을 고갈시켜
      진균의 성장을 억제함 → mucormycosis 발생 위험 감소
- 위험인자
  - rhino-orbital-cerebral infection ; uncontrolled DM (특히 DKA), neutropenia (암, CTx)
  - sinus or lung ; 장기이식, hematologic malignancy, 장기간 deferoxamine 치료
  - GI mucormycosis ; uremia, severe malnutrition, diarrheal dz. 등 다양
  - cutaneous mucormycosis ; 외상, 화상, 오염된 기구에 의한 주사/시술

위험인자별 Mucormycosis 발생 장소	
DM (DKA)	비안와두부(rhino-orbital-cerebral), 피부
악성종양	호흡기, 부비동, 피부, sino-orbital
조혈모세포이식(SCT)	<u>호흡기</u>, disseminated, rhinocerebral
고형장기이식(SOT)	부비동, 피부, 호흡기, rhinocerebral, disseminated
IV drug use	뇌, 심내막염, 피부, disseminated
Deferoxamine 치료	Disseminated, 호흡기, 피부, rhinocerebral, GI
영양실조	GI, disseminated
외상	피부, 눈

3. 임상양상

(1) 비안와두부 털곰팡이증 (rhino-orbital-cerebral mucormycosis) – m/c

- 초기 증상은 acute bacterial sinusitis와 비슷 ; 미열, 부비동 통증, 코막힘, 안면부 통증, 두통, purulent/bloody nasal discharge 등
  - → 모든 sinuses 침범 → 인접 조직(e.g., 입천장, 안와, 뇌) 침범으로 급격히 진행 (~며칠)
- 입천장(palate) eschar, 코선반(turbinates) 파괴, 코 주위 부종, 안면 피부 발적/청색증
- black eschar (진균의 혈관침범에 의한 조직괴사로 발생) ; 코 점막, 입천장, 피부 등에서 관찰됨
- 안와 침범 → 주변부 부종, 시력저하, 복시, 결막부종(chemosis), 안구돌출(proptosis), 안구 운동↓ (안구나 ophthalmic artery의 침범 → 실명)
- cavernous sinus 침범 → 뇌신경 마비, 부비동 혈전, carotid artery 침범(→ 패혈성 색전도 가능)
- 제5 뇌신경 sensory branches infarction → facial numbness (감각둔화)
- 뇌(frontal lobe) 침범 → 둔화, 의식저하, coma 등

(2) 호흡기 털곰팡이증 (pulmonary mucormycosis) – 2nd m/c

- rapidly progressive severe pneumonia ; 발열, 호흡곤란, 기침, 흉통, 객혈 등
  - 주요 폐혈관 침범시 → necrosis, cavitation, 대량 객혈
  - mass or multiple nodules, halo sign or reversed halo sign (reversed halo sign의 m/c 원인)
- 폐를 넘어 기관지, 횡격막, 흉벽, 늑막도 침범 가능
- 다른 장기로의 hematogenous spread도 흔함, 대부분 2주 이내 사망
- 면역이 정상인 경우에는 atypical, slowly progressing pneumonia 양상으로 나타날 수도 있음

(3) 기타

- skin & soft tissue mucormycosis ; 포자의 직접 피부 침투로 (or 드물게 혈행성으로) 발생, 대부분 외상/상처와 관련, cellulitis → 농창(ecthyma) → necrotic eschar → fasciitis
- GI mucormycosis (드묾) ; 포자를 섭취하여 발생, 위(m/c)와 대장에서 흔함, 복통, 토혈/혈변
  - → 진행되면 허혈/괴사/천공, 복막염 등 발생 위험
- CNS mucormycosis (드묾) ; 보통 주변 부비동에서 유래 (>30%는 단독으로도 발생), 단독 CNS 감염은 주로 IV drug user에서 오염된 주사기에 의해 발생
- disseminated mucormycosis (드묾) ; 폐에서 m/c 유래, 뇌로 m/c 파종 (사망률 ~100%)
  - ↳ 위험인자 ; 심한 면역저하(e.g., 심한 neutropenia, SCT & GVHD), deferoxamine 치료

4. 진단

- 피부의 조직괴사 소견 (검은 분비물, eschar), 검은 콧물 등이 중요한 단서
- CT : initial imaging study, 병변의 범위 파악 및 bony erosions 발견에 더 좋음
- MRI : CT보다 orbit, cavernous sinus, CNS 침범 발견에 더 좋음
- 확진 : histopathology 및 culture에서 *Mucorales* 확인
  ① histopathology (H&E, PAS, silver 등으로 염색)[m/g] ; *Mucorales* order까지만 확인 가능
      ⇨ 직각~둔각의 가지를 가진 넓은 리본 모양의 non-septate hyphae
  ② culture ; 진균배지에서 빨리 자람, genus/species까지 동정 가능 (but, 1/2 이상이 음성)
      - 환경에도 많이 존재하므로, 무균 검체에서의 배양이 중요(e.g., aspiration, biopsy, CSF, 흉수)
      - 비무균 검체는(e.g., sputum, BAL) 증상 및 영상 소견이 mucormycosis에 합당해야 진단 가능
      - 혈액 및 CSF 배양은 대개 음성 (c.f., CNS 침범시 CSF는 protein↑, lymphocyte↑)
      - 폐 침범시 sputum smear & culture는 cavitation시 양성 가능
- 기타 ; PCR, sequencing, MALDI-TOF 등 (아직은 연구 차원) / Ag test는 없음 (∵ 혈중 Ag 無)
      ↳ *Mucorales* multiplex real-time PCR 상용화된 제품이 나오고는 있음

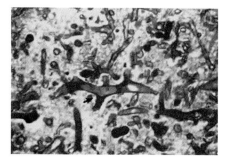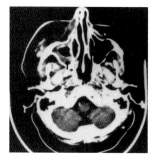

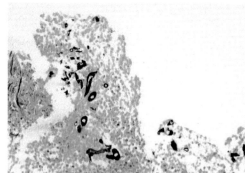

괴사조직(abscess)의 methenamine silver 염색
 (→ 검은색으로 염색됨)
넓은 리본 모양의 무격벽 균사가 조직
section에 의해 ring or 찌그러진 리본처럼
보임

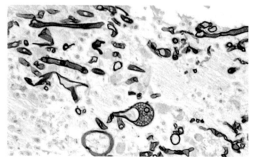

CSF의 methenamine silver 염색
 ; 검은색으로 염색되는 넓은 (찌그러진)
리본 or ring 모양의 무격벽(non-septate)
균사(hyphae)

5. 치료

- 원칙 ; <u>빠른 진단 & 치료가 m/i</u> → 고위험군에서 임상양상으로 빠른 의심 필요
  - 항진균제(antifungal therapy)
  - <u>광범위한 괴사조직 제거(aggressive surgical debridement)</u> : 모든 mucormycosis에서 필수!
  - 가능하면 위험인자(기저질환)의 교정 → mucormycosis의 치유 촉진
    - 혈당 조절, acidosis 치료, 면역억제제 용량↓, neutrphil↑(e.g., G-CSF), deferoxamine 중단
    - glucocorticoid, iron, 수혈 등은 피함 (대신 deferasirox or deferiprone으로 ↵)
- 초치료 : <u>IV liposomal amphotericin B</u> 가능한 최대 용량으로, 임상적 호전까지 투여 (3주 이상)
  - AmB 사용 못하면 → posaconazole or isavuconazole (다른 azoles은 효과 없음)
  - AmB + echinocandins (표준 용량) 병합요법 : 일부에서 약간 더 효과적
    (AmB + azoles은 추가적인 효과가 없어서 권장× / echinocandins 단독은 효과 없음)
- step down 치료 : oral posaconazole or isavuconazole (→ salvage therapy로도 IV로 사용)
  - posaconazole delayed-release tablet 권장 (posaconazole suspension은 bioavailability 문제로 권장×)
  - 대개 영상 소견이 거의 정상화되고, biopsy & culture 음성, 면역저하에서 회복될 때까지 투여
- 예후는 매우 나쁨 (감염 부위/정도 및 기저질환의 교정 가능 여부가 중요함)
  - rhino-orbital-cerebral infection의 사망률 25~62%
    (poor Px ; CNS, cavernous sinus, carotid 침범, 양측성 침범, 신부전, leukemia)
  - pulmonary infection은 ~87% 사망, widely disseminated infection은 90~100% 사망

폐포자충(*Pneumocystis*) 감염

1. 원인

- *Pneumocystis jirovecii* ('이로베치'라고 읽음^^)
  - 옛날에는 원충(protozoa)으로 분류 되었으나 (∵ 배양이 안 됨), 1980년대 후반 이후 rRNA
    sequencing 등 분자/구조 연구 결과 진균(yeast-like fungus)으로 분류됨
  - *P. carinii*로 불리다가 사람에서 분리되는 종은 유전형이 다른 것이 밝혀져 *P. jirovecii*로 명명함
    c.f.) 숙주에 따라 감염되는 종이 다름 ; *P. jirovecii*는 사람, *P. carinii*와 *P. wakefieldiae*는 쥐,
         *P. murina*는 생쥐, *P. oryctolagus*는 토끼 등 (→ 동물에서 사람으로 전파×)
- 대부분의 진균과 달리 세포막에 ergosterol 無 → 많은 항진균제에 반응×
- 병원성 약함 (세포 또는 조직 침입 능력은 없음), 폐에 tropism을 가짐 (대부분 폐렴으로 발생)
- 호흡기를 통해 전파(airborne route), 사람은 주로 사람간 전파를 통해 감염됨
- 잠복기 (동물실험상) : 4~8주

2. 병인

- host factor : cellular & humoral immunity (CD4+ <u>T cell</u> count가 중요)
  (방어인자 ; TNF-α, IL-1, IFN-γ, GM-CSF)
- 대부분 어린 소아 때 노출됨 (우리나라도 혈청검사에서 1세 18%, 2세 100%에서 특히 IgG 양성)

- 노출되면 수개월~수년 colonization (건강한 사람은 발병×, natural reservoir 역할, 대개 소아)
  → 면역저하시 발병(재활성화) or 다른 사람에게 전파
- *Pneumocystis* 폐렴(PCP)의 위험인자 … 기회감염균
  - <u>HIV 감염</u> ; 특히 CD4+ cells <200/μL (or 15%), 과거에 PCP 앓았던 병력, high RNA level
  - 면역억제제 ; <u>glucocorticoid</u> (특히 cytotoxic agents와 병용시), MMF, combination CTx.,
    alemtuzumab (anti-CD52), rituximab (anti-CD20), TNF-α 억제제 (etanercept, infliximab)
    *면역억제제를 감량하는 과정에서 숙주의 면역반응에 의해 호흡기 증상 발생/악화 가능
  - 악성종양(e.g., hematologic malignancy), SCT, 장기이식, 류마티스질환 (특히 면역억제제 치료시)
  - 기타 ; primary immunodeficiency, 미숙아, 영양실조
- 과거 AIDS 환자에서 기회감염의 m/c 원인이었으나, ART 및 PCP 예방 확대로 발생률/사망률 크게
  감소 (but, 아직도 HIV의 morbidity & mortality의 주요 원인) / HIV 비감염자에서는 발생률 증가

3. 임상양상

(1) *Pneumocystis* pneumonia (PCP)

- 무증상 ~ 호흡곤란으로 사망까지 다양 / 건강한 성인은 대부분 무증상
  (HIV 감염자 ; 병원체 양은 더 많지만, 증상은 덜 심하고 폐 손상의 정도도 덜함)
- 주요증상 ; <u>dyspnea</u>, fever, <u>nonproductive cough</u> (acute보다 insidious onset이 더 흔함)
- P/Ex ; tachypnea, tachycardia, cyanosis (증상/CXR에 비해 <u>청진</u>은 <u>정상</u>이 흔한 것이 특징!)
- ABGA ; hypoxia, (A-a)DO$_2$↑, respiratory alkalosis
- PFT에서 diffusing capacity↓, gallium scan에서 uptake↑
- WBC↑, serum LDH↑, β-d-glucan↑(serum & BAL) … 폐포자충에 특이한 소견은 아님
- CXR : perihilar regions에서 퍼져나가는 bilateral diffuse infiltrates (ground-glass appearance),
  "나비 날개 모양" (정상이라도 PCP를 R/O할 수는 없음!) → 애매한 경우 HRCT가 도움

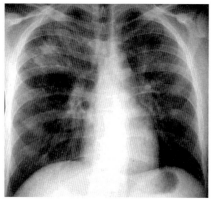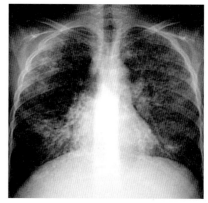

  - 예방적으로 pentamidine aerosol을 사용한 경우는 폐첨부/상엽의 침윤 및 기흉의 빈도가 높음
  - HRCT ; extensive <u>ground-glass opacities</u> and/or <u>cystic lesions</u> (peripheral sparing)

(2) Disseminated infection

- 빈도 1~3%, 주로 pentamidine aerosol을 사용한 AIDS 환자에서 발생
- lymph node (m/c; 40~50%), spleen, liver, BM (30~40%), GI & GU tracts,
  aderenal & thyroid glands, heart, pancreas, eyes, ears, skin

4. 진단

(1) <u>Histopathologic stain</u> (확진)

- 증상이 비특이적이고 배양이 불가능하므로 현미경으로 폐포자충을 확인하는 것이 m/g
- 검체 (HIV 감염자가 균 양이 더 많으므로 sensitivity 더 높음)
  - ① 유도객담(induced sputum) : hypertonic saline 흡입으로 유도, sensitivity 55~90%
  - ② <u>bronchoalveolar lavage (BAL)</u> : sensitivity 90~100%, 객담에서 진단 안 되면 이용!
  - ③ transbronchial biopsy & open lung biopsy : BAL로도 진단 안 될 때만 고려
- traditional stains
  - Gomori methenamine silver (GMS), toluidine blue, cresyl echt violet → cysts의 wall 염색
  - Wright-Giemsa : 모든 성장단계의 핵 염색
  - nonspecific fluorochrome stains (calcofluor white), Papanicolaou's stain

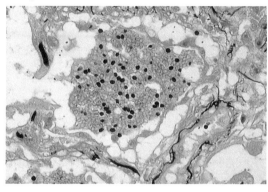

GMS (Gomori methenamine silver) 염색
: cyst wall이 <u>검은색으로 염색되어</u>
검은콩 비슷하게 보임

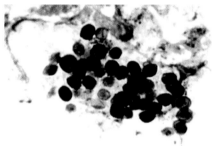
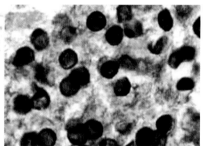

- anti-*Pneumocystis* mAb를 이용한 immunofluorescent assay : more sensitive

(2) NAT (PCR)

- 가장 sensitive (염색보다 10~100배) → but, 폐렴과 colonization은 구별 못함 → R/O에 유용!
- 상용화된 real-time PCR도 많이 이용됨 (but, 정량검사도 폐렴과 colonization은 구별 못함)

■ Prognostic indicators

- ① 저산소증 정도 (ABGA) : PaO_2, $(A-a)DO_2$ … 가장 중요하고 널리 이용됨!
- ② organism의 burden
- ③ BAL fluid에서 neutrophils의 %
- ④ CXR abnormalities
- ⑤ CD4+ cell coun↓, serum LDH↑, 고령, PCP 과거력, BAL fluid에 CMV 존재 등

5. 치료/예후

(1) TMP-SMX (Bactrim)

- 모든 pneumocystosis에서 DOC (HIV 비감염자의 mild PCP는 2주, 나머지는 모두 3주)
- 부작용 : 정상인에서는 거의 없으나, HIV 감염자에서는 흔함(20~85%)
  - rash (m/c), fever, leukopenia, thrombocytopenia, hepatitis, hyperkalemia
  - 경미한 경우 TMP-SMX 복용은 지속하면서 대증치료 권장

* ART 시작 전에 PCP 진단 된 HIV 감염자는, PCP 치료 시작 후 2주 이내에 ART 시작

(2) Alternatives

- TMP-SMX를 복용 못하는 경우 (∵ sulfa allergy, 기타 부작용)

	Mild	Moderate	Severe
PaO$_2$	≥70 mmHg	60~69 mmHg	<60 mmHg
(A-a)DO$_2$	<35 mmHg	35~44 mmHg	≥45 mmHg
Regimens	Atovaquone suspension Clindamycin + primaquine TMP + dapsone	Clindamycin + primaquine TMP + dapsone	Clindamycin + primaquine IV pentamidine

(3) Glucocorticoids (e.g., prednisone)

- AIDS 환자는 치료 시작 2~3일 뒤 증상, PaO$_2$, CXR 소견이 악화됨 → steroid 투여시 호전
  (∵ dying *Pneumocystis*에 대한 숙주의 면역반응, *Pneumocystis*에 의한 surfactant의 변화)
- Ix ; moderate ~ severe pneumocystosis AIDS 환자 (조기에 투여해야!, PCP 확진 전이라도)
  ↳ PaO$_2$ <70 mmHg and/or (A-a)DO$_2$ ≥35 mmHg
  - ABGA 시행 대신, pulse oximetry에서 산소포화도 92% 미만인 경우 투여하기도 함
  - pneumocystosis 치료를 시행다가 증상이 악화된 경우에도 투여
  - HIV 비감염자에서는 steroid 투여시 특별한 이득이 없음
- 효과 : 폐기능의 조기 감소 예방, 호흡부전 & 사망률 감소 (survival 증가)

(4) 예후

- 치료 안하면 progressive respiratory로 90~100% 사망
- 치료하면 ┌ HIV 감염자는 10~12% 사망
           └ HIV 비감염자는 30~50% 사망 (∵ 병원체 양 적음 → 의심 및 진단 지연)

6. 예방

(1) Primary prophylaxis

- HIV 감염자의 적응
  ① 과거에 PCP를 앓았던 환자 (non-AIDS 환자도 포함)
  ② CD4+ T cell count <200/μL (or <15%)
  ③ 2주 이상의 원인을 모르는 발열
  ④ 최근에 oropharyngeal candidiasis (thrush, 아구창) 병력
  (HIV RNA <50 copies/mL & CD4+ cell count >200/μL 3개월 이상 유지되면 중단 가능)

- HIV 비감염자의 적응
  - glucocorticoid (prednisone ≥20 mg/day equivalent dose) 1개월 이상 투여 환자에서 다른 면역저하도 동반된 경우(e.g., 일부 hematologic malignancies, 다른 면역억제제 병용)
  - alemtuzumab (anti-CD52), idelalisib (phosphatidylinositol 3-kinase inhibitor)
  - 뇌종양으로 temozolomide & RTx 치료를 받는 환자
  - purine analog (e.g., fludarabine) + cyclophosphamide 치료 환자
  - ALL, SCT, 고형장기이식(이식 후 ~6개월-1년), 일부 primary immunodeficiency 등

(2) Secondary prophylaxis
- *Pneumocystis* pneumonia에서 회복된 모든 환자
- 특히 HIV 감염자에서 재발 위험 높음

(3) Regimens
- TMP-SMX (DOC) : SS (single-strength) tablet 매일 or DS (double-strength) tablet 격일로
  - toxoplasmosis와 일부 세균 감염도 예방 가능한 장점
  - toxoplasmosis 예방도 필요하면(e.g., CD4 <100, *T. gondii* Ab+) DS tablet 매일
- alternatives : TMP-SMX를 복용하지 못하는 경우
  - dapsone (c.f., G6PD deficiency 환자에서는 hemolytic anemia를 유발할 수 있음)
  - dapsone + pyrimethamine + leucovorin
  - atovaquone suspension
  - aerosolized pentamidine (AP) : nebulizer를 사용해야하므로, 다른 약제들이 불가능할 때 고려

SPOROTRICHOSIS

1. 개요

- *Sporothrix schenckii*에 의한 만성 진균감염, 우리나라 심재성 피부 진균증 중 m/c
  - dimorphic fungus
    - 자연 또는 실온에서 배양시 → mold
    - 숙주내 또는 37℃에서 배양시 → budding yeast
  - 흙, 나무, 식물 등 자연에 널리 존재 → minor trauma시에 피부/피하조직에 접종되어 감염됨
- 직업성질환 ; 농부, 노동자, 원예가 등에서 호발 / 점점 감소 추세

2. 임상양상

(1) cutaneous lymphangitic (lymphocutaneous) sporotrichosis : m/c
- 접종 부위에 무통성 적색 구진(papule) 형성 → 궤양으로 발전
  → 몇 주 뒤 proximal lymphatic channels을 따라 비슷한 결절 발생 (염주상 결절)
- 전신증상은 없음
- 피부 병변에서 균은 거의 발견되지 않음

(2) extra-cutaneous or disseminated sporotrichosis : 드묾
- 골관절, 폐, 수막 등으로 전파 가능 (disseminated infection은 매우 드묾)
- 위험인자 ; 알코올중독, DM, COPD, AIDS 등

3. 진단

- 배양 (gold standard) : 가장 sensitive, Sabouraud's dextrose agar에서 담갈색~흑갈색 집락, 5~7일이면 자람, 동정에는 MALDI-TOF가 점점 많이 사용됨
- 조직검사 ; 육아종(pseudoepitheliomatous hyperplasia, pyogranuloma, microabscess), 드물게 PAS 염색에서 eosinophilic 성상체(asteroid body) 관찰
- 기타 ; PCR (아직 연구 차원), 혈청검사 (거의 사용×)

4. 치료

(1) cutaneous sporotrichosis
- oral itraconazole (DOC) : 병변 소실 뒤 2~4주까지 투여 (대개 3~6개월)
- 반응 없으면 itraconazole 용량↑, terbinafine, saturated solution of potassium iodide (SSKI) 등

(2) extra-cutaneous sporotrichosis
- IV liposomal amphotericin B → 호전되면 oral itraconazole : 1년 이상 투여
- meningitis : amphotericin B + 5-fluorocytosine

해외유입 진균감염증 (Endemic풍토성 Mycoses)

* 해외 특정 지역의 환경으로부터 진균포자를 흡입하여 발생한 진균감염
- histoplasmosis, coccidioidomycosis, blastomycosis, paracoccidioidomycosis 등이 대표적
- 모두 dimorphic : 실온(25~30℃)에서는 mold form, 체온(35~37℃)에서는 yeast-like form
  (c.f., *Sporothrix schenckii*를 제외하고는 dimorphic fungus는 모두 해외유입 균종들임)

1. 히스토플라스마증(histoplasmosis)

(1) 개요
- *Histoplasma capsulatum* (m/c) ; 북미, 중남미, 아프리카, 아시아 등 전 세계에 골고루 존재
  (미국 미시시피와 오하이오 강의 계곡이 주 토착 지역), 대부분 폐 감염을 일으킴
- *Histoplasma duboisii* ; 아프리카에만 존재, 주로 피부를 침범 (폐 및 내부 장기 감염은 드묾)
- 박쥐나 새의 배설물에 오염된 aerosolized 흙, 먼지에 노출되어(inhalation) 감염됨
  ; 건축/토목, 밭갈기, 닭장 청소, 동굴 탐험 등 (온화하고 습한 토양을 좋아함)
- 세포내 잠복해 있다가 장기이식으로 전파도 가능
- 병리 ; caseation necrosis or calcification … tuberculosis 비슷
- 우리나라 5예 보고 (3예는 유행지역 병력이 없어, 국내 발생 가능성도 있음)
- 미국은 매년 약 25만명 감염 추정, 약 4~5천명 입원 치료

(2) 임상양상

- 1차감염은 대부분 무증상(>95%) or 가벼운 독감 증상 (잠복기 2~4주) → 모르고 넘어가기 쉬움
    - 발열, 두통, 마른기침, 흉통, CXR상 hilar/mediastinal lymphadenopathy ± focal infiltrates
    - 면역저하자(e.g., AIDS)는 progressive disseminated histoplasmosis (PDH)로 진행 위험
      ; 발열, 체중감소, 야간발한, 간비종대, shock까지 다양한 경과를 보임
- acute diffuse pulmonary histoplasmosis ; 대량 노출시 발생 가능, 호흡부전 or 폐외 전파로 진행
- chronic pulmonary histoplasmosis
    - 대부분 구조적 폐 질환(e.g., COPD)을 가진 흡연자에서 발생 가능
    - 수주~수개월의 점진적인 진행, productive cough, 피곤, 체중감소, 호흡곤란, 흉통 등
    - fibrotic apical infiltrates & cavitation ⋯ 폐 결핵, sarcoidosis와 유사
        (폐암의 가능성도 R/O해야 됨)
- fibrosing mediastinitis
    - 드문 심한 합병증 (약 1/3 사망), 치유과정 중 숙주의 면역반응에 의해 발생 (균 양과 관련×)
    - 기침, 호흡곤란, 객혈, 흉통, 야간발한 → SVC syndrome, 폐혈관/기도/식도 폐쇄 등 합병 가능
- 기타 ; pericarditis, arthritis/arthralgia, erythema nodosum, erythema multiforme ...

(3) 진단

- 배양 : gold standard이지만 오랜 시간 필요(4~6주)
    - 경미한 경우는 sensitivity 떨어짐, acute pulmonary histoplasmosis시 BAL에서 약 50% (+)
    - PDH 및 chronic pulmonary histoplasmosis는 75~85%에서 (+)
- histopathology & cytology : 빠르지만 숙련된 전문가가 필요
    - 조직의 Gomori methenamine silver (GMS) or Grocott silver 염색이 m/g (H&E는 별로)
    - PB or BAL fluid의 Giemsa-stained smear ⋯ PDH 때 유용
- *Histoplasma* Ag assay (urine, blood, BAL) : 빠르고, severe case (특히 PDH)에서 양성률 높음
- 혈청(Ab) 검사 : Ag assay 다음으로 빠르고 간편 (but, 오래 지속 가능)
    - complement fixation (CF) : immunodiffusion test보다 sensitivity↑, specificity↓
    - immunodiffusion test : M or H bands, specificity 높음,
    - EIA (IgG, IgM)   ↳ 양성률은 낮지만(<20%), (+)면 active infection을 시사
- 만족스러운 단일 검사는 없으므로, 여러 검사와 임상양상을 종합하여 진단 (NAT는 연구 중)

(4) 치료

- acute diffuse pulmonary histoplasmosis (moderate~severe)
    - liposomal amphotericin B ± glucocorticoid (1~2주) → itraconazole (12주)
    - mild한 경우는 치료 없이도 자연 회복 가능! / 4주 후에도 Sx 호전 안 되면 itraconazole 투여
- chronic pulmonary histoplasmosis ; itraconazole (1년 이상)
- fibrosing mediastinitis ; 효과적인 치료 無, 항진균제는 효과 없음 (∵ active infection 아님),
    steroid도 효과 없음, 혈관 폐쇄시 stenting (수술은 예후가 나빠 권장×)
- progressive disseminated histoplasmosis (PDH)
    - liposomal amphotericin B (1~2주) → itraconazole (1년 이상)
    - CNS 침범시 ; liposomal amphotericin B (4~6주) → itraconazole (1년 이상)
    - AIDS 환자에서는 재발 방지를 위해 대개 평생 유지요법(itraconazole) 필요

2. 콕시디오이데스진균증(coccidioidomycosis)

(1) 개요

- 특히 캘리포니아 San Joaquin Valley 지역에서 호발 (곡창지대임) → "Valley fever"로 불림
  - *Coccidioides immitis* (m/c) ; 주로 캘리포니아에서 발생 (Tehachapi mountains 서쪽)
  - *Coccidioides posadasii* ; 캘리포니아 이외 미국 남서부, 멕시코, 중남미 일부 지역에서 발생
    - (애리조나에서는 *C. immitis, C. posadasii* 둘 다 발생)
  - * 두 종의 임상양상과 치료는 거의 동일하고, 동정 검사도 어려우므로 실제 구분은 안 함
- aerosolized 토양의 분절포자(arthroconidia)를 흡입(inhalation)하여 감염됨 (or 피부에 접종)
  - ; 비가 내려 진균이 잘 자라고 난 뒤, 고온/건조하고 바람이 불면 오염된 흙/먼지에 의해 전파↑
- 미국은 매년 15만명 감염 추정, 약 5만명 증상 발생, 약 6~7천명 입원 치료, 애리조나가 m/c
- 우리나라 *C. immitis* 18예, *C. posadasii* 1예 보고 (대부분 유행지역 여행 병력)
  - → 감염부위 ; 폐(60%), 피부, 골수염, 농양, 뇌 등

(2) 임상양상

- 1차감염의 약 60%는 무증상임, 약 40%는 폐렴(CAP) 양상으로 발현 (잠복기 1~3주)
  - 감기~독감 비슷한 호흡기 증상 ; 기침, 흉통, 발열 등
  - 일부는 전신증상도 동반 ; 발열, 피곤, 야간발한, 체중감소, 근육관절통, erythema 등
  - Lab ; WBC N~↑, eosinophilia (약 1/4에서), ESR↑
  - CXR ; 대부분 별 이상은 없음, 일측성 infiltrate (주로 상엽) & hilar/mediastinal adenopathy
  - 면역 정상인 경우 대부분 자연 치유됨(self-limited), 재감염은 드묾
- 1차 폐감염의 후유증 (5%) ; 피곤/무기력(~수개월 지속 가능), pulmonary nodules, cavities,
  - chronic progressive fibrocavitary pneumonia, diffuse reticulonodular pneumonia ...
- extrapulmonary dissemination (≤1%)
  - 주로 면역저하자에서 잠복감염의 재활성화로 발생하지만, 아닌 경우도 있음
  - 위험인자 ; 면역억제제(고형장기이식, SCT), AIDS, lymphoma, 임신 2~3기 등
  - 피부(구진, 사마귀모양 병변), 관절(특히 무릎), 뼈(골수염, 특히 척추) 등을 흔히 침범
  - chronic meningitis ; 가장 치명적, disseminated coccidioidomycosis의 유일한 증상일 수도

(3) 진단

- 혈청검사 ⋯ 진단에 매우 유용 (but, 감염 초기에는 음성 多, 특히 면역저하시)
  - EIA (m/c) ┌ IgM ; 1차감염 급성기의 약 75%에서 검출됨
    - └ IgG ; 만성 감염에서 검출됨, 치유되면 사라짐, 경과 확인에 유용
  - immunodiffusion test (대개 EIA 결과의 확인에 이용)
    - ; precipitin-type Ab (IgM), complement fixation-type Ab (IgG)
- 검경(direct examination) ; 호흡기 검체 or 조직(biopsy) ⋯ 상재균이 아니므로 검출되면 확진
  - wet smear (saline or KOH solution) ; Calcofluor, Papanicolaou 염색 ┐ spherules 관찰
  - biopsy ; H&E, PAS 염색 / Grocott- or Gomori-methenamine silver ┘
- 배양 ; 대부분의 배지에서 잘 자람 (~2-5일), PCR로 *Coccidioides* 확인
  - → 검체의 감염 위험성이 높으므로 (most virulent fungal pathogen) biosafety level 3 필요
- Ag detection ; blood or urine, 면역저하자의 전신 감염에서 유용

(4) 치료

- 급성 폐렴 (위험인자가 없는 건강한 환자는 치료× → 경과관찰)
  - ┌ 심한 증상이 오래 지속되거나, 면역저하자 → fluconazole or itraconazole (~6개월)
  - └ severe diffuse pneumonia → AmB (2~3개월), 호전되면 fluconazole or itraconazole 장기간
- 무증상, 국소 폐 감염(nodule or cavity) → 치료 필요 없음 (cavity가 1년 이상 지속되면 수술)
- chronic fibrocavitary pneumonia → fluconazole or itraconazole 장기간(≥1년)
  - (triazole에 반응 없으면 IV amphotericin B)
- chronic dissemination (CNS 이외의) → fluconazole or itraconazole 장기간(≥1년)
- coccidioidal meningitis → fluconazole 평생 (∵ 중단하면 80% 재발)
  - (triazole에 반응 없으면 intraventricular or intrathecal amphotericin B 고려)

3. 블라스토마이세스증(분아균증, blastomycosis)

(1) 개요

- *Blastomyces dermatitidis* : 대부분 미국 미시시피 및 오하이오 주의 강/호수 주변에서 발생
  - (캐나다의 Great lakes 주변, 아프리카, 인도, 중동, 중남미 등에서도 발생)
- 흙, 썩은 식물 등의 aerosolized 분생포자(conidia)를 흡입하여 감염됨, 주로 폐를 침범
- 우리나라 3예 보고 (미국도 흔하지는 않음; 매년 10만 명당 1~2예 발생)

(2) 임상양상

- 1차감염의 약 50%는 무증상임, 약 50%는 급성 or 만성 폐렴 증상으로 발현 (잠복기 3~6주)
  - acute pneumonia ; 다른 viral/bacterial pneumonia와 비슷, 모르고 넘어가는 경우가 대부분
  - chronic pneumonia (대부분) … 결핵이나 다른 진균감염(e.g., histoplasmosis)과 비슷한 양상
    ; 미열, 기침, 객혈, 흉통, 체중감소 등 (폐암도 R/O해야 됨)
  - 피부 병변이 발생하면 blastomycosis의 좋은 단서가 될 수 있음
- disseminated infection … chronic pneumonia에 합병되어 발생하는 경우가 흔함
  - 기회감염균은 아니지만, 면역저하시 더 심한 폐 질환 및 dissemination 위험
  - 피부(사마귀형 or 궤양형, 폐외 중 m/c, 60%), 뼈(골수염), 관절, 비뇨기계, CNS 등을 침범

(3) 진단

- 배양(확진) : 1~4주 소요, PCR로 빠른 동정 가능
- 검경(wet smear or histopathology) ; sensitivity는 낮지만, 빠른 진단 가능
- Ag detection (blood or urine) ; sensitivity는 높지만, specificity가 부족 (Ab test는 도움×)

(4) 치료

- 위 두 진균 감염과 달리 대부분 치료가 필요함!
  - mild~moderate pulmonary/extrapulmonary dz. ; itraconazole (6~12개월)
  - severe pulmonary/extrapulmonary dz. ; liposomal AmB (1~2주) → itraconazole (6~12개월)
  - CNS 침범 ; liposomal AmB (1~2주) → voriconazole (≥1년)
- 면역저하자 ; liposomal AmB (1~2주) → itraconazole (1년)
- 임산부 ; liposomal AmB (azoles은 임신시 금기)

7
말라리아

개요

- genus *Plasmodium* ; 6 species가 인체감염을 일으킴
  - *Plasmodium falciparum* (열대열 원충) : 전세계적으로 m/c, 불규칙한 발열, severe ┐ 거의
  - *Plasmodium vivax* (3일열 원충) : 2nd m/c, 국내 유일 토착종, 48시간 주기로 발열 ┘ 대부분
    (서아프리카를 제외한 대부분의 지역에서 약 1/3~1/2 차지, 미주에서는 약 3/4 차지)
  - *Plasmodium ovale* (난형열 원충) : *P. vivax*와 유사한 증상, 48시간 주기로 발열
    ↳ 2 subspecies ; *P. ovale curtisi, P. ovale wallikeri*
    (드묾, 대부분은 서아프리카에, 드물게 동남아시아 및 오세아니아에 분포 / 다른 종과 중복감염 흔함)
  - *Plasmodium malariae* (4일열 원충) : 72시간 주기로 발열, ~50년까지도 오래 잠복/재발 가능
    (드묾, 말라리아가 발생하는 대부분의 지역에서 분포하지만, 사하라 이남 아프리카에 흔함)
  - *Plasmodium knowlesi* (원숭이열 원충) : 최근 인체 감염이 밝혀짐, *P. malariae*와 유사한 증상
    (마카크원숭이 서식 지역에서 드물게 발생 ; 말레이시아 등 동남아시아 일부 지역)
- 전 세계 현황 (매년 40~50만 명이 malaria로 사망; 대부분 아프리카에서 *P. falciparum*에 의해)
  - 아프리카 ; 모든 malaria의 92% 발생, *P. falciparum*이 거의 대부분을 차지 (99.7%)
  - 동남아시아 ; malaria의 5% 발생 (감소 추세), *P. falciparum* 62%, *P. vivax* 37%
- 국내 말라리아 현황 … 제3급 법정감염병
  - 1980년대 중반 토착형 malaria는 완전히 소멸되었다가, 1993년부터 다시 발생하기 시작하여
    매년 2~4천명까지 발생하다가, 2000년대 이후 꾸준히 감소하여 최근에는 매년 약 500명 정도
  - 파주, 연천, 철원, 고양, 포천, 동두천, 의정부, 양주, 인천, 강화, 김포, 화천, 양구 등이 위험지역
  - 주로 경기~강원 북부 지역 군인들이 감염 → 최근에는 민간인이 더 많이 발생 (e.g., 캠핑, 낚시)
  - 남:여 = 5:1, 20대가 m/c (군인을 제외하면 20~60대에서 골고루 발생)
  - 5~10월에 호발 (위험시간: 밤 9시 ~ 새벽 3시)
  - 해외유입 말라리아 (매년 60~80명 발생) ; 아프리카(70~80%), 아시아가 대부분
    ↳ 종별 분포 ; *P. falciparum* 66%, *P. vivax* 26%, *P. ovale* 5%, *P. malariae* 0.2% 등
      ↳ 아프리카 95%   ↳ 아시아(약 2/3), 아프리카
- 적혈구의 유전적 특성과도 연관
  - Duffy 혈액형 음성 (서아프리카의 대부분) : DARC (Duffy Ag receptor for chemokines) 결핍
    → *P. vivax* 감염에 대한 선천적 방어력을 가지고 있는 경우가 대부분
  - thalassemias, sickle cell dz, hemoglobins C & E, hereditary ovalocytosis, G6PD deficiency
    → *P. falciparum*에 감염되어도 심하게 진행하지 않음 (사망률 낮음)

- 전파 ; 암컷 얼룩날개모기속(*Anopheles*)이 사람을 흡혈할 때 포자소체(sporozoites)가 혈류로 유입됨
  → 간으로 침투해 간세포 내에서 성숙 (hepatic cycle) : 1~3만개의 분열소체(merozoites)로 증식
  → 분열소체(merozoites)는 다시 혈류로 빠져나와 RBC 안으로 들어가 발육 (erythrocytic cycle)
  * *P. vivax*와 *P. ovale* : 간에서 분열하지 않고 수면소체(hypnozoites) 형태로 수주~ ≥1년 잠복
    → 2차 exoerythrocytic cycle (재발) 가능 /c.f., RBC 감염시에는 young RBC를 좋아함
- 드물게 수혈, 주사기로도 전파 가능함 (잠복기는 짧아짐) / 사람간 전파는 없음

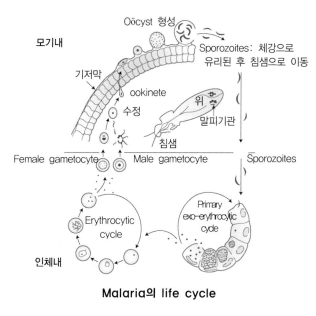

Malaria의 life cycle

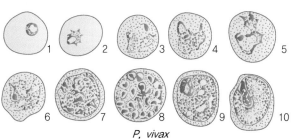

P. vivax
1 & 2. ring form, 3~5. trophozoite, 6 & 7. schizont,
8. mature schizont, 9. female gametocyte, 10. male gametocyte

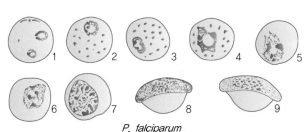

P. falciparum
1~3. ring form, 4. trophozoite, 5 & 6. schizont,
7. mature schizont, 8. female gametocyte, 9. male gametocyte

적혈구 내에서의 발육단계

영양형(trophozoite)
: 발육 과정의 원충

윤상체(ring form)
: 초기의 작은 영양형

영양형 단계에서는 종 감별이 어려울 때 많음

분열체(schizont)
: 발육이 끝나면 6~30개의 분열소체로 증식함
→ RBC를 파괴하고 혈류로 방출되어 다시 새로운 RBC를 감염시킴

분열소체 일부는 암/수 생식모세포(gametocyte)로 변형되어 발육
(→ 모기가 물 때 모기로 전파 가능)

Ring form → schizont 까지의 발육 시간
P. knowlesi : 24시간
P. falciparum
P. vivax 48시간
P. ovale
P. malariae : 72시간

임상양상

1. 잠복기

- 간세포에서 원충이 증식한 뒤 혈액으로 방출되기까지의 기간
- 열대열 말라리아 (*P. falciparum*) : 12~14일 (7~30일), 대부분 한 달 이내에 발병
- 삼열열 말라리아 (*P. vivax*) : 즉시형 약 2주 (12~18일), 지연형(국내 및 온대지방) 수개월 ~ 1년
  → 연중 어느 때라도 발병 가능
- *P. ovale* 12~18일 (or 이상), *P. malariae* 18~40일 (or ~최대 50년), *P. knowlesi* 11~12일

2. 증상

- 전구증상 (nonspecific) : well-being sense 감소, 두통, 피곤함, 근육통, 복부 불쾌감
- classic malarial paroxysms : 주기적인 fever spikes (~40℃까지도), chills, rigors
  - 발열 주기 : 적혈구내의 원충 증식에 따른 적혈구 파괴 주기와 일치

    ┌ *P. vivax*와 *P. ovale* 48시간, *P. malariae* 72시간, *P. knowlesi* 24시간
    └ *P. falciparum*은 불규칙 or 지속적인 fever와 불규칙한 spike를 보이는 경우가 많음
  - merozoites가 파괴되어 혈액내에 TNF-α가 갑자기 증가될 때 발생
- 두통, 복통, A/N/V/D, 황달, splenomegaly and/or hepatomegaly 등 (소아는 열성경련도 가능)
- thrombocytopenia, anemia, 간기능 이상, 신장기능 이상 등

3. Severe *P. falciparum* Malaria (열대열 말라리아)

- 열대열 말라리아는 증상이 심하고, 합병증이 많음 (→ 말라리아에 의한 사망의 거의 대부분 차지)
- 감염된 적혈구는 접착능이 강해져 혈관내피세포에 부착한 뒤 주변 적혈구, 백혈구 등과 로젯을 형성
  (∵ *P. falciparum* erythrocyte membrane protein-1 (PfEMP-1) 항원이 적혈구 표면으로 이동)
  → 미세혈관에 격리(sequestration) → 여러 장기의 미세순환장애와 저산소증 유발
- cerebral malaria (의식저하 ~ coma), hypoglycemia, lactic acidosis, hepatic failure, AKI (ATN),
  severe anemia, hemoglobinuria, DIC, shock, noncardiogenic pul. edema (ARDS)
- 치료하지 않은 경우 치사율 ~100%, 치료해도 15~20% (↔ 합병되기 된 초기에 치료하면 <0.1%)
- 치료해도 약 10%에서는 신경학적 후유증 등이 남음
- 예후가 나쁜 경우

임상양상	검사소견
Hyperventilation (호흡곤란) Hypothermia (36.5° 미만) 출혈 심한 초조 깊은 혼수 경련, 발작 반복 Anuria Shock	저혈당, lactate↑, acidosis (pH <7.3, bicarbonate <15 mmol/L) sCr↑, bilirubin↑, 간효소↑, 근효소(CK, myoglobin)↑, uric acid↑ 심한 빈혈, WBC↑ (>12,000), platelet↓ (<50,000) 응고장애 ; PT↑, PTT↑, fibrinogen↓ (<200 mg/dL) 원충농도 　100,000/μL 이상이면 사망률 증가 　500,000/μL 이상이면 사망률 높음 　원충의 20% 이상이 pigment-containing trophozoites & schizonts 　Neutrophils의 5% 이상에서 malarial pigment 관찰

4. 비장 합병증

- 자발성 비장파열, 비장경색, 비장혈종, 비장낭종, 비장염전, 이소성 비장, 비장거대증 …
- 비장파열 ; 드묾, 말라리아 유행지역보다는 비유행 지역에서 더 흔함 (∵ 면역능 부족)
  - 시기는 주로 급성기 때, 자연 발생 or 압박(e.g., 촉진)에 의해 발생 가능
  - 삼일열 말라리아(P. vivax)가 다른 종에 비해 급성 감염 시 비장파열을 더 잘 일으킴
- 증상 ; 열, 빈맥, 구토, 발한, 복통, 좌상복부 압통, 혈액량 감소, 갑자기 악화되는 빈혈 등
  (Kehr's sign: 비장비대 → 횡격막 자극 → 좌 견관절 or 견갑골 부위 통증, 약 1/2에서)
- 치료 ; 보존적 치료 (∵ 비장적출 후 발생하는 폐렴사슬알균이나 말라리아 감염은 치명적)

		P. falciparum	P. vivax	P. ovale	P. malariae	P. knowlesi
RBC 소견	RBC 크기	정상	커짐	약간 커짐	정상~감소	정상
	Schüffner's dots	–	+	+	–	–
	한 RBC내 여러 원충 (multiple ring forms)	흔함	드물게 가능	–	–	–
원충 소견	혈액내 모든 stage 존재	–	+	+	+	+
	Trophozoite/schizont	–	+	+	+	+
	Gametocyte	소시지 모양	RBC보다 큼	P. vivax보다 작음	P. vivax보다 작음	P. vivax보다 작음
	Schizont내 merozoite 수	16~20	20~24	8 (4~16)	8~10 (6~12)	10 (8~16)
임상 양상	Anemia	++++	++	+	++	+++
	CNS 침범	++++	+	±	+	+
	잠복기	12~14일	12~18일 (~수개월-1년)	12~18일 (~5년)	18~40일 (~ 수개월-수년)	11~12일
	발열주기 (시간)	24, 36, 48	48	48	72	매일
	재발 (간에 잠복)	–	+	+	–	–
Chloroquine 내성		흔함	종종 있음 (우리나라는 無)	–	드묾	–
유행지역		아프리카(m/c) 동남아시아 기타 여러 곳	아프리카 제외 거의 전 세계 열대~온대지방	서아프리카 동남아시아 오세아니아	사하라 이남 아프리카 및 기타 여러 곳	동남아시아 (마카크 원숭이 서식지)

진단

1. 말초혈액도말(PB Smear) 검경

- 염색법 ; Giemsa stain을 선호 (Wright's 등 다른 stains도 가능)

    c.f.) 형광현미경(Acridine Orange 염색) ; Giemsa보다 sensitivity 약간 더 좋지만, 불편해서 거의 안 쓰임

- 시기 : 가능한 발열이 있을 때

    ┌ thick smear : thin 보다 RBC 약 40배 농축됨, parasite의 존재 유무 파악(screening)에 유용
    └ thin smear : 원충(malaria)의 종류 파악 및 농도 계산에 유용

- 원충농도 계산 : 대개 WBC 100개당 감염 적혈구 개수(%)로 보고함 → **/μL로 환산

    (↳ P. falciparum >> P. knowlesi > P. vivax와 P. ovale > P. malariae)

- 음성이라도 말라리아를 배제할 수는 없고, 12~24시간마다 PB 검사를 반복해야 됨

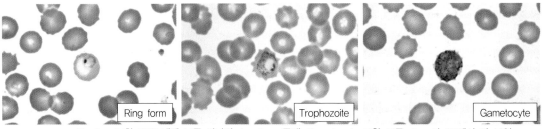

Ring form Trophozoite Gametocyte

P. vivax : 한 RBC 내에 보통 하나의 ring form 존재, Gametocyte 포함 모든 stage가 PB에서 다 보임
(드물게 multiple ring forms도 가능함)

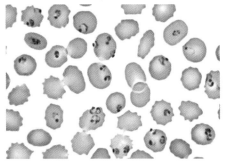

P. falcifarum

 한 RBC 내에 multiple (2~4개) ring forms 존재 가능
 (ring form에 double dots가 있는 것도 특징)

 Gametocyte는(특징적인 바나나 모양) PB에서 거의 안 보임
 ↳ 주로 조직에(혈관내) 침착된 적혈구에서 관찰됨

 c.f.) P. ovale , P. malariae, P. knowlesi 등은 형태만으로는
   진단이 어려우므로 PCR로 확진 필요

2. 기타

- 신속검사(rapid diagnostic tests, RDTs) : dipstick or card tests
    - HRP2 (histidine-rich protein-2), pLHD (Plasmodium LDH), aldolase 등을 검출
        (↳ P. falciparum에서만 생성됨, sensitivity는 가장 높음)
    - sensitivity & specificity 93~98%, 빠르고 간편하지만 원충농도 파악은 불가능함
- PCR : 확진 가능, 가장 sensitive & specific (gold standard)
    - 말라리아 4종을 확인하는 상품화된 multiplex PCR kit도 많음
    - 국내 감염 P. vivax의 진단에는 거의 필요 없음 (∵ PB smear로 쉽게 진단 가능)
    - 해외유입 말라리아의 정확한 진단을 위해서는 필수 (드물게 P. falcifarum + vivax 중복감염 有)

치료

1. 항말라리아 약제

(1) Chloroquine
- Ix : chloroquine-resistant *Plasmodium*을 제외한 모든 malaria의 예방/치료
- Cx : mild GI Sx (→ 식후 복용하면 감소) ··· 쓴맛을 제외하면 부작용 경미하고 순응도 좋음
- 내성 현황
  - *P. vivax, P. ovale, P. malariae*는 내성이 거의 없었지만, *P. vivax*는 일부 지역에서 내성↑
  - *P. falciparum* : 북부 아프리카, 중미, 하이티, 중동 지역은 감수성 /
    아프리카, 동남아시아, 인도, 남미 지역은 모두 내성
- * amodiaquine : chloroquine과 유사, 성인은 leukopenia 등의 부작용, 5세 미만 소아에서 사용
- * piperaquine : chloroquine과 유사, DHA와 복합제로 동남아에서 많이 쓰였으나 최근에 내성↑

(2) Quinine & Quinidine
- Ix : chloroquine/artemisinin-resistant *Plasmodium* (대부분 부작용이 덜한 quinine을 사용)
- Cx (특히 quinidine) ; 저혈압, 부정맥(e.g., QT↑, VT) → quinidine은 거의 사용×
- 내성 현황 : 동남아시아 일부 지역에서 내성 증가

(3) Mefloquine
- Ix : chloroquine-resistent *Plasmodium*의 예방 및 치료
- Cx : GI Sx (10~15%), 신경정신 부작용, 부정맥 ··· 구토와 어지러움이 흔함!
- C/Ix : 15 kg 미만 소아, 신경정신질환의 병력, 심장전도장애, severe malaria의 F/U Tx
  (임신 2~3기에는 안전하고, 임신 1기 때는 아직 정보가 확실하지 않음)
- 내성 현황 : 카메룬, 태국의 미얀마 국경과 캄보디아 국경

(4) Primaquine
- Ix : *P. vavax, P. ovale*의 hepatic form에 작용, chloroquine 치료 후에 간에 생존하고 있는
  원충의 수면소체(hypnozoite)를 제거하는 "radical cure"를 위해 투여 (재발 방지!)
- Cx : GI Sx, hemolytic anemia (특히 G6PD deficiency시 심함), 임산부엔 금기
- 내성 현황 : 솔로몬 군도, 인도네시아, 태국, 파푸아 뉴기니아, 에콰도르

(5) Tafenoquine
- GSK와 비영리단체 MMV (Medicines for Malaria Venture)가 공동 개발한 신약 (2018년 허가)
- primaquine과 효과는 비슷하나, 1번만 복용하면 되는 장점 (↔ primaquine 14일 복용)
- primaquine처럼 G6PD deficiency 환자는 심한 hemolytic anemia를 유발할 수 있으므로 금기

(6) Artemisinin ; artesunate, artemether, dihydroartemisinin (DHA)
- 중국 고대로부터 써온 개똥쑥(*Artemisia annua*)에서 추출, 1972년 屠呦呦가 발견 (2015년 노벨상)
- 기전 : 원충 내 heme-iron과 결합하여 O_2 radical 생성 ··· 가장 빠른 작용, 반감기↓(→ 내성↓)
- Ix : *P. falciparum* 및 chloroquine-resistant *P. vivax*에서 choice!
- Cx (다른 말라리아 약제에 비해 독성 매우 적음) : N/V, anorexia, dizziness, neurotoxicity ...
- 최근 메콩강 지역(e.g., 캄보디아, 미얀마, 태국, 베트남)에서는 내성 증가로 치료 실패 많음

(7) Atovaquone ; atovaquone-proguanil (Malarone®)

- 기전 : 미토콘드리아의 막 전하를 없앰
- Ix : chloroquine/artemisinin-resistant *Plasmodium*, 열대열 말라리아의 예방에도 90~100% 효과
- 해열 속도는 다른 약제와 비슷하나 원충 제거 속도는 느림, 비싸고 내성이 빨리 생겨 잘 안 쓰임

2. 비합병(uncomplicated) 말라리아의 치료

(1) 양성(비열대열) 말라리아 : *P. vivax, P. ovale, P. malariae*

- chloroquine-sensitive (우리나라 등) ⇨ <u>chloroquine 3일</u>
  - 국내 토착 *P. vivax* → 치료 시작 3일 뒤 PBS F/U (해외유입은 매일 1회 이상 PBS F/U)
  - chloroquine 치료실패율이 높은(>10%) 지역이나 일부 국가에서는(e.g., 동남아시아)
    모든 종에 대해 "artemisinin-based combination therapy (ACT)"를 일괄적으로 사용하기도 함

경구 ACT (3일)	Artesunate-Amodiaquine 복합제, Artesunate-Mefloquine 복합제, Artesunate + Sulfadoxine/Pyrimethamine (복합제×), Artesunate-Pyronaridine tetraphosphate 복합제, Artemether-Lumefantrine 복합제, Dihydroartemisinin (DHA)-Piperaquine 복합제 등 6가지

- <u>chloroquine-resistant</u> *P. vivax* 감염 (e.g., 동남아시아, 호주, 중남미 등)
  ↳ 정의 : chloroquine 3일 치료 후에도 parasitemia 지속 or 치료 28일 이내에 재발
  ⇨ oral ACT 권장 / 기타 atovaquone-proguanil, mefloquine, or quinine + TC/DC
- *P. vivax, P. ovale* ⇨ 재발 방지를 위해 (간의 hypnozoite 근절) <u>primaquine 14일</u>도 투여!!
  (chloroquine과 동시 시작 or chloroquine 치료 직후 이어서 시작 가능)
  - primaquine 대신 <u>tafenoquine</u> (1회 복용 신약)이 권장되는 추세임
  - primaquine/tafenoquine 투약 전 G6PD deficiency R/O 필수 (특히 동남아시아인 등 외국인)
- 임산부 ; 일반인과 같이 chloroquine 3일 치료하고, <u>primaquine은 금기</u> (∵ 태아의 G6PD 상태 모름)
  → 재발 방지 ; 임신 기간 중 <u>chloroquine prophylaxis</u> 1회/주 계속, 분만 후 primaquine을 투여
- *P. knowlesi* (parasitemia 심함) ⇨ oral ACT, 심하면 입원해서 IV artesunate (이후 oral ACT)

(2) 비합병(uncomplicated) 열대열 말라리아 (*P. falciparum*)

- 대부분 artemisinin-based combination therapy (ACT)가 권장됨 … 응급이므로 빨리 투여!
  (chloroquine 감수성이 확실한 경우에만 chloroquine으로 치료)
- 전파율이 낮은 지역에서는 전파를 예방하기 위해 생식모세포(gametocyte)에 효과적인 low-dose
  primaquine을 ACT 시작 때 같이 1회 투여 (c.f., 저용량으로 G6PD deficiency 환자도 안전)
- 재발시 ⇨ 다른 ACT or 2nd line drugs, *P. vivax*와 *P. ovale* 중복감염 R/O
  ↳ atovaquone-proguanil, mefloquine, or quinine + TC/DC/CM
  (c.f., artemisinin 내성 유행지역에서는 처음부터 6일 ACT or 3제 병합 ACT 고려)

3. Severe complicated (*P. falciparum*) malaria

- IV drugs (<u>artesunate</u>[DOC], artemether, or quinine + TC/DC/CM) 이후 oral ACT + 보존적 치료
- AKI or severe metabolic acidosis → RRT (hemofiltration or HD) (c.f., AAP는 신장보호효과 有)
- 기타 ; 교환수혈(과거 parasitemia ≥10% 등 때 권장되었으나, 부작용으로 현재는 권장×)
- 임산부 ; 1기에는 quinine, 2~3기에는 artesunate

예방

- 모기에 물리지 않도록 개인 보호 (*Anopheles* 모기는 주로 밤/새벽에 활동)
- 약물을 이용한 예방적 화학요법
- 예방접종 – 아직 상용화된 백신 없음

* 여행 지역에 따른 말라리아 발생 위험도가 가장 중요

여행 지역		DOC ★
남미(파나마 포함, 북부 아르헨티나와 파라과이는 제외) 아프리카 대부분, 오세아니아, 동남아시아, 남아시아	Chloroquine 내성	Malarone® Doxycycline Mefloquine
중국/미얀마/태국/캄보디아 국경 지대, 베트남 시골 지역, 라오스 모든 지역(비엔티안시 제외)	Chloroquine & Mefloquine 내성	Malarone® Doxycycline
중미(파나마 북쪽), 하이티, 도미니카, 이라크, 이집트, 터키, 북부 아르헨티나, 파라과이	Chloroquine 감수성	Chloroquine Malarone®

▶ 국가별 자세한 발생 및 약제내성 현황은 질병관리본부 홈페이지 참조

■ Chemoprophylaxis

: 말라리아의 발병만을 억제함(suppressive prophylaxia), 70~95% 예방 효과

(1) Chloroquine
- chloroquine에 감수성이 남아있는 특정 지역에서만 사용 가능
- 여행 1-2주 전 ~ 여행 후 4주까지 복용 (주 1회 500 mg, hydroxychloroquine은 400 mg)

(2) Mefloquine (Lariam®)
- mefloquine에 감수성이 있고 chloroquine 내성인 말라리아가 유행하는 지역
- 여행 1-2주 전 ~ 여행 후 4주까지 복용 (주 1회 복용 250 mg)
- 예방 효과는 우수하나 부작용이 많아 문제(e.g., N/V, 어지러움, 정신이상)
- C/Ix ; 임신 1기 (2~3기는 사용 가능!), 심장전도장애, 간질, 정신질환, 신부전 등

(3) Atovaquone-proguanil (Malarone®)
- chloroquine/mefloquine 내성 말라리아를 포함한 모든 말라리아의 예방에 효과적
- 여행 1-2일 전 ~ 여행 후 1주까지만 복용 (매일 1알, 487 mg)
- 부작용이 적어 순응도 좋음!, 흡수 촉진을 위해 음식/우유와 함께 복용 (비싼 것이 단점)
- C/Ix ; 임신, 수유, 영아(<5 kg), 신부전(C_{Cr} <30 mL/min) 등

(4) Doxycycline
- mefloquine을 복용할 수 없는 사람 or chloroquine/mefloquine 내성 말라리아 유행 지역
- 여행 1-2일 전 ~ 여행 후 4주까지 (매일 100 mg을 복용해야 해 순응도 떨어짐)
- C/Ix ; 임신, 수유, 12세 미만 소아(∵ 영구적 치아 착색 유발), 신부전 등

* 모두 *P. vivax*와 *P. ovale*의 hypnozoites에는 효과가 없으므로, 유행지역에 장기간 체류한 경우는 primaquine or tafenoquine으로 재발방지 치료도 권장됨

8
기타 기생충 질환

Protozoal^{원충} Infections

Amebiasis (이질아메바증)

- 이질아메바(*Entamoeba histolytica*) ; 크기 약 20 μm, 위족을 통해 계속 운동하며 모양 변화
- 전 세계 인구의 약 1%가 감염, 주로 위생이 열악한 후진국 (인도, 아프리카, 멕시코, 중남미 등)
- 전파 ; <u>대변</u>으로 배출된 포낭(cysts) → <u>오염된 물/음식/손/식기</u> 등을 통해 경구 섭취로 감염
  (<u>구강–항문 성접촉</u>으로도 전파 가능) → 소장에서 탈낭하여 trophozoites로 됨 (<u>조직침범</u> 가능)
- 임상양상 ; 대부분은(90%) 무증상, 잠복기 평균 2주, 보통 subacute onset (1~3주에 걸쳐)
  - intestinal amebiasis ; A/N/V/D, mild diarrhea ~ dysentery까지 다양, 복통, 혈변, tenesmus
    (Cx ; appendicitis, bowel necrosis, perforation, obstruction, toxic megacolon ...)
  - 드물게 만성화되면 IBD와 혼동 가능 (→ steroid는 amebiasis를 악화시키므로 감별에 주의)
  - extraintestinal amebiasis (약 10%에서) ; liver (m/c), lung, brain 등에 abscess 형성
- 진단(intestinal amebiasis)   → 간 농양은 소화기내과 Ⅱ-8장 참조
  - 대개 대변 microscopy, Ag detection (e.g., ELISA), NAT (e.g., PCR) 등으로 진단
  - 혈청(Ab) 검사(e.g., IHA, ELISA) ; 급성 감염과 과거 감염은 구별 못함
  - sigmoidoscopy and/or colonoscopy ; cecum과 colon을 m/c 침범, perforation 위험에 주의
- 치료
  - 무증상이라도 모든 amebiasis는 치료함 (∵ invasive dz.로 발전 및 전파 예방)
  - metronidazole 10일 (or tinidazole 3일) 및 luminal amebicides (e.g., paromomycin 7일)

Giardiasis (람블편모충증)

- 람블편모충(*Giardia lamblia*) ; *G. intestinalis, G. duodenalis* 등으로도 불림
  - 대변▷경구로 감염 (*E. histolytica*와 같음), <u>조직침범은 안함</u>, 장 점막에 흡착하여 기생
  - 수인성 집단 설사 or 여행자 설사의 중요 원인균
- humoral immunity가 방어에 중요 ; hypogammaglobulinemia 환자에서는 심한 설사 발생
  (c.f., AIDS 환자에서는 더 심하지는 않지만, 치료에 반응이 떨어질 수 있음)

- 임상양상 ; 대부분 무증상(→ 보균자로 됨), 설사, 복통, 권태감, 체중감소, 흡수장애, cholangitis ...
- 진단 ; 대변 Ag detection, 혈청검사, NAT (PCR), microscopy 등
- 치료 ; <u>tinidazole</u> (DOC) or nitazoxanide, metronidazole, paromomycin (임산부) 등

Cryptosporidiosis (와포자충증)

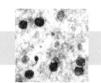

- 와포자충속(*Cryptosporidium*) : 사람을 포함한 척추동물의 소화관에 기생하는 intracellular protoza
  - *C. parvum* : 사람을 포함한 여러 동물에 감염(e.g., 소, 개, 고양이, 쥐)
  - *C. hominis* : 주로 사람에만 감염 ... 이 2종이 주로 인체감염을 일으킴
- 전파 ; <u>대변</u>으로 배출된 난포낭 → 오염된 <u>물/채소</u> 등을 통해 경구 섭취 or 사람/동물의 직접 접촉
- 역학 ; 위생 상태가 좋지 않은 후진국에 더 흔함, 선진국도 종종 집단 설사 or 여행자 설사의 원인
  - 우리나라 ; 감염률 1~2% 추정, 채소에서 흔하게 발견됨, 2012년 제기동 모 아파트에서 노후된
    저수조가 인접한 정화조에 의해 와포자충에 오염되어 수백명에서 집단 설사 발병한 적 있음
  - 미국 ; 최근 지속적으로 증가, 설사 질환의 3rd m/c 원인, 수영장/워터파크도 주요 감염원
- 병인 ; 난포낭은 소장에서 탈낭 → 4개의 banana-shaped motile 포자소체(sporozoites)가 나옴
  → 소장점막 상피세포를 <u>침범</u>, 세포내에서 meronts로 성숙 → 세포가 파괴되면 merozoites 유리
  → 다시 새로운 상피세포를 침범 / 일부는 난포낭(oocysts)으로 되어 배변으로 배출됨
- 임상양상
  - 무증상(~30%), 경미한 설사, 심한 장염까지 다양 / 잠복기 7~10일
  - 면역정상 ; <u>수양성 설사</u>, A/N/V, 발열, 복통 등 → 1~2주 뒤 자연 치유됨
  - 면역저하(특히 CD4+ count <100/μL의 AIDS 환자) ; 심하고 오래 지속되는 설사 & 탈수,
    장 이외에도 침범 가능(e.g., 담도염, 담낭염, 췌장염)
- 진단
  - 검체 ; 대변(stool), duodenal aspirates, bile secretions, biopsy
  - <u>현미경</u>으로 난포낭 발견 ; modified acid-fast stain (빨간색으로 염색), IF mAb & Ag capture
  - 기타 ; PCR (상용화된 multiplex PCR 많음 - 아래 예), 항체검사(IFA, ELISA ; 주로 역학연구)

Allplex™ GI-Parasite Assay

Analytes	· Blastocystis hominis (BH)	· <u>Cryptosporidium</u> spp. (CR)
	· Cyclospora cayetanensis (CC)	· Dientamoeba fragilis (DF)
	· Entamoeba histolytica (EH)	· Giardia lamblia (GL)

Allplex™ GI-Helminth(I) Assay

Analytes	· Ancylostoma spp. [7] (AN)	· Ascaris spp. [8] (AS)
	· Enterobius vermicularis (EV)	· Enterocytozoon spp. / Encephalitozoon spp. [9] (EN)
	· Hymenolepis spp. [10] (HY)	· Necator americanus (NA)
	· Strongyloides spp. [11] (ST)	· Taenia spp. [12] (TA)
	· Trichuris trichiura (TT)	

- 치료 ; 보존적 치료가 주(e.g., 수액 및 전해질 보충, 지사제)
  - 면역저하자 ; 면역을 회복시키면 증상이 빠르게 좋아짐 (e.g, HIV 감염자에서 ART)
  - 아직 매우 효과적인 치료제는 없음, 유일하게 nitazoxanide만 와포자충증에 허가[FDA]
  - 설사가 오래 지속되는 경우 → nitazoxanide ; 면역정상이면 3일, 면역저하자는 2주 이상
    → 매우 심하면(>10 L/day) nitazoxanide (or paromomycin) + azithromycin 병합요법
- 예방 ; 물은 끓여먹거나 정수필터 사용, 과일/채소도 잘 씻기, 해외여행시 특히 물 주의

Toxoplasmosis (톡소포자충증)

- *Toxoplasma gondii* ; 세포내 기생 원충/원생동물(protozoa), 3가지 형태로 존재 (모두 infectious)
  - 난포낭(oocysts) : <u>고양이 대변</u>으로 배출 (배출 기간은 1~2주로 짧음) → 흙을 통해 전파
  - 빠른분열소체(tachyzoites) : 급성기에 빠르게 증식하는 형태, 여러 조직/체액에서 관찰 가능
  - 느린분열소체(bradyzoites) : 면역반응에 따른 조직의 낭포(cyst) 내에서 천천히 증식하는 형태
- 고양이가 종숙주인 기생충이지만, 사람을 포함한 대부분의 동물이 중간숙주로 감염 가능
- 감염경로
  - ① 난포낭 or 난포낭으로 오염된 과일, 야채, 물 등의 섭취
  - ② 조직낭포를 함유한 중간숙주 동물의 조직 섭취 (돼지, 멧돼지, 양 등의 고기를 덜 익혀 먹음)[m/c]
  - ③ 태반을 통한 감염 : 임신 직전 ~ 초기에 감염되면 빠른분열소체가 태반을 통과 가능
    - → congenital Toxoplasmosis ; 유산, 사산, chorioretinitis, 뇌석회화, 수두증, 경련, 정신지체
  - ④ 드물지만.. 조직낭포를 함유한 장기 이식, 빠른분열소체를 함유한 혈액 수혈
- 역학(우리나라) ; 항체 양성률 5~30% → 무증상 감염으로 모르고 지나간 경우 많음
- 임상양상 (면역 정상이면 대부분 무증상)
  - 초기 일부에서 (잠복기 5~23일) 경미한 전신증상(발열, 두통 등)과 bilateral, symmetrical, nontender <u>cervical lymphadenopathy</u> 발생 → 수주 뒤 소실 (adenopathy는 더 오래 지속)
  - ocular toxoplasmosis ; 무증상 ~ chorioretinitis, posterior uveitis, 시력장애, 실명
  - 면역저하자(e.g., AIDS) ; 새로운 원충이 급격히 증식 or 잠복감염의 재활성화(더 흔함)
    - Toxoplasma IgG 양성인 경우 CD4+ count <100/μL이면 재활성화 위험↑
    - CNS 증상 (뇌염 ; 발열, 두통, 경련, 의식변화, 운동장애)[m/c], chorioretinitis, 폐렴 등
- 진단
  - 주로 <u>혈청검사</u>로 진단(e.g., ELISA) ; IgM은 급성기에만 검출, IgG는 평생 검출 가능
  - PCR (혈액 및 체액, 조직) ; specificity는 높지만, 검체에 따라 sensitivity는 낮을 수 있음
  - 원충 확인 (어려움) ; 혈액 등 체액에서 tachyzoites, 조직에서 tachyzoites or 낭포(bradyzoites)
  - LN biopsy ; follicular hyperplasia / FNA로 tachyzoites (→ 면역/형광 염색, PCR로 검출 가능)
- 치료 ; 면역정상인 성인은 치료 필요 없음 / 증상이 심하거나 오래 지속되는 경우만 치료
  - <u>pyrimethamine + sulfadiazine</u> + folinic acid (leucovorin) 병합요법 2~4주
  - 임산부 : spiramycin로 태아 감염 예방, 태아 감염 시에는 위와 동일한 병합요법
  - congenital toxoplasmosis : pyrimethamine + sulfadiazine + folinic acid 병합요법 1년간

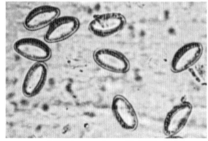

요충(*E. vermicularis*) 충란
; 감씨 모양 [스카치 테이프 검사]

편충(*Trichuris trichiura*) 충란
; 술통 모양

회충(*A. lumbricoides*) 충란
Unfertilized   Fertilized

Helminthic^{연충} Infections / Nematode^{선충(roundworm)}

Enterobiasis (Pinworm, 요충증)

- 요충(*Enterobius vermicularis*) ; <u>직접 접촉</u>에 의해 전파되는 장내 선충, 사람이 유일한 숙주
  - 수컷 ; 3~5 mm, 꼬리가 배 쪽으로 말려 있음, 감염 뒤 금방 빠져나가 보기 어려움
  - 암컷 ; 8~12 mm, 꼬리가 뾰족하고 긺, 맹장 부위에 기생하다가 밤에 <u>항문</u> 주위로 나와 산란
    - → 배출된 충란은 4~6시간 뒤 감염성 충란(embryonated egg)으로 성숙함
      (건조 환경에서는 1~2일, 습한 환경에서는 몇 주 정도 감염성을 유지함)
  - 암컷 한 마리의 평균 산란량은 11,000개 정도
  - 감염성 충란 섭취 후 암컷이 항문으로 나오는 데까지는 약 30~50일 소요
- 감염경로 : 항문 주위를 긁을 때 손가락에 묻은 충란 → 옷, 침구, 주변 환경 등에 전파
  ① <u>경구 섭취</u> (m/c) ; 충란에 오염된 손가락을 빨거나, 오염된 음식 섭취
    ↳ 십이지장에서 부화, 폐 이행 없이 바로 맹장에서 성충으로 성장
  ② 흡입(airborne) ; 충란은 매우 작고 가벼우므로 실내에서 먼지와 함께 떠다니다 흡입도 가능함
  ③ 산란된 충란이 그 곳에서 성장/부화하여 항문을 거슬러 올라가 재감염
- 역학 ; 온대~한대, 인구밀집지역, 소아에서 호발 (유치원이 m/c), 우리나라 국소적으로 유행 지속
- 임상양상 (무증상이 많음)
  - 항문주위 소양증/통증 (m/c), 야뇨증, 불면증, 주위산만, mild GI Sx (A/N/V/D) 등
  - 드물게 충수돌기염, 여성에서는 생식기로 들어가 질/자궁/난관/복강에 육아종 발생 가능
- 진단 ; 항문주위 셀로판(스카치) 테이프 검사로 충란 관찰 (위음성이 많으므로 3회 이상 반복)
  - 대변검사는 권장× (대변에 충란 거의 없음), eosinophilia나 IgE↑는 드묾
- 치료 ; albendazole, mebendazole, pyrantel pamoate (임산부)
  - 3주 간격 3회 이상 반복 (∵ 재감염 흔함, 어린 요충은 구충제로 잘 제거 안 됨)
  - 가족 (or 유치원) 집단 치료도 필요
- 예방 ; 개인위생(e.g., 손톱깎기, 손씻기, 목욕, 옷/침구 빨래/일광소독, 비데 사용), 환경 청소

Trichuriasis (편충증)

- 편충(*Trichuris trichiura*) : 3~5 cm 길이, 현재 우리나라 장내 선충 중 요충 다음으로 m/c
- 토양매개성 기생충 ; 회충과 비슷하게 전파, 경구로 감염 (사람만 감염됨), 소아에서 호발
- 체내에서는 ileocecal area ~ cecum에 서식 (심하면 severe IDA 발생)
- pathology ; 점막 손상 (장 점막에 머리를 박고 기생함)
- 대부분 무증상 (∵ 체내 순환 無), 감염량이 많으면 복통, 설사, IDA 등 가능
- 진단 ; 대변에서 충란 (or 대장내시경에서 성충) 확인
- 치료 ; mebendazide, 심하면 albendazole (± oxantel pamoate, or ivermectin)
  - → 회충보다는 효과가 떨어져 오래 치료해야 됨 (5~7일) → 2~4주 뒤 F/U 필요

Ascariasis (회충증)

- 회충(*Ascaris lumbricoides*) ; 인체 감염 장내 선충 중 가장 큼 (길이 ~35 cm, 직경 6 mm)
  - 충란 → 소장에서 유충으로 부화 → 장벽을 뚫고 폐로 이동(1~2주 성장) → 소장에서 성충으로 자람
  - 섭취한 충란의 양이 감염량 결정, 성충은 체내에서 증식× (1~2년 산 뒤 대변으로 배출)
- 전파 ; 감염성 충란(embryonated egg)에 오염된 흙, 물, 채소 등을 섭취 … 토양매개성 기생충
- 역학 ; 후진국 농촌 어린이에서 호발 / 우리나라 1970년대까지 감염률 약 50% → 현재 거의 소멸
  (위행환경 개선, 화학비료 사용 등으로 거의 사라짐, 매년 10명 미만 보고)
- 임상양상
  - 대부분 무증상 ~ mild GI Sx (감염량이 많은 경우에는 덩어리 형성 → 장 폐색 가능)
  - 감염 초기 1~2주 유충의 폐 이행 → 일시적 eosinophilic pneumonia (Loeffler syndrome)
  - 소아 → 영양실조로 인한 복부팽만, 성장/발달 지연
- 진단 ; 대변에서 충란 확인, PCR 등 (때때로 성충이 항문, 입, 코 등으로 배출 가능)
- 치료 ; albendazole 1회, mebendazole 3일, or ivermectin 1회 (임산부는 pyrantel pamoate 1회)

Toxocariasis (개회충증) = visceral/ocular larva migrans[VLM/OLM]

- 주로 **개회충**(*Toxocara canis*)이 원인, 드물게 고양이회충(*Toxocara cati*)도 가능
  - 개의 감염률 ; 전 세계적으로 5~20% (후진국일수록 높음), 성견보다 강아지가 훨씬 높음
  - 토양매개성 기생충 → 밖에서 기르는 개들에 흔함 (2개월에 한 번씩 구충제를 먹이는 것이 좋음)
- 개가 definitive host^{종숙주}로, 개의 대변으로 나온 충란을 통해 전파/감염됨
  - 사람은 paratenic host^{연장숙주} (accidental host^{우연숙주})임
  - 토양에서 약 3주 뒤 감염성 충란(embryonated egg)으로 성숙 (수년 이상 감염성 유지)
    → 장에서 유충으로 부화 → 간을 거쳐 폐로 이행, (종숙주가 아니라서) 성충으로 성장을 못하고
    계속 유충 상태로 순환계/조직을 통해 전신을 이동 ; 폐, 식도/장, 간, 심장, 눈, 근육, CNS 등
    → 심한 국소적 eosinophilic granuloma 형성 (∵ excretory-secretory Ag에 대한 과민반응)
    ↳ 조직검사에서 유충을 발견하기는 매우 어려움!
- 전파 ┌ 충란에 오염된 흙(→ 놀이터/운동장 등에서 손에 오염) or 채소 섭취 … 주로 소아
  └ 유충에 감염된 paratenic hosts 생식 (소, 닭 등 다양한 척추동물) … 주로 성인
- 역학(우리나라-흔함!) ; 항체 양성률 5~7%, 성인은 주로 소간을 날로 먹고 감염됨
- 임상양상
  - 침범/육아종 발생 장기, 감염량, 숙주의 면역반등 등에 따라 다양함
  - pneumonitis ; 천식 비슷한 증상, rales 흔함, CXR/CT에서 multiple nodules with halo/GGO
  - hepatitis ; A/N/V, hepatomegaly, nodular lesions …
  - ocular larva migrans (OLM) ; 망막, 황반 등에 granuloma 형성 → 시력 ↓/상실
- 진단 … 주로 임상양상 + 혈청검사(ELISA or WB)로 진단, eosinophilia의 매우 흔한 원인임!
  - 혈청검사 ; excretory-secretory Ag에 대한 IgG Ab, 민감도/특이도 85~90% → 위양성에 주의
  - 기타 ; PCR, Ag 검출, CT/MRI, biopsy (권장×), 대변 충란 (성충으로 성장 못하므로 권장×)

- 치료 ; 대부분은 경미하고 자연 치유됨 (→ 치료 안함!)
  - 증상이 심하면 albendazole (5일)로 치료 (∵ BBB를 통과하므로 권장됨)
  - 중요장기(CNS, 심장, 눈 등) 침범, 증상 악화, 심한 알레르기 증상 등 때는 steroid도 투여

Anisakiasis (아니사키스증/고래회충유충증)

- 고래회충(*Anisakis* spp.) ; 해양 포유류(고래, 돌고래, 바다표범 등)를 종숙주로 하는 회충류를 총칭
  - 우리나라에는 바다표범회충(*A. pegreffii*)이 m/c, 일본은 고래회충(*A. simplex*)이 m/c
  - 우리나라 바다 어류의 감염률 61%, 마리당 평균 13.8개, 길이 20~35 mm
- 전파 ; 해양 포유류 대변으로 배출된 충란 → 해수 내에서 제2기 유충으로 성숙 → 제1중간숙주인
  새우류에 감염 (제3기 유충으로 성숙) → 제2중간숙주인 어류/두족류(오징어, 낙지)가 잡아먹음
  → 감염된 어류/두족류를 날로 먹으면 인체 감염 가능 (유충이 위/장벽을 뚫고 들어감)
- 역학 ; 어류를 날(회)로 먹는 일본, 한국, 중국, 네덜란드 등에 흔함
  - 우리나라 ; 붕장어(아나고), 오징어, 조기, 방어, 광어, 고등어 등에 흔함 (거의 모든 어류가 가능)
  - 신선할 때는 어류의 장관 내에만 유충이 있어서 감염 확률이 매우 낮지만,
    죽은 지 시간이 경과할수록 장간막/복강 → 내장기관, 근육으로 이동하므로 감염 확률↑
    (매운 양념, 겨자, 식초 등으로도 쉽게 죽지 않음)
  - 작은 어류(e.g., 멸치) 전체를 날로 먹을 때도 감염 확률↑
- 임상양상 ; 위(m/c, 83.4%), 소장, 대장, 식도 등을 침범
  - 위 ; 생선회를 먹고 3~6시간 뒤 갑자기 severe GI Sx (복통, N/V) 발생 (유충이 많을수록 심함)
    → 식중독과 감별해야!
    (만성으로 진행되면 위벽에서 eosinophilic granuloma 유발 가능; SMT 양상)
  - 소장 ; 1~5일 뒤 GI Sx 발생, 급성충수염 or 크론병 유사 증상, 장폐색 등 가능
  - 드물게 장벽을 뚫고 나가 다른 장기에서 extraintestinal granuloma 유발 가능
  - excretory-secretory Ag에 의해 알레르기 반응도 발생 가능 (eosinophilia도 동반)
- 진단
  - 내시경으로 유충 확인/제거! (성충으로 성장 못하므로 대변에는 충란 없음)

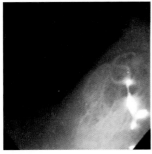 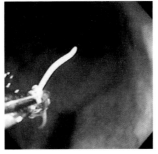

  - 점막 표면에 있으면 쉽게 발견 가능하지만, 만약 점막/점막하층까지 파고든 경우는 놓칠 수 있음
    ; SMT로 의심되어 EUS로 진단 (→ EMR로 치료) or biopsy로 진단
  - 기타 ; 항체검사(ELISA, 잘 안 쓰임), *Anisakis*-specific IgE↑, eosinophilia는 보통 無

- 치료 : 내시경으로 유충 적출 (약물치료는 필요 없고, 효과적인 구충제도 없음)
  - 유충이 위벽내로 들어가 적출 불가능 → 경과관찰 (∵ 치료하지 않아도 며칠 뒤면 죽음)
    ↳ 증상이 매우 심하거나, 다른 장기를 침범했으면 수술도 고려
  - 증상조절 및 allergy 반응 예방을 위해 치료해야 됨

Trichinellosis (선모충증)

- 선모충속(*Trichinella*) ; 8종이 있으며, 숙주특이성이 약해 숙주가 아주 다양함, 광범위하게 분포
  - 감염된 동물의 근육을 먹고 감염 → 거의 모든 육식성 포유류에 감염 가능 (주로 돼지, 설치류)
  - 근육 속 포낭에 쌓인 유충(encysted larva) 섭취 → 소장에서 성충으로 성장 (크기 1.2~2.2 mm)
    → 암컷 성충이 유충을 배출 (섭취 4~5일째부터) → 장점막 내 혈관을 통해 전신 순환계 침입
    → 주로 근육으로 이행, 근육에서 encysted larva로 생존 (수년 이상)
- 역학/전파 ; 감염된 근육을 날로 or 덜 익혀 먹고 감염 (순환기에는 피도 가능)
  - 과거에는 육류를 많이 먹는 유럽, 북미에서 주로 발생했으나, 현재는 전 세계적으로 발생
  - 우리나라 ; 1977년 오소리를 먹고 처음 발생, 이후 종종 멧돼지, 자라 피 등을 날로 먹고 발생
- 임상양상
  - severity는 섭취한 유충 수와 비례, 소량 섭취시에는 (<10 larvae/g^{근육}) 대부분 무증상
  - intestinal stage (섭취 후 2~7일) ; 장점막 침범/자극 → 복통/경련, N/V/D 발생 가능
  - migration & muscle stage (섭취 2주 이후)$^{m/i}$; 과민반응(e.g., 발열, 눈주위/얼굴 부종,
      두통), 근육통, 3주 후 근육에 정착 & encysted되면서 점점 증상은 호전됨
        → 주로 외안근, 이두근, 턱, 목, 허리, 횡격막 등 침범 (심장, CNS, 신장, 폐 등도 침범 가능_
  - Lab ; muscle stage 때 eosinphilia, CK↑, ESR↑
- 진단 ; 음식 섭취력과 임상양상이 중요
  - 혈청검사(e.g., ELISA, IFA) ; 대개 정확한 편, 섭취 3주 이후부터 양성, titer는 severity와 관련×
  - 근 생검 (확진 가능) ; 최소 1 g 필요, tendon insertion 부위에서 검출률 높음,
      조직병리검사보다는 슬라이드 압평법이 encysted larva를 더 잘 발견함
- 치료 ; 경미한 경우는 대부분 self-limited → 진통제 만 (구충제는 치료 필요×)
  - 전신 증상 → albendazole (or mebendazole) ± steroid

Helminthic^{연충} Infections / Trematode$^{흡충(fluke)}$

c.f.) Schistosomiasis (주혈흡충) ; 우리나라에는 없음 (∵ 중간숙주인 oncomelania 우렁이 無)
  - 세계적으로는 2억 이상의 감염자 (90%가 sub-Saharan Africa), 말라리아 다음으로 중요
  - 충란 → 물속에서 섬모유충 탈출 → 우렁이에 침입 : 유미유충으로 성숙 → 물속에서 자유 유영
    → 사람의 피부를 뚫고 침입 : 전신의 혈관에 기생 (주로 방광, 간), 주 증상 발생
  - 진단 ; 대변/소변에서 충란 확인, 혈청검사, biopsy 등 / 치료는 praziquantel이 특효약

Clonorchiasis (liver flukes, 간흡충증)

- *Clonorchis sinensis* (우리나라), *Opisthorchis felineus, O. sinensis* 등 여러 간흡충이 있음
  ↳ 작은 버들잎 모양 (10~20 × 4 × 1 mm 크기)
- 전파 ; 우렁이 등 담수패류(제1중간숙주)가 충란을 섭취 → 꼬리유충(cercaria)으로 배출
  → 물속에서 민물어류(제2중간숙주) 피부를 뚫고 근육에 침입 ; 피낭유충(metacercaria)으로 성숙
  → 사람 등 종숙주는 민물어류를 회로 먹고 감염됨(e.g., 잉어, 붕어, 피라미 등)
  (간내 담관에 기생하면서 충란을 담즙→대변으로 배출)
- 역학 (우리나라) ; 감염률 1970년대 약 5%에서 2013년 1.9%로 줄었고, 현재는 더 줄었을 듯
  - 아직 매년 1000~2000명 보고됨 … 국내 보고되는 기생충 감염 중 m/c
  - 민물고기를 회로 먹는 강 유역에서 주로 발생
  - 사람에서 간흡충의 수명은 수십 년, 면역력 無 → 재감염/추가감염도 가능
- 임상양상 (경미한 감염은 대부분 무증상)
  - 초기 일부에서 담관염 증상 ; 복통, 압통, 발열, 설사, 황달 등
  - 만성 합병증 ; gallstone, cholangitis, cholangiohepatitis, LC, cholangiocarcinoma (담관암) 등
- 진단
  - 대변검사 (m/g) ; 현미경으로 충란 발견, sensitivity & specificity 거의 100%
  - 혈청(Ab)검사 ; ELISA, RDT 등 → 집단 screening에 사용 / NAT (PCR)도 개발 중
- 치료 : praziquantel 1~2일 (DOC) or albendazole, mebendazole
    ↳ 치료 잘 되고, 예후 좋음

Fascioliasis (간질증)

- *Fasciola hepatica* or *Fasciola gigantica* : 간질(肝蛭) = 간에 사는 거머리(蛭)
  ↳ 전 세계적 분포　　↳ 일부 열대지방에만 분포 (아프리카, 서태평양, 하와이, 동남아시아 등)
  - 주로 초식동물(소, 염소, 양, 말 등)의 담도에 기생하는 흡충 (zoonosis)
  - 크기가 큼 (나뭇잎 모양, 30 × 15 mm) → 한 마리만 감염되어도 증상 발생
- 전파 ; 충란이 물(강, 저수지, 논) 속에서 miracidia로 성숙 → 물달팽이 등 담수패류(중간숙주)에
  침입(sporocysts → rediae → cercariae로 성숙) → 꼬리유충(cercariae) 배출, 물속에서 자유 수영
  → 물풀 표면에 붙어서 피낭유충(metacercariae)으로 성숙 → 사람/초식동물이 섭취 & 감염
  - 소장에서 탈낭 → 유충이 장벽을 뚫고 복강으로 나옴 → 간 피막을 뚫고 간내 담관으로 이동
  - 사람은 물풀(e.g., 미나리) or 감염된 초식동물의 간을 날로 먹을 때 감염됨
- 역학 ; 소/양을 방목하는 남미, 미국, 유럽에서 호발 / 우리나라도 종종 보고됨
- 증상 ; 대부분은 경미함, 조직 관통력이 강해 간 이외의 이소기생도 흔함
  - acute (liver) phase ; RUQ 복통, 발열, 간비대, 황달, A/N/V, severe eosinophilia
  - chronic (biliary) phase ; 6개월~10년, 대개 무증상, 복통, N/V/D, CBD obstruction 등
  - ectopic fascioliasis ; 복부의 피하조직, 폐, 심장, 뇌, 근육, 눈 등에 가능

- 진단
  - 현미경으로 충란 발견 (stool, duodenal aspirates, bile 등) ; 이소기생의 경우는 발견×
    - ↳ 3~4개월이 지나야 충란 배출 가능 → 혈청검사가 초기 진단에 유용함
  - 기타 ; 혈청(Ab)검사 (2~4주 이후 검출), 내시경/수술 중 성충 발견, PCR, 영상검사 등
- 치료 : triclabendazole이 DOC (praziquantel은 효과 없음!)

Paragonimiasis (lung flukes, 폐흡충증)

- 폐흡충(*Paragonimus* spp.) ; 약 10여종이 인체감염을 일으키며 우리나라는 *P. westermani* 한 종,
  성충은 강낭콩 모양으로 통통함 (약 10 × 5 × 3~5 mm 크기)
  - 제1중간숙주 ; 다슬기, 우렁이 등 민물 달팽이류 / 제2중간숙주 ; 참게, 가재 등 민물 갑각류
  - 종숙주(보유숙주) ; 너구리, 족제비, 여우, 늑대 등 야생동물
- 감염경로 ┌ 제2중간숙주인 민물 참게(게장), 가재의 생식이 대부분 ⋯ 식품매개성 기생충
  └ 드물게.. 감염된 야생 육식동물의 생식 or 오염된 조리기구 등을 통해
- 병인 ; 피낭유충(metacercariae) 섭취 → 십이지장에서 탈낭 → 장관벽을 뚫고 복강으로 나옴
  → 복벽과 횡격막을 관통하여 흉강으로 이동 → 폐 조직을 침입하여 성충으로 자람 (~5-6주)
  - 성충 ; 매일 약 2만개 산란, 수명 ~20년, ≤20개체, 섭취~산란까지는 65~90일 소요
  - 긴 이행경로에 따라 강한 조직반응 유발, 폐 이외의 이소기생(ectopic parasitism) 흔함
  - 폐 등 침범 장기에 2~5 cm의 <u>worm cysts</u>충낭 형성 (성충2마리, 혈액, 염증세포, 삼출액으로 구성)
    → 조직 파괴, 출혈, 충란 배출 (주로 객담으로 배출, 일부는 삼켜진 뒤 대변으로 배출)
- 역학 (우리나라) ; 옛날에는 흔했지만, 지속적으로 감소하여 최근에는 연간 1~2건으로 거의 사라짐
  (∵ 산업화로 인한 자연환경 변화, 농약 등 → 참게, 가재 감소 / 양식 참게↑)
- 임상양상 (다른 기생충과 달리 증상이 있는 경우가 흔함) → 폐결핵 및 폐암과 감별 필요
  - 폐 침범 (m/c); <u>객혈</u>, 객담(비린 냄새), 기침, 권태감, 흉통, pleural effusion, 기흉 ⋯
  - 폐외 이소기생 ; <u>CNS</u>, 복강(장간막, 장벽, 간, 비장, 신장, 자궁 등), 피하조직, 안구 등
- ectopic parasitism이 문제 ; lung, abdomen, brain, cutaneous, systemic ⋯
- CXR/CT ; ring <u>cysts</u>, nodules, atelectasis, pleural effusion, pneumothorax 등 다양한 양상
  (특징 ; 병변의 모양 & 위치가 빠르게 변함, 경계가 불분명한 경우 흔함, 치료 후 후유증 드묾)

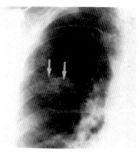 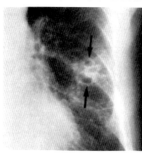

침윤(patchy opacity) 및 small ring cysts
→ 단일 폐결절(SPN)로 보이는 경우 많음

Cysts가 폐실질에 위치한 경우는 흉막으로
부터 이어지는 선상음성도 발견 가능
(유충이 이동한 경로)

Pleural effusion 동반도 흔함

- 진단
  ① 특징적인 충란(ova) 발견 (확진) : 객담, 대변, BAL, 흉수, 조직 ⋯ 약 50%에서만 발견됨
    (24-hour sputum collection → sensitivity↑)

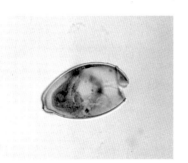
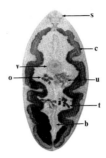

V: ventral sucker
O: ovary
S: oral sucker
C: cecum
U: uterus
T: testis
B: excretory bladder

 ② 혈청검사가 유용함(e.g., ELISA) ; sensitivity & specificity 높음 (>90%)
 ③ 기타 ; Ag detection, PCR (연구 중)
• 치료 : praziquantel 3일 or triclabendazole 1~2회(효과 빠르고 순응도 더 좋음)
 – 뇌를 침범한 경우에는 죽은 충체에 의한 심한 염증반응 위험이 있으므로 steroid도 투여
 – 거의 100% (폐) ~ 95% (폐외) 완치되며, 충체 사멸 이후에도 조직 정상화에는 수개월 걸림

Intestinal flukes (장흡충증)

• 사람에 기생하는 장흡충은 약 70종, 크기 수 mm ~ 수 cm, 극동아시아 및 동남아시아에 호발
 – *Fasciolopis buski, Heterophyes heterophyes, Metagonimus yokogawai, Echinostoma* 등이 m/c
 – 우리나라 ; 20종 확인, 11종이 주로 유행, 매년 400~500명 보고됨, 요코가와흡충이 m/c
 – 면역 정상인 경우 가벼운 소화기 증상뿐이라 별다른 관심을 받지 못했었음

• 요코가와흡충(*Metagonimus yokogawai*)
 – 크기 약 1~2.5 × 0.5 mm로 매우 작은 흡충, 자연계 종숙주는 개, 고양이, 쥐 등
 – 감염자(동물)에서 배출된 충란이 여러 숙주를 거친 뒤 주로 은어, 황어를 회로 먹고 감염됨
  (은어가 나는 동해안 및 남해안의 여러 하천 유역에 광범위하게 분포)
 – 소장 점막에 부착하여 기생하면서 성장 & 산란 (감염 후 약 1주일이면 성충이 되어 산란함)
 – 임상양상 ; 설사, 복통, 체중감소, 무력감, 식욕부진 등
 – 진단 ; 대변에서 충란 발견 (감별이 어려우면 구충제/하체 투여 후 얻은 설사변에서 성충 확인)
       ↳ 간흡충의 충란과 매우 비슷함 ⋯ 건강검진에서 우연히 발견되기도 함
 – 치료 ; praziquantel 1회 투여하면 완치됨

간흡충(*Clonorchis sinensis*)   충란   요코가와흡충(*Metagonimus yokogawai*)

Helminthic^연충 Infections / Cestode^조충(tapeworm)

Sparganosis (고충증, 스파르가눔증)

- genus *Spirometra* ; 6 species (우리나라는 *S. decipiens*)
  ↳ 유충/충미충(plerocercoid, sparganum)의 인체감염을 sparganosis (고충[蠱蟲]증)라고 부름
  ; 하얀 리본 모양 (폭 1~5 mm, 길이 5~50 cm), 인체 내 수명 20년 이상
- 전파/감염경로 ; 종숙주(개, 고양이, 늑대 등)의 소장에서 "2 m" 내외 성충으로 성장 → 충란 배출
  → 물속에서 성숙하여 섬모유충(coracidia)이 됨 → 물속에서 자유롭게 유영
  → [제1중간숙주]물벼룩 등 작은 갑각류 : 원미충(procercoid)으로 성숙 ⋯→ 시냇물/약수 마시고 감염
  → [제2중간숙주]파충류, 양서류, 민물고기, 포유류 등 : 충미충(plerocercoid)으로 성숙 → 종숙주가 섭취
  ⋯→ 주로 뱀(꽃뱀에 多), 개구리 등을 날로 먹고 감염 [사람도 제2중간숙주임]
- 병인 ; 섭취된 유충들은 (성충으로 성숙하지 못하고) 충미충 상태로 장벽을 뚫고 전신을 돌아다님
  → 마지막 기생 장소에 정착하면 성장을 계속하여 mass 형성 → 통증, 염증반응, 육아종
- 역학 ; 전 세계적으로는 드물지만, 개구리/뱀을 먹는 우리나라(>450예) 및 동남아시아에서는 흔함
- 임상양상 (상당수는 무증상)
  - 감염 부위 ; 피하조직 (50%), CNS (36%), 내부 장기 (8%), 눈, 근육 등
    ↳ 하지 (35%), 몸통 (26%), 유방 (17.5%), 음낭 등 (여성은 유방이 34.2%)
  - 피하조직 ; 통증을 동반한 천천히 움직이는 피하결절 (서서히 커짐)
  - CNS (가장 심함) ; 발작, 두통, 편마비, 인지기능 장애 등
  - 내부 장기 ; 폐 (기침, 발열, 흉통, pleural effusion), 복강 (장폐쇄/파열) 등
- 진단 (감염 부위에 따라 다름) ; 수술로 충체 확인, biopsy, CT/MRI, 항체검사(ELISA) 등
- 치료 ; 가능하면 수술로 충체를 제거하는 것이 m/g
  - 수술이 불가능하면 (특효약은 없지만) high-dose praziquantel이 효과적
  - 예후는 침범 부위에 따라 다름 (e.g., 뇌, 눈은 수술이 거의 불가능해 예후 나쁨)

Cysticercosis (유구낭미충증)

- 유구조충(*Taenia solium*)의 유충인 유구낭미충(*Cysticercus cellulosae*)에 의한 인체 감염
  ↳ 과거 갈고리촌충(pork tapeworm)으로 불리었음
  - 돼지 ; 사람의 대변으로 배출된 충란을 통해 감염, 낭미충만 보유 가능 (중간숙주)
  - 사람 ; 낭미충과 성충 보유 가능 (중간숙주 & 종숙주)
- 감염경로/역학 (우리나라는 거의 사라졌지만, 아직도 종종 발생함)
  ① 낭미충 보유 돼지고기를 덜 익혀 먹음 (과거 제주도에 호발, 1990년 이후엔 돼지에 낭미충 無)
  ② 감염자가 배출한 충란 or 충란에 오염된 음식 등을 섭취 (외국인 or 탈북자 의심)
  ③ 자신이 배출한 충란 섭취, 성충이 장 속에서 파열 & 충란이 유리되어 내부 자가감염 등

- 병인
  - 섭취한 낭미충이 소장에서 탈각, 성충으로 성숙 → 충란 배출 ⋯→ 본인/다른사람/돼지에 전파
    └ 장벽을 뚫고 혈류/임파선을 따라 신체 여러 부위로 이동
  - 섭취한 충란이 소장에서 부화 → 낭미충이 장벽을 뚫고 이동 ; 피하조직, 근육, CNS로 잘 감
  - 주변 조직의 염증/섬유화를 유도하며 cysts 성숙 (→ 죽으면 석회화되어 조직에 흡수됨)
  - 수명 ; 근육 – 1년 내외, 피하조직 – 5~7년, 뇌 – 5년 ~ 그 이상도 가능
- 임상양상
  - neurocysticercosis (NCC) ; N/V, 두통, 경련/간질, 의식저하, 운동장애 등
    ① intraparenchymal NCC (>60%) ; 간질발작(m/c), 시각장애, 국소 신경장애, 수막염 등
      (무증상으로 CT/MRI에서 우연히 발견되는 경우가 많지만, 심하면 뇌염 증상도 가능)
    ② intraventricular NCC (10~20%) ; obstructive hydrocephalus, IICP → 두통, N/V, 의식↓
    ③ subarachnoid NCC (5%) ; 가장 심함, hydrocephalus, vasculitis, meningitis, stroke 등
      (cysts가 10 cm 이상으로 커지면 mass effect와 국소 신경장애도 가능)
  - extraneural cysticercosis ; 근육(대개 무증상), 피하조직(무증상 or 결절이 만져지거나 통증)
    └ 석회화가 되면 특징적인 "담배모양 석회화"를 보임
- 진단 ; 항체검사(혈액, CSF)가 유용, brain CT/MRI, biopsy (뇌는 불가능한 경우가 대부분)
- 치료
  - 낭미충 cysts를 제거 가능하면 수술로 적출 (뇌실질은 불가능)
  - albendazole (cysts 1~2개) ± praziquantel (cysts >2개) 10~14일
  - neurocysticercosis 때는 충체가 죽으면서 염증반응이 유발되므로 steroid도 투여

우리나라에서 발생하는 기생충 질환들

		크기	主숙주(중간,우연)	감염경로	主침범	진단
Protozoa (원충, 원생동물)	이질아베바증 (*Entamoeba histolytica*)	20 μm	사람	cyst에 오염된 물 구강-항문 성교	소장 (조직침범 可)	대변검사 Ag, PCR
	람블편모충증(*Giardia lamblia*)	12~15 μm	사람, 고양이, 개 등 포유류, 조류	cyst에 오염된 물	소장 (조직침범 ×)	대변검사 Ag, Ab, PCR
	와포자충증 (*Cryptosporidium* spp.)	4~6 μm	사람, 소, 개, 쥐 등의 포유류	난포낭에 오염된 물, 채소 등	소장 점막세포내 에서 성숙	대변검사 Ab, PCR
	톡소포자충증 (*Toxoplasma gondii*) 면역저하자에서 문제	5~50 μm	고양이 (사람, 돼지 등 대부분의 동물)	덜익은 돼지/양, 난포낭에 오염된 물, 과일, 채소 등	경부 림프절, CNS 등	Ab (主) PCR (원충 확인 힘듦)
	말라리아(*Plasmodium* spp.)	2~20 μm	모기	모기에 물려	적혈구, 간	말초혈액도말 Ag (RDT), PCR
Nematode 선충 (roundworm)	요충증 (*Enterobius vermicularis*)	0.3~1.2 cm	사람(주로 소아)	직접접촉(항문-손) ▷경구$^{m/c}$, 흡입	맹장	항문테이프검사 (대변 충란 無)
	편충증(*Trichuris trichiura*)	3~5 cm	사람(주로 소아)	충란에 오염된 흙 물, 채소 등	소장/맹장	대변 충란 내시경
	회충증(*Ascaris lumbricoides*)	20~50 cm	사람	충란에 오염된 흙, 물, 채소 등	소장>폐>소장	대변 충란 PCR
	개회충증(*Toxocara canis*)	6~10 cm	개, 고양이 (사람, 소, 닭 등)	충란에 오염된 흙, 감염된 소간 생식	소장>간>폐 >전신을 방황	Ab (主), PCR (성충×→충란無)
	고래회충유충증 (*Anisakis* spp.)	2~3.5 cm	해양 포유류 (어류, 두족류)	어류 생식	위, 소장	내시경으로 유충 확인/제거
	선모충증(*Trichinella* spp.) 태생(larviparous)	1.2~2.2 mm	돼지 등 다양	감염된 동물 생식 (멧돼지, 자라피)	소장(유충 배출) >혈관>근육	Ab (主) 근육생검
Trematode 흡충(fluke)	간흡충증 (*Clonorchis sinensis*)	1×2 cm	사람 등 (우렁이>민물어류)	잉어, 붕어 등 민물어류 생식	간내담관 (충란 배출)	대변 충란 Ab, RDT, PCR
	간질증(*Fasciola hepatica*)	1.5×3 cm	소, 염소, 양, 말 등의 초식동물 (물달팽이>물풀)	초식동물(소) 간, 물풀(미나리) 생식	소장)복강)간내 담관 (기타 등등)	대변 충란 Ab, PCR, 내시경/수술
	폐흡충증 (*Paragonimus westermani*)	0.5×1 cm	너구리, 늑대 등 야생 포유류 (민물 갑각류)	민물참게(게장), 가재 생식	소장>복강>흉강 >폐 조직	Ab (主) 충란(객담, BAL, 대변 등)-50%
	장흡충증 ; (*Metagonimus yokogawai*) 요꼬가와흡충	0.5×2 mm	사람 등 포유류 (민물어류, 은어)	민물어류 생식 오염된 칼, 도마	소장	대변 충란
Cestode 조충 (tapeworm)	고충증, 스파르가눔증 ↳ 유충/충미충(sparganum)	5~50 cm	개, 고양이, 늑대 (물벼룩>파충류)	시냇물/약수(물벼룩) 뱀, 개구리 생식	유충/충미충상태 소장>전신(피하$^{m/c}$)	수술, biopsy, 영상검사, Ab
	유구낭미충증(Cysticercosis)	0.5~2 cm	사람-종,중간숙주 돼지-중간숙주	덜 익은 돼지고기 감염자 배출 충란 충란 오염된 음식	소장>전신 (CNS$^{m/c}$, 피하조직, 눈, 근육 등)	Ab (혈청, CSF) 뇌 CT/MRI 충란-감별어려움

기생충란 도표

1. *Schistosoma haematobium*	2. *Fasciola hepatics*	3. *Fasciolopsis buski*
4. *Schistosoma mansoni*	5. *Schistosoma japonicum*	6. **Paragonimus westermani**
7. *Echinistoma ilocanum*	8. **Clonorchis sinensis**	9. **Metagonimus yokogawai**
10. *Opisthorchis felineus*	11. *Dicrocoelium dendriticum*	12. *Eurytrema pancreaticum*
13. *Taenia solium*	14. *Taenia sagninata*	15. *Hymenolepis nana*
16. *Diplogonoporus grandis*	17. *Diphyllobothrium latum*	18. *Dipylidium caninum*
19. *Hymenolepis diminuta*	20. *Ascaris lumbricoides* (수정란)	21. *A. lumbricoides* (decorticated)
22. *Trichostrongylus orientalis*	23. *Ancylostoma duodenale*	24. *Necator americanus*
25. *Ascaris lumbricoides* (불수정란)	26. **Trichuris trichiura**	27. *Capillaria hepatica*
28. **Enterobius vermicularis**	29. *Toxocara cati*	

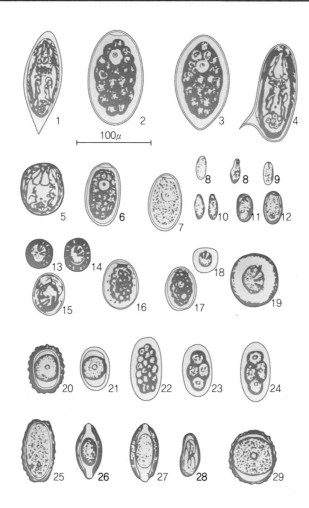

9
프리온 질환

개요

- prion dz. : 프리온 단백(PrP)의 abnormal isoforms이 CNS에 축적되어 신경변성을 일으키는 질환
- prions : CNS의 변성을 유발하는 전염성이 있는 단백질(prion protein, PrP)을 통칭
- 포유류에서는 prion이 prion-protein의 정상 isoform인 PrP^C에 결합하여 병원성 isoform인 PrP^{Sc}로 변형시켜 재생산됨, 정상 PrP^C는 α-helix가 많고 β-structure는 적으나, 병원성 PrP^{Sc}는 α-helix가 적고 β-structure가 많아 α-to-β의 변환이 prion dz.의 기본 기전으로 보임
  (PrP^{Sc} : scrapie-associated prion protein, PrP^C : cellular prion protein)
- human prion dz.의 예
  - Kuru : 파푸아뉴기니 원주민의 식인 (사람 뇌조직 섭취) 풍습 때문에 발생했던 질환
  - sCJD (sporadic CJD) : somatic mutation or PrP^C의 PrP^{Sc}로의 자발적 변형에 의해 발생, 전체 CJD의 대부분(85%)을 차지하며 광우병 소와는 무관 (0.5~1/100만명, 평균 60세)
  - **vCJD** (variant Creutzfeldt-Jakob dz.) : 소의 병원성 prion 섭취에 의해 발생 ("인간 광우병"), 20~30대에 호발 (평균 29세), 2019년까지 232건 발생, bovine spongiform encephalopathy (BSE)[광우병] 감소 및 식습관 개선(소의 뇌와 척수 생식 금지) 등에 따라 현재는 극히 드묾,
  - fCJD (familial CJD) : *PRNP*의 mutations에 의해 발생, Gerstmann-Sträussler-Scheinker syndrome (GSS), fatal familial insomnia (FFI) 등도 포함
  - iCJD (iatrogenic CJD) : prion에 오염된 hGH, dura mater grafts, 각막이식 등에 의해 발생

임상양상

- prodromal Sx. (약 1/3에서) ; 피곤, 수면장애, 체중감소, 두통, 권태감, 불분명한 통증 등
- progressive dementia, myoclonus가 대표적이나, 다양한 신경증상을 보일 수 있음
- vCJD ; 정신과적 증상이나 통증성 감각장애가 초기에 나타남
         (e.g., 우울, 불안, 초조, 성격변화, 공격성향, 무감동증)
    → 약 6개월 뒤 뚜렷한 신경증상 발생(e.g., 빠르게 진행하는 운동실조, 인지기능 장애, 반응감소)
- 우연히 전염되며 대개 1.5~2년의 잠복기를 보이며, 증상이 나타난 뒤 평균 14~16개월 사이에 사망

• vCJD의 진단 (일반적인 혈액검사나 CSF 검사는 대개 정상임)
  – PrP^{Sc} 검출(western blot, IHC) ; tonsillar tissue (매우 유용), 혈액, 소변, 뇌, LN 등에서
  – CSF에서 14-3-3 protein 검출 ; 유용한 clinical marker이지만, sensitivity 낮음
  – MRI ; cortical ribbon, basal ganglia, thalamus의 intensity 증가, cortical atrophy
      (thalamus의 특징적 bilateral hyperintensity ; "Pulvinar sign", "Hockey stick sign")

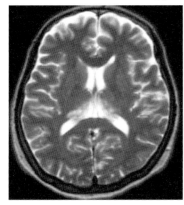

"Pulvinar sign"
: bilateral posterior thalamic
  hyperintensities

  – brain biopsy (확진) ; <u>florid amyloid plaque</u>, <u>spongiform degeneration</u>, <u>astrocytic gliosis</u> ...
      ↳ 꽃 모양, 대뇌와 소뇌에 광범위하게 분포, sCJD와의 차이

• 현재는 치료 및 예방법이 없음
• 전염도 가능하므로 수술/시술 도구들은 CJD 환자 사용 후에 재사용 금기
• prion은 일반적인 멸균에 대한 저항성이 매우 강함
  → 135℃에서 1시간 고압증기멸균(autoclaving) or 2N NaOH로 몇 시간 처리

Part V

바이러스 감염

1 Herpesviruses

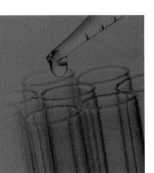

개요

■ Viruses의 분류

핵산	Envelope	Family^과	Genome(kbp)	예
DNA	有	Herpesviridae	125~240	HSV, VZV, CMV, EBV
		Hepadnaviridae	3~4	HBV
		Poxviridae	130~375	Variola virus (smallpox)
	無	Parvoviridae	4~6	Parvovirus B19, Human bocavirus
		Polyomaviridae	5	Human polyomavirus, JC polyomavirus
		Papillomaviridae	7~8	Human papillomavirus (HPV)
		Adenoviridae	26~48	Adenovirus
RNA	有	Orthomyxoviridae	10~15	Influenzavirus A, B
		Coronaviridae	27~32	Betacoronavirus (SARS-CoV, MERS-CoV, COVID-19)
		Paramyxoviridae	13~18	Measles, Mumps, Human parainfluenza virus, RSV
		Matonaviridae	10~12	Rubella virus
		Flaviviridae	9~13	HCV, Japanese encephalitis virus (JEV), Dengue virus, Zika virus
		Hantaviridae	11~14	Hantavirus (*Orthohantavirus*)
		Phenuiviridae	11~12	SFTS virus (*Huaiyangshan banyangvirus*) RVF (Rift Valley fever) virus (*Phlebovirus*)
		Rhabdoviridae	11~15	Rabies virus
		Filoviridae	19	Zaire ebolavirus
		Retroviridae	7~13	HIV, HTLV
	無	Picornaviridae	7~9	Enterovirus, Rhinovirus, Coxsackievirus, Poliovirus, HAV
		Caliciviridae	7~8	Norovirus, Sapovirus
		Astroviridae	6~8	Astrovirus
		Reoviridae	19~32	Rotavirus

DNA viruses / family Herpesviridae

Family Herpesviridae

Subfamily	Species	Common name
Alphaherpesvirinae	Human herpesvirus 1	Herpes simplex virus (HSV)-1
	Human herpesvirus 2	Herpes simplex virus (HSV)-2
	Human herpesvirus 3	Varicella zoster virus (VZV)
Betaherpesvirinae	Human herpesvirus 5	Cytomegalovirus (CMV)
Gammaherpesvirinae	Human herpesvirus 4	Epstein-Barr virus (EBV)
	Human herpesvirus 6	HHV-6
	Human herpesvirus 7	HHV-7
	Human herpesvirus 8	Kaposi's sarcoma-associated herpesvirus (KSHV)

* Herpesviruses의 공통적 성상
  ① 잠재성(latency) : 숙주에 1차 감염을 일으킨 후 평생 그 속에 숨어 지냄
  ┌ 신경의 ganglia ; HSV-1, HSV-2, VZV
  └ lymphoid tissue ; EBV, CMV
  ② 재활성화(reactivation) : 잠재되어 있다가 다시 활성화되어 증상 유발
  ③ 종양원성(oncogenecity) : 숙주 세포를 transform 시킴
  ④ 전 세계에서 나이에 관계없이 감염되며 병원성이 강하고 증세가 다양

Herpesviruses의 감염경로

	주산기	혈액제제	밀접한 접촉	Aerosol
HSV-1	+	-	+	-
HSV-2	+	-	+	-
VZV	+	-	+	+
CMV	+	+	+	-
EBV	+	+	+	-

단순포진 바이러스 (Herpes simplex virus, HSV)

1. 원인

(1) HSV-1
- 전 세계적으로 계절에 관계없이 발생, 남=여, 사람이 유일한 숙주
- HSV-2보다 더 흔하고 발생 연령도 빠름, 성인의 약 90%는 HSV-1에 대한 Ab (+)
- 전파경로 ; oral-oral, oral-genital, or genital-genital
- 주로 헤르페스 병변 및 구강 분비물과의 접촉을 통해 감염

; 구인두 세포(oropharyngeal cells)를 통해 침임 (→ trigeminal ganglia에 잠복)
- 초감염은 주로 gingivostomatitis, pharyngitis를, 재활성화는 주로 herpes labialis를 일으킴

(2) HSV-2
- 성적 활성도가 높아지는 사춘기 이후에 발생 (HSV-1보다는 드묾), 남<여
  → 중요한 STD임 (성적 활성도와 유병률이 비례), HIV-1 감염 위험도 증가됨
- 생식기 점막 및 근처의 피부에 감염 (→ sacral ganglia에 잠복)
- 성행위 방식에 따라 회음부나 구강에도 발생 가능
- 신생아 감염 : 자궁내 혹은 분만시^{대부분} 감염 → IUGR, CNS or disseminated infection

* HSV-1 → 허리 위 (genital도 증가 추세) / HSV-2 → 허리 아래 (genital) 감염

2. 임상양상

(1) Primary infection
- 무증상인 경우가 대부분이지만, 증상 발생시엔 전신증상(e.g., 발열, 두통, 근육통, 피곤) 및
  감염부위에 따라 심한 국소증상도 발생 가능
- 잠복기 1~26일 (보통 6~8일), 대개 1~3주 지속
- HSV-1 ; gingivostomatitis (m/c, 주로 영유아), pharyngitis/tonsillitis (주로 청소년~성인)
  - 헤르페스 손끝염(herpetic whitlow) ; 손가락 끝에 홍반, 통증, 비화농성 수포
    (구강/생식기감염의 Cx [autoinoculation] or 다른 직접 노출에 의해 발생)
      → 절개 배농× (∵ virus 전파 및 세균감염 위험), 대개 antiviral therapy 필요!
  - 눈 감염(<5%, 1차감염 or 재활성화에 의해 발생) ; keratitis (각막 실명의 주요 원인),
    conjunctivitis, posterior uveitis, acute retinal necrosis (ARN)
- genital herpes (음부포진) ; 대부분(70~90%) HSV-2에 의해 발생 (임상양상은 HSV-1도 비슷)
  - 통증, 가려움, painful inguinal lymphadenopathy
  - 피부병변 ; 다수의 수포(vesicle), 농포(pustule), 궤양 등 매우 다양한 양상
  - 일부에서 extragenital Cx ; aseptic meningitis, sacral radiculitis (urinary retention), proctitis

(2) reactivation
- 잠복 감염상태에서 추위, 자외선, 1차감염 부위의 외상 등과 같은 외부요인이나
  면역저하, 월경, 발열, 스트레스, 피로, 외상 등 내부요인에 의해 재활성화됨
- 초감염보다 대개는 경미함 ; 병변 국소화(한곳에 수포가 여러 개 모여 있음),
  전구증상 약하거나 없음, 병변 지속시간 짧음(7~10일)
- HSV-1 ; 입술 헤르페스(herpes labialis)가 m/c (감염자의 20~40%에서 발생, 전신증상은 드묾)
- genital herpes ; HSV-1보다 HSV-2에서 재발 흔함, 1차감염보다 mild

(3) 합병증
- herpes encephalitis : HSV-1이 대부분 (95% 이상)   → Ⅰ-6장 참조
  - fatal sporadic encephalitis의 m/c 원인 (치료 안하면 70% 사망)
  - 5~30세, 50세 이상에서 호발
    - child & young → primary infection 후 발생
    - adult → 대개 mucocutaneous infection이 선행

- fever, headache, seizures, focal neurologic Sx (특히 temporal lobe)이 갑자기 발생
- Dx : MRI/CT, CSF PCR, brain biopsy (PCR 음성이고 상태 악화되면)
- Tx ; high-dose IV acyclovir 2~3주 (경험적으로 가능한 빨리 투여 시작)
- severe dz. (e.g., hepatitis, esophagitis, pulmonary infections, disseminated dz.)도 가능
  ↳ 위험인자 ; HIV 감염, 악성종양, 장기이식, 영양실조, 화상, 임신 등
- 기타 ; erythema multiforme, 자궁경부암(type 2), Bell's palsy, multiple sclerosis, ascending myelitis, trigeminal neuralgia, temporal lobe epilepsy ...

(4) AIDS 환자에서의 HSV 감염

- severe & recurrent → chronic acyclovir 치료
- proctitis, esophagitis (*Candida*, CMV esophagitis와 구별 어려움 → biopsy)

(5) neonatal infections

- 출생시 산모의 산도에서 분비물에 노출되어 감염
- HSV-2가 더 흔한 원인(75%), 산모가 1차감염일 때 전파위험 더 높음
- 대부분 심하며, 전신적으로 파급되고 CNS 감염도 흔함

3. 진단

- 전형적인 병변이면 임상적으로도 진단 가능 (e.g., 홍반 위의 다발성 수포)
- 확진 ; HSV DNA PCR (m/g), culture (항바이러스제 내성검사가 필요할 때에나 고려)
- Tzanck smear ; 병변 기저부를 scraping하여 도말 후 Wright's stain 후 핵내 봉합체
  (inclusion body)나 다핵거대세포 관찰, sensitivity & specificity 낮아 거의 안 쓰임
- 혈청(Ab) 검사 : 감염 수주 이후에 type-specific Ab가 생성되어 평생 지속됨
  - 대부분 type-specific glycoproteins G1과 G2 (HSV-1, HSV-2)에 대한 Ab를 검사함
  - 진단적 가치는 별로임 ; 초감염시에는 늦게 생성되어 위음성↑, 재발감염은 의미 無
  - 이용 ; 무증상 보균자 파악, sero(+) 면역저하자에서 antiviral prophylaxis 등

4. 치료

- 항바이러스제 ; <u>acyclovir, famciclovir, valacyclovir</u> … 모두 viral DNA polymerase를 억제
  ↳ 유일하게 IV 제제도 있음 / topical은 acyclovir 및 penciclovir 있음
  - in vitro activity는 acyclovir가 가장 우수함, 안전성(toxicity)은 3가지 모두 우수함
  - famciclovir와 valacyclovir는 oral bioavailability가 우수함
  - ganciclovir도 HSV에 효과적이지만 부작용이 더 심해 사용 안함
- mucocutaneous HSV infections
  - self-limited이므로 증상이 경미한 경우엔 보존적 치료만도 가능
    ; oral/topcial analgesics (e.g., lidocaine, zilactin), antiseptics (세균감염 예방), 수액공급
  - 증상이 심하면 발생 3일 이내에 항바이러스제 투여시 severity & duration 감소 효과
    (c.f., 향후 HSV 재발을 감소시키는 효과는 없음)
  - 대개 7~10일 투여, 증상이 매우 심하면 입원해서 IV acyclovir로 치료

- genital herpes ; 대부분 oral 항바이러스제로 치료 (valacyclovir가 투여횟수가 적어 선호됨)
  - 매우 심한 경우에만 IV acyclovir로 치료 (e.g., sacral nerve 침범에 의한 urinary retention)
  - recurrent genital infection (e.g., 1년에 10회 이상 재발, 상대방에게 전파 위험, HIV 감염자)
    ⇨ chronic suppressive therapy : valacyclovir 매일 1회 권장
- HSV keratitis
  - epithelial keratitis (active infection) ⇨ oral 및 topical 항바이러스제 (oral이 더 편함)
    (topical steroid는 금기!) / 자주 재발할 때는 oral valacyclovir suppressive therapy
  - stromal keratitis (과거 감염에 대한 면역반응) ⇨ topical steroid + 항바이러스제
- CNS HSV infection (encephalitis, meningitis 등) ⇨ high-dose IV acyclovir
  - CSF의 acyclovir 농도는 혈중의 30~50% → 고용량 필요
  - IV acyclovir의 주요 부작용은 일시적 신기능 저하 → 천천히 주입 & hydration
- severe dz. (e.g., hepatitis, esophagitis, disseminated dz.) ⇨ high-dose IV acyclovir
- neonatal HSV infection ⇨ IV acyclovir (+ 6개월 acyclovir suppressive therapy → 후유증↓)
- acyclovir-resistant HSV (대개 famciclovir와 valacyclovir에도 내성임)
  - 거의 다 면역저하자에서 나타남, HSV-1보다 HSV-2에서 흔함 (약 ~5%)
  - IV foscarnet or cidofovir로 치료 (but, 부작용 심함)
  - trifluridine 연고 : ophthalmic HSV, resistant mucosal HSV infection에 유용
  - cidofovir 연고 : 비교적 안전하여 resistant mucosal HSV infection에 유용
  - helicase/primase complex inhibitors (amenamevir, pritelivir) : 효과적이고 부작용 적음

5. 예방

- 무증상의 보균자가 많으므로 감염을 예방하기는 어려움 / 접촉 주의, 철저한 손 씻기 정도
- genital herpes ; condom, chronic suppressive therapy (valacyclovir 매일 1회) … 불완전함
- neonatal herpes ; 임신 36주부터 suppressive therapy (acyclovir 매일 3회), 분만시 C/S
- 아직 HSV-1 or HSV-2의 효과적인 vaccine은 없음

수두-대상포진 바이러스 (Varicella-zoster virus, VZV)

1. 개요

(1) 초감염(primary infection) → "chicken pox (varicella, 수두)"
  - 주로 소아에서 발생 (호흡기로 전파, 전염력 매우 강함), 발열 이후 전신에 특징적인 피부발진
  - 수두 자체는 경미한 질병이지만 유행 규모가 큰 것이 문제
    (∵ 예방접종 이후 항체 형성률 80~90%, 질환 방어력 약 65%)
  - 2005년 법정감염병(2급) 지정 이후 지속적으로 증가, 현재 매년 8~9만 명 발생, 겨울철에 유행↑

(2) 재활성화(reactivation) → "herpes zoster (shingles, 대상포진)"
  - 초감염(수두) 때 dorsal root ganglia에 잠복해 있던 VZV의 재활성화(reactivation)에 의해 발생
  - dermatome을 따라 띠 모양의 피부발진(홍반 위에 수포) 발생

2. 수두(chicken pox)

- 전파 ; 호흡기 분비물(aerosolized droplets)을 통한 공기 전파 (m/c), 피부의 수포를 통한 직접 접촉
  → 상부 호흡기 점막 침투 → 국소 LNs에서 증식 → 바이러스 혈증 → 전신에 피부발진 발생
  - 잠복기 8~21일 (대부분 14~16일), 무증상 감염은 드묾
  - infectivity 기간 : 발진(rash) 발생 1-2일 전 ~ 모든 수포에 가피가 생길 때까지 (보통 3~7일)
    → 발진 발생 후 최소 5일간 격리 필요
  - <u>전염력이 매우 강함</u> : 항체(-) 사람이 노출시 발생률 >90% → 학교, 기숙사 등에서 집단발병
- 대부분 소아에서 발생, 약 10%는 12세 이후에 발생
- 전구증상 (피부발진 발생 24~48시간 전) ; 발열, 두통, 권태감, 식욕부진 등
- 특징적인 피부발진 : 반구진(maculopapular rash) → <u>수포</u> → 농포 → 가피(딱지)의 단계
  - 크기 5~10 mm, 동시에 여러 단계가 공존할 수도 있음, 흉터는 안 생김!
  - 얼굴과 몸통에서 시작 → 빠르게 몸 전체로 퍼짐 (건강한 소아는 약 300개)
  - 발병 연령이 높을수록 or 면역저하자에서는 병변의 수가 많고 심할 수 있음
  - WBC는 대개 정상 or 약간↑/↓ (→ 많이 증가되면 2차 세균 감염 의심)
- 합병증 : 면역저하자에서 발생률 높고(30~50%), 치료 안하면 사망률 약 15%
  ① 피부연조직의 2차 세균 감염 ; 대개 *S. pyogenes, S. aureus*가 원인균
  ② 신경 침범 ; encephalitis, aseptic meningitis, transverse myelitis, Reye's syndrome ...
  ③ 수두 <u>폐렴</u> ; 가장 심각한 합병증, 성인에서 흔함(~20%), 특히 임산부에서 더 위험
    - risk factors ; 흡연, 임신, 면역저하, 남성
    - 피부발진 발생 3~5일 뒤 발생, CXR에서 diffuse bilateral infiltrates
    - 호흡부전으로 mechanical ventilation이 필요해지면 사망률 ~50%
  ④ 기타 ; hepatitis, myocarditis, corneal lesions, nephritis, arthritis, bleeding diatheses,
    acute glomerulonephritis ...
- 치료 : 대부분 경미하고 예후 양호 (자연호전됨), 항바이러스제 치료시 경과 단축 가능
  - 합병증이 없는 건강한 12세 이하 소아는 항바이러스제 권장×
  - 보존적 치료 ; 위생관리(e.g., 목욕, 손톱관리) / 가려움 → antihistamine, tepid water baths,
    wet compression / 발열 → AAP (소아에서 aspirin은 Reye syndrome 발생 위험으로 금기)
  - 항바이러스제 치료의 적응 : 발병 <u>24시간 이내</u>에 투여해야 효과적, 3일 이후에는 거의 효과 無
    ① 정상 면역 ; ≥13세, 장기간 salicylates or inhaled steroids 치료 중인 피부/폐 질환자,
      가족 내 전파로 발생한 이차 감염자(∵ 대개 더 심함), 임신(3rd trimester) 등
      ⇨ oral antiviral therapy (acyclovir, valacyclovir, famciclovir) 5~7일
        (c.f., HSV보다는 acyclovir에 덜 민감하므로 HSV 때보다 더 고용량 필요)
    ② 면역저하자 (e.g., 악성종양, HIV 감염, 14일 이상의 고용량 steroid 치료, 면역억제제 등)
      ⇨ IV acyclovir 7~10일 (저위험군의 경우는 oral therapy도 가능)
        ↳ 새로운 병변 발생이 없을 때까지 IV, 이후는 oral로 모든 병변의 가피 형성 때까지
    ③ severe dz. (e.g., 폐렴, hepatitis, encephalitis, thrombocytopenia) ⇨ 즉시 IV acyclovir
- 전체적인 사망률은 0.002~3%로 매우 낮음 (1세 미만은 4배 이상, 성인은 25배 이상)
- 수두 감염 후 면역이 형성되므로 증상이 있는 수두는 거의 재발 안함
  → 면역저하/고령에서 바이러스 재활성화에 의해 대상포진 발생 (발생률 10~20%)

3. 대상포진(herpes zoster, shingles)

(1) 개요
- 수두보다는 전염력 약하지만, 밀접접촉시 droplet & airborne 전파 위험 큼
- risk factors ; 고령(>50세), 여성, <u>세포성 면역저하</u>(e.g., 장기이식, 자가면역질환, HIV 감염),
  악성종양, CTx, CKD, 만성폐질환 등 　　　　　　　주로 면역억제제와 관련 ↵
  (but, 정상인에서도 발생 가능)　　　　　　　　　　(e.g., steroid, DMARDs, anti-TNF)
- 발생률 5~10/1000명 (비교적 흔함), <u>50~70대</u>에 호발 (50세 이전에 발생하면 면역저하 의심),
  잠복 바이러스의 재활성화이므로 계절적 유행 없이 산발적으로 발생
- 산모가 수두 감염시, 아이는 2세 이내에 herpes zoster 발생 가능
- 재발은 드묾(약 2%, 남<여), 자주 재발시에는 면역저하를 의심(e.g., 면역억제제, HIV 감염)

(2) 임상양상
- <u>일측성</u>으로 dermatome을 따라 <u>띠 모양</u>의 피부병변 발생 (홍반 위에 <u>수포</u>)
  - T_3~L_3 dermatome을 가장 흔히 침범
  - <u>severe pain 동반</u> (pain 2~3일 뒤 피부병변 발생)
- 대개 7~10일 정도 뒤 후유증 없이 완전히 회복됨
- 면역저하자에서 더 심한 증상을 나타내고 (pain & skin lesion↑), 드물게 사망도 가능

(3) 합병증
- 눈 대상포진 (zoster ophthalmicus)
  - trigeminal nerve (제5 뇌신경)의 ophthalmic branch 침범시
  - 치료 안하면 실명도 가능
- Ramsay Hunt syndrome (herpes zoster oticus)
  - facial nerve (제7 뇌신경)의 geniculate gaglion 침범시
  - 편측 안면마비, 이통, 외이도의 vesicle & pain, 혀 앞 2/3의 미각상실
- post-herpetic neuralgia (PHN) : 피부병변 회복 후 수개월 뒤에도 pain이 지속됨
  - 나이가 들수록 발생 증가 (50대 50%, 70대 70%)
  - 면역저하시 호발 (e.g., 암, 결핵, AIDS, DM, SLE, 면역억제제)
- dermatome 부위의 감각 변화(과민 or 저하)
- 드물게 CNS 침범(e.g., meningoencephalitis), pneumonitis, hepatitis ... → 사망도 가능

(4) 진단
- 면역 정상이면 대부분 전형적인 임상양상으로 진단 가능
- 검사가 필요한 경우 ; 임상양상 불확실, 고위험군, 감염관리를 위해 빠른 진단이 필요한 경우 등
  - 확진 ; VZV DNA PCR (m/g), culture (항바이러스제 내성검사가 필요할 때 고려)
  - DFA (direct Immunofluorescence assay) ; PCR 못할 때 고려, sensitivity는 떨어짐
  - Tzanck smear ; sensitivity & specificity 낮아 거의 안 쓰임
  - 혈청(Ab) 검사 : 접촉자에서 post-exposure prophylaxis 시행 여부 결정에 사용
    ↳ FAMA (fluorescent Ab to membrane Ag), ELISA 등

(5) 치료

- 50세 미만 & 새로운 병변 발생이 없으면 통증 조절만으로 F/U 가능
- 항바이러스제 : 질병의 기간과 증상(pain), post-herpetic neuralgia를 감소시킴!
  - 피부병변 발생 3일 이내에 투여해야 효과적, 3일 이후라도 새로운 피부병변 발생시 투여
  - 피부병변이 호전되어도 pain이 없어질 때까지 투여
  - oral acyclovir, famciclovir, valacyclovir 7일
    (famciclovir와 valacyclovir : oral bioavailability 우수 → 투여 횟수 적어 선호됨)
  - 면역저하자(e.g., 이식, 림프계종양) → IV acyclovir 7~10일 (저위험군은 oral therapy도 가능)
- steroid ; 비교적 건강한 50세 이상에서 moderate~severe pain 때 사용
  - 통증 감소로 quality-of-life 향상, Ramsay Hunt syndrome에서 안면신경 마비 예방 효과
    (postherpetic neuralgia 감소 효과는 없음!)
  - 반드시 antiviral therapy와 병용 (osteoporosis, DM, glycosuria, HTN 등에서는 금기)
- pain control ; analgesics, capsaicin 연고, 병변내 steroid or lidocaine 등
- acute neuritis and/or postherpetic neuralgia ; analgesics, gabapentin, pregabalin, amitriptyline, lidocaine pathces, fluphenazine hydrochloride 등이 효과적

4. 예방

(1) vaccination

- 수두 백신 (live-attenuated varicella vaccine)약독화생백신
  - 전세계적으로 Oka주 기반이 m/c (국내 수두 환자에서 분리한 MAV/06주 제품도 있음)
  - 효과 ; symptomatic varicella 92% 예방, severe dz. 95% 예방 (but, 실제로는 더 낮음)
  - 12개월~12세 소아 ⇨ 12~15개월에 1회 접종(피하주사)
  - 13세 이상 청소년 및 성인, 수두 유행 집단 ⇨ 4~8주 간격으로 2회 접종
  - 성인에서 권장 ; Ab(-)인 1970년 이후 출생자 (이전에는 대부분 자연면역 획득), 수두 유행
    위험 환경(학생, 교사, 의료기관종사자, 군인 등), 면역저하자와 밀접 접촉자, 가임기 여성
- 대상포진 백신 (VZV vaccine) → herpes zoster 및 postherpetic neuralgia 발생 예방
  ; 면역 정상인 60세 이상 모든 사람이 적응임 (대상포진을 앓은 병력이 있어도)
    → 발생률, 비용-효과 등을 고려해 항체검사 없이 그냥 다 접종하는 것을 권장
  ① live attenuated vaccine (zoster vaccine live [ZVL]; Zostavax®)2005년 FDA 허가
    - Oka보다 함량 18배, 50세 이상에서 1회 접종, 50대는 70% 60세 이상은 51% 예방 효과
      ┌ 60세 이상 1회 접종
      └ 50~59세는 우울증, 만성통증 등으로 대상포진/PHN에 민감할 것으로 예상되는 경우
    - 면역저하자는 금기 ; hematologic malignancy, AIDS, 면역억제치료, anti-TNF-α 치료 등
      (저용량 steroid 투여자는 가능)
  ② recombinant glycoprotein E vaccine (recombinant zoster vaccine [RZV]; Shingrix®)2017년허가
    - 2~6개월 사이로 2회 접종, 예방 효과 매우 우수! (50세 이상 >96% 70세 이상도 >90%)
    - 과거 ZVL 접종을 받았던 사람도 RZV로 다시 접종 권장 (5년 정도 이후)
    - 불활화백신(inactivated vaccine)이므로 면역저하자도 접종 가능!
    - 국내는 아직 허가×, 미국에도 공급이 딸리는데 COVID-19 때문에 더 힘들어졌다는 설

(2) post-exposure prophylaxis

- varicella vaccine … 노출 3~5일 이내
  - 대상 ; VZV에 감수성이 있는(e.g., 수두를 앓은 적 없는) 12개월 이상 소아 ~ 성인 &
    면역정상인 경우 (임산부나 면역저하자는 아님)
  - 효과 ; 70~90% 예방 or 발병한 경우 severity 약화
  - 노출 후 5일이 지난 경우에는 3주간 F/U하다가 발병하면 치료 or antiviral prophylaxis
- varicella-zoster immune globulin (VZIg, VariZIG) … 노출 4일 (가능하면 3일) 이내
  - vaccine 대상은 아니면서, 노출 후 심한 감염/Cx의 발생 위험이 높은 경우
  - 대상 : VZV에 감수성이 있는 면역저하자, 임산부, 분만 5일전~2일후 수두를 앓은 산모에서
    태어난 신생아, 수두 병력 or VZV Ab가 불분명한 산모에서 태어난 미숙아(≥28주),
    모든 28주 미만 or 1 kg 이하인 미숙아
  - 대상포진을 치료하는 효과는 없음
- antiviral therapy (oral acyclovir or valacyclovir 7일)
  - 대상 ; vaccine 및 VZIg를 사용할 수 없거나, 노출된 뒤 5일 이상 지난 Cx 발생 고위험군
    (e.g., 성인, 청소년, 만성 피부/폐 질환의 소아, 가족 내 전파로 발생한 이차 감염자)
  - 완전히 예방하지는 못하더라도, dz. severity를 감소시킴

(3) 감염관리

- 수두(varicella), disseminated zoster^{대상포진}, 면역저하자의 피부 대상포진
  ⇨ standard + <u>airborne</u> + contact precautions → 음압 격리!
- 면역정상자의 피부 대상포진 ⇨ standard precaution만 권장 (but, 실제로는 좀 더 주의 필요)
- 격리 기간 : 모든 피부병변이 가피를 형성할 때까지 (발진 발생 후 최소 5일간)
  - 예방접종자는 가피가 없을 수 있으므로, 24시간 동안 새로운 피부병변 발생이 없을 때까지
  - 입원 중 노출된 sero(-) 환자는 첫 노출 후 8일 ~ 마지막 노출 후 21일째까지 격리

EPSTEIN-BARR VIRUS (EBV)

1. 개요

- 어릴 때부터 감염되어 평생 지속적인 잠복 감염을 유발 가능하지만, 초감염이 주로 문제
  - oropharynx 상피세포에서 증식 → 주로 B lymphocyte에 감염 → 림프계를 통해 전신으로 전파
  - 잠복 감염 상태에서 간헐적으로 구인두 분비물, 타액, 질분비물 등으로 소량의 virus 배출
- cell-mediated immunity가 중요
- 영유아 초기에 감염 시작, 5세경 50%에서 Ab(+), 10세 이후에는 거의 모두가 Ab(+)
  - 소아 초기에 감염 → 대개 무증상 or 경미한 infectious mononucleosis (우리나라 등)
  - 청소년~젊은 성인 때 감염 → 전형적인 infectious mononucleosis로 발현 (선진국)
    (c.f., 미국 : 건강성인의 10~20%가 carrier, 혈액종양환자 70~90%에서 균 분리됨)
- 전파 ; 주로 타액을 통해 (가족내 감염, 키스 등 직접 접촉), 수혈로도 전파 가능

2. 임상양상

(1) 급성 전염성 단핵구증 (infectious mononucleosis, IM)

- 잠복기 ; 소아 4~14일, 젊은 성인 30~50일
- 권태감, 두통, 근육통, 후부 안구통, 미열 등의 전구 증상 발생 수일 후

  심한 <u>인후통</u>(pharyngitis/tonsilitis), 발열, <u>cervical lymphadenopathy</u> (painful & tender LN) 발생

  ↳ exudate도 흔함   ↳ symmetric, 주로 posterior cervical LNs를 침범
- mild hepatitis (90% → A/N/V), splenomegaly (50%), hepatomegaly (10~15%)

  ↳ 대부분 AST-ALT↑(일시적) → pharyngitis 환자에서 동반시 IM 강력 의심
- rash (5%) : ampicillin 계열 항생제 투여시 15~30%로 증가 (drug allergy는 아님)
- WBC 12,000~18,000/μL, relative lymphocytosis [≥50%]$^{(약\ 2/3에서)}$, cold agglutinin$^{(70~80\%에서)}$
- <u>atypical lymphocytes 증가</u> [>10% of WBCs] : 대부분 CD8+ T cell

  ↳ 원인 ; <u>EBV</u>, CMV, roseola (HHV-6), rubella, mumps, acute viral infection,

    (e.g., HAV, HFRS), toxoplasmosis, drug reaction ...

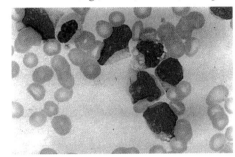 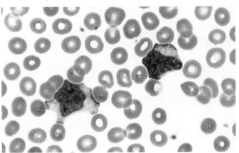

- 합병증

  > 1. 혈액 ; <u>AIHA</u> (0.5~3%), Thrombocytopenia, Neutropenia
  > 2. 비장 파열 (감염 2~3주 뒤 갑자기 발생 가능하므로 주의)
  > 3. 신경계(<1%) ; 경련, 수막염, 뇌염 (예후는 좋음), 뇌신경 마비 (특히 Bell's palsy)
  >   Guillain-Barre syndrome, Mononeuritis multiplex, Transverse myelitis
  > 4. 간 ; Hepatitis
  > 5. 심장 ; Pericarditis, Myocarditis
  > 6. 폐 ; Airway obstruction, Interstitial pneumonitis

(2) 만성 EBV 감염

- chronic active EBV infection
- hemophagocytic syndrome (대개 양성 경과, 드물게 재발성/악성) : IM에서도 발생 가능
- 모기 과민 알레르기 (예후 매우 나쁨)

(3) 면역결핍 관련, 종양 질환

- lymphoproliferative dz. (LPD) : 특히 면역결핍, 장기이식, AIDS 환자 등에서 발생 위험

  ; post-transplant LPD (PTLD), X-linked LPD, lymphomatoid granulomatosis 등
- oral hairy leukoplakia (OHL) : 혀 측면에 하얀 병소(white corrugated painless plaques),

  물리적으로 제거되지 않음, premalignant lesion은 아님
- Burkitt's lymphoma (특히 아프리카인, AIDS 환자에서) : 미국 15%, 아프리카 ~90%에서 관련
- Hodgkin lymphoma (특히 mixed-cellularity type)

- anaplastic nasopharyngeal ca.
- tonsilar ca., angioimmunoblastic lymphadenopathy, angiocentric NK/T cell immunoproliferative lesions, T cell lymphoma, thymoma, CNS lymphoma, leiomyosarcoma, smooth-muscle tumors ...
- 전세계적으로는 EBV 관련 m/c 종양은 gastric ca. : 9%에서 EBV (+)

4. 진단

(1) heterophil Ab (이종항체 : 양, 소, 말의 RBC에 대한 IgM Ab)
- 양성 기간이 짧으므로 반복 검사 필요
- IM의 첫 주에는 40%에서, 셋째 주에는 80~90%에서 양성
- 소아 초기에 EBV에 감염되면 잘 안 생김 → 국내 EBV 감염증에서는 대부분 음성임!

(2) EBV-specific Ab (확진)
- VCA (viral capsid Ag) Ab

  ┌ VCA IgM : acute IM의 진단에 가장 유용 (∵ 4~8주 뒤에 소실)
  └ VCA IgG : acute IM 초기부터 나타나 평생 지속됨 → 과거 노출 여부 파악에 유용
- EA (early Ag) Ab ; EA는 viral DNA 합성 전 출현, EA Ab는 초기부터 나타나 수년 후 사라짐

  ┌ EA-D Ab : 핵/세포질의 diffuse pattern, 3~4주 뒤 peak, 3~6개월 지속, IM의 70%만 (+)
  └ EA-R Ab : 세포질에만 국한(restricted), 2주~수개월 뒤 peak, IM에서는 대부분 (−)
- EBNA (EB nuclear Ag) Ab (IgG) ; 가장 늦게 (발병 3~6주 뒤 회복기에) 나타나 평생 지속

  → 양성이면 acute primary infection을 R/O할 수 있음!

(3) EBV DNA, EBV encoded RNA, proteins 등 검출 : 각종 암과의 관련성 확인에 유용

  ↳ 혈중 EBV DNA 정량검사(PCR) ; 증상 발생시 40~70%에서 (+), 2주 뒤 약 90%에서 (+)

  → 혈청(Ab) 검사 결과가 애매한 경우 진단에 도움 (건강한 사람에서는 양성 드묾)

(4) EBV culture : acute infection의 진단에는 도움 안 됨, reference lab.에서나 고려

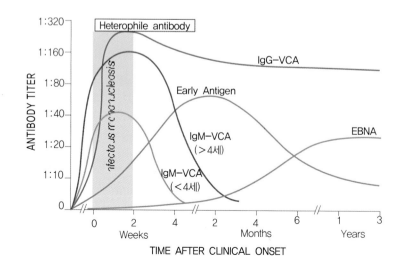

	Never infected	Acute IM	Recent primary inf. (회복기)	Remote past infection	면역저하자 에서 재활성화	Burkitt's lymphoma	Naso- pharyngeal cancer
Heterophile Ab.	−	+	−/+	−	−	−	−
VCA Ab (IgM)	−	+	−	−	−	−	−
VCA Ab (IgG)	−	++	+	+	++	+++	+++
EA−D Ab	−	+			+	+/−	++
EA−R Ab	−	−	+/−	−	+	++	+/−
EBNA Ab (IgG)	−	−	−/+	+	+/−	+	+

VCA, viral capsid antigen; EA, early antigen; EBNA, Epstein−Barr nuclear antigen

5. 치료/예방

(1) 전염성 단핵구증 (IM)

- 주로 대증적 치료 (대부분 2~3주 뒤 자연 치유됨) ; 휴식, 진통제(AAP, NSAIDs), 수액 등
  - 비장 파열의 위험이 있으므로 감염 1달 동안은 과격한 활동도 피함
  - 항바이러스제는 사용 안함! (∵ virus의 증식/배출은 약간 감소시키지만, 질병의 severity/기간/ 예후에는 영향 없음, 잠복감염에도 영향 없고 감염을 완치시키지도 못함)
- 단기간 steroid 사용의 적응 (일반적으론 권장×)
  ① severe tonsilar hypertrophy 환자에서 기도 폐쇄 예방
  ② autoimmune hemolytic anemia, severe thrombocytopenia
  ③ hemophagocytic lymphohistiocytosis
  ④ severe malaise & fever 환자 일부
  ⑤ severe CNS or cardiac dz.

(2) 이식 후 EBV lymphoproliferative dz.[LPD] (PTLD)

- 가능하면 면역억제제 감량, 국소 병변의 절제　(항바이러스제는 효과 없음)
- rituximab (anti−CD20), cytotoxic CTx., IFN−α, RTx. (특히 CNS 병변시) 등
- SCT 환자 ; donor lymphocyte infusion, donor EBV−specific cytotoxic T cell infusion
- 고형장기이식 환자 ; autologous or HLA−matched EBV−specific cytotoxic T cell infusion

(3) oral hairy leukoplakia (OHL)

- 다른 EBV 감염과 달리 active lytic infection임 → 항바이러스제가 효과적
  ; acyclovir, ganciclovir, foscarnet
- 국소 치료 ; podophyllum or isotretinoin
- 대개는 치료 필요 없음 (e.g., HIV 환자는 antiretroviral therapy로 대개 OHL도 호전됨)

(4) 예방

- 직접 접촉에 의해 전파되므로 IM 환자는 격리할 필요는 없음
- vaccine (상용화된 건 없음) ; 증상 발생(e.g., IM)은 감소시키지만, 감염을 예방하지는 못함

거대세포바이러스 (Cytomegalovirus, CMV)

1. 개요

- 한번 감염되면 대개 평생 virus를 보유하게 되며 (여러 장기의 다양한 세포 내에서 잠복감염), 회복 후에도 수개월~수년간 virus를 배출함
  - virus 배출 ; 소변(m/c), 대변, 타액, 모유 등
  - 전파 경로 ┌ 태반내 감염, 분만시 및 모유를 통한 감염
    (다양) ├ 체액를 통한 감염 ; 타액, 성교, 밀접접촉 등
            └ 수혈, 장기이식 등을 통한 감염 (백혈구가 운반)
  - 단순한 접촉으로는 잘 전파 안됨 → 반복적 & 지속적 밀접접촉 필요
- 전세계적으로 분포, 선진국의 Ab 양성률은 청소년 ~40%, 성인 ~70% (후진국은 ~90%) (우리나라 성인의 Ab 양성률은 98~100%)
- 성인의 대부분은 CMV IgG Ab 양성이지만, 정상 면역시 실제 발병은 매우 드묾
- virus 증식 및 증상 발생에는 숙주의 면역반응(T cell-mediated immunity)이 중요함

2. 임상양상

┌ 1차 감염 : 초감염 → 대부분은 무증상
└ 2차 감염 : 재활성화 → 주로 면역저하자 및 장기이식 환자에서 광범위한 감염증상 발생
      (or 새로운 virus stain에 의한 재감염도 가능, 약 1/3)

(1) congenital CMV infection : 임산부가 CMV에 초감염^{대부분} or 재활성화되었을 때 발생
- 대부분 무증상, ~10%는 유증상 (여러 장기 침범 ; petechiae, 황달, 간비종대, IUGR, microcephaly, sensorineural hearing loss^{SNHL}, AST-ALT↑, bilirubin↑, platelet↓ 등)
- CMV 초감염 산모의 출생아는 5~20%에서 증상 발생, mortality ~5%
- 무증상의 ~10%, 유증상의 33~50%는 추후 nonhereditary SNHL 발생

(2) perinatal (early post-natal) CMV infection : 출산시 산도, 출생 후 모유 등을 통해 감염
- sero(+) 엄마의 모유를 1개월 이상 수유한 영아는 40~60% 감염됨, 간혹 수혈을 통해서도 가능
- 거의 대부분은 무증상이지만, 지연성 간질성 폐렴, 간염 등 발생 가능 (특히 미숙아에서)

(3) CMV mononucleosis ; 면역 정상 소아~성인의 초감염 증상 중 m/c (거의 대부분은 무증상)
- 잠복기 20~60일, 병의 경과는 2~6주, 대부분 후유증 없이 호전됨 (항바이러스제 치료 필요×)
- 전신 증상 ; 발열, 피로, 권태감, 두통, 관절통, 근육통, 비장종대 등
  (EVB와 달리 exudative pharyngitis나 cervical lymphadenopathy는 드물고, 경과 mild)
- 드물게 pneumonia, myocarditis, encephalitis, Guillain-Barre syndrome 합병 가능
- lymphocytosis with atypical lymphocytes, heterophil Ab(-), hepatitis 소견 (LFT 이상)

(4) <u>장기이식 환자에서의 CMV infection</u>
- 장기/골수이식 환자에서 m/i virus, 이식 후 <u>1~3개월</u> 사이에 호발 (14일 이전에는 드묾)
  (우리나라 성인은 대부분 CMV 양성이므로 주로 재활성화에 의해 감염 발생)
- 이식 후 CMV dz. 발생률^{우리나라} ; 간 14%, 심장 7%, 신장 4.5%, alloSCT 2.9%, autoSCT 0.5%

- sero(−) recipient에게 CMV(+) 고형장기이식시 발생하는 1차감염이 예후 더 나쁨(high mortality)
- 임상양상
  ① symptomatic viremia (CMV syndrome) ; 발열, 피곤, 권태감, leukopenia or neutropenia , atypical lymphocytosis ≥5%, thrombocytopenia, AST-ALT↑ 등
  ② tissue-invasive infections ; enteritis, colitis, hepatitis, nephritis, pneumonitis, meningitis, encephalitis, retinitis 등 (이식된 장기에서 주로 심한 감염 발생 ; 폐이식 → 폐렴, 간이식 → 간염)
- 폐렴
  ┌ 폐 이식 후 m/c tissue-invasive CMV dz., 급성거부반응(더 빨리 발생)과 감별해야 됨
  └ SCT ; 15~20%에서도 발생, 다른 장기이식과 달리 주로 sero(+) recipient의 재활성화 때문
  - risk factors ; 지속적인 면역억제제 사용, GVHD, CMV viremia, serum Ab(+), 고령
  - 증상 및 영상 소견은 비특이적임 ; 하엽 가장자리에서 시작해 가운데와 위로 퍼지는 bilateral interstitial or reticulonodular infiltrates
  - 확진 ; 폐 생검에서 특징적인 CMV "owl's eye" inclusion body 관찰
- 기타 ; 위장관염(colititis가 m/c), 간염, 망막염 등 다양한 감염을 일으킬 수 있음
- (+)라고 다 치료하는 것은 아니고 active infection의 경우에만 선제치료 시행

(5) AIDS 환자에서의 CMV infection
- CMV retinitis (AIDS 환자의 10% 이상에서 발생)
  - 증상 ; (보통 unilateral) 시력저하 or "floaters" → 시야 결손 → 실명으로 진행 (치료 안하면)
  - 안저소견 ; (초기) 망막 괴사에 의한 불투명한 흰색의 작은 병변이 원심성으로 퍼져나감 → (후기) hemorrhagic exudates, vessel sheathing[초형성] (혈관 주위 삼출물/염증), retinal edema
  - 평생 항바이러스제 유지 요법이 필요함
- 기타 ; colitis, esophagitis (장기이식 때보다 흔함, 원위부의 심한 궤양이 특징), adrenalitis, 신경 감염, 폐렴(장기이식 때보다 드묾) ⋯ ART의 발전으로 발생 감소

3. 진단

- 임상양상만으로는 진단이 어렵고, 정상인에서도 흔히 검출되므로... 종합하여 진단
- CMV DNA quantitative PCR [qPCR] (quantitative nucleic acid testing, QNAT)
  - viremia 정량 가능, sensitivity & specificity 가장 높고 표준화가 잘 되어있어 가장 선호됨!
    (검체 ; 전혈/혈장, BAL, CSF, vitreous or aqueous fluid 등)
  - 빠른 진단, 진행 예측, 치료반응 평가 등에 유용
- CMV pp65 Ag (antigenemia) ; 말초혈액(PB) neutrophils 내의 CMV Ag을 정량 검사
  - anti-CMV pp65 monoclonal Ab를 이용한 PB immunoperoxidase or IF stain
    (검체 ; peripheral blood mononuclear cells[PBMC])
  - sensitivity & specificity 높지만 검체 필요량↑, 검사자 숙련도 요구, 다량의 검사에는 제한적
  - neutropenia (ANC <1000/μL) 시에는 sensitivity 떨어져 권장×
- CMV culture (shell vial assay) : 과거의 gold standard, 소변/대변/타액에서의 virus 검출보다는 viremia가 acute infection을 더 잘 반영함

⇨ 이들 검사의 양성이 곧 질환을 의미하는 것은 아님 → 임상양상과 함께 평가, 필요시 조직검사 (qPCR과 antigenemia 검사가 acute infection 발생 가능성을 정확히 예측 가능함)

- 조직검사 (폐렴 등에서)
  - H&E stain ; large (cytomegalic) <u>intranuclear inclusion body</u> ··· "owl's eye" appearance
  - IHC stain ; viral nuclear antigen 검출
- 혈청검사 : 우리나라는 CMV 유행 지역이라 유용성 낮음 (Ab 양성률 >98%)
  - CMV IgG Ab ; 역가 상승이 4배 이상 or 지속적이면 진단에 도움
  - CMV IgM Ab ; 일부에서 acute infection 진단에 유용 (but, RF 상승시 위양성 가능)
  - 장기이식 수혜자의 감염 상태 확인에는 유용 (e.g., sero(+)면 careful monitoring 필요)

4. 감별진단

- infectious mononucleosis (EBV) → heterophil Ab(+), adenopathy 심함
- congenital CMV - toxoplasmosis, rubella, syphilis, HSV와 D/Dx 힘듦

5. 치료

- 좋은 치료결과를 위해서는 감염증 초기에 치료해야 됨
  → 감염증 발생 전 조기 진단(CMV qPCR, Ag assay 등) & 선제^{예방적} 치료(preemptive therapy)
  c.f.) 이식환자에서 선체치료의 기준 (∵ 재활성화의 일부만 실제 infection으로 진행)
  - CMV qPCR : 합의된 기준은 없지만, 대략 고형장기이식(SOT)은 2000~5000 copies/mL,
    조혈모세포이식(HCT)은 400 copies/mL 이상이면 선제치료 권장
  - CMV antigenemia : SOT >10~20 cells/2×10^5WBCs, HCT >1~2 cells/2×10^5WBCs
- CMV 감염에 효과적인 항바이러스제
  ① <u>ganciclovir</u> (IV, intraocular) ; CMV의 *UL97* gene에 의해 만들어지는 kinase에 의해 활성형
    으로 대사되어 CMV DNA polymerase를 선택적으로 억제함, 골수억제가 주 부작용,
    장기간 사용하면 내성 발생 (8~38%, *UL97*$^{m/c}$ and/or *UL54* mutation 때문)
    c.f.) *UL54* mutation시엔 ganciclovir, foscarnet, cidofovir, brincidofovir 모두 내성
  ② **valganciclovir** (oral) ; ganciclovir의 prodrug로 oral bioavailability가 우수함
  ③ <u>foscarnet</u> (IV) : <u>ganciclovir 내성</u> and/or 골수억제 부작용(e.g., neutropenia)시 사용,
    부작용이 더 많고(e.g., renal insufficiency, hypocalcemia), infusion pump가 필요한 것이 단점
              ↳ 투여전 신기능 정상이면 회복됨, 충분한 수액공급으로 예방 가능
  ④ <u>cidofovir</u> (oral, IV, intraocular) ; ganciclovir와 foscarnet에 모두 내성인 경우 사용,
    간헐적 투여 가능 (∵ 반감기 2일 이상), <u>신독성</u>이 심한 것이 문제(e.g., AKI, proteinuria)
    → 충분한 수액공급 (대개는 회복 가능하지만, 일부에서는 ESRD 발생 위험),
       proteinuria (≥2+) or sCr >1.5 mg/dL시에는 금기
  ⑤ brincidofovir (oral) ; cidofovir의 prodrug, cidofovir보다 신독성 훨씬 적음
  ⑥ <u>letermovir</u> ; CMV-specific 치료제, viral terminase subunit pUL56 억제, 골수억제 부작용 無
    → CMV-sero(+) alloSCT 수혜자(CMV R+)의 예방/선제 치료에 유용 (2017년 FDA 허가)
  ⑦ maribavir ; viral protein kinase UL97 직접 억제, 골수억제 및 신독성 없음, 효과는 논란
  * acyclovir, valacyclovir : active infection에는 효과 없지만, 선제치료에는 고용량으로 사용 가능

• CMV retinitis ⇨ oral valganciclovir ± intraocular ganciclovir
  – 유지요법 ⇨ oral valganciclovir (c.f., AIDS 환자는 재발이 흔하므로 평생 유지요법 필요)
  – ganciclovir 내성 ⇨ IV foscarnet or cidofovir
• CMV GI 감염 ⇨ IV ganciclovir (or oral valganciclovir) 3~6주
• CMV 신경 감염 ⇨ IV ganciclovir + IV foscarnet

* CMV-specific hyperimmune globulin (CMV-IG, CytoGam®)
  – anti-CMV Ab titer가 높은 건강한 donors의 혈장으로 제조된 IgG Ab 제제
  – 치료 및 예방에서의 효과는 논란, 매우 비쌈
  – 심한 감염(e.g., CMV pneumonitis)에서 항바이러스제 치료 및 면역억제제 감량에도 불구하고
    악화되는 경우 추가 고려 (SOT 환자에서는 효과적이나, HSCT에서는 추가적인 이득이 없음)

6. 예방

• sero(-) 환자는 가능하면 sero(-) 공여자로부터 장기이식/수혈(or 백혈구제거 적혈구)
• sero(+) 수혜자 or sero(+) 공여자 등 CMV reactivation 고위험군의 장기이식시 예방
  ① universal prophylaxis ; 3~12개월의 항바이러스제 (e.g., oral valganciclovir)
        → 이후 매주 CMV viremia monitoring → viremia 발생시 항바이러스제 치료
  ② preemptive therapy ; 매주 CMV viremia monitoring (or 일정 시기에 다른 부위에서 검사)
        → 치료 적응이 되면 항바이러스제 선제 치료 (e.g., oral valganciclovir, IV ganciclovir)
  – alloSCT : 예방적 치료는 골수억제 위험이 있으므로 선제 치료(preemptive therapy)로 시행
        ↳ 골수억제 부작용이 없는 oral letermovir가 선호됨
  – CMV sero(+) autoSCT 환자는 CMV dz. 발생 위험이 낮으므로 monitoring 필요 없음
• HIV 환자 ; ART로 CD4+ T cell count 100/μL 이상 유지하는 것이 CMV 예방에 가장 효과적
  (항바이러스제로 CMV 예방은 비용, 내성발생, 생존율↑ 근거 부족 등으로 권장 안됨)
• 아직 상용화된 vaccine은 없음
  (c.f., CMV glycoprotein B vaccine이 젊은 여성에서 초감염을 45% 예방한 연구는 있음)

2 호흡기 바이러스 감염

RNA viruses [envelope 有] / family Orthomyxoviridae

인플루엔자(Influenza virus)

1. 개요

- family^{과} Orthomyxoviridae (orthos-myxa [mucus] ; 점막조직에서 잘 증식), 7 genera^{속} 有, 3 genera가 인체 감염을 일으킴 (*Influenzavirus A, B, C*)
- A, B, C형의 분류는 nucleocapsid protein (NP)과 matrix의 항원성 차이로 구분
- 구조 (RNA virus ; 8개의 gene segments로 구성 → 다양한 재조합 및 변이 발생 가능)
  - (1) 외피 ; lipid bilayer
    - ① **hemagglutinin (HA)** → subtype : H1, H2, H3 등이 인체감염 virus에 존재
      - major surface protein (NA보다 약 4배 많음), attach site for cell receptor
      - Ab to HA : major determinant of immunity, 항원변이를 통해 숙주의 면역능 회피
    - ② **neuraminidase (NA)** → subtype : N1, N2 등이 인체감염 virus에 존재
      - degrade the cell receptor (증식 후 세포로부터의 유리에 관여) : virus 전파에 필수
      - Ab to NA : reduce viral spread & infection
      - 항바이러스제(oseltamivir, zanamivir)의 표적 (→ virus 방출을 억제)
    - ③ matrix protein 2 (M2) ; 소량 존재, ion channel, uncoating에 필요
  - (2) 기질단백질층 (matrix protein 1, M1)
  - (3) 내부 ; ribonucleoprotein 복합체 (RNA, PB2, PB1, PA, NP, NS2 등)
- influenza A의 아형(subtype)의 분류 : HA와 NA의 아형 구성에 의해
  (HA 18개의 아형, NA 11개의 아형 → 이론적으로 18×11=198개의 아형이 가능함)
- virus의 명명법 ; type / (host) / 장소 / (sample No) / 연도 / subtype (Hx Nx)

2. 역학

- ┌ **A형** ; 사람, 조류, 포유동물들에 광범위하게 감염, 전염성 가장 강하고 증상 심함
- ├ B형 ; 주로 사람만 감염됨, 국지적인 유행성 감염
- └ C형 ; 산발적 감염, 드묾, 증상이 경미해 별 중요성 없음

- antigenic shift (대변이) : A형에서만 발생 ··· 세계적 대유행(global pandemic)
  - 중복감염된 서로 다른 viral subtype 사이의 유전자재편성(genomic reassortment) 때문
  - 대개 야생조류, 돼지 등 동물에서 유래된 strains이 사람에게 감염되면서 발생
  - H and/or N 항원성의 큰 변화 발생 (e.g., H1N1 → H2N2, H3N2, or new H1N1)
    → 인류에게는 면역이 거의 없기 때문에 급격히 전파됨 (모든 연령에서, 여름에도 발생 가능)
  - 최근 5번의 대유행(pandemic) 발생 ; 1889년 아시아(H2N2), 1918년 스페인(H1N1, 가장 유행,
    약 5천만명 사망), 1957년 아시아(H2N2), 1968년 홍콩(N3N2), 2009년 미국(H1N1 pdm09)
- antigenic drift (소변이) : A, B형 모두에서 발생
  - 같은 subtype 내에서 일어나는 작은 변이(point mutation) → H and/or N 항원성의 작은 변화
  - 매년 '계절 인플루엔자'로 유행 (주로 겨울~봄), 세계 인구의 5~15%가 감염
  - 현재 사람에게 유행하는 바이러스 ; A형 2종(H3N2, H1N1), B형
- 신종 인플루엔자(influenza A H1N1 pdm09, swine flu) ; 2009년 3월 미국 샌디에고에서 시작
  - 전 세계로 급속히 확산되어 대유행기(pandemic 6단계)를 거친 뒤, 현재는 계절 인플루엔자 化
    (당시 우리나라 74만명 감염, 263명 사망 / 전 세계적으로는 WHO가 163만명 이후 집계 포기)
  - 증상은 기존의 계절 인플루엔자와 비슷하지만 전염력이 높고, 소화기 증상(구토, 설사 등)이 흔함
  - 소아 ~ 젊은 성인에서 호발 (노인층에서의 발생률은 낮은 편)
  - 사망률 <0.1%로 기존 계절 인플루엔자 수준이었지만, 젊은 층이 많이 사망한 것이 차이
- 우리나라 ; 2000년에 법정감염병(제4급)으로 지정, 표본감시만 시행, 매년 1~2천건 검출
  - 감염자수는 매년 수십~백만명, 사망자는 1~3천명으로 추정됨
  - influenza A H1N1 pdm09와 H3N2는 주로 12~1월에, influenza B는 주로 2~4월에 유행
- 전파경로
  - ┌ 큰 비말(droplet, m/c) ; 기침, 재채기, 콧물 등 → 호흡기로 유입 or 오염된 손/환경과 접촉
  - └ 작은 aerosol에 의한 공기 전파도 가능 (밀폐된 공간에서)
  - 밀접 접촉자에서 전염↑ ; 가족, 학교(초중고), 군대, 요양원 등
  - 전염력 기간 : 증상 발생 1일 전부터 시작해 5~7일간 (대개 증상의 심한 정도와 비례),
    ~2주까지도 가능 (특히 소아, 노인, 만성질환, 면역저하자에서)
  - 낮은 온도와 낮은 습도에서 오래 생존 & 전파 증가 (→ 겨울에 주로 유행)

3. Uncomplicated Influenza의 임상양상

- 잠복기 1~4일 (평균 2일), 무증상 ~ mild, severe까지 다양한 임상양상
  (일반적으로 감염된 사람의 약 50%에서만 전형적인 증상 발생)
- 갑자기 전신증상 발생 ; 고열(38~41℃), 오한, 두통, 근육통, 권태감 ··· 다른 호흡기 감염보다 심함!
  (발열은 소아에서 더 심함 / 발열과 전신증상은 보통 2~3일 지속됨)
- 호흡기증상(e.g., 마른기침, 인후통, 콧물, 코막힘)도 동반되지만, 대개 전신증상이 훨씬 더 심함
  (노인에서는 호흡기 증상이 경미할 수 있지만, 활동력과 식욕 감소가 흔함)
- 폐기능 저하, 운동능력 저하 등도 수반됨 (길면 ~1달 이상까지도)
- 설사, 구토 등의 GI 증상은 소아의 10~20%에서 동반 가능, 성인은 드묾
  (but, 2009~2010년의 H1N1 pandemic 때는 성인에서도 설사, 구토가 흔했음)
- B, C형 ; A형과 비슷하지만, 약간 경미한 증상 (결막염, 안구통증, 눈부심 등은 더 흔히 동반)

4. 합병증

* 합병증 발생 고위험군 → 뒤 예방접종 대상 참조 (sporadic 때보다는 epidemic 때 사망률 높음)

(1) 폐 합병증

- primary influenza viral pneumonia
  - 매우 드물지만 가장 심한 폐 합병증, 예후 나쁨 (사망률 ~50%)
  - influenza 발병 후 회복 없이 진행하여 persistent fever & dyspnea, 일부는 cyanosis도 발생
  - CXR : bilateral diffuse interstitial pneumonia and/or ARDS (consolidation은 드묾)
  - LA pr. 상승하는 심장질환(e.g., MS), 만성 폐질환에서 발생하나, 드물게 정상인도 발생 가능
- secondary bacterial pneumonia
  - 증상 호전을 보이다가 다시 fever, cough, sputum, chest pain 등 폐렴 증상 발생시 의심
  - 원인균 ; *S. pneumoniae, S. aureus, H. influenzae, S. pyogenes, P. aeruginosa* ...
  - 위험인자 ; 고령, 만성 폐질환(e.g., COPD), 심장질환, steroid 사용
- mixed viral & bacterial pneumonia
- 기타 ; COPD/천식의 악화, 소아에서 croup, sinusitis, otitis media ...

(2) 폐외 합병증

- 라이 증후군(Reye's syndrome)
  - 주요원인 : influenza (60%, B>A), VZV (30%), 바이러스성 설사질환
  - 2~16세에 호발 (95%), aspirin 투여시 빈도 증가 (→ 예방접종 권장)
  - URI Sx 2~3일후 N/V (1~2일) → CNS Sx (의식변화, 경련) → 사망
  - 간비종대, AST/ALT 및 LD의 현저한 증가 (> bilirubin 증가), ammonia 증가, hypoglycemia
  - 간세포내에 diffuse fatty infitration과 mitochondria의 변성
  - 대개 열은 없으며, 뇌척수액의 압은 높으나 다양한 소견 보임
  - 사망률 : 40% → 10% (주로 뇌부종 및 저혈당 치료 향상에 기인)
  - 치료 : 대증요법 (소아에선 aspirin의 사용을 피할 것)
- myositis, rhabdomyolysis, myoglobulinuria
- cardiac Cx ; myocarditis, pericarditis
- CNS Cx ; encephalitis, transverse myelitis, aseptic meningitis, G-B syndrome

5. 진단

- 대개 임상양상으로 진단하나, laboratory Dx.도 필요함 (임상소견만으로는 A, B 구별 힘듦)
- 검체 ; nasopharyngeal/nasal swab, oropharyngeal/throat swab, sputum 등
- NAAT ; viral RNA 검출 및 아형확인 가능, RT-PCR (reverse transcriptase PCR)이 가장 정확
  - muliplex RT-PCR을 많이 이용, 여러 호흡기 virus를 동시 검출하는 상용화된 제품들이 많음
  - rapid NAAT도 많이 개발되어 사용 중 (정확도는 conventional RT-PCR과 비슷)
- rapid Ag test (RAT) ; immunochromatographic EIA, fluorescent immunoassay (FIA) 등
  - 대부분 viral nucleoprotein Ag을 검출, 간편하고 저렴해서 가장 많이 이용
  - specificity는 높지만, sensitivity는 낮음 (50~80%) → 음성이면 NAAT 필요
- virus culture : tissue or egg culture, 옛날에

• 혈청검사(HI, CF, ELISA 등) : Ab titer의 4배 이상 증가시 진단 가능하지만, 감염 2주 이후에
　출현하므로 retrospective 함, 혈청학적 연구나 백신의 면역원성 연구에 이용

6. 치료

• uncomplicated influenza ⇨ 대증요법 ; 휴식, 적절한 수액공급, analgesics
　(e.g., codeine), AAP (소아에서 aspirin은 금기) / 진해제는 권장 안됨
• 증상이 심하거나 합병증 발생 고위험군 ⇨ antiviral therapy (증상 발생 2일 이내에 투여해야 됨)
　① M2 inhibitor (adamantane) ; amantadine, rimantadine
　　- A형에만 작용, 거의 대부분 내성을 나타내 사용 안함
　② neuraminidase inhibitor (NAI)
　　- oral oseltamivir (Tamiflu®), inhaled zanamivir (Relenza®), IV peramivir (Peramiflu®)녹십자
　　　┌oseltamivir : 1일 2회 5일간 투여, 1세 이상 소아 및 임산부에도 사용 허가
　　　│zanamivir : 1일 2회 5일간 투여, 5세 이상에 허가, asthma 및 COPD 환자는 상대적 금기
　　　└peramivir : 1회 IV 투여, 2009년 FDA EUA, 2014년 18세 이상에 허가, 2017년 2세 이상
　　　　으로 확대 허가 (우리나라는 2018년 허가), oseltamivir보다 약간 더 효과적
　　- influenza A & B의 치료 및 예방에 모두 효과적, 부작용 적고, 내성 출현율 낮음
　　- adamantane 내성에도 효과적
　③ baloxavir marboxil (Xofluza®)로슈 : cap-dependent endonuclease (CEN) inhibitor
　　- oral 1회 투여, NAI보다 더 효과적, adamantane 및 NAI 내성에도 효과적, 2018년 FDA 허가
　④ 기타 연구 중인 약제들
　　- laninamivir : long-acting NAI로 1회 oral 투여 가능, oseltamivir보다 더 효과적
　　- pimodivir : oral polymerase basic protein 2 (PB2) inhibitor, 효과는 별로인 듯
　　- favipiravir (Avigan®) : broad-acting RNA polymerase inhibitor, 2014년 일본에서 influenza
　　　치료에 허가됨 (SFTS, Ebola 등 다양한 virus에 대해 연구 중) … 효과는 논란
• complicated influenza
　- antiviral therapy의 효과는 불확실
　- primary influenza pneumonia → ICU에서 대증적 치료
　- bacterial pneumonia → 항생제

7. 예방

(1) 예방접종(vaccine)
• 매년 1회 접종 (10~11월), host 상태와 무관하게 접종 가능
• 현재 사용되는 백신은 거의 대부분 불활화백신(inactivated influenza vaccine, IIV)임
　- hemagglutinin (HA)의 함량을 기준으로 제조, 매년 유행을 예측하여 새로 제조
　- 4가백신(quadrivalent vaccines) ; 두 종류의 A (H1N1, H3N2)와 두 종류의 B (Yamagata,
　　Victoria) 바이러스 균주 함유, 3가백신보다 예방 폭이 넓어 권장됨
　- 3가백신(trivalent vaccine) : 두 종류의 A형과 한 종류의 B형 바이러스 균주 함유
　- 지난 season 유행에 근거해 WHO에서 균주 권장, 예측이 맞을 경우 50~75%까지 예방 가능
• 부작용 ; 접종부위의 발적/압통 (약 1/3에서), 미열 및 경미한 전신증상 (~5%)

인플루엔자 우선 예방접종 대상	
합병증 발생 고위험군	65세 이상 (50~64세도 위험인자를 갖고 있는 경우가 흔하나, 예방접종률이 낮아 포함시킴 ⇨ 결국 50세 이상 모두!) 6개월~5세 소아, 임산부 심장이나 폐의 만성질환 ; 천식, COPD, CHF 등 (단순 고혈압은 아님) 당뇨 등 대사 이상, 만성 간질환, 만성 신질환, 신경근육질환, 빈혈 면역저하자 ; HIV 감염, 면역억제제, 악성종양 등 고도 비만 (BMI ≥40) 5~18세의 아스피린 복용자 (∵ Reye's syndrome 발생 위험) 입원중이거나 요양원에 거주중인 사람
전파 위험군	합병증 발생 고위험군과 함께 생활하는 사람(e.g., 가족, 직장 동료) 5세 이하 소아의 모든 가족과 어린이집/유치원 종사자들 의료기관 종사자 및 환자의 보호자 ~18세까지의 소아청소년 (∵ 집단생활로 인한 유행 위험)
기타	조류인플루엔자 대응 기관 종사자, 닭/오리 농장 및 관련업 종사자 해외 여행지가 유행시기일 때 본인이 원할 때

c.f.)
항암치료 중 고형암 환자
혈액암 환자 (특히 고용량
steroid, rituximab 치료)
⇨ 항체 생성률이 낮음
(but, 예방접종 효과가 크고
부작용은 거의 없으므로
우선 접종 대상임)
– 시기: 명확한 치침은 無
  일반적으로 CTx 2주 전
  or CTx 2주 이상 경과 후
– neutropenia 기간은 피함
– 1회만 접종
  (2회 해도 효과 상승×)

* 과거 접종력이 없는 6개월~8세의 소아 ⇨ 처음엔 4주 간격으로 2회 접종, 이후 매년 1회 (19세까지 권장)

➔ 현재는 금기가 아닌 한 6개월 이상의 모든 연령대에서 예방접종이 권장됨!

- 백신(inactivated vaccine) 접종의 금기/주의
  - 과거 influenza vaccine에 대한 severe allergic reaction 발생 병력
  - 계란 allergy (∵ 계란에서 제조) → 현재는 의료진 감독 하 접종 가능 (∵ 심한 이상반응 無)
  - 급성 열성질환 (→ 증상이 가라앉은 뒤 접종) / 경미한 URI, 알레르기 비염 등은 금기 아님
  - 최근 6주 이내에 Guillain-Barré syndrome을 앓은 경우 (→ 6주 이후 접종)
  - 6개월 미만의 영아 (∵ 백신의 효과 검증 안됨) → 대신 임산부 및 주변 가족들 접종 권장
    c.f.) 임신 : 일반인보다 severe influenza 및 Cx 위험이 높고 조산, 저체중 출산, 신생아 사망
        위험도 높아지므로 최우선 접종 대상임 → 임신 주수와 관계없이 접종 권장

* 4가 live-attenuated intranasal vaccine (LAIV4) : 약독화생백신
  - 효과 및 안정성 우수함, 5세~49세에서 사용 가능
  - 금기 ; 임신, 50세 이상, 면역저하, 면역억제제 복용, 2일 이내에 항바이러스제 복용,
    aspirin or salicylate 복용 소아(6개월~17세, Reye's syndrome 발생 위험),
    만성호흡기질환(e.g., 천식, 반응성 기도질환), CSF leak, 심한 면역저하자의 접촉자 등
  - 만성질환(e.g., 심장, 폐, 신장, 간, 신경근육, 혈액, DM)에서의 안전성은 연구 부족, 주의 필요

(2) 항바이러스제(chemoprophylaxis)

- oral oseltamivir, inhaled zanamivir : influenza A & B 예방에 사용 가능, 60~80% 예방 효과
  (oseltamivir는 1세 이상부터, zanamivir는 5세 이상부터 투여 가능)
- postexposure prophylaxis : 노출 후 2일 이내에
- preexposure chemoprophylaxis : 유행시 예방접종을 받지 못했거나, 균주예측 실패로 효과가
  없을 것으로 예상되는 경우, 합병증 발생 고위험군(→ 앞의 표 참조)에서만 사용
  ↳ 고위험군이 아닌 경우는 권장× (∵ 내성 발생 조장 위험) → close monitoring & Tx

- 투여 기간 : 2주 이상 (예방접종 받았으면 1주) & 마지막 환자 발병 후 1주일 뒤까지
- inactivated vaccine과 병용 (서로 상승효과), live attenuated vaccine과는 병용하면 안 됨

■ 조류인플루엔자(avian influenza, AI)

- 야생조류 또는 가금류(닭, 오리)에 감염되는 influenza A virus로 간헐적으로 사람에게도 전파됨
  - ┌ 저병원성 : 닭 1~30% 치사율 ; H6N1, H7N2, H7N3, H9N2, H10N7 등
  - └ 고병원성 : 닭 ≥95% 치사율 ; H5N1, H7N9 등 → 주로 인체 감염 유발 가능
    - H5N1 ; 1997년 홍콩에서 최초의 인체 감염 발생(18명 감염, 6명 사망), 2003년 이후로 동남아, 중동 등에서 매년 산발적으로 유행 (총 860명 이상 감염, 사망률 약 53%)
    - H7N9 ; 2013년 중국에서 최초 감염 발생 후 매년 산발적 유행 (총 1600명 감염, 사망률 39%)
    - H5N6, H7N3, H7N4, H7N7, H9N2 등도 드물게 감염 사례 발생
    - 우리나라 ; 아직 인체 감염 사례 없음, 2017년 제1급 법정감염병으로 지정
- 감염 위험군 ; 양계업이나 도살업 같이 조류와 지속적이고 직접적인 접촉을 하는 사람
  - 드물게 덜 익힌 가금류의 섭취에 의해서도 감염 가능
  - 사람간 전파도 매우 드물게 가능하지만 (대부분 밀접 접촉에 의해), 지속적인 전파는 없음
  - virus는 75℃ 이상에 5분 이상 가열하면 사멸됨
- 임상양상
  - ┌ H5N1 ; 잠복기 2~5일, 주로 소아와 젊은 성인에서 발생, 대부분 시골 거주자
  - └ H7N9 ; 잠복기 3~7일, 주로 성인~노인에서 발생, 72%가 도시 거주자
    - 38℃ 이상의 고열, 기침, 빈호흡, 두통, 근육통, 권태감 등
    - 폐렴, ARDS, shock, AKI, rhabdomyolysis 등의 심한 합병증 발생이 흔함 (사망률 40~60%)
    - Lab ; leukopenia (lymphopenia), thrombocytopenia, AST-ALT↑
- 진단 ┌ 호흡기 검체 (인후 면봉) → RT-PCR (가장 정확), rapid Ag test
  └ 혈청 → HI, NT (neutralization) / ELISA, WB 등은 일부 WHO 협력센터에서만 가능
- 치료 : neuraminidase inhibitors (oseltamivir, zanamivir, peramivir 등)
- 고위험군, 환자와 접촉한 가족/의료진에게 예방 목적으로 oseltamivir or zanamivir 투여

c.f.) 사람간 전파가 드문 이유
  - ┌ 사람독감 : virus receptors가 상기도에 존재, aerosols/기침/콧물을 통한 전파 쉬움
  - └ 조류독감 : virus receptors가 폐 하부에 존재, aerosols/기침/콧물을 통한 전파 어려움

■ RNA viruses [envelope 有] / family Coronaviridae

■ 코로나바이러스(human coronaviruses, HCoVs)

- coronavirus : medium-sized enveloped, (+)sense single-stranded RNA virus
  - 1937년 닭에서 처음 발견, 여러 동물들에서 다양한 감염을 일으킴, 인수공통감염병
  - 사람에서는 1960년대 감기 환자의 비강에서 처음 발견 (229E와 OC43)

Genus	인체감염 species
Alphacoronavirus (과거 group 1)	HCoV-229E HCoV-NL63
Betacoronavirus (과거 group 2)	A lineage ; HCoV-OC43, HCoV-HKU1 B lineage ; SARS-CoV, COVID-19 (SARS-CoV-2) C lineage ; MERS-CoV
Gammacoronavirus (과거 group 3)	無
Deltacoronavirus	無

동물 감염을 일으키는 CoV는 훨씬 많음

- RNA virus 중 genome 가장 큼 (27~32 kb), 4~5개의 구조단백질을 encoding
  ① spike protein (S) ; 왕관 모양의 표면 돌기, host cell receptors와 결합한 뒤 세포막과 fusion, 중화항체 형성을 유도하는 주요 Ag, cytotoxic lymphocytes의 중요 target, S1/S2의 결합체
  ② membrane protein (M) ; membrane과 capsid 사이를 이어줌
  ③ nucleocapsid protein (N) ; RNA와 결합하여 nucleocapsid를 만듦, virus 합성/조립에 중요
  ④ small envelope protein (E) ; 외피(envelope)를 구성, virus 조립/분출에 관여
  ⑤ surface hemagglutinin-esterase glycoprotein (HE) ; OC43, HKU1에 존재, 역할은 미미

* community-acquired respiratory (CAR)[감기] HCoVs ; 229E, OC43[m/c], NL63, HKU1 등 4가지
  - 전 세계적으로 분포하며(endemic), 일반 감기 원인균의 10~15% 차지, 주로 겨울에 유행
  - infected secretions or large aerosol droplets을 통해 전파 (밀접접촉, autoinoculation)
  - 감염 직후 면역이 생기지만, 시간이 지날수록 점차 사라짐 (→ 재감염 가능)
  - 감기(URI) 증상, 잠복기 2~5일 (평균 3일), 임상적으로 진단, 보존적 치료만 → I-7장 참조
    ↳ rhinovirus와 비슷 (잠복기 평균 2일), HCoV보다 증상기간 길고, 콧물과 기침은 더 흔함

SARS (severe acute respiratory syndrome)중증급성호흡기증후군

1. 개요

- SARS-CoV : 최초로 동물의 coronavirus가 종간 장벽을 뛰어 넘어 사람에게 유행을 일으킴
  ; 박쥐 (자연숙주) → 사향고양이, 너구리 (중간숙주) → 사람으로 전파
- 2002~3년, 중국 광동성에서 발생, 홍콩을 통해 전 세계로 전파, 8096명 감염, 774명 사망하고 끝남
  (당시 우리나라는 뛰어난 방역활동으로 환자 발생 無, WHO로부터 예방 모범국으로 인정됨)
- 전파경로 : 호흡기 비말 (작은 침방울)을 통해 감염 (밀접접촉 or 공기감염)
  - fecal-oral route나 환자의 체액에 오염된 물건, 물을 통해서도 가능
  - 주로 병원근무자 (intubation시 aerosol↑) 및 그 가족에 의해 급속히 확산되었음
- ACE2 : SARS-CoV의 S단백에 대한 receptors, 주로 하기도에 분포 → **폐렴**으로 발병

2. 임상양상

- 다양하며 비특이적, 경한 증상 ~ 호흡부전/사망 (소아는 경미한 경과를 보임, 12세 미만 사망 無)
- 잠복기 : 평균 4.6일 (2~14일)
  - ┌ 전신증상 ; 발열(m/c), 권태감, 두통, 근육통 ...
  - └ 호흡기증상 (1~3일 뒤) ; 마른기침으로 시작 뒤 호흡곤란, 빈호흡으로 진행
- 약 25%에서는 나중에 수양성 설사도 발생
- Lab ; WBC↓ (특히 lymphocyte↓), platelet↓, ALT-AST↑, LD↑, CK↑, mild DIC ...
- CXR ; bilateral peripheral infiltrates (주로 중하엽) ~ diffuse interstitial infiltrates (ARDS)
- 조직소견 ; diffuse alveolar damage (ALI)
- 경과 (전체적인 사망률은 약 10%)
  - 대부분은 (80~90%) 6~7일째 증상이 호전됨
  - 10~20%는 악화되어 ARDS 및 multi-organ dysfunction으로 진행
- 나쁜 예후인자 (severity↑) ; 50세 이상, 기저질환(심혈관질환, 당뇨, 간염 등), 임신

3. 진단

- 특징적인 임상증상이 없으므로 접촉력이 사례 정의에 중요
- SARS의 laboratory Dx
  - ① RT-PCR : 빠르고 정확, 2가지 이상의 검체 권장 (혈청, 호흡기, 대변 등)
  - ② 혈청 Ab (ELISA, IFA) : 대부분 3주 이후에 seroconversion → 초기 진단에는 부적합

4. 치료/예방

- 효과가 입증된 항바이러스제는 없음 (권장×) → 보존적 치료가 주
  (lopinavir-ritonavir, remdesivir가 효과가 있을 것으로 추정되지만, 2003년 이후는 환자가 없음)
- 효과적인 vaccine 없음
- 전파의 차단이 중요 (특히 원내감염) ; 환자의 격리, 철저한 손씻기 및 보호구 착용

MERS (middle east respiratory syndrome) 중동호흡기증후군

- MERS-CoV ; 2012년 사우디아라비아에서 발생 (박쥐 → 단봉낙타 → 사람으로 전파)
  - SARS-CoV와 달리 산발적으로 계속되는 낙타로부터의 감염, 폭발적인 의료기관내 전파가 특징
    (감염자의 약 50%가 낙타로부터 직접 감염된 1차 감염자로 보임, 가족간 전파는 드묾)
  - 중동 지역에서 유래하여 일부 국가에도 전파, 전 세계적으로 약 2500명 감염, 약 900명 사망
  - 우리나라 (중동이외 최대) ; 2015년 바레인을 다녀온 1명에 의해 총 186명 감염, 39명 사망
    (당시 정부의 늦은 대처, 정보공개 거부, 병원들의 감염관리 부실 등으로 인해 큰 혼란 초래)
  - DPP4 : MERS-CoV의 S단백에 대한 receptors, 주로 하기도에 분포, 신장에도 분포(→ AKI)
- 주로 성인~노인에서 발생 (소아는 드물고, 경미한 증상을 보임)
- 잠복기 : 평균 5.2일 (2~13일)

- 임상양상˙˙; 무증상 ~ 치명적 폐렴까지 다양 (심한 정도는 나이와 비례함)
  - 대부분 심한 폐렴 ~ ARDS로 진행 (다른 심한 폐렴들과 구별되는 증상적 특이성은 없음)
  - 약 1/4에서는 GI Sx (설사, 구토, 복통) 동반
  - AKI ; 중동 지역 환자에서는 흔했으나, 우리나라 환자에서는 덜 흔함
  - 영상검사 ; 폐 주변주의 ground-glass appearance (pleural effusion 동반시 예후 나쁨)
  - Lab 이상(e.g., leukopenia, thrombocytopenia, AST-ALT↑)은 SARS보다 덜 흔함
- 사망률 20~36% (poor Px ; 고령, 면역저하, 기저질환)
- 진단 ; RT-PCR (검체 ; 하기도, 상기도, 혈청), 진단율을 높이기 위해 여러 번 반복 검사 권장
- 치료 ; 효과가 입증된 항바이러스제는 없음 (권장×) → 보존적 치료가 주
  - 국내 유행 당시에는 interferon + lopinavir-ritonavir ± ribavirin 병합요법이 사용되었음
  - 원내전파 차단을 위한 고강도 감염관리가 요구됨 ; standard, contact, airborne precautions

COVID-19 (coronavirus disease 2019)

- COVID-19 (SARS-CoV-2) ; 2019년 말 중국 우한에서 발생한 뒤, 세계적 대유행 중 (pandemic), WHO의 감염병에서 지역명 배제 가이드라인(2015년~)에 따라 COVID-19로 명명함 (SARS-CoV와 82% 일치해 국제바이러스분류위원회^{ICTV}는 SARS-CoV-2로 부름)
  - 박쥐 → 중간숙주(천산갑?) → 사람
  - ACE2 : SARS-CoV-2의 S단백에 대한 receptors
    (SARS-CoV와 같지만, SARS-CoV-2에 더 잘 결합 → SARS보다 사람간 전파 더 잘됨)
  - 2020년 12월까지, 전 세계적으로 약 8500만명 감염, 180만명 사망 (사망률 약 2.1%)
  - 우리나라 ; 정부의 예방 대책 (즉시 진단시약 개발/보급), 빠른 초기 대응, 철저한 방역으로 인해 (일부 종교집단들의 대량 전파에도 불구하고) 성공적으로 control하여 세계적 모범이 되었으나, 겨울철을 맞아 증가세로 전환되어 2020년 12월까지 약 6만명 감염 (사망률 약 1.6%)
- 사람간 전파가 매우 잘 됨 ; 근거리의 resp. droplet (m/c), fomites에 의해, 일부 airborne도 가능
  - 증상 발생 직전 ~ 초기 증상기에 감염력이 가장 높음
  - 감염에서 회복되면 대부분 protective Ab가 만들어지지만 언제까지 지속되는 지는 아직 모름
- 임상양상 ; 잠복기 4~5일 (~2주까지도), 무증상, mild~severe 폐렴(~15%), ARDS까지 매우 다양함
  - 발열, 마른기침, 호흡곤란 등이 흔한 증상 (소아도 감염 확률은 비슷하지만, 증상은 경미함)
  - 근육통, 설사, 미각/후각 상실 등의 증상도 흔함 / 무증상 환자도 있지만 정확한 %는 불명확함
  - 증상이 없거나 경미해도 CXR/CT에서 폐렴 소견이 있는 경우가 흔함
  - 입원(특히 ICU) 환자 일부는 hypercoagulable state로 진행 → VTE 위험↑
- 영상검사 소견 (정상인 경우도 많음, 대개 증상 발생 10~12일 후 가장 심함)
  - CXR ; consolidation, ground glass opacities (bilateral, peripheral, 폐 하부에 주로)
  - chest CT (입원 환자에서만 권장) ; ground glass opacities (m/c) ± consolidation, pleural thickening, interlobular septal thickening, air bronchograms 등이 흔한 소견임
- severe COVID-19의 검사 소견 ; D-dimer >1000 ng/mL, CRP >100 mg/L, LDH >245 U/L, ferritin >500 μg/L, CK >2×ULN, troponin >2×ULN, lymphocytes <800/μL

Severe COVID-19의 위험인자

Established	Possible
비만 (BMI ≥30) Type 2 DM 심한 심혈관질환 ; HF, CAD, 심근병증 만성신질환(CKD) COPD 악성종양 면역저하 (SOT) Sickle cell disease	HTN 간질환 Type 1 DM 천식(moderate~severe) 뇌혈관질환, 신경질환(e.g., 치매) Cystic fibrosis, Thalassemia 면역저하 (HCT, HIV, steroid, 면역억제제) 임신, 흡연

- 진단 ; RT-PCR (검체 ; 비인두$^{(m/g)}$, 구인두, 객담$^{(나오면)}$), Ag/Ab 신속검사는 정확도 부족해 권장×

- 치료 ; 경미한 경우는 집/시설에서 경과관찰 (전파 차단이 중요), 항바이러스 치료는 연구 중
  - 대증치료 ; 휴식, 해열제는 AAP 권장(→ 효과 없으면 NSAIDs), 호흡 운동, 수액, 진해제 등
  - 증상이 심해 입원한 환자는 oxygen, low-dose dexamethasone, remdesivir, VTE 예방조치 등 (ARDS → intubation & mechanical ventilation, 반응 없으면 ECMO)
  - low-dose dexamethasone : 28-day mortality 의미 있게 감소 (21.6% vs 24.6%)
  - remdesivir (GS-5734) : RNA-dependent RNA polymerase (RdRp) 억제제, 미국 Gilead Science에서 에볼라 치료를 위해 개발, MERS와 COVID-19에도 효과가 있을 것으로 기대됨
  - convalescent plasma : 회복된 환자의 혈장에서 결합항체를 추출한 것, 감염 초기에는 효과적
  - hydroxychloroquine or chloroquine, lopinavir-ritonavir 등은 권장×

  c.f.) mild ~ moderate 외래환자 중 severe dz.로 진행할 위험이 높은 경우는 monoclonal Ab를 고려 가능
  - bamlanivimab, casirivimab-imdevimab ; FDA EUA, 발병 10일 (확진 1일) 이내 투여해야 됨
  - 기전 : SARS-CoV-2의 spike protein에 결합하여 ACE2 receptor에 부착하는 것을 차단

- 사망률 ; SARS, MERS보다는 낮고, influenza보다는 약간 높음 (주로 고령, 기저질환자가 사망)
- 여러 백신들이 개발되어 2021년 중으로 대부분의 국가에서 예방접종이 가능할 것으로 예상됨
  ; mRNA (BioNTech-Pfizer, Moderna), adenovirus vector (Oxford-AstraZeneca, Janssen, CanSino), recombinant protein nanoparticle (Novavax), inactivated SARS-CoV-2 (Sinovac) 등

c.f.) 흔한 호흡기 바이러스 질환의 특징

Virus	Number of Types	흔한 임상양상	호발시기	잠복기
Adenovirus	>60	소아에서 인두염(m/c), 중이염, 폐렴 젊은 성인에서 급성호흡기질환	연중	2~14일 (평균 4~5일)
Rhinovirus	>100	감기(URI) 증상 ; 콧물, 기침 흔함	연중 봄, 가을에 호발	1~4일 (평균 2일)
Coronavirus	4	감기(URI) 증상	겨울~초봄	2~5일 (평균 3일)
Influenza virus	3	심한 전신증상 (고열, 두통, 근육통) 호흡기 증상도 동반	겨울~초봄	1~4일 (평균 2일)
Parainfluenza virus	4	소아 mild URI ~ Croup 성인 mild URI ~ 폐렴	가을 (types 1 & 2) 연중 (type 3)	2~6일
RSV	2	영아 bronchiolitis 소아/성인 감기(URI) ~ 폐렴	연중 겨울에 호발	4~6일

RNA viruses [envelope 有] / family Paramyxoviridae

홍역 (Measles) (rubeola, morbilli)

1. 개요

- genus *Morbillivirus*, species *Measles morbillivirus* (measles virus)
  - enveloped, nonsegmented, single-stranded, (-)sense RNA virus
  - 24가지 genotypes이 있지만, serotype은 한 가지 → 감염(or 예방접종)시 평생 면역 획득
    ; 감염 후 생성되는 neutralizing Ab는 hemagglutinin (H) 단백에 대한 IgG Ab임
- 사람이 유일한 숙주, 호흡기 상피세포로 침투 → 혈류를 통해 RES로 확산 → 여러 조직에 감염
- 전파경로 ; large droplets^{비말}을 통한 직접 전파 or aerosolized small droplets^{비말핵}을 통한 공기 전파
  - 공기 중에서도 ~1시간까지 생존 가능 (→ 음압격리 필요)
  - 전염력이 매우매우 높음! (감수성 있는 사람이 노출되면 90% 이상 감염됨)
- 역학 ; 예방접종 이전에는 2~3년 주기로 늦겨울~봄에 학령기 소아를 중심으로 대규모 유행
    (→ 청소년기가 되면 거의 대부분이 홍역에 면역을 획득했음)
  - 1965년 홍역 백신이 국내에 도입된 뒤로 점차 발생 감소, 매년 4~7천명 발생
  - 1983년 MMR을 국가예방접종에 도입한 뒤 (9~15개월에 1회) 매년 1~2천명으로 감소
  - 1993~1994년 전국적 유행으로 다시 8천명 이상 발생 → 4~6세에 2차(booster) 접종 권장
  - but, 2차 접종률이 높지 않아 2000~2001년 5만명 이상이 감염되는 전국적 대유행 발생
    (주로 2세 미만 소아와 7~15세 초중고생) → 2차 미접종자 대상으로 긴급 MR 접종사업 실시
  - 2차 접종률이 거의 100%에 이르자 2002년 이후로는 매년 100명 미만으로 급격히 감소,
    2006년 홍역 퇴치 선언, 2014년 WHO로부터 홍역 퇴치 재인증 받음
  - 현재는 매년 10~20명 내외 발생하지만, 종종 해외유입, 병원내 2차 전파로 산발적 유행 발생
    (주로 면역이 불충분한 영유아 및 2차 미접종한 <u>젊은 성인</u>들에서 감염 발생)

2. 임상양상

- 잠복기 6~21일 (평균 13일), 무증상 감염은 거의 없음!
- 전구기(prodrome) : 2~4일
  - 발열, 권태감 → 이후 기침, 콧물, 결막염 등 발생 (기침은 1~2주 지속될 수 있음)
  - <u>Koplik spots</u> ; 발진 발생 1~2일 전에 나타나 발진 발생 직후 소실, 홍역 진단에 특이적인 소견
      (둘째 어금니 맞은 편 볼 안쪽에 1~2 mm 크기의 회백색 반점, 충혈된 점막으로 둘러싸임)
- 발진기(exanthem) : 7~10일 (성인에서 더 심함)
  - erythematous, maculopapular, blanching rash : 머리에서 시작해 얼굴, 몸통, 사지로 퍼짐
  - 고열(발진 발생 2~3일 뒤가 가장 높음), 심한 경우는 petechiae도 보일 수 있음
  - 3~4일째부터 발진은 나타났던 순서대로 갈색을 띠며 소실되기 시작, 7~10일 내에 소실됨
- 예방접종자는 전형적인 발진이나 전구증상이 미미하거나 없을 수 있음
- 발열은 발진 발생 4~5일 째 해열됨, 그 이상 지속되면 합병증(e.g., 2차 감염, 뇌염) 발생 의심

3. 합병증

- 대부분은 저절로 회복되지만, 일부에서 합병증 발생 가능, 사망률은 약 0.3%
- 합병증 발생 위험↑ ; 면역저하자, 임신, vitamin A 결핍, 영양실조, 고령
- 면역억제 및 2차 감염
  - T cells 공격 (cellular immunity↓), B memory cells 공격 (humoral immunity↓[항체 기억 상실])
  - bacteremia, pneumonia, gastroenteritis, otitis media 등
  - 여러 세균과 virus 감염 및 TB 재활성화(or tuberculin test anergy)도 가능
- 호흡기 ; pneumonia (소아에서 m/c 사망원인), laryngotracheobronchitis (croup), bronchiolitis
- 신경계 ; 뇌염, acute disseminated encephalomyelitis (ADEM), subacute sclerosing panencephalitis (SSPE, 홍역 감염 7~10년 뒤 발생 가능, 백신 보급 이후로는 매우 드묾)

4. 진단

- 유행시에는 임상양상만으로 진단 가능 (특히 Koplik spots 존재시)
- 혈청검사 (가장 편리) ; anti-measles IgM (발진 발생 2일 뒤부터 검출 가능, 발진 소실 뒤에는 ↓), anti-measles IgG (titer 4배 이상 상승시 진단 가능, 주로 역학조사나 면역력 확인에 이용)
- 기타 ; RT-PCR, culture (어려움) 등

5. 치료/예방

- 대개 보존적 치료 (해열제, 수액, 2차 감염 및 합병증 예방)
- vitamin A ; 결핍시 회복 지연 및 합병증↑, 소아에게는 투여 권장 (성인은 권장×)
- 예방접종 : 약독화 생백신(live-attenuated measles virus vaccine) 사용 (MMR 형태로 소아는 2회) (불활성화 사백신은 atypical measles 유발 위험이 알려지면서 1967년 사용 중단됨)
  - 우리나라는 1965년 홍역 단독 백신 도입, 1980년대부터 MMR 백신을 사용

홍역에 대한 면역이 있을 것으로 추정되는 경우	
예방접종 기록 상 2회의 백신접종력 확인 과거 홍역에 감염되었던 병력 (검사로 진단) 혈청 검사로 홍역에 대한 항체(IgG) 확인 1967년 이전 출생자	⇨ 홍역에 노출되어도 특별한 예방 조치 필요 없음! 이외에는 홍역에 감수성이 있는 것으로 보고 최소 1회 MMR 접종 권장

2회 MMR 접종 대상 (홍역 감수성자로 홍역 노출 or 합병증 발생 고위험군)
의료기관종사자, 학교/기숙사 등에서 단체 생활을 하는 성인 면역저하자의 가족 및 기타 밀접하게 접촉하는 성인 CD4+ T cell ≥200/μL인 HIV 감염자, 항암치료나 면역억제치료 예정인 환자 홍역이 유행 중인 국가로 여행하는 경우

  - 예방접종 금기 ; 임산부, 세포면역결핍, CD4+ T cell <200/μL (or 15%)인 HIV 감염자
- postexposure prophylaxis ; 노출 3일 이내에 MMR vaccination 시행 (IVIG와 동시는 안됨)
  * IVIG ; 노출 6일 이내 투여시 감염 예방 or severity↓ 가능, 면역저하가 심한 경우나 임산부에게
- 증상 발생 1-2일 전 ~ 발진 발생 4일 후까지 전염력이 있음 → 발진 발생 전후 4일간 격리 필요
  ⇨ standard & airborne precaution (음압격리)

볼거리/유행성이하선염 (Mumps)

- genus *Orthorubulavirus*, species *Mumps orthorubulavirus* (과거 *Mumps rubulavirus*)
  - 12가지 genotypes이 있지만 serotype은 한 가지, 사람이 유일한 숙주
  - 전염력 매우 높음 ; 호흡기 droplets, 타액, fomites 등을 통해 전파
    (전염력은 타액선 비대 발생 1~2일 전부터 발생 후 5일까지, 무증상 감염에 의한 전파도 문제)
- 역학 ; 예방접종 도입 전에는 주로 학동기(5~9세)에서 발생했었지만, 도입 후 점차 연령이 높아짐
  - 2000년대 중반 이후 다시 감염자가 급증, 최근에는 매년 1~2만 명 발생
    (∵ 예방접종 후 시간이 지날수록 예방 효과가 감소 + 환자 감소로 자연 면역 증강 효과 감소)
  - 현재 약 85%는 소아/청소년, 15%는 성인에서 발생
- 임상양상 ; 잠복기 2~3주, 30~40%는 무증상 감염
  - 발열 등의 전구증상 (없는 경우 많음) → parotitis^{이하선염} (타액선 비대/통증) 발생 (대개 양측성)
  - Cx (대개 경미함) ; 고환염/부고환염 (대개 일측성, 불임은 매우 드묾), 난소염 (불임은 없음),
    meningitis, encephalitis, 청력장애(대부분은 일시적), 췌장염 ...
- 진단 ; 대개 임상적으로, RT-PCR (buccal or oral swab), 혈청검사(백신접종자에겐 활용 어려움)
- 치료 ; 대개 보존적 치료(e.g., 진통제, 냉찜질)
- 예방 ; 생백신(live-attenuated mumps virus vaccine) 사용 (MMR 형태로 소아는 2회)
  - 홍역이나 풍진에 비해 상대적으로 백신의 효과가 떨어짐, 유행의 완전한 차단 불가능
  - 3차 접종의 효과는 일시적이라 (1년 이내 중화항체 소실) 표준으로 도입은 어려움
  - 2012년부터 40세 미만 고위험군 성인에게 (검사 없이) MMR 추가 접종 권장 (e.g., 군대)
  - postexposure vaccination이나 immune globulin은 감염 예방 및 severity↓ 효과 없음

Parainfluenza viruses (PIVs)

- genus *Respirovirus*, species PIV-1^(2nd m/c) and PIV-3^(m/c)
- genus *Rubulavirus*, species PIV-2 and PIV-4 (PIV-4는 대부분 무증상으로 모르고 지나감)
- 주로 소아에서 경미한 호흡기 감염을 일으킴, 심한 경우 croup (입원한 croup 환자의 50% 차지)
  (거의 모든 소아가 감염을 경험하지만, 재감염도 흔히 발생)
- 성인은 주로 mild URI or CAP를 일으키며, 면역저하자와 고령에서는 심한 감염도 가능
- 전파경로 ; large droplets의 흡입 or fomites와 접촉
- 잠복기 2~6일, 질병 기간은 대개 4~5일
- 진단 ; RT-PCR
- 치료 ; 대개 보존적 치료(e.g., oxygen, bronchodilators)
  - croup의 경우 dexamethasone (심한 경우에는 epinephrine nebulizer도)
  - 효과적인 항바이러스제는 없지만, 매우 심한 경우에는 ribavirin, IVIG 고려 가능
- 예방 ; 입원시에는 standard & contact precautions, 상용화된 백신은 없음

RNA viruses [envelope 有] / family Matonaviridae

풍진 (Rubella, German measles)

1. 개요

- family <u>Matonaviridae</u> (과거 Togaviridae), genus *Rubivirus*, species *Rubella virus* (RuV)
  (↳ 1814년 풍진, 홍역, 성홍열을 처음 구분한 George de Maton의 이름을 따서 2018년에 새로 분류함)
  - single-stranded, enveloped (+)sense RNA virus
  - 13가지 genotypes이 있지만 serotype은 한 가지, 사람이 유일한 숙주
- 전파경로 ; 호흡기 droplets을 통해 전파 (임신시엔 태반을 통과하여 태아에게 전파)
  - 전염력 매우 높음 ; 집단 발병 흔함, 가족 내 노출시 50~60% 발병
  - 전염력은 발진 발생 전후로 7일간 (발진 1~5일 째에 가장 높음), 무증상 감염시에도 전파 가능
- 예방접종 도입 전에는 주로 소아에서 발생했었지만, 도입 후에는 주로 젊은 성인에서 발생
- 2000년 법정감염병(2급)으로 지정, 점점 감소하여 최근에는 10명 내외만 발생
- 초감염/예방접종 후 면역이 생기지만, 재감염도 가능함 (대개는 무증상으로)

2. 임상양상/진단

- 잠복기 2~3주 (평균 18일), 대부분 mild & self-limited, 약 2/3 이상은 무증상임
- 가벼운 전구증상(발열, 피로 ; 없는 경우도 많음) → 림프절 종대 → 1~2일 뒤 발진 발생
  - 림프절 종대 & 통증 ; 귀 뒤, 목 뒤, 후두부
  - 발진 (50~80%) ; 얼굴에서 시작, 2~3시간 내에 머리, 팔, 몸통 등 전신으로 급속히 퍼짐
    (pinpoint, pink^{연분홍색} maculopapules, 수는 많으나 홍역처럼 형태가 불규칙하거나
    서로 융합되지 않고 색소 침착도 없음) → 2~3일 지속 뒤 소실
  - 청소년~성인은 소아보다 증상 더 많고 증상 기간도 길, 전구증상도 더 흔함
- <u>관절통</u> ; 성인 여성의 ~70%에서 발생 (남성과 소아는 드묾), 발진과 함께 발생,
  주로 손가락/손목/무릎의 통증, 길게는 1개월까지도 지속 가능 (만성화는 안함)
- 합병증 ; <u>출혈</u>(platelet↓, 면역, 혈관손상 등 때문), thrombocytopenia, encephalitis, hepatitis ...
  ↳ 다른 Cx과 달리 소아에서 더 흔함

* congenital rubella syndrome (CRS) … 예방접종으로 인하여 현재는 매우 드묾
  - 임신 1기에 감염되면 약 50% (2기는 33%)에서 발생 가능 → 다발성 기형, 사산
  - transient ; low birth weight, thrombocytopenia, hepatosplenomegaly, jaundice, pneumonia ...
  - permanent ; deafness, PS, PDA, glaucoma, cataract ...
  - 기타 ; mental retardation, DM, behavioral disorder ...

* 진단 : 혈청검사(e.g., EIA), RT-PCR
  - <u>rubella-specific IgM</u> ; 가장 흔히 이용 (우리나라처럼 유병률이 매우 낮으면 위양성이 많으므로 해석 주의)
  - rubella-specific IgG ; 급성기→회복기에 4배 이상 상승하면 진단 가능
  - rubella IgG avidity test ; 높을수록 Ag 노출이 오래 전에 일어났다는 뜻 → 과거의 감염, 재감염

3. 치료/예방

- no specific Tx., 대증적 치료, 격리(standard & droplet precautions)
- 예방접종 : 생백신(live-attenuated vaccine)임 … MMR로 접종 (소아는 12~15개월, 4~6세에 2회)
  - Ix ; 항체가 없는 가임기 모든 여성 (+ 접촉자), 의료기관종사자, 보육시설종사자, 단체생활 성인
    (c.f., 성인 여성의 6~25%에서 항체가 없음 → 풍진에 susceptible)
    ↳ 가임기 여성은 임신 전 rubella-specific IgG 검사 권장
  - 예방접종 후 최소 4주 동안은 피임해야 됨
  - C/Ix ; 임신, HIV 감염 이외의 면역저하, 최근 3개월 이내 Ig 치료 (금기는 아니고 주의)
- 임신 중 풍진에 걸리거나 무증상 감염으로 확진되면 → 치료적 유산

┌ 홍역 : 3~5일간 "3C"(cough, coryza, conjunctivitis) 증상이 있으며, 홍반성 구진상 발진이
│   머리(목, 귀 뒤, 이마의 머리선, 뺨 뒤쪽)부터 시작해서 얼굴, 몸통, 사지로 퍼짐
│ 풍진 : 귀 뒤, 목 뒤, 후두부의 lymphadenopathy가 특징, 발진은 얼굴에서 시작해 전신으로 퍼짐
│ 볼거리 : parotid/submandibular gland의 비대, 압통, 동통
└ HSV 감염 : 홍반으로 둘러싸인 수포가 생기고, 터져서 딱지가 생김

c.f.) 선천성 기형을 일으킬 수 있는 감염 ; toxoplasmosis, syphilis, rubella, CMV, VZV

RNA viruses [envelope 有] / family Pneumoviridae

* genus *Orthopneumovirus*, species *Human orthopneumovirus* (= respiratory syncytial virus, RSV)
  - 연중 발생하나 주로 겨울철에 흔함, 분비물이나 fomites와의 접촉/inoculation에 의해 전파
  - type A, B 2가지 / 잠복기 4~6일 / 영아 bronchiolitis (→ wheezing)의 m/c 원인
  - 소아와 성인에서 URI와 폐렴의 주요 원인 (성인에서는 influenza 만큼 흔하고 중요)
  - 면역저하자(특히 HCT)에서는 폐렴이 심하고 오래 지속됨 (mortality ~60%)
  - 어렸을 때 RSV 감염시 천식 발생↑, 성인에서 천식과 COPD의 급성악화 유발 원인
  - 재감염도 흔함 ; 건강한 성인에서는 주로 URI 형태로, 고령/면역저하자에서는 심한 폐렴 형태로
  - 진단 ; 소아는 임상양상으로, 성인은 RT-PCR, Ag detection 등 필요
  - 치료 ; 보존적 치료, 면역저하 성인은 aerosolized ribavirin, IVIG, palivizumab, steroid 등 고려
  - 예방 ; <u>palivizumab</u> (humanized RSV mAb), 손위생 및 접촉주의, vaccine도 개발 중
    ↳ 고위험 영아에서 고려(e.g., 미숙아, 기관지폐이형성증, 심장기형, 면역저하)

* genus *Metapneumovirus*, species *Human metapneumovirus* (hMPV)
  - 2001년 발견되었지만, 많은 부분에서 RSV와 유사함 (RSV보다는 약간 경미한 임상양상)
    ; bronchiolitis, 폐렴, 천식/COPD의 급성악화, ARDS까지 다양
  - 대부분 소아 때 감염되나 평생 재감염도 흔함, 폐렴 증상은 주로 어린 소아나 고령에서 발생
  - 연중 발생하나 주로 늦겨울~봄에 흔함 (influenza, RSV 등과 비슷한 시기에 유행)
  - 진단 ; 임상양상으로는 다른 virus와 구별 어려움, RT-PCR
  - 치료/예방 ; 보존적 치료, 항바이러스제는 권장×, vaccine은 없음, 손위생 및 접촉주의

DNA viruses [envelope 無] / family Adenoviridae

아데노바이러스(Adenoviruses)

- genus *Mastadenovirus*, species (or subgroups) Human adenoviruses (HAdVs) A~G

Subgroup	Serotypes	임상양상
A	31	위장관염 (일부 영아에서)
B	3, 7, 21	상기도감염, 폐렴, pharyngoconjunctival fever
	14	폐렴
	11, 34, 35	출혈성 방광염, tubulointerstitial nephritis (TIN)
C	1, 2, 5	상기도감염, 폐렴, 간염
D	8, 19, 37	유행성 각막결막염(EKC), urethritis
E	4	상기도감염, 폐렴
F	40, 41	위장관염
G	52	위장관염

- 6개월 ~ 5세 소아에서 호발 (어릴수록 증상 심함), 연중 발생 (늦겨울~초여름에 약간 더 많음)
- 대부분 10세 이전에 일부 adenovirus serotypes에 대한 면역을 획득함
  (한번 감염되면 serotype-specific neutralizing Ab가 생성되지만, 잠복감염은 지속될 수 있음)
- 전파경로 ; aerosol droplets, fecal-oral route, contaminated fomites와 접촉 등
- 잠복기 ; 2~14일 (평균 4~5일)
- 매우 다양한 임상양상 ; 대개는 mild, self-limited dz., 약 50%는 무증상 감염으로 지나감

- 호흡기 감염 … 소아 URI의 약 5%, 폐렴의 약 10% 차지
  - pharyngitis (m/c) ; 인두통, 발열, 콧물 흔함 / 중이염, 결막염, 기관지염, 폐렴 등도 동반 가능
    (exudative tonsillitis도 흔함 → group A streptococcal pharyngitis와 구별 어려울 수 있음)
  - pneumonia ; 신생아/영아에서 심함, diffuse bilateral pulmonary infiltrates, 후유증 흔함
    (특히 serotype 3, 7, 14, 21 등이 severe & complicated pneumonia와 관련)
  - 성인에서는 acute respiratory dz. 발생 가능 ; 특히 군대에서 serotype 4, 7, 14, 21에 의해
- 눈 감염
  - pharyngoconjunctival fever ; benign follicular conjunctivitis, 흔히 febrile pharyngitis 동반
  - epidemic keratoconjunctivitis (EKC) ; 잠복기 8~10일, 심함 증상, conjunctivitis (결막 충혈),
    preauricular adenopathy, 각막 통증/혼탁, 대부분 self-limited, 영구적인 각막 손상은 없음
- 위장관 감염
  - subgroup F (40, 41) ; 2세 미만 급성 설사 질환의 2~5% 차지, 8~12일간 오래 지속 가능,
    연중 발생하는 경향, 원내 감염도 발생 가능하지만 rotavirus나 astrovirus보다는 덜 흔함
    (대변으로는 몇 달간 virus 배출이 가능하므로 대변 PCR 검사는 의미 없음)

- 1, 2, 5, 6은 mesenteric adenitis 유발 가능 (appendicitis 비슷), intussusception도 합병 가능
- hepatitis ; 면역저하자에서 serotype 5에 의해 발생 가능
• 비뇨생식기 감염
- acute hemorrhagic cystitis ; 소아에서 mild, self-limited gross hematuria, 주로 11, 21이 원인
- 성인 ; serotype 19, 37에 의해 urethritis 발생 가능
    (면역저하자에서는 serotype 11, 34, 35에 의해 hemorrhagic cystitis 및 TIN 발생 가능)
• 진단
- PCR ; 가장 정확, 호흡기, GI 감염 등에 대한 상용화된 multiplex PCR 검사도 많음
- viral Ag assay ; EIA or DFA를 이용한 rapid tests 많음
    (e.g., stool enteric adenovirus 40, 41 test → 영아 설사에서 유용)
• 치료 ; 보존적 치료
- adenovirus에 특이적인 항바이러스제는 없음
- 심각한 감염의 경우(e.g., 면역저하자) 항바이러스 치료 고려 ; cidofovir (신독성이 문제),
    brincidofovir (oral lipid ester of cidofovir), pooled IVIG 등
• 예방 ; 전파차단(감염관리)이 중요 (특히 EKC), 상용화된 vaccine은 없음
    (c.f., 미국에서는 신병훈련소 입소자에게 serotype 4, 7에 대한 live oral vaccines 접종)

3
바이러스성 위장염

Virus (흔한 순서)	주요 발병 연령	잠복기	증상의 심한 정도	증상 기간
Rotavirus	5세 미만 소아	1~3일	+++ (가장 심함)	5~7일
Norovirus	모든 연령	1~2일	++	2~3일
Adenovirus (40, 41)	2세 미만 소아	4~5일	+~++	8~12일
Astrovirus	주로 소아 (성인도 가능)	4~5일	+	2~5일
Sapovirus	주로 소아 (성인도 가능)	1~2일	+	2~3일

RNA viruses [envelope 無] / family Reoviridae

Rotavirus

- nonenveloped, 11 segmented, double-strand (+)sense RNA virus, triple-layered protein coat
  - VP6 : m/c protein coat, rotavirus의 group을 결정, 대부분 진단검사의 target
  - group (A~G 7가지) ; A (대부분), B (중국에서만 severe 감염), C (드묾) 3가지만 인체 감염
    ↳ VP7 (G: glycoprotein) serotypes 10가지, VP4 (P: protease) serotypes 11가지
  - neutralizing Ab는 VP4와 VP7에 의해 생기지만 방어면역은 명확하지 않고,
    방어면역은 주로 VP6에 의해 유도되는 virus-specific secretory IgA Ab에 의함 (주로 소장에 有)
  - 혈청 연구를 보면 4~5세까지 거의 모든 소아가 감염됨
  - 신생아 (∵ 엄마 Ab) 및 성인은 대부분 무증상 (∵ 재감염 반복 → immune memory↑ → severity↓)
- 5세 미만 소아에서 급성 설사질환의 m/c 원인 (어떤 해에는 norovirus가 m/c)
  - 11월~6월에 유행 (2월~4월에 peak), fecal-oral route로 전파 (매우 적은 수로도 감염 가능)
  - 우리나라 매년 약 3000~5000명 발생 (여러 장관감염 병원체와 함께 제4급 법정감염병)
- 잠복기 1~3일, 대개 3~7일 뒤 회복됨
- 임상양상 ; 무증상 ~ 발열, 구토, 물설사 (50~60%는 3가지 모두 나타남)
  - stool ; loose, watery (blood, mucus, WBC 등은 거의 없음!)
  - 심한 증상은 주로 4~36개월 소아에서 발생, 영아에서는 탈수가 심할 수 있음
  - 신생아에서는 nosocomial rotavirus infection시 necrotizing enterocolitis (NEC) 발생 위험
- 진단 ; rapid Ag test (e.g., EIA, latex agglutination), RT-PCR
- 치료 : 대증치료(수액 등), 항바이러스제는 없음

- 항생제나 지사제는 금기
- probiotics, bismuth subsalicylate, enkephalinase inhibitors, nitazoxanide 등은 효과 불확실
- 면역저하 소아에서의 만성 설사 → oral Ig or 초유(colostrum) 고려 가능
• 예방 : 경구용생백신(live-attenuated oral rotavirus vaccines), 개인위생(손씻기 등) 및 환경관리
    ⎡ pentavalent human-bovine rotavirus reassortant vaccine (RV5, RotaTeq) : 2세대, 3회 접종
    ⎣ attenuated human rotavirus vaccine (RV1, Rotarix) : 3세대, 2회 접종, 사람 균주만 사용,
       한 균주로 만들었지만 여러 균주에 대해 교차 방어효과를 가짐
       (우리나라는 국가예방접종사업에 포함되지 않은 선택접종, 생후 8주부터 4~8주 간격 접종)

RNA viruses [envelope 無] / family Caliciviridae

Norovirus (과거 Norwalk-like virus)

• nonenveloped, single-stranded, (+)sense RNA virus, 10 genogroups & 49 genotypes
   - genogroup GⅠ, GⅡ, GⅣ가 인체 감염을 일으킴 (GⅡ.4가 m/c, 2014년 이후 GⅡ.17이 유행)
   - 다양한 유전형/변이로 인해 장기간 지속되는 면역항체의 획득이 불가능함
• 전 세계적으로 "모든 연령층에서" mild gastroenteritis의 m/c 원인!
   - 12월~3월에 유행 (1월에 peak), 우리나라 매년 약 2000~5000명 발생 (제4급 법정감염병)
   - 집단 발병(단체급식, **식중독**)이 흔함, traveler's diarrhea의 원인일 수도 있음
• 전파 ; 주로 fecal-oral route를 통해 감염됨
   - 감염자, 감염자의 대변/구토물, 오염된 음식/물건 등과의 접촉
   - 전염력이 매우 강하여 소량의 virus로도 감염 가능
• 잠복기 : 평균 24시간 (12~72시간)
• 임상양상 ; N/V, 설사, 복통 (소아는 구토, 성인은 설사가 현저함), 무증상 virus 배출도 가능
   - 투통, 발열, 오한, 근육통 등의 전신증상도 흔함
   - stool ; loose, watery (blood, mucus, WBC 등은 없음!)
   - 건강한 사람은 심한 경우는 드물며, 대부분 2~3일 이내에 자연 회복됨(self-limited)
   - 고위험군(e.g., 노인, 영유아, 면역결핍자)은 입원이 필요할 정도로 심하고 장기간 지속 가능
• 진단 ; 대개 임상양상으로 진단하지만, 필요한 경우 stool EIA, RT-PCR 이용
   (c.f., 상용화된 multiplex PCR 위장관염/설사 검사도 매우 많음 → Ⅲ-3장 참조)
• 치료 : 대증치료(수액 등), 항바이러스제는 없음
• 예방 : 철저한 개인위생 및 환경관리(소독)
   - 발병 후 평균 4주까지 대변으로 virus가 배출될 수 있으므로 주의 (발병 1~2일째가 최대)
   - 알코올은 살균 효과 적음(→ 비누로 손 씻어야), 염소계소독제 or 85℃ 1분 열처리에 불활성화됨
   - vaccine : 주로 VLP (virus-like particle, 유전자는 빠진 virus 구조단백체)를 이용하여 개발 중
      (but, 항원성이 다양하고 변이가 자주 발생해 효과적인 vaccine 개발이 어려움)

Sapovirus (과거 Sapporo-like virus)

- norovirus와 달리 주로 5세 미만 소아에서 위장관염을 일으킴, 훨씬 드묾
  - 혈청 연구를 보면 소아 시절에 대부분 감염되어, 성인이 되면 거의 ~100% 양성
  - 연중 발생 가능하지만, 3~6월에 흔함
- 임상양상은 norovirus와 비슷하지만, 약간 더 경미한 편임
- 진단은 stool RT-PCR / 치료는 대증치료 / vaccine은 없음

기타

* Astrovirus
  - Family Astroviridae, non-enveloped, non-segmented, single stranded, (+)sense RNA vrius
  - EM에서 별모양을 보이는 것이 특징, 주로 겨울~봄(11월~5월)에 발생
  - 모든 연령에서 위장관염을 일으킬 수 있지만, 주로 4세 미만 소아에서 흔함
  - rotavirus 위장관염과 비슷하나 좀 더 경미함 (구토는 드묾)
  - 진단은 stool RT-PCR or EIA / 치료는 대증치료 / vaccine은 없음

* Adenovirus (40, 41) ; 주로 2세 이하, 설사 기간 깊 → 앞 장 참조

4
매개체(vector-borne) 바이러스 감염

RNA viruses [envelope 有] / order Bunyavirales, family Hantaviridae

Hantavirus

신증후군 출혈열 (Hemorrhagic Fever with Renal Syndrome[HFRS], 유행성 출혈열, 한국형 출혈열)

1. 원인

- genus *Orthohantavirus* : enveloped, single-stranded, 3 segmented, (−)sense RNA virus
  - 1976년 이호왕 교수에 의해 한탄강에서 virus가 최초로 분리되어 Hantaan virus로 명명됨
  - 30개 이상의 species 존재, 12개 이상이 인체 감염을 일으킴
- Old World hantaviruses ⇨ HFRS (hemorrhagic fever with renal syndrome)를 일으킴
  ; 극동아시아와 유럽에 분포

Virus	발견	Natural Reservoir	분포
Hantaan virus	1976	등줄쥐(*Apodemus agrarius*)	중국, 한국, 러시아를 포함한 극동아시아
Seoul virus	1982	시궁쥐(*Rattus norvegicus*), 흰쥐	주로 중국, 한국 (드물게 영국과 미국)
Soocheong virus	2006	흰넓적다리붉은쥐(*Apodemus peninsulae*)	한국, 중국, 러시아
Muju virus	2007	비단털쥐(*Tscherskia triton*)	한국, 중국
Imjin virus*	2009	우수리 땃쥐(*Crocidura lasiura*)	한국, 중국
Jeju virus*	2012	작은땃쥐(*Crocidura shantungensis*)	한국
Puumala virus**	1980	제방 들쥐(bank vole)	북유럽 (특히 스칸디나비아 지역)
Dobrava/Belgrade virus	1992	노란목도리쥐(yellow-neck mouse) 등	중부~서유럽 (영국 포함), 사망률 최고

   * Pathogenicity는 아직 불확실함
   ** 다른 virus와 다르게 자연 숙주인 설치류에게도 증상 있는 병을 일으킴 (사망 가능)

- New World hantaviruses ⇨ 1993년부터 발견, HCPS (hantavirus cardiopulmonary syndrome) or
  HPS (hantavirus pulmonary syndrome)를 일으킴 ⋯ 북남미 대륙에만 분포!
  ; Sin Nombre virus, Andes virus, New York virus, Rio Mamore virus, Choclo virus 등

  - 잠복기 2~3주, 비특이적 전구증상(fever, chills, myalgia) → N/V, 쇠약감, 두통 등이 심해짐 (호흡기 증상은 無)
  - 갑자기 noncardiogenic pulmonary edema와 cardiogenic shock 발생 (회복되면 1~2일 만에 빨리 회복됨)
  - 사망률 매우 높음 ; mild dz.는 10~30%, severe dz.는 30~50%
  - 진단 ; 혈청검사(ELISA, IFA 등) ; IgM 검출 or IgG 4배 이상 상승시 진단 가능)[m/c], RT-PCR
  - 치료 ; 주로 보존적 치료(e.g., ECMO), ribavirin의 효과는 불확실함, steroid는 권장×

- 대부분 각 virus 종마다 서로 다른 설치류(쥐)를 자연 숙주로 가짐 (→ 대륙마다 유행 virus 다름)
- 우리나라의 주원인은 Hantaan virus와 Seoul virus (약 3:1의 비율로 발생)
  - 등줄쥐(= 야생들쥐, *Apodemus agrarius*) ··· <u>Hantaan virus</u>의 natural reservoir
      ↳ 우리나라 들쥐의 70~90% 차지, 유행지역 등줄쥐의 11~17%가 virus 보유
  - <u>시궁쥐</u>(= 집쥐, *Rattus norvegicus*), 집웅쥐(= 곰쥐, *Rattus rattus*) ··· <u>Seoul virus</u>의 reservoir
      ↳ 도시를 포함한 사람 주변 거의 모든 곳에 서식 (but, HFRS는 주로 중국/한국에서만 발생)
  - 실험용 흰쥐(Wistar rat)도 Hantaan virus와 Seoul virus의 병원소 가능
- 전파 ; 쥐의 배설물(소변, 타액, 대변)로 배설된 virus가 건조 (1~12개월 생존 가능)
    → aerosols 형태로 주로 <u>호흡기</u>로 흡입되어 감염됨 (피부상처를 통해서도 감염 가능)
- 전파 경로 : rodent → rodent, rodent → 사람 (사람간 전파는 없음)

2. 역학

- 6.25 당시 UN군에서 약 3,000명의 환자가 발생하며 알려짐, 이후로는 한국군에서도 많은 환자 발생
  (당시에는 Korean hemorrhagic fever라고 부름 → 1983년 WHO에서 HFRS로 명명)
- 1970년대 이후로는 민간인에서도 많이 발생
- 제3급 법정감염병, 매년 약 300~500명의 환자가 발생 (c.f., 전 세계적으로는 중국이 m/c)
- 연중 발생하지만, 늦가을(10~12월)에 호발 (∵ 월동 준비하는 쥐의 활동↑, 건조한 날씨)
- 호발연령 : 40~60대 (점점 고령화), 남자가 2~3배 많음 (소아는 드묾)
- 고위험군 : 야외작업 활동이 많은 사람들 (군인, 농부, 건축/건설업, 벌초, 캠핑 등)
- 주로 시골에서 발생하나, Seoul virus 감염은 도시와 시골 지역 모두에서 발생

3. 병인

- 전신의 미세혈관 침범 → 혈관의 확장, 투과성 및 fragility 증가 (→ 혈장 누출 → Hb & Hct↑)
- 혈장누출 → 심박출량 및 혈액량 감소 → 저혈압
- 보체 활성화, 혈관내피세포 손상, 신세뇨관 손상, 저혈압 → GFR, RBF의 감소 → oliguric AKI
              ↳ DIC   ↳ 신세뇨관 및 간질 손상 → 요농축능의 장애 (요희석능은 정상)
- 3대 병리소견 ; 신수질의 심한 울혈/출혈, 우심방 출혈, 뇌하수체 전엽의 출혈/괴사

4. 임상양상

- 잠복기 : 2~40일 (대개 10~25일)
- 임상양상은 불현성 감염에서 치명적인 감염까지 다양함 (4대 증상 : <u>발열</u>, <u>출혈</u>, <u>AKI</u>, <u>GI Sx</u>)
- 초기 소견 ; 갑작스런 <u>고열</u>(3~5일 지속), relative bradycardia, 심한 근육통, 배부통
  - GI Sx. (A/N/V/C/D)이 흔하며(48~86%), mild respiratory Sx.도 동반 가능
  - 안면 홍조, 결막 및 구강내 충혈과 출혈 / 특징적인 <u>점상출혈(petechiae)</u>은 발병 3일째부터 발생

      ↳ 연구개, 겨드랑이, 흉부에 호발
        (심한 경우 얼굴, 두피에도)

Severe HFRS의 전형적인 경과 (5 phases)

	①발열기 (3~5일)	②저혈압기 (1~3일)	③핍뇨기 (3~6일)	④이뇨기 (1~2주)
Sx.	발열, 두통, N/V 근육통, 전신쇠약 안구통, 복통, 요통 비장종대, 림프절종대 Relative bradycardia	Tachycardia, Vomiting 불안, delirium, 혼수 Blurred vision, Shock	발열기의 증상 호전 Oliguria CNS 장애 출혈증상 현저!	이뇨(3~6 L/day) but, GFR, RBF는 계속 저하 Uremia 호전 식욕 호전
Sign	안면 홍조, 안면 부종 <u>결막 충혈/출혈</u> <u>Petechiae</u> (얼굴, 목, 가슴, 겨드랑이, 입안) <u>CVA tenderness</u>	체온↓ 혈압↓ narrow pulse pr.	안면 홍조 소실 Petechiae 소실 혈압 N~↑, PR↑	
Lab.	WBC↑ (일부는↓) Eosinophil↓ Hb & Hct↑ **단백뇨**(발병 4일째 시작) Mild~moderate DIC의 소견	**혈뇨, 심한 단백뇨** 요비중(SG)↓ BUN-Cr↑ WBC↑, Hct↑, **Platelet**↓ IX↓, X↓, thrombin↓ 심한 경우 DIC 소견	BUN-Cr↑ 혈중 Na↓, K↑, P↑, Ca↓ Acidosis는 드묾 Platelet은 정상화 시작 Relative hypervolemia Uremic lung, Pericarditis	요비중↓ (pitressin 무반응) 단백뇨 소실 BUN 정상화 전해질 이상 위험 (∵ 심한 이뇨로)

⑤회복기 : 소변량이 정상으로 돌아온 뒤 1~2개월에 걸쳐 전신 상태가 회복됨 (다뇨, 빈혈은 지속될 수 있음)

⇨ 과거에는 전형적인 5 phases를 보이는 경우가 흔했지만, 최근 연구 결과
　　저혈압기는 약 1/3에서만, 핍뇨기는 약 1/2~2/3에서만 보이고, 대부분 발열기-이뇨기만 보임!

- 합병증
  - 고혈압, 감염, 출혈(위장관, 복강 및 후복강, 폐, 뇌출혈 등)
  - 호흡기 ; 폐부종 및 출혈, 폐렴, ARDS
  - CNS ; hypertensive & uremic encephalopathy (의식장애, 신경장애, seizure 등)
  - 뇌하수체 기능장애 ; 급성경과 중 혹은 수개월~수년 후 발생
      (약 10%에서 hormones replacement 필요, 3.4%에서 central DI 발생)
  - 신장 ; 대개는 회복되나, 드물게 chronic PN or CKD로 진행, 요농축능 장애는 장기 지속 가능

* Seoul virus에 의한 HFRS … Hantaan virus보다 임상증상이 경미함!
  - 10~12월에 호발하나, 3~6월 사이에서도 상당수 발생
  - 핍뇨기가 없는 경우가 많고(34~52%), 저혈압기는 10~40%에서만 나타남 (shock과 사망은 드묾)
  - 출혈경향과 신기능장애는 경미하고, GI Sx 및 간기능장애가 상대적으로 심함

5. 검사소견

- 혈액학검사 ; Hct & Hb ↑ (∵ 혈장 유출, 구토, 탈수), WBC↑ (left-shifted),
  atypical/activated lymphocytes↑↑, thrombocytopenia (저혈압기 or 핍뇨기에 최저)
- 요검사 ; 비중↓, 단백뇨, 혈뇨, 요침사에서 거대 다핵 세포 출현, fibrin clot
- 생화학검사
  - 발병 초기에 azotemia (BUN-Cr↑), AST-ALT↑, LD↑ (CK도 상승 가능), CRP↑, C3↓
  - 핍뇨기에 hyponatremia, hyperkalemia, hyperphosphatemia, hypocalcemia
- 영상검사 ; 심비대, 폐울혈, 폐부종, 마비성 장폐쇄 …

6. 진단

- 혈청(Ab) 검사가 선호됨 ; ELISA, IFA, strip immunoblot test (rapid test) 등
  - 내원시(= 증상이 현저해지면) 대부분 IgM & IgG Ab (+)
  - 초기에 IgM (+) *or* 급성기→회복기에 IgG titer 4배 이상 증가하면 진단 가능
- virus 검출 ; RT-PCR (혈중에서는 초기에만 양성), culture, 조직의 IHC (viral Ag 확인)
  - → viral species의 정확한 확인이 필요한 경우나 역학적 조사 때만 이용

7. 치료

(1) 대증요법

① 발열기 ; 해열진통제, 수분 평형 유지에 주의 (체액 과잉이 안되도록)
  ↳ NSAIDs는 피함 (∵ ibuprofen과 diclofenac은 더 심한 AKI 유발 위험)

② 저혈압기 ; 혈장량 및 혈압 유지
  - 수액 공급 ; albumin, plasma, dextran, balanced salt solution 등
    (혈관 투과성의 증가로 일반적인 전해질 수액으로는 혈압을 올리기 어려우며,
    폐부종이나 뇌출혈을 유발할 수 있으므로 주의)
  - inotropic agents ; dopamine, norepinephrine in 5% DW
  - thrombocytopenia, DIC → 혈소판 수혈 (심하면 corticosteroids), FFP 수혈 (heparin은 ×)

③ 핍뇨기 ; 수분과 전해질 평형 유지, 충분한 칼로리(탄수화물) 공급, 필요시 이뇨제 or 투석
  → 신장내과 4장 급성 신손상 편 참조

④ 이뇨기 ; 적절한 수분과 전해질 공급

(2) Antiviral therapy

- hantavirus에 특이적인 항바이러스제는 없지만, 심한 경우 ribavirin IV 투여
- ribavirin을 발열 7일 이내에 투여하면 mortality & morbidity 감소
  (c.f., HCPS에서는 사망이 대부분 질병 초기에 발생하므로 ribavirin의 효과는 불확실함)
- ribavirin의 m/c Cx은 hemolytic anemia (치료 종료 후 완전히 회복됨)

8. 예후

- 대부분은 AKI를 거친 뒤 후유증 없이 회복됨 (일부에서 CVA, hypopituitarism 발생 가능)
- 사망률 : 과거 10~15% → 대증치료의 발전으로 최근에는 약 1% (Seoul virus는 사망률 훨씬 낮음)
- 사인 ; ARDS, shock, 폐출혈, 패혈증, 뇌병증 등 (핍뇨기와 저혈압기에 사망률 높음)

9. 예방

- 가능하면 설치류와 설치류 서식지를 피함
- 불활화백신 (Hantavax®, 녹십자) ; 1달 간격 3회 접종 (항체 생성률 97%, but 방어효과는 불확실)
  → 현재는 발생지역의 군인/농부, 실험실 근무자 등 노출위험이 높은 대상에게만 제한 권장
- 기타 ; ribavirin (동물실험에서 바이러스 증식 억제), interferon (효과 적다)
- 한번 감염된 사람은 방어 항체가 수십 년까지 유지되므로 재감염은 거의 없음

RNA viruses [envelope 有] / family Rhabdoviridae

Rabies (공수병, 광견병)

1. 개요

- genus *Lyssavirus* : nonsegmented, single-strand, (−)sense RNA virus, 16개 이상의 species 有
- 공수병 : *Rabies lyssavirus* (rabies virus) 감염에 의해 발생하는 급성 뇌염 (인수공통감염증)
  - 병원소(reservoir) ; 너구리, 여우, 오소리, 족제비, 스컹크, 박쥐, 늑대, 원숭이 등의 야생동물
    → 야생동물에 물린 개, 고양이 (소도 가능) / 쥐, 다람쥐, 토끼 등의 설치동물은 전염원 아님
  - 전파 ; rabies virus에 감염된 동물이 다른 동물이나 사람을 물 때 타액 속의 virus가 전염됨
    (타액이 눈/코/입 등의 점막에 오염되거나 aerosol 형태로도 전염 가능)
  - virus가 개의 타액선에 도달하면 5~7일 뒤 개는 사망 → infective period는 제한됨
  - 사람간 전파는 공수병으로 사망한 사체로 각막이식을 한 경우 발생 예 있음
- 병인 ; virus가 피부/점막 침투 → 근육에서 증식 → 말초 신경조직으로 이동 → CNS로 이동
  (약 3 mm/hr 속도로) → 뇌신경세포 파괴 (공수병 Sx) → 다시 centrifugal spread
  (타액선[→ 새로운 감염원이 됨], 부신수질, 신장, 폐, 간, 근육, 피부, 심장 등)
- 우리나라 ; 제3급 법정감염병, 2004년까지는 가끔 1~2명 발생하다가 이후로는 환자 발생 없음
  - 광견병에 걸린 동물에 물리는 사고는 가끔 있지만 적절한 조치로 환자는 발생 안함
  - 개에 의한 전파가 가장 흔했으나, 예방접종이 시행되면서 1984년 이후 광견병은 사라짐
  - 1993년 이후 경기-강원 북부에서 야생너구리와 이들에게 물린 개와 소에서 광견병 가끔 발생
    (러시아 → 북한을 거쳐 전파되는 것으로 추정됨), 2014년 이후로는 동물의 광견병 발생 없음
  c.f.) 세계적으로 매년 약 5.9만 명이 개에 물려 공수병으로 사망 ; 주로 아시아/아프리카, 시골, 소아
    (미국에서는 개에 의한 공수병은 거의 사라졌고, 박쥐[m/c], 너구리, 스컹크, 여우가 주원인)

2. 임상양상

- 잠복기 : 동물 2~12주, 사람 20~90일 (드물게는 1년 이상도 가능)
  - 잠복기의 결정 요인 ; 숙주의 면역상태, virus의 양, 물린 부위 (뇌에 가까울수록 짧음)
- 전구기(prodrome) : 2~10일 (평균 4일)
  - nonspecific Sx ; malaise, fatigue, fever, chills, headache, myalgia, A/N/V, sore throat 등
  - 물린 부위의 pain/pruritus/paresthesia감각이상 (50~80%에서 발생) ⋯ 공수병 의심 소견!
  - percussion myoedema (reflex hammer로 근육을 두드리면 융기)도 관찰 가능
- 급성 신경질환기(acute neurologic dz.)
  (1) encephalitic (classic, furious) rabies (>80%) : 2~7일
    - 다른 viral encephalitis와 비슷한 증상
    - fever, hydrophobia, pharyngeal spasms, hyperactivity → paralysis 등이 특징
    - 공수증(hydrophobia) : 가장 특징적, 33~50%에서 발생, 물을 마시면 경련 → 심한 통증 발생
    - aerophobia : 특징적이지만 약 9%에서만 발생, 흡기시 경련으로 통증 발생, arrest 위험

- 지각과민(hyperesthesia) : 빛, 소음, 촉감 등에 대한 감각이 매우 예민해짐
- 근육 긴장 → 얼굴이 굳은 표정, 목/등의 hyperextension (opisthotonos^{활모양강직}), DTR↑
- 자율신경 이상 (약 25%에서) ; 침↑, 눈물↑, 기립성 저혈압, 발한, 닭살, 동공확장
  ↳ 침을 잘 삼키지 못해 흘리거나, 거품을 자주 뭄
- 뇌신경 이상 ; diplopia, facial palsies, optic neuritis
- 불안, 흥분, 예민, 환각, 섬망, 공격적/이상 행동, 전신경직, 간질 ┅ 혼수, 호흡부전
  ↳ 정신장애 기간 중간에 의식이 명료한 시기도 있는 것이 특징!
     (but, 병이 진행될수록 정상 시기는 점차 짧아지고, 결국에는 coma로 진행함)
- 치료 안하면 보통 4일 이내에 사망, coma로 진행하면 대부분 1~2주 이내에 사망
  (2) paralytic rabies (<20%) : 2~10일
- 마비와 근력약화가 주 증상 ; ascending flaccid paralysis (Guillain-Barré syndrome 비슷)
- encephalitic Sx은 거의 없다가 나중에 나타남
- coma/death : 0~14일 (대부분 사망, 회복은 매우 드묾, 회복되어도 매우 느리고 합병증에 시달림)
- 합병증 ; arrhythmia, myocarditis, GI (bleeding, ileus), asphyxiation^{질식}, respiratory arrest ...
- 사망 원인 ; cerebral edema, myocarditis (arrhythmia or CHF로), 호흡부전

3. 진단

- animal bite의 병력
- Laboratory Dx는 증상 발병 이후에만 가능함
- 타액, 피부조직, CSF 등에서 virus 검출 ; culture, RT-PCR, Ag detection (DFA or IFA) 등
- 혈청이나 CSF에서 neutralizing Ab 검출 ; fluorescent Ab virus neutralisation test (FAVNT),
  rapid fluorescent focus inhibition test (RFFIT), ELISA 등
  - 일부는 질병 말기 or 사망 후에나 항체가 검출되므로 공수병 진단에는 사용하기 어려움
  - 주로 vaccination의 효과 F/U에 이용 (but, CSF에서 검출되면 acute infection을 의미)
- 사망 후 검사 (brain biopsy) ; culture, RT-PCR, Ag detection 등
  - Negri body (neuronal cytoplasmic inclusion) : 특이적이지만, 20~30%에서만 보임

4. 치료/예방

(1) 공수병 환자의 치료
- 조용한 환경에서 sedatives, major tranquilizers, analgesics 자유롭게 사용, 기계환기 등
- 강력한 병합치료 ; 항바이러스제, rabies vaccine, RIG 등 (steroid, minocycline은 금기)
  (효과적인 항바이러스제는 없지만, IFN-α, ribavirin, amantadine, favipiravar 등을 사용)

(2) 의심 동물에 물렸을 때의 치료방법
- 잠복기가 길기 때문에, 물린 후 PEP (e.g., vaccine 접종)가 발병 예방에 매우 효과적임

동물의 상태	치료
건강 (10일간 관찰)	필요 없음!
도망가서 없음	PEP 시행
광견병 증상 or 뇌에서 rabies virus 검출	PEP 시행

- 공수병의 post-exposure prophylaxis (PEP) ★
  ① local wound therapy (즉시)
    - 즉시 소독비누(없으면 일반비누)로 15분 이상 washing
    - 생리식염수 or 링거액으로 상처부위를 irrigation (→ 세균감염↓)
    - 항바이러스 효과가 있는 소독제로 충분히 소독 : povidone-iodine, alcohol
    - 상처는 가능한 개방해둠 (상처의 1차 봉합은 권장 안됨)
    - 필요시 항생제(e.g., <u>amoxicillin/clavulanate</u>), tetanus toxoid (→ Ⅱ-4장 참조) 투여

c.f.) 동물 교상시 항생제 투여를 고려해야할 경우
고양이, 야생동물
상처 ; 손발/관절 등 감염 위험이 높은 부위, 심한 피부 결손, 힘줄/신경 등 심부 구조물의 손상
감염 고위험군 ; 고령, DM, LC, CKD, 자가면역질환, 비장절제, 면역저하, 알코올중독 등
교상 후 12시간 이상 처치가 지연된 경우

  ② passive immunization : human rabies immune globulin (RIG)^{면역글로불린} (e.g., KamRAB®)
    - 예방접종력이 없는 환자에게만 20 IU/kg 1회 투여
      → vaccine에 의한 항체가 생기기 전까지 virus 감염으로부터 일정 기간 보호하기 위함
    - 가능하면 교상 부위에 전량을 나누어 주사, 잔량은 둔부에 주사
  ③ active immunization : inactivated vero cells rabies vaccine (e.g., Verorab®)
    ┌ 예방접종력이 없는 환자 → RIG + 백신 5회 IM (0, 3, 7, 14, 28일 째)
    └ 예방접종력이 있는 환자 → RIG는 필요 없고 백신만 2회 IM (0, 3일 째)
    - RIG와 같은 부위에 주사하면 안됨!
    - 부작용 ; 국소반응(25% ; pruritus, erythema, tenderness), 경미한 전신증상(20%)

  c.f.) 임신, 소아는 공수병 PEP의 금기 아님

(3) 노출전 예방(vaccination)
- 적응 (고위험군) ; 광견병 호발 지역이나 오지로 여행시, 동물과 접촉이 많은 직업군 (수의사, 도축업자, 야생동물구조, 사냥꾼, 산림감시원, 유기견보호소, 동물원 종사자, 연구자 등)
- 3회 접종 ; 0, 1주, 3주 (or 4주)째
- F/U하며 중화항체 역가가 1:5 (0.5 IU/mL) 이하로 떨어지면 추가접종 필요
  (지속 위험 노출군은 6개월마다, 기타 위험군은 24개월마다)

(4) 기타
- 공수병 환자의 타액에 의한 전염도 가능하므로, 의료진은 장갑과 가운 등 엄격한 보호장구 착용
- 평상시 집에서 기르는 가축 및 애완동물도 예방접종을 반드시 실시
  (c.f., 생후 3개월 이상 된 강아지라면 의무적으로 접종)
- 위험 지역에서는 야생동물에 접근을 피함 (e.g., 경기도 및 강원도 북부)

RNA viruses [envelope 有] / order Bunyavirales / family Phenuiviridae

SFTSV (severe fever with thrombocytopenia syndrome virus)

중증열성혈소판감소증후군(SFTS)

- genus *Huaiyangshan banyangvirus* : single-stranded, 3 segmented, (−)sense RNA virus
  - 참진드기(tick)에 의해 매개되는 신종 감염병으로 주로 중국, 한국, 일본에서 유행
  - 2007년부터 중국에서 유행병 (SFTS) 발견 이후, 2011년에 원인 바이러스가 규명되었음
  - 중국 매년 2~3천명 발생, 일본 매년 수십명 (대만과 베트남도 발생 보고 있음)
- 역학(우리나라) ; 제3급 법정감염병, 2012년 춘천에서 최초 발생 이후, 현재는 매년 2~3백명 발생
  - 대부분 50세 이상 (고령일수록 발생 증가), 남≒여
  - 진드기에 물린 흔적은 28.4%, 진드기 발견은 14.5%로 대부분 진드기에 물린 것을 모르고 있음!
- 전파 ; 대부분 SFTSV에 감염된 **진드기**에 물려서 감염 (환자의 혈액/체액에 직접 노출되어도 가능!)
  - 매개체 ; 작은소피참진드기(*Haemaphysalis longicornis*)[m/c], 개피참진드기(*Hamaphysalis flava*),
        뭉뚝참진드기(*Amblyomma testudinarium*), 일본참진드기(*Ixodes nipponensis*) 등
  - 유충, 약충, 성충 모두 흡혈 가능 / 흡혈한 뒤 떨어졌다가 다른 숙주에서 다시 흡혈 가능
        (소, 말, 개, 고양이, 사람 등의 포유류, 조류, 파충류까지 다양하게 흡혈함)
  - 호발시기/지역 : 5월~10월, 전국에서 골고루 발생하는 경향임 (주로 농촌, 산림 지역)
  - 우리나라 작은소피참진드기의 SFTSV 감염률은 <0.5% … 진드기에 물려도 극히 일부만 감염됨!
        (농촌 지역 항체검사 양성률이 4%인 것을 보면 무증상~경미한 감염도 꽤 있을 것으로 추정됨)
  c.f.) SFTSV에 감염된 애완동물(개, 고양이)에 의해 전파된 증례 보고도 있음
- 임상양상
  - 잠복기 4~15일 (… 증상 발생시에는 진드기에 물린 흔적이 사라지는 경우 多)
  - 고열(3~10일 지속), GI Sx (A/N/V/D), lymphadenopathy (증상 발생 5일후 출현, 1~2주 지속)
  - 출혈 증상 ; 혈뇨, 혈변, 잇몸출혈, 점막/결막 충혈, petechiae/ecchymosis
  - severe ; DIC, multiorgan failure[MOF] (e.g., AKI, myocarditis), meningoencephalitis ...
- Lab ; platelet↓, WBC↓, aPTT↑, AST-ALT↑, LD↑, CK↑, ferritin↑, 단백뇨, 혈뇨
  - PB에서는 발병 4~8일 이후 atypical/activated lymphocytes도 관찰됨
  - CRP나 procalcitonin은 거의 정상임! (↔ 쯔쯔가무시병 등 다른 열성질환과 차이)
- D/Dx ; scrub typhus, leptospirosis, HFRS, anaplasmosis, ehrlichiosis, Lyme dz., Dengue fever 등
- 진단 ; viral RNA 검출 (RT-PCR, LAMP), 혈청검사(발병 2~3주째부터 IgM 및 IgG 검출 가능)
- 치료/예후 ; 효과적인 항바이러스제는 없음, 대증치료(e.g., DIC에 대한 FFP, platelet 수혈 등)
  - ribavirin, favipiravir, plasma exchange 등의 치료효과는 모두 불확실함
  - mortality 약 20% (우리나라), 증상발생~사망까지의 중앙값 9일
  - poor Px ; 늦은 입원, 고령, 의식저하, 출혈, DIC, MOF, Lab 이상 소견 오래 지속
- 예방 ; vaccine은 없음
  - 환자 격리는 필요 없지만, 혈액/체액으로도 전파가 가능하므로 의료진의 보호장구 착용 철저!
        (2020년 7월 경북대병원에서 SFTS 환자 CPR 도중 의료진 집단 감염 발생)
  - 진드기에 물리지 않도록 주의(e.g., 기피제 등), 물린 경우 잠복기를 고려하여 1~2주 F/U

RNA viruses [envelope 有] / family Flaviviridae / genus Flavivirus

* genus *Flavivirus* : enveloped, nonsegmented, single-stranded, (+)sense RNA virus
  - SFTSV와 마찬가지로 arthropod vectors (모기, 진드기)에 옮겨지는 arbovirus임
  - DENV, YFV, ZIKV 3종을 제외하고는, 인체 내에서 충분히 증식 못함 (혈중 농도 낮음)
    → 병원소의 역할 못함, 인간은 종말 숙주(dead-end host)

Japanese encephalitis virus (JEV, 일본뇌염)

- species *Japanese encephalitis virus* (JEV) : 5 genotypes, 1 serotype
  - major vector : 작은빨간집모기(*Culex tritaeniorhynchus*)가 주로 옮김 (우리나라 모기의 약 7%)
  - 전파 경로 (사람간 전파는 드묾 → 격리 불필요) / 모기의 감염률은 약 0.5%
    ; 야생 조류 (natural host) ↔ 돼지 (amplifier host) ↔ 사람 (incidental & dead-end host)
                              모기   모기
- 역학 (우리나라) ; 6~10월에 호발 (열대 지방에서는 연중 발생)
  - 한국에서는 남부 지방에 많음 (세계적으로 동아시아, 동남아시아, 동시베리아에 많음)
  - 과거 1960년대는 매년 수천 명 발생, 1983년 소아 필수예방접종에 포함 이후 급격히 감소
    (↳ 3~15세가 80%이상, 15세 이상에서는 대부분 불현성 감염, 고령층에서 다시 증가)
  - 제3급 법정감염병, 최근 매년 10~30명 정도 보고, 예방접종을 받지 못한 고령층에서 주로 발생
- 임상양상 (잠복기 4~14일)
  - 감염되어도 대부분은 무증상 불현 감염, 약 1/250에서만 증상 발생
  - acute encephalitis Sx ; 갑작스런 두통, 고열, 수막자극 징후, 기면, 경련(특히 소아)
  - poor Px signs ; high fever, tachypnea, bronchial secretion accumulation
  - CSF 소견 ; cells↑ (100~1000/μL, 대부분 lymphocytes), protein 정상~↑, glucose 정상
  - 사망률 20~30% (어린 소아 및 노인에서 높음)
  - 생존자의 30~50%에서 후유증 발생 ; 정신황폐, 감정불안, 성격변화, 운동/언어장애 등
- 진단 … 주로 혈청과 CSF로 진단함
  - 혈청검사(e.g., ELISA) ; 급성기→회복기 Ab titer 4배 이상 증가 *or* IgM (+)시 진단 가능
    (증상 발생 4일 이후는 CSF에서, 7일 이후는 혈청에서 IgM 검출 가능)
  - virus 검출 ; NAAT (e.g., RT-PCR), culture, Ag detection 등
    (viremia가 일시적이고 농도가 낮아 NAAT는 진단에 도움이 안됨)
- 치료 ; 항바이러스제는 없음, 보존적 치료(e.g., 뇌압조절, 발작조절, 합병증 예방)
- 예방 ; 백신접종, 모기에 물리지 않도록 주의
  ① 불활화백신(inactivated Vero cell culture-derived vaccine, IJEV)
    - 1~2세에 기본접종 3회 (1~4주 간격 2회, 1년 뒤 3차), 6세와 12세에 각각 1회 추가 (총 5회)
    - 예방접종 후 드물게 국소반응이나 두통, 발열, 근육통 발생 가능
  ② 약독화/생백신(LJEV) ; live-attenuated vaccine, live-attenuated recombinant vaccine
    - 1~2세에 1차 접종 후, 12개월 뒤 2차 접종 (총 2회)
    - 불활화백신과 생백신의 교차 접종은 권장×

▶성인 접종대상 ; 위험지역(e.g., 논, 돼지축사 인근) 거주/활동, 접종력(면역력) 없는 외국인,
　　유행지역으로 여행 예정인 경우, JEV 관련 실험실 근무자 (과거 백신접종력 등을 고려하여)
　┌ 불활화백신 : 3회 접종 (0, 7, 14일) / 면역력 없는 성인은 0, 7~30일, 1년 뒤
　└ 약독화 재조합바이러스백신 : 1회　(약독화생백신은 성인에 권장×)

Dengue virus (뎅기열)

• species *Dengue virus* (DENV) : 4 serotypes (DENV-1~4, 골고루 유행, 교차방어력은 없음)
　- major vector : 숲모기류(*Aedes* spp.) ; 이집트숲모기(*Aedes aegypti*)[m/c], 흰줄숲모기 등
　　(c.f., 흰줄숲모기는 우리나라에도 약간 존재하지만 이로 인한 감염 사례는 없음)
　- 전파경로 ; 대부분 모기에 물려서 감염됨 (사람 → 모기 → 사람으로 순환, 사람이 유일한 숙주)
　　(수직감염, 주산기감염, 혈액/이식을 통한 전파도 가능함 / 일상적 접촉으로는 전파×)
• 역학 ; 아프리카, 동남아, 중남미, 태평양, 중동 등 열대~아열대 지역에 널리 분포
　- 매년 5천만~1억 명 발생 추정, 이중 약 50만 명은 DHF or DSS로 진행
　- 우리나라 ; 제4군감염병 (2000년 지정), 매년 100~300명 보고, 모두 해외유입 (주로 동남아시아)
• 임상양상 (약 75%는 무증상 감염)
　; 잠복기 3~14일 (보통 4~7일), severity 다양, 전체적인 사망률은 약 1%
　① self-limited **dengue fever (DF)** : 대부분
　　1) 발열기(febrile phase) : 약 3~7일 지속
　　　- 비특이적 열성 증상 ; 갑자기 고열(≥38.5℃), 두통, 안와통증, 근육/관절통, 오한 등 발생
　　　- 반점구진성 발진(rash) ; 얼굴과 가슴에 호발, white dermatographism 동반 흔함
　　　- 출혈 ; petechiae, purpura/ecchymosis, epistaxis, gum bleeding, 토혈, 혈뇨 등
　　　- Lab ; WBC↓, platelet↓, AST-ALT↑
　　2) 급성기(critical phase) : 해열 이후 1~2일 정도 지속
　　　- vascular permeability↑ → plasma leakage (Hct↑), 흉수, 복수, 출혈 등 동반 가능
　　　- 대부분 보상기전으로 혈압은 유지되며 회복하지만, 일부는 저혈압 & shock으로 진행 위험
　　　- 일시적인 moderate~severe thrombocytopenia, aPTT↑, fibrinogen↓
　　3) 회복기(convalescent phase) : 약 2~4일 지속
　　　- plasma leakage, thrombocytopenia, 출혈 등 호전, 혈압 안정화, 복수/흉수 재흡수 시작
　　　- 피부가 벗겨지거나 가려운 발진 발생 가능, 회복 이후 심한 피곤이 ~1주 지속될 수 있음
　② severe dz. (2~4%)

Dengue hemorrhagic fever (DHF)	Dengue shock syndrome (DSS)
(1~4 모두 존재해야 DHF로 진단) 1. 발열 (2~7일 지속) 2. 출혈 ; tourniquet test (+), petechiae, purpura, 　ecchymosis, gum bleeding, 토혈, 흑색변 등 3. thrombocytopenia 4. 혈관투과도↑ (plasma leakage) ; Hct 20%↑, 　수액보충 뒤 Hct↓, 흉수, 복수, hypoproteinemia 등	Dengue hemorrhagic fever (DHF)의 소견 　+ Circulatory failure 소견 　- Rapid & weak pulse 　- Narrow pulse pressure 　- Hypotension (5세 이상은 SBP <90 mmHg) 　- Cold & clammy skin, restlessness

- tourniquet test (+) : 수축기~이완기 중간 혈압으로 5분 압박시 petechiae ≥10/inch^2 발생
- 급성기 이후에 간부전, CNS 이상, myocardial dysfunction, AKI 등도 발생 가능
- 초감염보다는 다른 serotype에 의한 재감염시 오히려 더 심한 증상 유발 가능
• 진단 … 주로 임상적으로 진단
  - DENV 검출 ; NAAT, viral Ag NS1, culture 등 (발병 1주 동안)
  - 혈청검사(e.g., ELISA, IFA, PRNT 등) ; 급성기→회복기 Ab titer 4배 이상 증가 *or* IgM (+)
• 치료 ; 효과적인 치료법은 없음, 대증치료(e.g., 해열진통제, 수액요법, shock/출혈에 대한 처치)
  (c.f., Reye syndrome 보고가 있으므로 aspirin은 금기, NSAIDs도 출혈 위험으로 금기)
• 예방 ; 모기에 물리지 않도록 주의, 일부 국가에서 vaccine이 출시되었지만 효과/안전성 아직 부족
  (미국이나 유럽에서는 vaccine이 허가되지 않았고, 유행지역 여행자에게도 권장 안 됨!)

Yellow fever (황열)

• species *Yellow fever virus* (YFV)
  - major vector : 숲모기류(*Aedes* spp.), 헤모고거스류(*Haemagogus* spp.)
                      ↳ 아프리카, 남미 도시   ↳ 남미 산림지역
  - 사하라사막 이남의 아프리카 및 열대 남아메리카에서 유행, 매년 약 20만명 발생
  - 우리나라 ; 제4군감염병 (1977년 지정), 아직 발생 보고는 없음
• 전파경로 ; 대부분 모기에 물려서 감염됨 (수혈, 주사바늘 등 혈액을 통한 전파도 가능)
  ① 야생형(sylvatic cycle) : 아프리카와 남미의 열대지역의 영장류가 감염, 사람은 우연히 감염됨
  ② 중간형(intermediate cycle) : 아프리카 아열대성 기후에서 소규모로 발생, 영장류 & 사람 감염
  ③ 도시형(urban cycle) : 아프리카와 남미의 인구밀집지역에서 대규모로 발생(epidemic)
        ↳ 숲모기류(*Aedes spp.*)에 의해 (Dengue virus로 같이 옮김)
• 임상양상 ; 잠복기 3~6일, 10~20%만 증상을 보임, 전체적인 사망률은 약 **5%**
  ① viremia period (3~4일 지속) ; 인플루엔자 비슷한 비특이적 증상, 대부분은 완전히 호전됨
  ② intoxication period [severe yellow fever] (약 15%에서) ⋯ 이중 20~50%는 사망
    - hepatic dysfunction, renal failure, coagulopathy, shock, MOF
    - 황달, 출혈, 토혈(갈색), anuria, delirium, BUN↑, AST⬆, ALT↑, severe proteinuria
• 진단 ; 혈청검사(IgM ELISA), RT-PCR, culture 등
• 치료 ; 효과적인 치료법은 없음, 대증치료
• 예방접종 (1회 접종하면 평생 ~100% 예방 효과)
  - 유행지역을 여행하거나 거주시, 최소 20일 전 접종 필요!
  - 9개월 미만 영아는 금기, 임산부는 노출 위험이 크지 않는 한 권장×

Zika virus (지카바이러스감염증)

- species *Zika virus* (ZIKV)
  - 1947년 우간다의 붉은원숭이에서 처음 발견, 1948년 지카 숲에서 감염된 이집트숲모기 발견
  - 1952년 우간다와 탄자니아에서 인체 감염 처음 발견
  - 2007년까지는 매우 드물다가 (총 14명), 이후 급격히 증가하며 태평양, 동남아, 중남미로 퍼짐
  - 2015~16년 미국남부~중남미에서 크게 유행 (브라질 44만~130만 명 발생)
  - 우리나라 ; 제4군감염병 (2016년 지정), 16명 보고 이후 감소, 모두 해외유입 (동남아[m/c], 중남미)
- 전파경로 ; 대부분 모기에 물려서 감염됨 (사람/유인원 → 모기 → 사람/유인원으로 순환)
  - major vector : 숲모기류(*Aedes* spp.), 주로 <u>이집트숲모기(*Aedes aegypti*)</u>
  - 성접촉, 임신(수직감염), 수혈, 이식에 의해서도 전파 가능 (일상적 접촉은 전파 확률 매우 낮음)
  - 특히 <u>고환(정액)</u>에서는 160일 이상 가장 오래 virus 배출 가능 → 성관계로 전파 위험!

체액에서 ZIKV 검출 기간 (RT-PCR)	혈액	소변	정액*	질분비물	침	눈물
	2~11주 (임신부 ~15주)	6~13주	3~6개월	2주	~13주	~1개월

  * but, RT-PCR에서 검출이 되어도 모두 전염력이 있는 것은 아님 (정액은 약 6주까지 전염력 有)

- 임상양상 ; 잠복기 2~14일, 대개 1주일 이내에 회복됨
  - 대부분 무증상 (80%) *or* mild & self-limited (뎅기열이나 influenza로 오인되는 경우 많음)
  - 미열, 두통, 권태감, 근육통, 결막염, 반구진성 발진, 구토, 청력장애 등
  - 합병증 ; fetal microcephaly (자궁내 감염시), Guillain-Barré syndrome, encephalitis 등
- 진단 … 주로 혈액과 소변으로 진단함
  - RT-PCR, culture ; 증상발생 후 1주 이내는 혈액 & 소변, 2~4주는 소변으로 검사
  - 혈청검사(e.g., ELISA) ; 급성기→회복기 Ab titer 4배 이상 증가 *or* IgM (+)시 진단 가능
    - ↳ Plaque Reduction Neutralization Test (PRNT)는 확진 가능 (but, 오래 걸리고 힘듦)
- 치료 ; 효과적인 치료법은 없음, 대증치료
- 예방 (백신은 아직 없음) → 모기에 물리지 않도록 주의
  - 확진자는 헌혈 6개월간 금지, 임신은 2~3개월 이후 권장, 남성은 성관계 3개월 금지 or 콘돔
  - 유행 지역에서는 가급적 성교를 금하거나 barrier protection 권장
  - 우리나라 질본 ; 유행지역에서 입국시 헌혈 1개월, 임신/성접촉 6개월 금지 권장

West Nile virus (웨스트나일열)

- species *West Nile virus* (WNV)
  - 사람 등의 척추동물, 조류 등 다양한 동물에 감염되는 인수공통감염증
  - 남극대륙을 제외한 전 세계에서 지속적으로 발생 중 (미국도 매년 수천 명 발생!)
  - 우리나라 ; 제4군감염병 (2007년 지정), 2012년 1명 보고 (아프리카 기니에서 유입)
- 전파경로 ; 대부분 모기에 물려서 감염됨 (까마귀 등 조류[병원소] ↔ 모기 → 사람[우연숙주])

- vector : 집모기류(*Culex* spp.); 빨간집모기(*C. pipiens*), *C. quinquefasciatus*, *C. tarsalis* 등
  (우리나라는 빨간집모기와 지하집모기가 매개종이지만 WNV가 검출된 적은 없음)
- 수혈, 이식, 수유, 수직감염, 주산기감염, 실험실감염 등에 의해서도 전파 가능 (→ 헌혈 금지)
- 임상양상 : 잠복기 2~14일 (평균 3~6일), 대부분(70~80%) 무증상임
  - mild & self-limited West nile fever (25%) : 3~6일 지속, 대부분 완전히 회복됨
    ; 발열, 허약감, 두통, 전신통증, 관절통, 요통, A/N/V, maculopapular rash (50%) 등
  - 신경계 감염 (약 0.5%) : 몇주~몇달 지속, 대부분 고령, 만성질환, 면역저하자 등에서 발생
    ; <u>encephalitis</u>, <u>meningitis</u>, acute asymmetric flaccid paralysis 등 (사망률 약 10%)
- 진단 (혈액과 CSF에서) ; IgM Ab capture ELISA (MAC-ELISA), RT-PCR, culture 등
- 치료 ; 효과적인 치료법은 없음, 대증치료
- 예방 (백신은 아직 없음) → 모기에 물리지 않도록 주의

c.f.) 치쿤구니야열(Chikungunya fever)

- family Togaviridae, genus Alphavirus, species *Chikungunya virus* (CHIKV)
  - 주로 아시아(인도, 동남아), 아프리카, 중남미 등에서 발생
  - 우리나라 : 제4군감염병 (2010년 지정), 매년 몇 명씩 보고, 모두 해외유입 (인도[m/c], 동남아)
- 전파경로 ; 대부분 모기에 물려서 감염됨 (사람/유인원 → 모기 → 사람/유인원으로 순환)
  - vector : 숲모기류(*Aedes* spp.); 주로 이집트숲모기(*Aedes aegypti*), 흰줄숲모기(*Aedes albopictus*)
  - 수직감염, 수혈, 주사침찔림 등에 의해서도 전파 가능 (→ 헌혈 금지)
- 임상양상 ; 잠복기 1~14일 (평균 3~7일), 약 3~15%는 무증상, 전체적인 사망률은 약 0.1%
  - acute febrile <u>polyarthralgia</u> & inflammatory <u>arthritis</u> : 대개 7~10일 뒤 소실됨
    ↳ 발열 2~5일 뒤 발생 (10개 이상의 다발성 관절 침범이 흔함)
    ; 발열, 권태감, 두통, 근육통, 관절통, 관절 부종, 요통, maculopapular rash 등
  - Cx (severe dz.) : 대부분 고령, 만성질환, 면역저하자 등에서 발생
    ; 신경침범(meningoencephalitis, GBS), 심근염, 호흡부전, 간염, 신부전, 출혈, 눈질환 등
  - 만성 근골격계 증상 ; inflammatory polyarthritis, polyarthralgia, tenosynovitis
- 진단 ; RT-PCR, ELISA 등
- 치료 ; 효과적인 치료법은 없음, 대증치료(e.g., NSAIDs, steroids, DMARDs)
- 예방 (백신은 아직 없음) → 모기에 물리지 않도록 주의

c.f.) 모기에 따른 매개 질환	
흰줄숲모기(*Aedes albopictus*)	뎅기열(DENV), 황열(YFV), 지카바이러스(ZIKV), 치쿤구니야열(CHIKV)
이집트숲모기(*Aedes aegypti*) (우리나라 無)	지카바이러스(ZIKV), 뎅기열(DENV), 황열(YFV), 치쿤구니야열(CHIKV)
빨간집모기군(*Culex pipiens* complex)	웨스트나일열(WNV)
작은빨간집모기(*Culex tritaeniorhynchus*)	일본뇌염(JEV)
얼룩날개모기속(*Anopheles*) (우리나라는 중국얼룩날개모기가 m/c)	말라리아 (c.f., 동물은 심장사상충)

* 우리나라의 모기 ; 얼룩날개모기속(50~60%), 금빛숲모기(20~40%), 작은빨간집모기(3~10%), 빨간집모기군(2~4%, 도시에서는 m/c), 흰줄숲모기(2~20%, 활동범위가 좁아 편차가 심함) 등

기타 바이러스성출혈열(viral hemorrhagic fever, VHF)

* 우리나라 ; 기존 제4군감염병의 바이러스성출혈열 (에볼라열, 마버그열, 라싸열)
  → 제1급감염병[생물테러 또는 치명률이 높거나 집단 발생의 우려로 즉시 신고, 격리 필요]으로 개편하면서
     에볼라바이러스병, 마버그열, 라싸열, 크리미안콩고출혈열, 리프트밸리열 등으로 분리됨
  c.f.) VHF를 일으키는 바이러스들 예
  ┌ 박쥐 매개 ; Ebola virus, Marburg virus, hantavirus, lyssavirus ...
  │ 설치류 매개 ; Lassa virus, hantavirus, Junin virus (아르헨티나), Machupo virus (볼리비아),
  │   Guanarito virus (베네수엘라), Sabia virus (브라질), Chapare virus, Lujo virus ...
  │ 모기 매개 ; Dengue virus, Yellow fever virus, Rift Valley fever virus ...
  └ 진드기 매기 ; Crimean-Congo HF virus, Omsk HF virus, Alkhurma virus ...
     * 사람간 전파도 가능 ; Ebola, Marburg, Lassa, Lujo, Crimean-Congo 등

1. 에볼라바이러스병(Ebola virus disease[EVD], Ebola hemorrhagic fever[EHF])

• family *Filoviridae*, genus *Ebolavirus*, 발견 지역에 따라 6 species가 있음, 4종이 인체감염 가능
  ; *Zaire ebolavirus* (= **Ebola virus, EBOV**), *Bundibugyo* (BDBV), *Sudan* (SUDV), *Tai Forest* (TAFV)
  − 1976년 콩고의 에볼라강 인근 마을에서 처음 발견 뒤, 아프리카 일부 국가에서 산발적 유행
  − 2013~2016년 서아프리카에서 대규모 유행 발생 ; 2.9만명 감염 1.1만명 사망 (사망률 약 40%)
     (이때 881명의 의료진도 감염되어 약 60%가 사망)
  − 거의 종식되었다가 2018년 이후 주로 콩고에서 산발적 유행 발생 / 우리나라는 발생 보고 없음
• 감염경로 ; 과일박쥐가 병원소(natural reservoir)
  ┌ 동물 → 사람 : 과일박쥐, 원숭이, 고릴라, 침팬지, 영양 등 감염된 동물과 직접 접촉 or 섭취
  └ 사람 → 사람 (대부분) : 환자의 혈액/체액과 직접접촉(피부/점막), 성접촉, 수유 등
     − 급성 감염기 ; 혈액, 대변, 구토물이 가장 전염력 높음 (그 외 모든 체액도 전염 가능)
     − 회복기 이후 ; 정액(~9-40개월), CSF (~10개월), 안방수(~2-3개월), 소변(~1개월) 등에서
         지속적으로 virus 배출 가능 ⋯ 전파 및 재발도 가능 (→ 퇴원 후 1년 이상 F/U 권장)
     − 재감염(reinfection)은 거의 없음
• 임상양상 ; 잠복기 2~21일 (평균 6~12일)
  − 초기 증상 (1~4일) ; 고열, 근육통, 두통, 무력감, 쇠약감, 식욕부진 등 (출혈 증상은 10% 미만)
  − 4~7일 ; 위장관염(A/N/V/D/복통), 출혈(점상출혈, 반상출혈, 점막출혈 등)
  − 심한 경우 설사(→탈수)로 급격히 신부전으로 진행 / 폐부종, 호흡부전, MOF로 사망
     (중증 환자의 경우 발열~사망까지 6~10일 정도로 급격히 악화됨)
  − Lab ; WBC↓ (lymphocyte↓), platelet↓, AST-ALT↑
• 진단 ; RT-PCR (증상 발생 3일 정도에 양성으로 나옴), viral Ag rapid test (or ELISA)
• 치료 ; 허가된 효과적인 항바이러스제는 없음, 대증치료(e.g., 수액공급, 투석, 인공호흡기, ECMO)
• 예방 ; 유행지역 방문 주의
  − 아직 상용화된 vaccine은 없지만, 유행지역(e.g., 콩고)에서는 연구 중인 vaccine들이 사용됨
  − 전염력이 매우 높으므로 보호구/감염관리 철저 (standard, contact, droplet precautions)

2. 마버그열(Marburg hemorrhagic fever)

- family *Filoviridae*, genus *Marburgvirus*, species *Marburg marburgvirus*
  - 2 subtypes ; **Marburg virus (MARV)**[m/c], Ravn virus (RAVV) ⋯→ 똑같은 임상양상
  - 1967년 독일 마버그 대학 연구원이 아프리카 원숭이의 실험 중 감염되어 사망하면서 처음 발견
  - 가끔 산발적으로 몇 명 발생, 2000년대 아프리카 콩고와 앙골라에서 수백 명 발생 (우리나라 無)
- 감염경로 ; 과일박쥐가 병원소(natural reservoir)
  - 동물 → 사람 : 과일박쥐, 영장류 등 감염된 동물과 직접 접촉 (실험실 감염도 종종 발생)
  - 사람 → 사람 (m/c) : 환자/사망자의 혈액/체액/조직물과 접촉 (오염된 기구에 의해서도 가능)
- 임상양상 (Ebola와 비슷) ; 잠복기 2~21일 (평균 5~10일), 사망률 25~90%
  - 초기 (1~5일) ; 고열/오한, 두통, 권태감, 쇠약감, A/V/D, 근육통 등 (출혈 증상은 드묾)
  - 5~13일 ; 탈진, 호흡곤란, CNS Sx, 출혈(점상출혈, 반상출혈, 점막출혈, 토혈 → 심하면 사망)
  - 13~21일 이후 ; 간염, 응고장애(DIC), 대량출혈, MOF (보통 8~16일 사이에 사망함)
  - Lab ; WBC↓, platelet↓, AST-ALT↑, BUN-Cr↑, 응고 이상
- 진단 ; RT-PCR, viral Ag ELISA
- 치료 ; 효과적인 항바이러스제는 없음, 대증치료
- 예방 ; 상용화된 vaccine은 없음, 유행지역 방문시 주의(e.g., 개인위생, 접촉주의)

3. 라싸열(Lassa fever)

- family *Arenaviridae*, genus *Mammarenavirus*, species ***Lassa mammarenavirus*** (LASV)
  - 1969년 나이지리아 동북부의 Lassa 마을에서 처음 보고됨
  - 서아프리카(시에라리온, 나이지리아, 라이베리아, 기니)의 풍토병 ; 매년 약 30만명 감염 추정,
    약 5천명 사망 (이 지역 입원 환자의 10~16%가 라싸열로 진단됨) / 우리나라는 보고 없음
- 감염경로 ; 병원소(natural reservoir)는 설치류인 다유방쥐(*Mastomys natalensis*)
  - 동물 → 사람 (m/c) : 감염된 쥐 체액에 직간접적 노출 (aerosol化 되기 쉬운 건기[11~5월]에 호발)
  - 사람 → 사람 : 환자의 혈액/체액과 밀접접촉(의료기관, 가족 등) / 일상적인 접촉으로는 전파×
- 임상양상 (Ebola, Marburg보다는 mild) ; 잠복기 6~21일
  - 약 80%는 무증상 ~ mild Sx (자연 회복) ; 미열, 권태감, 두통 ⋯ 병원에 안 오기 쉬움
  - 약 20%는 severe Sx으로 진행 ; pharyngitis, N/V/D, 근육통, 흉통, 복통, 안면부종, 출혈, MOF
  - Cx ; 청력장애(m/c[~1/3], mild or severe 때 모두 발생 가능, 일부는 영구적), 자연유산
  - 사망률 ; 일반인은 1%, 입원환자는 15~30% (poor Px ; viremia level↑, AST↑)
- 진단 ; RT-PCR, viral Ag ELISA
- 치료 ; ribavirin IV (발병 6일 이내에 투여해야 효과적 → 의심되면 경험적 투여), 대증치료
- 예방 ; 상용화된 vaccine은 없음, 유행지역 방문시 주의(개인위생, 쥐/음식 주의)
    (고위험 노출이 의심되는 경우에는 postexposure prophylaxis로 oral ribavirin 투여)
      ↳ needle stick injury, 피부상처/점막에 노출, 개인보호구 없이 체액/호흡기에 노출 등

5

HIV (human immunodeficiency virus) 감염

개요

- HIV infection : 체내에 HIV를 가지고 있는 모든 경우 (보유자 ~ AIDS 환자)
- AIDS (acquired immune deficiency syndrome) : HIV 감염으로 인한 CD4+ T cells 감소에 의해 면역기능이 심하게 저하되어 기회감염이나 종양 등 합병증이 발생하는 질환
- Human immunodeficiency virus (HIV) : enveloped, single-stranded, (+)sense RNA virus, 역전사 효소(reverse transcriptase)의 활성을 특징적으로 나타내는 retrovirus 과에 속함
  c.f.) human retroviruses (HTLV는 1979년, HIV는 1984년 최초로 분리 발견됨)
    - Human T-cell leukemia viruses : HTLV-1, HTLV-2
    - Human immunodeficiency viruses : HIV-1$^{(m/c)}$, HIV-2 … HTLV에 비해 다양성이 심함
- HIV-1 (95%) : 염기서열에 따라 4 groups으로 나뉨 ; M (main)$^{(대부분)}$, O, N, P
  - M group은 다시 9 subtypes으로 나뉨 ; A, B, C, D, F, G, H, J, K
  - 전 세계적으로는 subtype C가 m/c (~50%), 우리나라 & 미국은 subtype B가 대부분임
- HIV-2 (5%, 미국은 0.2%) : HIV-1과 염기서열 40% 동일
  - HIV-1과는 달리 *vpu* gene이 없고, *vpx* gene을 가짐
  - 주로 서아프리카 일부 지역에서 발견되고, 병원성과 전염성은 HIV-1보다 약함
  c.f.) HIV-1 M, N, O는 침팬지에서, P는 고릴라에서, HIV-2는 검댕망가베이원숭이에서 전파됨
    (20세기 초 감염된 원숭이를 도축하면서 체액에 접촉 or 섭취를 통해 인간에게 전파 추정)

역학

- 전 세계 신규 HIV 감염자는 1996년 연간 340만 명까지 증가된 이후, 지속적으로 감소 중
  - 2018년 약 170만 명 발생, 약 77만 명 사망 추정 / 생존 HIV 감염인은 약 3700만명
  - 연령은 20~49세가 90%로 가장 많고, 미국의 경우 81%가 남성 (대부분 MSM)
- 우리나라 : 제3급 법정감염병, 20~50대에 호발 (20대가 m/c), 남성이 대부분(95.6%)
  - 1985년 첫 HIV 발생 이후 지속적으로 증가 추세임, 2019년 1222명 발생 (외국인이 18%)
  - 최근 20~30대 및 외국인이 꾸준히 증가 추세 / 생존 HIV 감염인은 현재 약 14,000명
  - 감염경로 ; 최근에는 거의 100% 성접촉에 의한 감염뿐 (남성동성간 항문성교가 꾸준히 증가)
    (혈액제제에 의한 감염은 1995년, 수혈로 인한 감염은 2006년 이후 보고 사례 없음)

전파

1. 감염 경로

* 전파의 조건   ↗ HIV RNA level이 높을수록 전파 확률↑

    ┌ 충분한 virus의 양 ; <u>혈액</u>, 정액, 질분비물, 모유 등에 많음 / 흉수와 CSF에도 소량 존재
    │   (눈물, 땀, 침, 소변, 토사물 등에는 감염을 일으킬 수 있는 수준의 바이러스가 없음!)
    └ 혈류로 침투해야 ; 주사바늘, 수혈, 피부상처, 점막(질, 직장, 눈, 코, 음경의 끝 등)

(1) Sexual transmission (>80%, m/c) … 우리나라는 거의 대부분
- 미국, 유럽에서는 남성간 homosex에 의한 경우가 많고, 개발도상국에서는 이성간 성접촉
  (heterosex)에 의한 경우가 많음 (우리나라는 이성간 46%, 남자동성간 54%[증가 추세])
- 전 세계적으로는 이성간 성접촉이 가장 중요한 전파경로
  (사하라 이남 아프리카의 이성간 성접촉이 전 세계 HIV 감염의 약 2/3 이상 차지)
- <u>남자▶여자</u>로 전파가 여자▷남자보다 약 8배 많음 (한번 성관계시 감염 확률은 <u>남▶여</u>가 2배)

(2) Mother-to-child transmission [MTCT] (10~20%)
- 세계적으로 신생아 및 소아 HIV 감염의 90% 이상을 차지 (주로 아프리카)
- 엄마▶아기로 전파 확률 25~32% (출산 중 50~65%[m/c], <u>자궁 내 23~30%</u>, 모유 수유 12~20%)
- 임신 중 감염되는 경우 virus level↑ → 전파 확률↑   ↳ 3기에 가장 많이 전파됨
- 임신 1~2기에도 전파 가능 / 초유와 모유를 통한 전파도 가능 → 모유수유 금지
- passive maternal Ab가 생후 18개월까지 존재하므로 검사 해석에 지장

(3) Parenteral transmission (5~10%)
- 대부분 마약 중독자가 공동으로 주사기를 사용해서 발생 (IV drug user)
- 수혈 (1980년대 이후 대부분의 국가에서 헌혈시 HIV screening을 도입한 뒤로는 매우 드물어짐)
  - 감염된 혈액의 수혈(모든 성분제제가 가능) 및 장기이식에 의해 전파 가능 (risk 90~100%)
  - γ-globulin, hepatitis B IG, plasma-derived hepatitis B vaccine, Rh₀ IG 등은 전파 안함
- needle stick injury ; 오염된 바늘 (의료진, 연구자), 문신, 피어싱 등에 의해 감염 가능

HIV 감염이 전파되지 않는 경우	
같이 식사, 목욕, 샤워	가벼운 키스
방, 욕실, 화장실을 같이 사용	서로 만지고 껴안고 악수하는 등의 신체적 접촉
식기, 머리빗, 옷, 수건 등을 같이 사용	(*면도기로는 전파 가능함)

(모기나 벌레를 매개로 전파되었다는 보고도 없음)

2. 한번 노출시 HIV 감염 확률 ★

① Blood transfusion (수혈)   >90%
② Perinatal transmission (수직감염)   25~32%
③ IV drug use (오염된 주사기 공동 사용) 0.5~1%
④ needle stick injury (오염된 바늘에 찔림) 약 0.3% (오염된 혈액이 점막/피부상처에 노출시 0.1%)
⑤ Sexual transmission   0.01~0.1% (폭력에 의한 경우는 ~1%)
                                   (항문성교를 당하는 경우는 약 1.4%)

병인

- HIV에 의해 <u>CD4+</u> T cells 파괴 → 면역기능 저하 → 기회감염 및 암 발생
- 신경계의 microglia 세포의 표면에도 CD4 존재 → 신경계 증상 발생
- macrophage는 HIV에 감염되더라도 오랫동안 죽지 않음 → 계속해서 HIV를 제공하는
  병원소로서 작용, 지속적인 HIV 감염에 결정적인 역할

CD4+ T cells의 파괴/기능장애의 기전

직접 기전	간접 기전
Viral budding에 의한 세포막 파괴 Free viral DNA의 세포내 축적 DNA-dependent protein kinase 활성화 세포의 RNA processing 방해 세포내에서 gp120-CD4 autofusion 융합체(syncytia) 형성	세포내 신호전달 이상, 자가면역 Viral Ag-coated 세포의 innocent bystander 사멸 세포자멸(apoptosis, pyroptosis, autophagy) Lymphopoiesis 억제 Activation-induced 세포 사멸 HIV 특이 면역반응에 의한 감염 세포 제거

HIV에 대한 면역반응

Cell-mediated immunity	Humoral immunity

Helper CD4+ T cell
Class I MHC-restricted cytotoxic CD8+ T cell
CD8+ T cell-mediated HIV 증식 억제
ADCC (Ab-dependent cellular cytotoxicity)
NK cell activity
	Neutralizing Ab
	ADCC에 관여하는 Ab
	   Protective
	   Pathogenic (by stander killing)
	Binding Ab, Enhancing Ab

(1) HIV와 표적세포의 결합, HIV의 세포내 증식

Antiretroviral agents의 작용 부위

- virion의 외피단백 gp120의 V_1 region과 <u>표적세포의 CD4 (receptor)</u>가 결합 → 형태 변화
  (e.g., helper T cells, monocytes/macrophages, dendritic cells, Langerhans cells)
  - → gp120 V_3 region과 co-receptor (CCR5^{대부분} or CXCR4)가 결합   Entry inhibitors (anti-CD4, anti-CCR5, fusion inhibitor)
  - → 막통과(transmembrane)단백 gp41 노출
  - → 표적세포 표면의 fusion domain에 fusion → virion 막과 세포막이 서로 융합(fusion)
  - → HIV RNA, reverse transcriptase, integrase, 기타 viral proteins 들이 표적세포 내로 들어감
- 세포 내에서 viral reverse transcriptase에 의해   Reverse transcriptase inhibitors (NRTI, NNRTI)
  viral RNA가 proviral DNA로 역전사됨
- proviral DNA는 핵 내로 들어가 viral integrase에 의해 염색체에 삽입됨
  (세포의 활성도에 따라 잠복 or active transcription)   Integrase inhibitors
- 세포가 활성화되면 viral genome → viral mRNA → viral polyprotein → component proteins
                   (transcription)   (translation)   (virus-encoded protease)
- viral component proteins과 RNA는 세포막 근처로 이동한 뒤   Protease inhibitors
  온전한 virion으로 조립되어 방출됨

(2) Virus 증식에 있어서 림프절의 역할

- HIV가 증식하는 주된 장소는 림프계
- 무증상기(잠복기)에 혈중 HIV level은 매우 낮지만, 림프절에서는 다수의 HIV가 활발히 증식 중

- 림프절을 거쳐가는 새로운 CD4+ cell에 감염을 일으킴 (HIV의 증폭)
- 시간이 지나면서 림프절 파괴 (→ 혈중으로 HIV 유리) → 면역기능 저하

(3) HIV의 생산 및 제거

- HIV는 virion turnover rate가 매우 높음 (혈장 내 virus의 반감기는 약 6시간)
- HIV가 세포로부터 방출된 다음 다른 세포에 감염을 일으켜 새로운 virion이 나올 때 까지
  걸리는 시간(generation time)은 2.5일
- HIV가 빠른 속도로 증식하는 것이 면역계가 계속 파괴되는 직접 원인
- HIV가 감염자로부터 완전히 제거되지는 않음 (BMT로 완치된 일부 예는 제외)

(4) 혈중 virus 양과 병의 진행

- primary infection ; 혈장 HIV RNA는 10^7 copies/mL 이상, virus는 전신에 퍼지며 acute viral
  infection 증상 유발 ⋯ 면역반응이 나타나면서 혈장 virus 양은 100~1000배 감소
- 약 12주 (2~10주)의 항체 미형성 기간 (window period)를 거친 후에 항체 발생
- 감염 약 6개월 이후에는 혈장 virus RNA가 steady state를 유지 ("set-point")
  - 이후 오랜 잠복기에 들어감 (but, 림프절 내에서는 활발히 증식)
  - set-point가 높은 감염자는 CD4+ cells이 빨리 감소(→ AIDS 빨리 발병, 빨리 사망)
    → 감염 초기에 강력히 치료해야

(5) 감염자들의 자연 경과

- antiviral Tx.를 받지 않은 어른의 경우, HIV에 감염된 시점에서 AIDS 증세가 나타날 때까지
  걸리는 기간은 median 8~10년   → 뒤의 임상양상 참조
- 면역부전 및 기회감염이 생기는 시기는 CD4+ cells이 얼마나 빨리 감소하느냐에 달려있음

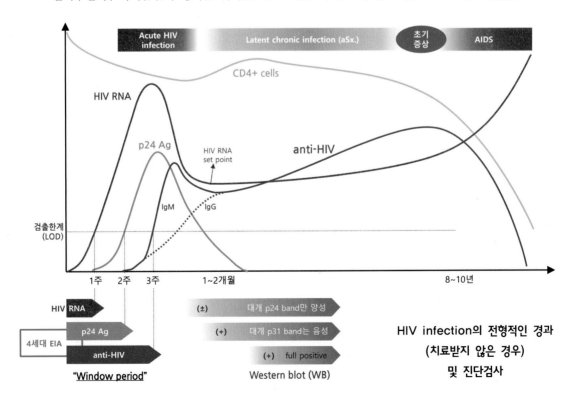

HIV infection의 전형적인 경과
(치료받지 않은 경우)
및 진단검사

Clinical stages of HIV infection

CD4+ cell count (/μL)	Stage	
>500	Early	Asymptomatic HIV infection
200~500	Middle	ARC (AIDS-related complex)
50~200	Late	AIDS
<50	Advanced	

임상양상

: 치료를 받지 않는 HIV 감염자의 자연경과

1. 급성 HIV 증후군 (acute HIV syndrome)

- HIV 감염 약 10~14일(5~35일)^{잠복기} 후, 몸살 같은 비특이적 증상이 발생하여 1~4주 동안 지속됨
- 감염자의 약 50~70% 정도에서만 경험, severity 다양, 감기로 생각하고 지나가기 쉬움
- Sx ; 발열, 두통(~50%), sore throat, 근육관절통, A/N/V/D, 체중감소
- P/Ex ; lymphadenopathy, pharyngitis, rash, urticaria ⋯➔ "infectious mononucleosis"와 유사!
- 혈중 viral level이 매우 높고, p24 Ag 수치도 증가 → 전염력 최대!
- 일시적인 면역부전 (CD4+ 및 CD8+ T cells 감소) → HIV에 대한 면역반응이 나타나면서
  1~4주 내에 저절로 회복됨 (but, CD4+ T cells은 약간 감소된 상태로 남음)
- 증상 출현 1주~3개월 후 면역반응이 나타나면서 Sx. & p24 Ag은 소실, viral level 감소
  (→ 약 1년 뒤 steady-state viremia ["viral set point"]에 도달 : 높을수록 면역저하 진행 빠름)

2. 무증상기 (임상적 잠복기)

- 초감염 후 AIDS 증상이 나타나기 전까지 증상이 거의 없고, viral level은 set point로 안정적인 시기
  : 매우 다양 (1~15년), 치료 받지 않은 경우 median 8~10년 (viral level이 높을수록 짧아짐)
- 림프조직에서의 활발한 virus 증식 및 CD4+ T cells 파괴에 따른 면역저하는 계속 진행됨
  → CD4+ T cells은 매년 평균 50/μL 정도씩 감소 (viral level이 높을수록 감소 속도 빠름)
- 대부분은 완전 무증상 / 일부에서 피곤, 발한, 체중감소, PGL 등 발생 가능
  (persistent generalized lymphadenopathy ; 50~70%에서, 다른 증상은 없는 경우 많음)
- 정상인과 똑같은 생활을 하면서 전염력도 존재하므로 문제
  (c.f., HIV infection은 모든 stage에서 전염 가능)

3. 초기 증상기 (AIDS의 전구 증상기)

- 무증상기 후 AIDS로 이행 전에 전구 증상 발생 ; 고열, 피로, 근육관절통, 두통, 체중감소, 식은땀,
  식욕부진, 설사, 불면증, leukopenia, thrombocytopenia 등
  * AIDS-related complex^{ARC} (과거 용어) : AIDS 발생 위험이 높은 사람들에서 나타나는 증상들
- CD4+ cells <500/μL로 감소하면 가벼운 기회감염증이 나타나기 시작 (e.g., URI, herpes zoster)

- 아구창(oral candidiasis, "thrush"), 구강 백반(oral hairy leukoplakia), 대상포진(herpes zoster), 지루피부염(seborrheic dermatitis), 물사마귀(molluscum contagiosum) 등 다양한 피부병 발생 (구강 칸디다증 or 구강 백반이 m/c) → AIDS로 진행을 시사
- CD4+ cells <200/μL로 감소하면 심각한 기회감염 및 암 발생 위험이 크게 증가 = AIDS

4. AIDS 증상기 : 기회감염과 종양

    * antiretroviral therapy (ART) 및 기회감염에 대한 예방적 화학요법의 시행 확대로 기회감염(2ndary infection)은 크게 감소되었음!

(1) 호흡기 질환

- AIDS 환자가 병원을 찾게 되는 가장 중요한 원인 & 사인
- 폐렴 (m/c) : bacterial pneumonia, *Pneumocystis,* CMV, tuberculosis 등이 중요
- 결핵 … 우리나라 HIV 환자의 m/c 기회감염(12~25% 차지)   … 호흡기내과 6장도 참조
  - HIV 감염 ⇨ 폐결핵 발병 위험 크게 증가, 1년에 약 1~4% 발병 (cART 도입 후 감소) (CD4+ cells <200/μL, TST 양성 환자에서 발병↑), 폐외 결핵 발생 빈도 증가(30~40%)
  - active TB ⇨ HIV 질환이 급속히 진행, 혈장 HIV RNA level↑
  - 치료는 일반 환자와 동일, 치료에 대한 반응도 더 나쁘지 않음!
  - RFP (rifampin)은 ART와 상호작용이 많음 → 대신 rifabutin 사용 (효과 동일, 상호작용 적음)

병용	Rifampin	Rifabutin
NRTI	○ (TAF는 농도↓로 금기 → 대신 TDF)	○ (TAF는 농도↓로 금기 → 대신 TDF)
NNRTI	✕ (Efavirenz는 가능)	○ (but, Efavirenz가 rifabutin의 농도를 낮추므로 rifabutin 용량은 2배로 up)
PI	✕	○ (but, rifabutin 용량은 2배로 up)
INSTI*	○ (Raltegravir와 Dolutegravir는 병용 가능하지만 용량은 2배로 up)	○ * INSTI를 포함한 복합제들과는 병용✕

- NTM : *Mycobacterium avium* complex (MAC)가 m/c, 미국에서는 흔하나 우리나라는 드문 편
  - HIV 감염 말기의 합병증 : CD4+ cell <50/μL일 때 발생
  - Tx ; clarithromycin, azithromycin, ethambutol 등
  - 1차 예방 ┌ CD4+ cell <50/μL → azithromycin or clarithromycin
                └ disseminated MAC의 병력 → clarithromycin + ethambutol
- 세균성 폐렴 … ≥2회/년 발생하면 AIDS-defining conditions이 됨
  - AIDS의 최초 증상일 수도 있고, CD4+ cell count와 관계없이 어느 시기에도 발생 가능
  - CAP와 마찬가지로 *S. pneumoniae*와 *H. influenzae*가 흔한 원인균 (HIV 비감염자에 비해 *P. aeruginosa*와 *S. aureus*가 흔함)
  - HIV 비감염자에 비해 bacteremia 동반 빈도도 높음 (특히 *S. pneumoniae*에서)
- *Pneumocystis* pneumonia (PCP) [폐포자충 폐렴]
  - 과거 폐렴의 m/c 원인, 효과적인 치료와 예방으로 발생률 크게 감소 (치사율도 2%로 감소)
  - 발생 위험이 높은 경우 (→ TMP-SMX 등으로 예방)   → Ⅳ-6장 참조
  - 임상양상 ; 서서히 진행하는 호흡곤란, 발열, 마른기침
    ↳ 수일~수주 사이에 서서히 악화 … HIV 비감염자에서 발생한 PCP보다 느린 경과를 보임

■ 면역재건증후군(immune reconstitution inflammatory response, IRIS)

- ART 치료로 면역기능이 회복되면서 감염에 대한 면역반응이 증가되어 증상이 악화되는 현상
  - cART 시작 1-2주 ~ 수개월 이후에 발생, <u>TB</u>와 CMV 감염에서 흔함
  - 기전 ; 계속적인 CD4+ T cells↑, IL-2↑, IFN-γ↑ 등
  (c.f., HIV 비감염자에서 이런 현상이 나타나는 것은 paradoxical reaction^{모순반응}이라고 부름)
- 임상양상 (TB) ; 발열, lymphadenopathy 발생/악화, 폐침윤 악화, 흉수 발생 등
- 일시적인 악화이므로, 기회 감염 치료를 중단하거나 변경하지 말고 계속!
  - <u>대증 치료</u> ; mild~moderate는 NSAIDs, severe면 steroids 등
- 일반적으로 cART를 받지 않던 사람에 기회 감염(e.g., TB)이 생겼을 경우,
  기회 감염에 대한 치료를 먼저 시작한 후 stable할 때 cART를 시행하는 것이 안전함!
  - CD4+ cells <50/μL ⇨ 항결핵치료 먼저 시작, 2주 이내에 가능한 빨리 ART도 시작
  - CD4+ cells ≥50/μL ⇨ 항결핵치료 먼저 시작, 8주 이내에 ART도 시작

(2) 소화기 질환

- oral cavity ; <u>아구창(oral thrush), hairy leukoplakia</u>, aphthous ulcer, Kaposi sarcoma ...
  ↳ 면역저하의 지표, 보통 CD4+ cells <300/μL일 때 발생
  - oropharyngeal/esophageal candidiasis ; oral thrush, dysphagia의 증상이 있으면 진단 가능
    ↳ 연구개(구인두 뒤쪽)에 호발
    (c.f., vulvovaginal candidiasis는 건강한 여성에서도 흔하므로 HIV 감염의 지표 아님)
  - oral hairy leukoplakia (털백판증/백반증) ; 혀 측면에 호발, EBV가 원인, 치료는 필요×
  - Kaposi sarcoma만 AIDS-defining condition임! (→ 뒤의 종양 부분 참조)
- esophagitis ; *Candida*, CMV, HSV
  - *Candida* : AIDS 환자의 진균 감염 중 m/c
  - <u>CMV</u> : 식도, 위, 대장 등에 ulcer/erosion을 일으킬 수 있음
- 설사의 원인
  - 감염 ; *Salmonella, E. coli, Campylobacter, Cryptosporidia, Microsporidia*, CMV 등 다양
    (*Salmonella, Shigella, Campylobacter* 등은 MSM에서 호발, 심하거나 재발성인 경우 많음)
  - drug ; ART 중에서는 PI (m/c), INSTI 등이 원인
  - AIDS (or HIV) enteropathy ; 다른 원인 없이 HIV가 직접 원인인 경우
- 항문 병변 ; HSV 재활성화에 의한 perirectal ulcers & erosions이 흔함
    (기타 condylomata acuminata, Kaposi sarcoma, intraepithelial neoplasia 등)
- hepatitis B : HBV의 증식 증가, 만성 간질환으로의 이행 위험도↑

(3) 간 질환

- 감염경로가 비슷한 HBV or HCV와의 동시감염이 많음 (우리나라; HBV 약 5%, HCV 5~7%)
- HIV 감염 ⇨ 면역을 억제하여 viral hepatitis의 진행을 더욱 빠르게 하고, 사망률도 증가
  - HBV or HCV 감염이 HIV 감염의 자연경과에 영향을 미치는 지는 논란임
  - HBV or HCV 감염은 ART-associated hepatotoxicity 발생 위험을 더욱 증가시킴!
- HBV-HIV 동시감염 ⇨ 모두 효과적인 tenofovir 포함 ART regimens 사용 (→ 뒷부분 표 참조)
- HCV-HIV 동시감염 ⇨ direct-acting antiviral (DAA)로 HCV는 완치 가능, ART 먼저 시행
- 기타 drug-associated hepatotoxicity ; isoniazid, fluconazole, TMP-SMX 등

(4) 심혈관 질환

- 과거에는 pericardial 및 myocardial dz.가 흔했지만, cART의 발달로 크게 감소됨
  (e.g., HIV-associated cardiomyopathy, pericardial effusion)
- 현재는 관상동맥질환(CAD)이 m/c (MI는 전체 HIV 사망 원인의 7% 차지)
  - CD4+ cell count <500/μL는 심혈관질환의 독립적인 위험인자임 (흡연 수준의 위험도)
  - cART로 인한 수명 증가로, 일반적인 CAD의 위험인자 동반도 증가
  - HIV 감염 → TG↑, HDL↓, CAD↑
  - ART (e.g., PIs, 일부 NRTI)에 의해서도 cholesterol 및 심혈관질환 증가 가능

(5) 신장 질환

- drug, 기회감염, HIV-associated nephropathy (HIVAN), immune complex kidney dz. 등
  → AKI 및 CKD 발생 증가 (cART의 발달로 ESRD는 많이 감소했지만, 비감염자보다는 높음)
- HIV-associated nephropathy (HIVAN) ; 흑인에서 호발
  - 대부분 CD4+ cell count <200/μL이지만, 감염 초기나 소아에서도 발생 가능
  - heavy proteinuria, 신기능이 빠르게 감소됨 (ART 받아도 예후 나쁨)
  - 조직소견 ; collapsing FSGS, interstitial inflammation, tubuloreticular inclusions
- drug ; PIs → crystalluria & AKI, ritonavir-boosted PIs → CKD↑,
  TDF → AKI ± proximal tubular dysfunction,
  기회감염 치료제(e.g., acyclovir, foscarnet, cidofovir, TMP-SMX, pentamidine) → AKI

(6) 종양

- Kaposi sarcoma (KS) : <u>HHV (human herpes virus)-8 감염에 의한 혈관종양</u>
  - 일반인구의 HHV-8 항체 양성률 ; 아프리카 약 50%, 미국 26~30%, 우리나라 <1%
    (성접촉이 주요 전파경로 → HIV 감염자 및 MSM에서 높음)
  - HIV 감염자의 m/c (~25%) 종양, 주로 MSM에서 발생, 우리나라는 드묾
    → cART 조기 시행 및 CMV에 대한 예방치료에 따라 KS 발생 크게 감소 (현재 <1%)
    (c.f., cART로 HHV-8 감염률이 감소하는 것은 아님)
  - CD4+ cell count가 낮을수록 발생 증가하지만, 정상이라도 / HIV 모든 stage에서 발생 가능
  - 임상양상 (HHV-8 만성 감염자의 대부분은 무증상)
    ; 자주색의 작고 융기된 <u>피부 병변</u> (압통이 없고 단단), 구강점막의 변색, 장기도 침범 가능
      ↳ 햇빛 노출 부위에 호발 (특히 코, 팔), 외상 부위에도 발생 가능
  - 확진은 biopsy ; angiogenesis (혈관내피세포와 방추세포 증식), RBC의 extravasation, 염증
  - 치료 ; 대부분 cART로 호전됨, 심한 경우에만 CTx (liposomal doxorubicin or daunorubicin)
    (미용 목적의 국소 치료 ; intralesional vinblastine, local alitretinoin, local RTx 등)
- NHL ; 대개 HIV 감염 말기에 발생 (CD4+ cell count <200/μL), ~6%에서
  - diffuse large B cell lymphoma (m/c, 75%) ; 대개 고령에서 발생, high-grade
  - Burkitt lymphoma (25%) ; 약 50%에서 EBV(+), HIV 이외의 다른 면역저하에서는 드묾
  - primary CNS lymphoma (15%) ; 대부분 EBV(+), 진단시 median CD4+ cells ~50/μL
- invasive cervical cancer ; 3~4배 증가 → HPV 예방접종 권장 (남자도)
- 기타(non-AIDS-defining) ; HL, anal, lung, colorectal, HCC, skin, head & neck cancers ...

(7) 조혈기관

AIDS 환자에서 cytopenias의 원인
1. HIV infection 자체
2. 다른 감염 ; 결핵, NTM, 진균, HHV-8, CMV, EBV, parvovirus B19 ...
3. Lymphoma 등의 종양
4. 면역 ; autoimmune, hemophagocytic lymphohistiocytosis, 염증
5. 약물 ; zidovudine, dapsone, TMP/SMX, pyrimethamine,   5-flucytosine, ganciclovir, IFN-α, trimetrexate, foscarnet ...
6. 기타 ; TMA, 영양결핍, 간질환(hypersplenism)

- anemia (m/c) ; ACD가 m/c, 대개는 mild, 독립적인 poor Px factor
- neutropenia ; 대개는 mild, 심하면 대개 G-CSF or GM-CSF로 치료
- thrombocytopenia ; CD4+ cells <400/μL이면 ~10%에서 발생, 치료는 cART (± ITP처럼)

(8) 신경 질환

- HIV 자체에 의한 것 : HIV encephalopathy (AIDS dementia complex, 말기 AIDS 환자의 약 1/4에서 발생), aseptic meningitis, myelopathy, peripheral neuropathy, myopathy ...
- 기회감염 or 암에 의한 것 : toxoplasmosis, cryptococcosis, CMV infection, TB, syphilis, progressive multifocal leukoencephalopathy (PML, JC virus [JCV]의 재활성가 원인), HTLV-1, primary CNS lymphoma (EBV와 관련), Kaposi sarcoma ...
  - 서양에서는 toxoplasmosis가 흔하나, 우리나라에서는 드물다
  - 우리나라에서는 cryptococcal meningitis, PML, CMV infection 등이 중요

* HIV 환자의 focal brain lesions
  - 흔한 원인 ; toxoplasmosis, primary CNS lymphoma
  - 덜 흔한 원인 ; TB, fungal/bacterial abscess, PML, CMV encephalitis

■ Progressive multifocal leukoencephalopathy (PML)
- JC virus (JCV) [*Human polyomavirus 2*]의 재활성가 원인 (일반 성인의 ~80%가 항체 보유)
- AIDS 말기 증상으로 ~1-4%에서 발생 (CD4+ cells <50/μL), 기타 혈액종양, 이식후 면역억제치료 등
- 아급성 신경손상 증상 ; 의식변화, hemianopia, diplopia, hemiparesis/monoparesis, gait ataxia, seizure
- MRI ; 조영증강이 안 되는 다발성 백질 병변, T2-영상에서 고음영 / 진단 ; CSF에서 JCV 검출(RT-PCR)
- 특별한 치료법은 없지만, cART 시행시 진행을 늦춰 수명 약간 증가 (치료 안하면 3~6개월 뒤 사망)

(9) 피부

- 급성 HIV 증후군 : rash, 지루 피부염, 화농성 모낭염, Kaposi sarcoma ...
- AIDS : 대상포진, 단순포진, 건선, 약진, 진균 감염, Kaposi sarcoma ...
  ↳ CD4+ cell count가 낮을수록 호발하지만, 정상이라도 발생 가능 (cART로 예방×)

(10) 기타

- cotton-wool spots : m/c 눈 병변, 시력장애는 안 일으킴
- CMV retinitis : 주로 CD4+ cells <100/μL, 치료 안하면 시력장애 가능
- HSV와 VZV는 acute retinal necrosis syndrome or progressive outer retinal necrosis (PORN) 유발 가능 → 실명 예방위해 빨리 IV acyclovir 치료 필요
- FUO : 상당수는 결핵 등의 mycobacteria, CMV, 때때로 PCP 등이 원인

* HIV wasting syndrome : 다른 원인으로 설명할 수 없는 10% 이상의 체중감소
    + 30일 이상 지속되는 피곤/발열 or 설사

■ **예후**

- HIV 환자의 예후는 1996년 HAART (cART) 도입 이후 크게 향상되었음
  - 사망률 : 10% 이상 → 2% 미만
  - 주요 사인 : 기회감염 (크게 감소) → 심혈관질환, 간질환, 악성종양
- 현재 평균 43년 (20세) ~ 32년 (35세) 이상 생존 … 같은 나이의 정상인과 거의 차이 없음
  (특히 조기에 cART를 시작하고, baseline CD4 count가 높은 경우)

CD4+ lymphocyte count에 따른 기회감염

CD4+ count (cells/μL)	흔한 기회감염
>500	Recurrent vaginal candidiasis Acute bronchitis
200~500	Bacterial (pneumococcal) pneumonia, Tuberculosis, Herpes zoster, Oral candidiasis, Kaposi's sarcoma (KS)
100~200	_Pneumocystis_ pneumonia (PCP)
50~100	Esophageal, bronchial candidiasis CMV retinitis, Toxoplasmosis, Cryptococcosis, Histoplasmosis Coccidioidomycosis
<50	NTM ; _M. avium_ complex (MAC) 등 Cryptosporidiosis, Aspergillosis, CMV (colitis, esophagitis, adrenalitis) Progressive multifocal leukoencephalopathy (PML)

진단

HIV screening의 대상

HIV 감염의 임상양상을 보이는 경우
　기회감염 및 종양 → 뒤의 "AIDS-defining conditions" 참조
　Acute HIV infection 증상 → 앞부분 참조
HIV와 전파경로가 비슷한 질환의 존재 ; 성병(STI), HBV, HCV
High-risk exposure to HIV ; HIV 감염자와 성접촉, needle stick injury 등
HIV 감염상태를 모르는 사람과 콘돔 없이 성관계
주사바늘을 재사용 당한 환자
역학적 고위험군(or 선별검사로 전파 예방이 가능한 경우) : 파트너도 포함
　남성 동성연애자(men who sex with men, MSM), 마약중독자(IV drug user)
　성접촉 상대가 여러 명이거나 최근에 바뀐 경우, HIV 감염자의 파트너, HIV 감염자와 함께 거주하는 사람
　매춘 행위자 (e.g., 유흥접객원, 다방, 입욕보조자, 안마시술소)
　HIV 유병률이 높은 국가를 여행하면서 위험한 행동을 한 경우, HIV 유병률이 높은 국가에서 온 사람
　HIV 검사 도입 전에 수혈을 받은 사람 (우리나라: 1987년 HIV 항체검사, 2005년 HIV NAT 도입)
　임산부　　　　　(c.f., 미국에서는 모든 13~75세 성인에서 최소 1회 이상의 검사 권장)

c.f.) 우리나라 급여기준
　가. 장기이식수술을 위하여 장기를 제공하는 경우
　나. 수술 또는 수혈이 필요하거나 예측되는 환자 (대부분의 병원에서 수술 전 routine Lab으로 시행함)
　다. 중증감염환자, 불명열환자 또는 투석환자(혈액, 복막)
　라. 비전형적 피부질환자 또는 원인불명의 전신성 림프선 종창환자
　마. 동성애, 매춘, 성병, 마약주사 경험자
　바. 기타 후천성 면역결핍증이 의심되는 경우 등 임상적으로 필요하여 실시하는 경우

1. 혈청검사(HIV antibody)

: 감염 약 2주 이후부터 나타나며, 거의 대부분에서 8주 이내에 항체가 형성됨

(1) EIA (ELISA)

- 표준 <u>screening</u> test! (→ 음성이면 HIV R/O 가능), window period (WP)가 긴 것이 문제

	개발	Ag source	Sensitivity	Specificity	Detect	결과 보고	WP
1세대	1985	Virus-infected cell lysate	99%	95~98%	IgG anti-HIV-1	Single	5~7주
2세대	1987	Lysate & recombinant Ag or peptides	>99%	>99%	IgG anti-HIV-1 & anti-HIV-2	Single	4~5주
3세대	1991	Recombinant & synthetic peptides	>99.5%	>99.5%	+ IgM, Group O	Single	3~4주
<u>4세대</u>	1997	Recombinant & synthetic peptides	>99.8%	>99.5%	+ HIV-1 <u>p24 Ag</u>	Single	2~3주
5세대 (논란)	2015	Recombinant & synthetic peptides	~100%	>99.5%	〃	HIV-1, -2, p24 Ag	2~3주

- 3세대부터는 sandwich EIA 기법 및 IgG와 IgM을 동시에 검출하여 정확도 향상, group O 항원도 추가
- 4세대부터는 p24 Ag 검출도 추가 window period (WP)를 더 단축하여 sensitivity 더 향상됨 ⋯ 현재 주로 사용됨

- anti-HIV-1과 anti-HIV-2를 모두 검출하고, 4세대부터는 p24 Ag도 동시에 검출함
- sensitive & specific (sensitivity 99.8%, specificity 99.5%), 비교적 빠르고 저렴함
- 단점 : 유병률이 낮은 지역(예; 우리나라)에서는 (+) predictive value가 매우 낮으므로 (약 7%), 양성인 경우 반드시 재검 or DIA, Western blot, NAT 등에 의한 확인이 필요함!

┌ false(-) 원인 ; window period[WP] (m/c), 빠른 ART 치료
└ false(+) 원인 ; 자가면역질환, 임신, 수혈/이식, 간질환, 만성음주, autoAb, 다른 급성감염, 백신

(2) rapid tests (POCT)

- 5~15분 이내로 빠른 결과 확인 / 검체; 혈액, 구강점막액 / 원리; lateral flow or flow-through
- 큰 병원의 응급 상황, 작은 병원, 보건소, 가정/자가, 의료시설이 부족한 후진국 등에서 유용
  - 우리나라 보건소에서는 무료 익명 신속검사 시행 중 (e.g., SD BIOLINE® HIV-1/2)
    (c.f., SD는 1999년 설립된 한국 회사 → 2010년 Alere[엘리어]에 합병됨 → 2016년 대기업 Abbott[애보트]가 인수)
  - 구강점막 자가검사키트도 판매 중 ; OraQuick® advance HIV-1/2 등 (우리나라도 쇼핑몰도)
- 정확도는 대부분 높은 편이나(sensitivity & specificity >99%), 표준 EIA보다는 약간 떨어짐
- 음성이면 HIV R/O 가능하나, 양성이면 다른 정규(in-Lab) 검사들로 확인이 필요함

(3) HIV-1/HIV-2 differentiation (discriminatory) immunoassay[DIA]

- 선별검사(4세대 anti-HIV EIA)를 보완하기 위해 개발됨 → 현재 CDC에서 <u>확진검사</u>로 권장!
  - anti-HIV-1과 anti-HIV-2를 구분하여 검출/보고, WB보다 sensitivity 높음
  - 선별검사로는 권장되지 않고, anti-HIV EIA에서 양성으로 나오는 경우 확진검사로 사용함
- 기존의 EIA ▷ WB algorithm에서 WB 대신 사용시 동등한(or 이상의) 성능을 보여줌
- 예) 모두 rapid tests로 15~30분 이내에 결과 확인 가능 (WB 비슷한 EIA로 보면 됨)
  - Bio-Rad Multispot™ HIV-1/HIV-2 (원리: solid-phase immunoconcentration)[단종]
  - Bio-Rad Geenius™ HIV 1/2 confirmatory assay (원리: immunochromatography)[2014 FDA 허가]

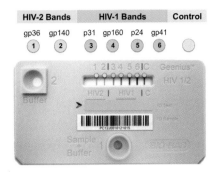

HIV-2 Bands		HIV-1 Bands				Control
gp36	gp140	p31	gp160	p24	gp41	
①	②	③	④	⑤	⑥	○

Bio-Rad Geenius™ HIV 1/2 confirmatory assay

HIV-1 Gene and Product	Band on Western blot
env	
Precursor Protein	gp160
External Glycoprotein	gp120
Transmembrane Protein	gp41
pol	
Reverse Transcriptase	p66
Reverse Transcriptase	p51
Endonuclease	p31
gag	
Gag Precursor	p55
Core	p24
Matrix	p17
Nucleocapsid Precursor	p15

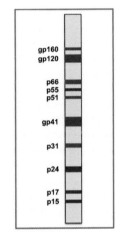

Western blot (WB) assay

(4) immunoblot assay (Western blot, WB)

- most specific 혈청검사 (virus를 분해, 전기영동, 분자량에 따라 배열하여 Ag source로 사용, immunochromatography [line immunoassay] 원리로 각각의 Ab 검출)
- but, EIA보다 WP가 길고(5~8주), 비용↑, 시간↑, 대량 검사에 부적합 ┐→ 선별검사에는 못씀
  EIA & PCR 음성인 경우의 20~30%에서 indeterminate 결과를 보임 ┘
  (c.f., EIA에서 HIV-2 양성을 WB에서는 HIV-1으로 잘못 분류하는 경우도 많음)
- 선별검사(anti-HIV EIA) 양성의 확진검사에 이용 (우리나라는 시도 보건환경연구원에서 시행)
- 미국 CDC는 2014년부터 WB 대신 HIV-1/2 differentiation immunoassay[DIA]를 확진검사로 권장
  (∵ HIV-1을 좀 더 빠르게 진단 가능하고 HIV-2는 더 정확하게 진단 가능, TAT↓, 비용↓)
    ↳ acute early infection 때가 전염력 훨씬 높음 (→ WB에서는 위음성/indeterminate 가능)
- 결과 판정 (CDC)
  ┌ p24, gp41, gp120/160 중 2개 이상의 bands가 검출되면 (+)
  │ band 하나도 검출되지 않아야 (-) → anti-HIV EIA의 위양성으로 판단
  └ (+)나 (-)에 해당하지 않는 경우 ["indeterminate"] → WB 재검(4~6주 뒤), DIA, NAT 등
  * 미결정(indeterminate)의 원인 ; 교차반응(p24 and/or p55 교차반응이 흔함), HIV-2 감염,
      급성기 초기(Ab 생성 중, 대개 p24만 검출), 드물지만 다른 retrovirus (e.g., HTLV, SIV)
  c.f.) 우리나라 WB ┌ p24 (or p31) + gp41, gp120, gp160 중 2개 이상의 밴드를 보이면 (+)
      판정기준   └ 밴드가 없거나 p17 밴드만 검출되면 (-)

2. HIV 직접 검출

: 매우 예민하고, 항체 미형성 기간(window period, WP)에도 진단 가능

① HIV Ag dection (p24 Ag capture assay) : acute infection의 초기 진단(screening)에 유용
- 감염 약 1-2주부터 ~ 45일 정도까지만 검출됨 → 단독으로는 선별검사에 부적합
- 대부분 anti-HIV EIA와 병합하여 선별검사에 이용됨 (anti-HIV보다 약 1주일 먼저 검출됨!)
- p24 Ag 단독 검사로는 비특이 반응을 제거한 p24 Ag neutralization assay가 권장됨

② HIV RNA (RT-PCR) : 대개 real-time PCR, 모든 검사 중 가장 sensitive (~100%)
- HIV 항체 형성 이전에 (7~10일 후부터) 가장 빨리 검출 가능, HIV-1만 FDA 허가되었음
- 극히 낮은 농도의 virus도 발견 & 정량 가능 (but, low level은 위양성의 가능성도 있음)
- 혈청검사의 indeterminate 결과 확인, 초기(WP) 진단, 신생아 수직감염 진단, 예후/치료시기 결정, 치료(ART) 효과 monitoring, 헌혈 혈액의 screening 등에 유용

③ 기타 HIV RNA NAT (nucleic acid testing)^{핵산검사}
- HIV RNA branched-chain DNA (bDNA) : nucleic acid capture assay (signal amplification)
- HIV RNA transcription-mediated amplification (TMA) : T7 RNA polymerase 이용하여 증폭
- HIV RNA nucleic acid sequence-based amplification (NASBA) : isothermal amplification

④ HIV DNA PCR : 말초혈액 단핵구에서 HIV proviral DNA 검출 (주로 연구 용)

⑤ virus culture : 극히 제한된 전문 연구기관에서만 시행 가능

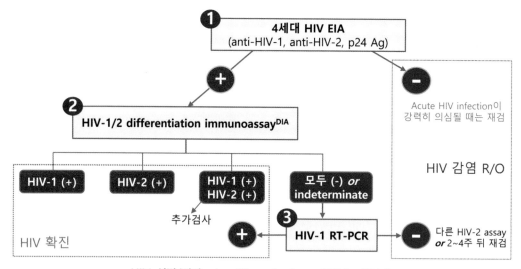

HIV 선별/진단 algorithm, 3 steps (CDC, 2014)
기존의 algorithm에서 WB를 빼고, 대신 DIA와 RT-PCR을 도입한 것이 차이
(4.5 or 5세대 EIA 검사들의 개발에 따라 더 간소하게 EIA → NAT 2단계 algorithm이 제안되기도 함)

* 우리나라 : 4세대 HIV EIA (선별검사) → 양성이면 시도 보건환경연구원에 확진검사 의뢰
  ; Western blot (WB), HIV Ag neutralization assay, HIV 핵산검사(NAT) 등 시행

* 대부분의 선별검사(4세대 EIA) + 확진검사(DIA or WB, NAT) 조합으로 위양성은 극히 드물고, acute infection의 극초기에 위음성은 가능함 (→ acute infection 의심되면 반드시 재검)

3. AIDS의 진단/정의/분류

• 미국 CDC (1993년) … 진료를 위한 기준이라기보다는, 질병 감시를 위한 기준

CD4+ T Cell Categories	Clinical Categories		
	A Asymptomatic, Acute (Primary) HIV or PGL**	B Symptomatic, Not A or C Conditions	C AIDS-Indicator Conditions*
1) >500/μL	A1	B1	C1
2) 200~500/μL	A2	B2	C2
3) <200/μL	A3	B3	C3

* 굵은문자(음영) : expanded AIDS surveillance case definition
** PGL; progressive generalized lymphadenopathy
■ 우리나라에서는 C1, C2, C3만 인정하고 있음

---

*AIDS-indicator/defining conditions (Category C) ★

재발성 폐렴 (≥2회/년)
M. tuberculosis 감염증 (어느 부위에서건)
NTM 및 기타 *Mycobacteria* 감염증 (파종성 or 폐외)
Pneumocystis jirovecii 폐렴 (PCP)
식도, 기관, 기관지, 폐의 candidiasis
  (oropharyngeal candidiasis는 아님!)
파종성 또는 폐외 Coccidioidomycosis
폐외 Cryptococcosis
만성 *Cryptosporidium* 위장관염 (≥1개월)
파종성 또는 폐외 Histoplasmosis
만성 Cystoisosporiasis (isosporiasis) 위장관염 (≥1개월)
뇌의 *Toxoplasma* 감염증

재발성 *Salmonella* 패혈증
HSV 감염증 ; 궤양(≥1개월) or 기관지염, 폐렴, 식도염
CMV 감염증 (간, 비장, 림프절은 제외)
실명을 동반한 CMV retinitis
HIV encephalopathy
Progressive multifocal leukoencephalopathy
Kaposi sarcoma
NHL ; Immunoblastic lymphoma (대부분 DLBCL),
  Burkitt's lymphoma, Primary CNS lymphoma
침습성 자궁경부암
HIV wasting syndrome
  (만성 체중감소, 설사, 쇠약, 발열)

• CDC staging system (surveillance case definition) for HIV infection & AIDS (2014)

Stage	검사소견	임상소견
0	Early HIV infection 상태로, 가장 전염력이 높은 기간 ; (다른 stages의 기준보다 우선함) 처음 HIV 확진 & 6개월 이내의 HIV 검사 (−) or indeterminate OR 항체검사 직후 또는 이전 6개월 동안의 HIV 직접검출검사 (e.g., p24 Ag, NAT)에서 (−) or indeterminate 결과	AIDS-defining condition 無
1	HIV 감염의 laboratory confirmation & CD4+ T-cell count >500/mm^3 or ≥29%	AIDS-defining condition 無
2	CD4+ T-cell count 200~499/mm^3 or 14~28%	AIDS-defining condition 無
3 (AIDS)	CD4+ T-cell count <200/mm^3 or <14%	OR AIDS-defining condition* 有
Unknown	HIV 감염의 laboratory confirmation & CD4+ T-cells 모름	AND AIDS-defining condition 모름

4. HIV 감염 환자의 initial evaluation 및 조치 ★

(1) Hx., P/Ex., 일반혈액^{CBC}(WBC diff. 포함) 및 생화학검사(간기능, 혈당, lipid profile 포함)

(2) CD4+ cell count ┐AIDS로의 진행 및 예후 예측
(3) 혈장 HIV RNA 정량검사 ┘(→ 더 정확)

(4) HIV 약제내성 검사 (genotypic resistance assay)

(5) 뼈질환 검사 ; 고위험군의 경우(e.g., 50세 이상 남성, 폐경 여성) BMD, serum Ca, Ph, ALP

(6) HAV, HBV, HCV 선별검사 (→ susceptible하면 HAV 및 HBV 예방접종)

(7) 결핵 선별검사 ; TST (or IGRA), chest X-ray

(진행된 감염자에서는 TST가 음성이라도, CD4+ cells ≥200/mm^{3}으로 회복되면 재검 권장)

(8) 매독과 톡소포자충 선별검사 ; VDRL (or RPR) test, anti-Toxoplasma Ab titer

(9) 기타 성병에 대한 선별검사 ; 임질, Chlamydia, trichomoniasis, HPV (항문, 자궁경부) 등

(10) 예방접종 : 폐렴구균, influenza, HPV (필요시)

(11) MMSE (mini-mental status examination)

* abacavir 사용 예정이면 HLA-B5701 검사 : 양성이면 abacavir 과민반응 위험↑ → 금기

치료

* 일반적인 치료 목표 ; 감염인지 90%, 치료시행 90%, 치료효과 90%
* ART (antiretroviral therapy) → HIV 감염의 진행을 늦추며, 생존 기간을 연장시킴
  ┌ 효과 : 진행 지연, survival 증가, 기회감염 감소, 증상 호전, CD4+ cells↑, p24 Ag level↓,
  │   transmission 위험↓ 등
  └ but, virus를 완전히 제거하거나 완치시키지는 못함! → 평생 복용해야 됨
      (예외 ; CCR5Δ32 mutation 공여자의 골수를 이식받고 완치 예 → HIV가 세포에 결합×)

1. HIV 감염의 치료 약제

(1) Nucleoside/nucleotide analogue reverse transcriptase inhibitors (NRTIs)

• 기전 ; HIV의 reverse transcriptase (RNA-dependent DNA polymerase)가 작용 못하도록 차단
   (nucleoside RTIs는 세포내에서 phosphorylation을 거쳐야만 작용함)

• 단점 ; 부작용, HIV의 내성종 출현 → 사용기간에 제한

• 약제(nucleoside analogue reverse transcriptase inhibitors)

 − Zidovudine (ZDV, AZT, azidothymidine) ; 최초의 ART (1987), 현재는 잘 안 쓰임

 − Didanosine (ddI) ; 치명적 췌장염 유발 위험 ┐부작용 때문에 거의 안 쓰임
 − Stavudine (d4T) ; lactic acidosis 등 부작용 多 ┘

 − Lamivudine (3TC) ; 내성발현이 빠르게 일어남, 과거 zidovudine과 병합요법으로 많이 사용
     → 현재는 tenofovir (주로) or abacavir와 병합요법으로 많이 사용

 − Abacavir (ABC) ; HLA-B5701 (+)시 치명적 과민반응 유발 위험으로 금기

 − Emtricitabine (FTC) ; lamivudine과 매우 유사함 (이 둘을 병용하는 것은 금기)

- nucleotide analogue reverse transcriptase inhibitors
  - ↳ tenofovir : 위장관 흡수율이 매우 낮아 prodrug 형태로 투여됨, 대부분 emtricitabine과 병용
  - – Tenofovir disoproxil fumarate (TDF) ; 신장독성 및 골밀도↓ 부작용
  - – Tenofovir alafenamide (TAF) ; 세포내 침투율 더 높음, TDF보다 치료효과 약간 더 좋음
    - ↳ 용량↓ → TDF보다 신장독성 및 골밀도 부작용 적음!
    - (c.f., lipid profiles에 나쁜 영향은 TAF가 크지만, CVD risk에 의미 있는 차이가 날 정도는 아님)

(2) Non-nucleoside reverse transcriptase inhibitors (NNRTIs)
- 기전 ; HIV의 reverse transcriptase에 직접 결합하여 억제 (HIV-1에만 효과적)
- 단독으로는 내성이 빨리 나타나므로, 반드시 병합요법으로 사용
- 1세대 약제 ; Nevirapine (NVP)와 Delavirdine (DLV, 단종)는 현재 거의 안 쓰임
  - – Efavirenz (EFV) ; rifabutin, clarithromycin, atorvastatin, simvastatin 등 약물상호작용 많음
    - ┌ Cx ; CNS 독성 (정신이상증상, m/c), 간독성, QT↑
    - └ C/Ix ; 정신병, 임신, 간질환(moderate~severe), TdP 고위험군
- newer NNRITs : 1세대보다 내성 및 부작용 적음
  - – Etravirine (ETR) ; NNRTI 및 다른 약제 내성인 경우 흔히 사용됨
  - – Rilpivirine (RPV) ; HIV RNA $<10^5$ copies/mL & CD4 cell $\geq 200/\mu$시 권장, TdP 주의
  - – Doravirine (DOR) ; 2018년 허가[FDA], 효과 비슷하면서 내성과 부작용 더 적음

(3) Integrase strand transfer inhibitors (INSTIs)
- 기전 : virus의 integrase 효소 억제 (strand transfer 단계를 억제) → proviral DNA의
  - preintegration complex (PIC)가 숙주세포의 DNA에 결합하는 것을 억제
- 기존 약제들의 병합치료에도 반응이 없는 경우에도(e.g., 내성) 효과 우수, 부작용이 매우 적음!
- 약제 (비교적 최근에 개발되었음, 2007년부터~) (c.f., cabotegravir는 연구 중)
  - – Raltegravir (RAL) ; PIs보다 효과적이고, CSF와 생식기에서 높은 농도를 보임
  - – Elvitegravir (EVG) ; 내성이 잘 생겨 문제 (raltegravir도), pharmacokinetic boosting 필요
  - – Dolutegravir (DTG) ; 기존 INSTIs보다 내성 적고, 치료효과 우수함! (Bictegravir도 마찬가지)
  - – Bictegravir (BIC) ; 2018년 허가[FDA], emtricitabine-TAF와 복합제 형태로만 시판 [Biktarvy®]

(4) Protease inhibitors (PIs)
- 기전 : virus의 gag 및 gag-pol polyproteins의 분해 억제 → immature virion (감염성 無) 생성
- 단독으로는 내성이 빨리 나타나므로, 병합요법으로 사용 (but, PIs간 교차내성이 비교적 흔함)
- 약제 (구세대 saquinavir, indinavir, nelfinavir, fosamprenavir 등은 효과 적고 부작용으로 사용×)
  - – Ritonavir (RTV) ; 다른 PIs 등의 효과를 증대시켜 투여 용량을 감소시킬 수 있음
  - – Amprenavir (APV), Lopinavir/ritonavir (LPV/r, Kaletra®), Tipranavir (TPV)
  - – Atazanavir (ATV) ; atazanavir에 내성이라도 다른 PI에 교차 내성을 보이는 경우는 적음
  - – Darunavir (DRV) ; 가장 부작용 적은 PI, resistance mutations 존재시에는 2회/일 투여
    - (→ 2회/일 투여 시에는 cobicistat boosting은 금기), 심한 간질환 때도 boosting 금기

- * pharmacokinetic boosting : 대부분의 PIs와 elvitegravir는 저용량 ritonavir or cobicistat를
  - 같이 투여함 → 원약제의 반감기↑, 혈장농도↑, 최대혈장농도(C_{max})↑ → 효과↑ (용량↓)
  - → 대개 ritonavir or cobicistat와 복합제 형태로 많이 시판됨 (cobicistat가 부작용 적음)
  - 예) DRV/cobicistat (DRV/c, Prezcobix®), ATV/c (Evotaz®)　　　↳ but, 임신시엔 금기

(5) Entry inhibitors (EIs)

- fusion inhibitor : **Enfuvirtide** (ENF, T-20, Fuzeon®), 2003년 허가[FDA]
  - 기전 : HIV의 gp41과 결합하여 virus가 CD4+ 숙주세포와 fusion하는 것을 억제
  - 기존의 약제 병합치료에도 반응이 없는 경우 유용
  - 단점 ; 하루 2회 주사 필요 (→ 주사부위 부작용, 장기 투여 어려움), 세균성 폐렴 증가, 비쌈
- chemokine receptor 5 (CCR5) antagonist : **Maraviroc** (MVC, Selzentry®), 2007년 허가[FDA]
  - 기전 : 숙주세포의 CCR5와 결합하여 CCR5-tropic HIV [R5 virus] gp120과의 결합을 차단
  - 초치료보다는 기존의 약제 병합치료에 반응이 없는 경우(e.g., 내성) 고려
  - 사용전 tropism assay 필요 (∵ CXCR4 coreceptor와 결합하는 virus [X4 virus]에는 효과 無)
- anti-CD4 mAb (post-attachment inhibitor) : **ibalizumab** (IBA, Trogarzo®), 2018년 허가[FDA]
  - 기전 : virus와 세포의 결합 이후 virus의 entry를 억제함 (2주마다 IV)
  - 기존의 약제 병합치료들에 실패한 경우 고려, 다른 약제들과 병합으로 사용
- ★ Maraviroc과 ibalizumab 만이 숙주 세포 단백을 표적으로 하는 치료제임

■ Antiretroviral therapy의 부작용

NRTI	NNRTI	PI
Anemia, leukopenia	Rash	Hyperglycemia
Peripheral neuropathy	CNS Sx.	(insulin resistance)
Pancreatitis	Early hepatic	Transaminase 상승
Hypersensitivity	abnormalities	Lipids 상승
Hepatic steatosis	Lipids 상승	Hemophilia에서 출혈 위험↑
Lactic acidosis		Lipodystrophy
Hyperglycemia, Lipids 상승		Centripetal fat accumulation

* 거의 모든 약제가 hyperlipidemia 유발 가능 (cholesterol↑, TG↑, Lp(a)↑)
  → 조기 동맥경화 및 CHD 증가에 기여

■ 복합제(fixed-dose combinations)도 많이 출시되었음 [1일 1회 1정 예]

상품명	성분
Atripla	Emtricitabine + Tenofovir disoproxil fumarate (TDF) + Efavirenz
Biktarvy	Emtricitabine + Tenofovir alafenamide (TAF) + Bictegravir
Complera	Emtricitabine + Tenofovir disoproxil fumarate (TDF) + Rilpivirine
Delstrigo	Lamivudine + Tenofovir disoproxil fumarate (TDF) + Doravirine
Dovato	Lamivudine + Dolutegravir
Genvoya	Emtricitabine + Tenofovir alafenamide (TAF) + Elvitegravir/cobicistat
Juluca	Rilpivirine + Dolutegravir
Odefsey	Emtricitabine + Tenofovir alafenamide (TAF) + Rilpivirine
Stribild	Emtricitabine + Tenofovir disoproxil fumarate (TDF) + Elvitegravir/cobicistat
Symfi, Symfi Lo	Lamivudine + Tenofovir disoproxil fumarate (TDF) + Efavirenz
Triumeq	Lamivudine + Abacavir + Dolutegravir
Truvada	Emtricitabine + Tenofovir disoproxil fumarate (TDF) → PrEP에 허가 (우리나라)

* 장기지속형주사제(nanosuspension) **Cabotegravir + Rilpivirine** 1~2개월마다 1회 IM도 연구 중
  ; 기존 병합요법보다 비열등하면서 아직은 치료실패 無, 주사부위반응이 문제(대부분 mild, 2%는 투약 중단)

2. HIV 감염의 초치료

HIV 감염의 초치료 (ART-naïve 환자) 권장 병합요법(cART)

NRTI 2가지(backbone) + INSTI 1가지

Preferred regimens (*내성이 적어 선호됨)
- Emtricitabine + Tenofovir alafenamide (TAF) + Bictegravir*
- Emtricitabine + Tenofovir alafenamide (TAF) + Dolutegravir*
- Lamivudine + Abacavir** + Dolutegravir

ART (antiretroviral therapy)의 적응

1. 모든 HIV 감염자 (가능한 빨리)
   : CD4+ cell count에 관계없이!

2. Postexposure prophylaxis (PEP)

3. Preexposure prophylaxis (PrEP)

** Abacavir : HLA-B5701 (+)시 치명적 과민반응 유발 위험으로 금기 (검사를 안 한 경우에도 금기)

Alternative regimens

NNRTI-based regimens
   Emtricitabine + Tenofovir (TAF or TDF)* + Doravirine (or Rilpivirine, Efavirenz)**
INSTI-based regimens
   Emtricitabine + Tenofovir (TAF or TDF)* + Raltegravir (or Elvitegravir/cobicistat)
PI-based regimens
   Emtricitabine + Tenofovir (TAF or TDF)* + Darunavir/cobicistat (or Atazanavir/cobicistat)***
Tenofovir (TAF or TDF) 및 abacavir를 사용 못할 때
   Darunavir/cobicistat + Dolutegravir (or Lamivudine)
   Lamivudine + Dolutegravir : HIV RNA >5×10^5 copies/mL, HBV 중복감염, HIV 내성검사 안한 경우엔 사용×

* 대부분 TAF가 선호되지만 신장 기능이 정상이면 TDF도 괜찮음.
  임신, 일부 약물상호작용(e.g., rifamycins, anticonvulsants) 때는 TDF 권장
** Rilpivirine은 HIV RNA <10^5 copies/mL & CD4 cell ≥200/μ 시에만 권장됨.
   Efavirenz와 Rilpivirine은 우울증/자살을 유발 위험으로 정신질환자에게는 금기 (Efavirenz는 임신시에도 금기)
*** 일반적으로 PIs 중에서는 Darunavir가 부작용이 적어 더 선호됨 (but, sulfonamide moiety가 있으므로 allergy 주의)

임신

Emtricitabine + Tenofovir disoproxil fumarate (TDF) + Dolutegravir (or Raltegravir)
Emtricitabine + TDF [or Lamivudine + Abacavir] + Darunavir/ritonavir (DRV/r)
Emtricitabine + TDF + Atazanavir/ritonavir (ATV/r) 등이 권장되는 regimens임

INSTI로는 Dolutegravir or Raltegravir가 권장됨 (→ 뒤 예방 부분 참조)
Ritonavir-boosted PIs도 괜찮음 / cobicistat boosting은 임신 중 원약제의 농도(효과)를 떨어뜨리므로 금기
Tenofovir alafenamide (TAF)는 임신시 자료 부족으로 대신 TDF가 권장됨 (TDF는 Pregnancy Category B임)

HBV coinfection

Emtricitabine (or Lamivudine) + Tenofovir + Dolutegravir (or Bictegravir, Elvitegravir/cobicistat)
HBV의 치료로 entecavir를 사용하는 경우에는 NRTI (e.g., Emtricitabine, Lamivudine) 이외의 약제들로 cART 선호

HCV coinfection

HCV 단독 감염자와 동일하게 DAA (direct acting antivirals) 요법 우선으로 치료 (cART와 별개, 약물상호작용에 주의)
ART-naïve HIV/HCV-coinfection 환자는 ART를 먼저 시행한 뒤, 최소 4~6주 이후에 DAA를 시행

결핵 (rifamycins과의 상호작용이 문제) → 앞부분 참조

활동성결핵: Emtricitabine + TDF + Efavirenz 권장 (c.f., 잠복결핵: INH를 치료제로 사용하면 모든 cART 가능)
- CD4+ cells <50/mm³이면 항결핵치료 시작 2주 이내에 가능한 빨리 ART도 시작
- CD4+ cells ≥50/mm³이면 항결핵치료 시작 8주 이내에 ART도 시작

신장질환	eGFR <600이면 TDF 금기 (TDF와 cobicistat 병합시 <700이면 금기), TAF도 eGFR <300이면 대개 금기
심혈관질환	Abacavir는 금기, PI를 사용할 때는 Atazanavir가 권장됨 (PI 중 유일하게 lipids에 좋은 영향)
골다공증	TDF 금기

- 반드시 병합요법(combination ART = highly-active antiretroviral therapy^{HAART})으로 시행
  (단독 투여는 효능이 완전하지 못해 HIV 재발 & 약제내성을 유발하므로 금기)
- 가능한 빨리 (감염 초기에) 치료를 시작하는 것이 좋음

cART 치료를 더 시급히 시작해야하는 경우
임신
AIDS-defining conditions
HIV-associated nephropathy
HBV or HCV coinfection
CD4+ cells ≤200/mm^3 or 매년 100/mm^3 이상씩 감소
High viral load : HIV RNA ≥10^5 copies/mL
Acute/early/recent HIV infection

- 치료효과 monitoring ; HIV RNA level (m/g), CD4+ cell count
  ① HIV RNA level : HIV의 증식 정도와 CD4+ cells 파괴 속도를 반영
     → ART 시작 2주 뒤, 이후엔 4~8주 간격으로, 정량검사의 검출한계(limit of detection^{LOD})
        (대개 20~50 copies/mL) 아래로 떨어지면 3~6개월 간격으로 F/U
  ② CD4+ cell count : 현재의 면역계 상태를 반영
     → ART 시작 3개월 뒤, 이후엔 3~6개월 간격, 500/mm^3 이상이고 안정적이면 생략도 가능

  * 보통 첫 4주에 HIV RNA는 1-log (1/10) 이상 빠르게 감소 (CD4+ count도 100~200 상승),
    이후엔 천천히 감소하다가 대부분 6개월 이내에 목표(<50 copies/mL)에 도달함
    (CD4+ count도 1년에 50~100씩 상승하면서 점차 정상 수준이 됨)

- 내성 ; 처음 치료받는 환자의 4~20%도 이미 transmitted drug resistance (TDR)를 가지고 있음
  - 치료 중 acquired drug resistance (ADR)는 약 ~40%에서 발생 (ART의 발전으로 감소 추세)
  - 모든 환자에서 ART 시작 전 genotypic resistance assays 권장 (∵ 빠르고 간편하고 저렴)
    c.f.) 치료 경험 및 multiple resistance mutations이 있는 경우는 phenotypic resistance test 권장

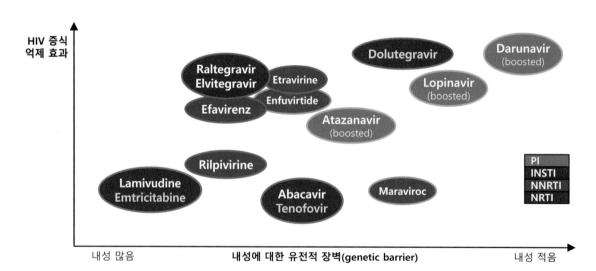

* ART의 약물상호작용은 www.hiv-druginteractions.org에서 검색해보면 편함

cART에서 피해야 할 약제의 조합
단독요법(monotherapy) (∵ 효과↓ → 내성 발생↑)
Nucleoside analogue reverse transcriptase inhibitor (NRTI)로만 구성된 조합 (∵ 효과↓)
2가지 non-nucleoside reverse transcriptase inhibitor (NNRTI)의 조합 (∵ 약물상호작용)
Emtricitabine + Lamivudine (∵ 추가 효과 無)
Etravirine + unboosted Protease inhibitor (PI) (∵ PI의 농도↓↓)
Etravirine + cobicistat 포함 제제 (∵ cobicistat의 농도↓↓)
Unboosted Darunavir (∵ 혈중 농도↓)
Ritonavir + cobicistat (∵ 둘 다 boosting 용도라 같이 투여한 PI or Elvitegravir의 농도↑↑)

3. HIV 감염의 재치료

HIV 감염 재치료(약제 변환)의 적응증
1. 치료실패(virologic failure) : ART 시작 24주 이내에 HIV RNA <200 copies/mL에 도달×   *or* 한번 suppression된 이후 다시 HIV RNA >200 copies/mL (연속 <u>2회</u> 이상)
2. CD4+ cell count의 지속적인 감소 (immunologic failure)
3. 임상적으로 악화되는 경우
4. 약제 부작용 발생, 환자가 복용하기 힘든 경우, 환자가 복용하지 않는 경우

- virologic failure의 주원인 ; 약제내성, 치료농도 부족 (치료순응도 불량[m/c], 약물/음식 상호작용)
- immunologic failure : viral RNA는 억제되는데, CD4+ cell count가 지속적으로 낮은 경우
  - → AIDS 발생 위험은 크지 않지만 존재 / 심혈관질환, 간질환, 신질환 발생률 증가

면역기능개선실패(immunologic failure)의 예측 인자
cART 시작 전 CD4+ cell count <200/mm³
HIV-2, HTLV-1, HTLV-2, HCV 등과 동시감염
WBC↓ 약제 ; interferon, 항암제, steroid, zidovudine, tenofovir + didanosine
다른 약제 투여, 면역기능의 심각한 손상, 고령

- 장기간 치료를 잘 유지하기 어렵고 내성 발생도 흔해, 약제를 바꿔야 하는 경우가 많음
  - 특히 HIV RNA >500 copies/mL이면 <u>약제내성검사</u>를 시행하고 약제 변경 고려
    (약제내성검사는 가능하면 약제 투여 중 or 중단 4주 이내에 시행, 4주 뒤엔 mutation이 검출되지 않을 수 있음)
  - 일부 환자는 drug resistance phenotype 및 tropism (CCR5 or CXCR5) 검사도 필요
- 2nd-line regimens 예
  - 새로운 약제는 최소한 2가지 이상, 가능하면 3가지 이상의 효과적인 약제로 구성
    (치료에 실패한 약제들에 효과적인 새로운 약제 한 가지만 추가하는 것은 추천하지 않음)
  - 초치료 regimen에 dolutegravir[DTG]/dictegravir[BIC]가 없었던 경우 → DTG/BIC-based regimen
  - 초치료가 DTG/BIC-based regimen인 경우 → boosted PIs + NRTI backbone

예방

1. 전파경로의 차단

- 가장 좋은 예방법
- 모든 헌혈 혈액에 대하여 HIV에 대한 검사를 시행 (anti-HIV-1/2, HIV NAT)
- 성관계에 의한 전파의 예방 → 콘돔 등 (100% 예방할 수는 없음 / 콘돔의 피임 실패율 약 10%)
  - 포경수술(circumcision)도 HIV 감염 위험을 48~58% 감소시킴
  - 노출 전 예방요법(pre-exposure prophylaxis, PrEP)도 권장됨 → 뒤 참조
- 마약중독자 → 주사기를 같이 사용하지 않도록 교육
- HIV의 비활성화 ; 소독제 (치아염소산나트륨, 글루탈알데히드), 56℃, 공기 중에서 쉽게 사멸됨

2. 수직감염의 예방

- 임신시에도 cART 시행 → 목적 ; 산모의 HIV 치료 & mother-to-child transmission^{MTCT} 예방
  - 치료 안 받는 경우 아기에 전파 확률 15~45% → cART 잘 받으면 전파 확률 <1%
  - HIV RNA level, CD4+ count, 임신 주수에 관계없이 즉시 cART 시작 (빨리 시작할수록 좋음)
- regimens ; Emtricitabine + TDF + Dolutegravir (or Raltegravir) 등 (→ 앞의 표 참조)
  - Dolutegravir ; 효과 빠르고 PIs보다 순응도 좋아 INSTI 중 선호됨, 임신 극초기에만 neural tube defects 발생 위험 약간 증가(약 0.3% / 일반인 0.08%)
    → 마지막 월경 이후 6주까지만 피하면 안전 (이미 복용 중이면 피임이 권장됨)
  - Raltegravir ; Dolutegravir보다 내성 많고, 하루 2번 복용해야하는 단점
  - Bictegravir는 아직 임신 안전성 근거 부족, 위험보다 효과가 더 클 것으로 기대되면 사용 가능
  - efavirenz ; 금기(pregnancy category D)이지만, 이미 효과적으로 복용 중이면 계속 복용 권장
- 분만 무렵 혈중 HIV RNA가 1,000 copies/mL 이상 → 38주에 선택적 제왕절개 권장
- HIV RNA가 50 copies/mL 이상 (or unknown) → 분만 중 IV zidovudine 추가 투여
- 태어난 모든 신생아에게도 가능한 빨리 PEP 시행
- 수유를 통해서도 전파될 수 있으므로, 아이에게 모유 수유를 해서는 안 됨!

산모 HIV RNA level	HIV 전파 위험	분만 방법	분만 중 ART	출생아 PEP
<50 copies/mL	Low	–	기존 ART 유지	Zidovudine 4주
50~1000 copies/mL	Low~moderate	–	+ IV zidovudine	cART* 6주
>1000 copies/mL	High	38주에 제왕절개	+ IV zidovudine	cART* 6주
Unknown (ART 시행×)	High	가능하면 제왕절개	IV zidovudine	cART* 6주

* cART ; Zidovudine + Nevirapine + Raltegravir (or Lamivudine)

c.f.) HIV 감염 의료인으로부터 환자에게로의 전파 : 의료인의 진료활동을 제한할 필요는 없으며, invasive procedure를 할 경우에는 universal precaution을 잘 지키면 환자에게 전파는 예방 가능

3. 의료행위중의 HIV 감염 예방

- HIV에 오염된 혈액/체액에 한번 노출되었을 때 감염되는 확률
  - 주사바늘에 찔렸을 경우 : 0.3%
  - 눈, 코 등의 점막이 노출된 경우 : 0.09%
  - 피부가 노출된 경우 : 0.1% 이하
  (c.f., HBV는 6~30%, HCV는 1.8%)
- 노출되는 상황에 따라 HIV에 감염될 위험성은 매우 차이가 남
  ① virus의 농도↑ (e.g., 말기 환자)
  ② 노출된 혈액의 양↑
  ③ 바늘에 찔린 깊이 (피부 관통 > 점막 노출)
- 일반적인 주의사항 (universal precaution)
  ① 환자의 체액을 다룰 때 장갑, 마스크, 가운, 보호 안경 등의 착용
  ② 주사바늘은 별도의 통에 수거 (뚜껑은 씌우지 않는다)
  ③ 환자의 모든 검체는 2중으로 된 백에 수납
  ④ 피부염이나 상처가 있는 병원 종사자는 환자와 접촉 금지
  ⑤ HBsAg & anti-HBs가 음성인 의료인은 예방접종 (∵ HIV와 HBV 공존 흔함)
  ⑥ 기침을 하는 환자는 격리 수용 (∵ 결핵의 전파 가능)

4. 예방적 화학요법

(1) 노출 전 예방요법(pre-exposure prophylaxis, PrEP)

- HIV <u>고위험군</u> <u>비감염자</u>에게 예방 목적으로 ART를 시행하는 것

PrEP 시작 전
자격 결정 (indication) PrEP 시행 전 HIV 검사에서 음성으로 확인 Acute HIV infection 증상이 있거나 최근 4주 이내에 고위험 노출이 있었으면 HIV RNA 검사도 시행 성행위 및 약물사용 이력, STI 검사결과 등에 근거하여 <u>HIV 감염의 고위험군임</u>을 확인   (미국 대상 ; MSM, HIV 혈청학적 불일치자의 이성 파트너, IV drug user) eGFR ≥60 mL/min/1.73m^2
기타 PrEP의 위험도/부작용을 판단하기 위한 검사 HBV와 HCV에 대한 선별검사 신장질환 위험인자가 있으면(e.g., HTN, DM, 단백뇨, 신부전의 병력) urinalysis 골다공증 고위험군은 골밀도검사(DXA) 가임기 여성은 임신반응검사

PrEP 시행
TDF-FTC (tenofovir disoproxil fumarate + emtricitabine, **Truvada**®) 복합제 1알/day 경구복용   (고위험 MSM은 on demand PrEP 고려 가능: 성관계 전 24시간 이내에 2알, 첫 복용 1, 2일 뒤 각 1알씩) 기간: 고위험 노출이 지속되는 한 계속, 마지막 노출 이후에는 1달까지, 시행 중에는 90일마다 HIV 및 STI 검사 복약 순응도 확인, 기타 HIV 감염 예방법 등에 대해 교육

- 효과 ; TDF-FTC 감염 44~90% 감소, tenofovir (1%) vaginal gel 감염 ~40% 감소
  (효과가 적은 일부 연구도 있음 → 복약 순응도와 콘돔 등 기본 예방법 교육이 매우 중요)
- 우리나라도 PrEP 요법으로 Truvada®가 급여 적용됨[2019년] (대상: HIV-1 감염자의 성관계 파트너)

(2) 노출 후 예방요법(post-exposure prophylaxis, PEP)

PEP의 적응

1. 직업적 노출 (의료인이 실수로 HIV 감염자의 혈액이나 체액에 노출된 경우)
  – Percutaneous mucous membrane or nonintact skin exposure시
  – 노출원이 HIV 감염자
  – 감염 상태를 모를 때는 노출원이 고위험군(e.g., MSM, IVDU) or HIV 감염의심 증상 有
  – 노출원의 파악이 불가능할 때는 고위험 노출시(e.g., HIV clinic의 needle stick injury)
2. HIV 감염자의 혈액이나 체액에 비직업적으로 노출된 경우
3. HIV 감염자와 콘돔 없이 성교(질 or 항문)
  – 감염 상태를 모를 때는 노출원이 고위험군(e.g., MSM, IVDU, sex worker)
  – 노출원의 파악이 불가능할 때는 고위험 노출시(e.g., 항문성교, 성폭행)

   * 고위험 행위를 지속할 의사가 있는 경우에는 권장× (∵ PEP 실패의 m/c 원인)

- 시기 : 노출 후 가능한 빨리, <u>72시간(3일)</u> 이내에

    (일반적으로 72시간 이후에는 권장되지 않지만, 초고위험 노출 시에는 1주일까지도 고려 가능)
- 효과 ; zidovudine (AZT) 단독 투여시 HIV 감염(seroconversion) 확률 약 81% 감소

    → 현재의 cART 투여시에는 HIV 감염 확률 약 90% 감소

■ PEP (post-exposure prophylaxis)

① 상처 부위의 소독 및 처치 ; 흐르는 물과 비누로 상처를 씻음

   (피부 손상시는 찔린 부위의 피를 짜내고 소독제로 소독 / 상처를 절개하거나 도려낼 필요×)

② 예방적 화학요법

  – 가능한 노출 후 1~2시간 내에 즉시 실시 (늦어도 3일 이내에), <u>4주(28일)</u>간 투여

  – <u>3제 이상의 병합요법(cART)</u> 권장 … HIV 감염 초치료 regimens과 비슷

    ┌선호 ; Emtricitabine + Tenofovir (TDF) + Raltegravir (or Dolutegravir)

    └기타 ; Emtricitabine + Tenofovir (TDF) + Elvitegravir/cobicistat,

        Emtricitabine + Tenofovir (TDF) + boosted Protease inhibitor (PI),

        Emtricitabine + Tenofovir (TDF) + Rilpivirine

  – 약제를 복용하는 동안 2주마다 drug toxicity 평가

  c.f.) 비권장 약제 ; nevirapine (∵ 간독성), efavirenz (∵ 정신이상), abacavir (HLA-B5701+시)

③ Lab. monitoring

  – <u>즉시</u> anti-HIV 항체 검사 (이미 HIV에 감염되어 있는지 여부를 확인)

  – 음성인 경우 → 노출 후 <u>6주</u>, <u>12주</u>, <u>6개월</u>까지 항체검사 F/U

                    ↳ 4세대 HIV EIA의 경우는 <u>4개월</u>까지만 F/U

④ 교육 : 감염 여부를 확인할 때까지는 성접촉, 헌혈 등 금기

5. 예방접종(vaccination)

- HIV에 독특한 면역반응이 있을 것이라는 근거

  ① 일부는 HIV에 감염되어도 15년 이상 장기간 AIDS로 진행하지 않음

  ② 일부는 HIV에 여러 번 노출되어도 감염되지 않음

  ③ HIV-2에 감염된 사람은 HIV-1에 잘 감염되지 않음

- 아직 만족할만한 효과를 갖는 vaccine은 없음 (연구 중)

- live-virus, DNA 백신 → cytotoxic T-cell response 일으킴
- killed-virus, 재조합단백 → 항체반응을 일으킴

흔한 기회감염의 예방 조치 (예) ★

	적응	약제(1st choie)
Pneumocystis jirovecii	CD4+ count <200/μL or Oropharyngeal candidiasis or 이전의 PCP 병력 or 2주 이상 지속되는 불명열	TMP-SMX
M. tuberculosis	TST >5 mm or IGRA (+) or Active TB 환자와 밀접접촉	INH (isoniazid) + pyridoxine 9개월 (vitamin B_6)
MAC	CD4+ count <50/μL	Azithromycin or Clarithromycin
	이전의 disseminated MAC 병력	Clarithromycin + Ethambutol
Toxoplasma gondii	IgG Ab (+) & CD4+ count <100/μL	TMP-SMX
	이전의 toxoplasma 뇌염 병력 & CD4+ count <200/μL	Sulfadiazine + Pyrimethamine + Leucovorin
Cryptococcus neoformans	이전의 감염 병력	Fluconazole
Histoplasma capsulatum	이전의 감염 병력 or 고위험군에서 CD4+ count <150/μL	Itraconazole
Coccidioides immitis	이전의 감염 병력 or Ab (+) & CD4+ count <250/μL	Fluconazole
Candida spp.	잦은/심한 재발	Fluconazole
HSV	잦은/심한 재발	Valacyclovir, acyclovir, famciclovir
VZV	감수성 있으면서 심각하게 노출된 경우	Varicella zoster IG
CMV	이전의 end-organ dz.	Valganciclovir

예방접종(vaccination)		
Inactivated vaccines	인플루엔자	매년
	폐렴사슬알균	13가단백결합백신(PCV13) 접종 8주 후 23가다당류백신(PPSV23) 접종, 5년 후 23가다당류백신(PPSV23) 추가 접종
	HAV	감수성 있으면 (IgG anti-HAV 無)
	HBV	감수성 있으면 (HBsAg & anti-HBs 無)
	HPV	13~26세에 3회 접종(0, 1~2, 6개월), 남녀 모두
	대상포진 recombinant zoster vaccine (RZV)	생백신(ZVL)보다 선호됨 (CD4+ cell count에 관계없이 접종 가능) 50세 이상 권장
	수막알균 (4가, ACYW)	처음 8~12주 간격으로 2회, 5년마다 추가접종
Live vaccines	MMR, Varicella, Yellow fever, 대상포진 zoster vaccine live (ZVL)	CD4+ cell count <200/mm³이면 금기이나, 200/mm³ 이상이면 일반적인 기준에 따라 접종 가능

류마티스 내과

1
서론

정의

• 류마티즘(rheumatism) : 관절과 관절주위의 연골, 뼈, 인대 등에 발생하는 병적인 현상이나 질환
  ≒ 결합조직질환(connective tissue dz., CTD), 교원혈관질환(collagen-vascular dz.)

• 류마티스 질환의 발생부위 및 병인 예

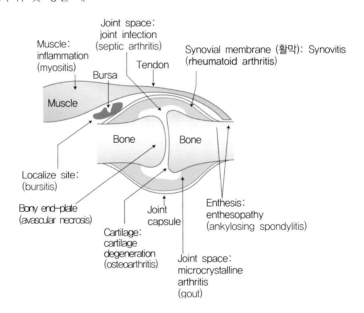

[부위: 병인 (질환 예)] ★

• 결합조직(connective tissue)의 성분

(1) collagen (m/c)

    type I : skin, bone, tendon, ligament, aorta ...

    type II : cartilage

    type III : skin, aorta

    type IV : basement membrane

  - skin, bone, tendon, ligament의 80~90%는 type I collagen 임

(2) 기타 ; elastin, fibrillin, proteoglycans ...

검사실 검사

1. Acute phase reactants (APR)

: 다양한 염증반응/조직손상에 반응하여 혈청 농도가 25% 이상 상승(or 하락)하는 물질

(1) 이용

① RA를 비롯한 염증성 관절질환의 발견(선별)

② 질환의 activity 평가

③ 치료의 monitoring (F/U)

④ 예후의 예측

⑤ 병발 질환의 발견

(2) 종류

Inflammatory mediators
Complement components, C-reactive protein (CRP), Plasminogen, Factor VIII,
Prothrombin, Fibrinogen, Kininogenase (kallikrein), Kininogen

Inhibitors
α_1-Antitrypsin, α_1-Antichymotrypsin, Thiol protease inhibitor, Haptoglobin,
Antithrombin III, C1 INH, Factor I, Factor H

Scavengers
Haptoglobin, Serum amyloid A (SAA), CRP, Ceruloplasmin

Cellular immune regulation
CRP, α_1-acid glycoprotein, Ferritin

Repair and resolution
α_1-acid glycoprotein, α_1-antitrypsin, α_1-antichymotrypsin, C1-INH

- APR의 상승 순서 : CRP > fibrinogen > α_2-macroglobulin > ferritin > ceruloplasmin
  > α_1-antitrypsin > α_1-antichymotrypsin > haptoglobin > α_1-acid glycoprotein
  > serum amyloid A (SAA) > immunoglobulins > amyloid P > complement components

- (-) APR : 염증 때 감소되는 것 (e.g., albumin, transferrin [≒TIBC], transthyretin)

- ESR (erythrocyte sedimentation rate, 적혈구침강속도, 혈침속도)
  - 가장 광범위하게 사용, better screening test
  - anemia, immune response, APR, dz. activity 등을 포괄적으로 반영

Low ESR	High ESR
남성	노인, 여성, 임신, 경구 피임약 복용
측정 전에 오래 세워져있던 검체	Heparinization된 검체
Polycythemia	Anemia
RBC 형태의 변화	Hypergammaglobulinemia
Anisocytosis	Monoclonal gammopathy (e.g., multiple myeloma)
Spherocytosis	Hyperfibrinogenemia
Poikilocytosis	RA, collagen dz., chronic infections
Sickle cells	Neoplastic dz.
Hypofibrinogenemia (e.g., DIC)	Thyroid disorders : hypothyroid, hyperthyroid
Anti-inflammatory drugs	IM 주사 (특히 penicillin)

- CRP (C-reactive protein)
  - 간에서 합성됨, macrophages 및 T cells에서 분비된 IL-6 가 주로 CRP 합성을 자극
    (c.f., 생리적인 기능은 죽는 세포 표면의 lysophosphatidylcholine에 결합하여 보체 활성화)
  - APR 중 가장 빨리 상승 (염증 시작 4~6시간 이내), 반감기 18시간
  - 염증, 감염, MI (cardiac arrest), 수술/외상 등 때 상승
  - 염증의 정도를 예민하게 반영함 (but, <u>SLE</u>, Sjögren's syndrome에서는 정상이 흔함)
    ($\because$ type 1 IFN [α, β 등]이 간에서 CRP 합성 억제)
  - high-sensitivity CRP (hsCRP) : 표준 CRP보다 더 낮은 농도에서 예민하게 측정하는 것
    ↳ low-grade inflammation에서 의미 (e.g., atherosclerosis, obesity, type 2 DM, HTN)

2. 자가항체(autoantibodies)

(1) 항핵항체(anti-nuclear antibody, ANA)

- ANA : 핵 성분에 포함된 여러 항원 생성물에 대한 자가항체의 총칭
  (교원병, 자가면역질환 의심시 가장 먼저 시행하는 <u>선별검사</u>)
  - 검사법 : 간접면역형광법(indirect immunofluorescence, IIF)
  - HEp-2 cells (± primate liver cells)을 이용

ANA가 양성인 경우들	
SLE	95~100%
Drug-induced LE	100%
Sjögren's syndrome	75%
Rheumatoid arthritis	30~40%
Juvenile chronic arthritis (JCA)	25%
Scleroderma	95%
Vasculitis	5~20%
DM/PM	80~90%
MCTD	95~99%
Subacute bacterial endocarditis	5~20%
Mixed cryoglobulinemia, Liver disease, Primary pulmonary fibrosis, Leprosy, Infectious mononucleosis, Aging, Drugs	
정상인	~5%

■ 검사기법
  1) 간접면역형광법(indirect immunofluorescence)
     - 가장 많이 사용하는 reference method
     - HEp-2 cells을 슬라이드에 코팅하여 검사
       (human epithelial type 2; 후두암세포)
     - 결과는 반정량으로 보고함
       (e.g., 1:40, 1:80, 1:160, 1:320 ...)
     - ANA 염색 패턴은 특정 자가면역질환과의
       관련성이 떨어져 중요하지는 않음
       (c.f., SLE는 대개 homogeneous pattern)
       → anti-ENA or 개별 항체 검사 필요
  2) Solid phase assays
     - purified or recombinant autoAg들을 활용한
       다양한 면역검사들을 지칭함
       (e.g., ELISA, CLIA, immunoblot, Luminex)
     - IFA보다 간편하지만, 시약에 누락된 autoAg에
       대한 항체는 알 수 없음 → sensitivity ↓

FANA patterns

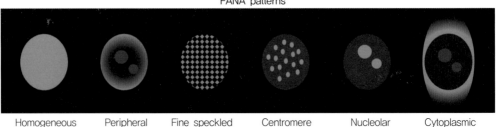

| Homogeneous | Peripheral | Fine speckled | Centromere (Discrete speckled) | Nucleolar | Cytoplasmic |

* fluorescent anti-nuclear antibody^{FANA} (간접면역형광법^{IIF}) 염색 패턴

FANA pattern	관련 항체/항원	관련 질환
Homogeneous	Anti-histone Anti-DNA	SLE, drug-induced LE 기타 결합조직질환들, 비특이적
Rim (peripheral)	Anti-DNA, anti-lamin	SLE (50%), 특이적
Fine (or Coarse) speckled	Anti-U1 RNP Anti-Sm Anti-Ro/SSA Anti-La/SSB Anti-PCNA cyclin Anti-topoisomerase I (Scl-70) Anti-RNA polymerase III Anti-PM-1	SLE, MCTD (>90%) SLE SLE, Sjögren's syndrome SLE, Sjögren's syndrome SLE Diffuse SSc (40%) Diffuse SSc (25%) PM/DM
Discrete speckled (Centromere)	Anti-centromere (kinetochore) Anti-PBC 95K	Limited SSc (40%) PBC
Nucleolar	Anti-RNA polymerase III, Anti-Th, anti-PM/Scl, Anti-U1 RNP Ribosomes	SSc SLE
Cytoplasmic	tRNA synthetases (Jo-1) Ribosomes Mitochondria	Polymyositis SLE PBC

- anti-ENA (extractable nuclear Ag) antibody
  - ENA : 세포에서 PBS or saline washing으로 추출되는 단백군의 총칭
  - ANA 양성인 경우 (특히 speckled pattern) 자가항체의 정체를 규명하기위해 시행 고려
    (보통 임상적으로 중요한 SSA, SSB, Sm, centromere, RNP, Scl-70, Jo-1 등에 대한 항체를
    한꺼번에 검출함, 일종의 screening profile/panel 검사)
  - 검사법 : ELISA (EIA), immunoblot, Western blot, CLIA 등

c.f.) 항핵항체 대응 항원의 세포내 분포

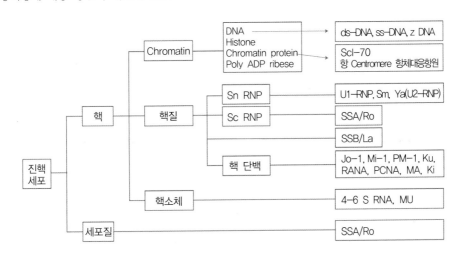

의심되는 질환	Test	질환과의 관련성 (Sensitivity, specificity)	기타 질환
CREST syndrome	Anticentromere antibody	CREST (70~90%, high)	Scleroderma (10~15%), Raynaud's disease (10~30%)
SLE	Antinuclear antibody (ANA)	SLE (>95%, low)	RA (30~40%), discoid lupus, scleroderma (60%), DIL (100%), Sjögren's syndrome (80%),
	Anti-dsDNA	SLE (60~70%, high)	Lupus nephritis, 드물게 RA, 대개 low titer.
	Anti-Smith antibody (anti-Sm)	SLE (30%, high)	Interstitial pneumonia (<5%)
MCTD	Anti-ribonucleo-protein antibody (anti-RNP)	Scleroderma (30%, low), MCTD (95%, low)	SLE (40%), discoid lupus (20~30%) Sjögren's syndrome (15%), RA (10%),
RA	Rheumatoid factor (RF)	Rheumatoid arthritis (80~90%, low)	기타 rheumatic diseases, chronic infections 등
Scleroderma (SSc)	Anti-topoisomerase1 (= Anti-Scl-70 Ab)	Diffuse SSc (30~40%)	SLE (30%)
	Anti-centromere Ab	Limited SSc (60~80%)	Primary Raynaud's
Sjögren's syndrome	Anti-Ro(SS-A) antibody	Sjögren's syndrome (60~70%, low)	SLE (30%), RA (10%), subacute cutaneous lupus, vasculitis.
GPA (Wegener's granulomatosis)	Anti-neutrophil cytoplasmic antibody (ANCA)	Wegener's granulomatosis (56~96%, high)	Crescentic GN 또는 기타 systemic vasculitis (e.g., polyarteritis nodosa).

	ANA	Anti-DNA	RF	Anti-Sm	Anti-SSA/Ro	Anti-SSB/La	Anti-SCL-70	Anti-Centromere	Anti-Jo-1	Anti-Ku	ANCA
RA	30~40	0-5	72~85	0	0~5	0~2	0	0	0	0	0
SLE	95~100	60	20~30	10~25	15~20	5~20	0	0	0	10	0~1
Sjögren's syndrome	95	0	75	0	60~70	60~70	0	0	0	0	0
Diffuse SSc	80~95	0	25~33	0	0	0	30~40	<5	0	0	0
Limited SSc (CREST)	80~95	0	25~33	0	0	0	<5	60~80	0	0	0
PM/DM	80~90	0	33	0	0	0	10	0	20~30	30	0
GPA (Wegener)	0-15	0	50	0	0	0	0	0	0	0	93~96

< 류마티스/결합조직 질환 의심시 자가항체 검사 >

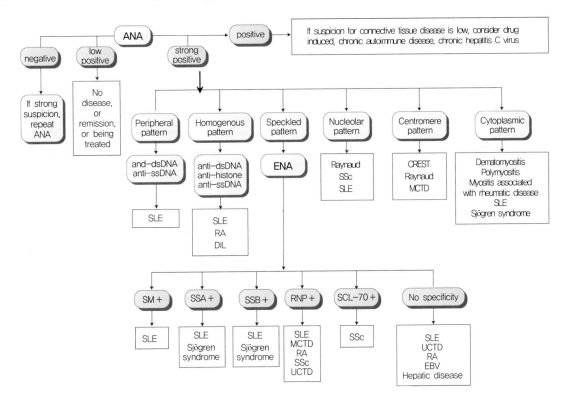

(2) 항중성구세포질항체(anti-neutrophil cytoplasmic Ab, ANCA)

- neutrophil의 cytoplasmic granule에 존재하는 특정 단백질에 대한 자가항체
- 검사법 : 간접면역형광법(indirect immunofluorescence, IIF)
  - 염색되는 모양에 따라서 c-ANCA (cytoplasmic), p-ANCA (perinuclear) 및 atypical ANCA로 구분됨
  - IIF에서 양성이면 추가적으로 <u>PR3 Ab or MPO Ab 검사</u> 고려
                                        ↳ ELISA, FEIA (fluorescence EIA) 등
- c-ANCA
  - <u>proteinase-3</u> (PR3)에 대한 자가항체
  - GPA (Wegener)에 specific (sensitivity 88%, specificity 95%), 질병의 활동성을 반영
- p-ANCA
  - <u>myeloperoxidase (MPO)</u>, elastase, lactoferrin, cathepsin, lysozyme 등에 대한 자가항체
  - PAN (15%), EGPA (Churg-Strauss, 60%), microscopic polyangiitis (70%), RPGN (65%), 결합조직질환 관련 vasculitis (SLE 20%, RA 25%), UC (70%), CD (30%), primary sclerosing cholangitis (70%), drug-induced vasculitis 등에서 양성

관절액/윤활액 검사 (joint/synovial fluid analysis)

■ 관절천자의 적응증

(1) 진단적 적응증
- 관절염 진단에 도움 (특히 acute monoarthritis)
- 임상진단의 확정적인 증거를 제공
- 세균성 관절염을 치료하는 동안 WBC, Gram stain, 균배양의 F/U
- 관절 또는 관절이외의 통증에 대한 감별
- 임상검사에서 진단적 자료에 대한 추가적인 정보 제공

(2) 치료적 적응증
① 단독 관절천자
  - acute pseudogout와 다른 급성 결정성 관절염에서 염증 감소에 대한 결정(crystal)의 평가
  - 세균성 관절염에서 파괴를 감소시키기 위해 계속적인 WBC의 배출
② steroid 주사
  - 전신성 항염증치료에 실패하거나 금기시
  - gout 같은 무균성 관절염 상태에서 이환 기간을 줄이기 위해
  - 염증성 통증의 빠른 회복을 위해
  - 관절 구축의 물리적 치료에 도움을 주기 위해

★	Noninflammatory (Group I)	Inflammatory (Group II)	Purulent (Group III)	Hemorrhagic (Group IV)
Color	호박색	황색~흰색	황녹색	적색
Clarity	투명	혼탁/흐림	불투명	불투명
Viscosity	정상	감소	감소	감소
WBC count/mm^3	<2000	2000~50,000	>50,000	다양
Neutrophils %	<25%	>50%	>75%	다양
Gluocose	정상	감소	크게 감소	정상
Disease 예	Osteoarthritis Trauma Osteochondritis dessicans Osteonecrosis Amyloidosis Scleroderma SLE Polymyalgia rheumatica Hypertrophic pulmonary osteoarthropathy	RA Reactive arthritis Crystal synovitis, acute (gout, pseudogout) Psoriatic arthritis Viral arthritis Rheumatic fever Behçet's syndrome Lyme disease 일부 bacterial infections	세균감염 (septic arthritis) 결핵(TB arthritis) RA (rare) Reiter's (rare) Pseudogout (rare) * TB arthritis는 septic arthritis 보다 WBC 낮음 (약 1~2만/mm^3)	Trauma Neuropathic joint Hemarthrosis (응고질환; hemophilia, von Willebrand's dz.) Heparin or warfarin Sickle cell disease Chondrocalcinosis Scurvy Tumor, 특히 pigmented villonodular synovitis, hemangioma

	Rheumatoid Arthritis	Gout/ Pseudogout	Reactive/Psoria tic Arthritis	Septic Arthritis	Osteoarthritis, Traumatic Arthritis
Color	Yellow	Yellow–white	Yellow	White	Clear, pale yellow, or bloody
Clarity	Cloudy	Cloudy–opaque	Cloudy	Opaque	Transparent
Viscosity	Poor	Poor	Poor	Poor	Good
Mucin clot	Poor	Poor	Poor	Poor	Good
WBC count/mm^3	3000~50,000	3000~50,000	3000~50,000	50,000~300,000	<3000
Neutrophils %	>70	>70	>70	>90	<25
Glucose levels	10~25% less than serum	10~25% less than serum	10~25% less than serum	70~90% less than serum	0~10% less than serum
Total protein	>3.0 g/dL	>3.0 g/dL	>3.0 g/dL	>3.0 g/dL	1.8~3.0 g/dL
Complement	↓	N	↑	↑	N
Microscopic features	"RA cells"	MSU and CPP crystals	"Reiter's cells"	Microbes (Gram stain)	Cartilage fibrils
Culture	−	−	−	+	−

* gout와 septic arthritis는 synovial fluid 검사로 확진 가능

c.f.) mucin clot test
- synovial fluid의 hyaluronic acid (viscosity)를 정성적으로 측정하는 방법
- 관절액을 원심분리 후 acetic acid를 떨어뜨려 clump가 생기는지 확인
  - good : normal
  - fair~good : OA, early RA, trauma, chronic gout or pseudogout
  - poor~fair : RA, acute gout or pseudogout, psoriatic arthritis
  - poor : septic arthritis, tuberculosis

관절통의 감별진단 ★

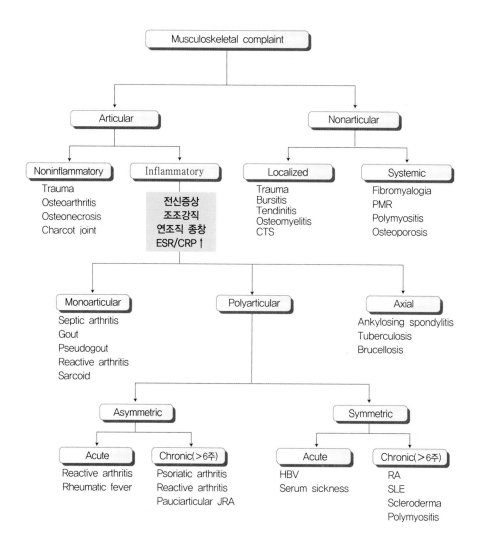

Inflammation	Present	RA, SLE, gout, septic arthritis
	Absent	Osteoarthritis
침범관절 수	Monarticular	Gout, Pseudogout, trauma, septic arthritis, Lyme dz.
	Oligoarticular (2~4 joints)	Reactive arthritis, psoriatic arthritis, inflammatory bowel dz.
	Polyarticular (≥5 joints)	RA, SLE
침범 부위	Distal interphalangeal	Osteoarthritis, psoriatic arthritis (RA는 아님)
	Metacarpophalangeal, wrists	RA, SLE (osteoarthritis는 아님)
	First metatarsal phalangeal	Gout, osteoarthritis

c.f.) HLA (Human Leukocyte Antigen)

- MHC (major histocompatibility complex) genes : HLA class I, II, III 분자 등을 encode
- 6번 염색체에 위치 (6p21.3)
- class I 분자 ; HLA-A, -B, -C (→ RBC를 제외한 거의 모든 세포에 존재)
- class II 분자 ; HLA-DR, -DQ, -DP (→ lymphocyte, monocyte, endothelial cell 등에 존재)
    - primary immunogenicity는 주로 DR에 있음
- MHC genes (HLA alleles)은 서로 밀접하게 연관되어 있음 → 자손에게 *en bloc*으로 전달됨
- haplotype : 상동 염색체의 한쪽에 존재하며 자손에게 *en bloc*으로 전달되는 linked genes의 복합체
    - 친부모와 자식간에는 1-haplotype matches
    - 형제간에는 2-haplotype matches (25%), 1-haplotype matches (50%), 0 matches (25%)
    - linkage disequilibrium[LD] : 1-haplotype에 포함된 alleles set의 발현빈도가 각각의 allele 빈도로
        부터 계산되는 것보다 높게(positive LD) or 낮게(negative LD) 나타나는 현상
- HLA typing은 대부분 분자생물학적(DNA) 검사로 시행함 ; PCR-SSO, sequencing or NGS
- 이용
    ① 장기이식   → 신장내과 6장 참조
    ② 질병과의 연관성 (인종간에 차이가 있음)

질병		HLA Ag or allele	Relative risk
Ankylosing spondylitis		B27	89.0
		B*27:05	60.0
		B*27:04	18.1
Reactive arthropathy (Reiter's syndrome)		B27	37.0
Rheumatoid arthritis		DR4	4.2
		DRB1*04:01	6
		DRB1*04:04	5
	한국/일본/중국	DRB1*04:05	3.5
Behçet's syndrome		B51	3.8
SLE		DR2, DR3	5.8
type 1 DM		DR3	3.3
		DQB1*02:01	2.4
		DR4	6.4
		DQB1*03:02	9.5
		DR2	0.19
Idiopathic Addison's disease		DR3	6.3
Graves' disease		DR3	3.7
Hashimoto's thyroiditis		DR11	3.2
Postpartum thyroiditis		DR4	5.3
Dermatitis herpetiformis		DR3	15.9
Sicca syndrome		DR3	9.7
Myasthenia gravis		DR3	2.5
		B8	3.4
Idiopathic membranous glomerulonephritis		DR3	12.0
Goodpasture's syndrome		DR2	15.9
Multiple sclerosis		DR2	4.1

2 류마티스 관절염

개요

개요

- 관절의 활막염으로 시작하여 연골/뼈의 손상으로 관절 파괴를 초래하는 만성 진행성 전신성 염증질환 (대칭성, 다발성 말초관절염이 특징)
- 유병률 : 0.3~1.0% (우리나라 0.27%), 여자가 남자보다 3배 많음 (우리나라는 남:여 = 1:8)
- 40~70대에 호발 ┌ 여자 : 45세까지 지속적으로 증가, 이후는 비슷하게 유지
　　　　　　　└ 남자 : 젊을 때는 적게 발병하다가, 65세 이후에는 여자와 비슷한 발병률

1. 원인 (unknown)

: 유전적 소인이 있는 사람에서 여러 가지 환경적 상호작용에 의해 발병하는 것으로 추정됨

(1) 유전적 감수성

- 가족력 有 (heritability 약 60%) ; 형제는 발병률 2~4배, 일란성 쌍생아는 발병률 8배
- HLA (MHC)가 가장 중요하지만(약 13% 기여), 다른 여러 유전자들도 발병 및 severity에 관여
- HLA 중에서는 HLA-DRB1 대립유전자가 m/i (약 11% 기여)
  - HLA-DR4 serotype (DRB1*04 gene) : dz. activity와도 관련
  - HLA-DR1 serotype (DRB1*01 gene) : HLA-DR4 (-) RA 환자의 대부분에서 발견됨
  - RA risk를 증가시키는 DRB1 대립유전자 아형의 인종 간 차이
    ┌ 서양인 : DRB1*04:01 (m/c) or DRB1*04:04
    └ 한국인 : DRB1*04:05 or DRB1*09:01
- non-HLA 유전자 ; genome-wide association studies (GWAS) 등의 연구로 100개 이상 발견
  - peptidyl arginine deiminase type IV (*PADI4*) gene ; 한국을 포함한 동양인 anti-CCP 양성 및 음성 환자 모두에서 RA 발병과 강한 연관성 有 (서양인도 최근 연구 결과 약간 관련)
  - protein tyrosine phosphatase non-receptor 22 (*PTPN22*) gene ; 서양인에서만 위험인자
  - signal transducer and activator of transcription 4 (*STAT4*) gene ; 동서양인 모두 위험인자
  - TNF receptor-associated factor 1/complement component 5 (*TRAF1/C5*) gene ; "

(2) 환경요인

- smoking (가장 명백하게 관련) ; relative risk 1.5~3.5배, anti-CCP 생성과 관련
  - anti-CCP (+) RA에서만 위험인자 (우리나라는 anti-CCP 음성에서도 위험인자임)
  - 유전적 소인(e.g., DRB1*04)도 같이 존재하면 RA 발생 위험 20~40배로 증가

- 미생물 감염 ; 유전적 소인이 있는 사람에서 감염에 의해 자가면역반응 유발
  - EBV, parvovirus, rubella, *Mycoplasma, Mycobacteria, Streptococcus, E. coli, H. pylori* 등
  - 기전
    ① persistant infection or retention of microbial products
    ② induction of immune response (type II collagen, heat shock protein)
    ③ molecular mimicry → cross-reactivity (c.f, 일부 G(-)균과 EBV 생산물이 HLA-DR4 분자와 비슷)
    ④ superantigen : HLA-DR molecule에 달라붙어서 T-cell을 자극
      (*Staphylococci, Streptococcus, Mycoplasma arthritidis* 등에 의해 생성)
- 치주염(periodontitis) ; *Porphyromonas gingivalis*가 PAD 효소 발현 → anti-CCP & RA ↑

2. 병리

- <u>synovial inflammation</u> & proliferation, focal bone erosions, articular cartilage thinning 등이 특징
- 초기 소견 ; microvascular injury, synovial lining cells의 수 증가
- 진행되면 mononuclear cells의 혈관주위 침윤이 관찰됨
  - 증상 발생 전에는 주로 myeloid cells
  - 증상 발생 후에는 T cells이 m/c
- 더 진행되면 synovium의 부종 및 관절강내 돌출 발생
- 만성 염증 : 세포성 면역과 체액성 면역 기전이 모두 작용

3. 병인

- 유전적소인 & 환경요인 등 → synovial <u>T cells</u> 활성화
  : Ag-presenting cells (APCs)에 의해 CD4+ T cells 활성화, T_H1 cells과 T_H17 cells로 분화
  - T_H1 cells → IFN-γ, TNF-α, lymphotoxin-β 등 분비
  - T_H17 cells → TNF-α, IL-6, IL-17, GM-CSF 등 분비
    (IL-17 : 관절 염증 촉진 및 연골/뼈 파괴에 중요한 역할)
- CD4+ T_H cells : CD40 ligand를 통해 B cells 활성화 → 일부가 autoAb-producing plasma cells로 분화 → 관절 내에서 immune complex (RF, anti-CCP 포함) 형성 → complement 활성화 등
- T effector cells : synovial macrophage를 자극하여 IL-1, IL-6, TNF-α 등 분비 촉진
  (synovial cytokines의 主 공급원은 macrophages, mast cells, fibroblast-like synoviocytes 등임)
- TNF-α (synovial inflammation에서 m/i cytokine)
  - endothelial cells의 adhesion molecules↑ → 관절 내로 백혈구 모집↑
  - IL-1, IL-6, GM-CSF 등 다른 mediators의 분비 촉진
  - 뼈 파괴 촉진 & 뼈 형성 억제
    - DKK-1↑, Wnt pathway 등에 의해 뼈 형성(bone formation) 억제
    - osteoclast 활성화 : M-CSF, RANK ligand (RANKL) 등도 필요함
      (TNF-α, IL-1, IL-6, IL-17 등이 RANKL를 증가시켜 osteoclastogenesis 촉진)

* anti-inflammatory cytokines ; soluble TNF receptor, TGF-β, IL-10, IL-1 receptor antagonist

* osteoclastogenesis 억제 인자 ; IL-4, IL-10, IL-18, IFN-γ, GM-CSF

임상양상

1. 발병(onset)

- 약 2/3는 전구증상으로 서서히 발병
  (fatigue, anorexia, generalized weakness, vague musculoskeletal symptoms)
- 약 10%는 acute onset : polyarthritis가 급속히 발생
  (fever, lymphadenopathy, splenomegaly 등도 동반)
- 약 1/3은 비대칭적으로 몇 개의 관절에서만 증상 발생

2. 관절 증상

- bilateral symmetric inflammatory polyarthritis / generalized stiffness (inactivity 뒤 악화)
- **조조경직(morning stiffness)** : 1시간 이상 지속, 활동에 의해 완화 (오후에 호전됨)
- 가동관절(diarthrodial joints)을 주로 침범 : 손, 손목, 무릎, 발목 등

(1) 손 : 손목(wrist), 중수지(MCP), 근위지(PIP) 관절을 주로 침범 (DIP joint는 드묾!)

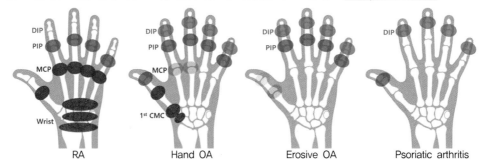

RA   Hand OA   Erosive OA   Psoriatic arthritis

* **특징적인 변형**
  ① wrist의 radial deviation, digits의 ulnar deviation, proximal phalanges의
     palmar subluxation ("Z" deformity)
  ② PIP joints의 hyperextension, DIP joints의 compensatory flexion (Swan-neck deformity)
  ③ PIP joints의 hyperflextion, DIP joints의 extension (Boutonniere deformity)

▶ 류마티스 관절염의 손 변형 : Z-deformity, Swan-neck deformity, Boutonniere deformity

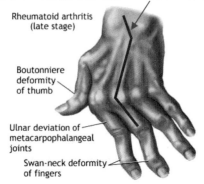

Rheumatoid arthritis
(late stage)

Boutonniere
deformity
of thumb

Ulnar deviation of
metacarpophalangeal
joints

Swan-neck deformity
of fingers

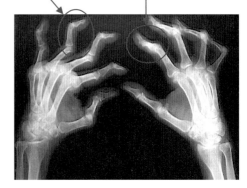

c.f.) 골관절염의 손 변형 : Heberden's node (DIP), Bouchard's node (PIP)

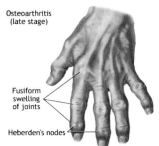
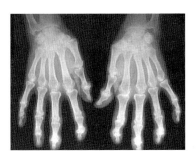
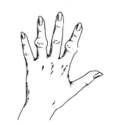

Bouchard's nodes

(2) 무릎 : synovial hypertrophy, chronic effusion, <u>Baker's (popliteal) cyst</u>

> ■ Popliteal (Baker's) cyst : 무릎 뒤쪽에 발생한 점액낭으로 대개 관절액으로 차 있음
> - 위험인자 ; 외상(~1/3), 관절질환(~2/3, OA, RA, meniscal tears 등)
> - 진단 ; P/Ex, <u>US</u>, X-ray, MRI (internal derangement가 의심되거나 수술 예정시)
> - 파열되어 종아리 부종/통증 발생시 DVT와 감별 필요 / 치료는 보존적(휴식) or 관절경/수술

(3) 척추 : 대개 경추만 침범, "<u>atlanto-axial [C1-C2] subluxation</u>" 발생 가능 (5~20%에서)
　　　　　　　　　　　　　↳ C-spine lateral view (flextion & extension), open mouth view
　　　　　　　　　　　　　　: C1-C2의 odontoid process 간격이 2.5 mm 이상이면 비정상

3. 관절외 증상/합병증

　: RF titer가 높은 환자에서 발생

(1) 전신증상 ; malaise, fatigue, weakness, low-grade fever
(2) rheumatoid nodules (20~35%) : RF(+), severe (e.g., 골미란, 관절파괴) 환자에서 주로 발생
　- periarticular structures, extensor surfaces, 압력을 받는 부위 등에 발생
　- pleura, meninges에도 발생 가능하고, 다른 관절외 증상 동반 흔함 (심혈관/폐/모든 사망률↑)
　- 통증은 없음, 드물게 감염, 궤양을 동반하기도 함
(3) rheumatoid vasculitis : RF titer가 높은 severe RA 환자에서 발생
　- 피부 혈관염 ; 상하지 말단의 경색, 궤양(ischemic ulcer)
　- 내부장기 혈관염 ; 허혈성 장질환, MI 등
　- 신경 혈관염 ; polyneuropathy, mononeuritis multiplex
(4) 호흡기계 증상 (남자에서 흔함)
　- pleural effusion, interstitial fibrosis, pneumonitis　　　　　(→ 뒷부분 참조)
　- pleuropulmonary nodules, Carplan's syndrome (nodule, RA, peumoconiosis)
　- cricoarytenoid joint 염증 → 상기도 장애
(5) 심장 증상 ; pericardial effusion, constrictive pericarditis, valve diseases, 심근의 nodules
(6) 신장 침범
　- membraneous nephropathy, glomerulitis, vasculitis, 2ndary amyloidosis
　- drug toxicity ; gold, D-penicillamine, cyclosporine, NSAIDs
(7) 신경 증상
　- atlantoaxial or midcervical spine subluxations에 의한 증상
　- proliferative synovitis or joint deformities → nerve entrapment
　- carpal tunnel syndrome (median nerve entrapment)　　　　　(→ 뒷부분 참조)

(8) 눈 증상 ; Sjögren's syndrome (dry eye), 공막염(scleritis), 상공막염(episcleritis)

(9) 골다공증 ; 정상인보다 흔함 (유병률 20~30%)

   - 장기간 steroid 사용 or immobility도 골다공증 발생에 기여

   - hip fracture가 호발하여 장애 및 사망률↑ 위험

(10) Felty's syndrome

   - chronic severe RA + hepatosplenomegaly + neutropenia (PMN <1500/μL)

      (때때로 anemia, thrombocytopenia도 동반)

   - high RF titer, circulating IC, subcutaneous nodules, 다른 전신증상 흔함

   - T-cell large granular lymphocyte leukemia (T-LGL, RA 초기에 발생 가능)와 감별해야 함

검사소견

(1) RF (rheumatoid factor)

- IgG의 Fc portion에 대한 IgM autoantibody
- RA 환자의 75~80%에서 (+) : sensitivity 낮음 → 음성이어도 RA R/O 못함
  - nonspecific ; 정상인의 5%에서도 양성 (나이가 들수록 증가), 다른 류마티스 질환(e.g., SLE) 및 감염(e.g., malaria, endocarditis, HBV, HCV), 예방접종, 수혈 등에서도 양성 가능
  - RA의 유병률이 낮은 편이므로 (+) predictive value도 낮음
- screening test로는 쓸 수 없으나, 증상이 의심스러울 경우 진단에는 도움
- high titer인 경우 예후가 나쁘고, 관절외 증상(e.g., nodules)이 더 많다
- RF의 titer는 dz. activity와는 관련 적음! (→ 진단된 이후의 반복 검사는 별 도움 안됨)

Rheumatoid Factor가 양성인 경우

류마티스 질환	Incidence (%)	비류마티스 질환	Incidence (%)
Cryoglobulinemia	40~100	Infections	
Sjögren's syndrome	33~90	Bacterial endocarditis	25~50
RA	75~85	HBV or HCV	20~75
MCTD	50~70	Tuberculosis	8
SLE	15~35	Syphilis	~13
JCA	20	Parasitic dz.	20~90
PM/DM	5~10	Viral infections	15~65
Psoriatic Arthritis	2~10	Pulmonary diseases	
Ankylosing spondylitis	–	Sarcoidosis	3~33
Reactive arthritis	–	ILD, Silicosis, Asbestosis	10~50
		기타	
정상인	1~5	Primary biliary cirrhosis	45~70
(고령 >60세)	5~25	Malignancy	5~25

* ANA : 약 30~40%에서 (+)이지만, 대개 titer 낮음

(2) anti-CCP (cyclic citrullinated peptide) Ab. [ACPA]

- 현재 3세대 anti-CCP ; sensitivity는 RF와 비슷하면서(~80%), specificity 매우 높음 (96~98%)
- RF 음성 환자의 약 40%에서 (+) → RF (−) RA 환자의 진단에 도움

- RA 증상이 나타나기 전부터도 (+) 가능 → 초기 RA 환자의 진단에 도움
- anti-CCP titer↑ ⇨ 관절파괴가 심하고, 예후 나쁨! (but, dz. activity와는 관련 적음!)
- 흡연자나 RA 관련 HLA-DRB1 allele 있는 환자에서 (+) 더 흔함
- 정상인의 약 1.5%에서도 (+)이므로, RF처럼 RA 발병을 예상하는 인자로는 사용할 수 없음

(3) Acute phase reactants (APR)

- ESR (거의 모든 환자에서 증가됨), CRP, ceruloplasmin, ferritin 등 증가
- dz. activity와 관련!

(4) 혈액학검사

- normocytic normochromic anemia (m/c) : 염증 정도와 비례
- anemia & thrombocytosis → ESR/CRP 상승과 비례 (dz. activity와 관련!)
- WBC count는 대부분 정상 / eosinophilia → severe systemic dz. 시사

(5) Synovial fluid analysis

- inflammatory arthritis의 확인 및 다른 원인의 R/O에 유용 (RA의 진단에는 보조적)
- yellow, turbid, viscosity↓, protein↑, glucose N or↓
- WBC : 5,000~50,000 cells/μL, neutrophil이 50~70% 이상
  (c.f., synovial tissue에서는 T lymphocytes가 m/c)
- RF, anti-CCP, IC 등도 발견됨
- total hemolytic complement, C3, C4 : ↓↓ (serum complement는 감소 ×)

* dz. activity를 반영하는 것
  ① arthralgia, morning stiffness, fatigue
  ② ESR, CRP
  ③ 기타 ; anemia (Hb↓), thrombocytosis, albumin↓

영상검사 소견

1. plain X-ray

- 초기 ; 정상 or soft tissue swelling, periarticular osteopenia (관절주위 골 감소/흡수)
- 진행되면
  - symmetric joint space narrowing : even, regular ↔ OA (uneven, irregular)와의 차이
  - bone erosions (골의 미란성 파괴), articular cartilage 소실,
    ↳ 손목과 손(MCP, PIP), 발(MTP)에서 잘 관찰됨
  - deformities (e.g., joint subluxation, collapse), secondary degenerative changes

2. US

- X-ray보다 연부조직 관찰에 유리 → synovitis (e.g., vascularity↑), bone erosion 조기 진단 가능
- 간편하고, 방사선 노출이 없어 점점 많이 이용됨, 특히 손발가락 관절 관찰에 매우 유용

3. MRI

- US처럼 연부조직 관찰에 유리 → synovitis, effusions, bone erosion, BM changes 조기 발견 가능
- 비싸고 US보다는 불편하므로 많이 이용되지는 않음

c.f.) 골미란을 일으킬 수 있는 질환 ; RA, spondyloarthritis, gout, advanced septic arthritis, OA

진단/분류

Rheumatoid Arthritis의 진단 기준 (1987, 미국 류마티스학회) ★

1. **조조경직(morning stiffness)** : <u>1시간 이상</u> 지속되는 관절 및 주위의 경직
2. **3 관절 이상의 관절염** : soft tissue swelling or joint effusions
3. **수지관절의 관절염** : 손목관절, 중수지절(MCP)관절 or 근위지(PIP) 관절
4. **대칭성 관절염**
5. **류마티스 결절(rheumatoid nodules)**
6. **혈청 Rheumatoid factor (RF) 양성**
7. **영상검사 소견** : 손과 손목의 전형적인 RA의 소견 (위 참조)

* RA의 진단을 위해서는 7개 criteria중 4개 이상이 필요
* Criteria 1~4는 반드시 6주 이상 지속되어야 함
* Criteria 2~5는 반드시 의사에 의해 관찰되어야 함

Rheumatoid Arthritis의 classification criteria (2010, ACR/EULAR) ★		
관절침범 (synovitis)	1 <u>large joint</u> (어깨, 팔꿈치, 고관절, 무릎, 발목 관절)	0
	2~10 large joints	1
	1~3 <u>small joints</u> (MCP[2~5번째], PIP, 엄지 IP, MTP, 손목 관절)	2
	4~10 small joints	3
	>10 joints (최소 하나는 small joint)	5
증상기간	6주 미만	0
	6주 이상	1
혈청검사	RF & anti-CCP (−)	0
	RF or anti-CCP low(+) : UNL의 3배 이하	2
	RF or anti-CCP high(+) : UNL의 3배 초과	3
ESR/CRP	ESR & CRP 정상	0
	ESR or CRP 상승	1

* ACR (American College of Rheumatology), EULAR (European League Against Rheumatism)
* 관절침범(synovitis) : 진찰시 부어있거나 압통이 있거나 영상검사(MRI, US)에서 synovitis의 소견이 있는 경우
  (SLE, psoriatic arthritis, gout 등 활막염의 다른 원인이 없어야 됨) / DIP, 1st CMC, 1st MTP 관절은 제외함
* 최대 10점, <u>6점 이상</u>이면 "definite RA"
* 조기 진단 & disease-modifying therapy 대상 환자를 빨리 구분하는 것이 목적 (∵ 이미 발생한 관절손상은 치유×)
* RA가 오래 진행되었을 때 나타나는 류마티스결절이나 관절손상 소견은 제외되었음

치료

1. 일반 원칙

- 거의 대부분 지속적 & 점진적인 dz. activity를 보임, 대부분 완치(complete remission)는 불가능함
- 치료 목표 ; 관해(remission) 또는 질병활성도(dz. activity) 최소화가 목표
  (통증↓, 염증↓, 관절의 보호 및 기능유지, 전신증상↓)
- 금연 : 질병의 경과도 지연 가능

* physical therapy ; rest, splinting, exercise, orthotic & assistive devices, heat
┌ 휴식 → 일반적인 전신 염증반응↓ (→ 증상 호전)
└ 적당한 운동 → 근력 및 관절운동성 유지

■ 질병활성도(dz. activity) 및 관해(remission) 평가

- 처음 진단시 & 이후 진료 때마다 dz. activity를 지속적으로 측정하여, 병의 경과 및 치료에 대한 반응을 파악하는데 주로 이용함 (점점 많이 사용, DAS28은 우리나라 보험급여 기준이기도 함)

Disease Activity Evaluation (Score: DAS, Index: DAI)		Disease activity			
		Low^{LDA}	Moderate^{MDA}	High^{HDA}	Remission
DAS (disease activity score)	$[0.54 \times \sqrt{(Ritchie)}] + [0.065 \times SJC44] + [0.33 \times Ln(ESR)] + [0.0072 \times PGA]$ $or\ 0.17 \times Ln(CRP+1)$	<2.4	<3.7	3.7≤	<1.6
<u>DAS28</u> (m/c)	$[0.56 \times \sqrt{(TJC28)}] + [0.28 \times \sqrt{(SJC28)}] + [0.7 \times Ln(ESR)] + [0.014 \times PGA]$ $or\ 0.36 \times Ln(CRP+1)$	2.6≤ <3.2	<5.1	5.1≤	<2.6
<u>SDAI</u> (simplified DAI)	SJC28 + TJC28 + PGA + EGA + CRP (mg/dL)	≤11	≤26	26<	≤3.3
<u>CDAI</u> (clinical DAI)	SJC28 + TJC28 + PGA + EGA	≤10	≤22	22<	≤2.8

- TJC: tendor joint count, **SJC**: swollen joint count, **Ln**: log natural (자연로그)
- **PGA**: patient global assessment, **EGA**: <u>evaluator (MD, 의사)</u> global assessment (MDGA)
- DAS에서는 PGA 0~100점, DAI (dz. activity index)에서는 PGA/EGA 0~10점, Ritchie는 53 joints count

<u>ACR/EULAR</u>	① SJC ≤1, ② TJC≤1, ③ CRP≤1 mg/dL, ④ PGA≤1 (0~10점) ⇨ 모두 만족하면 관해

- ACR (American College of Rheumatology) criteria

ACR 호전기준(improvement criteria)	ACR 관해기준(remission criteria)
Swollen & Tender joint 수 □% 감소 + 아래 항목 중 3가지에서 □% 호전 1. Patient-assessed global dz. activity 2. Evaluator-assessed global dz activity 3. Patient pain assessment 4. Functional disability* 5. Acute phase response (ESR or CRP)	1. Morning stiffness <15분 2. No fatigue 3. No joint pain 4. No joint tenderness or pain on motion 5. No soft tissue swelling 6. ESR <20 mm/hr (남), <30 mm/hr (여) ⇨ 5개 이상이 2개월 이상 유지되어야 관해

* 주로 Health Assessment Questionnaire Disability Index (HAQ-DI)를 사용

- ACR 호전기준 : 치료 전-후 증상 호전을 □%로 표시 (현재의 dz. activity는 알 수 없음)
  → 임상(환자진료)보다는 주로 연구(clinical trials)의 endpoint로 이용
- 20% 개선되면 ACR20, 50% 개선되면 ACR50, 70% 개선되면 ACR70
  (보통 ACR50을 치료 반응으로 보고, ACR70이 6개월 이상 지속되면 관해[FDA])

• 환자 스스로 dz. activity를 평가하는 도구도 있음 ; RADAI (RA Disease Activity Index),
  RADAR (Rapid Assessment of Disease Activity in Rheumatology),
  RAPID3 (modification of the Routine Assessment of Patient Index Data) 등

c.f.) 강직성척추염(AS) ; BASDAI (Bath AS Disease Activity Index), ASDAS (AS Disease Activity Score)
  − 환자스스로 평가 ; BASFI (Bath AS Functional Index) 등
  SLE ; SLEDAI (SLE Disease Activity Index), British Isle Lupus Assessment Group (BILAG) index

2. 내과적 치료

(1) 1st line

• NSAIDs, aspirin, simple analgesics
• 국소 염증의 Sx & signs을 경감시킴 (질병의 경과에는 영향×)

■ Nonsteroidal Anti-Inflammatory Drugs (NSAIDs)

• RA의 증상개선을 위한 1차 치료 or DMARDs의 보조제로 사용
• traditional NSAID의 기전 : COX-1 & COX-2 모두 억제
• 부작용
  - GI toxicity (m/c) ; ulceration, perforation, hemorrhage
  - nephrotoxicity (MGN, azotemia), platelet dysfunction, allergic rhinitis or asthma 악화
    (→ 소화기내과 I-5장, 신장내과 9장 도 참조)
  - rash, 간기능 이상, BM depression
• 어떤 NSAIDs도 aspirin보다 더 효과적이지는 못하다
• 사용상 주의점
  - 경구 및 비경구 모두 GI toxicity를 일으킴, 병합요법은 피한다 (부작용만 증가될 뿐)
  - 항응고제와 병용시 항응고제의 용량을 줄여야 됨, NSAID는 항고혈압제의 작용을 방해함

* specific cyclooxygenase 2 (COX-2) inhibitors (e.g., Coxibs 제제)
  - GI toxicity와 platelet dysfunction 부작용이 적다!
  - but, nephrotoxicity는 동일, cardiovascular risk가 높음!
  - UGI bleeding 고위험군에서 권장
    (e.g., 65세 이상, PUD 과거력, steroid 또는 항응고제 복용, 고용량의 NSAID 필요)

c.f.) aspirin 투여 중 용량이 과다함을 가장 예민하게 반영하는 지표
  → 이명(tinnitus) : sensorineural type의 hearing loss, 용량에 비례, 가역적

(2) 2nd line : steroid

• 염증의 Sx & sign을 급격히 경감시키고, bone erosion의 발생 및 진행을 지연시킴
  (but, 질병의 경과에는 영향×)
• 부작용 때문에 대개 단기간 사용 후 빨리 tapering 해야 됨

- 대개 증상의 조절을 위해 다른 치료제에 보조적으로 사용!
  ① DMARDs의 완전한 치료 효과가 나타나기 전까지의 (몇 주~몇 개월) 증상 조절
    : low~moderate dose ("bridging therapy")
  ② 증상이 심한 acute flares에서 1~2주 high-dose glucocorticoid burst
    (e.g., neuropathy, vasculitis, pleuritis, pericarditis, scleritis)
  ③ DMARDs의 반응이 부족할 때는 low-dose (5~10 mg/day) prednisone 장기간 투여 가능
    : X선 상 관절 손상 진행을 지연시킬 수 있지만, 부작용(골다공증)의 위험을 고려해야 됨
  ④ intra-articular intermediate-acting glucocorticoid (e.g., triamcinolone) injection
    - 소수의 관절에서 일시적인 기능 향상을 유도 (bone erosion 지연의 증거는 없음)
    - DMARDs에 반응이 좋아도, 일부 관절에서 염증이 지속되면 사용 가능
    - 1년에 4회 이상, 동시에 2 관절 이상은 안 됨
- prednisone (≥5 mg/day) 3개월 이상 사용 시에는 bisphosphonate로 골다공증 예방 권장
- 적은 용량이라도 정기적 골밀도검사 및 하루에 칼슘 1,500 mg, 비타민 D 400-800 IU 섭취
- 기타 부작용 ; Cushing syndrome, HTN, CHF, 여드름, 월경불순, 발기부전 ...

(3) 3rd line : nonbiologic DMARDs (Disease-Modifying Anti-Rheumatic Drugs)
- 약제 ; methotrexate^{MTX} (DOC), leflunomide^{LEF}, sulfasalazine^{SSZ}, hydroxychloroquine^{HCQ}
  - sulfasalazine, hydroxychloroquine : MTX보다 효과 적어서 early mild RA 또는
    다른 DMARDs와의 병합요법으로만 사용
  - leflunomide (Arava®) ; pyrimidine 합성을 억제하여 T cells 증식 억제, MTX 만큼 효과적임!
  c.f.) gold, D-penicillamine, cyclosporine, azathioprine 등이 과거에 사용되었으나 현재는 안 씀
- RA의 경과를 변화시킬 수 있음 (but, 완전관해는 드묾)
  - 약 2/3에서 임상적인 호전을 보임, bone erosions의 발생 지연 및 치유 촉진 효과도 있음
  - dz. activity marker (CRP, ESR) 및 RF titer도 감소됨
- RA로 확진된 모든 환자에게 초기부터 사용!!
  ┌ mild RA : sulfasalazine or hydroxychloroquine
  └ moderate~severe RA : MTX or leflunomide (부작용 등으로 MTX를 사용 못하면)
  - 간질환의 MTX를 사용 못하는 경우에는 LEF도 금기 → SSZ or TNF-α inhibitor 사용
  - dz. activity가 매우 높고 기능장애도 있는 경우 → 처음부터 TNF-α inhibitor 고려
- 처음부터 2가지 이상의 DMARDs 병합요법도 사용 가능 (∵ 부작용 비슷하면서 효과↑)
  c.f.) MTX + leflunomide : 질병기간이 6개월 이상이면서 dz. activity 높을 때
      MTX + sulfasalazine + hydroxychloroquine : dz. activity 높고 "poor Px factor" 존재시
      ┌───┐
      │ High RF or anti-CCP titer, 방사선학적 bone erosion, 기능 제한,   │
      │ 관절외 질병소견(rheumatoid nodule, 2ndary Sjögren's syndrome, vasculitis, Felty syndrome, 폐 침범) │
      └───┘
- 진통이나 항염증 작용은 적으므로 NSAIDs ± steroid를 반드시 병용
- 대개 투여 1~6개월 뒤에 최대 효과가 나타남, 부작용이 많으므로 careful monitoring 필요

* methotrexate (folic acid antagonist)
  - 가장 흔히 사용! (∵ 상대적으로 작용이 빠르고, 반응 좋고, 부작용 적음)
  - 매주 7.5~25 mg 정도 투여(oral or SC), 치료 6개월 후에 최대 효과가 나타남

- 부작용 ; 소화기계 불편함, 구강 궤양, 간기능 이상, 간 섬유화, 피부 혈관염 및 결절,
  BM 억제, 신세뇨관 독성(AKI), 간질성 폐렴(pneumonitis, 발생시 재투여 금기),
  폐 섬유화(용량 무관), teratogenic effect (임신 원하는 남여는 절대 금기) ...
  (→ 2~3개월 마다 CBC, Cr, LFT 검사 / 투여 전에는 viral hepatitis marker도 검사)
- 부작용 예방 위해 folic acid (매일 1 mg)나 folinic acid (매주 5 mg)도 같이 투여함!
  (pulmonary toxicity나 rheumatoid nodules은 예방 못함)

c.f.) 기타 약제의 부작용
  - hydroxychloroquine ; 비가역적 망막 손상(macular damage), cardiotoxicity, rash, 설사,
    blood dyscrasia ... (→ 1년 마다 안저검사)
  - sulfasalazine ; BM 억제 (neutropenia), GI toxicity, rash, 두통 ... (→ 정기적인 CBC 검사)
  - leflunomide ; hepatotoxicity (MTX와 동시에 사용하면 증가!), BM 억제, 감염,
    interstitial pneumonitis, teratogenic effect ...
    (→ 2~3개월 마다 CBC, Cr, LFT 검사 / 투여 전에는 viral hepatitis marker도 검사)
    * 반감기 매우 긺 → 사용 중인 환자가 임신을 원하는 경우 cholestyramine wash-out 치료

(4) 4th line : biologic DMARDs (anti-cytokine agents)
- 증상의 지속적 완화에 매우 효과적 & 관절손상의 진행속도도 지연시키고 장애를 감소시킴
- 보통 MTX 등의 nonbiologic DMARDs에 반응이 없거나, 매우 심한 RA에서 사용
- 단독 또는 MTX와 복합요법으로 사용 (biologic DMARDs 만의 복합요법은 보통 추천 안됨)
- TNF-α inhibitors ★
  - etanercept (Enbrel®) : soluble TNF Ⅱ receptor fused to IgG1
  - infliximab (Remicade®) : chimeric mouse/human anti-TNF Ab (결핵 재활성화 더 위험)
  - adalimumab (Humira®), golimumab (Simponi®) : recombinant fully human anti-TNF Ab
  - certolizumab pegol (Cimzia®) : anti-TNF-α Ab의 pegylated Fc-free fragment
  - psoriatic arthritis, psoriasis, spondyloarthritis, IBD (CD) 등의 치료제로도 사용됨
  - 부작용
    ① 감염(m/i) ; 특히 결핵 재활성화, 진균 ...
    ② 기타 ; pancytopenia, demyelinating disorder, drug-induced lupus (anti-dsDNA Ab+),
      CHF 악화, influenza-like syndrome, 주사시 과민반응 or 주사부위 부작용 ...
  - C/Ix ; 임신/수유(상대적), active infection, 1년 이내 septic arthritis, CHF (NYHA Ⅲ~Ⅳ),
    multiple sclerosis or demyelinating dz. 병력, SLE, 5년 이내 lymphoproliferative dz. ...
- 기타 biologic DMARDs : 대개 기존의 DMARDs or TNF-α inhibitors에 실패한 경우 고려
  - anakinra (Kineret®) : recombinant IL-1 receptor antagonist, TNF-α inhibitors보다 효과가
    효과가 떨어져 RA 치료에 잘 안 쓰임, 특히 다른 DMARDs와 병용시 감염 위험 크게 증가
  - abatacept (Orencia®) : T cell co-stimulation inhibitor (CTLA4 + IgG1 Fc fusion protein)
  - rituximab (Rituxan®, MabThera®) : anti-CD20 mAb (CD20+ B cells 파괴), lympho-
    proliferative dz. or solid organ malignancy 병력시 다른 biologic DMARDs보다 선호됨
  - tocilizumab (Actemra®), sarilumab (Kevzara®) : humanized mAb to IL-6 receptor

- targeted DMARDs … small molecule JAK inhibitors
  - 약제 (모두 경구제) ; <u>tofacitinib</u> (Xeljanz®), <u>baricitinib</u> (Olumiant®), **upadacitinib, peficitinib**
  - 여러 cytokines의 receptors의 신호전달을 억제 → T & B cells 활성화 및 염증 억제
  - 단독 및 MTX와의 병합요법으로 기존의 biologic DMARDs보다 더 효과적
  - arterial & venous thrombosis 발생 증가 위험이 있으므로 thrombosis 고위험군에서는 주의
- 모두 감염이 주요 부작용이므로, 감염 위험이 있는 수술 전/후 1주에는 중단하는 것이 권장됨 (MTX는 수술기간에도 계속 투여 /
- 모두 active TB 때는 사용 불가, 잠복결핵감염(LTBI) 확인을 위해 투여 전 <u>PPD skin test</u> or <u>IGRA</u> 시행, (+)면 INH 300 mg 9개월 예방요법 필요! (biologic DMARDs 치료 1개월 전부터)

Mild RA ⇨ NSAID ± steroid, DMARD (sulfasalazine or hydroxychloroquine)
   ⇨ 반응 없으면 : MTX로 변경 or MTX를 추가한 병합요법
   ⇨ 반응 없으면 : 병합요법 (아래 참조)

Moderate~Severe RA ⇨ NSAID ± steroid, DMARD (<u>MTX</u>)
     * MTX를 사용할 수 없거나 부작용이 있으면 leflunomide (더 효과적) or sulfasalazine 사용
   ⇨ 반응 없으면 병합요법 : MTX + sulfasalazine + hydroxychloroquine (triple therapy)
                  or MTX + leflunomide
   ⇨ 반응 없으면 MTX + <u>TNF-α inhibitor</u>
   ⇨ MTX + TNF-α inhibitor에 반응이 없거나 부작용 등으로 사용할 수 없으면
      다른 biologic DMARDs (abatacept, tocilizumab, sarilumab, tofacitinib, or baricitinib)로 교체

* 보통 3~6개월마다 치료반응을 평가해서 치료지속(or 감량) or Step-up therapy

---

(5) 기타

- DMARDs와 다른 경험적 치료제의 병합 사용 (combination therapy)
  c.f.) sinomenine : 방기(*Sinomenium acutum*)에서 추출한 한약제, MTX와 병합치료시 효과적
- omega-3 fatty acid (eicosapentaenoic acid) ; fish-oil에서 발견됨, 증상 완화에 효과적
- 수술 → 관절 손상이 심한 환자 (질병의 진행을 막지는 못함)
  ; arthroplasty, total joint replacement, reconstructive hand surgery, arthrodesis …

3. 특수한 경우

(1) 임신

- RA 환자가 임신을 하면 약 75%는 증상의 호전을 보임 (but, 분만 후에는 flare 흔함)
- 임신 중 flare 발생시 대개 low-dose prednisone으로 치료
- DMARDs 중에서는 sulfasalazine과 hydroxychloroquine이 가장 안전함
  - <u>MTX와 leflunomide</u>는 절대 금기!
  - NSAIDs, aspirin, steroids, TNF-α inhibitor 등은 비교적 안전
  - JAK inhibitors 등의 다른 biologic DMARDs는 아직 근거가 부족하므로 임신 중 권장×

(2) 노인에서 처음 발생한 RA

- dz. activity가 더 오래 지속되고, 예후 나쁨 (기능의 감소가 더 빠름)
- 관절외 합병증이 더 흔하고, 방사선 소견의 악화도 더 흔하다
- RF가 음성인 경우에는 대개 덜 심하고, 자연 치유되는 경우가 많다
- conventional (nonbiologic) 및 biologic DMARDs는 젊은층과 노인에서 효과와 안전성은 동일함

- 동반질환 때문에 감염의 위험은 증가함
- 신기능 저하 때문에 NSAIDs 및 일부 DMARDs (e.g., MTX)의 신독성 위험 증가
  → serum Cr 2 mg/dL 이상이면 대개 MTX는 사용 안함

(3) 심혈관질환 동반

- RA 환자의 사망률을 높이는 m/c 원인 (2nd m/c 원인인 감염)
- RA의 만성염증 (→ 동맥경화↑), 기능장애(→ 활동↓), NSAID/steroid 치료 … CVD risk↑
- RA 질병기간 >10년, RF or anti-CCP (+), 관절외 증상 중 2가지 이상에 해당하면
  CVD risk 점수 모델에 1.5를 곱함
- RA를 더 빨리 철저히 치료하면 (e.g., MTX, TNF-α inhibitor) CVD risk도 감소함

(4) 간질성폐질환(RA-ILD)

- RA 환자의 10~50%에서 ILD 발생, 조직학적으로는 UIP와 NSIP가 m/c
- RA-ILD의 발생 위험인자 ; 고령, 남성, 흡연, RF or anti-CCP titer↑, severe RA, 관절외 증상,
  DMARDs (methotrexate, leflunomide, TNF-α inhibitor 등)
      ↳ ILD를 유발할 수도 있지만, RA 치료에 따른 수명 증가로 ILD 발생↑ 가능하므로 인과관계는 불명확함
- 치료 ; high-dose steroid, 면역억제제(e.g., azathioprine, mycophenolate mofetil, rituximab)

* 다른 관절외 증상들은 대부분 기저 RA를 치료하면 호전됨
  (RA를 조기에 빨리 치료해 관절외 증상의 발생을 예방하는 것이 더 우선)

경과/예후

- RA의 경과는 매우 다양하여 예측하기 어렵다
- 약 10%의 환자는 6개월 이내에 회복되기도 함 (특히 seronegative 환자)
- 약 1/2의 환자에서 10년 이내에 관절 장애가 발생함 (최근에는 치료의 발전으로 감소 추세)
- 예후가 나쁜 경우 (관절 이상/장애 발생 위험이 큼) ≒ aggressive RA ★
  ① 20개 이상의 관절 침범
  ② ESR, CRP, haptoglobin 등이 크게 or 지속적으로 증가
  ③ 심한 방사선 소견 (e.g., bone erosion, cartilage loss)
  ④ high RF or anti-CCP titer
  ⑤ 관절 외 전신증상 존재, rheumatoid nodules의 존재
  ⑥ persistent inflammation : 1년 이상 지속
  ⑦ functional disability 존재
  ⑧ 장기간의 steroid 사용
  ⑨ 다른 질환의 동반 (e.g., 심폐질환), 고령에서 발병
  ⑩ 사회경제적 지위나 교육 수준이 낮은 경우
  ⑪ HLA-DR4 (-DRB1*0401, 0404, 0405)

- RA 환자의 평균 기대수명은 일반인보다 3-11년(女), 7-10년(男) 짧음, 사망률 약 2배 높음
- but, 최근 연구 결과로는 과거에 비해 사망률이 지속적으로 감소하여, 거의 일반인 수준에 도달함
  (특히 조기에 진단되어 조기에 DMARD 치료를 받을수록)
- 주요 사인 ; 허혈성 심장질환 (m/c), 감염, 위장관 출혈, 약물 부작용

Juvenile Idiopathic Arthritis (JIA) = Juvenile Chronic Arthritis (JCA), JRA

- 소아기에 시작한 만성 관절염으로 그 원인이 뚜렷하지 않은 경우
- RF는 음성인 경우가 많음
- ANA 양성인 경우는 예후가 나쁨
- 대부분 20세 이후의 관절 기능은 비교적 잘 유지됨
- 소수관절형 (m/c) ; 큰 관절을 잘 침범, 1~3세와 8~12세에 호발,
  - chronic uveitis 발생 위험 (실명 가능) → 6세 이하에서 ANA 양성이면 안과검진 필요!
  - pericarditis나 serositis가 관찰될 수 있음

구분	다관절형 (Polyarticular type)		소수관절형 (Pauclarticular type)		전신형 (Systemic type)
	Rheumatoid factor		I형	II형	
	음 성	양 성			
빈도	20~25%	5~10%	35~40%	10~15%	20%
성별	90%가 여아	80%가 여아	80%가 여아	90%가 남아	남≒여
발병 연령	전 소아기	소아 후기	소아 초기 (대개 4세 이전)	소아 후기 (대개 8세 이후)	전 소아기 (5세 이전에 호발)
침범관절	어느 관절이나	어느 관절이나	큰 관절 : 무릎, 발목, 팔꿈치	큰 관절 : 고관절, 하지의 큰 관절	어느 관절이나
Sacroiliitis	(−)	드물다	(−)	흔히 온다	(−)
Iridocyclitis	드물다	(−)	30%, 만성	10~20%, 급성	(−)
RF	(−)	100%(+)	(−)	(−)	(−)
ANA	25%	75%	90%	(−)	10%
HLA	?	DR4	DR5, DRw6	B27 (75%)	?
최종 증상	심한 관절염 10~15%	심한 관절염 >50%	눈의 손상: 10% 다발성 관절염: 20%	spondyloarthropathy	심한 관절염 : 25%

■ **성인형 스틸병(adult onset Still's disease, AOSD)**
- 성인기(대부분 20~30대)에 발병하는 전신형 JIA, 남≒여 (우리나라는 남<여)
- high spiking <u>daily (quotidian) fever</u>가 특징 (흔히 ~40℃까지)
- evanescent salmon-colored^{분홍색} rash : 몸통과 사지 근위부에 호발 (발열과 함께), 소양증은 드묾
- **arthralgia** (m/c), myalgia, sore throat, lymphadenopathy, hepatosplenomegaly, polyserositis
- Lab. ; leukocytosis (주로 PMN), thrombocytosis, ESR↑, <u>ferritin↑↑</u> (RF와 ANA는 음성)
- <u>진단기준</u> (Yamaguchi criteria) : Major criteria 2개 이상을 포함하여 총 5개 이상 만족시 진단

Major criteria	Minor criteria
1. 발열 : >39℃ 이상, 1주 이상 지속 2. 전형적인 연어색 피부발진 (스틸 발진) 3. 관절통/관절염 : 2주 이상 지속 4. WBC >10,000/mm³ (neutrophil >80%)	1. 인후통(sore throat) 2. Lymphadenopathy 3. Hepatomegaly or splenomegaly 4. 간효소 상승 (특히 AST, ALT, LDH) 5. ANA & RF 음성

(감염, 종양, 류마티스 질환 등은 없어야 됨)

- 치료
  ① mild ⇨ high-dose (anti-inflammatory dose) NSAIDs
      (but, 20%에서만 효과적) → 반응 없으면 glucocorticoids 2주
  ② moderate~severe ; 고열, 심한 관절통, 간효소 상승, 내부장기(e.g., 폐, 심장) 침범시
        ⇨ glucocorticoids (e.g., prednisone, 매우 심하면 high-dose or pulse IV steroid)
      - 약 2개월 이후 steroid에 반응이 없거나 감량이 어려우면 ⇨ MTX (or 다른 DMARDs)
      - 약 2개월의 MTX 치료에도 반응이 없으면 ⇨ TNF-α inhibitor 추가
      - 관절염보다 전신증상이 훨씬 심한 경우 ⇨ 처음부터 MTX 대신 anakinra 권장
        (anakinra에 반응 없으면 tocilizumab, canakinumab, or TNF-α inhibitor로 대치)
- 전체적인 예후는 좋음
  - 대부분 완전 회복됨(self-limited), 약 1/3은 recurrent episodes를 보임
  - 만성경과(>1년)의 위험인자 ; polyarthritis (4 관절 이상 침범), 어깨 or 고관절 침범
  - poor Px ; 소아기 때의 발병 병력, systemic steroid 2년 이상 필요

c.f.)

수근관 증후군 (Carpal tunnel syndrome, CTS)

- 정의 : carpal tunnel 내의 median nerve가 압박되어 나타나는 증상
- 40~60세 여성에서 호발
- 원인
  - 반복적인 손의 과다 사용 (e.g., 타이핑, 손빨래)
  - tenosinovitis with arthritis
  - infiltrative d/o (e.g., amyloidosis, acromegaly)
  - 기타 ; pregnancy, edema, trauma, <u>RA</u>, OA, hypothyroidism, DM ...

- 증상
  - 엄지^{1st}~약지^{4th}1/2 까지의 nocturnal paresthesia (numbness & tingling) & pain
  - thenar eminence$^{모지구/엄지두덩}$ (abductor pollicis brevis)의 weakness, atrophy
- 진단
  - <u>Tinel's test</u> : 손바닥쪽 손목을 손가락으로 압박하면 median nerve 분포 영역에 paresthesia 발생

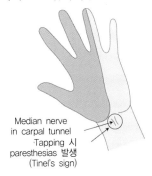

Carpal tunnel syndrome
median nerve의 압박으로 pain and/or paresthesia 발생 (진한 부분)

  - <u>Phalen's test</u> : 양쪽 손등을 서로 맞대고 1분 경과 후 median nerve 분포 영역에 pain and/or paresthesia 발생

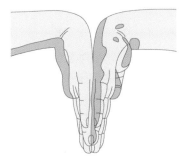

  - 전기진단검사(electrodiagnostic testing)
    ① NCS (nerve conduction study) ; carpal tunnel을 통과하는 median nerve의 전도 속도 감소
    ② EMG (electromyography) ; chronic denervation 소견
        → 주로 polyneuropathy, plexopathy, radiculopathy 등 다른 원인 R/O위해
- 치료
  ① 휴식, simple brace (wrist splinting)
  ② aspirin, NSAIDs, steroid 주사 (or oral steroid)
  ③ 운동
  ④ 외과적 수술 (m/g)

c.f.) Allen's test : ABGA 시행 전 손 동맥의 측부 혈류(collateral flow)를 확인하는 검사

3
골관절염 (Osteoarthritis, OA)

개요

- 정의 : 관절 연골의 degeneration과 반응성 신생골 형성을 특징으로 하는 가동관절(diarthrodial joints : movable, synovial-lined)의 질병
  - 침범 관절은 압력이나 힘이 가해지는 부위와 관련 (e.g., 발레 dancer는 ankle, 투수는 elbow…)
  - minimal inflammation
- 동의어 = 퇴행성 관절염(degenerative arthritis), 퇴행성 관절질환
  (but, 노화에 의한 변화와는 다르므로 부적합한 용어임)

- 가장 흔한 관절 질환, 선진국에서 장애를 초래하는 m/c 원인 질환
- 나이가 들수록 발생 증가, 특히 50세 이후로 (age - most powerful risk factor)
  - 55세 이전 ; 남≒여, 침범 관절의 분포도 남녀 비슷함
  - 55세 이후 ; 남<여, 남자는 hip joint / 여자는 interphalangeal joint, thumb base, knee에 호발
- 분류/원인

I. Idiopathic
Localized OA ; hands, feet, knee, hip, spine, and other single sites
Generalized OA : 3개 이상을 침범시

II. Secondary
외상
선천성/발달 이상
대사 질환 ; ochronosis, hemochromatosis, Wilson's dz., Gaucher's dz.
내분비 질환 ; <u>acromegaly</u>, hyperparathyroidism, DM, obesity, <u>hypothyroidism</u>
Calcium deposition disease (e.g., CPPD disease)
기타 골관절 질환 ; avascular necrosis, RA, osteoporosis, Paget's dz.,
    osteochondritis
Neuropathic arthropathy (Charcot joints)

병인

- 기본적으로 두 가지 기전으로 OA 발생
  ① cartilage와 subchondral bone은 정상이나, joint에 가해지는 힘이 과도할 때
  ② 가해지는 힘은 정상이나, cartilage와 bone의 상태가 열악한 경우

- articular cartilage의 변화
  - 초기에는 정상보다 두꺼워짐 (hypertrophic repair)
  - 진행됨에 따라 joint surface가 얇아지고, cartilage가 약해지고, surface의 integrity가 파괴되어 vertical clefts (fibrillation) 발생
  - deep cartilage ulcers도 발생할 수 있음
- bone의 remodeling & hypertrophy
  - appositional bone growth → bony "sclerosis"
  - osteophyte (spur) : joint margin의 cartilage와 bone의 성장으로 발생

* cartilage (OA의 primary target!)
  - 관절 보호 기능 ; 두 뼈가 부드럽게 움직일 수 있는 표면 제공, 충격 흡수
  - 2가지 주요 macromolecules로 구성됨
    ① type 2 collagen : 인장강도(tensile strength) 제공 ⋯ 잡아당기는 힘에 저항
    ② aggrecan (proteoglycan) : 음전하, 압축강성(compressive stiffness) 제공 ⋯ 누르는 힘에 저항
  - 연골세포(chondrocyte) : 기질 구성성분 합성, 기질을 분해하는 효소 생산, 기질분자의 합성을 조절하는 여러 cytokines과 growth factors 생산(e.g., IL-1, TNF-α)
  - 정상 cartilage에서는 기질의 대사가 느리나, 손상을 받거나 early OA에서는 대사가 활발해짐 (c.f., MMP-13은 type 2 collagen을 분해, ADAMTS-4와 ADAMTS-5는 aggrecan을 분해)
  - OA cartilage의 특징 type 2 collagen과 aggrecan이 감소되어 손상에 취약해짐

Osteoarthritis의 위험인자 ★
<u>고령</u> (m/i)
<u>여성</u>, 유전적 소인, 인종
<u>과체중(비만)</u>
직업 ; 농부, 광부, 직조공, 기계공업근로자, 천공기 사용자, 운동선수 등
선천성 골 및 관절 질환
관절 외상/손상 ; 전방십자인대(anterior cruciate ligament, ACL) 손상 등
비정상적인 관절 역학 구조(joint malalignment) ; 관절을 보호하는 관절주변 근력 저하, 관절 테두리 파괴, 무릎 반월상연골판 손상 등
이전의 염증성 관절질환
내분비/대사질환 (앞 표의 secondary OA 원인 참조)

* 흡연, 골다공증 ⇨ 위험 감소!! (BMD가 높을수록 OA 위험은 증가함)

■ 임상양상

1. 관절통

- deep ache, localized (비대칭적) → RA, SLE 등과의 차이
- <u>활동/운동시 심해지고, 쉬면 완화됨</u> (휴식 후 대부분 30분 이내에 개선됨)!
  - ┌ knee - 계단을 오르내릴 때, 의자에 앉았다 일어설 때 pain 발생
  - │ weight-bearing joint - 걸을 때 pain 발생
  - └ hand - 부엌일을 할 때 pain 발생

• 서서히 악화됨 (진행될수록 pain은 지속적이 되며, 말기에는 nocturnal pain도 발생 가능)

• morining or inactivity 후 <u>stiffness</u> (심하지 않고, 지속시간 짧음 <30분)

* OA에서 관절통의 발생기전

> synovium : inflammation
> subchondral bone : medullary hypertension, microfractures
> osteophyte : periosteal nerve ending의 stretching
> ligaments : stretching
> capsule : inflammation, distention
> muscle : spasm

(cartilage는 신경이 없으므로 통증과는 무관함!)

2. 진찰소견

• localized tenderness (joint line 따라), soft tissue swelling (염증성 관절염처럼 심하지는 않음)

• <u>bony crepitus</u> (비빔소리/마찰음/염발음)

• 관절의 따뜻한 감각, 관절 주위 muscle atrophy

• advanced stage : gross deformity, bony hypertrophy, subluxation, 관절운동의 심한 감소

3. 특정 부위별 OA

(1) interphalangeal joint

• <u>Heberden's node</u> (DIP joint)^{원위지(절간)관절} – m/c idiopathic OA, 심한 기능 손상은 없는 편임

• <u>Bouchard's node</u> (PIP joint)^{근위지(절간)관절}　　　　　　　　　⋯➝ 앞 장의 그림 참조

(2) <u>thumb base</u> (1st carpometacarpal [CMC] joint)^{수근중수관절/손목손허리관절} – 2nd m/c joint

• swelling, tenderness, crepitus, 기능손상 심함

• osteophyte → "squared" appearance of thumb base

• hyperextenstion of 1st MCP joint, swan-neck deformity

(3) foot (남<여) : 엄지발가락의 MTP (metatarsophalangeal joint)에 호발 (ankle은 대개 침범 안함)

(4) <u>knee</u> (남<여) : 45세 이상에서 만성 knee pain의 m/c 원인

• osteophytes, tenderness, crepitus, shrug sign (patella를 누르면 pain 발생)

• medial OA → varus deformity (bow-leg) : 안짱다리

• lateral OA → valgus deformity (knock-knee) :외만슬 (X자 무릎)

(5) hip (고관절)

• 통증이 서혜부 및 대퇴부 앞쪽과 무릎까지 뻗칠 수 있다

• <u>int. rotation</u> → extension → adduction → flexion 순으로 운동 기능 상실

(6) spine (L3~4가 m/c)

• apophyseal joint, intervertebral disk, paraspinous ligament 등을 침범

• spondylosis : degenerative disk disease

• diffuse idiopathic skeletal hyperostosis (DISH) : variant of OA

(7) generalized OA
  • 3개 이상의 joint 침범시 (DIP, PIP는 하나의 group으로 센다)
  • ESR↑, RF (−)

* OA에서 침범 안 하는 관절 ; wrist, elbow, ankle

Rheumatoid arthritis와 Osteoarthritis의 감별

	Rheumatoid arthritis (RA)	Osteoarthritis (OA)
발생 연령	소아와 성인	고령
위험인자	HLA−DR4, DR1	Trauma, hereditary
조조강직(morning stiffness)	1시간 이상 지속	30분 이내 호전
활동에 의해 관절 통증	완화	악화
침범 관절	MCP, PIP, wrist	DIP, thumb, knee, hip
대칭성	+	−/+
진찰 소견	Soft tissue swelling, warmth	Crepitus

영상 소견	Periarticular osteopenia
	Periarticular soft tissue swelling
	Periarticular/marginal erosion
	Symmetric joint space narrowing
	장기지속시 2ndary OA 동반 흔함
		Osteophyte, Subchondral sclerosis
		Central subchondral erosion
		  Gull−wing appearance
		  Sawtooth ± subluxation
		Asymmetric joint space narrowing

검사 소견	RF, anti−CCP, ESR↑, anemia	정상

검사소견

1. 영상 소견

① osteophytosis (골극 형성) [화살표]
② joint space narrowing : uneven, unilateral, irregular
③ subchondral bone sclerosis, cyst
④ central subchondral erosion ("erosive OA")
  ; gull−wing appearance (deformity), sawtooth (± subluxation)

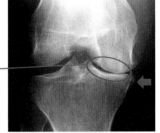

• 대개 plain X−ray로 진단 가능
• 초기에는 정상일 수 있음
• 영상 소견의 심한 정도와 증상의 심한 정도는 일치하지 않음!
  (X−ray에서 OA 소견이 있어도 증상은 없을 수 있음)

• MRI or US는 진단에 필수는 아니지만, 조기 진단에 도움
  − MRI 초기 소견 ; cartilage defects, marrow change 등
  − US ; synovitis, effusion, 골극 등을 발견 가능

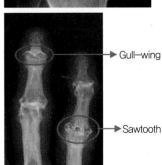

Gull−wing

Sawtooth

2. primary OA

: ESR, serum chemistry, CBC, U/A 등은 보통 정상임 (RF 음성)!

3. synovial fluid analysis

: 맑고 투명, 점도 정상, mild leukocytosis ($<$2000/μL, 대부분 mononuclear cells)

치료

- 목표 : 통증 감소, 관절기능 유지 (장애 예방), 삶의 질 향상
- mild → 교육/안심(reassurance), joint protection, 필요시 진통제
- severe (특히 knee or hip) → programmed Tx.

1. 비약물 치료

: 가장 먼저 & 기본적으로 시행, 약물 치료보다 더 중요함

(1) 관절 부하 줄이기(joint protection)

- 과도한 동작/활동을 줄이고, 오랜 시간 서있거나 쪼그리고 앉아있는 것을 피함(knee/hip)
- 관절보호대, 지팡이 등 → 관절에 가해지는 비정상적/과도한 하중 감소
- 비만한 사람은 체중 감량
- 운동(e.g., 유산소운동, 스트레칭) → 체중↓, 관절 유연성↑, 관절 주위 근육 강화 등의 효과
- 과도한 휴식(complete immobilization)은 오히려 나쁨! (∵ 근육 약화, stiffness 유발 가능)

(2) 물리치료(physical therapy)

- heat : pain과 stiffness 감소 (e.g., hot shower or bath)
- 운동 : ROM을 유지하고, 관절주위 근육 강화
  - 자전거 타기, 산보(천천히 걷기), 수영 등이 좋다
  - 다른 심한 운동은 오히려 해로움

2. 약물 치료 (palliative)

- acetaminophen : mild pain에 가장 먼저 사용, 효과는 NSAIDs보다 떨어짐
  (c.f., warfarin의 반감기를 연장시킴 → 출혈↑)

- NSAIDs (e.g., oral naproxen, salsalate, ibuprofen)
  - moderate~severe pain에 사용, AAP보다 pain 30% 더 감소, 기능 호전 15%
  - 처음에는 부작용을 줄이기 위해 필요할 때에만 사용("as needed"), 식사 직후 복용
  - UGI 부작용 많음(e.g., ulcer, bleeding) → 고위험군은 PPI/misoprostol 병용 or Cox-2 inhibitor
  - 기타 부작용 ; 신기능↓, 혈압↑, 혈소판기능 억제로 인한 출혈 위험
  - 약물상호작용으로 aspirin의 심혈관계 예방효과를 감소시킬 수 있음

- selective Cox-2 inhibitors (e.g., celecoxib, rofecoxib, valdecoxib)
  - UGI 부작용 고위험군에서 권장 (e.g., 고령, 동반질환, 전신 건강상태 악화, 흡연, 알콜, steroid or 항응고제 병용, PUD or UGI bleeding의 과거력 등)
  - Cox-2 inhibitors와 일부 conventional NSAIDs (e.g., diclofenac)은 혈소판응집억제 효과가 없어 (혈관내피세포에서 PGI_2 생성 억제, 혈소판에서 thromboxan A_2 생성차단×) 심혈관질환 위험이 높아질 수 있음(e.g., MI, stroke) → 노인(특히 고위험군)에서는 장기 복용을 피함
  - NSAIDs 중에서는 naproxen 만이 심혈관질환 위험이 없음
- topical NSAIDs (e.g., diclofenac Na 1% gel)
  - oral NSAIDs보다 효과는 아주 조금만 떨어지지만, 부작용은 훨씬 적음
  - 관절이 피부와 가까운 knees, hands OA에서 선호됨 (hip은 ×)
  - 약 40%에서 국소 피부 자극 증상 발생이 단점 (e.g., 발적, 화끈거림, 가려움)
- intra/periarticular glucocorticoid 주사 : 2~4주 정도만 효과적임
  - 일부에서 hyaline cartilage에 나쁜 영향을 줄 수 있고, OA 진행을 가속화할 수도 있음
  - knee OA에서 통증이 심하거나 다른 치료에 효과 없을 때 추가적으로 단기간만 고려
  * systemic glucocorticoid는 효과 없음!
- intraarticular hyaluronic acid[HA] 주사 : knee/hip OA에 사용 가능하지만, 효과는 미미하고 비쌈
- duloxetine : 뇌간과 척추에서 serotonin & NE reuptake를 선택적으로 억제해 진통 효과
  - 다발성 OA 환자에서 기저질환/부작용으로 인해 NSAIDs를 사용할 수 없을 때 고려
  - knee OA 환자에서 다른 치료에 반응 없을 때 고려
- capsaicin cream : 감각신경 말단부의 substance P를 고갈시켜 통증 완화, 작열감으로 비선호됨
- 마약성 진통제(weak opioid) ; tramadol, ultracet (tramadol + AAP), codeine ...
  - AAP나 NSAIDs로 pain control이 안되거나, 부작용으로 인해 NSAIDs를 사용할 수 없을 때
  - 부작용이 흔한 것이 문제 ; 약 25%에서 N/V, 변비, 어지러움, 졸림, 중독 등 발생

3. 정형외과적 수술

- osteotomy, arthroscopic removal of loose cartilage fragments, arthroplasty ...
- total hip or knee replacement surgery : 적극적인 내과적인 치료에도 반응 없는 advanced OA에서 증상과 기능 향상에 매우 효과적임 (인공관절의 수명은 15~20년 정도)
- arthroscopic surgery (e.g., partial meniscectomy, debridement & lavage) ; 한때 인기를 끌었으나 knee OA에는 효과가 없는 것으로 결론 / hip OA에서의 효과는 논란 (일부에서 효과 가능)

4. 기타

- DMOAD (disease modifying osteoarthritis drug)
  - 연골 보호/재생 효과 & 진통 효과가 기대되는 약물들
  - glucosamine sulfate, chondroitin sulfate, diacerein, avocado & soybean unsaponifiables (ASU), S-adenosyl methionine 등 (but, 대부분 효과가 미미하거나 없음)
- 연골세포 자가이식, 연골성형술, 줄기세포이식술 등도 연구 중이지만 효과는 불확실

4
척추관절염(Spondyloarthritis)

정의

- spondyloarthritis (SpA) : 아래의 질환들을 모두 포함하는 만성 염증성 류마티스 질환으로 임상양상이 비슷하고, HLA-B27과 연관성이 있고, ANA/RF/anti-CCP는 대개 음성임

Spondyloarthritis의 종류
Ankylosing spondylitis^{AS}
Reactive arthritis^{ReA} (Reiter's syndrome)
Psoriatic arthritis^{PsA}
Enteropathic arthritis^{EA} (UC, CD)
Juvenile-onset spondyloarthritis^{JSpA} (JCA pauci-articular type II)
Undifferentiated spondyloarthritis^{U-SpA}

┌ 축성척추관절염(axial SpA, axSpA) : spine, pelvis, thoracic cage 등을 주로 침범 ; AS
└ 말초척추관절염(peripheral SpA, pSpA) : 사지 관절을 주로 침범 ; ReA, PsA, EA 등

- 특징
  1. axial arthritis (sacroiliitis^{천장관절염}, spondylitis^{척추염})
  2. <u>asymmetrical oligoarthritis</u>^{소수관절염} : 1~3개, 무릎, 발목에 호발
  3. seronegative arthritis : **RF, anti-CCP, ANA 음성**
  4. <u>enthesitis</u>^{부착부위염} (enthesopathy) : 건, 인대, 근막 등이 <u>뼈에 부착하는 부위에 발생한 염증</u>
       (e.g., Achilles tendinitis, plantar fascitis, dactylitis)
  5. HLA-B27과 관련, 가족력

강직척추염(Ankylosing spondylitis^{AS}, Axial SpA)

1. 개요

- 주로 axial skeleton을 침범하는 염증질환 (prototype of spondyloarthritis)
- 남:여 = 2~3:1, 주로 10~20대에 발병 (40세 이후엔 드묾), 유병률 0.2~1.2%
- <u>HLA-B27과의 연관성이 매우 큼</u> : AS 환자의 91%에서 HLA-B27 (+)
  - but, 정상인도 양성일 수 있으므로 (3~8%), AS의 진단에는 보조적임, <u>dz. severity와는 관계없음!</u>
  - HLA-B27을 가진 사람의 1~2%에서 AS 발생
  - AS 환자의 1차 친족의 10~30%가 HLA-B27 (+), 일란성 쌍생아에서는 약 65%의 일치율

- B27 이외에 *ERAP1, IL-23R, TNFSF15, TNFSF1A, STAT3, ANTXR2, IL1R2* 등 유전자도 관련
- inflammatory bowel diseases (CD, UC)와도 관련 (→ AS의 risk factor)
- 대부분 수명은 정상이며, 일상생활에도 큰 지장은 없음

2. 임상양상

(1) 관절 증상

① sacroiliitis^{천장관절염}로 시작 (symmetric) → 요추 부위로 ascending

⎡ 허리/엉덩이의 둔통(dull pain) : 점진적으로 발생 → 지속적, 야간(중간 1/2)에 악화되어 깸
⎣ 조조강직(morning stiffness) 동반 : 몇 시간 지속

→ 운동/활동시 호전, 휴식(inactivity) 후에는 악화됨

- bony tenderness, neck pain & stiffness

② peripheral arthritis : 대개 asymmetric, 1~3개 관절에서 발생

; **ankles** (40%), **hips** (36%), **knees** (29%), shoulders (19%), TMJ (14%)

③ 경추 침범에 의한 neck pain & stiffness : 비교적 늦게 발생

④ enthesis^{부착부위염} (~30%) ; 발뒤꿈치가 m/c (e.g., Achilles tendon), 통증, 압통, 종창

⑤ dactylitis (~6%) ; 손가락 or 발가락 전체가 붓는 것 (sausage digits)

* 가장 심각한 합병증은 척추 골절 ; 골절 위험 2배, lower cervical spine이 m/c

(2) 관절 외 증상

① acute anterior uveitis^{포도막염} (AAU, 25~35%) … 모든 AAU의 1/2 이상이 류마티스 질환과 관련

- HLA-B27(+) & 오래 진행된 AS에서 호발 (but, spondylitis보다 선행할 수도 있음)
- unilateral, pain, photophobia, 눈물 증가, 1~2달 내에 회복, 재발 가능 (대개 반대쪽에서)
- cataract, secondary glaucoma 등의 후유증도 드물지 않게 발생

② colon/ileum의 염증 (~50%) : 대개는 무증상, 5~10%에서는 frank IBD 발생

③ psoriasis (~10%) : psoriasis 동반시 AS는 좀 더 심하고, 말초관절 침범이 흔함

③ aortitis, aortic insufficiency (→ CHF), 3rd-degree AV block

④ IgA nephropathy

⑤ 오래 진행시 upper lung fibrosis

(3) 진찰소견

① **척추 운동성의 상실** : 척추의 ant./lat. flexion 및 extension, chest expansion 등의 제한

- Schöber test : 서있는 상태에서 lumbosacral junction의 5 cm 아래와 10 cm 위에 점을
찍은 후 허리를 최대한 굽혔을 때 늘어나는 길이를 잼 (정상 ≥5 cm, AS <4 cm)

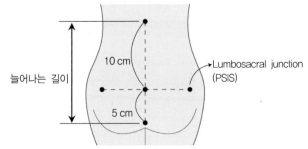

- finger to floor distance (FTF) : 개인별 차이가 심해 치료 경과 파악에만 이용 가능
- chest expansion test : 남자는 4th ICS (여자는 유방 바로 아래)에서 최대 흡기와 호기시의
  가슴둘레 차이 (정상 ≥5 cm, 성별/나이에 따라 다양함, AS는 대략 <1 inch)
- 흉부 후만증(thoracic kyphosis)
- 목이 앞으로 구부러짐 ⇨ occiput-to-wall distance (OWD) ↑
  : 벽에 등을 대고 섰을 때 벽과 뒤통수 사이의 거리 (정상은 0)
- tragus-coronoideus claviculae distance (경추의 lateral flexion)↓, cervical rotation ↓

② 천장골(SI joint)의 압통/통증
- SI direct compression teset : 환자를 옆으로 눕히고 위에서 ilium을 압박
- SI distraction test : 환자를 똑바로 눕히고 양쪽 ASIS를 압박하면서 벌림
- Gaenslen's test : 누워서 한쪽 무릎은 가슴으로 당겨 잡고 있고, 반대쪽 다리를 침대 모서리
  아래로 내리면서 누르면 SI joint에 통증 발생
- FABER (Flextion, ABduction, External Rotation)/Patrick's test : 아래와 같은 자세에서
  무릎과 반대쪽 ASIS를 누르면 SI joint에 통증 발생

* 질병 경과(진행정도)의 측정 ; 키, chest expansion, Schöber test, occiput-to-wall distance
* 질병 활성도 평가 - BASDAI (Bath Ankylosing Spondylitis Disease Activity Index)
* 일상 활동 제한도 평가 - BASFI (Bath Ankylosing Spondylitis Functional Index) ; CRP와도 관련

3. 검사소견

- HLA-B27 : 약 90%에서 양성
- RF, anti-CCP, ANA 등은 음성임
- ESR & CRP↑ (50~70%에서, 정상이어도 AS R/O 못함), ALP↑ (severe dz.), serum IgA↑
- mild normocytic normochromic anemia
- PFT : restrictive pattern (∵ chest expansion의 제한으로)

c.f.) HLA-B27-negative AS ; 가족력 적음, 질환의 발병 시기가 늦음, 포도막염 발생이 적음,
　　　건선(psoriasis) 및 IBD 동반은 더 흔함

c.f.) nonradiographic axSpA (nr-axSpA) : sacroiliitis의 전형적 X-ray 소견이 없는 axSpA
- MRI (e.g., BM edema) 및 SpA의 임상양상으로 진단 (→ 다음 axSpA의 ASAS 진단기준 표 참조)
- 약 20%는 5년 뒤 AS (axSpA)로 진행, AS에 비해 여성의 비율이 높음(>50%)
- 척추 운동성의 상실은 AS보다 덜함, 관절 외 증상은 AS와 비슷한 편 (enthesitis는 더 흔함)
- ESR & CRP는 약 30%에서만 상승, HLA-B27 양성률은 AS와 비슷

4. 영상소견

(1) Sacroiliitis (pelvis/SI joint X-ray)

- spine의 변화 중 가장 먼저 나타남, 진단에 필수적!
- subchondral bone의 cortical margins의 blurring → <u>erosion & sclerosis</u>
  → "pseudowidening" of joint space → bony ankylosis (obliterated joint)
- <u>dynamic MRI</u> : X선에서 나타나지 않는 초기 sacroiliitis (e.g., BM edema)도 진단 가능!
  - 기법 ; fat saturation STIR (short tau inversion recovery) or gadolinium-enhanced
         T1-weighted image (T_1/Gd-DTPA) or T2-weighted turbo spin-echo sequence
  - 초기에 active or acute inflammation 진단하는데 기존 X-ray보다 sensitivity 훨씬 높음
  c.f.) AS 환자는 골밀도도 감소됨 (spine DEXA)

(2) Lumbar spine (spondylitis)

- 대개 질병이 진행된(advanced) 경우에 나타나며(→ poor Px), 진단에 필수적이지는 않음!
- 척추체(vertebral bodies)의 erosion, sclerosis, or squaring (사각화), disk의 골화(ossification)
- 척추체 사이를 연결하는 섬유륜(annulus fibrosus) 바깥쪽의 골화 → 인대골극(<u>syndesmophyte</u>)
  형성 → 진행되면 전 척추체가 인대골극들로 연결됨(bridging)/융합 : "<u>bamboo spine</u>"
  (* bamboo spine 보이는 환자에서 갑자기 요통 발생시 → spondylodiscitis, fracture)
- lordosis의 소실 → straightening

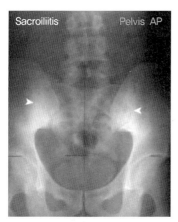

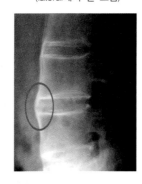

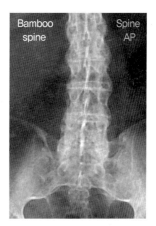

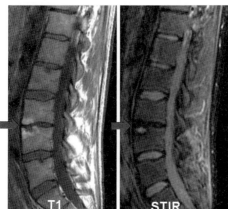

척추염(spondylitis)의 MRI 소견
: bone erosion & BM edema
  (주로 가장자리에서)

5. 진단

AS의 Modified New York Criteria (1984)

1. Inflammatory back pain의 병력 (3개월 이상 지속, 운동에 의해 호전)
2. Lumbar spine의 움직임 제한
3. Chest expansion의 제한
4. Sacroiliitis의 전형적 X-ray 소견 (pelvis)* : bilateral grade ≥2 or unilateral grade 3~4

■ 진단 : 4 + 1~3중 하나 (→ 초기 or 경미한 AS의 진단에는 sensitivity 떨어짐)

*Sacroiliitis의 방사선 소견 (pelvis x-ray)

Grade 0: 정상
Grade 1: 변화 의심
Grade 2: 경미한 이상 ; small localized erosions or sclerosis (관절간격은 정상)
Grade 3: 분명한 이상 ; erosions, sclerosis, joint-space widening, narrowing,
   or 부분강직(partial ankylosis)을 동반한 moderate~advanced sacroiliitis
Grade 4: 심한 이상 ; 관절의 완전강직(total ankylosis)

Axial Spondyloarthritis (axSpA)의 진단기준 (2009, ASAS) ★

■ 3개월 이상의 back pain & 45세 미만에 발병
■ 영상검사에서 sacroiliitis + SpA 특징 1개 이상
   or HLA-B27 양성 + SpA 특징 2개 이상

영상검사에서 sacroiliitis
- MRI에서 SpA-associated sacroiliitis를 시사하는 active/acute inflammation 소견
  (STIR or gadolinium-enhanced T1 image 상에서 BM edema and/or osteitis)
  and/or
- Modified New York Criteria에 의한 sacroiliitis의 방사선 소견 (위 참조)

Spondyloarthritis (SpA) 특징
- Inflammatory back pain* (아래 참조)
- Arthritis
- Enthesitis : 아킬레스건 or 발바닥근막의 발꿈치뼈 부착 부위의 통증/압통
- Anterior uveitis (앞포도막염)
- Dactylitis (가락염, 손발가락염)
- Psoriasis (건선)
- CD or UC
- NSAIDs에 좋은 반응 : full-dose 투여 24~48시간 뒤 back pain 크게 감소
- SpA의 가족력 : 1,2차 친족 중에 AS, psoriasis, uveitis, ReA, IBD 환자 존재
- HLA-B27 (+)
- CRP↑ : CRP가 상승될 수 있는 다른 원인 R/O 이후

(ASAS: Assessment of Spondyloarthritis International Society)

*염증성 등통증(inflammatory back pain) ; 다른 원인들과 감별되는 특징

① 40세 이전에 발병
② 증상이 서서히 발생 (3개월 이상 지속)
③ 운동/활동에 의해 증상 호전 (쉬면 호전 안 됨)
④ 야간에 통증으로 잠이 깸, 아침에 일어나면 호전됨
⑤ 조조(아침) 강직 (morning stiffness), 양쪽 엉덩이가 번갈아가며 아픔

6. 치료

(1) 일반 원칙

- 완치는 불가능하지만 비교적 양호한 질병 → 증상 조절, 진행 방지, 관절기능 보존이 치료 목적
- 규칙적인 운동 (수영이 좋음), 바른 자세 유지, 물리치료, 반드시 금연 ...
- 일반인보다 척추 골절, 특히 경추 골절 위험이 높으므로 안전사고(e.g., 미끄러짐)에 주의

(2) 내과적 치료

① 1st ; NSAIDs (e.g., indomethacin, naproxen) or COX-2 inhibitors (e.g., celecoxib)
- '필요시 복용'보다는 지속적으로 복용하는 것이 영상검사 상의 진행을 지연시킴
- 통증을 감소시켜 운동성을 향상시킴 (but, 대부분 증상이 지속되고, 관절 변형이 발생됨)
- 대개 최대 용량까지 사용, 2~4주 뒤에도 효과 없으면 다른 NSAID 제제로 교체 (중복은 ×)

② TNF-α inhibitors ; 가장 효과적 (비싼 것이 단점)
  ↳ 약제 ; infliximab (IV), etanercept (SC), adalimumab (SC), golimumab (SC)
- Ix ; active AS (axial SpA) 환자에서 2가지 이상의 NSAIDs를 사용해도 효과 없을 때
- AS의 증상, 검사 소견, MRI 소견, dz. activity 등의 호전에 매우 효과적이며 질병의 진행도
  지연시킴 (remission 흔함), 효과가 빨리 나타나고 오래 지속됨, 골밀도도 증가됨
  – syndesmophyte 형성은 예방 못함 (임상적 중요성은 아직 불확실)
- C/Ix ; 활동성 감염, 감염 고위험군, 암 or 전암, SLE 병력, multiple sclerosis 및
         관련 자가면역질환   (임신, 수유는 relative C/Ix)
- 부작용 ; 심한 감염(e.g., 결핵), pancytopenia, demyelinating d/o., CHF 악화, SLE의 양상,
         과민반응 or 주사부위반응, 심한 간질환 (AS 환자에서는 아직 암↑ ×)
  – 투여 전 PPD skin test or IGRA 시행, (+)면 INH 300 mg 9개월 예방 치료하면서 사용!

③ IL-17 inhibitors ; secukinumab, ixekizumab
- TNF-α inhibitors에 반응이 없거나 사용 못하는 경우 (TNF-α inhibitors 만큼 효과적임)
- psoriasis 등이 동반된 경우에는 TNF-α inhibitors 대신 처음부터 사용 가능
- 부작용 ; 진균 감염, IBD 악화 (→ IBD 동반 되었나 확인/monitoring 필요)

④ 기타 ; thalidomide (TNF-α 억제 기전으로 효과적), JAK inhibitor (e.g., tofacitinib)

★ axial SpA (염증성 요통, 허리통증)에 nonbiologic DMARDs 및 oral steroids는 효과 없음!!

(3) 말초관절염

- NSAIDs, low-dose oral glucocorticoids
- intraarticular glucocorticoid injection ; 1~3개의 말초관절염에서 단기간 효과
- 위 치료에 반응 없으면 nonbiologic DMARDs (sulfasalazine, methotrexate)
  ; 말초관절염에서 중등도 효과 (leflunomide는 효과 없음)
- TNF-α inhibitors ; 위 치료에 반응이 없거나, axial SpA 증상도 동반한 경우

* Enthesitis (e.g., Achilles tendinopathy, plantar fasciitis) → NSAIDs → 효과 없으면 일부에서
  peritendinous glucocorticoid injection (c.f., Achilles tendon은 파열 유발 위험으로 금기)
      → 효과 없으면 TNF-α inhibitors

(4) Uveitis

- 대부분 local glucocorticoid + mydriatic agents가 효과적
- 심한 경우는 systemic glucocorticoid, 면역억제제(e.g., MTX, azathioprine, MMF, cyclosporine)
- 모두 반응이 없거나, axial SpA 증상도 동반시 TNF-α inhibitor (e.g., adalimumab)
  (c.f., 드물게 TNF-α inhibitor, 특히 etanercept 치료 후에 uveitis가 새로 발생 or 재발 가능)

(5) 수술

- 적응 ; 심한 고관절염 (통증이 심하거나 움직임이 크게 제한된 경우), 신경 증상을 동반한
  atlantoaxial subluxation, 심한 척추 변형(e.g., 앞을 못 봄), acute spine fracture 등
- 고관절 전치환술(total hip arthroplasty/replacement) : 심한 고관절염의 증상을 크게 호전시킴
- 교정 쐐기 절골술(corrective wedge osteotomy) : 척추 변형의 교정

반응성 관절염 (Reactive arthritis^{ReA}, Reiter's syndrome)

1. 정의

- 위장관 or 비뇨생식기 감염 뒤 후유증(면역반응)으로 발생한 acute nonpurulent arthritis를 특징으로 하는 류마티스 질환 (드문 편임)
- Reiter's syndrome의 clinical tetrad : conjunctivitis (uveitis), urethritis (cervicitis), aseptic arthritis, mucocutaneous lesions

Reactive arthritis의 원인균

Enteric Pathogens	Urogenital Pathogens
Shigella flexneri, S. sonnei, S. dysenteriae	Chlamydia trachomatis
Salmonella spp.	Chlamydia psittaci
Yersinia enterocolitica	Ureaplasma urealyticum
Yersinia pseudotuberculosis	Neisseria gonorrhoeae
Campylobacter jejuni	Mycoplasma genitalium
Campylobacter coli	
Clostridioides difficile	**Respiratory Pathogens**
일부 toxigenic E. coli	
	Chlamydia pneumoniae

2. 역학

- HLA-B27 : 30~70%에서 (+), 양성인 사람은 음성인 사람보다 ReA 발생 위험 약 50배
- HLA-B27 (+)인 사람이 arthritogenic bacterial infection (e.g., S. flexneri) 이후 약 ~20%에서 ReA 발생 (보통은 감염 뒤 1~4%의 환자에서 ReA 발생, Chlamydia는 4~8%에서 발생)
- 18~40세에 젊은 성인에서 호발, 남:여 = 3:1
  (장관감염에 의한 ReA의 성비는 거의 1:1이지만, 성접촉에 의한 ReA는 대부분 남성에서 발생)

3. 임상양상

: 위장관 or 비뇨생식기 감염 후 며칠~6주 (보통 1~4주) 뒤에 증상 발생

(1) 전신증상 ; fatigue, malaise, fever, weight loss

(2) 관절증상 (대개 acute onset)

- arthritis : asymmetric, additive
  - 주로 하지의 관절(knee, ankle, subtalar, MTP, toe IPJ)에 호발
  - 매우 아프고, tense joint effusions도 드물지 않다 (특히 knee에서)
- dactylitis ("sausage digit") : 소수의 손/발가락에서 diffuse swelling
- enthesitis (tendinitis, fasciitis) : 특히 Achilles insertion, plantar fascia, axial skeleton에서
- spinal & low back pain (e.g., sacroiliitis) 동반도 흔하지만, 단독 증상인 경우는 드묾

(3) 관절 외 증상

- 고름각질피부증(keratoderma blennorrhagicum) : 5~10%, 손/발바닥에 호발, ReA에 특징적!
- 원형귀두염(circinate balanitis) : ReA 남성 환자의 20~40%, 귀두 끝 부분의 작은 무통성 궤양
- 비뇨생식기 ; 남성 urethritis, prostatitis / 여성 cervicitis, salpingo-oophoritis, cystitis ...
- 눈 ; conjunctivitis (m/c, ~30%), ant. uveitis, episcleritis, keratitis
        ↳ 대개 관절염보다 선행, 양측성이 많음, 보통 1~4주 뒤 호전
- painless oral mucosal ulcers
- nail changes (PsA와 비슷) ; onycholysis, distal yellowish discoloration, hyperkeratosis
- 심장 (드묾, 만성화된 경우에서) ; proximal aortitis (1~2%), 판막질환 (특히 aortic insufficiency)

(4) 경과/예후

- 관절염은 보통 3~5개월 지속 (2년까지도 가능), 대부분은 6~12개월 뒤 완전히 호전됨
- 15~20%는 관절증상이 만성적으로 지속됨 → 일상생활 장애도 흔함 (만성 발꿈치 통증이 m/c)
- low-back pain, sacroiliitis, frank AS 등도 흔한 후유증임
- HLA-B27 (+) ⇨ poor Px., 만성화↑, spondylitis & uveitis↑
- *Shigella*가 원인인 경우 *Yersinia* or *Salmonella*보다 만성화 가능성 높음

4. 검사소견

- ESR & CRP↑, mild anemia, neutrophilia (ANA와 RF는 음성)
- HLA-B27 : 30~70%에서 (+)
- synovial fluid : nonspecific inflammation (→ septic or cystal-induced arthritis R/O에 유용)
- ReA 발병시 선행 감염이 처음 감염부위에서 지속되는 경우는 드묾
    (→ culture/serology/PCR 등으로는 감염의 증거 발견 가능)
- 영상검사 (일부에서, nonspecific)
  - 초기 ; 정상 or soft tissue swelling, juxtaarticular osteoporosis 정도
  - 후기(만성화) ; marginal erosions, joint space narrowing, reactive new bone formation, periosteal reaction, plantar fascia 삽입부의 bone spurs (enthesophytes) (∵ enthesitis), sacroiliitis (AS보다 asymmetric), spondylitis (AS와 달리 lumbar spine 어디에서도 시작 가능), syndesmophytes (AS 대비 nonmarginal, 척추체 중간에서 발생, asymmetric, "comma" 모양)

5. 진단

- 임상적으로 진단 (확립된 진단기준이나 확진 검사는 없음)
- D/Dx
  - disseminated gonococcal disease : 상지와 하지 모두 침범, back pain 無
    - (ReA : 주로 하지를 침범, back pain 동반 흔함)
  - psoriatic arthritis : gradual onset, 주로 상지를 침범, mouth ulcer/urethritis 無

6. 치료

- high-dose NSAIDs (e.g., naproxen, diclofenac, indomethacin)
  - → 반응 없으면 intraarticular glucocorticoids
  - → 반응 없으면 low~moderate dose oral glucocorticoids
- nonbiologic DMARDs (sulfasalazine, methotrexate) → 반응 없으면 anti-TNF-α
  - ; chronic refractory (>6개월) ReA, 특히 HLA-B27 양성인 경우, 재발한 경우
- uveitis → aggressive Tx with glucocorticoid
- 피부병변 → 대증적 치료만 시행 (topical steroids 등) → 심하고 반응 없으면 DMARDs 고려
  - (c.f., HIV 환자는 피부병변이 심하지만 ART에 잘 반응)
- 원인 감염의 항생제 치료
  - *Chlamydia*에 의한 비뇨기 감염의 항생제 치료는 ReA 발생 위험 감소 효과
    (장관 감염은 예방 효과 없음, 이미 관절염이 발생한 이후의 acute ReA에도 효과 없음)
  - *Chlamydia*에 의한 chronic ReA에도 항생제가 효과 있는지는 논란 → 권장×
    (한 연구에서만 chronic ReA에 rifampin + azithromycin/DC 6개월 투여시 효과)

■ 건선 관절염 (Psoriatic arthritis, PsA)

1. 개요

- 건선(psoriasis)과 동반하여 발생하는 chronic inflammatory arthritis
- 건선 환자의 5~30% (우리나라 9~14%)에서 PsA 발생
- 남≒여, 30~40대에 호발, 가족력 有
- HLA-B27 : spondylitis (axial dz.)의 50~70%에서 (+), 말초만 침범한 경우에는 20% 이하만 (+)
- 60~70%는 건선이 선행, 15~20%는 1년 이내에 병발, 15~20%는 관절염이 선행

* 건선(psoriasis) ; 비교적 흔한 염증성 피부질환 (우리나라 유병률 0.5~1%)
  - 겨울철에 심해지는 scaling^{인설/비늘} erythematous skin lesion
  - 남≒여, 모든 연령에서 발생 가능하지만 30대와 50~60대에 호발
  - 유전적 요인이 발병에 중요 / 다른 질환 동반 위험↑(e.g., 비만, MS, DM, HTN, 동맥경화)
  - 병변이 1개인 경우는 모르는 수가 있으므로, arthritis가 발생하면 피부병변을 자세히 찾아봐야 됨

2. 임상양상

- 관절염 ; 75%는 피부증상이 선행, 10%는 동시에 발생, 15%는 관절염이 피부증상보다 선행
    - 초기에는 주로 소수관절염(oligoarthritis) → 진행하면서 다발관절염(polyarthritis) 양상
    - RA와 달리 비대칭적으로 침범, 통증이 덜함(→ 진단 늦어짐, 진단시 이미 관절 손상/변형 흔함)
- 관절염은 5가지 형태로 분류 가능 (Moll & Wright classification), 서로 중복 및 전환 흔함
    (1) <u>DIP에만 국한된</u> distal arthritis : 5~15%
    (2) asymmetric oligoarthritis : 30~70%
        - 남:여 = 3:1, psoriasis 발생 수년 후에 arthritis 발생, 대개 조조강직 동반
        - 무릎 등의 큰 관절과 소수의 작은 관절 침범
        - 예후 좋음 (1/4 만이 progressive destructive dz.로 진행)
        - ocular Cx (conjunctivitis, iritis, episcleritis) : 1/3에서 발생
    (3) symmetric polyarthritis : 15~40%
        - 남:여 = 1:2, 대개 psoriasis와 동시에 arthritis 발생, 조조강직 동반
        - RA와 관절염 양상이 비슷 (압통만 덜 심함)
        - 1/2 이상에서 destructive arthritis 발생, ocular Cx은 드묾
    (4) arthritis mutilans (단절성관절염) : 5%
        - highly destructive form, 손발가락이 광범위하게 짧아짐(telescoping)
    (5) axial arthritis : 40~50%
        - spine or SI joint를 비대칭적으로 침범, idiopathic AS와 비슷 (but, 경추 침범이 더 흔함)
        - psoriasis 발생 수년 후에 arthritis 발생, 천천히 진행 (AS에 비해 mild)
- 손/발톱의 변화 : 80~90% (건선만 있는 환자는 40%에서 동반)
    - PsA의 특징, 다른 관절질환(e.g., RA, AS)과의 감별에 도움
    - 6가지 형태 ; 오목증(pitting), 가로/세로줄(ridging), 손발톱박리증(onycholysis), 가장자리가
        노란색으로 변색, 손발톱밑과다각화증(subungual hyperkeratosis), 위 소견들의 combination
- 다른 관절질환과 구별되는 PsA 관절 침범의 특징
    - <u>손발가락염(dactylitis, sausage digits)</u> 흔함! (30~50%) ; 발가락에 더 흔함, 다른 SpA들도 가능
        ↳ 골미란(bone erosion)도 더 잘 발생 (→ poor Px)
    - 부착부염(enthesitis) & 건초염/힘줄윤활막염(tenosynovitis) 흔함 ; 거의 모든 환자에서 존재
    - 손발가락이 짧아짐 (∵ osteolysis)
- 눈 침범 (conjunctivitis or uveitis) : 7~33% (AS의 uveitis와 차이점 ; 흔히 bilateral, 만성, 후방)

3. 검사소견

- ESR & CRP↑, complement↑, immunoglobulin (특히 IgA)↑
- RF는 2~10%, anti-CCP도 8~16%에서 양성 (주로 erosive and/or symmetric polyarthritis에서)
- ANA : 약 50%에서 low titer (≤1:40)로 양성, 14%는 ≥1:80 (anti-dsDNA도 3%에서 양성)
- HLA-B27 : axial arthritis의 50~70%에서 양성 (말초관절염만 있는 경우에는 <20%에서)
- 영상검사 소견 (RA, AS와 구별되는)
    - DIP의 PsA : 비대칭적, 말단골용해(acro-osteolysis), "pencil-in-cup" 변형, "opera-glass" 변형
    - axial PsA : asymmetric sacroiliitis, paravertebral ossification, "comma"-모양 syndesmophytes

- MRI ; plain X-ray보다 sensitive, 병변 주위 BM (osteitis) & soft tissues의 심한 염증, enthesitis, sacroiliitis (BM edema, erosions, sclerosis, new bone formation 등)

4. 진단

CASPAR (ClAssification of Psoriatic ARthritis) 진단기준 (2006)
■ Established inflammatory articular disease (joint, spine, or entheseal) +
■ 아래 항목에서 3점 이상
1. 현재의 건선 [2], 건선의 과거력 [1], 건선의 가족력 [1]
2. 전형적인 건선의 손발톱 변화(onycholysis, pitting, hyperkeratosis) [1]
3. Rheumatoid factor 음성 [1]
4. 손발가락염(dactylitis) 존재 or 과거력 [1]
5. Juxtaarticular new bone formation의 방사선 소견* [1]

* 손/발 X-ray에서 관절 경계부의 ill-defined ossification (osteophyte는 제외)

- CASPAR criteria ; 진단 sensitivity & specificity 90% 이상
- 피부증상(건선)이 없거나 불명확할 때는 진단이 어려울 수 있음 → 건선의 과거력, 가족력 Hx 중요
- DIP의 Heberden's node나 PIP의 Bouchard's node가 건선과 동반시에는 osteoarthritis가 더 의심됨

5. 치료/예후

- mild PsA ⇨ NSAIDs (e.g., naproxen, celecoxib), intraarticular glucocorticoids 등
- active persistent/moderate~severe peripheral PsA (nonerosive)
  ⇨ nonbiologic DMARDs (MTX, leflunomide, sulfasalazine 등) *or*
    주사제를 싫어하면 효과는 떨어지지만 apremilast (selective PDE4 inhibitor, TNF-α도 억제)
    ↳ erosive dz.에서는 금기 (∵ 관절손상 예방 불확실)
- 골미란(erosion)이나 심한 기능장애를 동반한 severe or axial PsA
  ⇨ TNF-α inhibitors (DOC) : 관절염 및 피부병변 호전에 매우 효과적 (RA 때보다 더 효과 큼)
    or 다른 biologic DMARDs (secukinumab, or ustekinumab)
    ↳ IL-17 inhibitor   ↳ IL-23/IL-12 p40 subunit inhibitor
  (MTX와 sulfasalazine은 erosive joint dz.의 진행을 지연시키지 못함)
- 위 치료들에 반응 없는 resistant PsA
  - JAK inhibors ; tofacitinib, filgotinib (selective JAK1 inhibitor)
  - brodalumab (IL-17 inhibitor), guselkumab (anti-IL-23 mAb)
  - 기타 ; vitamin D_3, bromocriptine, MMF, extracorporeal photochemotherapy, balneotherapy
- 피부병변 ⇨ retinoic acid 유도체, PUVA (psoralen + UV)

- 경과/예후 (과거에는 mild dz.로 여겼으나, 실제로는 훨씬 severe dz.임)
  - 약 50%에서 2년 이내에 골미란 발생, 10년 뒤 55%에서 5개 이상의 관절 변형 발생
  - 완전관해는 치료를 받아도 일부에서만 가능하고, 재발이 흔함
  ┌ good Px ; 남성, 젊은 연령, 침범 관절 수↓, HLA-B22 등
  └ progressive joint damage의 위험인자 (poor Px) ; 침범 관절 수↑(≥5개), ESR & CRP↑, 약물치료 실패, joint damage 존재, 기능 손상, 낮은 삶의 질, HLA-B39 & B27 등

장병성 관절염 (Enteropathic arthritis), 기타

1. Inflammatory bowel disease

- IBD 환자의 약 10~20%에서 발생, UC보다 CD에서 약간 더 호발, 남≒여
  - peripheral arthritis 10~30%, axial arthritis 2~20%, enthesopathy 7%, uveitis 25% ...
  - HLA와의 관련성은 약하고 일관성이 없음 ; IBD & AS 환자의 HLA-B27 양성률은 ~70%지만, IBD ± peripheral arthritis 환자의 양성률은 15% 이하
  - *NOD2/CARD15* gene ; sacroiliitis를 동반한 CD, 만성염증성장병변을 동반한 SpA와 관련
- peripheral arthritis : activity는 IBD의 dz. activity와 비례
  - type Ⅰ (acute)[m/c] : 비대칭적으로 5개 미만의 관절을 침범(주로 무릎, 발목), 급성 발작, IBD의 재발 때 동반되는 경우가 흔함   (c.f. 최근에는 딱히 type Ⅰ, Ⅱ를 구별하지는 않음)
  - type Ⅱ (chronic) : 대칭적으로 5개 이상의 관절을 침범, IBD와 무관하게 만성 경과
  - 일반적으로 erosion이나 deformity는 드묾
- axial arthritis : 임상양상은 idiopathic AS와 유사함, IBD보다 선행하는 경우가 많음, IBD의 심한 정도와 비례하지 않음
- 치료 : 일반적인 IBD의 치료에 대개 반응함
  - NSAIDs : 일반적으로는 도움이 되지만, IBD의 증상 악화를 유발할 수도 있음
  - CD에서 동반된 경우는 TNF-α inhibitors가 매우 효과적
    (c.f., etanercept는 CD의 장 증상에 효과가 없고, 드물게 UC를 유발할 수 있어 사용 안함)
  - 다른 IBD 치료제(e.g., steroid, DMARDs)도 대개 peripheral arthritis에 효과적
    (c.f., secukinumab 등의 IL-17 inhibitors는 효과 불확실하고 장 질환을 악화시킬 수 있어 주의)

2. Intestinal bypass arthritis

- 비만의 치료로 intestinal bypass surgery 받은 환자의 8~36%에서 발생
- tenosynovitis (knee, wrist, ankle 등), Raynaud's Sx (1/3에서) 발생
- RF, ANA, HLA-B27 등은 대개 음성 / immune complex, cryoglobulin은 대개 양성
- pathogenesis : intestinal blind loops 내의 bacterial proliferation
- Tx ┌ joint Sx ↓ : NSAIDs, glucocorticoids
     └ bacterial load ↓ : rifaximin (± neomycin), surgery (reanastomosis, blind loop resection)

3. Juvenile-onset spondyloarthritis (JSpA)

- 7~16세 사이에 발병, 남:여 = 2~4:1 (연령이 높아지면 비슷해짐)
- HLA-B27은 약 80%에서 (+)
- asymmetric, 하지의 oligoarthritis와 enthesitis가 주 증상, axial arthritis (관절외 증상은 없음)
- 다수에서 나중에 AS 발생

4. Undifferentiated spondyloarthritis (U-SpA)

- 한 개 이상의 spondyloarthritis의 일부 특징을 가지지만, ASAS의 axial SpA or peripheral SpA 등의 진단기준에는 해당 안되는 경우
  (c.f., 과거 New York Criteria에 해당되지 않는 IBP의 대부분은 현재 nr-axSpA에 해당됨)
- 주로 젊은 성인, 약 1/2에서 HLA-B27 (+)

참고: Peripheral Spondyloarthritis (pSpA)의 진단기준 (2009, ASAS)

Arthritis or Enthesitis or Dactylitis가 있으면서

다음 SpA의 특징 중 한개 이상 존재	OR 다음 SpA의 특징 중 2개 이상 존재
• 건선(psoriasis) • 선행 감염 • 포도막염(uveitis) • IBD (CD or UC) • HLA-B27 • 영상검사에서 sacroiliitis 소견	• Arthritis • Enthesitis • Dactylitis • IBP (inflammatory back pain)의 과거력 • SpA의 가족력

	Rhematoid arthritis	Ankylosing Spondylitis	Posturethral Reactive Arthritis	Postdysenteric Reactive Arthritis	Enteropathic Arthritis	Psoriatic Arthritis
성비 (남:여)	1:3	2~3:1	9:1	1:1	1:1	1:1
Sacroiliitis	−	+++++	+++	++	+	++
Spondylitis	(경추 아탈구)	++++	+++	++	++	++
Peripheral arthritis	++++	+	++++	++++	++	++++
Articular course	Chronic	Chronic	Acute/chronic	Acute>chronic	Acute/chronic	Chronic
HLA-B27	−	85~95%	60%	30%	20%	20%
기타 HLA	DR4, DR1	B60, DR1, DR8				Cw6, B38, B39
Enthesopathy	−	++	++++	+++	++	++
Extra-articular manifestations	Vasculitis, Skin, Lung	Eye, Heart	Eye, GU Oral/GI, Heart	GU, Eye	GI, Eye	Skin, Eye

5
결정유발성 관절염

■ **Crystal-Associated(induced) Arthropathies(Arthritis)**
- 결정(crystal)들이 관절이나 관절 주위에 침착해 다양한 증상을 나타내는 질환
- MSU (monosodium urate), CPP (calcium pyrophosphate dihydrate), calcium apatite, calcium oxalate (CaOx) 등 microcrystals의 축적으로 인한 관절 질환은 모두 비슷한 증상 및 생화학적 소견을 나타내지만 polarizing microscopy 등으로 형태학적으로 감별할 수 있음
- calcium apatite만 예외적으로 polarizing microscopy로 발견 불가능 (→ EM으로 진단)

통풍 (MSU Gout)

1. 개요

- **hyperuricemia**에 이차적으로 발생하는 MSU (monosodium urate) crystal의 조직침착에 대한 염증반응으로 초래되는 증상들의 증후군
- hyperuricemia가 gout 발생의 전제 조건이기는 하지만, 모든 hyperuricemia 환자의 15~20%에서만 gout가 발생함
- 역학(gout) ; 유병률 약 2~8% (우리나라는 0.7~0.8%)
  - 꾸준히 증가 (∵ 고령화, 고혈압, 대사증후군, 비만, 이뇨제/aspirin 사용, 액상과당 섭취, 신질환)
  - 남:여 = 3~4:1, 남자는 30~50대에, 여자는 50~60대(폐경) 이후에 호발
  - 연령이 증가함에 따라 증가하지만, 70세 이후에는 정체
- hyperuricemia의 정의 = uric acid >6.8~7.0 mg/dL (남녀 모두)
  - 참고치 ; 남자 3.4~7.0 mg/dL, 여자 2.4~6.0 mg/dL
    (여성호르몬에 의한 urate 배설 증가로 남성보다 1~1.5 낮게 유지되다가, 폐경 이후에는 비슷해짐)
  - uric acid ; 매일 800~1,200 mg이 체내에 축적, 2/3는 신장으로, 1/3은 장으로 배설됨

Hyperuricemia의 원인 - Urate and/or purine 생산 증가 ··· 통풍 원인의 10%	
식이, 약물	Ethanol (특히 맥주), Purine 과다섭취 (e.g., 붉은 고기, 내장육, 조개류), 운동, 액상과당(fructose), 췌장추출물, Vitamin B_{12} deficiency, Cytotoxic drugs
Urate and/or purine 과다생산 질환	Myeloproliferative & lymphoproliferative neoplasms, Hemolytic disorders, Obesity, Psoriasis, Tissue hypoxia, Rhabdomyolysis, Down syndrome
유전적 purine 과다생산	Hypoxanthine-guanine phosphoribosyltransferase deficiency Phosphoribosylpyrophosphate synthetase overactivity Glycogen storage dz. type I (Glucose-6-phosphatase deficiency), III, V, VII Fructose-1-phosphate aldolase deficiency Myoadenylate deaminase deficiency, Carnitine palmitoyltransferase II deficiency

Hyperuricemia의 원인 – Urate 배설 장애 ··· 통풍 원인의 90%			
약물, 식이	Cyclosporine/tacrolimus Alcohol Nicotinic acid Thiazides	Lasix ["can't leap"] Ethambutol Aspirin: low–dose (<2 g/day) Pyrazinamide	Levodopa ACEi, β–blockers Nicotinic acid Salt restriction Laxative abuse (alkalosis)
Urate 배설 장애 질환	GFR 감소 (CKD 등), Volume depletion (e.g., 체액 소실, 심부전), Insulin resistance (대사증후군), Diabetic or starvation ketoacidosis, Lactic acidosis, Lead nephropathy (saturnine gout), HTN, Obesity, Hyperparathyroidism, Hypothyroidism, Sarcoidosis, Chronic beryllium dz.		
유전적 urate 배설 장애	Uric acid transportasome mutations (e.g., GLUT–9, ABCG2, URAT1) ··· Familial gout, AD tubulointerstitial kidney dz. (과거 medullary cystic kidney dz.: UMOD, MUC1 mutations) Glomerulocystic kidney dz.		

2. 임상양상 (hyperuricemia의 합병증)

: serum uric acid level이 높을수록 gout가 잘생기며
동반되는 합병증도 hyperuricemia의 기간/정도와 연관성이 있음

(1) 급성통풍관절염(acute gout attack, gout flares)
- 1st attack의 80%는 monoarticular arthritis (이후에는 polyarticular도 증가)
- 침범부위
  - 엄지발가락(1st MTP joint)$^{m/c}$; 1st attack의 50%, 모든 attack의 70%에서
  - 기타 ; 발등, 발목, 뒤꿈치, 무릎, 손목, 손가락, 팔꿈치 등 (spine은 거의 침범 안함)
- serum urate level이 갑자기 상승/감소할 때 attack 유발, 1st attack은 대개 밤이나 새벽에 발생
- 유발인자 ; 알콜(특히 맥주), 스트레스, 외상, 감염, 입원, 수술, 급격한 체중감량, 탈수, 단식,
  과식, drugs (e.g., thiazide diuretics, low–dose aspirin, allopurinol) ...
- 매우 심한 통증, 발적, 부종, 열감 (→ 8~12시간 동안 강도 증가) / WBC↑, CRP↑도 흔함
- 초기에는 보통 3~10일간 지속하다가 완전히 자연 호전됨(self–limited)
- * atypical gout (약 5%) ; 25세 이전에 증상 발생, 대개 유전적 원인, 빠르게 진행

(2) 간헐기 통풍(intercritical gout)
- acute attack과 acute attack 사이의 기간으로 전혀 증상이 없는 시기
- 아무 치료 없이 관찰하면 1st attack 2년 이내에 78%에서 2nd attack 발생
- 아무런 치료도 하지 않으면 chronic gouty arthritis로 진행
  (일반적으로 attack interval은 짧아지고, 더 오래 지속되며 polyarticular로 진행)
  c.f.) 간헐기가 있는 관절염 ; gout, Behçet's dz., palindromic rheumatism

(3) 만성결절통풍관절염(chronic gouty arthritis, tophaceous gout)
- 보통 acute attack 이후 10년 이상 지난 경우에 발생 (평균 11.6년 이후)
- 다발성 관절염(polyarticular arthritis), 심하지 않은 지속적인 통증 (증상 없는 간헐기가 사라짐)
- 통풍결절(tophi)이 만져짐 : urate crystals의 침착, 불규칙하고 단단
  - gout를 치료하지 않고 20년이 경과하면 약 75%의 환자에서 발생
  - 발생부위 ; 윤활막, 연골하골, 주두(olecranon), 무플 아래, 아킬레스건, 피하, 관절주위, 귀 둘레
  - 합병증 발생 가능 (e.g., 염증, 궤양, 관절파괴, 심장침범)

- RA와의 차이점 ; 비대칭적, 발생 시기, 결절에서 urate 관찰, bone erosion에 돌출된 모서리 (overhanging edges) 존재, 초음파에서 double contour sign (DCS)
- gout flare 없이 통풍결절로 처음 발현되는 경우 ; 주로 노인 여성, 손가락을 흔히 침범, osteoarthritis, CKD, HTN 동반, 소염제 or thiazide 이뇨제 복용 중인 경우 많음,

(4) 관련 질환

- 신 질환
  ① nephrolithiasis (renal stone) ; uric acid stone, calcium stone
  ② urate nephropathy (urate nephrosis) → CKD 유발
  ③ uric acid nephropathy ; reversible cause of AKI
  - renal failure 환자의 1% 이하에서 gouty arthritis가 생김
    (∵ gouty arthritis가 생길 만큼 오래 hyperuricemia가 지속되지는 않기 때문)
  - polycystic disease : 24~36%에서 gout 발생
- 고혈압 : gout 환자의 25~50%에서 HTN 존재
- 비만 : gout 발생 위험 2~3배 증가, BMI와 uric acid level은 비례
- 고지혈증 : 80%에서 TG↑

3. 진단

- 전형적인 갑작스런 하지의 inflammatory arthritis 때 의심
  → septic arthritis 등과 감별 (synovial fluid^{관절액} culture 등으로)
- 영상검사
  ① plain X-ray ; 초기 통풍 진단에는 별 도움 안됨, 침범 부위 연조직 부종 정도 (뼈의 이상 無)
  - 만성 통풍에서는 통풍결절(tophi)에 의한 bone erosions, subcortical bone cysts 관찰
  - bone erosions : 경계가 분명하고, 얇게 돌출된 모서리(overhanging edges)가 특징
  - advanced dz.에서는 관절의 변형 및 파괴
  ② dual-energy CT (DECT) ; urate와 calcium을 다른 색상으로 구별하여 시각화 가능
    (↳ 조직 특이 영상 감쇠법으로 urate와 calcium의 원자번호에 따른 감쇠 차이를 영상화)
  - 통풍(urate)결절의 위치와 모양을 입체적으로 보여줘 쉽게 파악 가능
  - 통풍결절이 거의 없거나 적은 초기 통풍 진단에는 효과 부족
  ③ 관절초음파 … 초기 진단에도 유용하고, 간편/저렴해서 많이 이용 (but, 숙련된 경험 필요)
  - hyperechoic linear density (double contour sign^{DCS}) : 연골 표면에 쌓여있는 urate crystal
  - 숨겨진 통풍결절도 찾을 수 있고, 결절 발견시엔 FNA로 urate crystal을 뽑아 확진도 가능
  ④ MRI ; 피부 깊은 곳이나 척수 등 드문 부위의 통풍결절을 찾는데 도움
- synovial fluid 소견 ; 혼탁, 점도↓, WBC 2,000~60,000/μL (대부분 neutrophil)
  - 급성 통풍에서는 노란색 윤활액과 흰색 urate crystals이 섞여 불투명한 노르스름한 색을 보임
  - 만성 통풍에서는 액체 성분은 줄어들고, 요산의 양이 많아 하얀 치약(or 연고)처럼 보임
- 확진 (편광 현미경) : synovial fluid 또는 neutrophils 내에 포식된 monosodium urate (MSU) crystals을 관찰 … 바늘 모양의 bright negative birefringent crystals
  (MSU crystals은 침범되지 않은 1st MTP or 무릎 관절에서 발견되는 경우도 흔함)

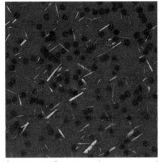
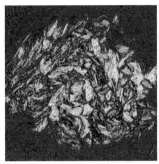
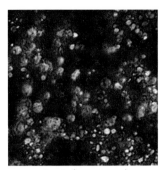

[편광현미경] Gout (synovial fluid)	Gout (tophi, tissue)	CPPD (Pseudogout)

2015 ACR/EULAR gout classification criteria

Criteria		Categories	Score	
Clinical	관절 침범의 양상	발목 or 발등	1	관절액이나 조직 채취가 곤란한 경우를 고려하여 고안되었음
		엄지발가락(1st MTP)	2	
	증상의 임상적 특징	해당 수		
	(a) 침범 관절 위의 erythema	1개	1	
	(b) 침범 관절의 압통	2개	2	
	(c) 보행장애 or 관절 사용 불가	3개	3	
	통풍 발작의 시간에 따른 경과 최대 통증까지 <24시간 14일 이내에 증상 호전 발작 사이의 무증상 기간	1회의 전형적 발작 여러 번의 발작	1 2	
	통풍결절(tophus)의 임상소견	존재	4	
Laboratory	혈청 uric acid (uricase method) 첫 발작 후 4주 이상 경과 & 요산저하제 복용 안할 때 권장	<4 mg/dL 6~8 mg/dL 8~10 mg/dL ≥10 mg/dL	−4 2 3 4	
	관절액검사	MSU negative	−2	(총 23점 만점) 총 **8점** 이상이면 Gout로 진단 가능
Imaging	Urate deposition 소견	존재 (초음파 or DECT)	4	
	Gout-related joint damage 소견	존재	4	

American College of Rheumatology (ACR), European League Against Rheumatism (EULAR)

4. 치료

(1) Asymptomatic hyperuricemia

- 치료 가능 원인의 파악/교정 ; 약물, HTN, dyslipidemia, DM, obesity, leukemia/lymphoma 등
- 식이요법 및 생활습관 개선
  - 과체중이면 체중감량 (칼로리 섭취↓, 적절한 운동 등), 금연, 충분한 수분 섭취
  - 피해야할 음식 ; purine 함량이 많은 췌장, 신장, 간 등의 내장류, 과당이 많이 함유된 과자, 청량음료 등, 알코올 함량이 높은 술
  - 적게 먹는 것이 권장되는 음식 ; 소/양/돼지고기, purine 함량이 많은 정어리류나 조개류, 자연 과일주스, 설탕이 많이 함유된 음료/음식, 고염식, 맥주 등 알코올
  - 권장되는 음식 ; 저/무지방 낙농식품(우유, 요구르트, 치즈), 야채 등
    (블랙커피 : 요산의 배설을 촉진시킴)

- asymptomatic hyperuricemia는 요산저하(약물)치료는 안 하는 것이 원칙임!
- 치료를 고려하는 경우 ; tumor lysis 위험 (e.g., RTx, CTx), recurrent uric acid urolithiasis,
  지속적 hyperuricemia & 소변 uric acid >1100 mg/day (→ hydration, allopurinol)

(2) Acute gouty arthritis (Gout flares)

- 침범된 관절은 가능한 움직이지 말고 절대 안정
- self-limited이지만 심한 통증을 빨리 완화시키기 위해 치료, 빨리 치료할수록 효과적
- 약물 치료는 대개 NSAIDs, glucocorticoid, colchicine 등을 사용함
  ① oral NSAIDs : 약 90%에서 효과적
     - 약제 : naproxen, indomethacin, ibuprofen, diclofenac 등의 반감기가 짧은 것
     - NSAIDs가 colchicine보다 더 효과가 빠르고 부작용 적음
     - 대개 젊고(<60세), active GI dz., renal insufficiency, CVD가 없는 경우에 사용
  ② oral glucocorticoids (e.g., prednisone, prednisolone) : NSAIDs 만큼 효과적이며 작용 빠름
     - NSAIDs의 금기인 경우(e.g., <u>고령</u>, <u>신기능 저하</u>, <u>소화성 궤양</u>) 사용
     - C/Ix ; uncontrolled DM, glucocorticoid intolerance, active infection, 최근의 수술 등
     * intraarticular glucocorticoids injection (e.g., triamcinolone acetonide, methylprednisolone)
        ; 1~2개의 큰 관절에 발생한 경우 사용하면 효과적 (or 경구 약제를 복용 못하는 경우)
     * parenteral glucocorticoids (e.g., IV methylprednisolone, IM triamcinolone acetonide)
        ; 경구 약제를 복용 못하고 intraarticular glucocorticoids injection의 대상이 아닌 경우
  ③ oral colchicine : 증상 발생 24시간 이내에 사용하면 ~85%에서 효과적
     - NSAIDs & glucocorticoids 불내성(intolerance)이거나 금기인 경우 사용
       (기전 : microtubule 형성 억제 → neutrophil의 activation 억제)
     - 진단이 확실치 않은 ambulatory pt.에서 진단적 의도로도 사용 가능
     - GI toxicity (A/N/V/D)가 흔하므로 묽은 변을 보이면 즉시 (임시적이라도) 중단
     - C/Ix ; colchicine allergy, BM 기능 감소, 신부전, 심한 간질환, sepsis
  ④ IL-1β inhibitors : 위 약제들을 사용할 수 없거나 relapsed/refractory case
     - anakinra, canakinumab 등 / 매우 효과적일 수 있지만, 비싼 것이 문제
     - 특정 상황(e.g., CKD, DM, 간질환)에서는 유용할 수 있음
  ⑤ cooling (ice pack) application도 도움
- 혈청 uric acid level에 변화를 주는 약물을 사용하거나 끊거나, 용량을 변경하면 안됨!!
  (∵ 관절 내 uric acid 농도 변화로 증상이 악화될 수 있음)
- aspirin은 절대 금기
  ┌ low dose : uric acid 배설 억제
  └ high dose : uric acid 배설 촉진

c.f.) uricosuric activity를 가지는 약물 (⇨ 통풍의 치료에 도움)
     ; acetohexamide, ACTH, <u>amlodipine</u>, <u>ascorbic acid (vitamin C)</u>, <u>atorvastatin</u>,
       benzbromarone, calcitonin, chlorprothixene, citrate, dicumarol, estrogens, <u>fenofibrate</u>,
       glucocorticoids, glycopyrrolate, halofenate, <u>losartan</u>, meclofenamate,
       phenolsulfonphthalein, phenylbutazone, probenecid, sulfinpyrazone, tetracycline,
       방사선조영제, aspirin (high-dose: >3 g/day) ...

(3) Intercritical & Chronic gout

◇ 요산저하치료(urate lowering therapy, ULT)의 적용

① recurrent or disabling gout flares (attacks)

② chronic gouty arthritis ; 통풍결절(tophi) or structural joint damage 존재

③ renal stone or CKD (C_{Cr} <60)를 동반한 gout

■ **Colchicine**

- urate-lowering therapy 수일 전부터 gout flare 예방을 위해 low-dose colchicine 투여 시작 (0.5~0.6 mg PO once or twice daily) (or 사용 못하면 oral NSAIDs)

- 투여 기간 : uric acid level 정상 & 6개월간 gouty attack 없을 때까지 or tophi가 존재하는 동안 (보통 6~12개월 투여하게 됨)

- 감량이 필요한 경우 ; 신기능 저하 (투석 환자는 금기), P-glycoprotein (PGP) inhibitors or cytochrome P-450 3A4 (CYP3A4) inhibitors 병용 (∵ colchicine toxicity↑)

P-glycoprotein (PGP) inhibitors			
Amiodarone	Indinavir	Propafenone	Tamoxifen
Clarithromycin	Itraconazole	Quinidine	Verapamil
Cyclosporine	Ketoconazole	Ritonavir	
Diltiazem	Nelfinavir	Saquinavir	
Erythromycin	Nicardipine	Tacrolimus	

■ **요산저하제 (Urate-lowering agents)**

- 유지요법에 사용, acute attack (gout flare) 때는 쓰면 안됨!

- urate-lowering agents를 쓰기 전 모든 염증의 징후가 없어야 하고, colchicine or NSAIDs의 예방적 투여가 시작되어야 됨 (∵ acute attack 발생 위험)

- 치료 목표 : serum uric acid level 정상화
  - 통풍결절(tophi)이 없는 경우 <6.0 mg/dL (<357 μmol/L)
  - 통풍결절(tophi)이 있는 경우 <5.0 mg/dL (<297 μmol/L)

1 **Allopurinol (요산합성억제제)**

- xanthine oxidase inhibitors (XOIs), 대부분에서 첫 번째 요산저하제로 고려

- 특히 renal insufficiency (C_{Cr} <80) or renal stone 동반시에는 allopurinol을 사용
  - ↳ C_{Cr} <60이면 감량해서 투여 시작, 반응을 보며 용량을 조절

- Cx ; 치료 초기에는 gout flares 유발 위험, rash, leukopenia, thrombocytopenia, diarrhea
  - 드물게 severe cutaneous adverse reactions (SCARs), DRESS syndrome 등 발생 가능
  - severe hypersensitivity (e.g., SCARs)는 중국/대만/한국인 중 HLA-B*5801 (+)시 호발

- azathioprine or 6-MP 치료 중인 환자는 allopurinol 금기 (febuxostat도 마찬가지)
  - ↳ xanthine oxidase에 의해 대사되므로, allopurinol과 병용시 작용↑↑

* febuxostat : 새로운 (nonpurine) selective XOI, allopurinol보다 더 효과적 (FDA허가[2009년])
  - allopurinol에 반응이 없거나 부작용 때문에 사용을 못하는 경우 고려
  - allopurinol과 대사가 달라 신기능 저하 때도 감량 없이 사용 가능 (~CKD stage 5까지)
  - 비싸고, allopurinol보다 CVD 및 간독성 위험으로 많이 사용되지는 않음 (시장의 약 10%)

② Uricosuric agents (요산배설촉진제)

- 대개 allopurinol을 사용 못하는 경우 두 번째 요산저하제로 고려
- probenecid, benzbromarone, sulfinpyrazone, lesinurad …
  (↳ 일부 환자에서의 치명적인 간독성 위험 때문에 미국 FDA에서는 허가×)
- 사용조건 (아래를 모두 만족시켜야 됨)
  (1) uric acid excretion 장애로 인한 hyperuricemia
    - 24-hr urinary uric acid (∵ uric acid 배설량이 많으면 uric acid stone 발생 위험)
      ┌ <800 mg (general diet)
      └ <600 mg (purine-restricted diet)
  (2) 신기능이 좋아야 (C_{Cr} >80 mL/min) : benzbromarone은 신기능 저하시도 사용 가능
  (3) renal stone의 과거력이 없어야 됨
- probenecid는 serum Cr 2 mg/dL 이상이면 효과 없음 ⇨ allopurinol or benzbromarone
- lesinurad (Zurampic®) ; 새로운 uricosuric agent (FDA허가[2016년])
  - 기전 : URAT1 (urate transporter 1) & organic anion transporter 4 (OAT4) 억제
  - XOIs와 병용만 가능 : 기존의 XOIs (allopurinol or febuxostat) 만으로 uric acid level
    목표치에 도달 못하는 경우 lesinurad 추가, allopurinol과 복합제도 있음 (Duzallo®)
- 기타 다른 질환의 치료제 중 uricosuric activity를 가지는 것
  ; losartan (ARB), fenofibrate, atorvastatin, amlodipine 등

③ Recombinant uricase (urate oxidase)

- uricase : 사람에는 없는 효소로, uric acid를 5-hydroxyisourate (→ allantoin)로 분해함
  (c.f., 사람과 일부 대형 영장류를 제외한 대부분의 생물에는 존재함)
- pegloticase (Krystexxa®) : PEGylated recombinant uricase (2주마다 IV로 투여),
  위의 경구약제들보다 더 효과적이고 작용 빠름, gout 치료에 2010년 FDA허가
  → 치료 실패, 자주 재발, 크고 많은 통풍결절, chronic refractory gout 등에 유용
- rasburicase : nonPEGylated recombinant uricase, gout에서는 효과 별로
  → 주로 tumor lysis syndrome 치료에 사용

(4) Nephrolithiasis

- 충분한 수분섭취 : urine output >2 L/day 유지
- unine alkalinization (pH >7) : sodium bicarbonate, acetazolamide
- antihyperuricemic therapy : allopurinol (or febuxostat)
- potassium citrate

(5) Uric acid nephropathy (AKI)

- vigourous IV hydration & furosemide (>100 mL/hr 유지)
- urine alkalinization (pH >7)
- antihyperuricemic therapy : allopurinol (or febuxostat)
- hemodialysis

CPPD (calcium pyrophosphate crystal deposition) 질환

- CPP (calcium pyrophosphate dihydrate) crystal의 관절 침착으로 인한 질환
  - 노인에서 가장 흔한 결정 침착 질환 (대부분이 60세 이상)
  - 골관절염으로 오인되거나 겹치는 경우가 많기 때문에 진단 안 된 경우가 더 많을 것으로 추정됨
- 원인/위험인자 (대부분은 idiopathic)

1. 고령	
2. 대사질환	
(1) 명백한 관련	(2) 관련 가능
Hyperparathyroidism	Familial hypocalciuric hypercalcemia
Hemochromatosis	X-linked hypophosphatemic rickets
Hypophosphatasia	Gout
Hypomagnesemia	Hypothyroidism, DM, Wilson's dz.
Gitelman syndrome	Amyloidosis, Bartter's syndrome
3. 골관절염과 관절손상	
4. 유전적 소인	

- 임상양상 ; 다양한 관절질환의 양상
  - (1) asymptomatic CPPD dz. (m/c) ; 영상검사에서는 chondrocalcinosis 등이 관찰됨
  - (2) **acute CPPD arthritis**
    - 증상이 gout와 매우 비슷해 "pseudogout"로 불림, self-limited
    - 대개 큰 관절을 침범 ; 무릎(m/c), 손목, 어깨, 발목, 팔목, 팔꿈치, 손관절, MCP ...
      (gout보다는 polyarticular attacks 흔함)
    - ~50%에서는 미열 동반, 때때로 ~40℃ 고열도 발생 가능
      → septic arthritis R/O 위해 반드시 synovial fluid 검사 시행
    - 보통 자연적으로 발작이 발생하나, 유발요인이 있을 수도 있음
      (e.g., 외상, 수술, 관절경, hyaluronate 주사, 혈청 calcium 농도의 빠른 감소)
  - (3) 특이한 부위의 골관절염 (osteoarthritis[OA] with CPPD, pseudo-OA)
    - symptomatic CPPD 중에서는 m/c, 다발성 관절염 양상
    - OA에서 잘 침범 안하는 손목, 어깨, 발목, 팔꿈치, MCP 등도 침범
  - (4) chronic inflammatory arthritis ; symmetric proliferative synovitis (pseudo-RA)
  - (5) 관절의 심한 변형/파괴 ; neutropathic arthritis와 유사
  - (6) 척추 침범 ; AS or diffuse idiopathic skeletal hyperostosis (DISH)와 유사
- 진단
  - (1) 확진 ··· 관절액 or 관절조직에서 CPP crystal의 확인 (편광현미경)
    - smaller rod-, square- or rhomboid-shaped weak positive birefringent crystals
      (gout 때 보다는 수도 적고 확인하기 어려움)
    - 기타 관절액 소견 ; WBC 수천~100,000/μL (평균 24,000), neutrophils 90%
  - (2) 영상검사
    - plain X-ray ; 연골석회화(chondrocalcinosis), degenerative changes (osteoarthritis 비슷)
      (but, 민감도/특이도 낮음)　　　↳ articular cartilage의 점 or 선 모양 음영

- 초음파 ; bone cortex를 따라 얇은 띠 관찰 (gout의 double contour sign^{DCS}과 비슷하지만 얇고 반점(punctate) 양상으로 보임 ↔ gout는 부드럽고 두꺼운 띠), chondrocalcinosis
- 치료 : acute attack 때의 치료는 gout와 비슷
  - 관절에 침착된 CPP crystal을 효과적으로 제거하는 치료법은 없음
  - 지속적인 synovitis 때는 antimalarial agents or MTX가 도움
  - 큰 관절의 진행성 파괴관절병 환자는 인공관절치환술이 필요할 수도 있음

Basic calcium phosphate (BCP) crystal arthritis

- BCP crystals ; carbonated hydroxyapatite (= calcium phosphate, **hydroxyapatite**^{HA)m/c}, octacalcium phosphate, tricalcium phosphate 등
  - 매우 작음 → MSU or CPP crystals과 달리 편광현미경(polarized microscopy)에서 보이지 않음
  - 골관절염 관절액의 약 50%에서 발견되지만, BCP 침착에 의한 질환 자체의 유병률은 잘 모름
- 임상양상
  (1) osteoarthritis with BCP crystals (m/c) ; 대부분 고령, 남<여
  - OA 환자의 무릎 관절액의 약 50%에서 BCP crystals 발견 → OA가 더 심하고 빨리 진행
  - 임상적으로는 typical OA와 구별 불가능
  (2) Milwaukee shoulder syndrome (MSS) ; 대부분 고령, 남<여
  - 어깨의 만성 관절염 및 기능 소실 (destructive arthritis), 무릎에서도 발생 가능
  - BCP crystals을 함유한 large, bloody, noninflammatory effusions
  (3) acute calcific periarthritis ; 대개 젊은~중년 여성
  - 관절주위 조직의 BCP crystals 침착 ; 어깨, hip, 손목, 발목, 손발가락 등 (effusion은 無)
  - risk factors (대부분은 無) ; ESRD (Ph↑ → secondary hyperparathyroidism), DM, thyroid dz., congenital hyperphosphatemia (*GLANT3* or FGF23 gene mutations) ...
  (4) acute inflammatory arthritis ; gout/pseudogout와 비슷 (pseudo-pseudogout로 불림)
  (5) diffuse idiopathic skeletal hyperostosis (DISH) ; 고령 남성, 흉추에 호발
  (6) systemic rheumatic dz. (e.g., scleroderma), CPPD dz., CKD (ESRD) 등에서도 동반 가능
- 진단
  (1) 관절액검사 ; WBC <2000/μ (mononuclear cells이 主), MSU or CPP crystals이 없음
     (BCP crystals의 확인은 EM, x-ray diffraction, infrared spectroscopy, Raman spectroscopy, Alizarin red S 염색 등으로만 가능하지만, 임상진단에는 대개 필요 없음)
  (2) 영상검사 (비특이적) ; intra/periarticular calcifications, erosive/destructive/hypertrophic 변화
- 치료 (conservative)
  - acute inflammatory arthritis or periarthritis → oral AAP (or NSAIDs, colchicine), 심하면 steroid (triamcinolone acetonide) 관절내 주사, 반응 없으면 tidal lavage
  - MSS의 large effusion → aspiration
  - 기저 calcium 및 phosphate 대사 이상의 교정 (e.g., ESRD)

6
전신홍반루푸스(SLE)

개요

- pathogenic autoAb & immune complex에 의해 세포와 조직이 손상을 받아 인체내 여러 장기에 병변을 일으키는 전신적인 만성 자가면역질환
- 유병률 약 100명/10만, 발생률 4~7명/10만/yr (우리나라 26.5명/10만, 2.5명/10만/yr)
- 남:여 = 1:9, 주로 가임 연령의 여성에서 호발 (15~40세), estrogen 때문?
  → 소아는 남:여=1:3, 노인은 남:여 = 1:8
- 원인은 모름, multifactorial

병인

1. 비정상적인 면역반응(autoimmunity)

- polyclonal & antigen-specific T & B lymphocyte hyperactivity
- 위의 hyperactivity의 inadequate regulation
- apoptosis 때 핵산 물질들이 세포 표면에 노출되어 autoAb를 생산하는 면역반응을 활성화
  ⇨ pathogenic autoAb & immune complex 생성

2. Autoimmunity 발생에 관여하는 인자들

(1) 유전적 소인
- 일란성 쌍생아에서 동시 발생 확률 14~57% (이란성 쌍생아는 3%)
- SLE 환자의 1차 친족 중에서 발생 확률 5~17배 (일반인의 30~100배 위험도)
- 여러 다양한 유전자들이 SLE 발생 위험 증가와 관련 (but, 다 합쳐도 전체 기여도는 18~24%)
  - HLA gene이 가장 흔히 관련 ; 특히 HLA-DR2, -DR3 → SLE 발생 위험도 2배↑
  - 드물지만 complement 관련 유전자가 SLE 발생 위험도는 최대 (5~25배↑)
    ; C1q, C4, or C2 deficiencies, *TREX1* gene (DNA repair에 관여) mutation 등
  - 기타 ; IFN-α pathways와 관련된 innate immunity genes (e.g., *IRF5, STAT4, TNFAIP3*), lymphocyte signaling과 관련된 genes (e.g., *BANK-1, PTPN22, OX40L, PD-1, LYN*) 등

(2) 성호르몬

- SLE는 대부분 초경~폐경 전 여성에서 발생
- sex hormones이 발생에 일부 역할을 하는 것으로 추정됨
  - estrogen 함유 피임약 및 HRT는 SLE 발생위험 약 2배↑, 초경이 빠른 경우도 ↑, 수유는 ↓
  - estrogen : thymocytes, CD8+ & CD4+ T cells, B cells, macrophages, 일부 cytokines (e.g., IL-1) 분비, VCAM 및 ICAM 발현 등을 자극
- 남성호르몬인 DHEA는 대부분의 SLE 환자에서 감소되어 있음

(3) 환경 요인

- UV-B (특히 피부 병변에 기여), 흡연, silica dust 등 (개를 키우는 경우도 SLE 발생 약간 증가)
- 감염 : 인체와 cross-reaction을 일으키는 면역반응 자극 가능 (e.g., EBV)
- 약물 : spontaneous lupus와 drug-induced lupus는 임상양상, autoAb가 다름
- SLE 환자는 일반인보다 약물(특히 항생제) 알레르기도 흔함
- 음주, 염색약, solvent, 살충제 등은 관련 SLE와 관련 없음

병리소견

1. 피부 병변

- dermal-epidermal junction (DEJ)의 Ig 침착
- basal keratinocytes 손상
- DEJ, 혈관주위, 피부부속기 등의 염증 (T lymphocyte가 主)

2. 신장 병변

- mesangium, subendothelial, subepithelial spaces에서 immune complexes (IC) 침착 or 형성 (→ complement activation), tissue macrophages의 활성화 → 신장 조직 손상
- ISN/RPS의 lupus nephritis (LN) 분류 (2004) → 신장내과 8장 참조
  ① class Ⅰ : mimimal mesangial LN
  ② class Ⅱ : mesangial proliferative LN
  ③ class Ⅲ : focal (<50%) proliferative LN
  ④ class Ⅳ : diffuse (≥50%) proliferative LN
  ⑤ class Ⅴ : membranous LN (GBM의 광범위한 비후)
  ⑥ class Ⅵ : advanced sclerotic LN
- class Ⅲ~Ⅴ는 면역억제치료의 대상 (∵ 치료 안하면 ESRD로 진행)

3. 혈관 병변

- SLE에 특이적인 소견은 없음
- 백혈구파괴 혈관염(leukocytoclastic vasculitis)이 m/c

임상양상

1. 전신증상

- 발열(>50%), 피곤(m/c, 80~100%), 권태(malaise), 식욕부진(anorexia), 체중감소 등
- 발열 ; active dz. (lupus flare)의 증상일 수 있음 (but, 다른 원인에 의한 발열과 감별 어려움)
    → NSAIDs, AAP, steroid 등에 반응이 없으면 다른 원인(e.g., 감염)을 의심

2. 장기특이증상

(1) 근골격계 증상 (95%)

- arthritis/arthralgias (76~100%); symmetric/migratory/polyarticular (대부분 ≥2개)
    - 대개 초기에 발생, 어느 관절에나 발생 가능하지만 PIP, MCP joint, wrist, knee 등에 호발
    - 조조강직(morning stiffness)은 짧음(<30분)
    - RA와 달리 이동성(migratory)이고, 골미란(erosion)과 관절변형은 드묾
    - joint effusions은 드묾, 대개 소량, 관절액은 투명하고 염증소견은 미미함(WBC <1000/μL)
- osteonecrosis (AVN, 5~10%) ; femoral head에 호발, 오랜 기간의 SLE 및 steroid 치료와 관련
- 근육통/근육압통/근력약화 (~70%) ; 심한 근력약화나 myositis (CK↑)는 드묾(7~15%)

(2) 피부점막 증상 (80~90%)

- 급성(acute cutaneous LE, ACLE) ; 30~60%, 대개 경계 불분명, 소양감 無, 코입술주름 침범×
    - malar rash ("butterfly rash") : 나비모양의 코 상부를 포함한 대칭성 발진 … 가장 특징적!
    - 기타 ; photosensitive rash, bullous lupus, toxic epidermal necrolysis, maculopapular rash
- 아급성(subacute cutaneous LE, SCLE) ; 7~27%, 주로 상체에 구진, 인설홍반, 환상홍반
- 만성(chronic cutaneous LE, CCLE)
    - discoid rash (m/c, 15~30%) ; 경계 비교적 분명, 가장자리 융기, 표면에 약간의 인설 有,
        얼굴, 귀 뒤, 귓바퀴, 두피, 목 등에 호발
    - 기타 ; 탈모(alopecia), hypertrophic (verrucous) lupus, lupus panniculitis
- 점막증상 (12~45%) ; 구강(m/c), 코, 항문, 생식기 등
        ↳ plaques, erythema, erosions, or ulcers (painless! ↔ Behçet와 차이)
    (구강궤양이 첫 증상일 수도 있지만, systemic dz. activity와 명확한 관련성은 없음)
- 혈관염 (11~36%) ; 두드러기, 자반, 손톱주름, 손가락 궤양, 홍반성 구진 등

(3) 혈액학적 증상 (85%)

- anemia (m/c) ; ACD (normocytic normochromic, m/c), IDA (약 1/3에서 철결핍 동반),
    hemolytic anemia (갑자기 발생 가능 ; AIHA (~10%), MAHA, TMA, TTP)등으로 발생 가능
                ↳ DAT(+), spherocytes   ↳ schistocytes
- leukopenia (50%) ; lymphopenia and/or secondary neutropenia, 대개 dz. activity와 비례
- thrombocytopenia ; 대부분은 mild, 약 10%만 <50,000/μL, 대개 ITP (SLE보다 선행 가능),
    drugs, splenomegaly, TMA, APS 등이 원인 일 수 있음
- lymphadenopathy (50%), splenomegaly (10~46%) … dz. flare가 흔한 원인

(4) 뇌신경 증상 (60%)

- CNS ; 인지장애(m/c), 두통, 발작, 정신병^{Psychosis} (steroid 유발 정신병과 감별해야!) ...
- 기타 ; peripheral neuropathies, movement disorders, cranial neuropathies, myelitis, meningitis

(5) 심혈관/폐 증상 (50%)

- 심장 ; pericarditis ± effusion (m/c, 25%), myocarditis, endocarditis, MI, arrhythmia ...
- 동맥경화성 혈관폐쇄 ; TIA, CVA, MI 등의 발생위험 증가 (일반인의 5~10배)
  - 위험인자 ; 고령, 남성, HTN, dyslipidemia, DM, aPL, dz. activity↑, steroid 누적용량↑
- Raynaud phenomenon (~50%)
- 폐 ; pleuritis ± pleural effusion (m/c), pneumonitis (pul. infiltrates), interstitial fibrosis, intraalveolar hemorrahge (폐혈관염 때문), pulmonary HTN ...
  (c.f., SLE 환자에서 pul. infiltrates의 m/c 원인은 infection 임)

(6) 신장 증상 : lupus nephritis (25~75%)

- proteinuria (m/c), hematuria (대부분 microscopic), 신기능 저하, HTN → 신장내과 8장 참조
- 심한 nephritis → aggressive immunosuppression으로 치료 (→ biopsy 필요!)
  - 위험인자 ; 지속적인 U/A이상, anti-dsDNA↑↑, circulating IC↑, anti-Ro (SS-A)↓, anti-Ra (SS-B)↓, complement↓
- 감염, 심혈관질환과 함게 SLE 사망의 주요 원인

(7) 위장관 증상 (~40%)

- dysphagia (m/c), epigastric pain, A/N/V/D 등 ··· 대부분은 약물 부작용 or 감염 때문
- esophagitis, intestinal pseudo-obstruction, protein-losing enteropathy, lupus hepatitis, acute pancreatitis, mesenteric vasculitis/ischemia, peritonitis 등 다양하게 발생/합병 가능

(8) 혈전색전증 (15%)

- 동맥혈전색전증(ATE)이 정맥혈전증(VTE)보다 약 2배 흔함, 대부분 antiphospholipid Ab와 관련
- antiphospholipid Ab : SLE의 30~40%에서 발견 → thrombosis 위험↑
  ↳ SLE with APS (2ndary APS) ; thrombocytopenia, recurrent venous or arterial thrombosis (e.g., DVT, PE, MI, CVA), recurrent fetal loss, valvular heart dz.

(→ 혈액종양내과 9장도 참조)

(9) 눈 증상 (15%)

- keratoconjunctivitis sicca (m/c, 2ndary Sjögren's syndrome), retinal vasculopathy (면화반)
- 기타 ; optic neuropathy, choroidopathy, episcleritis, scleritis, anterior uveitis 등은 드묾

* SLE에서의 major organ involvement
  ; glomerulonephritis, myocarditis, pneumonitis, CNS dz., TTP, 심한 hemolytic anemia, 심한 thrombocytopenia, mesenteric vasculitis ...
    → aggressive Tx (steroid + 면역억제제 ± plasmapheresis) 필요

* 질병악화(flare)의 유발인자 ; 감염, 신체적/정신적/정서적 스트레스, 햇빛(UV)에 노출, 수술, 임신, 약물(e.g., sulfonamide, oral contraceptive, penicillin) ...

검사소견

• 자가항체(autoantibody)의 출현 빈도는 임상증상 발현과 예후 인자 추적에 중요함

항체	빈도(%)	임상적 의미
ANA	98	진단에 가장 sensitive, 음성이면 SLE의 가능성 떨어짐
Anti-dsDNA	70	SLE에 specific (high-titer 일 때) Dz, activity, nephritis, vasculitis 등과 관련
Anti-Sm (Smith)	25	SLE에 specific (dz, activity와는 관련×), 대부분 anti-U1 RNP도 동반함
Anti-U1 RNP	40	SLE는 low~moderate titer (myositis, Raynaud, 덜 심한 lupus 등과 관련) Scleroderma, MCTD 등에서는 high titer
Anti-Ro (SS-A)	30	Sjögren's syndrome, subacute cutaneous lupus (SCLE), ANA(-) lupus, neonatal lupus & congenital heart block, 노인의 lupus 등과 관련 (nephritis와는 역관계)
Anti-La (SS-B)	10	대개 anti-Ro와 관련 (nephritis와는 역관계)
Antihistone	70	DIL와 관련(95%)
Antiphospholipid (aPL)	50	Recurrent abortion, venous & arterial thrombosis (e.g., DVT, 허혈성 CVA), thrombocytopenia, valvular heart dz. 등과 관련
Antineuronal	60	Active CNS lupus와 관련 (CSF)
Antiribosomal P	20	CNS lupus에 의한 우울증 또는 정신병과 관련
Antierythrocyte	60	Direct Coombs' test로 확인 (일부에서는 실제 용혈 발생)
Antiplatelet	30	Thrombocytopenia와 관련 있지만, sensitivity & specificity 안 좋음
RF	30	RA (SLE에서는 low titer)

• ANA (antinuclear Ab, 항핵항체) ≒ FANA (fluorescent ANA) test
  - best screening test : 가장 sensitive (95% 이상에서 양성)
  - specific하지는 않음 (다른 류마티스 질환 및 정상인 약 5%도 양성임)   → 1장 참조
  - ANA titer는 dz. activity와는 관련 없음! (SLE 치료 후에는 감소 가능)
  - SLE가 의심되나 ANA 음성인 경우 ⇨ anti-dsDNA, anti-Sm, anti-Ro 등 다른 자가항체 검사!
• anti-dsDNA Ab, anti-Sm Ab ⇨ SLE에 specific!

• 질병 활성도(dz. activity)와 관련있는 검사 ★ … 임상증상과 함께 판단해야 됨, 3~4개월마다 F/U
  - 일반검사 ; UA (혈뇨, 단백뇨, cellular cases), WBC↓, Hb↓, platelet↓, sCr↑, albumin↓ 등
  - ESR과 CRP도 일부 관련 (CRP는 acute SLE에서 대부분 정상, 감염이 동반시 증가 가능)
  - anti-dsDNA↑, complement (C3, C4, CH_{50})↓
    (c.f., anti-dsDNA 이외의 특정자가항체와 ANA 검사는 F/U 필요 없음)
  - SLE flare (특히 lupus nephritis) 관련 ; anti-dsDNA↑, complement↓ (특히 C1q), anti-C1q
  - 연구용 ; soluble IL-2, 말초혈액 세포에서 IFN-inducible gene expression, PD-L1-expressing
    neutrophils, B-cell activating factor (BAFF = BLyS: B lymphocyte stimulator),
    소변의 TNF-like weak inducer of apoptosis (TWEAK), neutrophil gelatinase-associated
    lipocalin (NGAL), monocyte chemotactic protein 1 (MCP-1) 등

• <u>antiphospholipid (aPL) Ab</u> 검사 ★
  ① lupus anticoagulant (LA) ; dilute Russel viper venom test (dRVVT), kaolin clotting time,
     aPTT or LA-sensitive aPTT ⋯ mixing test에서 교정 안 됨 & 과량의 인지질 첨가시 교정
  ② anti-cardiolipin (aCL) Ab ; IgG (혈전증과 가장 관련), IgM, IgA
  ③ anti-β_2-glycoprotein (GP) 1 Ab   → 혈액종양내과 9장도 참조

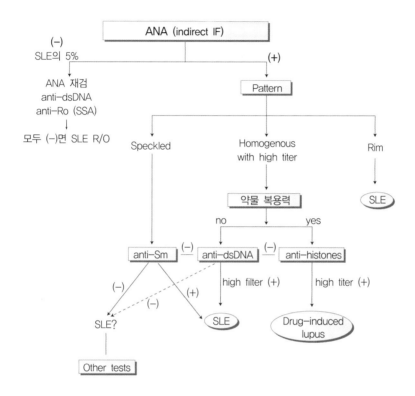

▶ 참고 : anti-dsDNA 항체 검사
  • ANA (+)이면서 SLE 진단기준에 약간 부족한 경우 anti-dsDNA, anti-Sm 항체 등을 검사함,
    (+)면 SLE 진단되나 (−)면 다른 자가항체검사검사(e.g., anti-ENA)를 고려
  • anti-dsDNA : SLE에 specific, <u>dz. activity</u> 및 <u>nephritis</u>, vasculitis와 관련

■ 검사방법
  (1) IFA (간접면역형광법; *Crithidia luciliae* IIF, CLIFT) : 과거에 흔히 이용됨, 반정량, ssDNA와는 반응×
  (2) RIA (Farr assay) : CLIFT보다 specific (but, ssDNA와도 반응), 정량, RIA라 현재는 거의 퇴출됨
  (3) EIA (e.g., ELISA, CLIA, IB) : 정량 & 자동화 가능, 현재 가장 sensitive & specific하여 주로 사용됨

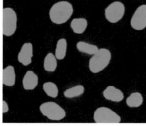

FANA 강양성 (homogeneous)

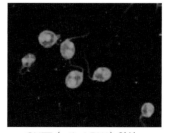

CLIFT (anti-dsDNA) 양성

진단기준

1997 ACR (American Rheumatism Association) ★	
1. 협부(뺨) 발진(malar rash)	협부(뺨)의 나비 모양 홍반
2. 원판상 발진(discoid rash)	Keratotic scaling이 붙어있고 follicular plugging을 동반한 융기된 홍반, 오래되면 위축성 반흔이 생길 수 있음
3. 광과민성(photosensitivity)	햇빛(UV)을 받으면 발진(rash) 발생
4. 구강궤양(oral ulcers)	Oral or nasopharyngeal ulcers (의사에 의해 확인된)
5. 비미란성 관절염 (nonerosive arthritis)	2개 이상의 peripheral joints 침범 (tenderness, swelling, or effusion 등이 특징)
6. 장막염(serositis)	Pleuritis, pleural effusion, pericarditis, pericardial effusion
7. 신장 이상	Proteinuria 0.5 g/day (or 3+) 이상 or cellular casts
8. 신경학적 이상	다른 원인이 없는 Seizures or Psychosis
9. 혈액학적 이상	Hemolytic anemia with reticulocytosis or Leukopenia (<4000/μL) or Lymphocytopenia (<1500/μL) or Thrombocytopenia (<100,000/μL) :원인이 될 만한 약물 복용력 없이
10. 면역학적 이상	Anti-dsDNA or Anti-Sm Ab or Antiphospholipid Ab [anticardiolipin Ab (+) or LA(+) or 매독검사(VDRL, RPR) 위양성]
11. 항핵항체(ANA) 양성	ANA 양성을 일으킬 수 있는 약물의 복용력이 없어야 함

* 4개 이상의 criteria 만족시 SLE 진단

SLICC (Systemic Lupus International Collaborating Clinic) criteria (2012)

Clinical criteria (11개)

Acute cutaneous lupus ; malar rash, bullous lupus, toxic epidermal necrolysis, maculopapular rash, photosensitive rash, OR subacute cutaneous lupus

Chronic cutaneous lupus ; classic discoid rash, hypertrophic (verrucous) lupus, lupus panniculitis, OR discoid lupus/lichen planus overlap

Nonscarring alopecia ; 광범위하게 얇은 or 눈에 띄게 손상된 머리카락

Oral or nasal ulcers ; vasculitis, Behçet syndrome, infection 등 다른 원인이 없이

Joint disease ; 2개 이상 관절의 활막염(synovitis: swelling or effusion), OR 2개 이상 관절의 압통 & 30분 이상의 아침경직(morning stiffness)

Serositis ; pleurisy (1일 이상), pleural effusions, or pleural rub, OR pericardial pain (1일 이상), effusion, rub, or 심장초음파로 확인된 pericarditis

Renal ; spot urine protein/creatinine ratio (or 24hr urine protein) >500 mg/day, OR RBC casts

Neurologic ; seizures, psychosis, mononeuritis multiplex, myelitis, peripheral/cranial neuropathy, OR acute confusional state

Hemolytic anemia
Leukopenia or lymphopenia ; WBC <4000/μL or lymphocyte <1000/μL
Thrombocytopenia ; platelet <100,000/μL (모두 다른 원인들 없이)

Immunologic criteria (6개)

ANA

Anti-dsDNA

Anti-Sm

Antiphospholipid
(LA 양성 or RPR 위양성 or anticardiolipin Ab 양성 or anti-β_2-GPI Ab 양성)

Low complement
(C3↓, C4↓, or CH50↓)

Direct Coombs test
(용혈빈혈이 없으면서 양성)

■진단
4개 이상의 criteria 만족
(임상기준과 검사기준은 각각 최소 1개 이상)
OR
ANA or anti-dsDNA Ab 양성이면서, 조직검사에서 lupus nephritis 확진

- 1997 ACR 기준 ; 특이도(96%)는 높지만 민감도(84%)가 낮음, complement 누락
  다양한 피부 증상 누락, malar rash와 photosensitivity가 중복 가능, 신경 증상 부족 등 문제
- 2012 SLICC 기준 ; 민감도(97%)는 높지만 특이도(83%)가 낮음, 항목별 가중치 없음

2019 EULAR/ACR classification criteria for SLE ★

Entry criteria

Antinuclear antibodies (ANA) titer ≥1:80

+ Additive criteria : 최소 1개 이상의 clinical criteria & 총점 10점 이상이면 SLE로 진단

Clinical domains (7개) & criteria	점수
Constitutional	
Fever (>38.3℃)	2
Hematologic	
Leukopenia	3
Thrombocytopenia	4
Autoimmune hemolysis	5
Neuropsychiatric	
Delirium	2
Psychosis	3
Seizure	5
Mucocutaneous	
Nonscarring alopecia	2
Oral ulcers	2
Subacute cutaneous *or* discoid lupus	4
Acute cutaneous lupus	6
Serosal	
Pleural *or* pericardial effusion	5
Acute pericarditis	6
Musculoskeletal	
Joint involvement	6
Renal	
Proteinuria >0.5 g/day	4
Renal biopsy Class II *or* V lupus nephritis	8
Renal biopsy Class III *or* IV lupus nephritis	10

Immunologic domains (3개) & criteria	점수
Antiphospholipid antibodies	
Anti-cardiolipin (aCL) Ab *or*	
anti-β$_2$-GPI Ab *or*	
Lupus anticoagulant (LA)	2
Complement proteins	
Low C3 *or* low C4	3
Low C3 & low C4	4
SLE-specific antibodies	
Anti-dsDNA Ab *or*	
Anti-Smith Ab	6

* 각 domains에서는 가장 높은 점수 하나만
  총점에 계산함

* 각 criteria는 한 번 이상 발생했으면 충분함,
  동시에 나타나지는 않아도 됨

* Clinical criteria의 정의(내용)은 SLICC와 비슷함

▷ ANA를 진입 기준으로 사용, 각 항목에 가중치
  반영, 계층 구조적으로 영역 구분
  → 기존 기준들보다 민감도 & 특이도 향상

c.f.) global dz. activity 및 손상 정도를 평가하는 여러 scoring systems도 있음

1) dz. activity 평가 ; Systemic Lupus Erythematosus Disease Activity Index-2K (SLEDAI-2K), Revised Systemic Lupus Activity Measure (SLAM-R), European Consensus Lupus Activity Measurement (ECLAM), British Isles Lupus Assessment Group-2004 (BILAG-2004)

   c.f.) 여러 장기-특이적 증상들이 지표에 사용되며, 검사로는 CBC, U/A, anti-dsDNA titer, complement (C3, C4, CH50), hemolytic anemia 소견, Coombs test 등이 사용됨

2) 손상정도 평가 (damage index) ; Systemic Lupus International Collaborating Clinics American College of Rheumatology Damage Index (SLICC/ACR-DI)

치료

: 완치는 불가능함, 급성증상 경감 및 만성합병증 예방이 치료 목표 (관해 or 낮은 dz. activity 유지)

1. 일반 원칙

- 햇빛(UV)에 노출되지 않도록 하고(e.g., 자외선차단제, 모자), photosensitizing drugs를 피함
- 금연, 균형 잡힌 식사, 칼슘과 vitamin D 보충, 규칙적인 운동, 충분한 휴식
- sulfonamide, penicillin, 경구피임약(estrogen) 등은 피함
- 예방접종 ; influenza 백신, pneumococcal 백신 등
- 치과 및 기타 invasive procedure 시에는 예방적 항생제 투여
- 무증상의 serologic tests (+) 환자는 치료할 필요 없다

* unexplained fever → SLE에 의한 것인지 다른 원인(감염 등)에 의한 것인지
　　　　　　　　　　　　evaluation 먼저 해야! (e.g., 흉부 X선, CBC, 배양검사 등)

2. 내과적 치료

Mild disease 예	Severe disease 예 ★	
Fever Arthritis Rash Fatigue Headache Mild serositis 　(pleuritis, pericarditis)	Steroid에 흔히 반응	Heart ; Coronary arteritis, Myocarditis, Cardiac tamponade Lung ; Pulmonary HTN, Alveolar hemorrhage, ILD Renal ; Proliferative GN (class Ⅲ, Ⅳ) CNS ; 뇌전증, 급성혼동, 척수염, 정신병, 신경염, 탈수초질환 GI ; Mesenteric vasculitis, Pancreatitis Polymyositis, Necrotizing vasculitis AIHA, TTP, Severe cytopenias (WBC <1000, platelet <5만)
	Steroid에 흔히 반응×	Thrombosis, ESRD, Membraneous GN (class Ⅴ), SLE와 직접 관련이 없는 정신병(e.g., steroid-유발 정신병)

(1) Mild disease (약 25%)

- NSAIDs
  - fever, headache, myalgias, arthralgias, arthritis, serositis 등의 증상 경감
  - 일반인에 비해 약물 부작용(e.g., NSAID-induced aseptic meningitis, AST-ALT↑, HTN, 신부전, MI) 발생 위험은 높지만, 증상 조절에 효과적이므로 사용함 (70% 이상이 사용)
- antimalarials (e.g., hydroxychloroquine [HCQ]국내有 or chloroquine)
  - 증상 조절에 효과적이고, SLE의 악화 지연, flare↓, thrombosis↓ 등의 효과 → survival↑
    → 금기가 아닌 한 모든 SLE 환자에게 투여 (non-organ-threatening SLE의 80%가 관해됨)
  - 망막 부작용 발생 위험이 있으므로, 반드시 매년 안과검사를 받아야 됨
- 반응이 없으면 low-dose glucocorticoids
  → 대개 steroid-sparing 면역억제제(e.g., azathioprine, methotrexate)도 필요하게 됨
  → 반응이 없으면 MMF or belimumab (anti-BLyS/BAFF) [Benlysta®] 추가한 병합요법

> ■ **Belimumab** : BLyS (=BAFF)를 억제하는 mAb (SLE에 허가된 첫 번째 biologic agents)
> ⇨ 면역억제제 포함 기존 치료에 반응 없는 피부 및 관절 침범에 사용 (severe SLE는 아직 연구 부족)

(2) Severe (life/organ-threatening) disease ⇨ 고강도 면역억제치료

- 특히 active nephritis, CNS dz., or systemic vasculitis의 경우
- <u>high-dose glucocorticoids</u>가 기본! (24시간 이내에 효과)
  - oral prednisone 0.5~1 mg/kg/day (*or* IV methylprednisolone 0.5~1 g/day 3일 이후 oral)
  - 단기간(4~6주) 투여 이후 빨리 tapering, 이후 low-dose 유지요법 필요 (대개 몇 년 동안)
  - acute ill lupus (proliferative GN 포함) : IV pulses of methylprednisone
- 면역억제제 ··· severe SLE에서 steroid에 추가해 사용
  - <u>cyclophosphamide</u> or <u>MMF</u> : induction therapy (치료 시작 3~16주 이후부터 효과)
    ↳ cyclophosphamide보다 독성 낮음, proliferative GN에서 1차 약제로 사용
  - MMF or azathioprine : 대개 maintenance therapy에 사용 (∵ induction만 하면 재발↑)
  - 반응하지 않는 것 ; 응고장애, 일부 행동장애, 말기 GN (glomerulonephritis)
- 반응 없으면 calcineurin inhibitors[CNI] (e.g., cyclosporine) or rituximab (anti-CD20 Ab) 고려
  - rituximab : relapsed/refractory lupus nephritis에서 약 70% 효과, AIHA/ITP에도 효과적
  - cyclosporine : membranous GN, refractory 피부병변, BM hypoplasia 때 고려
- plasmapheresis
  - pathogenic Ab와 immune complexes를 직접 제거 → 매우 심한 경우에서 단기간 효과
  - 근거는 부족하지만 일부 환자에서 효과적 ; TTP, cryoglobulinemia, neuromyelitis optica, pulmonary hemorrhage, hyperviscosity syndrome 등

* 연구 중인 치료법 (주로 biologic therapy)
- IFN-α inhibitors ; <u>anifrolumab</u> (anti-IFNAR [IFN-α receptors])
  ↳ 최근 임상 3상 시험을 통과하여 만약 허가되면 belimumab과 경쟁 예상
- B lymphocytes 억제 ; <u>TACI</u>-Ig (atacicept), blisibimod (selective BAFF antagonist),
  (Transmembrane Activator and CAML [calcium-modulator and cyclophilin ligand] Interactor)
  obinutuzumab (anti-CD20 mAb) ...
- anti-JAK/STAT or tyrosine kinases (e.g., baricitinib, ustekinumab), anti-IL-6 Ab (e.g., sirukumab), anti-IL-6R[receptor] Ab (e.g., tocilizumab), T-cell costimulation blocker (e.g., abatacept : anti-CTLA4-Ig fusion protein) 등 biologic DMARDs의 활용도 연구 중
- voclosporin (novel calcineurin inhibitor[CNI]), low-dose IL-2 (→ regulatory T cells↑)

3. 각 증상에 따른 Specific Tx.

- **Fever, fatigue** 등 ; NSAIDs → antimalarials → low-dose steroids
- **Arthralgia/Arthritis** ; NSAIDs (or acetaminophen) → antimalarials → low-dose steroids
  - → methotrexate (or methotrexate 금기면 leflunomide)
  - → 3~6개월 뒤에도 반응 없으면 azathioprine → 반응 없으면 belimumab
- **Skin rashes** ; sunscreens (SPF ≥30) 및 <u>topical steroids</u> (e.g., fluocinolone, clobetasol)
  - → topical CNIs (e.g., pimecrolimus cream, tacrolimus ointment) ··· steroid-induced atrophy 부작용 위험시에도 유용함 (장기간 사용 가능)
  - → intralesional corticosteroid injections
  - → systemic agents (antimalarials)

    * 반응 없으면 (refractory cutaneous LE) ; methotrexate

      (methotrexate를 사용할 수 없거나 반응 없으면 retinoids, MMF, dapsone)

        → 반응 없으면 thalidomide, IVIG

- Oral ulcers ; topical steroids or CNIs 등 (이후 skin rash 치료와 동일)
- Raynaud phenomenon → 7장 참조

• Serositis (e.g., pleuritis, pericarditis) ; NSAIDs (e.g., naproxen) ± antimalarials

    → oral steroids (low~moderate) / active SLE에서 심하게 동반되면 다른 면역억제제들

- Myocarditis ; high-dose steroids + cyclophosphamide + antimalarials
- Nonbacterial thrombotic endocarditis (NBTE) ; 항응고제(heparin) + 기저 SLE 치료
- Acute lupus pneumonitis ; high-dose ssteroids + 면역억제제(e.g., cyclophosphamide, rituximab, IVIG) + 광범위항생제
- Pulmonary hemorrhage ; high-dose steroids + 면역억제제(e.g., cyclophosphamide, rituximab, MMF, azathioprine) ± plasma pheresis (exchange)

• Renal disease ; high-dose ssteroids + cyclophosphamide (or MMF) / class V는 ± cyclosporine

• CNS disease ; high-dose steroids + cyclophosphamide (± MMF) ± antiepileptic drug (AED)

• Thrombocytopenia/AIHA ; steroids → anti-CD20 mAb (rituximab, ofatumumab), MMF, danazol, IVIG 등 → splenectomy

• Antiphospholipid Ab syndrome (APS) ; thrombosis 병력 → 평생 항응고제(warfarin) 치료 필요

- venous thrombosis 한번 → INR 2.0~2.5 유지
- recurrent venous thrombosis or arterial thrombosis (특히 CNS) → INR 3.0~3.5 유지

• Coronary heart disease (CHD) ⋯ 일반인보다 동맥경화에 의한 심뇌혈관질환 발생 위험 5~10배

- 전통적인 위험인자도 흔하지만, active SLE 및 steroid 치료도 CHD의 강력한 위험인자임
- 예방/치료는 비슷함 ; 금연, 운동, lipid 조절, 혈압 조절, low-dose aspirin, steroid↓ 등

    (c.f., hydroxychloroquine은 thrombosis↓, lipid 개선, DM↓ 등으로 CHD 예방 효과 有)

- 혈압조절 : DM or CKD 수준으로 강력하게 조절 권장 (<130/80 mmHg)
- 항고혈압제는 동반 질환에 따라 선호될 수 있음 ; Raynaud phenomenon → CCB (nifedipine), 신장질환 → ACEi or ARB 등

■ 임신과 SLE

• 임신율/수정률(fertility rate)은 거의 정상임! (남녀 모두)

• miscarriage (유산, 사산)↑ (2~3배) : dz. activity↑, aPL (특히 aCL), HTN, nephritis 등 때

• 조산(premature delivery)도 증가 (50%↑), preeclampsia 위험도 일반인보다 4~6배 증가

• 임신 전 위험도 평가

- dz. activity, 주요 장기 침범 여부, hypercoagulability, 동반 질환, 과거 임신력 등 평가

    (e.g., CBC, 신기능, 간기능, 폐기능, 심혈관계, anti-dsDNA, complement)

- active SLE (특히 nephritis) → 6개월 이상 관해를 이룬 뒤로 임신 연기 권장
- antiphospholipid Abs (aPLs) 및 anti-Ro/SSA, anti-Ra/SSB 검사도 필수임

        ↳ neonatal lupus & congenital heart block과 관련

- 임신시의 약물 안전도
  - 안전(A) ; prednisone/prednisolone (∵ 태반 효소에 의해 불활성화)
  - 동물실험에서 위험(C) ; betamethasone, dexamethasone, cyclosporine, tacrolimus, rituximab
  - 기형 위험(D) ; antimalarials, ACEi, azathioprine, cyclophosphamide, MMF
    → 사용에 의한 이득이 더 크면 사용 가능
  - 금기 ; methotrexate, warfarin (mechanical heart valve 때만 사용 가능)
- SLE 임산부의 치료
  ① 모든 임산부에서 hydroxychloroquine^{HCQ} (∵ flare↓), low-dose aspirin (∵ preeclampsia↓)
    - 합병증 과거력 없는 aPL(+) 임산부는 HCQ + aspirin 치료가 혈전 및 사산 예방에 도움
    - 합병증(유산, 사산 등) 과거력 있는 aPL(+) 임산부는 추가로 heparin (e.g., LMWH)도 투여
      ⇨ <u>low-dose aspirin + heparin</u> (분만 후 4~6주까지 투여 → 모유 수유 끝나면 warfarin으로 대치)
  ② 기타 선택적 사용 가능 약물 ; NSAIDs, steroids, azathioprine, cyclosporine, tacrolimus 등
    - NSAIDs ; 1st trimester의 안정성은 논란, 이후 ~30주까지는 괜찮음, 30주 이후는 금기
    - cyclophosphamide, MMF, MTX, leflunomide, ACEi/ARB 등은 금기임
  c.f.) 임신 중 steroid (주로 betamethasone) 노출의 부작용 ; low birth weight, CNS anomaly, adult metabolic syndrome↑ 등 (→ 가능하면 prednisone/prednisolone 저용량 단기간 사용)

■ Neonatal lupus

- SLE 임신부의 약 30%에서 anti-Ro/Ra Ab (+)
- anti-Ro/Ra Ab (+) 산모의 1~5%에서 neonatal lupus 발생 (∵ 태반을 통과)
- UV 노출 뒤 특징적 skin rash 발생, skin rash는 수개월 내에 사라지고 이후 재발은 드묾
- congenital heart block (CHB) : 드묾(~2%), <u>anti-Ro/La</u>, HLA-DR3인 산모와 관련
- anti-Ro/La (+)면 주의 깊게 태아 심박수 monitoring, 심초음파 등 시행 (위험하면 즉시 분만)
- 산전 검사 중 neonatal lupus (e.g., CHB ; PR interval↑)가 의심되면 태반을 통과할 수 있는 dexamethasone, betamethasone 등을 사용하고 간헐적인 plasmapheresis 고려

예후

- 생존율 ; 2YSR 90~95%, 5YSR 82~90%, 10YSR 71~85%, 20YSR 63~75%
- 예후가 나쁜 경우
  ① serum creatinine 상승 (>1.4 mg/dL), NS (24hr urine protein >2.6 g)
  ② HTN (→ 적극적으로 치료해야)
  ③ 심한 CNS 침범
  ④ hypoalbuminemia, hypocomplementemia, antiphospholipid Ab
  ⑤ anemia, thrombocytopenia
  ⑥ 남성, 흑인, 낮은 사회경제적 지위
  ⑦ 발병 연령이 낮거나 높을 때, 발병에서 진단까지의 기간이 길 때
  ⑧ high overall disease activity

- 사망 원인
    ① ~10년 : systemic dz. activity (e.g., CNS dz., renal dz.), infection (∵ 면역억제)
    ② ~20년 : thromboembolic event (동맥경화성 심혈관질환), 치료 부작용, ESRD
  c.f.) 악성종양 위험도 전반적으로 약간 증가되지만(e.g., NHL, 자궁경부암, 방광암),
        암검진 프로그램은 일반인과 동일하게 함

DRUG-INDUCED LUPUS (DIL)

1. 원인

Drugs Risk	High~Moderate	Low	Very low
Antiarrhytmics	<u>Procainamide</u> Quinidine		Disopyramide Propafenone
Antihypertensives	<u>Hydralazine</u>	Methyldopa Captopril Acebutolol	Enalapril, Clonidine Atenolol, Labetalol Pindolol, Minoxidil, Prazosin
Antithyroidals		Propylthiouracil	
Antibiotics	<u>Isoniazid</u> Minocycline		Nitrofurantoin
Anti-inflammatories		D-Penicillamine Sulfasalazine	Phenylbutazone
Diuretics			Chlorthalidone Hydrochlorothiazide
Antipsychotics		Chlorpromazine	Perphenazine, Phenelzine Chlorprothixene Lithium carbonate
Anticonvulsants		Carbamazepine	Phenytoin, Trimethadione Primidone, Ethosuximide
Miscellaneous			Lovastatin, Levodopa Aminoglutethimide α-IFN, Timolol eye drops

2. 임상양상

- 원인 약물을 대개 수개월~수년 복용시 발생 (일반적인 약물 부작용과의 차이)
- 흔한 증상 ; 발열, 관절통, 근육통, 관절염, rash, 심장과 폐의 염증(serositis) 등
  - 대부분 mild, 혈액학적 이상이나 심한 증상(e.g., 신장, CNS 침범)은 드문 편임
  - 원인 약물의 종류에 관계없이 증상은 비슷한 편임. 원인 약물을 계속 복용하면 악화
- 검사 소견 ; ANA, anti-histone Ab가 대부분에서 (+)
  - spontaneous SLE에서도 anti-histone Ab는 양성일 수 있음 (not specific)
  - 예외 ; quinidine은 대개 ANA (-), hydralazine의 2/3는 anti-histone Ab (-)

- DIL을 일으키는 대부분의 약물은 spontaneous (idiopathic) SLE 환자에서 안전하게 사용 가능
- spontaneous SLE 환자에서 DIL 발생위험이 더 증가하지는 않음

SLE와 DIL의 차이

		Idiopathic SLE	Drug-Induced Lupus
발생연령		20~40대	50대
남:여		1:9	1:1
민족		모든 민족	흑인에선 드묾
Acetylation type		Slow = fast	Slow
증상 발생		서서히	급격히
전신증상(fever, malaise, myalgia)		~95%	~50%
관절염/관절통		~95%	~95%
흉막염/심장막염		~60%	~50%
피부발진	DIL에선 드묾	50~80%	10~30%
신장침범(U/A 이상)		30~50%	0~5%
CNS 침범		~60%	0~2%
혈액학적 이상		~85%	0~33%
자가 항체	ANA	95~98%	95~100%
	Anti-dsDNA	50~80%	<5%
	Anti-Sm	20~30%	<5%
	Anti-histone	60~80%	90~95%
	Anti-Ro/SSA	30~40%	자료부족(70~90%)
	Anti-RNP	40~50%	20%
	Complement	↓(40~65%)	정상
	Coombs test (+)	18~65%	0~33%

3. 치료

- 원인 약물의 중단 → 대부분의 환자는 몇 주 내에 증상 회복
  (ANA는 바로 감소하기 시작하나, 수년간 지속될 수도 있음)
- NSAIDs, 피부 병변에는 topical steroids
- 이후의 치료는 idiopathic SLE와 비슷함 ; 단기간 antiamarials, 심하면 oral steroids
  c.f.) 전형적인 경우들과 달리 hydralazine-induced vasculitis는 ANCA-positive vasculitides처럼 면역억제제 치료가 필요한 경우가 많음

7
전신경화증(Systemic Sclerosis, SSc)

개요

- 피부와 내부장기(e.g., 위장관, 폐, 심장, 신장) 등 전신의 섬유화(fibrosis)와 vascular dysfunction이 특징인 만성 염증성질환으로 복잡하고 다양한 임상양상을 보임
- 크게 2 forms으로 분류
  ① 제한 전신경화증(limited SSc/scleroderma, 80%) : 얼굴과 사지말단에 국한된 scleroderma, 대개 혈관증상이 현저함(e.g., Raynaud's phenomenon, mucocutaneous telangiectasia, PAH), 흔히 CREST syndrome 동반, 예후 좋음 (∵ 신부전과 ILD가 발생 안 함)
    - limited = CREST syndrome (Calcinosis, Raynaud's phenomenon, Esophageal dysmotility, Sclerodactyly, Telangiectasia)
    - digital ischemia와 pul. HTN은 오히려 diffuse보다 흔함
  ② 광범위 전신경화증(diffuse SSc/scleroderma, 20%) : 사지근위부와 몸통에도 scleroderma 발생, tendon friction rubs이 특징, 진행이 빠르고 신장 등의 내부 장기 침범이 더 심함
- systemic sclerosis sine scleroderma : 레이노 현상 및 다른 SSc 증상은 있지만 피부 증상은 없는 것
- systemic sclerosis with overlap syndrome : SLE, RA, PM, SS 등 다른 류마티스질환을 동반한 SSc

c.f.) localized scleroderma : 내부 장기의 침범 없이 피부에만 경화증이 발생한 경우
  - 반상경피증(morphea)^m/c, 선상경피증(linear scleroderma), 선국소경피증(*en coup de sabre*) 등
  - 전신경화증(SSc)으로 진행은 매우 드묾 → 수명 거의 정상

* 역학
  - 매우 드묾 ; 발병률 8~56명/100만, 유병률 38~340명/100만
  - 35~50세에 호발 (나이가 들수록 증가), 남:여 = 1:4.6 (우리나라는 1:9)
  - 여성 ; limited SSc 더 많음, 좀 더 어림, 말초혈관질환↑, ILD 더 심하고 심혈관합병증↑

* 병인(pathogenesis)
  - 유전적 소인 (다른 질환보다 덜 중요), 감염 (불명확), 직업/환경요인 (e.g., vinyl chloride, silica, epoxy resins, aromatic hydrocarbons, 유기용제, 용접연기), microchimerism

  ┌ diffuse <u>microangiopathy</u> (m/i) ; endothelial cell injury, vascular occlusion, hypoxia
  └ 염증 & 자가면역 ; T cell & macrophage 활성화, autoAb, cytokines (e.g., TGF-β)
  ⇨ fibroblast 활성화 (collagen 등 세포외간질단백의 과다생산 및 축적)
  ⇨ visceral & vascular fibrosis

임상양상

임상양상	Limited SSc	Diffuse SSc
Raynaud 현상 발생	피부 침범보다 선행,	피부 침범과 비슷하게 발생,
Severity	심함	대개 mild
Ischemic digital ulcers	50%	25%
초기 증상	Raynaud 현상	손가락부종, 관절통(>90%)
		Raynaud 현상, 장관 증상
피부 침범	90%	100%
침범(경화) 범위	손, 얼굴	사지 전체, 체간, 얼굴
침범 속도	느리고 경미함	처음 2년 동안 빨리
모세혈관확장증(telangiectasia)	80~85%	30~40%
피하 석회증(calcinosis)	45~50%	5~10%
인대마찰음(tendon friction rub)	<1%	60%
근육병증(myopathy)	5	50
내부장기 침범		
위장관	70% (초기)	90% (초기)
폐	60% (말기)	70% (초기)
	폐동맥고혈압(PAH)이 흔함	Fibrosis, ILD가 흔함
심장	50% (말기, CHF는 드묾)	50% (초기)
신장	매우 드묾	10~15% (초기)
Anticentromere Ab	~40%	2%
Anti-topoisomerase 1 Ab	~10%	~40%
Anti-RNA polymerase III Ab	~5%	~25%
5YSR/10YSR	90%/75%	70%50%

1. 레이노 현상 (Raynaud's phenomenon, RP)

- 거의 모든 SSc에서 발생, limited SSC에서 가장 먼저 나타나는 증상, 몇 년 뒤에 다른 증상 발생
  (diffuse SSc 일부에서는 피부 경화가 시작된 이후에 RP가 발생하기도 함)
- 정의 : 추위나 심리적 스트레스에 노출시 vasospasm에 의해 손/발가락 끝이 가역적 피부색 변화를
  보이는 것 (pallor → cyanosis → 따뜻하게 해주면 rubor), 주위 정상 피부와 경계가 명확함
  - 회복되면서 통증, 저림, 감각저하, 움직이기 불편함 등이 동반됨
  - 손가락의 일부 or 전체를 침범하지만, 손 전체에 생기는 경우는 드묾 (때때로 코, 귀에도 발생)
- primary RP ; 다른 원인이 없음, 과장된 생리적 vasoconstriction 반응으로 생각됨
  - 유병률 3~5%, 대개 15~30세에 발병 (이후 전 연령에서 꾸준하게 발병), 남<여, 가족력 흔함
  - 혈관의 구조적 이상 無, 허혈성 조직 손상(e.g., ulcer, necrosis)으로 진행 안함
- secondary RP ; SSc를 비롯한 여러 류마티스질환 등의 원인이 동반된 경우
  - primary보다 발병 연령 약간 늦음 (30세 이후)
  - 증상 지속시간 및 통증 더 심함, 허혈성 조직 손상(e.g., ulcer, necrosis, scar) 발생 가능
  - 손톱주름 모세혈관경(nailfold capillary microscopy, NFC) ; 확장, 불규칙, 출혈, 무혈관 부위 등

- ANA, anti-centromere Ab 등의 자가항체가 양성일 수 있음
- 향후 systemic sclerosis의 발생이 증가하는 경우
  ① ANA 양성
  ② <u>nailfold capillary microscopy (NFC) 이상</u> … SSc의 진단기준 중 하나
  ③ 기타 ; ESR↑, digital pitting ulcer, 내부 장기 침범, 흔한 attacks, 여성

■ Secondary Raynaud's phenomenon의 원인

1. 류마티스/자가면역질환 ; <u>Scleroderma</u> (90%), <u>MCTD</u> (80%), SLE (30%), PM/DM (20%), RA (10%)
2. Occlussive arterial dz. ; atherosclerosis, emboli, thrombosis, thromboangiitis obliterans, vasculitis, Buerger's dz, pul. HTN …
3. Neurovascular compression ; carpal tunnel synd., shoulder-hand syndrome, thoracic outlet (scalenus anticus & cervical rib) syndrome …
4. Hyperviscosity/혈액질환 ; cryoglobulinemia, cold agglutinins, MGUS, MPN, leukemia, POEMS syndrome
5. 내분비질환 ; Hypothyroidism
6. Drug/toxin ; sympathomimetic drugs, β-blocker, ergotamine, methysergide, bleomycin, cisplatin, vinblastine, IFN, nicotine, cocaine, vinyl chloride …
7. 외상 ; vascular injury, previous cold injury, vibration, electric shock
8. 직업 ; 타이피스트, 피아니스트, 암박굴착공, 벌목공, 연마공, 공기해머공 …

Primary와 Secondary Raynaud's phenomenon의 비교

	Primary (idiopathic)	Secondary
침범 범위	대개 모든 손가락	흔히 한 손가락에서 시작
증상	Mild~moderate	Moderate~severe
Emotional stress에 의한 발작	○	○
Vasculopathy, Ischemic injury	×	○
Finger edema, Periungual erythema	드묾	흔함
다른 vasomotor Sx. (e.g., migraine)	○	×
Nailfold capillary microscopy ★	정상	확장, 구불구불, 탈락
Autoantibodies (+)	드묾	흔함
ESR	대개 정상	↑

2. 피부 증상 (m/c, 90~100%)

- ┌ limited SSC : <u>Raynaud's phenomenon</u> 발생 몇 년 뒤에 발생 (얼굴과 사지말단에만!)
- └ diffuse SSc : RP가 발생하면서 수 주 ~ 수개월에 걸쳐 피부경화가 전신적으로 빠르게 진행
- 피부 변화는 손가락/손에서 시작, distal → proximal로 진행 / distal에서 심함
- 초기(염증기) ; 손/손가락 붓고(<u>puffy fingers</u>), 피부건조, 홍반(erythema), 가려움, 통증, 주름↓
  ⇨ 진행성 피부 섬유화 (수년 동안 지속) ; 피부 경화증 (피부가 굳어지고, 두꺼워짐)
  ⇨ 피부 위축 ; 얇아지고 굳어진 피부가 섬유화된 피하조직에 부착되어 손가락의 flexion contracture를 일으킴(<u>sclerodactyly</u>^{가락피부경화증}), 뼈가 튀어나온 부위(e.g., 손가락 끝, DIP와 PIP)에서는 <u>ulcer</u> 발생 가능, 손가락 끝 허혈괴사 부위는 치유되면서 오목해짐(pitting)
- 얼굴의 변화 ; 피부주름 소실, 얼굴 표정이 굳어짐, 코는 부리 모양(beak-shaped nose), 입을 크게 벌리기 어려움(microstomia), 입가의 방사상 주름(radial furrowing),

입술이 얇아지고 입이 '쥐 모양'처럼 변함(→ 특징적인 "mousehead [mauskopf] appearance")
- hyperpigmentation or depigmentation ("salt and pepper") ; 두피, 등, 가슴에 심함
- mucocutaneous telangiectasia (모세혈관확장증) ; limited SSc에서 흔함
- subcutaneous calcification ; 오래 지속된 anti-centromere Ab(+) limited SSc에서 흔함

3. 근골격계 증상

- polyarthralgia ; 손가락과 무릎의 pain, swelling, stiffness (1/2 이상에서)
- 인대마찰음(tendon friction rubs) ; 주로 diffuse SSc에서, 손가락, 손목, 팔꿈치, 무릎, 발목에 흔함
- 과도한 섬유화 → carpal tunnel syndrome, 관절운동↓(→ 근육위축), 관절구축(contracture) ...
- muscle atrophy (sarcopenia), muscle weakness, myopathy

4. 위장관 침범 (2nd m/c, ~90%)

(1) oropharynx (~25%) ; 입/혀의 경화로 씹기/삼키기 어려움 → oral leakage, retention, aspiration

(2) esophagus (50~80%) ; 흔하지만, ~30%는 무증상
- 식도 하부 2/3을 침범 → peristaltic wave (−) or amplitude↓
- dysmotility → dysphagia (특히 solid food에 대해)
- GERD (LES pr.↓), peptic esophagitis, Barrett's metaplasia ...

(3) stomach (식도와 소장 침범보다는 드묾)
- gastroparesis가 흔함 ; gastric emptying time 연장
- GAVE (gastric antral vascular ectasia) : "watermelon stomach", GI bleeding 반복

(4) small & large intestines (20~60%)
- hypomotility → bloating Sx, abdominal pain (pseudoobstruction)
- malabsorption syndrome (∵ bacterial overgrowth에 의해) → diarrhea
- chronic constipation, bowel obstruction, incontinence

5. 폐 침범 (3rd m/c, ~80%)

- 환자의 ~80%에서 동반 (GI 다음으로 흔함), SSc가 많이 진행되어야 증상 발생
- 예후와 관련 깊으며, SSc의 m/c 사망 원인 (c.f., 과거에는 신장 침범이 m/c 사인)

(1) interstitial lung disease (ILD)
- ILD & pul. fibrosis → 제한성 폐기능 장애 (limited보다 diffuse SSc에서 약 2배 더 흔함)
- SSc의 ~80에서 발생, 임상적으로 의미 있는 (진행하는) ILD는 25~30%에서만 발생, 사망률 3배
- risk factor ; 남성, 흑인, 미만성 피부 침범, 심한 GERD, anti-topoisomerase 1 Ab,
    처음 발병시 FVC or DL_{CO}↓
- exertional dyspnea (m/c), 피곤, 운동능력↓, dry cough, bilateral basilar rales (Velcro crackles)
- PFT (restrictive pattern) ; FVC↓, lung compliance↓, DL_{CO}↓ ⇨ 폐 침범의 조기 진단에 중요!
- CXR or HRCT (간질성 폐침윤) ; subpleural reticulonodular opacities (주로 폐 하엽),
    mediastinal lymphadenopathy, traction bronchiectasis, honeycomb cystic change ...
    (간유리 음영도 약 50%에서 관찰됨 → fine fibrosis)

- BAL (감염 R/O에 유용) ; neutrophils >2% and/or eosinophil >3% → poor Px.
- biopsy (비전형적인 경우에만 시행) ; nonspecific interstitial pneumonia (m/c) → good Px
- serum KL-6 : SSc 환자에서 ILD의 발견 및 F/U에 유용한 biomarker
  (Krebs von den Lungen-6, human MUC1 mucin protein ; type Ⅱ pneumocytes에서 생성)

(2) pulmonary arterial HTN (PAH)
- SSc 환자의 10~15%에서 발생, 오래 진행된 limited SSc에서 흔함, 대개 독립적으로 발생하지만 (isolated PAH, iPAH), ILD에 합병되어 발생할 수도 있음 (특히 diffuse SSc에서)
- 정의 : mean pul. arterial pr. >25 mmHg & PCWP <15 mmHg
- risk factor ; longstanding limited SSc, 고령, 심한 레이노현상, CREST syndrome, anti-centromere Ab, anti-U1 RNP, anti-U3 RNP, anti-Th/T$_0$, anti-B23, anti-β_2 GPI
- 초기에는 대부분 무증상, 피곤, exertional dyspnea (m/c), FVC보다 DL$_{CO}$ 감소가 더 심함
- 진행되면 angina, syncope, Rt-HF의 증상(e.g., 부종, JVP↑)
- **심초음파** ; screening (안정시 pul. arterial systolic pr. 40 mmHg 이상이면 PAH 시사)
- **심도자**(Rt. heart catheterization) ; 확진 및 severity 평가에 필수 (폐동맥압은 예후와 비례)
- serum BNP or N-terminal pro-BNP ; PAH의 발견, F/U, 예후 및 치료반응 파악 등에 유용
- 사망률 높음(3YSR 52~75%), idiopathic PAH보다 예후 나쁨, ILD도 동반시 더 나쁨

6. 신장 침범

• sclerodermal renal crisis (SRC) ; 내재된 vascular fibrosis 및 interstitial collagen accumulation에 강력한 혈관수축/폐쇄가 합병되면서 발생 (renin-angiotensin system의 activation)
  → **malignant HTN** (두통, 시력장애, MAHA/TMA 등), 급격히 renal failure로 진행
  - SSc 환자의 10~15%에서 발생, 거의 대부분 diffuse SSc에서, 발병 초기(<4년)에 합병
  - 효과적인 치료법(ACEi)이 나오기 전까지는 SSc의 주요 사인이었음
  - risk factor ; 남성, 발병 초기 (Sx 1년 미만), diffuse SSc에서 피부 침범이 빠르게 진행, palpable tendon friction rub, pericardial effusion, new-onset anemia, thrombocytopenia, anti-RNA polymerase Ⅲ (+) (or FANA에서 fine speckled pattern), high-dose steroid (가능하면 사용 피함, 필요한 경우에만 저용량으로 단기간만 주의 깊게 사용 ↵)
  - 약 10%는 혈압이 정상인데도 SRC 발생 ; LV dysfunction → BP↓, 대개 예후 나쁨
• 기타 ; glomerulonephritis, microscopic hematuria, cellular casts 등은 드묾
  (D-penicillamine, cyclosporine 등의 약물에 의해서도 신독성 발생 가능)

7. 기타

• 심장 (10~30%) ; primary or 2ndary (e.g., PAH, ILD, SRC)로 발생
  - pericarditis (± effusion)[m/c], constrictive pericarditis, cardiomyopathy, myocarditis, heart failure (∵ systolic or pul. HTN), heart block or arrhythmias
  - 무증상 침범이 많으므로 tissue Doppler echo., MRI, SPECT, BNP 등의 검사 필요
• dry eye and/or dry mouth
• hypothyroidism : antithyroid Ab와 관련
• trigeminal neuralgia, impotence, biliary cirrhosis ...

검사소견/진단

- anemia
  ① 만성 염증에 의한 hypoproliferative anemia (m/c)
  ② GI bleeding (∵ GAVE, chronic esophagitis)에 의한 IDA
  ③ bacterial overgrowth & 흡수장애에 의한 vitamin B_{12} and/or folate deficiency
      (→ megaloblastic anemia)
  ④ microangiopathic hemolytic anemia - 신장 침범시 흔함!
- polyclonal hypergammaglobulinemia (대부분 IgG) : 약 1/2에서
- ANA : 95%에서 양성 (anti-Scl-70, antinucleolar, anticentromere Ab 등을 포괄)
- RF (low titer) : 약 25%에서 (+)
- 다른 류마티스질환들과 다르게 ESR은 대개 정상임 (→ 상승되면 근육염 or 악성종양 동반 시사)

Systemic Sclerosis에서의 자가항체 ★

자가항체	관련질환	빈도(%)	침범 장기 관련성
Anti-centromere Ab	Limited SSc (CREST)	15~40	PAH, PBC, 손가락허혈
Anti-topoisomerase 1 (anti-Scl-70)	Diffuse SSc > Limited SSc	10~40	ILD, 심장, 신장, 말초혈관염, 인대마찰음 등
Anti-RNA polymerase I, II, III	Diffuse SSc > Limited SSc	4~25	광범위하고 빠른 피부침범, 인대마찰음, 신장, 악성종양
Anti-Th/T_0 (anti-Th)	Limited SSc	1~7	PAH, ILD (폐섬유화), 소장
Anti-U1 RNP (ribonucleoprotien)	MCTD	5~35	severe PAH, 근육염
Anti-U3 RNP (anti-fibrillarin)	Diffuse SSc, Limited SSc	1~5	PAH, ILD, 신장, 근육염
Anti-PM/Scl (anti-PM1)	Overlap (SSc + polymyositis)	0~6	근육, 관절염, calcinosis
Anti-B23 (anti-nucleophosmin)	Overlap syndrome		

- anti-centromere Ab : SSc에 매우 specific, PAH↑, good Px.
- anti-topoisomerase 1 (anti-Scl-70) : SSc에 매우 specific, ILD↑, poor Px.
- anti-U_3 RNP (anti-fibrillarin) : SSc에 매우 specific하지만 드묾
  - skeletal muscle dz, GI involvement, pulmonary HTN, ILD, renal crisis 등과 관련
- anti-β_2 GPI (APS 진단에 이용) : SSc에 특이적이진 않지만 손가락 허혈↑와 관련
c.f.) ANCA는 SSc와 관련이 없으므로 검사 안함

* SSc의 진단은 대개 임상양상으로 하게 됨(e.g., 레이노 현상, 피부 경화, 손가락 병변, ILD/PAH)
  초기에는 비특이적인 증상 때문에 다른 류마티스 질환과 감별이 어려울 수 있음
  ANA & SSc-related autoAb (+)면 진단 특이도가 높음
              ↳ anti-centromere, anti-topoisomerase 1 , or anti-RNA polymerase III
  nail fold capillary microscopy 검사도 진단에 도움
  (특히 primary Raynaud's phenomenon ↔ early or limited SSc 감별에)

ACR/EULAR criteria for the classification of SSc (2013)		
1. 양손 손가락의 피부가 MCP의 근위부까지 두꺼워짐		9
2. 손가락 피부경화 (더 높은 점수만 계산함)	손가락 부종(puffy fingers)	2
	가락피부경화증(sclerodactyly)	4
3. 손가락 끝 병변 (더 높은 점수만 계산함)	수지궤양(digital tip ulcers)	2
	함요반흔(pitting scars)	3
4. 모세혈관확장증(telangiectasia)		2
5. 손톱주름 모세혈관 이상(abnormal nailfold capillaries)		2
6. 폐동맥고혈압(PAH) and/or ILD (최대 2점으로 계산)	PAH	2
	ILD	2
7. Raynaud phenomenon		3
8. SSc-관련 자가항체 ; Anti-centromere, Anti-topoisomerase 1 (anti-Scl-70), anti-RNA polymerase III		3

총 점수가 9점 이상이면 SSc로 진단

ACR: American College of Rheumatology
EULAR: European League Against Rheumatism

치료/예후

: 주로 symptomatic & supportive therapy (SSc의 경과를 의미 있게 개선하는 치료는 없음)
→ 비가역적인 손상이 발생하기 전에 조기에 진단 & 치료하는 것이 중요

1. 면역억제치료

- 적응 ; 광범위한 피부침범(severe/progressive), ILD의 inflammatory stage (alveolitis), 심근염, 심한 염증성 근염/관절염 → 증상 완화 및 진행을 지연시키기 위해
  (but, 다른 류마티스질환들에 비해 효과는 부족함)
- mycophenolate mofetil (MMF) ; 피부경화와 폐섬유화(ILD) 호전 효과
- cyclophosphamide : ILD와 피부경화를 약간 호전시킬 수 있지만, 부작용이 심하므로 주의
- methotrexate : 약간의 피부증상 호전 효과
- glucocorticoids : diffuse SSc 초기에 stiffness, 피곤, 통증 등의 증상 개선 효과는 있지만
  경과를 개선하지는 못하고, 고용량 사용시 renal crisis 유발 위험으로 가능하면 사용을 피함!
  → 적응 : myositis, active fibrosing alveolitis, symptomatic serositis, 초기 피부병변, refractory arthritis, tenosynovitis (꼭 필요한 경우에만 소량을 단기간 사용)
- 다른 면역억제제(e.g., cyclosporine, azathioprine, plaquenil, thalidomide, rapamycin)는 효과 없음
- 연구 중 (일부 효과?) ; rituximab (+ extracorporeal photophotopheresis, IVIg), abatacept (anti-CTLA4-Ig fusion protein), tocilizumab (IL-6 mAb) ...

* 항섬유화치료(antifibrotic therapy)
  - D-penicillamine (low-dose) : 치료적 가치는 불분명하지만, SSc 환자에 약간 도움
  - minocycline, bosentan, relaxin, ITN-γ, TNF inhibitors 등은 효과 없음
  - IPF 치료에 허가된 새로운 antifibrotic drugs인 pirfenidone, nintedanib은 SSc-ILD에서도 기대됨

* autologous hematopoietic stem cell transplantation (HSCT) ; 유일하게 remission도 가능하지만, 부작용이 크므로 refractory/progressive early severe SSc에서만 고려 (심한 장기침범 발생 전)

2. 침범 장기별 치료

(1) 피부
- 피부 건조 방지, 피부 massage, 규칙적인 운동, 손가락 끝 궤양을 방지할 수 있는 보호구 착용
- 초기 염증기에는 MMF, cyclophosphamide, methotrexate, D-penicillamine 등이 효과적
- 심한 가려움 → antihistamine, lubricating cream (특히 lanolin 성분), capsaicin, menthol, low-dose oral steroid (topical steroid는 효과 없음)
- digital ulcer → wound care (e.g., hydrogels & hydrocolloids dressing), PDE5 inhibitors, ERA, prostanoids 등 → 효과 없으면 ulcer debridement, digital sympathectomy and/or botulinum toxin injection

(2) Raynaud's phenomenon (RP) 및 혈관치료
- 목표 ; vasospastic episode↓, ischemic Cx 예방, 회복 촉진, obliterative vasculopathy 진행 지연
- 일반 원칙 ; 말초 및 심부를 따뜻하게 유지하는 것이 m/i
  - 옷을 따뜻하게 입고, 장갑/양말 착용, 금연, external stress 원인 제거
  - 피해야할 약물 ; amphetamine, ergotamine, β-blockers (혈관수축 유발) ...
- long-acting dihydropyridine CCB (1st choice) ; amlodipine or nifedipine이 선호됨
  - RP attacks의 frequency 및 severity 감소 효과, SSc 환자에서는 심장기능 호전 효과도 있음
  - 부작용 ; hypotension, headache, dizziness, flushing, tachycardia, peripheral edema 등
- CCB를 사용 못하거나 금기일 때 고려할만한 약제들
  - PDE5 inhibitors (e.g., sildenafil) ; SSc의 재발성 궤양에서는 CCB와 병합사용 고려
  - topical nitrates (nitroglycerin 연고) ; 일부 손발가락에서만 심한 경우 단기간 사용시 효과적
  - losartan (angiotensin II receptor blocker, ARB) / ACEi는 효과 없음
  - fluoxetine (selective serotonin reuptake inhibitor, SSRI)
  - oral bosentan ; SSc에서 CCB + PDE5i 치료에도 digital ulcer 재발시 → ulcer 예방 효과
      ↳ endothelin-1 (vasoconstrictor) receptor antagonist (ERA)
- acute severe ischemic event (e.g., cyanosis, severe pain)
  - 위의 치료들 + heparin (단기간만), pain control (e.g., opioid analgesics), wound care
  - 반응 없으면 IV prostaglandins ; epoprostenol (prostacyclin = PGI_2), synthetic PGI_2 analog (iloprost, treprostinil), or alprostadil (PGE_1) / oral PGs은 효과 부족
  - IV PGs을 사용 못하거나 효과 없으면 digital or regional block → 빠른 통증 감소 효과
- refractory/progressive ischemia → digital sympathectomy, low-dose aspirin

(3) 폐동맥고혈압(PAH)
- 증상이 있는 PAH의 경우 일반적인 PAH 치료와 비슷함
  (c.f., CCB : RP에는 효과적이지만, SSc-PAH에서는 다른 PAH와 달리 도움 안됨)
- oral ERAs (ambrisentan, bosentan, macitentan), PDE5 inhibitors (e.g., sildenafil, tadalafil), soluble guanylate cyclase (sGC) stimulant (oral riociguat) 등 경구약제의 단독 or 병합요법

- 반응 없으면 prostacyclin agonists (prostanoids) ; <u>selexipag (oral)</u>, inhaled iloprost, IV/SC/inhaled treprostinil, IV epoprostenol 등
- 기타 필요시 O_2, diuretics, digoxin ... (항응고제는 이득이 없고, 해로울 수 있어 사용×)
- 내과적 치료에 반응 없으면 폐이식

(4) ILD (interstitial lung dz.)
- active alveolitis, HRCT/폐생검에서 NSIP 소견, SSc의 m/c 사인 (평균 5~8년 생존)
- 면역억제제(<u>cyclophosphamide</u>, <u>MMF</u>)가 효과적, HSCT는 remission도 가능하지만 부작용이 문제

(5) 콩팥위기(clerodermal renal crisis, SRC)
- 항고혈압제 ; <u>ACEi</u> (e.g., <u>captopril</u>, enalapril, lisinopril, ramipril)가 choice (encephalopathy, papilledema 등의 CNS Sx이 있으면 IV nitroprusside 추가)
- 약 20~50%는 ESRD로 진행해 투석이 필요함 → 약 1/2은 투석을 중단할 수준으로 회복됨
- 2년 이상 투석이 필요하면 신장이식 고려 (재발은 드묾, 예후는 다른 CTD의 이식과 비슷)

(6) 위장관 침범
- GERD → PPI가 m/g (H_2-RA는 단독으로는 효과 나쁘고, PPI에 반응이 없는 경우 추가 가능), prokinetic agents (e.g., metoclopramide)는 연하곤란이나 위배출지연이 있는 경우만 효과
- gastric antral venous ectasia (GAVE) → 출혈 방지를 위해 endoscopic ablation
- malabsorption syndrome (small intestinal bacterial overgrowth, SIBO) → 항생제
- intestinal pseudo-obstruction → prokinetic agents (e.g., EM, metoclopramide, octreotide) (chronic intestinal pseudo-obstructionCIPO는 영양요법과 항생제도 필요)

(7) 근골격계 증상
- arthralgia → NSAIDs, AAP
- inflammatory arthritis (RA 치료와 비슷) → low-dose steroid, hydroxychloroquine, MTX 등
- inflammatory myopathy (idiopathic polymyositis 치료와 비슷) → low-dose steroid ± MTX, azathioprine, or 다른 면역억제제

3. 예후/경과
- 발병 몇 년 뒤에는 skin softening 발생 (발병 때와는 반대 순서로)
- limited dz.는 예후 좋은 편임 (특히 anti-centromere Ab 양성시)
- 예후가 나쁜 경우 (mortality↑) : 광범위한 피부 침범, 심장/폐 침범, anti-topoisomerase 1 Ab, anti-Th/To, 남성, 어리거나 고령에서 발병
- 사망원인 ; 폐 침범[m/c](<u>ILD</u> 17~19%, PAH 14~15%), 심장(HF, 부정맥), 신장 침범, 악성종양 등

혼합결합조직병 (Mixed connective tissue disease, MCTD)

1. 정의

① anti-U_1 RNP Ab 양성
② limited SSc + SLE + PM/DM + RA의 임상양상을 가지는 overlap syndrome
　; Raynaud's phenomenon, 손/손가락 부종, 근염(myositis), 활막염(sinovitis), erosive arthritis 등
　(시간이 경과하면서 각 질환의 특징적 증상들이 순차적으로 나타남)

2. 임상양상

- 10~20대에 호발, 주로 여성에서 발생
- 흔한 증상 ; Raynaud's phenomenon (RP), puffy hands, arthralgia, myalgia, fatigue
  (피부 침범은 limited SSc 양상 → 체간은 침범 안 함!)
- high fever, polymyositis, arthritis (bony erosion은 드묾), neurologic features
  (e.g., trigeminal neuralgia, aseptic meningitis) 등도 발생 가능
- 85%에서 폐 침범이 있지만, 대개는 무증상임
- 위장관 침범 (70%에서) ; esophageal dysmotility (m/c), lower esophageal sphincter laxity,
  gastroesophageal reflux ...
- 심장 침범 ; pericarditis (30%), myocarditis, arrhythmia, MVP ...
- 신장 침범 (25%에서) ; membranous GN이 m/c (대개 mild)

3. 검사소견

- anemia of chronic inflammation (대부분에서)
- direct Coombs' test (+) : 60%에서 (but, hemolytic anemia는 드묾)
- hypergammaglobulinemia 흔함, RF는 50~70%에서 (+)
- anti-U_1 RNP Ab (95~100%) : high-titer, 주로 IgM type (↔ SLE에서는 주로 IgG)
  - FANA에서는 very high-titer speckled pattern
  - HLA-DR4와 관련 (↔ SLE는 HLA-DR2 또는 -DR3와 관련)

4. 치료/예후

- 각각의 connective tissue dz.에 대한 치료와 동일
- SSc와 달리 steroid에 반응이 좋은 편임
  - aseptic meningitis, myositis, pleurisy, pericarditis, myocarditis 등은 steroid에 반응
  - but, NS, RP, deforming arthropathy, acrosclerosis, peripheral neuropathies 등은 반응×
- 반 이상은 예후 좋다 (10YSR 약 80%)
- pul. arterial HTN - MCTD의 m/c 사망원인

8
염증성 근육병증(근염)

개요

- inflammatory myopathies (= inflammatory myositis, **idiopathic inflammatory myopathies**[IIM])
  : 골격근의 염증과 근력저하를 포함한 다양한 임상양상을 보이는 원인불명의 전신 자가면역질환
- 임상양상 및 검사소견(e.g., biopsy)에 따라 4~6가지로 분류함 (통일된 기준은 아직 없음)
  ① 피부근육염(dermatomyositis, DM)[m/c] : PM의 증상(e.g., 근위부 근력저하) + skin rash
  ② 다발근육염(polymyositis, PM) : 피부는 침범하지 않고 (rash 無), 주로 근육 증상을 보임
    → IMNM, ASS, IBM 등이 잘못 진단된 경우가 많아서, 실제 순수한 idiopathic PM은 드묾
  ③ 괴사근육병증(necrotizing myopathy[NM] = immune-mediated NM[IMNM], necrotizing
    autoimmune myopathy[NAM])[2nd m/c] : 염증세포의 침윤보다는 근섬유의 괴사 및 재생 근섬유
    (regenerating fibers) 소견을 보임 (PM의 일종에서 새로 분류됨, biopsy로 진단 가능)
  ④ antisynthetase syndrome (ASS) : anti-Jo-1 (+), inflammatory myositis, polyarthritis,
    ILD, fever, Raynaud's phenomenon, mechanic's hand 등을 특징으로 하는 증후군
  ⑤ 봉입체근육염(inclusion body myositis, IBM) : 고령 남성에서 서서히 발생하는 <u>원위부</u> 근력저하
  ⑥ overlap myositis[OM] (overlap syndrome with myositis) : 다른 류마티스 질환들의 증상도 동반
- 전형적인 DM을 제외하고는 진단이 복잡함 (autoAb, 근육생검, MRI, EMG 등 검사 필요)
- 병태생리
  - 유전적요인(e.g., HLA-DRB1 allele), 환경요인(e.g., 감염, 약물), 면역학적요인(e.g., autoAb)
  - nonsuppurative inflammatory process에 의해 골격근 손상이 발생
  - DM : type 1 IFN-mediated pathway toxicity (주로 IFN-β)가 주,
         체액면역(Ab & complement-mediated microangiopathy)는 2차적 현상
  - PM, IBM, ASS : T cell-mediated cytotoxicity (CD8+ T cells이 중요)
  - ASS : 폐 조직에서 NK cells↑ (→ tRNA synthetase 분해 → autoAb 생성 촉진)
- 역학 (드묾)
  - 발생률 >4명/10만/yr, 유병률 10~22명/10만, 40~50세에 호발
    (DM은 이상성 분포 : 7~15세, 30~50세)
  - 남:여 = 약 1:2 (예외 ; IBM은 50세 이상 남성에서 호발)
  - 악성종양 발생도 증가함 ; 우리나라 표준화 암발생비 (standardized incidence ratio, SIR)
    일반인보다 <u>DM</u> 2배 (실제는 더 높음), PM 1.5배 ⋯ 위, 갑상선, 폐 등
    ↳ 외국 : 진단 2~3년 이내에 ~15%에서 발생

임상양상

1. 피부근육염(Dermatomyositis, DM)$^{m/c}$

- symmetric <u>proximal muscle weakness</u> + **특징적인 rash**로 인하여 조기에 진단 가능
- <u>heliotrope rash</u> : 윗 눈꺼풀의 부종을 동반한 연보라색 발진 … 가장 특징적!
- <u>Gottron sign</u> : 팔꿈치, 무릎, 손가락 마디, 엉덩관절, 복사뼈 등의 피부색이 적자색으로 변색
- <u>Gottron's papules</u> : 주먹결절(knuckle) 위의 피부가 적자색으로 융기되고 각질이 일어나는 증상
- erythematous rash는 전흉부 (V sign), 등/어깨 (shawl sign), 무릎, 팔꿈치, 목 등에도 나타날 수 있음 (햇빛에 노출 뒤 악화되기도 함), SLE와 다르게 가려움 동반
- 손톱아래 모세혈관의 확장, 불규칙하고 두꺼워진 조갑피(cuticle), 손가락의 옆과 밑이 거칠고 갈라짐 (mechanic's hand) [주로 ASS에서], <u>subcutaneous calcification</u> [주로 JDM에서 호발]
- 기타 ; 근육통, 관절통, <u>dyspnea</u>, dysphagia, dysarthria
  ↳ 호흡근 약화, ILD, pneumonia, alveolitis, 심부전 등에 의해 발생 가능

■ inflammatory myopathies의 피부/근골격계 이외 증상

- 심장 침범 ; 무증상이 흔함, AV block, <u>arrhythmias</u>, myocarditis, MI, DCM, CHF …
- <u>dysphagia</u> & GI Sx ; 특히 DM과 IBM에서 현저
- ILD ; 염증성 근병증의 피부/근골격계 이외 침범 중 m/c (DM 및 PM의 ~20-80%에서 동반)
  - 근육염보다 선행할 수도 있고, 발병 초기부터 동반도 가능 (→ CXR, PFT, <u>HRCT</u> 등 시행)
  - anti-antisynthetase Ab (e.g., <u>anti-Jo-1 Ab</u>) 및 anti-MDA-5 (과거 anti-CADM-140) 흔함
    → 특징적 피부병변 및 overlap syndrome과 관련, severe ILD와도 관련 (poor Px)
    (e.g., digital & palmar papules, ulcerations)
- <u>악성종양</u> ; 모든 염증성 근병증에서 발생 증가, 특히 DM 및 IMNM에서
  → 40세 이상의 환자에서는 항상 악성종양의 가능성을 생각해야 됨!
  - 발생 암 종류는 일반인에서와 비슷함 ; 위, 대장, 폐, 자궁, 난소, 유방, 췌장, 방광, NHL 등
  - 발생위험↑ ; 고령에서 발병, 피부괴사 or leukocytoclastic vasculitis, dysphagia, 근육 생검에서 capillary damage, anti-TIF-1, anti-NXP-2, anti-HMGCR 등 (c.f., ILD에서는 위험 감소)

■ Clinically amyopathic dermatomyositis (CADM, ADM)

- 근육 증상은 없이 피부 증상만 있는 경우, DM의 10~30% 차지
- anti-MDA-5 (과거 anti-CADM-140) 자가항체 흔함

■ Juvenile Dermatomyositis (JDM)

- 소아 때 발생하는 드문 형태의 DM (소아 염증성 근병증의 85% 차지), 대체로 남≥여
- symmetric proximal muscle weakness + <u>rash</u> (heliotrope, Gottron) + fever가 흔한 증상
- 기타 ; nailfold capillary 이상, 피부 궤양, 연조직 석회화^{calcinosis}(30~70%, 마찰/손상 부위에 호발), nonerosive arthritis, lipodystrophy, insulin resistance, anasarca … (ILD는 거의 발생 안함)
- 드물지만 GI vasculopathy는 성인 DM보다는 흔함 → 궤양, 복통, 출혈, 천공 (심각하므로 주의)
- 성인 DM보다 anti-TIF-1 및 <u>anti-NXP-2</u> (= anti-MJ) 자가항체가 흔함
  ↳ calcinosis↑, 공격적 진행 (poor Px)

2. 다발근육염(Polymyositis, PM) : rash 없음

- isolated idiopathic PM은 inflammatory myopathies 중 가장 드묾(~5%), 주로 성인에서 발생
  → 다른 inflammatory myopathies (e.g., DM, IMNM, IBM, OM)를 모두 R/O한 뒤에 진단 가능
  (과거에 오진된 경우 많음) → "nonspecific or unclassified myositis"로 부르자는 주장도 있음
- symmetric <u>proximal muscle weakness</u> (acute ~ subacute), 근육통은 드묾
  - 엉덩이와 넓적다리 근육 : 앉았다가 일어서기 힘듦, 계단을 오르지 못함
  - 어깨 근육 : 물건을 높이 들거나 머리 빗기가 힘듦
  - 인두 및 목 근육 침범 → 발성장애, 연하곤란, (주로 누워있을 때) 고개를 들기 힘듦
  - 눈 근육은 침범 안하고, 안면 근육 침범도 드묾! / DTR 및 감각신경검사는 대개 정상

3. 괴사근육병증(necrotizing myopathy[NM], immune-mediated NM, IMNM)

- **조직검사**에서 염증세포 침윤보다는 <u>근섬유의 괴사</u> 및 <u>재생 근섬유(regenerating fibers)</u> 소견이 특징
- acute ~ subacute proximal muscle weakness, DM/PM보다 더 심하고 진행 빠름
- dysphagia, dysarthria, myalgia 등도 동반 가능
- HMGCR myopathy : <u>anti-HMGCR</u> (+)
  - 30~60%는 statin (HMGCR inhibitor) 복용과 관련, 50세 이상에서 호발 (소아, 젊은이도 가능)
  - statin 복용을 중단해도 회복 안됨
- SRP (signal recognition particle) myopathy : <u>anti-SRP</u> (+), NM의 10~20%에서 (+)
  - subacute, aggressive, refractory course (면역억제제들에 반응 나쁨)
  - cardiomyopathy, muscular atrophy, ILD, dysphagia 등과도 관련
- 악성종양과 관련 많음 (특히 anti-HMGCR 양성시)
- aggressive progression, DM/PM보다 치료 어려움

4. Antisynthetase syndrome (ASS)

- anti-synthetase Abs (e.g., anti-Jo-1, anti-PL-7, PL-12)를 가지면서 <u>myositis</u>, <u>arthritis</u> (~90%),
  <u>ILD</u> (~75%), Raynaud's phenomenon, mechanic's hands, fever (30%) 등을 동반한 증후군
- <u>polyarthritis</u> or <u>ILD</u>가 초기 증상일 수도 있음 (→ PFT, HRCT 등 시행)
  ↳ RA와 차이 ; DIP를 주로 침범, erosion보다는 subluxation이 흔함, anti-CCP (-)~low
- 악성종양과 관련 적음, severe ILD를 동반하지 않으면 수명은 거의 정상임 (동반시엔 poor Px)
- ASS 단독 발생 or 드물게 SLE, SSc, Sjögren's syndrome, RA 등 다른 류마티스질환과 중첩 가능

5. 봉입체근육염(Inclusion body myositis, IBM)

- 50세 이상 <u>고령</u>에서 m/c inflammatory myopathy, 주로 남성 (남:여 = 3:1)
- 일부에서 가족력 존재 가능 (familial inflammatory IBM)
- 다른 염증성 근병증과 달리 <u>서서히</u> 발생하고(~ 몇 년), <u>만성적인</u> 경과를 보임
- <u>focal & **distal** muscle weakness</u>, <u>asymmetric involvement</u>
  - deep finger flexors와 foot extensors의 조기 침범(weakness & atrophy)이 대부분 나타남
    → 방망이등을 잡기 힘듦 (악력↓), 열쇠를 돌리거나 매듭을 매기 힘듦 ...

- 일부는 대퇴사두근(quadriceps) 조기 침범에 따른 무릎 쇠약에 의한 falling도 흔함
  - 60%에서 안면근육의 경미한 약화를 보임 (DM/PM은 안면근육 침범 거의 없음)
- dysphagia가 흔하고(30~60%) 조기에 발생 가능 → 흡인폐렴, 기도폐쇄 발생 위험
- CK는 정상이거나 약간만 증가함(<10배)
- PM으로 오진되기 쉬우므로 biopsy 필요
- 약 ~15%는 다른 류마티스/자가면역 질환 동반 가능 ; SLE, Sjögren's syndrome, SSc, sarcoidosis, Hashimoto thyroiditis, immunoglobulin deficiency, ITP ...
- DM/PM과 달리 myocarditis, ILD, 악성종양 등의 위험 증가×, 면역억제제에 반응×

6. Overlap syndrome (OS, overlap syndrome with myositis)

- DM (or PM) 환자에서 다른 류마티스질환의 임상양상도 동반된 것
  (e.g., SSc, MCTD, Sjögren's syndrome, SLE, RA)
- 점점 많아져 염증성 근염 중에서 가장 흔할 것으로 생각됨
- 근염은 DM/PM에서처럼 대개 면역억제제에 잘 반응함

c.f.) Eosinophilic myositis

- hypereosinophilic syndrome의 일종, muscle pain & proximal weakness가 아급성으로 발생, serum CK↑, EMG 상 myopathy 소견, myositis의 조직 소견
- eosinophilia-myalgia syndrome (필수 아미노산인 L-trytophan의 섭취와 관련)
  - fever, rash, arthralgia, cough, dyspnea, edema, peripheral neuropathy
  - eosinophilia (>1000/μL), myositis (lymphocytes와 eosinophils의 침윤)

검사소견/진단

- skeletal muscle enzymes↑ ; CK, myoglobulin, aldolase, AST, LD, ALT
  - 증가되는 정도는 뒤로 갈수록 낮아지며, liver dz.에서는 반대 순서로
  - 대부분 CK가 크게(~10-50배) 증가함 / IBM은 정상~10배 / ADM은 근육침범을 안하므로 정상
    ↳ 시간 경과에 따른 전반적인 dz. activity를 잘 반영함 (근육약화 발생 몇 주 전에 ↑)
  c.f.) CK-MB↑ ; 대개 골격근 재생 때문, 드물게 심장침범 때도 가능
    (cardiac troponin I는 myocardial injury에 비교적 특이적임)
- ESR↑ (2/3에서), RF 양성 (<1/2), ANA 양성 (60~80%, 주로 speckled pattern) ··· 비특이적
- EKG abnormality (5~10%에서)
- EMG : 염증성 근병증에 진단적이지는 않지만 (비특이적), 근병증 확인 및 신경질환 R/O에 유용
  - 대부분 myopathic (membrane irritability↑) 소견을 보임 ; insertional activity↑, spontaneous fibrillations, positive waves, early recruitment of small-amplitude short-duration polyphasic motor unit action potentials, complex repetitive discharges 등
  - IBM에서는 myopathic & neurogenic 혼합 양상(small & large mixed potentials)도 흔함

■ 자가항체 : Myositis-specific Ab (MSA) , Myositis-associated Ab (MAA)

	자가항체	근염에서의 빈도	임상양상
ASS	Anti-aminoacyl-tRNA synthetase Abs 　Anti-Jo-1 (anti-histidyl-tRNA synthetase) 　Anti-PL-7 (anti-threonyl-tRNA synthetase) 　Anti-PL-12 (anti-alanyl-tRNA synthetase) 　기타 ; Anti-OJ, EJ, KS, YRS/HA (Tyr), Zo	25~35% 20~30% 3~4% 3~4% <2%	Arthritis (~90%), ILD (~75%), fever c.f.) Anti-PL-7 or anti-PL-12 (+)시 　ILD 더 흔하고, 사망률↑
OM	Anti-SSA/Ro52/Ro60* Anti-SSB	~19% (OM은 25%) ~7% (OM은 12%)	Sjögren, SLE, SSc와 관련
	Anti-U1 RNP (ribonucleoprotein)	3~8%	MCTD, SLE, SSc와 관련, good Px
	Anti-PM-Scl (anti-exosome)	~12%	주로 SSc와 관련, 심하고 치료반응 나쁨
	Anti-Ku	1~3% (OM은 ~20%)	SSc, SLE, MCTD와 관련 ILD 발생 흔함 (steroid에 반응 나쁨)
DM	Anti-Mi-2	DM의 ~20%	Classic (adult) DM, good Px
	Anti-MDA-5 (anti-CADM-140)	DM의 ~15~30%	Amyopathic DM, severe ILD, 사망률↑
	Anti-TIF-1α /β /γ (anti-p155/140)	DM의 ~20%	Malignancy↑ (성인), JDM에서 m/c Ab
	Anti-NXP-2 (anti-p140, anti-MJ)	DM의 10~15%	Malignancy↑, JDM에서 2nd m/c Ab, calcinosis 흔함
	Anti-SAE (anti-SUMO-1)	DM의 2~8%	Amyopathic DM with ILD 흔함
IMNM	Anti-SRP (signal recognition particle)	~5% (대부분 IMNM)	심한 근위축, ILD, dysphagia, 심장침범, 면역억제제에 반응 나쁨, poor Px
	Anti-HMGCR (HMG-CoA reductase)	5~8%	NM, statin-induced, malignancy↑
IBM	Anti-cN1A	IBM의 ~30%	Severe dz., 사망률↑ c.f.) Sjögren과 SLE의 20~30%도 (+)

* Anti-Ro60보다 Anti-Ro52가 더 흔함, Anti-Ro52는 anti-synthetase Ab와 흔히 동반됨 (e.g., anti-Jo-1 양성인
　환자의 56~72%), Anti-Ro52 & Jo-1 모두 양성인 경우 malignancy risk↑, poor Px
* PM은 특별한 myositis-specific Ab (MSA)와 관련 없음, MSA가 검출되면 다른 염증성 근병증을 먼저 고려

- **근생검(muscle biopsy)** ··· 염증성 근병증 확진에 m/i (특히 PM, IMNM, IBM 의심시에는 필수)
  - (1) DM ; perifascicular atrophy (특징적이지만 ~50%에서만), perimysial /perifascicular
    /perivascular 염증세포(주로 CD4+ cells [주로 plasmacytoid dendritic cells], macrophages) 침윤
  - (2) PM ; endomysial cytotoxic CD8+ T cells 침윤, MHC class Ⅰ upregulation
    (but, CD8+ T cells 침윤은 IBM에서 더 흔하고, DM or ASS에서도 나타날 수 있음)
  - (3) IMNM ; multifocal 근섬유 괴사(→ macrophages 침윤 유도) & 재생(regenerating) 근섬유,
    focal MHC class Ⅰ upregulation (특히 necrotic fibers 주위에) / 염증세포 침윤은 미미함
  - (4) ASS (자가항체 따라 소견 다양) ; perifascicular necrosis 및 MHC Ⅰ & Ⅱ Ab(+) 등
  - (5) IBM ; endomysial cytotoxic CD8+ T cells 침윤, MHC class Ⅰ upregulation, filamentous
    inclusion bodies & rimmed vacuoles, cytochrome oxidase-negative fibers, amyloid deposits
  - c.f.) ADM (amyopathic DM) 의심시에는 피부생검(skin biopsy)도 고려
- HLA-DR3 (DRB1*0301, DQB1*0201) ; PM과 IBM의 75%에서 발견
  (juvenile DM에서는 DQA1*0501 증가)

	DM	PM	IMNM	ASS	IBM
성비	남<여	남<여	남≒여	남<여	고령, 남>여
Onset	Acute/subacute	Acute/subacute	Acute/subacute	Acute/subacute	Insidious
피부 rash	O	–	–	가끔	–
근육 weakness	Proximal	Proximal	Proximal	Proximal	Distal/proximal
피부/근육 외 증상	Dysphagia, ILD, 심장, 혈관염, 다른 CTDs 동반 *연조직석회화(JDM)	드물게 심장, 폐, 다른 CTDs 동반	드물게 심장, 폐 다른 CTDs 동반	관절염, ILD, 발열, Raynaud 현상, 드물게 다른 CTDs 동반	Dysphagia, 드물게 다른 CTDs 동반
악성종양	↑↑	↑	↑	–	–
CK level ↑	N ~ 10–50배	~ 10–50배	~ 20–50배	~ 10–50배	N ~ 10배
자가항체	Mi-2, MDA-5, TIF-1, NXP-2	비특이적	HMGCR SRP	Anti-synthetase ; Jo-1, PL-7, PL-12	Anti-cN1A
근육생검	Perimysial 염증, perifascicular 위축	Endomysial CD8+ T cells	[필수] 근섬유 괴사, regenerating 근섬유	Perifascicular 괴사, MHC Ⅰ & Ⅱ	Inclusion bodies, rimmed vacuoles
면역억제치료에 반응	대부분 good (예외; 악성종양, ILD)	대부분 good	대개 good ~moderate	대부분 good (예외; ILD)	대부분 refractory

c.f.) diagnostic criteria ; 여러 진단기준들이 제시되어 왔지만, 최근 분류되기 시작한 다양한 아형 및 검사(e.g., MSA, MAA)들을 반영하지 못하므로 더 연구가 필요함

Bohan & Peter criteria (1975)
1. Symmetric proximal muscle weakness
2. Muscle biopsy에서 myositis 소견
3. Serum skeletal muscle enzymes 증가
4. 특징적인 EMG 소견
5. DM의 전형적인 rash

Diagnostic criteria

	PM	DM
Definite	1~4 모두	5 + 1~4 중 3개
Probable	1~4 중 3개	5 + 1~4 중 2개
Possible	1~4 중 2개	5 + 1~4 중 1개

* 널리 사용되었지만, 오래되었으므로 참고로만 → 현재는 PM이 여러 아형으로 나뉘고, 다른 아형들도 추가됨

EULAR/ACR classification criteria for IIM*
점수화된 염증성 근염의 증상(e.g., proximal weakness),
피부발진, 식도침범, 자가항체, 근효소, 근생검 소견들

Muscle weakness
상하지의 대칭적인 근력약화
 (주로 proximal, 점진적)
목 근육은 flexors가 더 약함

전형적인 피부발진
Heliotrope rash or,
Gottron's papules or,
Gottron's sign

JDM ← <18세 Yes

전형적인 muscle weakness 소견 → Yes: DM / No: ADM

IBM의 임상양상 or 근생검 소견 → Yes: IBM / No: PM, IMNM, ASS**

* 2017년 EULAR/ACR에서 새로운 분류기준을 제시했지만, 아직 MSA를 제대로 반영하지 못하고 (IMNM, ASS, OM 등 無) IIM (idiopathic inflammatory myopathies)의 임상양상들로 점수화했지만 biopsy 여부에 따라 다르고 계산이 복잡함
 ⇨ 현실적으로는 각 아형들의 특징적 임상양상 + MSA + (가능하면) biopsy 등을 종합 판단하여 임상적으로 진단

** ASS는 anti-synthetase Ab(+), myositis, arthritis, ILD, Raynaud phenomenon, mechanic's hands, fever 등의 증후군

감별진단

- muscular dystrophies ; Duchenne, Becker, limb-girdle, facioscapulohumeral ...
- endocrine myopathies ; hypercorticosteroidism, hyper- & hypothyroidism, hyper- & hypoparatyroidism ...
- neuromuscular junction disorders ; myasthenia gravis, Lambert-Eaton syndrome ...
- acute neuropathy ; Guillain-Barre syndrome, neurotoxin ...
- drug-induced myopathies
  - rhabdomyolysis & myoglobinuria ; amphotericin B, ε-aminocaproic acid, fenfluramine, heroin, phencyclidine ...
  - hypokalemic myopathy ; diuretics (thiazide), carbenoxolone, azathioprine ...
  - mitochondiral myopathy ; zidovudine (AZT)
  - 기타 ; D-penicillamine, procainamide, clofibrate, cimetidine, chloroquine, colchicine, carbimazole, cyclosporine, emetine, ethanol, gemfibrozil, ketoconazole, leuprolide, lovastatin, phenytoin, provastatin, steroid, simvastatin, tretinoin, AZT ...

치료

┌ 완치법은 없음 ⇨ 치료 목표 : 근육의 염증↓ → 근력 강화 (→ 삶의 질 향상), 근육 외 증상 개선
└ 근력이 강화되면 serum CK level도 감소됨 (but, 반대는 아닐 때도 있음)
　　　　　　　　 ↳ 치료 반응 평가에 유용

1. DM, PM, IMNM, ASS의 치료

(1) Glucocorticoids (high-dose)
- DOC, 약 90%에서 반응 (50~75%는 CR) / OM, DM, ASS 등이 반응이 더 좋음
- 1~4주 내 호전 시작, 증상이 호전될 때까지 (근력의 객관적 향상, CK↓) 투여한 뒤 tapering
- 너무 일찍 치료를 끝내면 안됨 (∵ 재발시엔 치료가 훨씬 어려움) → 대개 low-dose로 9~12개월
- *암이 동반된 경우 steroid에 반응이 없을 수 있음 (→ 암을 성공적으로 치료하면 증상 호전)

(2) 면역억제제
- Ix : 약 3개월의 steroid 치료에도 반응 없을 때, steroid의 부작용, 재발이 흔한 경우
  ⇨ but, 대부분(>75%) steroid-sparing을 위해 다른 면역억제제가 필요 → 병합요법
  ┌ 1차 ; MTX or azathioprine
  │ 2차 ; MMF, cyclosporine, tacrolimus
  └ 3차 ; IVIG, rituximab (anti-CD20), cyclophosphamide
- IMNM은 처음부터 근육이 심하게 침범되므로 더 강력하게 치료 (2제 병합에 반응 안 좋음)
  ⇨ 3제 병합 ; steroid + MTX + IVIG (anti-HMGCR) or rituximab (anti-SRP)
  　　(효과가 없거나 부작용 시에는 rituximab ↔ IVIG를 서로 교체해봄)

- 만성적인 ILD는 보통의 면역억제제제들로 70~80% 정도 호전됨
- severe & rapid-progressive ILD가 문제 [e.g., anti-MDA-5 Ab(+)]
  ⇨ steroid + high-dose tacrolimus + high-dose cyclophosphamide (or IVIG)
    → 반응 없으면 rituximab, tofacitinib (JAK inhibor), basiliximab (anti-CD25 of IL-2R) 등

(3) 기타

- TNF-α inhibitors, plasma pheresis or leukapheresis 등은 효과 없음
- 운동요법 및 재활치료 → 근육 기능 회복에 명백히 효과가 있으므로 적극 권장됨
  (myositis가 심할 때에는 bed rest 및 피동적 관절운동)
- * 피부 병변 ⇨ 햇빛 피함, UV 차단제, hydroxychloroquine + quinacrine, topical tacrolimus 등

2. IBM의 치료

- IBM은 일반적인 면역억제제제들에 거의 반응 없음
  (IVIG이 일부 효과적일 수 있다는 연구도 있지만, 대부분은 효과 없음)
- 근육 기능 유지를 위한 운동요법 및 재활치료 뿐

예후

- 치료하면 대부분은 기능이 완전히 회복됨, 최대 30%에서는 약간의 근력 약화 잔존, 재발도 가능
- OM, DM, (severe ILD 없는) ASS 등은 예후 좋음 (치료 받으면 5YSR >95%)
- IBM는 경과는 느리지만 지속적으로 악화됨 → 대부분 10~15년 이내에 휠체어 등이 필요하게 됨
  (but, 기대 수명이 크게 감소하지는 않음)

염증성 근육병증에서 예후가 나쁜 경우		
고령	심장 침범	성별, 인종, rash, <u>CK</u> 등은 아님!
진단 및 치료 지연	악성종양 동반	
심한 근염	Anti-MDA-5, anti-SRP	* 사망원인 ; 악성종양, 감염,
심한 dysphagia or 호흡곤란 (<u>ILD</u>)	Anti-PL-7, 12 / Anti-Jo-1 + anti-Ro52	호흡부전, 심혈관질환 등

c.f.) Steroid myopathy

- steroid의 장기간 사용으로 인해 muscle weakness가 악화되는 것
- CK level은 정상 or 변화 없음

* steroid 복용중인 환자에서 muscle weakness 발생시
  → steroid myopathy or steroid resistance 의심 (D/Dx ; Hx, CK, 최근 2개월의 약물 복용력 등)
  → 감별이 어려울 땐 steroid 용량을 천천히 줄여봄
    ┌ 증상 호전 → steroid myopathy
    └ weakness 악화 → relapse, steroid resistance

9 혈관염 (Vasculitis)

분류

1. Primary vasculit

: 기저질환 및 다른 유발요인이 없는 vasculitis

■ 침범 혈관의 크기에 따른 분류 ★

침범 혈관 크기	Vasculitis 예	대표적 증상
Large-vessel	Takayasu's arteritis Giant cell arteritis Behçet's disease**	절뚝거림(claudication), 양쪽 혈압의 차이, 맥박소실, 혈관잡음, 대동맥 확장 ...
Medium-vessel	Polyarteritis nodosa (PAN) Buerger's disease Kawasaki's disease	피부결절, 궤양, livedo reticularis, 손/발가락 괴저, 미세동맥류, 바발성 단신경염 ...
Small-vessel	<u>Immune-complex mediated</u> 　Cutaneous leukocytoclastic angiitis 　("hypersensitivity" vasculitis) 　Henoch-Schönlein purpura 　Essential cryoglobulinemia* <u>ANCA-associated</u> 　Microscopic polyangiitis* 　Wegener's granulomatosis (GPA)* 　Churg-Strauss syndrome (EGPA)*	자색반(<u>purpura</u>), 두드러기, 수포성 병변, 사구체신염, 폐포 출혈, 피부 혈관의 괴사성 육아종, 포도막염, (상)공막염 ...

* small-, medium-vessels 동시 침범이 흔함 / ** small-, medium-, large-vessels 모두 침범 가능

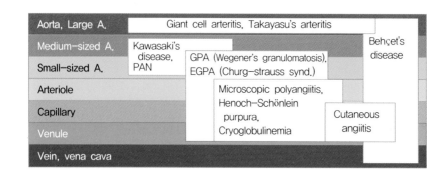

2. Secondary vasculitis

- drug-induced vasculitis ; allopurinol, thiazides, gold, sulfonamides, phenytoin, penicillin ... (pANCA-positive drug-induced vasculitis ; propylthiouracil [PTU], hydralazine)
- serum sickness
- 다른 질환에 동반된 vasculitis ; 감염, 악성종양, 결합조직질환, IBD ...

3. 혈관 손상의 기전 ★★

(1) 병적 면역복합체(immune complex) 형성/침착

- Henoch-Schönlein purpura (IgA vasculitis)
- 교원혈관병(collagen-vascular disease) 관련 혈관염
- serum sickness & cutaneous vasculitis syndromes
- HCV-associated cryoglobulinemic vasculitis
- HBV-associated polyarteritis nodosa-like vasculitis

(2) 병적 T lymphocyte 반응 및 육아종(granuloma) 형성

- ginat cell arteritis (GCA)
- Takayasu's arteritis (TA)
- granulomatosis with polyangiitis^{GPA} (Wegener's granulomatosis)
- eosinophilic granulomatosis with polyangiitis^{EGPA} (Churg-Strauss syndrome)

(3) ANCA-associated vasculitis (AAV)

- microscopic polyangiitis (MPA)
- granulomatosis with polyangiitis^{GPA} (Wegener's granulomatosis)
- eosinophilic granulomatosis with polyangiitis^{EGPA} (Churg-Strauss syndrome)
- drug-induced vasculitis (propylthiouracil, hydralazine)

Vasculitis와 감별해야 할 질환들	
감염	Bacterial endocarditis, disseminated gonococcal infection, pul. histoplasmosis, coccidioidomycosis, syphilis, Lyme dz., Rocky Mountain spotted fever, Whipple's dz.
응고/혈전성 미세혈관병	Antiphospholipid syndrome (APS), TTP
종양	Atrial myxoma, lymphoma, carcinomatosis
약물 독성	Cocaine, amphetamines, ergot alkaloids, methysergide, arsenic
Anti-GBM disease	Goodpasture's syndrome
Sarcoidosis, Amyloidosis, Atheroembolic disease, Migraine ...	

Granulomatosis with polyangiitis^GPA (Wegener's granulomatosis^WG)

1. 개요

- **small** arteries & veins의 necrotizing vasculitis
- 호흡기의 necrotizing granulomatous vasculitis와 glomerulonephritis 및 다양한 장기의 vasculitis
- 역학 ; 드묾, 모든 나이에서 발생 가능하지만 중장년층에서 호발, 남:여 = 1:1

2. 임상양상

- 상기도 및 귀 침범 (>90%)
  - <u>sinusitis</u> (m/c) ; paranasal sinus pain & discharge (혈성 비루)
  - rhinitis ; purulent or bloody nasal discharge ± ulceration
  - 비중격천공(nasal septal perforation) → 안장코(saddle nose deformity)
  - otitis media, 청력 저하, 현훈, 성문하협착(subglottic stenosis) ...
- 폐 침범 (70~90%) ; 무증상 폐침윤 ~ cough, <u>hemoptysis</u>^객혈, dyspnea, chest discomfort
- 신장 침범 (77%) ; 초기에는 18%에서만 침범 → 1~2년 이후엔 77~85%에서 침범
  - mild <u>GN</u> (proteinuria, hematuria, RBC casts) ~ RPGN (<u>pauci-immune</u> crescentic GN)
  - 일단 신기능 이상이 발생하면 빠르게 신부전으로 진행함 (사망의 주요 원인)
- 눈 침범 (52%) ; conjunctivitis, dacrocystitis, episcleritis, scleritis → 시력상실 (8%)
  - 10~15%에서는 retro-orbital pseudotumor 발생 → 복시, 시력감소, 안검하수
- 기타 ; 피부 (46%), 신경 (22~50%), 심장 (8%) ...
- 전신증상(acute phase 때) ; 관절통, 발열, 권태감, 쇠약, 체중감소 ...

3. 검사소견/진단

- ESR↑, mild anemia & leukocytosis, mild hypergammaglobulinemia (IgA), RF↑
- CXR ; multiple nodular or cavitary infiltrates
- 두경부 CT (rhinosinusitis 확인), 흉부 HRCT (multiple pulmonary nodules/opacities 등)
- BAL ; neutrophil의 비율이 다른 granulomatous lung dz.에 비해 높다
- 진단
  ① 조직검사 (필수) : <u>necrotizing granulomatous vasculitis</u> 확인
    - 폐가 가장 좋으며, 상기도나 신장도 가능
  ② <u>c-ANCA</u> (anti-proteinase 3 [PR3]) : active GPA 환자의 80~90%에서 양성
    - specificity 매우 높음 (특히 active glomerulonephritis 존재시)
    - but, 위양성(e.g., 감염, 종양)의 가능성도 있으므로 진단에는 보조적

4. 치료/예후

- 즉각적인 치료가 m/i, 치료 안하면 대부분 몇 달 이내에 사망 (2년 이내에 90% 사망)
- 성공적인 관해 후에도 50~70%에서 재발하므로, 유지요법이 필수

- induction therapy (3~6개월)
  - **mild GPA** (e.g., rhinosinusitis, arthritis, pulmonary nodules, UA 정상)
    - ⇨ glucocorticoid + MTX
  - **severe GPA** (e.g., active GN, 폐출혈, 뇌혈관염, progressive neuropathy, orbital pseudotumor, pericarditis, myocarditis, GI 출혈)
    - ⇨ **glucocorticoid + cyclophosphamide (or rituximab)**
    - * **rituximab** (anti-CD20) : cyclophosphamide (or MTX)를 대신해 steroid와 병합 사용 가능
      - ↳ cyclophosphamide (or MTX)의 금기(e.g., 임신)/부작용, 실패/재발한 경우, 환자의 선호 등
        (효과는 cyclophosphamide, rituximab, cyclophosphamide + rituximab 모두 비슷함)
  - 90% 이상에서 반응, 75%에서 CR, 5YSR >80%
  - 매우 심각한 경우에는 plasmapheresis도 추가로 시행 고려
    ; 심한 RPGN (sCr >4 mg/dL or 투석 필요), 기계호흡이 필요한 폐출혈, anti-GBM (+)
  - 기회감염 예방을 위해 TMP-SMX도 투여함
- maintenance therapy (관해 이후 ≥2년 시행 & 6~12개월 동안 tapering)
  - azathioprine, rituximab, or MTX 권장 (사용 못하면 MMF)
    ⎡azathioprine/MTX 사용 중 재발시 → reinduction 이후 rituximab
    ⎣rituximab 사용 중 재발시 → reinduction 이후 azathioprine, MTX, or MMF
- dz. activity는 임상양상을 종합하여 평가함 (e.g., Birmingham Vasculitis Activity Score[BVAS])
  - ANCA titer는 dz. activity 평가에 이용하면 안됨 (∵ 관해일 때도 ANCA titer 높은 경우 多)
- 치료에도 불구하고 상당수에서 비가역적인 후유증 발생 가능 ; 신부전(→ 신이식이 효과적),
  청력소실, 기관협착, saddle nose deformity, 만성 굴(sinus) 기능 장애 ...
  * 상기도 침범은 원래 면역억제제에 잘 반응 안하므로 resistant dz.로 보지 않음!

■ 현미경다발혈관염(Microscopic polyangiitis, MPA)

- **small** vessel vasculitis로 GPA (Wegener's granulomatosis)와 임상양상이 비슷함 (매우 드묾)
  - 차이 ; granuloma 없음, 상기도침범 드묾, ILD 동반 더 흔함, 폐결절 없음, p-ANCA (+)
- classic PAN (주로 medium vessels 침범)과의 차이
  - MPA는 small vessels (capillaries, venules, arterioles)을 주로 침범
  - pauci-immune necrotizing vasculitis → 괴사성 <u>사구체신염</u>, <u>폐출혈</u>(alveolar hemorrhage)
  - renovascular HTN 안 일으킴! (PAN는 신동맥을 침범하여 일으킴)
- 대부분(>90%) <u>p-ANCA (+)</u>
- 치료는 GPA (Wegener's granulomatosis)와 동일함, 치료시 5YSR 74%

- GPA/MPA의 주요 사망원인 ; 감염(∵ 면역억제치료), 신부전, 호흡부전, 심혈관질환
  (c.f., 10~26%에서 ESRD로 진행 → 신이식은 6개월 이상 CR을 유지한 뒤에 시행)
- GPA/MPA는 일반인보다 악성종양 발생 위험도 증가 [SIR 약 2] (∵ cyclophosphamide 치료)

ANCA-associated vasculitis (AAV)

	GPA (Wegener)	MPA	EGPA (Churg-Strauss)
연령	모든 연령 (주로 중장년)	모든 연령 (주로 중장년)	중년 (평균 40세)
성비	남≒여	남:여=1.5:1	남≒여
ANCA	85% (c-ANCA)	70% (p-ANCA)	50% (p-ANCA)
Granuloma	+	−	+ (eosinophilic)
상기도/ENT 침범	>90% 부비동염, 비중격천공, 안장코, 삼출중이염, 청력소실	약 30% 드물고 경미함	70~85% 알레르기성 비염/부비동염, 용종, 중이염
폐 침범	70~90% 폐침윤, 폐출혈, 객혈, 결절, 공동	폐출혈(12%), ILD	천식(>90%), 호산구성 침윤, 폐출혈, 결절
신장 침범*	~85% 무증상 혈뇨 ~ RPGN, AKI	>80% (진행이 빨라 RPGN, AKI 위험)	20% 드물고 경미함
피부 침범	40~50% 자반증, urticaria, livedo reticularis	40~50% 자반증, urticaria, livedo reticularis	50~60% 자반증, 압통성 피하결절
GI 침범	드묾	20~40% 장간막혈관염	~60% 장간막혈관염, 호산구성 위장관염, 결장염
말초신경 침범**	~60%	15%	~75%
심장 침범	드묾	드묾	12~50% 심부전 등
눈 침범	염증, 가성종양	염증	염증

* asymptomatic hematuria, ANCA(+) GN, ANCA(−) pauci-immune crescentic GN (RPGN), AKI
** mononeuritis multiplex (= multiple mononeuropathy)이 m/c

Eosinophilic granulomatosis with polyangiitis (EGPA)

(= Churg-Strauss syndrome[CSS], Allergic granulomatosis and angiitis)

1. 개요

- 정의 : asthma, 말초혈액/조직의 eosinophilia, 여러 장기의 granulomatous vasculitis
- classic PAN과는 달리 small and medium-sized artery 뿐만 아니라 capillary, vein, venule도 침범
- 역학 ; 매우 드묾, 남≒여, 평균 40세 (소아/청소년 및 65세 이상에서는 매우 드묾)

2. 임상양상

┌ prodromal phase ; 대개 10~20대에 발현, atopic dz., allergic rhinitis, asthma
│ eosinophilic phase ; PB eosinophilia 및 여러 장기의 eosinophilic infiltration (특히 폐, GI)
└ vasculitic phase ; 심한 systemic vasculitis 증상 (발열, 체중감소, 권태 등 전신증상 선행 가능)

- 폐 침범 (m/c) ; 심한 천식 (>90%)이 m/i 특징, 기타 pulmonary opacities with eosinophilia,
  (50~70%, 이동성), pleural effusion (eosinophilic), nodules 등 (cavity는 드묾)
- peripheral neuropathy (2nd m/c, 72%) ; "mononeuritis multiplex (다발홑신경염)"

- allergic rhinitis & sinusitis (~61%)
- 피부 (51%) ; purpura, cutaneous/subcutanesus granulomatous nodules
- GI 침범 ; eosinophilic gastroenteritis (복통[59%], 설사[33%], 출혈[18%] 등), colitis
- 의미 있는 심장 침범 (12%) ; myocarditis, pericarditis, heart failure, MI, 부정맥 → 주요 사인
- 신장 침범은 GPA (Wegener) 및 MPA (microscopic polyangiitis)보다 드물고 경미함!

3. 검사소견/진단

- 심한 eosinophilia (80% 이상에서 >1000/μL)
- ESR↑, IgE↑, fibrinogen↑, α_2-globulins↑, thrombocytosis
- p-ANCA (대개 anti-myeloperoxidase [MPO]) : 약 48%에서 (+)
- CXR ; transient infiltrates ~ multiple nodules
- biopsy ; fibrinoid necrotizing epitheloid, eosinophilic granuloma
- 진단 : asthma + eosinophilia + vasculitis의 임상양상
  (biopsy는 거의 필요 없지만, neuropathy의 감별진단을 위해 sural nerve biopsy는 시도 가능)

4. 치료/예후

- 치료 안하면 예후 나쁘나(5YSR 25%), 치료하면 예후 좋음(5YSR 70~90%)
- systemic vasculitis 소견 존재시 ⇨ glucocorticoid (DOC) 6~12주 (대개 12~18개월간 tapering)
  ; vasculitis가 심할수록 용량↑, 대부분 잘 관해됨
- severe EGPA (or 재발시) ⇨ glucocorticoid + cyclophosphamide로 관해유도 (약 6개월)
  ↳ five-factors score (FFS)에서 2개 이상 해당 (심장 or CNS 침범은 1개라도)
  - 유지요법 ; azathioprine (or MTX, leflunomide) 12~18개월
- severe eosinophilic asthma ; steroid tapering 불가능한 asthma or R/R EGPA
  ⇨ IL-5 mAb (mepolizumab, reslizumab) or anti-IL-5R Ab (benralizumab)
- poor Px (FFS) ; ≥65세, 심부전, GI 침범, 신부전(sCr >1.7 mg/dL), ENT 침범 無
- 사인 ; 심근 침범(심부전) [m/c, 40~50%], 뇌출혈, 신부전, GI 출혈, status asthmaticus

결절다발동맥염 (Polyarteritis nodosa, classic PAN)

1. 개요

- small & medium-sized muscular arteries의 전신성 necrotizing vasculitis
  - 주로 신장 및 내장 동맥 침범이 특징 (주로 동맥의 분기/분지부를 segmental하게 침범)
  - 폐와 사구체(glomerulonephritis) 침범은 거의 없음!!
- pathology : muscular arteries의 segmental transmural inflammation   (정맥/모세혈관은 침범×)
  ; PMN 및 mononuclear cells 침윤, 동맥벽 괴사(→ fibrinoid necrosis),
    elastic lamina의 파괴는 aneurysmal dilatation 유발 가능
- 역학 ; 드묾 (유병률 2~33명/100만), 40~60대에 흔함 (나이 들수록 증가), 남:여 = 1.5:1

- 병인 : 잘 모르지만 여러 요인들이 관여
  - HBV (PAN의 1/3~1/2과 관련), HCV, HIV, parvovirus, influenza, 중이염(세균?), 백신, 약물
  - hairy cell leukemia에서 동반되었다는 보고도 있음
  - 일부에서는 (e.g., HBV) immune complexes와 관련
- granuloma, 심한 eosinophilia, 알레르기경향 등은 없음

2. 임상양상

- 전신증상 (80~90%) ; fever, weight loss, malaise, arthralgias 등
- **신장 침범** (50~60%) ; 사구체의 허혈성 변화, 고혈압(신혈관성), 신부전, 미세동맥류 출혈
  - ↳ 염증/괴사가 아니므로 U/A 이상은 mild proteinuria or hematuria 정도
    (glomerulonephritis를 시사하는 RBC casts는 드묾 → microscopic polyangiitis를 더 시사)
- 근골격계 침범 (60%) ; arthritis/arthralgia (초기에 주로 하지의 큰 관절, 간헐적, 비대칭적),
  myalgia (pain, intermittent claudication)
- 말초신경 침범 (50%) ; mononeuritis multiplex가 m/c
  - c.f.) mononeuritis multiplex의 원인 ; PAN (m/c), RA, SLE, MCTD, mixed cryoglobulinemia,
    Sjögren's syndrome, GPA, MPA, EGPA, leprosy, sarcoidosis, diabetic neuropathy ...
- GI 침범 (40%) ; 복통, N/V, GI bleeding, bowel infarction/perforation
  - ↳ 식후 배꼽주위 통증은 mesenteric arteritis의 초기 증상임 (∵ 소장 허혈)
- 피부 침범 (50%) ; rash, purpura, nodules, livedo reticularis, ulcers, 손/발가락의 경색/괴사 등
  - focal or diffuse, 하지에서 더 흔하고 심함, 부종도 흔히 동반
  - 피하조직의 medium-sized muscular arteries는 다른 장기의 것보다는 훨씬 작음
- 심장 침범 (10~30%) ; CHF, cardiomyopathy, myocardial infarction, pericarditis
- 생식계 침범 (25%) ; 고환, 부고환, 난소 등의 통증/부종 (약 20%는 무통성 고환염이 특징임)
- CNS 침범 (23%) ; CVA (출혈, 경색), 의식변화, seizure

3. 검사소견/진단

- anemia, WBC↑, ESR/CRP↑, hypergammaglobulinemia, complement↓
- ANCA 음성!
- 조직검사 (necrotizing vasculitis) : 진단에 m/i (skin nodule, testis, nerve, muscle 등에서 시행)
- mesenteric/renal arteriography (or CTA, MRA) : 조직검사가 불가능한 경우 진단에 도움
  ; 중간 크기 동맥들의 협착/폐쇄/확장(aneurysms), 작은 동맥들의 폐쇄(cutoffs)/microaneurysms

4. 치료/예후

- classic PAN ⇨ steroid ± azathioprine (or MTX, MMF) / 심하면 steroid + cyclophosphamide
- HBV-associated PAN (대부분은 antiviral therapy만 시행)
  - antiviral therapy ; PegIFN-α (소아, 젊은 성인) or nucleoside/nucleotide analogs (성인)
  - 심한 경우(e.g., 사지 궤양/궤사, AKI, CNS 침범, mesenteric arteritis, myocardial ischemia)
    ⇨ antiviral therapy + steroid + plasmapheresis ± 면역억제제(e.g., rituximab)

- 예후 나쁨 : 치료 안하면 5YSR 10~20% (HBV-associated PAN은 더 나쁨)
- 치료에 반응하면 5YSR 60~90%, 재발은 드묾(약 10%)
- 사망원인 ; 신부전, 위장관 합병증(장 경색/파열), MI, 뇌경색, 감염(∵ 면역억제 치료) ...
- poor Px factor ; 고령(>65세), 심장 침범, GI 침범, 신부전(sCr >1.7 mg/dL)

거대세포동맥염 (Giant cell arteritis, GCA)

- medium- & **large**-sized arteries를 침범하는 systemic panarteritis
- carotid artery의 extracranial branch를 잘 침범 (→ "temporal arteritis")
- 역학 ; 서양(백인)에 흔함 (우리나라는 드묾), 50세 이후에 발생 (70대에 최고), 남:여 ≒ 1:2
- 증상 ; <u>두통</u>(m/c), 두피 압통, 시력장애, 음식을 씹을 때 턱의 통증(jaw claudication), 피곤,
     발열(~50%, 일부는 고열), 체중감소, mononeuritis multiplex
  - <u>측두동맥(temporal artery)</u> ; normal~nodular, tender, enlarged, or pulseless
  - 40~50%는 "<u>polymyalgia rheumatica</u>" (PMR) 동반 : proximal polyarthralgias & myalgias
     ; 뒷목, 어깨, 등/허리, 엉덩이/골반, 허벅지 근육의 pain & stiffness
  - 대혈관 침범 (~1/3에서) : 대동맥 및 분지(특히 상지) 침범 ; subclavian artery stenosis
     (→ arm claudication), aortic aneurysm (→ rupture/dissection 위험) ...
- 합병증 ; ischemic optic neuropathy (실명도 가능), CVA, MI, 내장 경색, aortic aneurysm
- 검사소견 ; <u>ESR</u>↑ (m/i, dz. activity도 반영), anemia, LFT 이상 (특히 ALP↑),
     IgG & complement↑ (WBC와 CK는 정상, ANA/RF/anti-CCP 음성)
- 대개 임상양상으로 진단 ; 50세 이상, 두통, 측두동맥 이상, anemia, ESR↑(>50), ± PMR
  - 확진 : temporal artery biopsy (segmental 하게 침범하므로 3~5 cm 정도 필요)
     ; panarteritis (media에서 현저, CD4+ lymphocytes와 macrophages 침윤), giant cells
  - 보조적 ; temporal artery US, FDG-PET, steroid 투여후 증상 호전 등
- 치료 ; <u>glucocorticoid</u> (e.g., prednisone 40~60 mg/day) ⋯ 즉각적인 치료가 중요!
  - 심한 경우(e.g., 시력 이상, CVA Sx) → methylprednisolone pulse therapy
  - steroid-sparing (or refractory/relapse) → <u>tocilizumab</u> (IL-6 receptor Ab) 병용
     (tocilizumab이 불가능하면 효과는 떨어지지만 MTX)
- 예후는 양호하여 대부분 CR 됨, 대동맥 침범이 없으면 수명도 거의 정상

■ Polymyalgia rheumatica (PMR)

- 주로 50대 이상에서 발생, proximal polymyalgia (pain & stiffness) 2주 이상 지속
- 독립적으로 발생하는 경우가 흔하지만, <u>giant cell arteritis</u>와 관련 많음, 종종 악성종양도 동반
- 증상, ESR/CRP↑, giant cell arteritis의 양상은 없음, steroid에 빠른 반응 등으로 진단
- 치료 : low-dose (10~20 mg/day) prednisone에 반응 매우 좋음
  - 2~3주 뒤 tapering, 재발이 흔함 (대개 몇 년 이내에 사라짐)
  - MTX나 rituximab은 효과 없음

■ Takayasu's arteritis

; 젊은 여성, 대동맥/분지를 주로 침범, GCA와 임상양상/병리가 일부 비슷 → 순환기내과 13장 참조

Immune complex-mediated vasculitis

1. Henoch-Schönlein purpura[HSP] (IgA vasculitis, IgAV)

(1) 개요

- systemic small-vessel vasculitis ; IgA-dominant immune complexes가 주로 침착
- 소아 및 젊은 성인에서 발생 (대부분 3~15세), 남≥여, 봄/가을/겨울에 호발
- 약 2/3에서 URI나 pharyngitis가 선행될 수 있음
  (20~30%의 환자는 streptococcal infection의 병력 있음)
- 기타 유발요인 ; food, drug, insect bite, immunization ...

(2) 임상양상/검사소견

- palpable purpura가 특징 : 주로 하지의 extensor surface와 엉덩이에
- arthritis/arthralgia (50%) : 무릎과 발목에 흔함, 이동하는 양상을 보이는 경우가 많음
- GI 침범 (40~70%) : 소장(대개 십이지장 2nd portion)을 가장 흔히 침범
  - 복통(대개 colicky, periumbilical & epigastric, 식후에 악화 가능), 출혈, N/V/D, 장중첩증
  - 내시경 소견 ; 발적, 부종, 점막하 출혈, 미란/궤양 등
  - purpura보다 먼저 나타날 수도 있음, CD or acute appendicitis와 감별해야
- renal Sx. (20~54%) ; 대부분 mild GN (proteinuria, microscopic hematuria, RBC casts),
  드물게 RPGN 발생 가능, 성인에서 더 흔히 침범하고 경과도 나쁨
- 심근 침범 : 성인에서 발생 가능 (소아는 드묾)
- mild leukocytosis, 때때로 eosinophilia, IgA↑ (50~70%에서, 신장 침범시는 high titer & IgA1)
- complement (e.g., C3, C4) ; 대부분 정상이지만, 약 16%에서는 감소 (특히 streptococci 감염시)
- platelet, coagulation tests 등은 모두 정상, ANCA는 대개 음성

(3) 진단

- 대개 임상양상으로 진단

EULAR/PRINTO/PRES classification criteria for IgAV (2010)
Purpura or petechiae (하지에 분포, thrombocytopenia와 관련 없음) 　　　　& **다음 중 하나 이상** 　1. Abdominal pain (급성, 광범위한 경련통) 　2. Arthritis/arthralgia (급성 관절 부종/통증) 　3. Renal involvement (proteinuria ≥300 mg/day, RBC ≥5/HPF, or RBC cast) 　4. Biopsy (IgA 침착 leucocytoclastic vasculitis or proliferative GN)

- pathology ; 침범된 장기(e.g., skin)의 small vessel vasculitis (leukocytoclastic vasculitis),
  IgA & C3 deposition

- 신장 생검 : IgA nephropathy와 동일한 소견 (IF에서 mesangial IgA deposition)
    ↳ 진단에는 거의 필요 없지만, 일부에서 예후 예측에 도움

(4) 치료

- 대부분 self-limited (80% 이상은 2주 이내에 회복됨) ⇨ 대증적 치료가 기본 (e.g., NSAIDs)
- 복통이 심하거나 NSAIDs에 반응 없는 경우 ⇨ steroid (e.g., prednisone)
    (but, 피부 증상 호전 및 GN 발생 예방에는 도움 안 되고, 질병의 경과에도 영향은 못 미침)
- 심한 신장 침범시 (severe crescentic GN, RPGN) ⇨ <u>steroid</u> (6개월) → cyclophosphamide
    (or MMF) → 반응 없으면 plasmapheresis도 고려 (→ ESRD로 진행시에는 신이식 고려)

(5) 예후

- 일반적으로 예후는 매우 양호 (대부분 완전히 회복됨)
- 10~40%에서 재발 (대개 첫 발병 때보다는 경미함)
- 발병 첫해에는 호전과 악화가 반복되지만, 이후에는 장기 관해를 보임
- 소아의 1~5% (성인 약 10%)는 CKD로 진행, 매우 드물게 AKI로 사망할 수도 있음

2. Cryoglobulinemic vasculitis (Mixed cryoglobulinemia syndrome, MCS)

- 혈중 type Ⅱ or Ⅲ cryoglobulins에 의해 형성된 immune (Ag-Ab) complex가 small vessels에
    침착, complement activation을 유도하여 systemic vasculitis를 일으킨 것
- 원인 ; <u>HCV</u> (m/c), HBV, HIV 등의 감염, 자가면역질환(e.g., Sjögren, SLE, RA, SS),
    lymphoproliferative disorders (e.g., NHL, MM, Waldenström's macroglobulinemia) 등
    (드물게 원인을 모르면 idiopathic MCS [과거 essential mixed cryoglobulinemia[EMC]])
- 임상양상 ; <u>palpable purpura</u>, 관절통, 근육통, neuropathy, GN (10~30%, sCr↑), 피로/쇄약 등
- Lab ; serum cryoglobulin (+), C4↓↓, C3↓, CH_{50}↓, RF (+, 대개 high titer), ANA (±),
    ANCA (-), M-protein (e.g., PEP, IFE, FLC) [type Ⅰ cryoglobulin 및 일부 type Ⅱ에서 (+)]

Preliminary classification criteria for the cryoglobulinaemic vasculitis (2011)	
Questionnaire item (≥2개 만족)	1. 피부(특히 하지)에 붉은 점상 발진이 생겼던 적이 있나? 2. 하지의 붉은 점상 발진이 사라진 뒤에 갈색 색소침착이 생겼었나? 3. 바이러스 간염으로 진단받은 적이 있나?
Clinical item (≥3개 만족)	1. 전신증상 ; 피곤, 미열(>10일), 고열(>38℃), 섬유근육통 2. 관절증상 ; 관절염, 관절통 3. 혈관증상 ; 자색반(purpura), 피부궤양, 궤사혈관염, Hyperviscosity syndrome, 레이노현상 4. 신경증상 ; 말초신경염, 뇌신경 침범, 혈관염성 CNS 증상
Laboratory item (≥2개 만족)	1. serum C4↓ 2. serum RF (+) 3. serum M-protein (+)

- 치료 ; 기저 질환의 치료가 m/i
    - moderate~severe MCS는 면역억제치료도 추가 (high-dose steroid + rituximab)
    - 생명을 위협하거나 심한 경우(e.g., hyperviscosity syndrome, refractory skin ulcer,
        cryocrit ≥10%) → plasmapheresis도 추가

→ 신장내과 8장도 참조

Cutaneous small vessel vasculitis (CSVV)

(= Hypersensitivity angiitis, Cutaneous leukocytoclastic angiitis)

1. 개요

- 피부에만 국한된 vasculitis, 대부분은(>70%) 다른 원인이 존재함
- 원인
  - ① 약물 ; penicillins, cephalosporins, sulfonamides, thazides, allopurinol, phenytoin, gold ...
  - ② 감염 ; HCV, HBV, EBV, HIV, chronic bacteriemia (e.g., endocarditis) ...
  - ③ systemic vasculitis (e.g., cryoglobulinemia)
  - ④ 결합조직질환 ; SLE, RA, Sjögren's syndrome
  - ⑤ 악성종양
  - ⑥ 기타 ; UC, congenital complement deficiency, primary biliary cirrhosis, α_1-antitrypsin deficiency, intestinal bypass surgery, relapsing polychondritis
- 원인을 모르는 경우 idiopathic CSVV (약 30%)

2. 임상양상/진단

- 피부 병변 ; **palpable purpura** (m/c, 직경 3~10 mm) and/or petechiae (직경 <3 mm), macules, papules, vesicles, hemorrhagic bullae, ulcers, urticaria ...
  - 의자/침대 등에 접촉되는 부위에 발생
  - ambulatory 환자는 하지에, bedridden 환자는 sacral area에 호발
  - 병변에 작열감, 저림이 대부분 존재
- 원인 질환에 따라 피부 병변 발생 이후에 다른 장기도 침범할 수 있음
- 전신증상도 동반 가능 ; fever, malaise, myalgia, anorexia ...
- lab. (비특이적) ; mild leukocytosis, ESR↑ ...
- 대개는 임상양상으로 진단, vasculitis의 다른 원인들을 R/O하기 위한 evaluation도 시행
- 확진 : 피부 생검 (발생한지 24~48시간 이내의 신생 병변에서 시행)

3. 치료/예후

- 원인의 제거/치료 (피부만 침범한 경우 대부분 예후 좋음, 2~4주 이내에 자연 회복)
- 약 10%는 (특히 idiopathic CSVV) 호전과 악화를 반복 가능
- acute uncomplicated idiopathic CSVV (자연 회복 가능성 높음)
  - ⇨ 대증요법 ; 휴식, leg elevation, compression stocking, NSAIDs, antihistamines 등
- complicated (e.g., 출혈성 수포, 괴사, 궤양, 2차 감염) or chronic (>4주) idiopathic CSVV
  - ⇨ glucocorticoids (e.g., prednisone) → 반응 없으면 colchicine or dapsone (neutrophil 억제)
  - hydroxychloroquine : urticarial vasculitis에 효과적
  - refractory dz. ⇨ azathioprine, MTX, or MMF
    (cyclophosphamide는 효과는 가장 좋지만, 부작용 때문에 사용안함)

베체트병 (Behçet's disease^{BD}/syndrome)

1. 개요

- 반복되는 구강 및 생식기 궤양, 포도막염, 피부병변을 특징으로 하는 전신성 혈관염
  (모든 크기의 혈관을 침범 가능)
- 우리나라를 포함한 동아시아~지중해 (과거 실크로드) 지역에서 호발, 서양에선 매우 드묾!
- 모든 나이에서 발생 가능하지만 10~30대에 호발, 남≤여, 남자가 더 심한 증상(장기침범)을 보임
- HLA-B5 (B51), -DR5와 관련 / RF, ANA, VDRL 등은 모두 (−)
- 병인 ; autoreactive T cells (m/i), oral mucosal Ag 등에 대한 autoAb, endothelial dysfunction

2. 임상양상

(1) <u>구강궤양 (aphthous ulcerations)</u> … 거의 다 존재

- 구강(oral cavity) 어느 곳에서도 발생 가능, 통증이 심함, 대부분 다발성 & 재발성
- 대개 1~2주 지속된 뒤, 반흔 없이 치유됨

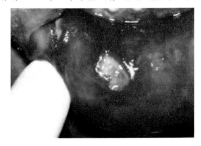

(2) 성기궤양 (>75%) … specific

- 남성은 <u>음낭</u>, 여성 질에 호발 / 심하면 항문 주위에도 발생 가능
- 구강궤양과 비슷하지만, 재발은 덜 흔하고, 반흔을 남기는 경우가 흔함

(3) 피부 병변 (>75%)

- **<u>결절홍반(erythema nodosum)</u>** ; 대부분 하지에 발생, 누르면 압통 (조직소견: septal panniculitis)
- 표재 혈전정맥염(superficial thrombophlebitis), 거짓모낭염(<u>pseudofolliculitis</u>), 여드름양피진
  (<u>acne-like exanthem</u>), papulo-vesiculo-pustular eruptions 등
- scratch, intradermal saline injection (<u>pathergy test</u>)에 대한 비특이적 피부 염증 (흔하고 특이적)

(4) 눈 병변 (50~75%)

- 가장 심각한 Cx (→ 1~2년 내에 <u>실명</u>도 가능)
- <u>post. uveitis</u>^{포도막염} (양측성), iritis, retinal vasculitis, optic neuritis → 강력한 치료 필요!
- hypopyon uveitis ; 드물지만, Behçet's disease의 특이적 소견

(5) 관절염 (>50%)

- 한개 또는 소수의 관절에 발생 (무릎$^{m/c}$, 발목, 손목, 팔꿈치, 팔목), 오래 지속되지는 않음
- 일과성(self-limited), 비대칭성, nonerosive, nondeforming!
- 드물게 aseptic necrosis, enthesopathies, sacroiliitis도 발생 가능

(6) GI 침범 (10~30%)

- ileocecal area에 호발, mucosal ulceration (→ sulfasalazine으로 치료 가능), 복통, 설사, 출혈
- 다른 염증성 장질환과 감별해야 됨 (e.g., UC, CD)

→ 소화기내과 Ⅰ-7장 참조

(7) 혈관 침범 (12~30%)

- perivascular & endovascular inflammation → 출혈, 협착, thrombosis, aneurysm
- 정맥 ; superficial thrombophlebitis (~30%), <u>DVT</u> (~10%), large vein thrombosis (hepatic, portal, IVC, SVC 등), Budd-Chiari syndrome 등 (but, pul. embolism은 드묾)
- 동맥 (<5%) ; <u>pulmonary</u>, carotid, iliac, femoral, popliteal A., aorta에 호발 (뇌, 신장은 드묾)
  (e.g., aneurysm) ↳ pulmonary artery aneurysms (다른 질환에서는 드문 Behçet' dz.의 특징)
  ; hemoptysis (m/c), cough, dyspnea, fever, pleuritic pain 등의 증상

(8) CNS 침범 (<10%)

- 북유럽과 미국 쪽에 많음, 대부분(80%) 뇌실질(parenchymal) 침범
  ; encephalopathy, hemiparesis, 경련, 감각/운동 실조, 연하/구음 장애, 인지 장애 등
- cerebral venous thrombosis, intracranial HTN (pseudotumor cerebri), aseptic meningitis
- 두통, 시력저하, 복시, abducens nerve 마비 (→ 사시) / 말초신경은 침범하지 않음

(9) 기타

- 폐 ; pul. vasculitis, aneurysm (→ hemoptysis), pul. HTN, pleural effusion …
- 심장 ; coronary vasculitis & thrombosis, pericarditis, myocarditis, endocarditis

* 3대 사망원인 ; aneurysm 파열, 장 천공 (ileocecal area), 심한 neuropathy

3. 진단

International Study Group (ISG) diagnostic criteria (1990)
<u>Recurrent oral ulcer</u> (1년에 3회 이상) + 아래 중 2가지 이상 1. Recurrent genital ulcer 2. Eye lesions (uveitis, retinal vasculitis) 3. Skin lesions (erythema nodosum, pseudofolliculitis, acneiform nodules) 4. Pathergy test (+)

- <u>이상초과민검사(pathergy test)</u> : intradermal saline injection
  - 피내 주사나 needle prick과 같은 자극에 대한 피부의 과민반응 … Behçet's dz.의 특징!
  - 양성 : 24~48시간 후에 2 mm 이상의 구진(papule) or 농포(pustule) 형성

4. 치료

- symptomatic (empirical) Tx & irreversible organ damage 예방
- oral/genital ulcer ; topical steroid (+ topical anesthetics)
  - 자주 재발 (→ 재발 예방) ; oral <u>colchicine</u> or <u>apremilast</u> (PDE-4 inhibitor)
  - 위 치료에 반응이 없는 경우 ; systemic steroid (e.g., prednisone)

- skin lesion ; oral colchicine → 반응 없으면 systemic steroid
    (medium-vessel vasculitis, ulcer → steroid + azathioprine 등)
- arthritis ; NSAIDs, colchicine → 반응 없으면 low-dose systemic steroid
    → 반응 없으면 azathioprine ± TNF-α inhibitors → 반응 없으면 IFN-α or MTX
- ant. uveitis ; topical steroid → 효과 없으면 systemic steroid 단기간
- <u>post. uveitis</u> or retinal vasculitis (심하면 실명을 초래하므로 적극적으로 치료)
    ; high-dose systemic <u>steroid</u> + 면역억제제(e.g., <u>azathioprine</u>)
    - 심하거나 반응 없으면 <u>TNF-α inhibitors</u> (e.g., infliximab, adalimumab) 추가
    - 기타 면역억제제 ; cyclosporine, cyclophosphamide, IFN-α, MTX, MMF, rituximab 등)
- 동맥 침범(e.g., aneurysm) ; high-dose steroid + cyclophosphamide + vascular intervention
- 정맥 침범(e.g., thrombosis) ; steroid + 면역억제제 + 항응고제
- <u>CNS 침범</u> : steroid + azathioprine (or 반응 없으면 MMF, MTX, cyclophosphamide 등)
- 예후 ; 대개 호전과 악화를 반복하며 다양한 경과를 보임 (오래 될수록 장기 침범↑)
    - CNS 및 큰 혈관 침범이 없으면 대부분 예후 좋음 (수명 거의 정상)
    - poor Px ; 어린 나이에 발병, 남성, 중요 장기 침범

c.f.) Erythema nodosum를 일으킬 수 있는 질환

① Sarcoidosis
② 약물 ; sulfonamides, oral contraceptives, bromides
③ 임신
④ 류마티스/자가면역질환 ; UC, CD, Behçet's dz., spondyloarthropathy, celiac dz. ...
⑤ 악성종양 ; lymphoma, leukemia, sarcoma, post-radiation therapy
⑥ 세균감염 ; *Streptococcus*, TB, leprosy, *Yersinia enterocolitica*, tularemia, *Campylobacter*, *Salmonella*, *Shigella*, gonorrhea ...
⑦ 진균감염 ; dermatophytes, coccidioidomyosis, histoplasmosis, blastomycosis ...
⑧ 기타감염 ; infectious mononucleosis, lymphogranuloma venereum, paravaccinia ...

c.f.) Uveitis를 일으킬 수 있는 질환

① Ankylosing spondylitis
② Rheumatoid arthritis
③ Reiter's syndrome (reactive arthritis)
④ Sarcoidosis
⑤ Behçet's dz.
⑥ IBD (UC, CD)
⑦ Vogt-Koyanagi-Harada syndrome

10
쇼그렌증후군(Sjögren's syndrome, SS)

개요

- 외분비샘(exocrine glands)의 림프구 침윤 (주로 helper/inducer T cells)으로 인해 안구건조증 (dry eyes)과 구강건조증(xerostomia)이 발생하는 것이 특징인 chronic autoimmune dz.
  - primary Sjögren's syndrome (SS)
  - secondary Sjögren's syndrome (SS) : 다른 autoimmune dz.에 동반된 것
    ; RA (m/c), SLE, SSc, MCTD, PBC, vasculitis, chronic active hepatitis ...
- 남:여 = 1:10↑, 주로 중년(40~60대) 여성에서 발생
- 유병률
  - primary Sjögren's syndrome : 0.5~1.0%
  - secondary Sjögren's syndrome : autoimmune rheumatic dz.의 약 30%
- 다른 자가면역질환들처럼 다양한 유전 및 환경 요인들이 발병에 관여
  - 유전적 요인 중에서는 HLA가 m/i ; HLA-DQB1*0201, -DQA1*0501, -B8, -DR3 등
  - 기타 유전자들 ; *IRF5* (IFN regulatory factor 5), *TNIP1, BLK, STAT4, IL12A, CXCR5* 등
  - but, 다른 자가면역질환들보다 유전적 소인은 적게 작용함
  - 여성 편향성 ; X 염색체에 면역 관련 유전자 多, 자가면역(autoAb)은 훨씬 이전에 시작되지만 폐경으로 인해 estrogen의 샘 염증 보호가 감소하면서 발병↑ (↔ SLE와 반대)
  - 특정 virus와의 연관성은 없지만, HTLV-1, HIV, HCV 등은 SS와 비슷한 건조증상을 보임
- IFN pathway activation → BAFF (B-cell activating factor) overproduction, B- & T-cell activation → autoAb↑ (e.g., RF, anti-Ro/SSA, anti-La/SSB), lymphoid hyperplasia

임상양상

1. Glandular manifestation

(1) 안구건조증(dry eyes)
- 눈이 뻑뻑, 모래 같은 이물감, 가렵고 충혈, 광과민성/눈부심, blurred vision
- 각막/결막 상피 파괴(keratoconjunctivitis sicca), 눈물 감소, 끈적한 눈물, 눈물샘의 비대
- <u>Schirmer test</u> : 아래 눈꺼풀 밑에 종이필터를 붙이고 5분 뒤 젖은 부분의 길이를 측정
  ⇨ <u>5 mm 이하면 눈물 분비능 감소</u>

- ocular surface staining ⋯ 각막/결막의 손상된 상피를 염색으로 확인
  ① Rose Bengal dye ; 손상 부위가 보라색으로 염색됨 → 통증이 있어서 다른 염색법 선호
  ② fluorescein & lissamine green dye ; 순차적으로 시행
  - fluorescein을 점안한 후 눈물막파괴시간(TBUT)과 각막 손상(초록색)을 동시에 관찰
  - 이어서 lissamine green을 점안한 후 손상된 결막(초록색)을 관찰함
  * ocular surface staining score (각막과 결막의 손상 정도를 계산하여 점수화한 것)
    (1) van Bijsterveld score : Rose Bengal 염색, 4점 이상이면 안구건조증
    (2) SICCA ocular staining score : fluorescein/lissamine green 염색, 5점 이상이면 안구건조증
- 눈물막파괴시간(tear film break-up time, TBUT)
  - fluorescein dye 이용 ; 위 참조, 5~10초 이내에 눈물막(형광)이 파괴되면 비정상
  - 눈물샘(lacrimal gland)에서는 눈물의 수성층(aqueous layer)이 분비됨
  - 너무 빠른 눈물막 파괴는 눈물의 점액층^{안쪽}이나 지질층^{바깥쪽} 이상도 고려
              Goblet cells에서 분비 ↵   ↳ 마이봄샘(meibomian gland)에서 분비
  - meibomian gland dysfunction에서도 비정상으로 나올 수 있음 (SS의 >80%에서도 동반됨)
  c.f.) fluorescein 자체가 눈물막파괴시간을 단축시킬 수 있으므로, fluorescein을 사용하지 않는
        비침습눈물막파괴시간(non-invasive tear film breakup time, NIBUT)도 연구 중

(2) 구강건조증(dry mouth, xerostomia)
- 침 분비 감소 → 건조한 음식을 삼키기 어려움, 말을 오래 할 수 없음, 입맛의 변화,
  음식이 점막에 붙음, 입안이 타는 듯한 작열감, 구강점막 끈적거림, 혀의 사상유두 위축
- Cx ; 치아 우식증↑(~65%), oral candidiasis (>1/3), laryngotracheal reflux, esophagitis,
  dysphagia, 쉰 목소리, 체중감소, 야뇨증(∵ 물 많이 마심), 재발성 기관지염/폐장염 등
- 침샘/타액선(salivary gland) 기능검사
  ① salivary gland scintigraphy (technetium excretion radionuclide scan)
    - ^{99m}Tc pertechnetate를 IV 후 salivary glands의 uptake, concentration, excretion을 관찰
    - SS에서는 저하/결핍, 확립된 판정 기준이 없음, sensitivity는 높지만 specificity 낮음
  ② 침분비량측정(sialometry) : 분비(배출)되는 침을 컵에 담아 측정
    - unstimulated : 5~15분간 매분마다 측정, ≤0.1 mL/min이면 비정상(salivary hypofunction)
              (이전 90분 동안 껌을 씹거나 물을 마신 적이 없어야 됨)
    - stimulated : 껌을 씹거나 60분전 pilocarpine 복용 후 측정, ≤0.7 mL/min이면 비정상
- salivary gland imaging
  ① MRI ; parenchymal inhomogeneity (nodular pattern ; "honeycomb" or "salt & pepper")
    - Gadolinium-enhanced MR로 noninvasive하게 sialography도 시행 가능
  ② US ; multiple hypoechoic rounded areas (일부는 hyperechoic linear bands 동반)
    - scintigraphy 및 salivary gland biopsy와 일치율이 높아 점점 많이 이용될 것으로 기대됨
  ③ parotid gland contrast sialography (침샘조영술) ; 침샘관확장(sialectasis) 소견이 SS 진단에
      도움은 되지만, invasive한 검사라서 거의 MRI or US로 대치됨

* salivary gland enlargement : SS의 30~50%에서 발생 (↔ lacrimal gland enlargement는 드묾)
  - 대개 firm, diffusely enlarged, nontender / parotid glands에서 가장 현저함
  - SS 환자는 lymphoma 동반이 흔하므로 biopsy 등을 통해 R/O해야 됨

(3) 기타 exocrine glands의 침범

- upper & lower resp. tract → dry nose/throat/trachea, bronchitis (dry cough)
- GI tract → esophageal mucosal atrophy, atrophic gastritis, subclinical pancreatitis
- vulvovaginal dryness, pruritus, dyspareuina (성교통)
- dry skin (xerosis) ; 흔히 pruritus도 동반 ⋯ but, 땀샘(eccrine glands)의 염증 여부는 불확실함

2. Extraglandular manifestation

- primary SS의 약 1/3에서 동반 (secondary SS에서는 드묾)
- 전신 증상 ; fatigue, low-grade fever, myalgia/arthralgia ...
- 관절 침범 ; arthralgia (~50%), arthritis (~30%)
  - 대개 symmetric, intermittent, nonerosive / 주로 손, 손목, 무릎을 침범
  - RF 양성인 경우 더 흔함, RF & anti-CCP (+)면 관절염 더 심하고 RA로 진행 위험 높음
- Raynaud's phenomenon (13~30%) ; anti-centromere Ab (+)인 경우 더 흔하고 심함
- 폐 침범 (9~24%) ; PFT, BAL, CT 등 검사상의 이상은 훨씬 흔함(~75%)
  - ILD ; dyspnea, nonproductive cough 등, NSIP 형태가 m/c   → 호흡기내과 10장 참조
  - secondary보다 primary SS에서 ILD 동반이 더 흔함
  - 보통 SS 발병 이후 5~10년 뒤에 발생하지만, SS보다 먼저 발생도 가능
- 신경 침범 ; peripheral neuropathy (~10%), CNS 증상 (다양), 정신 증상 (우울증이 m/c)
- GI ; 간/췌장을 포함한 전체 GI를 침범 가능, ~26%에서 LFT 이상, 췌장 침범은 대개 subclinical
- 신장 침범 (2~67%) ; chronic interstitial nephritis (주로 lymphocytes 침윤), type 1 distal RTA,
  경미한 serum Cr 상승, 경미한 UA 이상(e.g., pyuria) 등
- 갑상선 (10~70%) ; 명확한 관련성은 불확실함, autoimmune thyroiditis (m/c), TSH↑
- vasculitis ; cutaneous vasculitis (~10%; palpable purpura, recurrent urticaria, small ulcer),
  드물게 polyarteritis nodosa 비슷한 necrotizing vasculitis, ANCA-associated vasculitis
- lymphadenopathy (14%), cyroglobulinemia (9~16%)
- lymphoma (주로 NHL, B-cell, 5~10%) : 정상인보다 발생위험 40배
  - 대부분 extranodal, marginal zone B-cell, low-grade lymphoma (보통 peripheral LN를 침범)
  - 발생 위험 증가 ; 지속적인 salivary gland 비대 (m/i), cutaneous vasculitis (e.g., purpura),
    lymphadenopathy, splenomegaly, glomerulonephritis, leukopenia, cyroglobulinemia,
    C4 complement↓, 전신증상(발열, 체중감소, 권태감) 등
  - 예후가 나쁜 경우 ; B Sx, LN mass >7 cm, high/intermediate grade

검사소견/진단

- mild normocytic normochromic anemia (20%) : 다른 extraglandular manifestation들과 비례
- leukopenia (12~22%) : 대부분 mild, differential은 대개 정상
- mild thrombocytopenia (5~13%) (SLE와 달리 severe thrombocytopenia는 드묾)
- ESR ↑↑, CRP는 정상 or mild↑
- hypergammaglobulinemia (36~62%) : polyclonal or monoclonal, anti-Ro/La (+)와 관련
  (↳ multiple myeloma 발생 위험도 증가)
- <u>anti-Ro/SSA</u> Ab (60~75%), <u>anti-La/SSB</u> Ab. (40%)
  ① earlier dz. onset, longer dz. duration
  ② salivary gland enlargement
  ③ severity of lymphocytic infiltration of minor salivary gland
  ④ extraglandular manifestation (lymphadenopathy, purpura, vasculitis)
- <u>RF</u> (33~90%), <u>ANA</u> (speckled pattern, 80~90%)
- 기타 자가항체 ; anti-α-fodrin Ab (30~90%), anti-M3R (muscarinic receptor 3) Ab 등
- 조직검사 … <u>minor salivary gland biopsy</u>
  - 아랫입술 안쪽 점막의 <u>입술침샘(labial gland)</u>에서 시행 (드물게 감각저하 등의 Cx 발생 위험)
  - mononuclear cells ((lymphocytes)의 침윤 소견
  - 가장 정확한 확진 검사이지만, 진단에 필수적은 아님 (애매하거나 확진이 필요한 경우 시행)
- 자가항체를 제외하고는, 임상/병리 양상이 HCV, HIV 감염과 유사하므로 반드시 R/O해야 됨

ACR/EULAR classification criteria for primary Sjögren's syndrome (2016)	
1. 입술침샘(labial salivary gland) 조직검사에서 focal lymphocytic sialadenitis & Focus score of ≥1 foci/4 mm^2	3
2. Anti-Ro/SSA (+)	3
3. 한쪽 이상의 눈에서 ocular staining score ≥5 (or van Bijsterveld score ≥4)	1
4. 한쪽 이상의 눈에서 Schirmer test ≤5 mm/5분	1
5. 비자극 침 배출(분비)량 ≤0.1 mL/분	1
Inclusion criteria: 구강 or 안구 건조 중 적어도 한 개의 증상이 있어야 됨 (1) 3개월 이상 매일 지속되는 안구건조감 (2) 눈에 모래알이 들어간 것 같은 불편감이 반복됨 (3) 하루에 3회 이상 인공눈물 사용 (4) 3개월 이상의 구강건조감 (5) 음식을 먹을 때 물을 같이 마셔야 삼키기 편함	

* Inclusion criteria가 있으면서 총 점수가 <u>4점</u> 이상이면 primary Sjögren's syndrome으로 진단

* 배제 기준 ; 두경부 RTx 과거력, HCV, AIDS, sarcoidosis, amyloidosis, GVHD, IgG4-related dz.

■ 치료

: 근본적인 치료는 불가능함, 대증적 치료와 합병증 방지뿐

1. Glandular Sx.

- 인공눈물(artificial tears)
  - hydroxypropyl methylcellulose, carboxyl methylcellulose, 0.5% methylcellulose, polyvinyl alchol, propylene glycol 등의 성분으로 눈물의 점도를 높임
  - 가능하면 보존제(방부제)가 포함되지 않은 인공눈물(or 안약) 사용
  - c.f.) 눈물 양 감소로 점액 침착물이 발생하면 acetylcysteine 같은 점액용해제도 사용 가능
- 인공눈물 만으로 증상 조절이 어려운 심한 안구건조 증상 (keratoconjunctivitis sicca)
  - petroleum-based lubricant ointment ; 시야를 방해할 수 있으므로 자기 전 사용
  - topical cyclosporine ; 심한 증상의 조절에 도움 (but, 따갑고 충혈, 효과 지속이 6개월 정도)
  - topical lifitegrast (Xiidra®) ; 장기간 효과적, 안구건조질환에 2016년 FDA 승인
    ↳ T cells의 LFA-1에 결합하여 ICAM-1 (각막/결막에서 과발현됨)과의 결합 방해
  - topical steroids ; 위 치료에 반응 없을 때 pulse therapy로 고려
    (효과는 좋지만, 백내장/녹내장/감염 등 부작용 위험으로 2~4주 정도만 사용 가능)
- 매우 심한 경우 ; 눈물점 폐쇄(punctual plug/occlusion), 전신 항염증제/면역억제제 (효과 별로)
- 치료에 반응이 안 좋은 경우 meibomian gland dysfunction 합병 여부 R/O 필요

> * Meibomian gland dysfunction (MGD) : 눈물의 지질 성분 감소 (→ 눈물의 물 성분 증발↑)
>   ⇨ 치료 ; 안검 위생관리, 온열 압박, 국소/전신 항생제 등

- 구강 건조 ⇨ 적절한 수분 섭취, 무설탕 껌 또는 젤리(→ 침 분비 촉진)
- 전신 분비촉진제(oral secretagogue) : 콜린성제제(parasympathomimetic muscarinic agonists)
  - 침샘 기능이 남아 있으면 침 배출을 자극함 (안구 건조 증상만 있으면 사용×)
  - pilocarpine (M3R agonist), cevimeline (M1R & M3R agonist)
- 질 건조 ⇨ propionic acid gels
- parotid gland enlargement ⇨ local wet heat ... (딱딱하고 오래 지속되면 lymphoma R/O)
* lacrimal & salivary 분비를 저하시킬 수 있는 이뇨제, 항고혈압제, 항콜린제, 항우울제 등 금기!★

2. Extralandular Sx.

- arthralgia ⇨ hydroxychloroquine (± NSAIDs) → steroid, MTX, leflunomide, anti-TNF 등
- 피곤, 섬유근육통, 수면장애, 우울증 등의 전신증상 ⇨ hydroxychloroquine
- Raynaud's phenomenon ⇨ 추위 보호 (장갑 착용), CCB (nifedipine)
- distal RTA ⇨ sodium bicarbonate or citrate salts
- systemic vasculitis ⇨ glucocorticoids and/or 면역억제제(e.g., cyclophosphamide)
- anti-CD20 mAb (rituximab) ; vasculitis, 피곤 등의 전신증상에 일부 효과 [논란]
  (anti-TNF는 효과 없음)

MEMO

11
감염성 관절염

급성 세균성 관절염

1. 개요

- 감염경로
  ① 혈류를 통한 전파 – bacteremia (m/c)
  ② 인접한 뼈/연부조직의 감염
  ③ 수술, 주사, 외상 등에 의한 직접 접종
- 흔한 원인균
  ① 영아 ; group B streptococci, G(−) enteric bacilli, *S. aureus*
  ② 소아 (5세 미만) ; *S. aureus, S. pyogenes* (Group A streptococcus), *Kingella kingae*
  ③ 모든 성인 ; *S. aureus* (m/c), *Streptococcus* spp., G(−) bacilli ...
    (청소년 및 젊은 성인에서는 *N. gonorrhoeae*가 상대적으로 흔함)

2. Non-gonococcal bacterial arthritis (septic arthritis)

(1) 원인

- 원인균 ; *S. aureus*[m/c] (MSSA[m/c], MRSA), *Streptococci*, CoNS (*S. epidermidis*), GNB ...
  (arthroscopy나 prosthetic joints 이용의 증가에 따라 *S. epidermidis*도 증가 추세)
- 위험인자 ; 고령, 관절질환(e.g., RA[m/c], SLE, OA, gout)[m/c], 최근의 수술/외상, SSTI, indwelling catheters, 면역저하(e.g., DM, CKD, 만성간질환, 알코올중독, 악성종양, HIV, steroid, 면역억제제), IV drug abusers ...
  c.f.) 최근 RA 치료에 많이 쓰이는 TNF-α inhibitors (etanercept, infliximab)는
    mycobacteria 및 세균 감염의 위험을 높임

(2) 임상양상

- 90%가 monoarticular ; knee (m/c, 45%), hip (15%), ankle (9%), elbow, writst, shoulder
- joint ; pain (moderate~severe), swelling, heating, ROM 감소
- fever/chill (20%에서는 없을 수 있음, 특히 RA, 신부전, 간부전, 면역억제치료시)
- D/Dx ; cellulitis, bursitis, acute osteomyelitis ...

(3) 검사소견

- 혈액배양 ; *S. aureus*는 50~70%에서 양성 (다른 균은 양성률 더 낮음)

- 관절천자(synovial fluid analysis) : m/i
  - turbid, purulent / glucose↓, protein↑, LDH↑
  - WBC >50,000/μL (neutrophil >90%)
  - gram stain (sensitivity 낮음 → 음성이라도 septic arthritis R/O 못함)
    - *S. aureus*와 Streptococcus는 약 3/4에서 (+)
    - G(-) bacilli 등 다른 균은 30~50%에서만 (+)
  - culture : 90% 이상에서 (+)
  - 항생제가 투여되었거나 culture (-)인 경우는 PCR도 유용할 수 있음
  - 편광현미경으로 crystals도 꼭 검사하여 gout나 pseudogout를 R/O해야 됨!
- X-ray ; soft tissue swelling, joint-space widening, displacement of tissue planes
    (∵ distended capsule)
  - joint space narrowing, bony erosions → advanced infection, poor Px.
- US ; hip의 effusion 보는데 좋다
- CT/MRI ; sacroiliac joint, sternoclavicular joint, spine 등을 보는데 좋다

(4) 치료
- 배양을 위한 blood & synovial fluid sampling 후 즉시 IV로 경험적 항생제 투여
  (관절에 직접 투여하는 것은 필요 없다)
- 경험적 항생제
  - Gram 염색에서 균이 안보이거나 GNB → 3세대 cepha (e.g., cefotaxime, ceftriaxone)
  - Gram 염색에서 G(+) cocci → 1세대 cepha. (cefazolin), nafcillin, or oxacillin
      (MRSA 가능성 있으면 vancomycin)
  - IV drug abuser or *Pseudomonas* 의심시엔 AG or 3세대 cepha.
- 항생제감수성 결과가 나오면 definitive therapy 시작 (2~4주)
- 관절 배액(drainage)
  - 감염을 효과적으로 제거, 관절 파괴(기능 상실)를 최소화
  - needle aspiration, arthroscopic drainage & lavage
  - arthrotomy (surgical drainage) : 소아 hip의 septic arthritis or 내과적 치료에 실패시

3. Gonococcal arthritis
- 젊고 성생활이 활발한 성인에서 호발 (but, 최근에는 현저히 감소), 남<여 → 남>여 추세
- 발생 : monoarticular ≒ polyarticular, 무릎/손목/발목 및 more distal joints에 발생
- 임상양상/진단
  - disseminated gonococcal infection (더 흔함) ; immune reaction
  - true gonococcal arthritis ; 대부분 afebrile
  - synovial fluid와 blood에서의 배양 양성률이 낮으므로 primary infection이 의심되는 점막 부위도
    배양해야 됨 (e.g., 요도, 자궁경부, 인후)
  - gonococcal DNA PCR : sensitivity 높음

		Disseminated gonococcal infection (DGI)	True (purulent) gonococcal arthritis
증상		발열/오한, 발진, 관절 증상 (migratory arthritis & tenosynovitis가 특징)	대개 한 관절만 침범 (e.g., hip, knee, ankle, writs)
Synovial fluid	WBC	10,000~20,000/μL	>50,000/μL
	Culture	음성	40% 미만에서 양성
Blood culture		45% 미만에서 양성	대부분 음성

- 치료 ; parenteral <u>ceftriaxone</u> (or cefotaxime, ceftizoxime, β-lactam allergy시엔 spectinomycin)
     + oral azithromycin 1회 (or DC 7일)
  - 유지요법 ; oral cefixime (감수성 있으면) or low-dose ceftriaxone (총 ~7일간 치료)
  - purulent gonococcal arthritis ; 대개 ceftriaxone 7~14일 사용
      + repeated joint aspiration or irrigation, temporary immobilization, NSAIDs

4. 인공관절 감염

- 관절치환술 후 1~4%에서 발생, 대개 수술 중/직후 발생
- 원인균 ┌ 급성 경과 ; *S. aureus*, pyogenic streptococci, enteric GNB
        └ 만성 경과 ; <u>CoNS</u>, diphtheroids
- 치료 : 수술 (대개 인공삽입물 제거) + 고용량 항생제 IV
  - rifampin 병합요법이 도움이 됨
  - 새로운 인공관절삽입술은 수주~수개월 경과 후 시행 권장

TB ARTHRITIS

- progressive monoarticular swelling & pain, 1/2에서는 전신증상도 동반
- 대개 면역저하자에서 발생(e.g., AIDS), 활동성 폐결핵 동반은 드묾
- 주로 큰 weight-bearing joints를 침범 (hip, knee, ankle), 대개 monoarticular
  (세균처럼 관절의 발적, 온열감 등 급성 감염 양상은 드묾: "cold" arthritis)
- 약 10~15%는 polyarticular, 약 30%는 전신증상도 동반(e.g., 발열, 체중감소)
- synovial fluid 소견 ; 대개 비특이적 (WBC 평균 20,000/μL, neutrophils이 약 50%)
  - AFB stain : 1/3 미만에서만 (+)
  - culture : 80%에서 (+) / synovial tissue culture는 90%에서 (+)
  - 빠른 진단을 위해 PCR이 도움
- 치료 : 폐결핵과 동일   → 호흡기내과 6장 참조

* NTM (atypical mycobacteria)에 의한 감염
  - 외상 또는 직접접종을 통해 감염 (대개 작은 관절) ; 농사일, 정원일, 물과 관련된 일
  - tendon sheaths와 bursae를 침범하는 것이 특징

VIRAL ARTHRITIS

- 일반적으로 mild, short duration (self-limited), symmetric & polyarticular (synovitis 無)
- 원인 ; parvovirus, HBV, HCV, rubella, mumps, EBV, alphaviruses, Zika virus, Dengue virus 등
- 진단 ; 의심 바이러스에 대한 혈청학적 검사
- 치료 ; 진통제(e.g., AAP, NSAIDs) / steroid는 대개 금기

Infectious arthritis의 synovial fluid 특징

원인	Appearance	WBC/mm^3	PMN%	(+) Smear%	(+) Culture%
Bacterial	Opaque/turbid	>5만	>90	50~75	90
Gonococcal	Opaque/turbid	>5만 (DGI: 1~2만)	>80	25	40
Tuberculous	Opaque	1~2만	50	20	80

섬유근육통 (Fibromyalgia, FM)

- 매우 흔함 (유병률 2~3%), 50대 이상 여성에서 호발 (남:여 = 8~9:1), 나이 들수록 발생 증가
- 전신의 만성적인 통증과 경직감을 주소로 하는 질환 : "온 몸이 쑤시고 아프다"
- 전신 권태감, 피로 (80%에서 moderate 이상), 두통 (70%), 수면장애 (65%, non-REM sleep 장애), 우울증, 기억장애, 감각이상, IBS 등도 흔히 동반됨
- 진찰소견은 압통점(tender point sites) 이외에는 거의 없음
- laboratory test는 모두 정상!
- 병인 ; 유전적 소인 (e.g., 가족력 有) + 환경요인
    - → CNS의 pain processing 이상 (e.g., exaggerated pain response, hyperirritability)
- 진단기준

American College of Rheumatology (ACR) classification criteria (1990)
① Widespread (multisite) musculoskeletal pain (3개월 이상) &   ② Tender point sites (18군데 중 11개 이상에서)

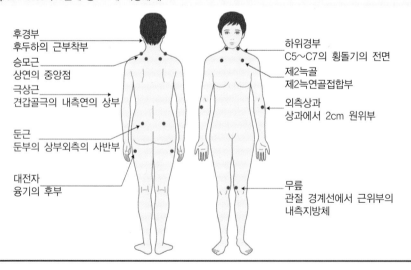

후경부
후두하의 근부착부

승모근
상연의 중앙점

극상근
견갑골극의 내측연의 상부

둔근
둔부의 상부외측의 사반부

대전자
융기의 후부

하위경부
C5~C7의 횡돌기의 전면

제2늑골
제2늑연골접합부

외측상과
상과에서 2cm 원위부

무릎
관절 경계선에서 근위부의
내측지방체

American College of Rheumatology (ACR) preliminary diagnostic criteria (2010 criteria)

다음 3 조건을 만족하면 fibromyaliga (FM)로 진단
1. WPI ≥7 & SS ≥5 *or* WPI ≥3 & SS ≥9
2. 비슷한 수준의 증상이 3개월 이상 지속
3. 통증을 유발할만한 다른 질환이 없음

WPI (widespread pain index)
: 지난 1주일 동안 환자가
  아팠던 부위의 수 (0~19점)

　좌/우 어깨
　좌/우 상완
　좌/우 하완
　좌/우 엉덩이
　좌/우 허벅지
　좌/우 종아리
　좌/우 등
　좌/우 턱
　목
　가슴
　배

SS (symptom severity scale score)
: 다음 4가지 증상의 중증도 점수 합 (0~12점)
(1) 피로감
(2) 잠에서 깨도 상쾌하지 않음 ⇨
(3) 인지기능장애
　　0 = 문제없음
　　1 = 약간 불편, 경증 or 간헐적 발생
　　2 = 상당히 불편, 중등도 or 자주 발생
　　3 = 매우 불편, 중증, 지속적 발생

(4) 일반 신체증상 : 아래 41가지 중 존재 개수
　　0 = no (0)
　　1 = few (1~10)
　　2 = moderate (11~24)
　　3 = great deal (≥25)
　　(근육통, 과민성대장증후군, 피로, 사고/기억장애, 근육허약, 두통, 복통/경련,
　　저림, 어지러움, 불면, 우울, 변비, 상복부통, 오심, 신경과민, 흉통, 흐린시력,
　　발열, 설사, 입마름, 두드러기, 귀울림, 구토, 속쓰림, 구강궤양, 입맛변화/소실,
　　멍잘듦, 탈모, 빈뇨, 배뇨통, 방광연축 등)

* 1990 기준에 비해 tender point examination이 빠져, 1차진료의사들도 쉽게 사용할 수 있도록 하는게 주 목적

- 감별진단
  - chronic fatigue syndrome : 증상이 viral illness와 더 비슷
    (e.g., mild fever, sore throat, axillary/cervical LN의 통증 등)
  - polymyalgia rheumatica : more proximal muscle stiffness & pain, ESR ↑

- 치료 : 우선 환자에게 신체의 병임을 인식시키고, 안심시키는 것이 중요 ⇨ 대증 치료
  (호전/악화 반복되는 만성 경과를 보이지만, 대부분은 큰 문제없이 생활 가능)

(1) 항우울제 : 가장 효과적, 초치료로 취침 전 low-dose TCA 추천
　　① TCA ; **amitriptyline** (m/c), desipramine, nortriptyline, doxepin
　　② SSRI ; fluoxetine, sertraline, paroxetine, fluvoxamine, citalopram
　　③ dual serotonin-NE reuptake inhibitor (SNRI) ; <u>duloxetine, milnacipran</u>, venlafaxine

(2) 항경련제 (alpha-2/delta [$\alpha_2\delta$] Ca^{2+} channel modulator) ; <u>pregabalin</u>, gabapentin
　　→ 통증↓, 수면 개선, 삶의 질 향상 효과

(3) 진통제 ; AAP, tramadol (opioid agonist이지만 serotonin과 NE 재흡수 억제 기전도 있음)
　　- 강한 마약성 진통제는 금기

(4) 국소치료법(e.g., 침술, heat, massage, myofascial release, injection, TENS) : 일시적 효과뿐

(5) 기타 ; 가벼운 유산소 운동, 스트레스 훈련, 인지행동치료(cognitive behavioral therapy[CBT]) ...

* 하나의 약제로 여러 증상을 조절하는 것이 권장됨!
　- 통증과 수면장애가 주인 환자 ⇨ 진통 & 수면개선 효과 있는 약제
　　→ sedating antidepressant (e.g., amitriptyline) or 항경련제(e.g., pregabalin)
　- 통증에 피곤, 불안, 우울 등이 동반된 환자 ⇨ 진통 & 항우울/항불안 효과 있는 약제
　　→ SNRI (e.g., duloxetine, milnacipran)

* 염증과 관련이 없으므로 oral steroids or NSAIDs는 효과 없음
  (NSAIDs는 중추신경계 작용 약물의 효과를 상승시킬 수는 있음)
* 아편유사진통제는 금기 (∵ opioid-induced hyperalgesia로 증상 악화 가능)

관절주위 질환

1. 점액낭염/주머니염 (bursitis)

- 원인 ; excessive frictional force (m/c), 외상, 감염, 관절질환(e.g., RA, gout)
- superficial bursitis의 경우는 침범 부위 위에 통증/발적/부종 등 염증 소견이 나타날 수 있음
  (deeper bursitis는 인접 힘줄/관절 or 더 떨어진 부위의 통증을 유발 가능)
- 종류
  ① subacromial bursitis (m/c)
  ② trochanteric bursitis (2nd m/c) ; hip과 upper thigh 측면의 pain, greater trochanter 후면의 tenderness, hip의 external rotation과 abduction에 의해 pain 유발
  ③ olecranon bursitis
  ④ achilles bursitis
  ⑤ retrocalcaneal bursitis
  ⑥ ischial bursitis (Weaver's bottom)
  ⑦ iliopsoas bursitis ; 고관절 질병과 비슷한 증상 → 확진을 위해 MRI or US 시행
  ⑧ anserine bursitis ; 무릎 바로 아래 tibia 내측의 pain, 계단을 오를 때 pain 발생
  ⑨ prepatellar bursitis
- 진단 ; 대개 임상양상으로
  - bursal fluid 검사는 감염 or 결정유발성 관절염 의심시에만 시행
  - 영상검사도 대부분은 필요 없음 (특히 superficial bursitis의 경우)
- 치료 ; septic bursitis를 제외하고는 대부분 자연회복됨(self-limited)
  - 악화 요인 방지, 침범 부위의 휴식, ice pack or heating pad
  - NSAIDs, superficial bursitis는 topical NSAIDs도 가능
  - deeper bursitis는 local steroid & anesthetic injection

2. 유착관절낭염 (adhesive capsulitis, frozen shoulder)

- 50세 이후에 호발, 여자에서 더 흔함 ("50견")
- 어깨관절(glenohumeral joint)의 통증, 압통, 운동제한
  - active & passive movements가 모두 제한됨
  - 대개 서서히 진행하지만, 일부에서는 급격히 진행할 수도 있음
- 원인 ; 대개는 intrinsic shoulder dz. 없이 발생
  - bursitis나 tendinitis 이후에도 발생 가능
  - COPD, MI, DM, hyperthyroidism 등의 전실질환에 동반될 수도 있음

- 검사소견/진단
  - X-ray ; 대개는 정상, 일부에서 osteopenia (주로 OA 등 다른 질환 R/O에 유용)
  - MRI (or MR arthrography) … 진단이 애매한 경우 시행
    ; 관절낭(joint capsule) 및 부리위팔 인대(coracohumeral ligament) 비후, joint fluid↑ 등
  - arthrography → 대부분 MRI로 대치되었음
  - US … 비특이적으로 진단에는 보조적
    ; 전반적인 관절 공간 감소, 부리위팔 인대 비후, 회전근개 간격(rotator cuff interval)↑ 등
- 치료
  - 통증 조절 ; AAP, NSAIDs, opioid analgesics
  - local steroid & anesthetic injection, gentle physical therapy
  - 장기간의 적극적인 내과 및 재활치료에도 호전 없을 때에만 수술을 고려
- 예후/경과
  - 대부분은 1~3년 뒤 자연 호전됨 (but, 약간의 운동제한은 남음)
  - 외상 후에는 early mobilization으로 예방될 수도 있음
  - 일단 발생하면 치료해도 질병의 자연경과에는 거의 영향을 못 미침

재발다발연골염 (Relapsing polychondritis, RPC)

- 연골의 반복적인 염증 및 조직괴사를 특징으로 하는 전신 자가면역질환, 원인 모름
  (주로 귀, 코, 후두/기관/기관지 연골을 침범하지만, 전신의 모든 연골을 침범 가능)
- 매우 드묾, 40~50대에 호발, 남≒여, HLA-DR4 흔함
- 약 30%는 systemic vasculitis, RA, SLE 등을 동반 (드물게 MDS, lymphoma도 동반 가능)
- 임상양상
  - 귀 침범 (~90%) ; 이개염(auricular inflammation)[m/c] [갑자기 외이가 붓고 아프고 빨갛게 됨],
    연골이 없는 귓불(ear lobe)은 침범×, 심하면 난청 및 전정기능 장애도 발생
  - 눈 침범 (~60%) ; episcleritis, scleritis, peripheral ulcerative keratitis, uveitis, proptosis 등
  - 코 침범 (~60%) ; 코막힘, 콧물/코피, 안장코(saddle nose deformity, ~25%, GPA R/O해야)
  - 후두/기관/기관지 침범 (~50%) ; nonproductive cough, hoarseness, wheezing, inspiratory
    stridor, dyspnea, sleep apnea syndrome, post-obstructive pneumonia 등 ⋯ poor Px
  - 기타 ; 관절통/관절염 (~50-70%), 심장 침범 (10%, 주로 AR), GN, 뇌수막염, 뇌혈관염 ...
- 진단기준

Original (McAdam) criteria (1976) : 아래 중 3개 이상	Modified (Damiani & Levine) criteria
1. Bilateral auricular chondritis 2. Nonerosive, seronegative inflammatory polyarthritis 3. Nasal chondritis 4. Ocular inflammation (결막염, 각막염, 공막염, 포도막염) 5. Respiratory tract chondritis (후두 and/or 기관 연골 침범) 6. Cochlear and/or vestibular dysfunction (감각신경난청, 이명, 현기증)	다음 중 하나에 해당 (1) 임상기준(McAdam criteria) 3개 이상 (2) 임상기준 1개 이상 + 병리소견 (3) 2군데 이상의 연골염 + steroid or dapsone에 반응

- 병리 ; 연골주위 염증세포 침윤(주로 CD4+ T cells), Ig & complement 침착, 연골 기질에서
  proteoglycan 소실 (basophilic staining↓) → 연골 파괴, chondrocytes 소실 → fibrosis로 대치
- Lab ; mild anemia (MCV 증가시에는 MDS도 한번 의심), leukocytosis, ESR/CRP↑,
  ANA/RF 때때로 양성(low titier), complement 정상, ANCA 대개 음성
  - type II collagen에 대한 autoAb : <50%에서 검출되지만 비특이적임
  - 호흡기/심장 침범 확인을 위해 CT/MRI, PFT 등 시행 (기관지내시경은 위험함)
- 치료
  (1) mild (주요 장기 침범은 없는 이개염, 관절염) ⇨ NSAIDs (full anti-inflammatory dose)
    → 반응 없으면 oral steroid (일부에서는 dapsone도 사용 가능하지만, 용혈빈혈 등의 부작용)
    → 반응 없으면 MTX (or azathioprine, leflunomide) 추가
  (2) mild~moderate (심한 이개염, 내이/눈/기도/심혈관 침범) ⇨ oral steroid
    → 반응 없으면 MTX (or azathioprine, leflunomide) 추가
  (3) severe (심한 기도 침범, 신장/신경 침범, necrotizing scleritis 등)
    ⇨ high-dose steroid + cyclophosphamide (or azathioprine, MTX)
    → 반응 없으면 biologic DMARDs ; TNF-α inhibitors (e.g., adalimumab, etanercept,
      infliximab), tocilizumab (anti-IL-6R) 등 (rituximab은 효과 별로)
- 예후 ; 매우 다양, 대부분 호전/악화를 반복, 5YSR 74~94%, 기도 침범이 m/c 사인

Immunoglobulin G4-related disease (IgG4-RD)

- IgG4(+) lymphoplasmacytes 침윤, 나선형섬유화(storiform fibrosis), 혈청 IgG4 상승이 특징인
  immune-mediated fibroinflammatory dz.
- 원인은 모름, 매우 드묾, 중년~노년에서 발생, 남>여
- 임상양상 ; 거의 모든 장기를 침범 가능 (→ subacute하게 mass 발생), 60~90%는 여러 장기 침범
  - type 1 (IgG4-related) autoimmune pancreatitis (AIP)
    ; IgG4-RD가 처음 알려지게 된 전형적인 장기 침범, 과거에는 그냥 AIP or
      lymphoplasmacytic sclerosing pancreatitis (LPSP)로 불리었음   → 소화기내과 II-11장 참조
  - sclerosing cholangitis ; AIP의 >70%에서 동반 (단독 발생은 드묾), 폐쇄성 황달 등
  - 침샘(salivary gland) 침범 ; submandibular[m/c] or parotid mass
  - 안와 침범 ; 눈물샘(lacrimal gland) mass → 안검 부종, 외안근 침범 → 안검하수
    c.f.) 과거에는 Mikulicz' dz. (침샘과 눈물샘을 침범한 Sjögren's syndrome의 일종)로도 불리었음
  - lymphadenopathy (~40%) ; 대개 다른 장기 침범에 동반되어 발생 (AIP의 ~80%에서 동반),
      다른 장기 침범과 달리 biopsy에서 IgG4-RD의 특징적인 소견은 드묾
  - 신장 침범 (~15%) ; tubulointerstitial nephritis[m/c], membranous GN 등, complement↓
  - 기타 ; retroperitoneal fibrosis, 갑상선(e.g., Riedel's thyroiditis), aortitis, periaortitis,
      폐(sarcoidosis 비슷한 양상), 신경 ...
  - allergy (e.g., atopy, eczema, asthma, nasal polyps, sinusitis, eosinophilia) 동반도 흔함(~40%)
- Cx ; 간부전, 췌장부전, 신장위축, aortic dissection/aneurysm, 부비동/비인두의 파괴

- 진단 ; 임상양상, 영상소견, serum IgG4↑, 조직검사 등을 종합하여 진단
  - 조직검사 ; dense lymphoplasmacytic infiltration (storiform pattern), mild~moderate eosinophilic infiltration, IHC에서 IgG4(+) plasma cells, 진행되면 "storiform" fibrosis
  - circulating plasmablasts (e.g., FCM에서 CD19^{low}/CD38+/CD20-/CD27+)↑도 진단에 도움
- 치료 ; glucocorticoids (e.g., prednisone) [대부분 잘 반응] → 반응 없거나 재발시 rituximab
- 예후 ; 다양한 경과, 치료 중단시 재발이 흔함, 악성종양 발생 증가 여부는 논란

Guillain-Barré Syndrome

- acute, fulminant polyradiculoneuropathy (autoimmune)
- immunopathogenesis : cellular & humoral immune mechanisms 모두 관여
  - ① T cell activation ⎡ serum ; IL-2, soluble IL-2 receptor 증가
    ⎣ CSF ; IL-6, TNF-α, IFN-γ 증가
  - ② autoantibodies (neural target : glycoconjugates, 특히 gangliosides)
    - anti-GM1 ; 20~50%에서 발견됨, 특히 *C. jejuni* 감염 뒤
    - anti-GO1b ; MFS (M. Fisher syndrome)의 90% 이상에서 발견
- 임상양상
  - 대개 ascending paralysis, 팔보다 다리를 주로 침범
  - facial diparesis (50%에서), lower cranial nerves를 더 잘 침범
  - 대부분 입원이 필요 (30%에서는 ventilatory support 필요)
  - weakened muscles 부위의 deep aching pain, DTR 소실
  - bladder dysfunction ; 심한 경우에만, 대개 일시적
  - autonomic dysfunction (e.g., BP fluctuation, postural hypotension, arrhythmia)
    ; 심한 경우에 발생할 수 있음

Subtypes	발생연령	특징	EMG	조직소견
AIDP (acute inflammatory demyelinating polyneuropathy) (m/c, 90%)	성인	회복 빠름 anti-GM1 Ab (<50%)	Demyelination	Schwann cell surface를 처음 침범 ; 광범위한 myelin 손상, macrophage 활성화, lymphocyte 침윤
AMAN (acute motor axonal neuropathy	소아 젊은성인	계절적인 발생 회복 빠름 anti-GD1a Ab	Axonal	Ranvier motor nodes를 처음 침범 ; macrophage 활성화, lymphocyte 침윤은 드묾, periaxonal macrophages 흔함
AMSAN (acute motor sensory axonal neuropathy)	성인	회복 느림 (흔히 불완전) AMAN와 관련	Axonal	AMAN과 동일하지만 sensory nerves & roots도 침범
MFS (M. Fisher syndrome) (~5%)	성인/소아	Ophthalmoplegia ataxia, areflexia anti-GO1b Ab (>90%) weakness 없음	Demyelination	AIDP와 비슷

- 검사소견

　① CSF ; protein level 증가 (100~1000 mg/dL), pleocytosis는 없음

　② EMG (electrodiagnosis)

　　– demyelination ; prolonged distal latency, conduction velocity slowing

　　– axonal ; action potentials의 amplitude 감소

- 진단

Diagnostic Criteria
■ 필수
1. Neuropathy에 의한 2개 이상의 사지의 progressive weakness*   2. 무반사(areflexia)   3. 질병 경과가 4주 미만   4. 다른 원인들을 R/O   　– vasculitis ; PN, SLE, Churg–Strauss syndrome (EGPA)   　– toxins ; organophoaphates, lead   　– infections ; botulism, diphtheria, HIV infection   　– porphyria, localized spinal cord or cauda equina syndrome
■ 보조적
1. Relatively symmetric weakness   2. 경미한 감각 장애   3. Facial nerve 등의 cranial nerve 침범   4. Fever는 없음   5. CSF 소견 ; protein↑, acellular   6. EMG

- 치료

　① high-dose IV immune globulin (IVIg)

　② plasmapheresis

　– 두 가지의 효과는 비슷, 모두 시행해도 특별한 이득은 없다

　– 진단 후 가능한 빨리 시작해야 (첫 motor Sx 발생 후 2주 뒤엔 효과 없다)

　– glucocorticoids는 효과 없음

　– 심한 경우엔 ICU에서 monitoring, ventilatory supports 등 필요

알레르기
내과

1
서론

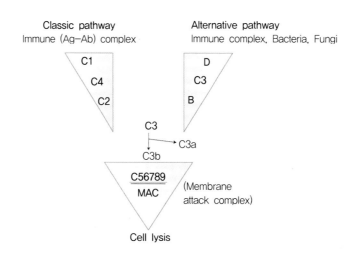

Classic pathway
Immune (Ag–Ab) complex

Alternative pathway
Immune complex, Bacteria, Fungi

C1 C4 C2

D C3 B

C3 → C3a

C3b

C56789 / MAC (Membrane attack complex)

Cell lysis

Complement system의 구성 요소

Complement products에 의한 biologic effects

Effect	Complement product mediating
Cell lysis	C5b~9 (MAC)
Inflammatory response	
Mast cells과 basophils의 degranulation	C3a, C4a, C5a (anaphylatoxins)
Eosinophils의 degranulation	C3a, **C5a**
Extravasation & chemotaxis of leukocytes	C3a, C5a, C5b67
Aggregation of platelets	C3a, C5a
Monocyte/macrophage의 이동과 전파 억제	Bb
BM에서 neutrophils의 release	C3c
Neutrophils에서 hydrolytic enzymes의 release	C5a
Neutorphils에서 complement receptors type 1 & 3 (CR1 & CR3)의 expression 증가	C5a
Particulate Ag의 opsonization과 phagocytosis 증가	**C3b, C4b, iC3b**
Viral neutralization	C3b, C5b~9 (MAC)
Immune complex의 solubilization & clearance	**C3b**

* CR1 (complement receptor type 1) : 90%는 RBC에 존재

　　→ C3b-coated IC와 결합 → 간과 비장으로 운반

　　→ 간/비장에서는 IC만 떨어져나와 phagocytosis 됨

* SLE

　　- 많은 양의 IC 생성 → tissue damage

　　　(complement-mediated lysis & type Ⅱ/Ⅲ hypersensitivity)

　　- 역설적으로 C1, C2, C4 감소 (→ C3b level 감소), CR1 표현 감소

　　　→ IC의 clearance 감소 → IC의 지속적인 존재 (→ tissue damage)

IMMUNOGLOBULINS

Immunoglobulins의 종류

특성	IgG	IgA	IgM	IgD	IgE
분자형태	Monomer	Monomer, dimer	Pentamer, hexamer	Monomer	Monomer
Subclass	G1, G2, G3, G4	A1, A2	None	None	None
Serum level (mg/dL)	9.5~12.5	1.5~2.6	0.7~1.7	0.04	0.0003
전제 Ig에서의 %	75~85	7~15	0.3	0.3	0.019
Classic complement 활성화	+(G1, 2?, 3)	−	−	−	−
Alternative complement 활성화	+(G4)	+	+	+	+
Fc portion을 통해 결합하는 세포	Macrophage, neutrophil, large granular lympho.	Lymphocyte	Lymphocyte	None	Mast cell, basophil, B cell
특징	태반통과, 대부분의 면역반응에서의 secondary Ab	Secretory Ig	Primary Ab 반응	Mature B cells의 marker	알레르기 기생충감염

ALLERGY 반응을 일으키는 기전

(1) sensitization : allergen과의 접촉으로 면역세포가 감작됨

(2) hypersensitization : effector cell이 allergen과 재접촉시 용이하게 반응

(3) hyperreactivity of target organ : mediator 또는 cytokine에 의해 증상을 일으키는 조직과 장기가 과반응

* priming effect : 적은 양의 allergen에 지속적으로 노출되면, 훨씬 적은 양의 allergen 노출에 대해서도 증상 및 nasal airway resistance 증가

알레르기 질환의 증상 발현에 미치는 신체 조건

면역 세포 (감작)	알레르기 세포 (과감작)	표적 기관 (과반응성)	알레르기 임상 형태
-/+	-	-	정상
+	+	-	무증상 감수성
+	+	+	알레르기 질환
-/+	-	+	비알레르기성 질환

과민반응의 분류 ★

* hypersensitivity의 분류
  (1) allergic hypersensitivity (면역기전 관여)
    ┌ IgE-mediated ; atopic, non-atopic (e.g., drugs, insect sting)
    └ not IgE-mediated ; T-cell, eosinophil, IgG-mediated, other
  (2) non-allergic hypersensitivity (면역기전 활성화 없음)

Allergy (Hypersensitivity)의 형태	대표적인 질환 ★
제1형 : IgE-mediated 즉각형(immediate type) 위급성형(anaphylactic type)	1) **Atopy** ; allergic rhinitis, allergic (extrinsic) asthma, atopic dermatitis, allergic gastroenteropathy 2) **Anaphylaxis** ; urticaria, angioedema, food allergy, drug allergy (e.g., penicillin), insect bite allergy
제2형 : Antibody-mediated 세포 독형(cytotoxic type) 세포 용해형(cytolytic type)	면역(immune) 용혈빈혈/혈소판감소증, 용혈성 수혈반응, Rh 신생아용혈병(HDN), Goodpasture's syndrome, pemphigus vulgaris, myasthenia gravis, thyrotoxicosis
제3형 : Immune complex-mediated 독성 결합체형(toxic complex type)	혈청병(serum sickness), 사구체 신염, 혈관염, hypersensitivity pneumonitis, SLE, RA
제4형 : T cell-mediated (cell-mediated hypersensitivity) 지연형(delayed type) 항원노출 2~3일 후	<u>접촉성 피부염</u> (m/c), hypersensitivity pneumonitis, ABPA, 결핵, 결핵성 흉막염, tuberculin 반응, 나병, sarcoidosis, 베릴륨증(berylliosis), 석면증(asbestosis) 이식 거부반응, GVHD, 갑상선염, 악성 빈혈, type 1 DM, RA, 만성 알레르기 염증, toxoplasmosis

→ 4장도 참조

CHEMICAL MEDIATORS & MAST CELL

- 비만세포(mast cell)의 활성화 (m/i)
  (1) 면역학적 활성화 : allergen이 비만세포 표면의 IgE receptor에 결합된 두 개의 IgE 사이에서
      가교를 형성하여 mediators 분비를 일으킴
  (2) 비면역학적 활성화/자극 : 방사선조영제, aspirin, 아편제제(e.g., morphine, codeine),
      D-tubocurarine, thiamine, captopril, C3a, C5a, MBP, substance P, synthetic ACTH …

- 활성화된 mast cell (basophil)에서 분비되는 물질(mediators)

Primary (Preformed) Mediator	Secondary (Newly-formed) Mediator
Histamine (m/c)	LTB_4, LTC_4, LTD_4, LTE_4
Heparin	PGD_2, PGE_2, $PGF_2\alpha$
Proteoglycans	Thromboxan A_2
Tryptase & Chymase	PAF
Carboxypeptidase A	Adenosine
Serotonin	Bradykinin
Aryl sulphatase	Cytokines
β-hexosaminindase	
β-glucuronidase, β-galactosidase	
ECF-A, HMW-NCF	

- mediators의 기능에 따른 분류
  (1) 혈관 투과성 증가와 평활근 수축 ; histamine, PGD_2, $LTC_4/D_4/E_4$, PAF, SRS-A, BK-A
  (2) 염증세포들의 chemotaxis or activation ; LTB_4, ECF-A, NCF

- mast cell은 여러 cytokines도 생산 ; IL-1, IL-2, IL-3, IL-4, IL-5, IL-6, IL-8, IL-10, IL-13,
  GM-CSF, TNF-α
  (→ eosinophil의 생산/분화/활성화/침윤 등을 유발)

IL-1	fibrosis regulation, 여러 세포에서 생산됨
IL-2	T cell, B cell, NK cell의 증식에 관여
IL-3	eosinophil의 증식/분화/활성화에 관여, mast cell 수명 연장
IL-4, IL-13	B cell에서 IgG→IgE로 isotype switch하여 IgE 생성 증가
IL-4	B cell 증식, Ig의 분비 및 Th2 cell로의 분화 유도
IL-5	eosinophil 증식/분화/활성화에 관여, basophil의 과립분비 촉진
IL-10	Th1 cell로의 분화 억제, macrophage의 proinflammatory cytokines 생성 억제
IL-12	Th1 cell로의 분화 유도
GM-CSF	eosinophil의 autocrine effect, mature eosinophil에 IL-5와 비슷한 영향
IFN-γ	macrophage 활성화에 관여, IL-4 mediated isotype switching 억제
TNF	proinflammatory activity, neutrophil 활성화를 포함 염증반응의 증폭

■ Cytokines & allergic reactions

	Cytokines	Activity
IgE regulation	IL-4, IL-13 IL-2, IL-5, IL-6 IFN-γ IL-10	IgE isotype switch (IgE 분비 자극) Synergizes with IL-4 Inhibits IL-4 (IgE 분비 억제) Inhibits IFN-γ
Eosinophilia	IL-5, IL-3 GM-CSF	Eosinophilopoietins Inhibits apoptosis
Mast cell activation	IL-1β , TNF-α Stem cell factor	Increase mediator release
Leukocyte migration	IL-1β , TNF-α IL-4, TNF-α	Increase ICAM-1, E-selection expression Increase VCAM-1 expression
Inflammation	GM-CSF, TNFs, IL-1, IL-3, IL-5 IFN-γ , IL-2, IL-3, IL-4 IL-4	Eosinophil activating factors Macrophage activating factors Th2 helper T cell의 분화/증식 자극

* eosinophil의 activation markers

① granule proteins

- MBP (major basic protein) : core에 존재, 나머지는 matrix에

- ECP (eosinophil cationic protein)

- EDN (eosinophil-derived neurotoxin)

- EPO (eosinophil peroxidase)

② cytokines ; IL-5, IL-3

③ lipid mediators ; LTC_4, LTD_4, PAF

④ enzymes

⑤ reactive oxygen mediators

* 알레르기 질환에서 염증의 표지자

① eosinophil count

② 혈청 유리 인자 ; ECP, tryptase, LTB_4

* leukotriene biosyntheis

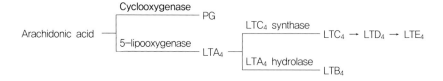

알레르기 항원 (allergen)

1. Aeroallergen

: 대부분 2~60 μm의 크기가 잘 일으키며, 10 μm 이하의 것만이 기관지 내로 들어가므로 천식보다는 알레르기성 비염을 잘 일으킨다.

(1) 계절성(seasonal)

- 꽃가루(화분, pollen)
  ① 수목 화분기(tree pollen) - 3~5월 (봄) ; 자작나무과(자작나무, 오리나무, 개암나무), 포플라, 버드나무, 참나무, 소나무 ...
  ② 목초 화분기(grass pollen) - 6~7월 (초여름) ; 우산잔디, 큰조아제비, 호미풀, 김의털, 오리새
  ③ 잡초 화분기(weed pollen) - 8~10월 (초가을) ; 쑥(m/c), 돼지풀, 환삼덩굴 ...
- 곰팡이 포자 : 7~10월에 최고, 12~1월에 최저이지만 통년성으로 발견됨

(2) 통년성(perennial)

- 집먼지진드기(house dust mite) ; *Dermatophagoides farinae, D. pteronyssinus* … m/c allergen
- 동물의 털/비듬(e.g., 고양이, 개, 쥐, 토끼), 바퀴벌레
- 곰팡이 ; *Alternaria, Cladosporium, Aspergillus, Penicillium, Mucor ...*
- 잎 응애(mite) ; 귤응애(*Panonychus citri*, 제주 감귤농장에서 가장 문제가 되고 있는 해충으로 감귤농장 주민들의 기관지천식과 알레르기성비염의 원인 allergen), 점박이응애(*Tetranychus urticae*, 농약에도 잘 죽지 않음, 주로 과수원 농부에서 문제) ...

(3) 직업성

; TDI, anhydride, 반응성 염료 등

2. 식품

: 호흡기 알레르기를 일으키는 원인으로는 드물지만 메밀, 달걀, 꽃게, 우유, 새우, 이스트, 복숭아, 밀가루, 돼지고기, 닭고기, 토마토, 쵸콜릿, 땅콩, 사과 등이 있음

진단

1. 병력 (m/i)

2. 진찰 소견

- wheezing, dyspnea, 흉부함몰
- adenoid face (입으로 숨쉼), allergic shiner (눈밑에 보라색 색소침착)
- allergic salute (손바닥으로 코끝을 비비며 위로 올림)
- transverse nasal crease

3. 인체를 대상으로 하는 검사

(1) 피부반응검사(allergic skin test)

- 원인 allergen 규명을 위한 첫 번째 검사, 일반적으로 15~30분 후 반응이 최고일 때 측정
- IgE-mediated reaction (type Ⅰ)의 진단에 중요 (immediate hypersensitivity)
- mast cell, basophil 표면의 specific IgE 유무를 검출
- sensitivity는 매우 높고(거의 100%), specificity도 높지만(>85%) 피부반응검사가
  양성으로 나타나도 해당 항원이 원인 allergen이라고 진단할 수는 없음! (위양성 가능성)
  - 결과가 total IgE, specific IgE, 기관지유발검사 등과 높은 일치율을 보임
  - food allergy는 임상증상과 일치도가 좀 떨어짐 → fresh food로 직접 시행 고려 (특히 과일)
  - 약물투여, 시약의 농도와 순도, 시술자의 경험이 결과에 영향을 미침
  - 동일 allergen이라도 사람 또는 검사 부위에 따라 반응이 다를 수 있음

위양성	피부묘기증(dermographism), Urticaria, Cutaneous mastocytosis, 시약에 불순물 포함
위음성	약물 ; antihistamines, sympathomimetics, 장기간의 steroid 등 　(1주일 이내의 단기간 steroid는 영향 없음) 최근의 anaphylaxis, 역가가 떨어진 항원, Multiheaded devices

- 환자에서 부작용이 발생할 위험이 있음
- 판독 : 팽진(wheal)에 발적(flare)이 동반되어야 됨, 크기는 장경과 단경을 더하고 2로 나눔
  ① 단자검사(prick test)^{피부바늘따끔검사} : screening test, allergen 양이 적다, specificity 높음
  ② 피내검사(intradermal test) : allergen 양↑↑, sensitivity 더 높지만 위양성 및 부작용이 증가
  　　→ 대개는 단자검사 음성인 경우 시행 고려, food or latex allergy에는 시행×
  ③ 소파검사(scratch test) ; 별도의 (+) 기준표는 없음

피부반응검사의 판정기준

등급	피부단자검사			피내검사	
	팽진(A/H)	팽진(크기)	발적(크기)	팽진(A/H)	발적(크기)
−	0	0	0	0	0
1+	R <1	1~2 mm	<21 mm	R <1	<21 mm
2+	R <1	1~3 mm	≥21 mm	R <1	≥21 mm
3+	1≤ R <1	3~5 mm	≥21 mm	1≤ R <1	≥21 mm
4+	2≤ R <3	>5 mm	≥21 mm	2≤ R	≥21 mm
5+	3≤ R <4		≥21 mm		
6+	4≤ R <5		≥21 mm		

* A/H (Allergen/Histamine) ratio : (+) control인 histamine에 의한 팽진 크기에 대한 비율
** 대개 3+ 이상인 경우에 의미를 둠!

(2) 항원유발검사(provocation test)

- 원인 allergen을 규명하는 gold standard
- food allergy : 이중맹검 식품 유발검사
- allergen을 직접 비강, 결막, 기도내에 투여한후 반응을 봄
- 기관지유발검사 ; 비특이 (metacholine, histamine) or 특이 항원 유발검사

(3) 폐기능검사(pulmonary function test)

■ **Cell-mediated immunity (delayed hypersensitivity)의 검사**

① <u>첩포/부착포검사(patch test)</u> ··· **지연형 피부검사**
- 알레르기성 접촉피부염의 진단 (type Ⅳ hypersensitivity)
- 약 20여 종의 흔한 접촉성 allergen을 환자의 등(상측부)에 붙이고 3일간 놓아두었다가
  가려움이나 자극(홍반, 부종, 구진, 수포) 발생 여부를 측정

② in vitro cytokine production
- 항원과 환자의 림프구를 반응시켜 IL-4, IL-5 같은 cytokines의 생성 여부
  or Th2 세포의 증식 여부를 관찰
- 치료 효과 판정에도 이용할 수 있음

c.f.) allergen 시약의 역가 표준화(standardization) 방법

┌ in vivo ; 피부단자검사 : 팽진 크기로 역가 단위를 결정함(e.g., HEP, BU, IR)
└ in vitro ; 단백질 농도(protein nitrogen unit[PNU]), 면역학적 방법(e.g., ELISA inhibition,
  basophil activation test[BAT]), major allergen 함량(e.g., SDS-PAGE, Western blot,
  2-site ELISA, mass spectrometer[MS], circular dichroism spectrum analysis)

4. 검사실 검사

(1) total IgE

- 검사법 ; CLIA (chemiluminescent immunoassay), FEIA (fluorescence enzyme immunoassay) 등
- 혈청 IgE가 증가하는 경우
  ① 기생충 감염
  ② 아토피 질환 ; 알레르기 비염 (화분증, 건초열), 아토피성 피부염
  ③ 기타 ; aspergillosis (ABPA), systemic candidiasis, leprosy, coccidioidomycosis,
    hyper IgE synd, Wiscott-Aldrich syndrome, selective IgA def., HL, IgE myeloma ...
- 알레르기 질환에서 total IgE가 상승하더라도 정상인과 차이가 크지 않고
  다양한 원인에 의해 상승되므로 진단에는 큰 도움 안됨

(2) <u>allergen-specific IgE</u> : immunoassays

- 혈청에서 여러 allergen-specific IgE를 동시에 반정량적으로 검출하는 선별검사로 흔히 이용됨
- RAST (radioallergosorbent test) ; 1960년대 IgE가 발견되면서 처음 도입된 검사
  - skin test 보다는 sensitivity 떨어짐
  - semiquantitative, 약물의 영향 안 받음, 환자의 고통/부작용 없음
  - 단점 ; 방사성 동위원소를 취급해야 하고, 고가의 장비가 요구됨 (→ 다른 검사로 거의 대체)
- ImmunoCAP (Phadia[TM]) : RAST를 대체하기 위해 Phadia (현재 Thermo Fisher)에서 개발한 검사
  - ImmunoCAP : singleplex (한 종목씩 검사)로 많은 양의 Ag을 사용해 '정량' 검사 가능,
    민감도와 특이도 높음!, 특히 food allergy의 경우 유발검사와의 상관관계가 매우 우수함
  - ImmunoCAP ISAC (Immuno Solid-phase Allergen Chip) : multiplex, 반정량검사,
    ImmunoCAP에 비해 사용 Ag 양이 적고 민감도 약간 떨어지고 IgG의 간섭을 받음
  c.f.) Immulite (Siemens[TM]) : singleplex 검사로 ImmunoCAP과 비슷함 (보다 간편)

- MAST (multiple allergen simultaneous test) ⋯ multiplex allergen-specific IgE test
  - ELISA (CLIA, FEIA, immunoblot 등) 기법을 원리로 total IgE와 수십 종의 specific IgE를 동시에 측정하는 반정량 검사, 대부분 자동화되고 저렴해 현재 가장 많이 사용됨
  - 우리나라 (2가지 panel) ; 흡입형(Korean inhalent panel), 식품형(Korean food panel)
  - specific IgE가 음성이어도 total IgE가 높으면 추가로 다른 검사 권장

c.f.) Prausnitz-Kustner (P-K) reaction : 알레르기 환자의 혈청을 정상인에게 피내주사 후 24시간 뒤에 피부항원유발검사를 시행할 때 나타나는 wheal & flare 반응
(알레르기 환자의 혈청 내에 reagin [specific IgE]이 존재함을 알려줌)

(3) eosinophil 검사

- 다양한 원인으로 상승하므로, 알레르기 질환의 진단에는 별 도움 안됨
- total eosinophil count가 백분율(%)보다 신빙성 높다
- eosinophil ┌ 5~15% : 알레르기질환 의심
             │ 15~40% : 알레르기질환, 기생충, 약물, 종양, 면역결핍증
             └ >50% : 유충장기전이증, 특발성 호산구증가증후군

Allergen-specific IgE 검사법

	IgE bound to tissue mast cell	IgE in serum
In vivo	Skin test Allergen-provocation test	Prausnitz-Kustner (P-K) test
In vitro	Leukocyte histamine-release test	RAST, MAST, RIDA, immunoCAP 등

Allergic skin test와 혈청 specific IgE test (e.g., MAST)의 비교

	Allergic skin test (in vivo)	Specific IgE test (in vitro)
알레르기 반응(부작용)의 위험성	있음 (특히 피내검사 때)	없음
검사의 민감도 및 특이도	우수함	덜 우수함
항히스타민제에 의한 영향	영향 받음	영향 없음
부신 피질 스테로이드제에 의한 영향	영향은 거의 없음	영향 없음
심한 피부 병변이 있을 때	검사하지 못함	영향 없음
검사의 간편성, 환자의 고통 여부	불편하고 환자에게 고통을 줌	간편하고 고통도 없음
결과 판정	즉시 가능, 주관적	면역반응에 시간 소요, 객관적
반정량적 검사	불가능	가능

■ 치료

1. 회피 및 제거

천식 환자를 위한 환경 조절 방법
1. 실내 습도를 50% 이하로 유지한다.
2. 이불은 자주 햇빛에 널어 말리고 가능하면 삶아서 세탁한다.
3. 베개나 매트리스는 비닐 (또는 allergen-proof covers)로 싸서 사용한다.
4. 헝겊으로 된 소파나 카펫을 사용하지 않는다.
5. 방바닥은 장판장으로 하고 매일 닦는다.
6. 꽃가루가 날릴 때나 공기 오염이 심할 때에는 출입문과 창문을 닫아 놓는다.
7. 강아지나 고양이 등 애완 동물을 키우지 않거나 침실 밖으로 내보낸다.
8. 실내에서는 담배를 피우지 않는다.

c.f.) 모유 수유 → 알레르기 질환 예방에 도움!
   (도움이 안된다는 연구 결과도 있지만, 소아에서 천식, 아토피 등의 발생률 약간 감소)

2. 약물요법

① antihistamine (H_1-receptor blocker)
  • allergic rhinitis, ulticaria 등의 치료에 씀
  • chronic ulticaria, anaphylaxis에는 H_2-receptor blocker도 함께 씀
  • 2세대 antihistamine : BBB 통과 안해서 sedation 부작용 적다
② adrenergic drug ; epinephrine, β_2-agonist
③ cromolyn sodium : mast cell의 세포벽 안정화, 예방용
④ nedocromil sodium : mast cell 안정화 + 항알레르기 작용 + 항염증 작용
⑤ steroid : inflammatory reaction에 관여하는 cytokine 생산 억제
⑥ ketotifen : mast cell 안정화 & leukotriene 작용 억제, 경구투여 가능

3. 면역요법(allergen immunotherapy[AIT], desensitization)

• 적응증
  ① specific IgE-mediated 반응과 임상증상과의 연관성이 확실한 경우
     예) 곤충(벌독), 꽃가루(수목, 목초, 잡초), 집먼지진드기, 일부 식품
  ② 항원 회피가 불가능한 경우 (e.g., 양봉업자, 꽃가루, 집먼지진드기)
  ③ 치료약물 사용에 부작용이 있거나 약물요법으로 호전되지 않는 경우
  ④ 환자의 순응도가 좋은 경우
  ⑤ 알레르기 비염 환자 – 기도과민성이 동반된 경우
• 5세 이상이면 시작 가능
• 종류 ; 피하(subcutaneous), 설하(sublingual), 비강/기관지내(nasal/bronchial), 경구(oral)
• 회피요법 및 약물치료로 호전되지 않는 환자를 대상으로 이들 요법과 병행 치료하는 것이 원칙
• 사용 가능한 항원 ; 벌독, 집먼지진드기, 꽃가루(잔디, 자작나무, 돼지풀, *Parietaria* 등), 개/고양이털,
  일부 곰팡이(e.g., *Alternaria, Cladosporium*)
   → 표준화 및 임상적으로 안전성이 증명된 항원을 사용해야 됨

- 초기에 소량의 항원을 차차 증량하며 투여하다가 (1~2회/주), 농도가 어느 정도 되면 간격을 늘림

면역요법 시행시 유의사항

1. 주사 후 30분 이상 환자의 상태를 관찰하고 부작용 여부 확인
2. 발열 등 전신 증상이 있을 때는 면역주사를 연기함 (e.g., 천식 발작, PEFR <80%)
3. 새 약병으로 바꾸거나 주사 간격이 벌어진 경우에는 감량함 (e.g., 4주 이상이면 1/2 감량)
4. 전신반응이나 국소 부작용이 심하게 나타나면 감량함
   – 주사 후 30분 이내에 경결의 직경 >5 cm (소아는 3 cm)
   – large local delayed reaction (>8 cm)

- 치료시작 3년 후 증상이 상당히 호전되면 종료, 치료 2년이 지나도 효과 없으면
  (실패한 것으로 간주) 중단 & 재평가
- allergic rhinitis, insect sting anaphylaxis, IgE-mediated asthma 등에서 치료 효과가 좋다!
- 질환별 치료 효과 ; allergic rhinitis$^{(80~90\%)}$ > asthma$^{(65~90\%)}$ > atopic dermatitis$^{(50~70\%)}$
- 치료 지표 (효과 판정)
  ① allergen-specific IgG (특히 IgG4) 차단항체의 형성이 중요함
  　　　　　　　　　　　↳ mast cells의 degranulation 차단
  ② allergen-specific IgE 항체치의 감소
  ③ allergen에 대한 피부 반응도의 감소
  ④ allergen에 대한 기도반응도 및 비점막 반응도의 감소
  ⑤ allergen 기관지 유발검사에서 후기 반응의 소실
  ⑥ 임상증상의 호전 (m/i)
- 면역치료의 금기
  ① 심한(active) 자가면역질환이나 악성종양이 동반
  ② 응급(e.g., anaphylaxis) 상황시 epinephrine 사용이 불가능하거나 효과가 감소되는 경우
  　　예) 심한 고혈압, 관상동맥질환, 심부전, 신부전, COPD, β-blocker or ACEi 장기간 사용 환자
  　　c.f.) β-blocker or ACEi 복용자는 최근에는 상대적 금기로 봄
  　　　　　(특히 벌독 면역요법의 경우 위험보다 효과가 더 크므로 대개는 시행함)
  ③ 환자의 순응도가 나쁜 경우
  ④ 상대적 금기 ; 영유아(<5세), 임신 중, 중증 천식(FEV$_1$ <75%) , 50세 이상
  　　　　　　　　　　↳ 임신 전부터 면역치료 중이면 계속 가능

2
알레르기비염(Allergic rhinitis, AR)

개요

- 코 점막의 알레르기 염증반응에 의한 증상 ; paroxysms of sneezing, rhinorrhea, nasal obstruction, 흔히 itching (eyes, nose, palate)도 동반
- 이전에 노출되어 specific IgE Ab가 만들어진 allergen (airborne Ag)을 흡입하면 증상이 발생 (type I hypersensitivity)
- 유병률 (매우 흔함) : 조사방식 및 계절에 따라 다양하지만 약 10~30%, 최근 급격히 증가 (∵ 산업화, 도시화, 핵가족화, 애완동물↑ 등)
- 대부분 20세 이전에 발병하나 어느 연령에서도 발병 가능
- allergic conjunctivitis, asthma, atopic dermatitis (eczema) 등 다른 allergic dz.도 흔히 동반함
  - 천식 환자의 70~80%가 allergic rhinitis를 동반, allergic rhinitis 환자의 ~50%가 천식을 동반
  - 가족력 ; 부모 한명이 allergic dz.가 있으면 50%에서, 모두 다 있으면 약 75%에서 allergic dz.
- risk factor ; allergic dz.의 가족력, 꽃가루 계절에 출생, 첫째 아이, 조기에 항생제 사용, 생후 1년 동안 엄마의 흡연, 실내 allergen (e.g., dust mite)에 노출, allergen-specific IgE 존재

병인

1. IgE production

- 흡입된 allergen은 antigen presenting cell (APC)에 의해 흡수됨 (APC : macrophage, dendritic cell, activated T & B lymphocyte)
- allergen processing으로 분해된 petide가 CD4+ T-cell의 MHC II에 present 됨
- T-helper cell에서 GM-CSF, IL-3,4,5,6 등이 분비되어 B cell의 증식과 분화 유도
- B-cell은 IgM을 생산하고, IL-4에 의해 IgE Ab를 생산하게 switch 됨

2. Mast cell

- 생산된 IgE는 mast cell과 basophil의 표면에 결합
- 흡입한 allergen은 mast cell 표면의 IgE Ab와 반응하여 mast cell의 degranulation과 mediators의 분비를 유발 (→ 증상 유발)

- histamine (m/i preformed mediator) ; vasodilation을 일으킴 → nasal congestion, mucous secretion, vascular permeability 증가 → tissue edema와 sneeze 초래
- allergy season에 nasal epithelium의 total mast cell count는 일정하지만 superficial epithelium에는 정상인보다 50배까지 증가

3. Eosinophil

- mast cell이 분비한 cytokine에 의해 eosinophil의 성장/수명/화학주성 증가
- eosinophil이 분비하는 oxygen radical과 protein은 코 상피에 toxic effect

임상양상

- 3대 증상 : 발작적 재채기(sneezing), 맑은 콧물, 코막힘(양쪽)
  - clear rhinorrhea가 post. pharynx로 조약돌 모양으로 떨어짐 (postnasal drip)
  - 기타 ; 가려움(코, 눈), 기침, 후각↓, 두통, irritability, fatigue ... (fever는 드묾)
  - 증상은 아침에 심하고 매일 반복됨
- 진찰 소견
  - allergic shiners : 눈 밑의 subcutaneous venous dilation
  - allergic salute : 손바닥으로 코끝을 비비며 위로 올려밈
  - rabbit nose : 코를 움찔거림
  - transverse nasal crease : 코를 너무 많이 문질러서 콧등에 주름이 생긴 것
- nasal mucosa는 swollen, blue, pale 하지만 만성폭로에 의해 erythematous, indurated 하게됨
- 합병증 ; secretory otitis media, sinusitis, anosmia, URI, nasal poylp, sleep disorder

분류

1. 계절성(seasonal) 알레르기비염 (= Hay fever, 건초열/고초열/화분증[pollinosis])

- 원인 : 화분/꽃가루(pollen) - 단백질 함유량이 높아 중요한 allergen으로 작용
  - ① 봄 (3~5월) ⇨ 나무/수목(tree) ; 자작나무, 소나무, 참나무, 버드나무, 오리나무, 포플러 ...
  - ② 늦봄~초여름 (6~7월) ⇨ 목초/풀(grass) ; 잔디, 큰조아제비, 호미풀, 김의털, 오리새 ...
  - ③ 늦여름~초가을 (8~10월) ⇨ 잡초(weed) ; 쑥(m/c), 돼지풀(두드러기쑥), 환삼덩굴, 명아주, 비름 ..
- 증상은 predictable & reproducible 함
- 구강알레르기증후군(oral allergy syndrome, OAS) 동반 흔함 (23~47%) → 5장 식품 알레르기 참조

c.f.) 날아다니는 씨에 붙어있는 털은 allergen 아님

2. 통년성/사계절(perennial) 알레르기비염

- 집먼지진드기(house dust mite)가 m/c 원인
  (*Dermatophagoides farinae*, *Dermatophagoides pteronyssinus*가 대표적)
- 기타 ; 애완동물 (고양이, 개), 면사류, 곡식류, 곰팡이류, 바퀴벌레 ...
- pollinating season이 긴 subtropical region에 많다
- ever-present mold & dust mite allergen, occupational allergen exposure

3. 급성 알레르기비염 (acute/episodic allergic rhinitis)

- 흡입항원에 일시적으로 노출되어 발생
- 원인 ; 고양이 단백질(항원성 매우 강함), 말 비듬, 쥐 오줌, 꽃가루, 집먼지진드기 ...

진단

- 병력이 가장 중요 (e.g., 다른 allergic dz.의 과거력/가족력 등)
- 증상을 일으키는 allergen을 찾는 게 first step!
- 원인 항원 확인 ; 피부단자검사(skin prick test, SPT), serum specific IgE (e.g., MAST)
- 비점막 유발검사(nasal provocation test) ; 일상적으로 시행하기에는 제한적
  (c.f., occupational rhinitis의 진단에는 gold standard)
- serum total IgE↑, eosinophilia (blood, rhinorrhea) → sensitivity, specificity 떨어짐
- 비즙(콧물) 도말검사(cytology) : eosinophil 증가
  - but, allergic rhinitis 동반 안한 천식, nasal polyposis, nonallergic rhinitis with eosinophilia syndrome (NARES) 등에서도 증가할 수 있음
  - 세균, 바이러스, 진균 감염에 의한 비염에서는 neutrophil 증가
- 비강 기능검사 ; 코흡기최대유속(nasal inspiratory peak flow, NIPF),
  비강통기도검사(rhinomanometry), 음향비강검사(acoustic rhinometry)

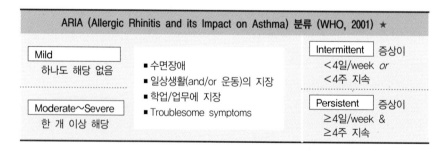

ARIA (Allergic Rhinitis and its Impact on Asthma) 분류 (WHO, 2001) ★

Mild 하나도 해당 없음	■ 수면장애 ■ 일상생활(and/or 운동)의 지장 ■ 학업/업무에 지장 ■ Troublesome symptoms	Intermittent 증상이 <4일/week or <4주 지속
Moderate~Severe 한 개 이상 해당		Persistent 증상이 ≥4일/week & ≥4주 지속

c.f.) Nonallergic rhinitis with eosinophilia syndrome (NARES)
- nonallergic rhinitis의 약 1/3 차지, nasal eosinophilia (>25%), AR과 달리 후각상실(anosmia)도 흔함
- allergy Hx & test는 음성, serum IgE 정상 (bronchial hyperreactivity, aspirin sensitivity 없는 경우 多)
- chronic eosinophilic nasal inflammation으로 nasal polyps 발생도 증가함
- Tx ; intranasal steroid ± 2세대 antihistamines

감별진단

: allergic rhinitis와 비슷한 증상을 일으킬 수 있는 원인들을 R/O

(1) **혈관운동성비염(vasomotor rhinitis)**
 - perennial non-allergic rhinitis (nasal ANS dysfunction 때문)
 - 온도/습도의 빠른 변화(e.g., 찬 공기), 술, 향기, 스트레스 등에 의해 악화되는
   chronic nasal congestion을 주로 호소
 - nasal itching, sneezing은 적고 headache, sinusitis, anosmia는 흔함

(2) **위축성비염(atrophic rhinitis)**
 - 노인에서 nasal mucosa의 progressive atrophy
 - chronic nasal congestion과 안좋은 냄새가 난다고 호소

(3) occupational rhinitis, infectious rhinitis (URI), chronic rhinosinusitis (CRS), GERD ...
   (c.f., CRS with nasal polyposis의 치료 : intranasal saline + steroid → 반응 없으면 수술)

(4) unilateral rhinitis or nasal polyps → fiberoptic underline{rhinoscopy}가 진단에 도움
    ↳ 비중격만곡, 이물, 종양, 비용종 등이 원인
    c.f.) nasal polyps의 원인 ; NARES, chronic bacterial sinusitis, allergic fungal sinusitis,
             aspirin hypersensitivity, cystic fibrosis, primary ciliary dyskinesia 등

(5) 기타 ; irritants, rhinitis medicamentosa (topical α-agonist의 장기간 사용), rauwolfia,
       β-blocker, estrogen ...

치료

1. 회피요법 (TOC)

• 원인 물질 회피 (먼저 정확한 원인 진단이 선행되어야 함)

> 집먼지진드기 서식의 최적 조건 : 25~28℃, 습도 약 75~80%
> (→ 실내 온도 조절로 퇴치하는 것은 현실적으로 불가능)
> 집먼지진드기의 주식은 사람의 피부각질(비듬) → 침구류에 주로 서식

• 실내 습도는 50% 이하로 유지 (house dust mite or mold 못 자라게)
• air conditioner 사용 (→ 습도↓, 실내의 pollen, mold, dust mite allergen 감소 효과)
• 침대 매트리스나 베개는 먼지가 통과할 수 없는 가죽, 비닐 등으로 싼다
• 침구류는 매주 삶아서 또는 뜨거운(>55℃) 물로 세탁 (봉제인형은 <-20℃에서 24시간 보관)
• 천으로 된 소파나 카펫을 사용하지 않음, 방바닥은 장판으로 하고 매일 닦음
• 일반 진공청소기는 집먼지진드기 제거에 효과 없음 → 미세 필터는 도움
 (공기정화기/이온발생기는 아래로 가라앉는 집먼지진드기 항원 제거에 효과적이지 못함)
• 화분이 날리는 계절에는 외출을 삼가고 창문을 잘 닫음
• 개, 고양이 등의 애완동물은 키우지 않음, 담배 같은 자극제의 노출 피함
• 급격한 온도 변화, 오염된 공기, 자극성인 냄새, 정신적 스트레스 등도 피함

2. 대증요법 (약물치료)

(1) Oral antihistamine (H₁ receptor antagonist)

- 회피요법으로 호전 안 되면 우선 oral antihistamine을 사용함
  ① 재채기, 콧물, 가려움증에는 효과적
  ② 코막힘(nasal obstruction)에는 효과 없음!
    ⇨ 비충혈제거제(oral, nasal) 또는 nasal steroid 병합요법 필요
- 1세대 antihistamines
  - diphenhydramine, hydroxyzine, chlorpheniramine, cyproheptadine (antiserotonin activity) ...
  - 부작용 ; sedation, urinary retention (→요실금), 구강건조, 신경인지장애, 체중증가(∵ 식욕↑)
- 2세대 nonsedating (more H₁ selective) antihistamines
  - 지방 친화성이 적어 BBB 통과 못함 → sedation, anticholinergic 부작용 적음!
  - 약제 ; cetirizine (Zyrtec), levocetirizine (Xyzal), loratadine (Claritin), desloratadine,
    fexofenadine (Allegra), azelastine, olopatadine, bilastine ...
    (c.f., terfenadine과 astemizole은 QT↑, TdP 등 심각한 심독성 위험으로 퇴출되었음)
  - 코막힘 개선을 위해 비충혈제거제가 포함된 제제도 있음
- 필요할 때 사용하는 것보다 규칙적으로 사용하는 것이 효과적!
- antihistamine으로 호전이 없으면 intranasal steroid 등 다른 치료제의 병용 권장
  (antihistamine 용량↑ or 두 가지를 병합해도 단독 투여에 비해 효과 우수하지 않음!)

- ■ topical (nasal spray) antihistamines ; azelastine, olopatadine, levocabastine
  - oral 제제와 달리 약간의 항염증 작용도 있어 코막힘(비충혈)에도 약간 효과적
  - 작용이 빨라(<15분) "on demand"로 투여, 금속성 맛 부작용, steroid보다는 효과 적음
  - allergic rhinitis에서 topical steroid에 추가시 addictive effect or vasomotor rhinitis에 사용

(2) Topical (intranasal) steroid : 가장 효과적!

- 약제 ; beclomethasone, flunisolide, budesonide, fluticasone ...
- 코막힘(nasal obstruction)을 포함한 모든 증상(후각↓, 눈 증상 포함) 개선에 효과 좋음!
  ┌ vasoconstrictor & anti-inflammatory effect
  └ histamine 분비 및 chemotaxis 억제
- 규칙적으로 사용하면 immediate & late phase 반응을 억제하지만, 잘못 사용하면
  nasal septal perforation 발생 위험
- 수년간 사용해도 mucosal atrophy는 없고, *Candida* 감염도 드묾
- m/c 부작용은 local irritation
- systemic (oral or parenteral) steroid는 부작용이 심각하므로 사용하면 안됨

(3) Sympathomimetics (혈관수축제/비충혈제거제)

- 코막힘에는 매우 효과가 좋지만, 단독으로는 사용하면 안됨
- oral α-agonists ; pseudoephedrine, phenylephrine … antihistamine과 병합요법으로 잘 사용
- topical α-agonists ; phenylephrine, naphazoline, oximetazoline, xylometazoline
  - 2~3일간은 유용하지만, 부작용(e.g., 불면, 빈맥, tremor) 때문에 7~10일 이상은 쓰면 안됨
  - 7일 이상 사용시 rebound rhinitis (rhinitis medicamentosa) , HTN 발생 위험

(4) Cromolyn & nedocromil
- mast cell degranulation & mediator 방출을 억제, 항염증 작용도 있음
- immediate & late phase reaction을 억제, antihistamine과 병용시 addictive effect
- 부작용이 거의 없는 것이 장점 (임신부/소아도 안전), 예방적으로 투여할 때 좋은 효과
- 효과가 steroid/antihistamine보다 떨어지고 자주 투여해야 하므로 다른 약제를 사용 못할 때 고려

(5) Anticholinergics : ipatropium bromide
- intranasal로 사용하면 rhinorrhea를 감소시킴
- sneezing이나 코막힘에는 효과가 없어서 non-allergic rhinitis에 더 많이 쓰임

(6) Leukotriene receptor antagonist (CysLT$_1$ blocker) : montelukast
- antihistamines과 병용시 코 증상과 눈 증상 경감에 효과적
- 전체적으로 antihistamines과 효능이 비슷하나 intranasal steroid보다는 효과가 떨어짐
- 불면/불안/우울증/자살 위험 → allergic rhinitis나 mild asthma에서는 다른 약제의 사용이 권장됨

* 2차 감염 발생 시에는 부비동염의 존재 여부에 관계없이 2주간 항생제 치료

여러 알레르기비염 치료제의 효과 ★

	가려움증	재채기	콧물	코막힘(비충혈)	염증
Antihistamines	++++	++++	+++	+*	−
Steroid (intranasal)	+++	+++	+++	++++	++++
Sympathomimetics	−	−	+	++++	−
Cromolyn제	+	++	+	+	++
Anticholinergics	−	−	++++	−	

* intranasal antihistamines은 코막힘에도 효과적임

3. 면역요법(immunotherapy)
- 회피요법 및 약물치료로 호전되지 않는 환자를 대상으로 이들 요법과 병행 치료하는 것이 원칙
- 원인항원을 극히 소량에서부터 단계적으로 점차 증량하면서 투여 (3~5년)
- 효과 ; 80% 이상에서 뚜렷한 증상개선 효과가 기대되며, 일부는 완치도 가능함, 다른 새로운 allergen에 대한 감작도 크게 감소됨, 천식 발생 감소
- 원인 항원에 대한 specific IgE titer가 높고, 기관지과민증을 동반하는 경우 면역치료에 잘 반응함

■ 임산부의 알레르기비염 치료
- 비약물 요법 ; saline nasal sprays, nasal irrigation, 운동, head elevation, nasal dilator strips
- mild Sx → intranasal cromolyn / moderate~severe Sx → steroid nasal spray
- antihistamine : <u>cetirizine</u>, <u>loratadine</u>이 안전함 (FDA 위험도 B)
- oral decongestant : 가능하면 사용× (특히 1st trimeter), 필요시엔 pseudoephedrine
  (intranasal decongestant도 코막힘이 매우 심한 경우에만 단기간만 사용)

3
두드러기 및 혈관부종

개요

1. 두드러기(Urticaria)

- 진피상부(upper dermis)의 부종/팽진(wheal), 경계가 뚜렷, 대부분 심한 <u>가려움증</u> 동반
- 부종/팽진(wheal) 주위로 혈류 증가에 의한 flare/erythema 동반 (누르면 하얗게 됨)
- urticaria의 출현은 immediate hypersensitivity reaction이 진행중임을 나타낸다
- 매우 흔함 : 전체 인구의 15~20%가 평생 한번 이상 경험

> urticaria : 사지와 얼굴에 호발
> angioedema : 입술, 뺨, 눈주위, 생식기 등에 호발

2. 혈관부종/맥관부종(Angioedema)

- 진피하부(deep dermis), subcutaneous (or submucosal) 부종 (∵ vascular integrity 파괴)
- 깊은 곳에서 생기므로 경계가 뚜렷하지 않은 brawny nonpitting edema처럼 보이지만,
  edema와는 달리 gravity-dependent area에는 잘 분포 안함
- 입술, 뺨, 눈주위, 생식기, GI (→ N/V), 호흡기(→ dyspnea), 후두(→ 기도폐쇄) 등에 호발
- 대부분이 가려운 urticaria와 달리, 가려움증은 드묾!
- urticaria와 angioedema는 일시적인 것이 특징이며 수분~수시간 내에 발생하여 최고에 이르고
  수시간~수일 내에 사라짐 (self-limited, 피부에 흔적 안 남김)
- 상기도에 angioedema가 발생하면 기도폐쇄를 일으켜 생명이 위험할 수도 있음

분류

> acute urticaria ± angioedema (약 20%) : 발병기간 6주 미만, 대부분 원인이 있음
> chronic urticaria ± angioedema (1~3%) : 6주 이상 지속, 중년 여성에 호발,
> 　　　　　　　　　　　　　　　　　　　대부분 특별한 원인이 없음(idiopathic)

* urticaria를 일으킬 수 있는 피부질환 ; erythema multiform, bullous pemphigoid, dermatitis herpetiformis, urticaria pigmentosa, 곤충 자상 후의 papular urticaria, urticarial vasculitis (SLE, connective tissue disorder) ...

* angioedema

   (1) histimine-mediated angioedema : C4 & C1-INH 정상, 식품/곤충/약물 알레르기와 관련
   (2) bradykinin-mediated angioedema: <u>C1-INH (esterase inhibitor) 결핍</u>, ACEi (흔함)

   ⌐ 유전성 (AD, 드묾) ; 혈관부종(e.g., 입술), 복통, 쉰목소리, 기도폐쇄
   └ 후천성 (매우 드묾); lymphoproliferative dz. (e.g., lymphoma) 등과 관련

기전/원인에 따른 Angioedema ± Urticaria의 분류

Mast cells 활성화 : 두드러기와 소양증 동반 흔함
   (allergic reaction or anaphylaxis의 일부로도 나타날 수 있음)
   IgE-매개성 (type I hypersensitivity) ; 식품, 꽃가루, 식품, 약물, 곰팡이, 곤충, latex, 일부 물리적 인자
   직접 mast cells 분비 자극 ; Opiates, Muscle relaxants (succinylcholine, curare), 방사선조영제
   Arachidonic acid 대사 변화 ; Aspirin, NSAIDs, Azo 염료, Benzoates
   기타 non-IgE-매개성 ; Idiopathic histaminergic angioedema, Chronic spontaneous urticaria,
      물리적 인자 (mast cells의 sensitivity↑; 피부그림증, 한랭, 햇빛(UV), 콜린성(운동), 진동, 물 등)

Bradykinin 매개성 : <u>두드러기와 소양증 동반 안함</u>, GI 증상 (장벽 부종) 동반 가능
   Bradykinin 분해 효소 억제 ; <u>ACE inhibitors</u>, DPP-4 inhibitors (gliptins)
   C1-inhibitor (C1-INH, C1 esterase inhibitor) 결핍/기능장애
      ; Hereditary angioedema (C1-INH deficiency), Acquired angioedema (C1-INH deficiency)
   Hereditary angioedema with normal C1 inhibitor
      ; factor XII, plasminogen, angiopoietin-1 등의 gene mutations

Immune complex-Complement 매개성 : complement↓
   Urticarial vasculitis : urticaria + 피부생검에서 leukocytoclastic vasculitis
   Serum sickness : heterologous (nonhuman) serum proteins에 대한 반응
   수혈반응, 바이러스감염, 자가면역질환

잘 모름 : 다양한 양상, 때때로 두드러기 동반
   Idiopathic nonhistaminergic angioedema, 감염 (특히 소아), 약물 (CCB, fibrinolytic agents, 한약 등),
   Hypereosinophilic syndrome (HES의 약 15%에서 angioedema 동반) ...

Physical (inducible) urticaria

: 대부분 정확한 기전은 모르지만, 물리적 자극에 대한 mast cells의 sensitivity 증가로 생각됨
   (일부에서는 anti-IgE 치료가 효과를 보여 IgE-mediated allergy도 일부 관여할 것으로 추정됨)

1. 피부그림증/피부묘기증(dermatographism)

• 전체 인구의 2~5%에서 발견됨, physical urticaria 중 m/c
• 설압자나 손톱, 펜으로 피부를 긁으면 즉시 부종(팽진)과 발적 발생 (대개 30분 이내에 사라짐)
• 일부는 소양증이 너무 심할 수 있음(symptomatic dermatographism) → antihistamine 치료
• 일부에서는 환자의 plasma에 의해 정상인에게 passive transfer 됨 (→ IgE-mediated?)
• allergic skin test시 해석을 어렵게 함!

2. Cholinergic (or generalized heat) urticaria

- physical urticaria의 약 30%, chronic urticaria의 약 5% 차지, 젊은(10~20대) 남성에서 호발
- 유발인자 : active/passive 심부체온(core body temperature) 상승 or 땀을 유도하는 자극
  ; 운동, 온수욕, 발열, 뜨겁거나 매운 음식, 정신적 스트레스 등
- 심한 가려움을 동반하고, 넓은 홍반(flare)에 둘러싸인, 여러 개의 작은(1~3 mm) punctate wheals
  - 얼굴, 목, 상흉부에서 발생 (주로 목 부위에 생기는 것이 특징)
  - 팽진(wheals)은 가려움보다는 따끔거림을 동반하기도 함, 대개 30~60분 뒤 소실됨
- 다양한 기전이 제시되지만 정확히는 모름 ; 피부 혈관에 acetylcholine과 VIP 등의 neuropeptide를
  방출하는 부교감(cholinergic) 신경계 항진, 땀 성분에 대한 IgE-mediated allergy 등
- 진단
  ① 유발검사 (땀나고 15분 뒤까지 운동, 체온 1℃ 상승 때까지 42℃ 온수욕) : 거의 100%에서 (+)
  ② cholinergic agent (e.g., 0.02% methacholine) 피내주사 (Mecholyl test) : 약 1/3만 (+)
      (일부는 본인의 땀을 이용한 skin test에도 반응을 보임)
- 치료 : 온수욕 or 더운 날씨에 운동 등을 피함
  - 2세대 H_1 antihistamine (e.g., cetirizine 2배 용량) : 매일 복용 or 유발인자를 알면 필요시 복용
  - 효과 없으면 과거에 많이 사용하던 hydroxyzine (1세대 antihistamine)
  - 기타 : omalizumab, ketotifen, danazol (부작용이 크므로 severe refractory 때만 고려)
- 열 노출 후 생기는 subset의 특징 ; large lesion, 운동와 관련 없음, hydroxyzine에 대한 반응 감소
- 예후는 좋은 편 ; 3~16년 (평균 7.5년) 뒤 호전, 약 30%만 10년 이상 증상 지속

■ Exercise-induced allergic reactions
  ① Exercise-induced bronchoconstriction (EIB) → 호흡기내과 9장 참조
  ② Exercise-induced rhinitis : EIB와 병태생리는 같으나, 대신 상기도를 침범
  ③ Exercise-induced anaphylaxis ; 비교적 큰 10~15 mm의 두드러기 + 전신증상
  ④ Exercise-induced (cholinergic) urticaria ; 좁쌀처럼 작은 1~3 mm의 두드러기

■ Exercise-induced anaphylaxis (EIAn)

- 드물다, 젊은 연령에서 발생, 약 50%에서 아토피 질환 동반
- 운동 시작 5~30분 뒤 warmth, pruritus, urticaria (10~15 mm) 발생하여 1~3시간 지속
- 계속 운동을 지속하면 severe anaphylatic Sx도 발생
  ; 얼굴/손의 angioedema, 복통/N/V, 후두부종, 호흡곤란, 의식소실, 저혈압(± collapse)
- cholinergic urticaria와의 차이
  ① core body temperature 상승해도 (e.g., 온수욕) urticaria 안 생김
  ② urticaria의 크기가 더 큼 (10~15 mm)
  ③ 혈관허탈(의식소실)까지 발생 가능
  ④ methacholine skin test 음성
  ⑤ antihistamines에 반응 안 함
- 진단 : 대개 병력으로 가능, 필요시 운동유발검사 (위음성이 흔해 음성이어도 R/O은 못함)
- 치료 ; 운동 중단, anaphylaxis에 준한 응급치료 (e.g., epinephrine)
- EIAn 및 FDEIAn의 예후는 대개 양호하며 attack이 자주 발생하지는 않음, 사망은 드묾

- 예방 ; 운동 금지보다는 증상을 덜 유발하는 운동 종류/습관을 권장
  - co-triggers (e.g., β-blocker, ACEi, NSAIDs, 다습)도 가능하면 피함
  - H_1 antihistamines (일부에서 증상 감소), β_2-agonist (기관지수축 예방, EIB에서 choice), cromolyn sodium (mast cell-stabilizing agent), misoprostol, omalizumab (anti-IgE) 등

* Food-dependent exercise-induced anaphylaxis (FDEIAn)
  - EIAn에서 식품이나 전에 감작되었던 항원 등 제2의 유발인자가 있는 경우, IgE-mediated
  - 원인 식품을 먹고 30분~4시간 (보통 2시간) 이내에 운동을 하면 anaphylaxis가 발생
  - 식품 or 운동 단독으로는 증상이 발생 안함 (c.f., 진행되면 밀가루는 과량 노출시 증상 발생 가능)
    → 운동을 하지 않을 때는 다른 부작용 없이 해당 식품을 섭취 가능
  - 원인 식품에 대한 skin test or specific IgE (+), 보통 천식이나 다른 아토피 질환도 동반함
    ↳ 밀가루$^{m/c}$(e.g., 빵, 피자, 튀김), 새우, 조개, 과일, 셀러리, 우유, 생선, 알코올 등
      ↳ wheat : omega(ω)-5 gliadin이 주요 allergen protein
  - 진단 ; 원인 식품 섭취 후 운동유발검사(food/exercise challenges) (but, 위음성 흔함)
  - 치료/예방 ; 원인 식품의 회피, 식품 섭취 후 6시간 이내는 운동 제한, 식품 섭취 20분전 oral cromolyn sodium, H_1 antihistamines, misoprostol, ketotifen 등

3. 한랭두드러기(cold urticaria)

- 젊은 성인에서 호발, 남≒여, 약 1/2은 atopy 동반, 약 1/4은 다른 형태의 physical urticaria 동반
- 추위/찬물에 노출 후 (수분 이내에) 노출 부위에 urticaria ± angioedema 발생
  - 노출 면적이 넓을수록 증상 심함 (e.g., 찬물에서 수영 시에는 anaphylaxis로 익사도 가능)
  - 추위에 노출 후 mast cells degranulation과 histamine 분비 (혈중 histamine도 상승 가능)
  - cold exposure 이후에 따뜻하게 하면 degranulation이 심해짐
- 기전 (정확히는 모름) ; mast cells 활성화(→ degranulation), IgE-mediated
  (기타 cryoglobulinemia, cryofibrinogen, cold agglutinins, cold hemolysin [PCH] 등도 관련)
- 진단 : cold stimulation test (CST)
  - 얼음조각(ice cube) 검사 ; 피부에 ice cube를 5분간 놓았다가 제거하면 cube 모양으로 하얗게 된 후 erythematous flare에 둘러싸인 edema/wheal 발생
  - threshold test ; TempTest$^{®}$ 장비로 두드러기를 일으키는 최고 온도를 파악
  - 기타 ; cold provocation test (cold packs, cold water baths, cold air), nural exposure test
- 급성 증상의 치료 ; 경미하면 H_1 antihistamine, 심하거나 전신증상 동반시 epinephrine
  (angioedema가 심한 경우에는 단기간의 oral glucocorticoids도 도움됨)
- 예방적 치료 ; cold exposure 회피가 m/i
  - H_1 antihistamine (DOC) ; chronic cold urticaria에는 2세대 H_1 antihistamine이 선호됨
    (e.g., loratadine, cetirizine, desloratadine, ebastine, rupatadine, bilastine)
      → 매일 복용 (표준용량보다는 부작용을 일으키지 않는 선까지의 고용량이 더 효과적)
      * 과거에는 cyproheptadine이 선호되었지만, 더 좋다는 근거는 없고 부작용(sedation) 큼
  - refractory ⇨ anti-IgE (omalizumab) or cyclosporine
  - cold desensitization : 실제로 시행하기 어렵고, 위험할 수 있음
- 대개는 self-limited (50%에서 5~6년 이내에 관해 or 증상 호전), 관해 후 재발은 드묾

4. 일광두드러기(solar urticaria, sun allergy)

- 햇빛에 노출된 뒤 수분 이내에 피부에 가려움, 홍반, 팽진 발생 (24시간 이내에 호전)
- 드묾, 주로 젊은 성인, 남<여, 환자마다 다양한 파장의 빛에 의해 발생 & 다양한 증상
- 기전 ; 피부/혈청의 전구물질이 빛에 반응해 photoallergen으로 전환, 혈청을 주입해도 증상 발생
    (환자 고유의 photoallergen에 대한 IgE or 모든 사람의 정상 photoallergen에 대한 IgE Ab)
- 진단 : 대개 병력으로 가능, 필요시 phototesting (가시광선, UVA, UVB 등 → 원인 파장 파악)
- 치료 ; 냉습포, oral/topical H_1 antihistamines → 효과 적으면 topical/oral glucocorticoids
    → 반응 없으면 omalizumab, desensitization, PUVA (psoralen + UVA), IVIG, cyclosporine,
    MMF, plasmapheresis, melanocyte-stimulating hormone 등
- 예방 ; 햇빛에 노출을 최소화 (특히 10 am ~ 4 pm), 몸을 많이 가리는 의복 착용
  - sunscreens : titanium dioxide or zinc oxide 성분이 가시광선 및 UVA 차단에 더 효과적
      (일반적인 선크림은 UVA + UVB를 모두 차단하므로 효과 적음)

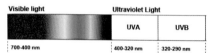

* solar urticaria의 주원인은 가시광선과 UVA 임

  - 가정 및 자동차 window films : 틴팅 필름은 UV를 잘 차단하고, 어두울수록 가시광선도 차단

진단/감별진단

- 대개는 임상양상(병력)으로 진단함, 진단이 애매할 때 각 원인에 따른 유발검사 고려
- allergic urticaria의 경우 allergen-specific IgE or skin test 등
- fever or systemic Sx & sign 있으면 further evaluation 필요
- 필요시 underlying dz.를 밝히기 위한 검사 ; CBC, U/A, ESR, LFT, ANA, RF,
    cryoglobulin, cryofibrinogen, cold agglutinin, C4, C1 esterase inhibitor 등
  c.f.) hereditary angioedema ; 가족력, C1-INH 결핍, C1 정상, C4 & C2 감소

Acute urticaria의 치료

- 원인이 있으면 원인 제거 (m/g)
- nonsedating (2세대) H_1 antihistamine : mild urticaria에는 단독으로 충분
  - 젊고 건강한 경우에는 밤에 sedating (1세대) H_1 antihistamine (e.g., hydroxyzine) 병용 가능
  - moderate~severe urticaria ⇨ H_2 antihistamines (e.g., nizatidine, famotidine, ranitidine,
    cimetidine)도 병용 고려
- oral glucocorticoid (단기간) : angioedema가 심하거나, antihistamine 치료에도 불구하고 증상이
    며칠 지속되는 경우 투여 (antihistamine 치료도 계속 유지해야 됨)
- epinephrine : anaphylaxis 의심시

만성두드러기 (chronic urticaria, CU)

- 6주 이상 지속되는 urticaria
- 유병률 약 1%, 중년 여성에서 흔함, 전신 질환 잘 동반 (약 40%에서 자가면역성 피부질환 동반)
- 원인을 밝히기가 매우 어렵다!, IgE는 보통 정상, not atopic
- 원인/분류
  - ① chronic spontaneous (idiopathic) urticaria[CSU] (55~70%) : 원인 모름
  - ② chronic autoimmune urticaria (30~45%)
    - chronic urticaria 환자의 24%에서 anti-thyroid Ab (+)
    - 10%에서 IgG or IgM anti-IgE Ab (+), 30~40%에서 anti-IgE receptor Ab (+)
    - autologous serum skin test : 환자의 serum을 주사하면 wheal & flare 반응 발생
  - ③ 기타 ; physical (cold, cholinergic 등), cryopyrinopathies, urticarial vasculitis, 감염, 약물, 식품
- 치료
  - ① H_1 antihistamines (first choice) : 규칙적으로 매일 복용함, 부작용(sedation) 적은 2세대 권장
    (e.g., cetirizine, levocetirizine, fexofenadine, loratadine, desloratadine)
  - ② 효과 부족하면
    - 2세대 H_1 antihistamine 용량↑, or 다른 2세대 H_1 antihistamine으로 교체
    - H_2 antihistamines (e.g., cimetidine, famotidine) 추가 (효과가 없으면 바로 중단)
    - 야간에 1세대 H_1 antihistamines (e.g., hydroxyzine, doxepin, cyproheptadine) 추가
      (더 효과적이나, sedation 부작용 큼)
    - leukotriene modifiers (e.g., montelukast, zafirlukast) 추가
  - ③ oral glucocorticoid (단기간) : 위 치료에 효과 없으면
  - ④ steroid에도 반응 없으면 (refractory CU) ; omalizumab (anti-IgE), calcineurin inhibitor (e.g., cyclosporine, tacrolimus), MMF, dapsone, sulfasalazine, hydroxychloroquine 등 고려

  * ACEi, NSAIDs, narcotics 등은 피하는 것이 좋음

c.f.) Latex allergy

- latex : 고무나무(*Hevea brasiliensis*) 즙의 성분, 복합단백으로 구성
- 다양한 의료용구에 포함되어 있는 고무 제품이 문제
    (예 ; 장갑, 탄력붕대, 카테터, 튜브, 백, 마스크 등)
- type I hypersensitivity ; 접촉 두드러기, 알레르기 비염, 천식, anaphylaxis
    (latex-specific IgE에 의해 발생)
- type IV hypersensitivity ; 간혹 알레르기성 접촉 피부염을 일으킬 수 있으나, latex보다는
    고무 제조 과정에 첨가된 여러 화학물질이 주원인
- 예방 ; latex가 함유되지 않은 제품 사용

Hereditary angioedema^{HAE,유전성혈관부종} (C1 inhibitor [C1-INH] deficiency)

1. 개요/임상양상

- 대부분 AD 유전 (가족력), 약 25%는 spontaneous mutation (가족력 無)
- C1-INH gene의 mutations, bradykinin과 C2 kinin이 angioedema를 일으킴
- 유병률 약 1명/6만, 대개 10대 이전에 증상 발생
- acute attack … 보통 2~5일 지속 뒤 자연 호전, 반복적으로 발생 (매주 1회 ~ 1년에 2-3회)
  ① **피부 국소 부종** ; 얼굴(입술, 눈), 팔다리, 생식기에 호발 (홍반, 가려움, 통증은 동반×)
   – 눌러지지 않음, 가만히 있을 때 발생, 특별한 치료 없이도 수일 내에 저절로 소실!
  ② 장관 부종 (장 폐쇄) ; 급성 복통, 구토, 심하면 hypotension & shock
  ③ 후두 부종 (가장 심한 Sx) → 호흡곤란, 기도폐쇄 (드물지만 사망 가능)
  ★ 두드러기와 가려움증은 동반 안 되는 것이 특징!
- 유발/악화인자 ; mild trauma (e.g., 발치), 스트레스, 불안, 감염, 생리, 임신 (출산은 아님),
   심한 운동, 고온, ACEi, estrogens, tamoxifen … (but, 특별한 유발인자가 없는 경우가 흔함)

2. 진단/검사소견

① 증상 & 진찰 소견, 다른 urticaria & angioedema의 원인 R/O
② screening test : C4↓(complement activation marker), C3 정상, C2↓(acute attack 동안)
  – C1q : 정상! (↔ acquired angioedema에서는 대개 감소)
  – CH50 : 별 도움 안 됨
   c.f.) serum sickness에서는 C3, C4, CH50 모두 감소
④ C1 esterase inhibitor (C1-INH) 정량검사 및 기능검사 … 확진!
  (1) type Ⅰ HAE (85%) : C1-INH level <30%
  (2) type Ⅱ HAE (15%) : C1-INH level은 정상, activity <30%
  (3) type Ⅲ HAE (매우 드묾) : C4, C1-INH level & activity 정상, factor Ⅻ mutation 등이 원인

3. 치료

- 급성 angioedema attack의 치료 (e.g., 장폐쇄, 기도폐쇄)
  ① 1st line agents ((매우 드문 병이라 희귀 약품이고, 매우 비쌈)

  > Human plasma-derived C1-INH concentrate (pdC1-INH) [Cinryze®]
  > Recombinant human C1-INH (rhC1-INH) [conestat alfa, Ruconest®]
  > Bradykinin B2-receptor antagonist (icatibant [Firazyr®])
  > Kallikrein inhibitor (ecallantide [Kalbitor®])

  ② 1st line agents가 없으면 plasma 투여 (∵ C1-INH를 함유)
   ; solvent/detergent (S/D)-treated plasma or 없으면 FFP
  ③ 후두부종(stridor, 호흡곤란) ⇨ 즉시 intubation (or 실패시 tracheostomy, cricothyroidotomy)
   (∵ 위의 약물 치료들은 효과 발생에 30분 이상 소요)
  ④ hypotension & shock → IV fluid, vasopressors

  * C1-INH disorder에 epinephrine, antihistamine, steroid 등은 효과가 없으므로 투여하면 안됨

- 만성/예방적 치료

① C1-INH concentrate (pdC1-INH) 정기적 투여 (3~4일마다 IV or 2주마다 SC)

② plama kallikrein inhibitor/mAb (lanadelumab [Takhzyro®]) : 2주마다 SC

③ oral plama kallikrein inhibitor (berotralstat) : 매일 1회 복용

④ attenuated androgen (e.g., danazol, stanozolol) : 간에서 C1-INH 합성↑

   (장기사용 금기 ; 소아, 임신/수유, 간질환, NS, hypercholesterolemia, HTN, 유방/전립선암)

⑤ antifibrinolytic agents (e.g., tranexamic acid, ε-aminocaproic acid) : ④보다 효과는 약하지만
   부작용이 적음 (thrombotic risk or ischemic events의 과거력이 있으면 금기)

* ACEi는 급성발작을 유발/강화시킬 위험이 있으므로 절대 금기임

■ 후천성 혈관부종(acquired angioedema, AAE)

- 원인 ; lymphoproliferative dz. (e.g., lymphoma), MGUS, 기타 종양, 자가면역질환(e.g., SLE),
   AIHA, 알레르기질환 ... (기전은 잘 모름 ; anti-C1-INH autoAb 등)

- 임상양상은 HAE와 비슷하지만 가족력이 없음!, HAE보다 더 드묾

- 유전성(HAE)과의 차이 ; 늦게 발병 (30대 이후), 약 70%에서 C1q 감소

	HAE type I	HAE type II	HAE type III	AAE
C4	↓	↓	N	↓
C1q	N	N	N	↓
C1-INH level	↓	N	N	↓
C1-INH activity	↓	↓	N	↓

두드러기와 혈관 부종의 원인적 분류와 진단에 이용되는 검사법

원인	검사방법
아토피성 질환 : 약물(페니실린) 식품, 꽃가루, 곤충(흡입 혹은 접촉물)	원인 물질 제거, 증상 일기, 혈청 총 IgE와 호산구 수, 피부 반응 검사, MAST (specific IgE), 유발검사
감염 : 간염, 전염성, 단핵구증, 기생충증	균 검사, 대변 검사, 간염 항원 검사
물리적 두드러기 피부 묘기증(dermographism) 한랭성(cold urticaria) 콜린성(cholinergic) 운동 유발성(exercise-induced) 일광성(solar) 진동성(vibratory) 지연-압력성(delayed pressure) 수인성(aquagenic)	Dermographometer or 설압자, 볼펜 등으로 피부를 긁음 Ice cube test, cryoglobilins, cryfibrinogens, VDRL 메타콜린 피부반응 (methacholine 피내검사), 운동 유발검사 운동 유발검사 (e.g., treadmill test) 광선(300 or 450 nm)에 30분 노출, 4분간 진동 10분간 압력 검사 여러 가지 온도의 물에 의한 유발검사
전신성 질환 교원성 혈관 질환(SLE, 피부 혈관염) 갑상선 기능 항진증 색소성 담마진(systemic mastocytosis)	Ig, ANA, RF, C3, C4, CH50, Factor B, 피부생검(IF 검사) 갑상선 기능 검사 피부 생검, 피부그림증 검사
유전성 (혹은 후천성) 혈관 부종	C4, C2, CH50, C1 esterase inhibitor (C1-INH)
특이적 반응	피부 혈관염 감별을 위한 피부 생검, 면역형광검사, ANA

개요/pathogenesis

약물유해반응(Adverse drug reactions, ADR)의 분류
1. Type A : 모든 사람에서 일어나는 예측할 수 있는 유해반응 　; 85~90%, dose-dependent 　① 약물 중독(toxicity), 과용량(overdosage) ; AG의 신독성/이독성, AAP의 간독성 등 　② 부작용(side effects) - m/c ; 1세대 antihistamine의 sedation 등 　③ 간접 부작용, 이차영향(indirect or secondary effects) ; 항생제에 의한 위막대장염 등 　④ 약물 상호작용(drug interaction) ; cytochrome 대사 영향에 의한 약물 대사↑/↓ 등 **2. Type B : 일부 소인이 있는 사람에서 일어나는 예측할 수 없는 유해반응** 　; 약 10~15%, dose-independent 　① 약물 불내성(intolerance) : 적은 용량에 비정상적으로 과장된 반응을 보이는 것, aspirin에 의한 귀울림 등 　② 약물 특이체질반응(idiosyncracy), 약물 유전학적 반응 (pharmacogenetics) ; G6PD 결핍 환자에서 용혈빈혈 등 　③ 약물 알레르기(drug allergy) ; 면역(IgE or T cells) 활성화에 의한 반응, β-lactam anaphylaxis, 피부발진 등 　④ 약물 위알레르기(pseudoallergic reaction) ; 면역기전처럼 보이지만 면역활성화에 의하지 않은 경우, 조영제 등

1. 면역반응 (drug allergy [allergic hypersensitivity])

- 대부분의 약물은 분자량이 작아 (<1000 dalton) 면역반응을 일으키기에 적합하지 않음
  (c.f., effective immunogen : 분자량 >4000 dalton *or* >7 aminoacid)
- 약물이 immunogen으로 작용하는 기전
  ① proteins (complete allergen, macromolecules) : 항체 형성반응 (T cell response) 유발
     예) 재조합단백(e.g., mAb, cytokines), insulin 등의 호르몬, 효소, protamine, antisera, vaccine
  ② haptens : 체내 단백질과 <u>공유 결합</u>해 새로운 allergen으로 작용 (hapten-protein complex)
     → 면역반응(e.g., <u>IgE</u>, IgG, or T cells) 유발　예) <u>β-lactams</u>, penicillamine, gold, cisplatin
  ③ prohaptens : 약물의 중간대사물이 단백질과 공유 결합해 allergen으로 작용
     예) sulfonamide 항생제 (TMP-SMX의 SMX → SMX-MHOH → SMX-NO [hapten]),
         AAP, phenacetin, halothane, carbamazepine, lamotrigine

- 여성, 여러 번 노출된 사람에서 많음 (노출이 적은 소아, 면역기능이 떨어지는 노인에서는 적음)
- 가족력이 있는 경우도 발생 위험 높음
- 감작(sensitization) : <u>topical</u> > parenteral > oral
- allergic reaction : parenteral (m/c) ; IM/SC > IV (환자에 따라서는 심각한 증상도 가능)

면역기전에 따른 약물과민반응(hypersensitivity, allergy)의 분류 (Gell & Coombs)		
Type Ⅰ: IgE-mediated, immediate	Ag 노출에 의한 specific IgE-mediated mast cells & basophils 활성화	Anaphylaxis, Angioedema, Urticaria, Bronchospasm, Hypotension
Type Ⅱ: Ab-dependent cytotoxicity	세포 표면에 결합된 Ag (or hapten)이 IgG와 연계해 complement 활성화	Hemolytic anemia, Thrombocytopenia
Type Ⅲ: Immune complex disease	Ag-Ab complex가 혈관/조직에 침착 complement 활성화 or neutrophil 모집	Serum sickness, Vasculitis, Fever, Drug-induced lupus
Type Ⅳ: Cell-mediated, delayed	Ag에 노출된 T cells에 의한 조직 손상 T cells 종류에 따라 여러 아형이 있음	Contact dermatitis, Morbilliform 홍반, Severe exfoliative dz. (e.g., SJS/TEN*), DRESS/DiHS**, Interstitial nephritis, AGEP, Drug-induced hepatitis

 * SJS/TEN : Stevens-Johnson syndrome/toxic epidermal necrolysis
 ** DRESS/DiHS : drug reaction with eosinophilia and systemic symptoms/drug-induced hypersensitivity syndrome

■ 기타 ; Drug-induced autoimmunity (기전은 정확히 모름)
 - lupus-like dz. ; procainamide, phenytoin, isoniazid, sulfasalazine, amiodarone, minocycline, penicillamine
 - pemphigus-like dz. ; penicillamine
 - IgA bullous dermatosis ; vancomycin, ceftriaxone, ciprofloxacin, metronidazole 등

Type Ⅳ hypersensitivity의 아형		
Ⅳa	Th1 cells 매개반응 ; IFN-γ, TNF-α, IL-18 등 → Macrophage 활성화	Tuberculin skin test, Contact dermatitis (type Ⅳc도)
Ⅳb	Th2 cells 매개반응 ; IL-4, IL-5, IL-13 → Eosinophils 활성화, IgE & IgG4 ↑	Chronic asthma, Chronic allergic rhinitis, DRESS/DiHS, Morbilliform or maculopapular exanthema with eosinophilia
Ⅳc	T cells이 cytotoxic T lymphocytes (CTL)로 작용하는 염증반응	Contact dermatitis, Maculopapular & bullous drug eruptions, SJS/TEN, hepatitis, interstitial nephritis, pneumonitis
Ⅳd	Neutrophils 유입을 통한 염증반응	AGEP (acute generalized exanthematous pustulosis), Behçet dz.

c.f.) 약물 유해반응(ADR)의 인과성 평가(scoring system)의 기본 요소
 ① 약물 폭로와 관련된 사건의 시기(timing)
 ② 그 외에 사건의 원인이 될 수 있는 다른 요인의 유무
 ③ de-challenge (의심되는 약물을 중단한 후의 사건 호전)
 ④ re-challenge (약물 재복용 후 사건의 재등장)
 ⑤ 약물-사건 관련성의 이전 사례 존재
  (해당 사건이 처음 관찰된 경우에는 적용이 불가능한 경우도 있음)

2. Pharmacologic interaction with immune receptors (p-i reactions)

• 표적이 아닌 약물이 T cell receptors (TCR) or HLA proteins과 강력한 비공유 결합을 형성하여 T cells을 자극함 (hapten 반응과 달리 T cell stimulations에만 국한됨!)
• drug-receptor 상호작용이므로 대개는 용량 의존적
• 예 ; abacavir, phenytoin, lidocaine, mepivacaine, allopurinol, dapsone, 일부 조영제(iomeprol)
 - hapten 기전과 중복 ; flucloxacillin
 - prohapten 기전과 중복 ; sulfamethoxazole, carbamazepine, lamotrigine
• 임상양상 ; maculopapular eruption, SJS/TEN, DRESS, hepatitis 등

• 약물이 특정 HLA 단백과만 결합하면 그 HLA allele를 보유한 사람에게만 ADR을 일으킴
(e.g., abacavir, flucloxacillin → HLA-B*57:01 / allopurinol → B*58:01)

3. Nonallergic (nonimmune) hypersensitivity (과거 pseudoallergic reaction) ★

• 면역반응(e.g., drug-specific-IgE, IgG, T cells)은 개입 안하면서 "allergy 유사한 ADR"을 일으킴
  - 전에 감작되지 않고 처음 노출되는 환자에서도 발생 가능
  - IgE-mediated anaphylaxis의 임상양상처럼 심할 수도 있음
• 발생기전 및 예 (아직 모르는 부분이 많음, 왜 일부에서만 발생하는지? 등)
  ① mast cells, or basophils을 직접 자극하여 histamine 등의 preformed mediators 분비
  예) 아편제제(e.g., meperidine, codeine), 방사선조영제(삼투압/이온 농도 변화와 관련, 일부는 IgE
  매개 기전도 관여), MRGPRX2 receptor를 통해 (vancomycin, quinolones, 신경근차단제 등)
  ② complement 직접 활성화 예) cremophor (paclitaxel 등의 용매), 방사선조영제
  ③ arachidonic acid 대사 변화 (COX-1 inhibition) : PG 합성↓, leukotrienes 합성↑
  예) aspirin (= acetylsalicylate) 및 NSAIDs ⋯ cross-reactivity
  ④ kallikrein-kinin contact system 활성화 (→ complement 활성화) ; 방사선조영제 등
  ⑤ 기타/모름 ; 국소마취제(vasovagal reflex : syncope), ACEi (bradykinin-mediated),
  INH (hepatitis), choline (urticaria) …

Organ system	임상양상	예
Multisystem involvement	Anaphylaxis	Penicillin, allergy extracts, chymopapain
	Serum sickness	Antivenom, ALG, penicillin
	Fever	Penicillin, barbiturates, phenytoin sodium …
	Vasculitis	Sulfonamides, quinidine …
	Drug-induced lupus	Hydralazine, procainamide, INH, phenytoin
Hematologic	Eosinophilia	Gold, carbamazepine
	Coombs' (+) hemolytic anemia	Penicillin, phenacetin, methyldopa, quinidine
	Thrombocytopenia	Quinidine, quinine, sulfonamides, heparin, gold
	Neutropenia	Phenylbutazone, sulfonamides, propylthiouracil, quinidine, procainamide, phenytoin
	Infectious mononucleosis-like	Aminosalicylic acid, dapsone
Pulmonary	Asthma	Aspirin, indomethacin, timidol, propranolol
	Pulmonary infiltrates with eosinophilia	Penicillin, sulfonamides, cromolyn sodium, carbamazepine, minocycline, nitrofurantoin
	Pneumonitis & fibrosis	Bleomycin, amiodarone
	Noncardiogenic pulmonary edema	Opiates, hydrochlorothiazide
Renal	Acute interstitial nephritis	Penicillin 및 β-lactams, NSAIDs, sulfonamides
	Chronic interstitial nephritis	Analgesics (aspirin, phenacetin)
	Nephrotic syndrome	Penicillamine, captopril, NSAIDS, gold, methyldopa, sulfonamides, penicillin
Hepatic	Cholestasis	Aminosalicylic acid, dapsone
	Hepatocellular damag	Phenothiazines, erythromycin
	Mixed	Halothane, isoniazid, diclofenac
Cutaneous (m/c)	Urticaria, angioedema, exanthems, hypersensitivity vasculitis, fixed eruptions, contact dermatitis, exfoliative dermatitis, erythema multiforme, SJS/TEN	

임상양상

- urticaria, cutaneous exanthem, contact dermatitis, drug fever, eosinophilia 등이 m/c
- drug hypersensitivity (drug fever)에서 가장 흔한 증상은 <u>피부발진</u> 임
    - 홍반성 반점(macule) 및 구진(papule)이 m/c
    (→ virus에 의한 피부발진과 비슷하므로 감별에 주의)
    - urticaria/angioedema는 aspirin, penicillin, 혈액제제 등에서 흔히 발생
- * drug allergy 발생위험이 증가되는 경우 ; 여성, 장기간/반복 투여, 여러 약물 병용, 동반질환
    (e.g., collagen vascular dz., BM graft recipients, EBV [amoxicillin], HIV [sulfonamides]),
    drug allergy의 과거력(m/i), 가족력, atopy (IgE-매개 반응), HLA class I (B, A) allele 등
- c.f.) 일반적으로 hypersensitivity 용어는 true allergy + pseudoallergy를 다 포함하는 뜻임

Drug allergy의 진단

- criteria
    ① 최초 약물 사용 후 충분한 시간(보통 4일~2주)이 지나야 함
        (보다 빠른 경우에는 nonallergic reaction, prior sensitization, cross reaction 의심)
    ② 약물의 pharmacologic or toxic effect가 아니어야 함
    ③ 용량에 비례하지 않아야 하며, 약물상호작용이나 흡수/배설장애에 의한 것이 아니어야 함
    ④ hypersensitivity reaction의 특징을 보임 (e.g., rash, fever, eosinophilia)
    ⑤ 약물을 끊으면 즉시 (대개 2~3일 이내) 증상이 호전됨
- 아직 안전하고 확실한 검사는 없으며, 임상양상 및 병력에 의한 진단이 가장 중요!

1. 즉시반응(IgE-mediated, type Ⅰ)의 검사

- <u>피부반응검사(allergic skin tests)</u> : 피부단자시험(prick test), 피내검사(intradermal test)
    - histamine과 diluent solution (N/S)을 사용한 controls과의 비교, antihistamine은 끊고 시행
    - 결과가 음성이라도 R/O은 못함 (∵ 약물의 대사물이나 약물-단백 복합체가 allergen인 경우)
    - <u>유용한 경우</u> ; <u>penicillin & β-lactams</u>, heterologous antisera, peptide hormone (insulin),
        <u>vaccine</u>, <u>전신마취제</u>(e.g., thiopental sodium, alcuronium), heparin, latex ...
    - <u>도움 되지 않는 경우</u> ; aspirin, NSAIDs, 항경련제, opiate ... (조영제는 일부 도움됨!)
    c.f.) 국소마취제 : 대개 nonallergic reaction이며, 일부 IgE-mediated reaction도 유발 가능
- serum specific IgE (e.g., immunoCAP) ; penicillin과 insulin에 대한 것 뿐
    - skin test 결과의 보완, 비슷한 약물의 cross-reactivity 평가 등에 유용
- anaphylaxis marker (e.g., tryptase, histamine) ; 반감기 짧아 일부만 도움 (정상이라도 R/O 못함)
- drug-induced basophil activation test : flowcytometry로 CD63, CD203c 등 측정
    c.f.) nonallergic 반응을 일으키는 aspirin or NSAID도 (+)로 나오지만, 정상인에서도 (+)라 의미×

2. 지연반응(T cells-mediated, type Ⅳ)의 검사

- 첩포검사(patch test), 피부반응검사의 지연반응 관찰(delayed skin tests : 24~48시간 뒤 판독)
  c.f.) 다른 피부질환 R/O을 위해 skin biopsy가 필요할 수도 있음
- lymphocyte transformation/activation test : 시험관에서 환자의 혈액을 약물과 반응시킨 뒤
  T cells에서 분비하는 cytokines (e.g., IL-2, IL-5, IFN-γ) 측정 or flowcytometry로
  T cells activation markers (e.g., CD69) 측정
- IgG, IgM, or IgA 등의 측정은 임상적 유용성 (allergy와 관련성) 부족함

3. 약물 유발검사 (graded challenge)

- 가장 확실, 주로 특정 약물 allergy가 아닐 것 같을 때에 R/O을 위해 시행 고려
- 다른 allergy 검사(e.g., skin test)에서 (+)면 시행할 필요 없음
- C/Ix : anaphylaxis, ITP, SJS, TEN, DRESS, AGEP 등 심한 반응을 일으킬 위험이 있을 때
- 반응이 없을 것 같은 매우 낮은 농도부터 시작
- 경구(기관지) 유발검사의 이용 ; aspirin, NSAIDs, sulfite ...

■ 치료

- 원인 약물의 중단 (m/g)
- antihistamine : pruritus 및 duration 감소
- steroid : most severe or prolonged reactions에만 사용
- delayed onset urticaria, exanthem, fever 등 가벼운 유해반응 때는 보존적 치료를 하면서
  약물은 계속 사용할 수 있음!

■ 예방

- careful Hx & 불필요한 투약 삼가, 다른 약물로 변경
- heterologous antisera 투여시 반드시 skin test 시행
- parenteral medication 주사 후에는 20~30분간 관찰
- 전처치(premedication) : 보통은 권장× (∵ mild Sx을 숨겨 추후 severe Sx이 나타날 수 있음)
  (c.f., 방사선조영제의 nonallergic reaction은 전처치가 도움)
- 탈감작(desensitization) : 주로 IgE-mediated reaction에만 시행하지만, 다른 기전도 일부 가능
  - desensitization 가능한 drug ; β-lactam antibiotics, TMP-SMX, vancomycin, allopurinol,
    tetanus toxid, acyclovir, sulfasalazine, insulin, aspirin, heterologous antisera 등
  - 매우 낮은 농도부터(e.g., 1/10~100만) 투여 (skin test가 시작 농도를 정하는 데 도움)
  - temporary tolerance만 획득 가능함, 매우 위험할 수 있으므로 환자의 동의를 얻어야 됨
  - C/Ix ; SJS/TEN, DRESS/DiHS, AGEP, diffuse desquamation, serum sickness 등

특정 약물에 의한 과민반응

1. Penicillin & β-lactam 항생제

- 약 3~10%에서 볼 수 있음 (anaphylaxis는 0.004~0.02% → 이중 약 10% 사망)

분류	기전	발생시간	증상
Immediate 반응	IgE, mast cells	1~6시간 이내	Anaphylaxis, urticaria, angioedema, bronchospasm
Non-mmediate (Delayed) 반응	다양, T cells	1~6시간 이후	Rash (반점구진발진)[m/c], fever, delayed urticaria & angioedema, serum sickness, exfoliative dermatitis, SJS, TEN, DRESS, DiHS, nephritis, hemolytic anemia, thrombocytopenia, neuritis ...

c.f.) anti-penicillin Ab (IgG, IgM) → immune hemolytic anemia 유발

- β-lactam ring 자체는 면역원성이 없고, 체내에서 대사되어 운반단백과 결합되어야 항원으로 작용
  - major antigenic determinant (95%) : penicilloyl-polylysine (PPL) → allergy의 주된 원인
  - minor antigenic determinant (5%) : penicilloate, penilloate, benzylpenicillin (penicillin G) 등
    → 드물지만 severe anaphylaxis의 원인이므로 중요
- 심해지는 경우 ; IV 투여, IM 투여, 고용량 투여, 지속적 투여, 과거 penicillin allergy 병력
- 상세한 병력이 필수 : 과거에 penicillin allergy 병력이 있었던 사람은 발생위험 4~6배 증가
  - but, 실제 penicillin allergy 병력자의 80~90%는 나중에 penicillin 투여시 별 문제 없음
    (∵ hypersensitivity가 발생하는 경향은 시간이 지날수록 약해짐)
  - 모든 연령에서 발생 가능하지만, 20~50세에 호발
- immediate reactions : IgE-mediated (type I hypersensitivity), 대부분 1시간 이내 (일부 ~6시간)
- penicillin skin tests
  ① PPL + MDM (minor determinant mixture) : NPV 99% (but, MDM 시약이 현재 無)
  ② PPL + penicillin G : NPV 97%
  - prick test (15~20분 뒤 판정) 음성이면 → intradermal test (or amoxicillin 경구유발검사) 시행
  - cephalosporin과 carbapenem allery 평가 시에도 penicillin skin test를 시행함
- in vitro tests (e.g., penicillin[PPL]-specific IgE, basophil activation test)는 skin tests보다 부정확함
- 치료 : epinephrine IV/IM
  - antihistamine이나 steroid는 효과 없음
  - 전처치(미리 antihistamine을 투여)로도 예방 불가능
- immediate hypersensitivity reactions 병력 or skin test (+) ⇨ 가능하면 다른 계열의 항생제 사용
  or 대체할 항생제가 없으면 부득이하게 사용
  - 예전에 immediate hypersensitivity 병력이 있고 skin test (penicilloyl + penicillin) 음성이면
    → β-lactam agents 조심스럽게 투여 가능
  - skin test (+) or 최근의 anaphylaxis 병력 → desensitization 후 투여
    ; 용량을 서서히 증가시킴 (안전도 : oral > parenteral), 효과는 일시적임
- non-immediate reactions (더 흔함) ; rash가 m/c, 검사를 통한 진단은 immediate보다 어려움
  - 약물유발시험이 비교적 정확함 (but, 치명적 반응 위험시에는 금기), 병력이 중요
  - mild skin rash의 경우는 재노출시에도 더 큰 위험은 없으므로, 검사 없이 그냥 사용 가능

- penicillin과의 교차반응성(cross-reactivity) (∵ β-lactam ring)

> cephalosporins : 1~3% (주로 penicillin과 구조가 비슷한 1세대에서), 대부분은 경미함
> carbapenems (e.g., imipenem) : 약 1%에서 cross-reactivity, 대부분은 안전한 편

  ⇨ penicillin anaphylaxis 병력 or skin test (+)시 사용× *or* graded challenge (or desensitization)

  c.f.) monobactams (e.g., aztreonam) : 구조가 많이 달라 cross-reactivity 거의 없음

  → 안전하게 사용 가능 (but, ceftazidime과는 교차반응 가능)

- aminopenicillins (amoxicillin, ampicillin)은 R-group side chain에 의해서도 IgE 반응 유발 가능

  - 드묾, 임상적으로는 immediate 반응으로 나타남, penicillin 과의 교차반응은 거의 없음

    → skin test에서 aminopenicillin (+) / PPL, MDM, penicillin G는 (−)

  - 일부 cephalosporins은 동일한 R-group side chain을 가짐 (→ 교차반응 가능성 높음)

> amoxicillin ; cefadroxil, cefprozil, cefatrizine
> ampicillin ; cefaclor, cephalexin, cephradine, cephaloglycin, loracarbef

    → aminopenicillin allergy 병력 (penicillin allergy 환자의 0.5% 미만) or
       aminopenicillin skin test (+) 환자에는 사용× *or* graded challenge (or desensitization)

- cephalosporins ; β-lactam ring보다 R-group side chain에 의한 allergy 반응이 더 많음

  - 면역원성을 나타내는 구조물은 penicillin에 비해 다양하고 아직 정확히 모름

  - skin test 용 시약이 개발되지 못했기 때문에 대부분 원약제로 skin test를 시행하고 있음
    (NPV는 97%지만, penicillin에 비해 allergy 발생률이 1/10 정도로 낮아 실제 가치는 낮음)

  - 일부 cephalosporins 간에 교차반응도 가능, carbapenems과의 교차반응은 드묾

c.f.) Vancomycin hypersensitivity

  - red man syndrome (4%) : nonallergic reaction에 의한 histamine 분비 (→ skin test 의미×)

  - skin rash (6%) ; 반점구진발진(m/c), linear IgA bullous dermatosis (autoAb-mediated)

  - 기타 ; DRESS/DiHS, SJS, exfoliative dermatitis, TEN ...

2. Insulin & insulin analogues

- 과거 정제되지 않은 insulin을 사용할 때는 흔했으나(10~56%), recombinant human insulin 도입 후 현저히 감소하여 현재는 매우 드묾(0.1~2%)

- insulin 자체가 원인 경우는 1/3, 첨가제나 부형제(excipient)에 의한 것이 더 많음 (2/3)

- immediate reactions (주사 후 <1시간) ; 보통 특정 insulin 제제 사용 수개월~수년 뒤에 발생

  - insulin or 첨가제(e.g., protamine)에 대한 IgE-mediated (type Ⅰ) reaction이 대부분

> Protamine ; NPH (Neutral Protamine Hagedorn)와 혼합형 제제에 들어가는 첨가제
> - insulin과 복합체를 형성해 흡수를 늦추어 작용시간을 더 길게 하는 작용
> - IgE-mediated 및 complement-mediated 기전으로 생각됨 → skin test 유용

  - 국소 피부 반응 ~ 전신 반응까지 다양함 (urticaria, angioedema, 드물게 anaphylaxis도 가능)

  - Dx ; 임상양상/병력, skin tests (insulin + additives), serum specific IgE (ImmunoCAP) 등

  - Tx ; 중단 가능하면 중단 or 다른 insulin (analogue) 제제로 변경, desensitization 후 계속 사용

- delayed reactions (주사 후 1시간, 대개는 6시간 이후)

  - 대부분 주사 부위 피부에 발생, 계속 사용해도 수주 이내에 자연 회복 → 대증 치료

  - induration & subcutaneous nodules (type Ⅲ), eczematous changes or exanthema (type Ⅳ)

3. Aspirin 및 NSAIDs

* penicillin 다음으로 m/c drug allergy, <u>nonallergic (pseudoallergic, nonimmunologic)</u> 반응이 흔함

Aspirin 및 NSAIDs의 과민반응 분류

Nonallergic (pseudoallergic)	Type 1: NSAID-induced asthma & rhinosinusitis (AERD 포함)
	Type 2: Chronic urticaria 환자에서 발생한 NSAID-induced urticaria/angioedema (AECD)
	Type 3: 기저질환 없는 사람에서 발생한 NSAID-induced urticaria/angioedema
	Type 4: 기저질환 없는 사람에서 발생한 혼합된 반응(mixed respiratory and/or cutaneous)
Allergic (immune)	Type 5: Single NSAID (or aspirin)에 의한 urticaria/angioedema
	Type 6: Single NSAID에 의한 anaphylaxis (aspirin은 아님)

	임상양상	발생시간	기저질환	교차반응
Nonallergic reactions ; 감수성 있는 환자에서 <u>multiple</u> NSAIDs (aspirin 포함)에 의해 발생, COX-1 억제 때문				
Type 1	Bronchospasm (wheezing) 및 rhinitis 악화 (콧물, 코막힘), 결막자극, 안면홍조 등 (AERD)	30분~3시간 이내 (delayed)	<u>Asthma</u> (대부분) Vasomotor rhinitis Chronic rhinosinusitis with nasal polyposis	COX-2를 제외한 모든 NSAIDs & aspirin
Type 2	Urticaria/angioedema (AECD)	30~90분 이내	Chronic urticaria	〃
Type 3	Urticaria/angioedema	30~90분 이내	−	〃
Type 4	호흡기 및 피부 증상	다양 (30~90분 이내)	− or AERD	〃
Allergic reactions ; 대개 <u>single</u> NSAIDs에 의해 발생 (COX-2 포함), IgE or T-cells 매개 면역반응				
Type 5	Urticaria/angioedema	다양 (수분~수시간 이내)	Atopy, drug allergy, food allergy or −	없음
Type 6	Anaphylaxis (aspirin은 제외)*			
Delayed -type	피부발진, 발열, 다양한 장기 침범(e.g., 폐장염, 뇌수막염)	24시간 이후	−	없음

⌐ AERD (aspirin-exacerbated respiratory disease) = NERD (NSAID-exacerbated respiratory disease)
└ AECD (aspirin-exacerbated cutaneous disease) = NERD (NSAID-exacerbated cutaneous disease)

* Aspirin 자체에 의한 anaphylaxis는 아직 보고된 예 없음 → 경구유발검사에 이용

(1) Nonallergic (pseudoallergic) reactions

- 기전 ; ① cyclooxygenase (COX-1) 억제 & lipooxygenase 활성화 → leukotrienes 합성↑, ② leukotrienes에 대한 hyperresponsiveness
- type 1 ; asthma or chronic rhinosinusitis (nasal polyposis도 흔히 동반) 환자에서 aspirin or NSAIDs (COX-1) 복용 후 호흡기 및 비염 증상 악화 (AERD/NERD)

→ 호흡기내과 9장도 참조

- type 2 ; chronic urticaria 환자에서 aspirin/NSAIDs 복용 후 피부 증상 악화 (AECD/NECD)
- type 3 ; 기저질환이 없는 사람에서 aspirin/NSAIDs 복용 후 urticaria and/or angioedema 발생
- type 4 ; 기저질환이 없거나 일부 AERD 환자에서 aspirin/NSAIDs 복용 후 호흡기 증상 및 피부 증상 발생 (e.g., bronchospasm, rhinitis, urticaria, angioedema)
- 진단 : 병력이 m/i, 면역학적 기전이 아니므로 skin test, specific IgE 등은 도움 안 됨!!
  → 경구 aspirin 유발검사, lysine-aspirin 흡입 유발검사 등 (NSAIDs를 꼭 사용해야 할 때만)

- 면역학적 기전이 아니므로 대부분의 NSAIDs은 처음 투여할 때부터 aspirin과 교차반응을 보임
  - cross-reactive hypersensitivity는 cyclooxygenase 억제력이 강할수록 비례
  - AAP 등은 COX-1 억제력이 약해 aspirin/NSAIDs 과민 환자에서 안전하게 사용할 수 있음

Nonselective COX inhibitors : aspirin과 교차반응 ⇨ 금기!	교차반응 없거나 적음 ⇨ 사용해도 안전 ★ (but, 일부는 고동도에서 COX-1 억제 가능)
■ **NSAIDs** ; Diclofenac, Etodolac, Fenoprofen, Floctafenine, Flurbiprofen, Ibuprofen, Indomethacin, Ketoprofen, Ketorolac, Meclofenamate, Mefenamic acid, Naproxen, Oxaprozin, Piroxicam, Sulindac, Tolmetin 등 ■ Tartrazine 등의 색소도 약 10%의 환자에서 cross-reactivity 가짐	■ <u>Highly Selective COX-2 inhibitors</u> ; <u>Celecoxib</u>, Etoricoxib, Lumiracoxib, Parecoxib, Rofecoxib 등 ■ Partial Selective COX-2 inhibitors ; Etodolac, Meloxicam, Nabumetone, Nimesulide (→ 고농도에서는 교차반응 가능) ■ Nonopioid analgesics & nonacetylated salicylates ; <u>Acetaminophen</u> (paracetamol), Diflunisal, Propoxyphene, Salsalate, Choline magnesium trisalicylate, Sodium salicylate, Salicylamide 등 (→ 고농도에서는 교차반응 가능) ■ Narcotics (e.g., codeine, meperidine)

* 안전한 약제라도 드물게 과민반응을 나타낼 수 있으므로 주의 깊게 사용

- 대책
  ① 교차반응이 없는 안전한 약제로 대체 투여 (e.g., AAP는 1회당 ~650 mg까지는 안전)
  ② 꼭 사용해야 하는 경우에는 탈감작요법(desensitization)
      ↳ 심혈관질환 예방 목적의 aspirin, 관절염 치료 목적의 NSAIDs 등
    - 저용량부터 용량을 늘려가며 temporary tolerance 유도, 유지를 위해서는 지속적 복용 필요!
    - aspirin에 탈감작 되면 다른 NSAIDs에도 탈감작됨
    - AERD/NERD 환자에서는 효과적이나, AECD/NECD에서의 효과는 아직 근거가 부족함
  ③ leukotriene-modifying agents : 심한 AERD 환자에서 필요
    - cys-LT$_1$-receptor antagonists^{LTRA} (e.g., montelukast)
    - LTRA 효과 없으면 → 5-lipoxygenase (LO) synthesis inhibitor (e.g., zileuton) 추가/병용

(2) Allergic reactions

- 기전 : SNIUAA (single NSAIDs-induced urticaria/angioedema or anaphylaxis)
  - COX 억제 작용이 아닌, 특정 NSAID 약물에 대한 specific IgE-mediated 면역반응
    (약물 대사물이 carrier protein에 결합한 뒤 allergen으로 작용)
  - 다른 aspirin/NSAIDs에 대해서는 교차반응 없음! (구조적으로 유사한 약물만 드물게 가능)
  - 과거에 동일 약물에 대한 노출(sensitization) 병력이 있어야 됨
- 임상양상 : 복용 후 수분~수시간 이내에 allergy 증상 발생
  - severity에 따라 type 5 (urticaria and/or angioedema) ~ type 6 (anaphylaxis)
  - NSAIDs (e.g., ibuprofen, diclofenac)가 흔한 원인, aspirin은 anaphylaxis까지는 안 일으킴
    c.f.) acetaminophen은 anaphylaxis를 일으킨 보고가 있음
- 진단 ; 병력, skin test, specific IgE 등
- 대책 ; 원인 약물은 중단
  - 구조적으로 다른 계열의 NSAIDs가 많으므로 다른 NSAID로 대치
    (과거에 사용한 적이 없으면 유발검사로 pseudoallergy를 R/O한 뒤 사용 권장)
  - 대체 약물이 많으므로 desensitization은 필요 없음!

참고: 구조에 따른 Aspirin/NSAIDs의 분류	
Salicylate (acetylated)	Aspirin
Salicylates (nonacetylated)	Choline magnesium trisalicylate, Diflunisal, Salsalate
Propionic acids (phenyl–propionic acid)	Flurbiprofen, Ibuprofen, Ketoprofen, Naproxen, Oxaprozin
Acetic acids (pyrano–indoleacetic acid)	Diclofenac, Etodolac, Indomethacin, Sulindac, Tolmetin
Oxicams (enolic acids)	Meloxicam, Piroxicam
Fenamates (anthranilic acids)	Meclofenamate (meclofenamic acid), Mefenamic acid
Nonacidic (naphthylalkanone)	Nabumetone
Selective COX–2 inhibitors	Celecoxib, Etoricoxib, Lumiracoxib, Parecoxib, Rofecoxib

* SNIDR (single-NSAIDs-induced delayed reaction) : T cells-mediated 지연형(>24시간) 반응
  - 드묾, 다양한 type IV hypersensitivity에 의한 drug allergies 증상 발생 가능
    (e.g., maculopapular skin rash[m/c], fixed drug eruptions[FDE], DRESS/DiHS, SJS, TEN 등)
  - organ-specific allergic dz.도 발생 가능 ; aseptic meningitis, pneumonitis, nephritis 등
  - 진단 ; 병력, intradermal & patch tests, 경구유발검사(증상이 심했던 경우는 금기)
  - 치료 ; 원인 약물 중단, 매우 심한 경우엔 steroid, plasmapheresis, IVIG, 면역억제제

4. 조영제(contrast media)

- iodinated 조영제에 의한 급성 위해반응 ; 0.15~0.7%, 대부분은(>98%) mild & self-limited,
    사망률 2~9명/100만, nonionic low~iso-osmolar contrast가 훨씬 안전 (현재 대부분 사용중)
  c.f.) gadolinium contrast (MRI) ; 0.02~0.09%, 대부분 mild, 치명적인 경우는 매우 드묾
- 기전 ; 물리화학적 특성(e.g., 삼투압, 이온 농도 변화)에 의한 생리적 반응 (금방 소실됨),
    pseudoallergy (직접 mast cells 자극, complement 활성화 등), IgE-mediated allergy 등
- 임상양상 (acute reactions) : 대개 IV 20분 이내 발생 (보통 1~3분 이내)
  - 생리적 반응(vasomotor reactions) ; N/V, 홍조, 두통, 흉통, 고혈압, 부정맥, 경련, 발작 ...
  - allergy-like reactions ; urticaria, pruritus, angioedema, 전신 홍반, 기침, 후두부종(stridor),
    기관지수축(wheezing, dyspnea), anaphylactic shock (저혈압, 빈맥) ...
  - IgE-mediated true allergy 반응도 있지만 임상양상으로 pseudoallergy와 구별하기는 어려움
- 이전에 과민반응 경험했던 환자는 재노출시 15~30% 정도에서 재발 위험

조영제 과민반응의 위험인자
고령(>50세), 여성, 심혈관계 질환 (e.g., 심부전) β–blocker 사용중, 천식, 알레르기의 병력, 방사선조영제에 대한 과민반응의 병력
신부전, 신혈관 장애의 위험(e.g., DM, multiple myeloma, HTN, dehydration, hyperuricemia) → 주로 contrast-induced nephropathy 형태로 나타남

- 조영제 사용 전에 유해반응을 예측하거나 완전히 예방할 수 있는 방법은 없음
  - 과민반응이 없었던 사람에서는 skin test의 NPV가 매우 낮아 (예측 못함) 시행 안함
  - 과민반응이 있었던 사람은 skin test로 어느 정도 위해반응 예측 가능하므로 시행 (intradermal로)
    → 조영제간 교차반응률은 낮으므로 안전한 조영제를 선택하는데 도움

- 치료 ; 즉시 조영제 투여 중단, 진단이 애매할 때는 allergy-like reactions에 준해 치료
  - 심하면(e.g., diffuse urticaria/edema/erythema, dyspnea, anaphylactoid shock) epinephrine IM
  - 생리적 반응(vasomotor reactions)은 각 증상별로 대증치료
- 예방 대책
  ① 검사 전 충분한 hydration (normal saline)
  ② 고위험군(e.g., 과거력)은 skin test 및 조영제 사용 12~24시간 전부터 <u>steroid</u> (prednisone)와 <u>antihistamine</u> (diphenhydramine) 등으로 전처치(premedication)
  ③ <u>nonionic</u>^(지용성) iso- (e.g., iodixanol) or low-osmolar (e.g., ioversol, iopamidol) 조영제 사용

* delayed reactions
  - 약 0.5~10% 정도에서 발생하며 (급성보다 흔함), 조영제의 물리적 성질의 영향은 덜 받음
  - 대부분 skin rash, pruritus, urticaria, angioedema, fever 등의 mild Sx.
  - intradermal test + patch test로 어느 정도 예측 가능
  - 치료 안 해도 자연 호전 흔함 → 심하거나 지속되면 antihistamine, steroid, 해열제 등
  - 전처치(premedication)는 효과가 불확실하고 합의된 방법이 없음

5. ACE inhibitor

- 0.1~0.7%에서 angioedema 유발 가능 (angioedema 원인 약물 중 m/c, ~40%)
- ACE (kininase II) 억제 → bradykinin 등의 분해↓ → bradykinin, des-Arg9-BK, substance P ↑
  (화학구조가 다른 ACEi를 투여해도 발생 : nonallergic reaction)
- 발생 위험인자 ; 과거 angioedema 병력, 고령, 여성, 흡연, aspirin/NSAID 병용, 계절성 allergy 등
- angioedema ; asymmetric, nondependent areas에 발생, 가려움증이나 urticaria는 동반 안함
  - 입술, 혀, 얼굴, 구인두에 호발 / GI도 침범하여 복통 등 유발 가능
  - 대부분 투여 2~5일 이내에 발생, episodic하게 부종 발생했다가 대부분 자연 호전됨
- 대부분 치료 필요 없음 / 매우 심한 경우는 hereditary angioedema처럼 치료 (→ 앞 장 참조)
- ARNI (angiotensin receptor-neprilysin inhibitor)는 금기, renin inhibitors는 주의, ARB는 사용 가능
- ACEi-induced cough는 angioedema와는 관계없다!

6. 항암제 과민반응(주입반응)

- 거의 모든 항암제가 가능하지만 taxanes, platinum agents, pegylated liposomal doxorubicin, asparaginase, procarbazine, etoposide, bleomycin, cytarabine, ixabepilone 등이 흔함
- 예측할 수 없는 위해반응으로 (대부분 nonallergic) infusion reactions으로도 부름
- 임상양상 ; 홍조, 가려움, HR/BP 변화, 호흡곤란, 복통, 발열, N/V/D, 다양한 skin rashes, 실신 등
  - mast cell or basophil activation 양상이 있는 경우와 (→ anaphylaxis로 진행 위험)
    없는 경우로 (standard infusion reactions, SIRs) 구분하기도 함
  - "anaphylaxis"는 platinum agents와 taxanes에서 흔함
- 전처치(premedication) ; 주입반응(특히 SIR)을 예방/약화 가능 (but, anaphylaxis는 예방 못함)
  - 모든 항암제 투여 환자에서 일괄적으로 시행하는 것은 아님
  - 1세대 antihistamine (e.g., diphenhydramine, chlorpheniramine) + steroid ± H_2-blocker

- 치료/대책
  - 다른 약물과 달리 항암제는 대체제가 어려우므로 필요시 **desensitization**을 우선 고려함!
  - mild~moderate SIRs ; 증상이 소실된 뒤 <u>전처치</u>와 함께 천천히 재주입 (→ 보통 성공적임), 전처치에도 불구하고 SIRs 재발하면 desensitization 필요
  - severe SIRs 및 anaphylaxis ; 항암제 중단, epinephrine 및 antihistamines 등으로 치료
    → 재투여는 desensitization 이후 고려

- platinum agents ; cisplatin, carboplatin, oxaliplatin 등 (12~30%에서)
  - 여러 차례 투약한 뒤 발생, 대개 2nd course (7~9 cycles에) → 대부분 IgE-mediated reaction
  - 과거 주입반응(mild 포함) 병력 환자는 skin test (+)면 desensitization 없이 재투약은 금기
  - 전처치(premedication)의 효과는 불확실하지만, 주입반응 병력이 있으면 시행
  - platinum agents간 cross-reactivity는 일부 존재 → skin test (+)면 desensitization 후 투여

- taxanes ; paclitaxel의 25~30%, docetaxel의 6~60%에서 즉시형 과민반응 발생
  - 대부분 첫 1~2 cycles에 발생 (주입 10~15분 이내에) → nonallergic reaction (mast cell 자극)
  - 약 10~15%는 delayed reaction으로도 발생 (주입 후 며칠~10일 뒤), 보통 skin rash or urticaria/angioedema → 이후에는 anaphylaxis를 포함한 급성 반응의 발생↑
  - 일부는 약물 용매(vehicle)가 과민반응의 원인일 수 있음
    - Cremophor ; paclitaxel, cyclosporine, teniposide, diazepam, propofol, vitamin K
    - polysorbate 80 ; docetaxel, etoposide
  - skin test : 심한 과민반응이 있었던 환자의 30% 이상에서 (+) → 재투여 시작 전 권장
  - steroid + antihistamine (H_1-blocker) + H_2-blocker로 전처치 권장 → 과민반응 1~3%로 감소
  - 전처치 + 천천히 주입해도 주입반응이 재발하는 경우는 desensitization 필요

- rituximab (anti-CD20 mAb)
  - 흔함, 50% 이상에서 처음 투여시 (30~120분 이내에) 주입반응 발생, allergy 반응도 5~10%
  - 기전 ; lymphocytes에서 rituximab (Ab) & CD20 (Ag) 상호작용 → cytokines 분비
  - 임상양상 ; 두통, 오한/발열, 발한, rash, 호흡곤란, 저혈압, rhinitis, urticaria, angioedema 등
    (심한 경우 pulmonary infiltrates, ARDS, MI, VF, cardiogenic shock, 사망도 가능)
    ↳ circulating target cells이 많거나(e.g., <u>CLL</u>), 다른 기저질환 동반시
  - 주입반응이 흔하므로 모두 전처치 시행(e.g., AAP + antihistamine + steroid ± H_2-blocker) + 처음 투여하는 환자는 천천히 주입(~4시간, 50 mg/hr) ± dose fractionation
  - severe SIRs or anaphylaxis 발생했던 환자는 desensitization 후 투여 (성공률 높음)

c.f.) **desensitization protocols**
  - 항암제의 주입반응(nonallergic) 및 과민(allergic) 반응에 모두 효과적
  - 매우 적은 용량으로 시작 → 점진적으로 증량해 치료용량까지 도달
    : 주입/과민반응이 발생하지 않도록 일시적인 관용을 유도하는 것
  - 단계적 희석 protocol ; 단계적 희석으로 다양한 농도의 용액을 준비한 뒤, 농도와 속도를 서서히 올려가며 투약하는 방식, 시간과 인력이 많이 소모되고 항암제 노출 위험
  - 단일 농도 protocol ; 약제를 희석한 뒤 0.1 mL/hr로 주입을 시작해 15분마다 속도를 2배씩 높이는 방식 (속도만 변경함), desensitization 소요 시간도 약 1시간 단축
    → 투여완료, 돌출반응(breakthrough reaction, BTR)에서 단계적 희석법과 유의한 차이 없음

c.f.)

DRESS (Drug Rash, Eosinophilia, Systemic Symptoms) syndrome

- 약물에 의한 드물지만 심한 allergy 반응, 대개 약물 복용 후 1~8주 (대부분 2~6주) 사이에 발생
  - drug-induced hypersensitivity syndrome (DiHS)이라고도 부름, 특히 일본쪽
  - 항경련제에서 처음 발견되어 anticonvulsant hypersensitivity syndrome (AHS)으로도 불렸음
- 원인 ; 거의 모든 aromatic anticonvulsants^{항경련제} (e.g., carbamazepine, lamotrigine, phenytoin, phenobarbital, primidone → 서로 교차반응 가능) 및 allopurinol이 m/c
  - sulfonamides, dapsone, minocycline, vancomycin, cephalosporin, 항결핵제 등도 가능
  - 일부는(~25%) 교차반응이 없는 약물에 의해서도 재발 가능
  - HLA allele와 관련 가능 (e.g., allopurinol → B*58:01, carbamazepine → HLA-A*31:01)
- 용량과 관계없이 발생 가능한 allergy 반응임 (과거력이나 가족력이 있으면 발생 위험↑)
  - drug-specific 강력한 면역반응 ; T cell activation↑ (type Ⅳ reaction)
  - 일부 herpesvirus (e.g., HHV-6, HHV-7, EBV, CMV)의 재활성화도 유발함 (30~60%에서)
    → virus-specific T cell activation에 의해 DRESS의 증상 더 악화/지속
- 임상양상 ; 발열(38~40℃), 권태감, lymphadenopathy, skin eruption 등이 흔한 증상
  - 피부 병변 ; morbilliform eruption으로 시작하여 빠르고 광범위하게 진행, 1/2에서 facial edema
  - 내부장기 침범 흔함 ; 간(hepatitis, 60~80%)^{m/c}, 신장(acute interstitial nephritis, 10~30%), 폐(interstitial pneumonitis and/or pleural effusion), 심장, GI, 췌장, 신경계 등
  - Lab ; leukocytosis with eosinophilia, atypical lymphocytosis, anemia, thrombocytopenia, AST-ALT↑, sCr↑, mild proteinuria, viral markers (+)
- 진단 ; 임상양상, patch test, lymphocyte transformation/activation test, viral markers 등
- 약물을 중단해도 대개 수주~수개월 뒤에나 회복됨, 일부에서 자가면역질환 후유증 발생 가능
- 치료 ; 약물 중단, 수액 공급, local (심하면 systemic) steroid, cyclosporine, IVIG, 항바이러스제 등
- 사망률 2~10%
  - 사인 ; acute liver failure, multiorgan failure, fulminant myocarditis, hemophagocytosis

Stevens-Johnson syndrome^{SJS} (toxic epidermal necrolysis^{TEN})

- 대표적인 지연성 약물이상반응, 약물 투여 1~3주 후 피부 이상 발생, 매우 드묾
- 약물에 의한 피부 반응 중 가장 심함, 약 10~30%가 사망!
- 피부박리(탈락) 범위가 <10%면 SJS, 10~30%면 SJS/TEN overlap, >30%면 TEN으로 분류함
- 원인 : 약 1/3 이상에서는 원인을 모름
  - 약물 (m/c) ; sulfonamides 항생제, nevirapine, allopurinol, aromatic anticonvulsants (e.g., phenytoin, carbamazepine, lamotrigine), oxicam계 NSAIDs (piroxicam, tenoxicam), 일부 COX-2 inhibitors (e.g., etoricoxib), amoxicillin/ampicillin, nevirapine, fumigants ...
  - 기타 ; *Mycoplasma pneumoniae* 감염이 2nd m/c (특히 소아에서)

- 임상양상 ; 고열(>39℃), 점막의 수포/궤양, 통증성 피부 병변, 인후통, 결막염 및 기타 눈 병변, 괴사성 피부박리(epidermal necrosis, 체표면의 30% 이상, 심한 피부염증은 없음) ...
  - fever, mucositis, skin tenderness, blistering 등이 SJS/TEN을 시사하는 소견
  - Nikolsky sign : 침범 안한 피부를 손가락으로 약간 압력을 주어 밀면 표피가 박리됨
  - Asboe-Hansen or bulla spread sign : 수포에 압력을 가하면 옆으로 퍼짐
- poor Px ; 고령, 피부박리 면적↑, 위장 및 폐 침범
- 치료 : 확실한 치료법이 없으므로, 빠른 진단 및 원인 약물 중단이 매우 중요함
  ① 보존적 치료 ; 수분/전해질 교정, 진통제, 2차 세균감염 방지(e.g., topical antiseptics), dressing octenidine, polyhexanide, chlorhexidine, silver nitrate 등 ↵
    - sepsis가 m/c 사인이므로 감염 예방이 m/i
    - 예방적 항생제는 일반적으로 사용× (but, 감염의 징후가 있으면 즉시 항생제 투여)
  ② 기타 확립된 치료법은 없지만 면역억제치료가 일부 도움 될 수 있음
    - cyclosporine : SJS/TEN의 진행 지연 효과 (∵ T cell activation 억제)
    - steroid ; 초기에는 일부 효과적일 수 있으나, 피부 병변이 광범위한 경우 오히려 감염 위험↑
    - IVIG ; 생존율 향상 근거가 없음, severe Cx (e.g., 신장, 혈액, 혈전) 위험으로 권장×

혈청병(serum sickness, immune complex disease)

- 항원과 이에 대한 항체가 결합하여 형성된 immune complex (IC)에 의해 tissue injury가 발생하는 질환 (type III hypersensitivity)
- 원인 ; heterogeneous (nonhuman) proteins

> 1 Classic serum sickness
>   1. 동물 혈청에서 분리된 antitoxins or antivenins
>   2. 동물 혈청에서 제조된 항체 ; ATG, OKT-3
>   3. 기타 heterogeneous proteins ; streptokinase, hormones
>   4. 곤충 독 ; Hymenoptera order (e.g., 벌, 모기)
>
> 2 Serum sickness-like syndrome
>   1. 여러 약물들 (e.g., penicillin, sulfa)
>   2. Circulating IC를 동반한 감염병 (e.g., B형 간염, 감염성 심내막염)

- 보통 처음 노출 후 5~10일 뒤, 두번째 노출 후 2~4일 뒤 발생
- 증상 ; 발열, 피부발진(urticaria가 m/c), 관절통/관절염, lymphadenopathy, nephritis (AKI는 드묾)
- 검사소견 ; specific IgG Ab., circulating IC, $C_3/C_4/CH_{50}$↓, ESR↑, WBC는 다양
- 치료 : 대개 conservative (∵ self-limited)
  - arthralgia → aspirin, NSAIDs 등
  - dermatitis → antihistamine, topical steroid
  - 증상이 심하거나 여러 장기의 침범시 → 단기간의 oral steroid

5
식품 알레르기 (Food allergy)

정의

- 식품의 유해작용
  ① food allergy : 특정 식품에 대한 비정상적인 면역(allergy) 반응 (e.g., IgE-mediated)
    - 소량으로도 발생할 수 있고, 예측 불가능함, anaphylaxis 같은 심각한 상태로 진행 가능
  ② food intolerance^{불내성} : 특정 식품에 대한 비면역학적인 생리/약리 반응
    - toxic contaminants, pharmacologic property, idiosyncracy, metabolic disorder 등 때문
      (e.g., lactase deficiency, aldehyde dehydrogenase deficiency)
    - 대개 GI의 문제 때문이고, 증상은 섭취량과 관련 있고, 매번 섭취시마다 비슷한 증상을 유발함
  ③ food aversion^{혐오} : 행동장애(psychologic), 특정 식품 섭취에 대한 심리적 반응
- 식품 성분 중 수용성 당단백(glycoprotein)이 주요 allergy 유발 물질로 작용함
  - 분자량 1만~6만 dalton, 열/산/효소 등에 의해 잘 파괴되지 않음
  - GI를 통과하며 계속 변하고, 오랫동안 장 점막에 노출, 접촉 면적이 넓음
    → IgE-mediated 급성 반응 뿐아니라, non-IgE-mediated 지연형 반응도 잘 일으킴
  c.f.) 위산은 상당수 allergen 파괴, 땅콩은 고열로 볶으면 항원성↑, 우유/계란은 고열에서 항원성↓

역학 및 경과

- 유병률 : 소아에서 흔함 (소아의 5~10%, 성인의 1~2%)
  - allergic dz.의 가족력/과거력 있으면 발생↑ (e.g., 천식 환아의 10%, 아토피피부염 환아의 35%)
- food allergy는 출생 후 몇 년간 흔하다가 나이가 들수록 감소함 (자연소실)
  - 대부분의 아이들은 결국 food hypersensitivity에 tolerance가 생김
  - allergen 회피 후 1~2년이면 1/3에서 clinical reactivity 사라짐
    ┌ 우유, 계란, 대두, 밀 등은 학동기 전에 호전되는 경우 많음
    └ 땅콩, 견과류, 생선, 조개/갑각류 등은 학동기 이후에도 지속되는 경우 많음
  - 성인에서 발생한 food allergy는 자연소실이 드묾 (거의 평생 지속)
- immediate IgE-mediated reaction : 모든 연령에서 가능하지만 소아에 많고, allergic skin test (+)
- non-IgE-mediated (Th2 cell-mediated) reaction : 대개 GI Sx, allergic skin test는 대개 음성
- mixed : eosinophilic esophagitis, FPIES, atopic dermatitis 등

원인

연령별 흔한 원인	
영유아	우유, 계란, 땅콩, 콩
소아	우유, 계란, 땅콩, 콩, 밀, 견과류, 생선(e.g., 고등어), 갑각류, 조개류
성인	<u>갑각류(게, 가재, 새우 등)</u>[m/c], **과일**, 밀, 생선, 조개류 (외국은 땅콩이 m/c이지만, 우리나라는 많지 않음)

- 이외에도 많은 식품들이 가능 ; 번데기, 돼지고기, 소고기, 대두, 복숭아, 토마토, 도라지, 들깨, 홍삼, 인삼 …
- 일부 식품 항원은 흡입에 의해서도 allergy 유발 가능 ; 밀가루, 메밀/대두/갑각류 등의 분말, 연기, 냄새 등
- 옻나무(옻닭)는 allergic contact dermatitis (type Ⅳ hypersensitivity)임 (→ 8장 참조)

- 우유 : 주로 영유아~소아에서 문제
  - casein, β-lactoglobulin 등의 단백이 skin tests나 유발검사에서 m/c (+) (62~100%)
  - 우유에 과민한 영유아/소아의 대부분은 그 과민성이 4~5년 지나면 없어짐
  - 젖소, 염소, 양 등의 milk proteins은 서로 교차반응 가능 (특히 산양유), 낙타유는 아님
- 계란 : 흰자가 노른자보다 more allergenic (ovalbumin이 흰자의 m/c protein)
- 땅콩 : fatal anaphylaxis의 흔한 원인, 자연 소실은 드묾, 다른 콩과 사이의 교차반응은 드묾
- 밀/메밀 : 우리나라에서 흔한 원인, anaphylaxis도 흔함 (특히 밀가루는 FDEIAn의 m/c 원인)
- 패류(갑각류/조개류) : tropomyosin 등이 주요 allergen, 갑각류/조개류들 사이의 <u>교차반응 흔함</u>
- 식품 첨가물에 의한 allergy도 발생 가능 (매우 드묾) ; sulfate (산화방지제, 보존제), 합성색소 (황색5호, tartrazine), monosodium L-glutamate (MSG; 조미료), 아스파탐(aspartame; 감미료), 안식향산나트륨(sodium benzoate; 방부제), 각종 향료 …

임상양상

1. Immediate reactions (IgE-mediated)

- 식품 섭취 후 약 30분 (대개 몇분) 이내에 발생, 피부 및 호흡기 증상이 흔함
- <u>urticaria</u> (m/c), <u>lips/face swelling</u>, pruritus, rash, angioedema, rhinitis, wheezing, GI Sx (복통, N/V/D), anaphylactic shock 등 (fever/chilling은 동반 안함)
  - oral allergy syndrome (OAS) → 뒷부분 참조
  - food-dependent exercise-induced anaphylaxis (FDEIAn) → 3장 참조
- skin test (+), 일부는 allergen-specific IgE Ab로 확인 가능

> ■ 육고기 알레르기(red meat allergy) = Alpha-gal syndrome (AGS)
> - <u>α-gal</u> (α-1,3-galactose)가 원인인 드문 형태의 IgE-mediated food allergy
>   ↳ 진드기 침에도 존재, <u>cetuximab</u> (anti-EGFR mAb)의 Fab에는 mouse의 α-gal 존재
> - risk factors ; 참진드기 교상 (우리나라 흔함), cetuximab 치료, 중년~노인, atopic dz.
> - 원인 식품 ; 소, 돼지, 개, 염소, 노루, 햄 등 (닭과 오리는 아님!!)
> - 섭취 3~6시간 후에 증상 발생 (<u>delayed</u> reaction) ; urticaria, angioedema, anaphylaxis, GI Sx 등
> - 진단 ; 신선한 육류를 이용한 prick-to-prick test, specific IgE (ImmunoCAP), MAST는 대부분 음성

2. Non-IgE-mediated (대개 delayed Th2 cell-mediated) 및 Mixed reactions

- eosinophilic esophagitis/gastroenteritis ; 10~30대 atopic 남성에서 호발, IgE-mediated도 관여
  ↳ GERD와 비슷한 증상, 우유/대두/밀가루/땅콩/계란 등이 원인 (→ 소화기내과 Ⅰ-4장 참조)
- food-protein induced enterocolitis syndrome (FPIES) ; 주로 영아에서 발생, 3~5세에 호전
- atopic dermatitis ; 소아에서 흔함 (성인은 관련성 미미), IgE-mediated (or mixed)도 관여

진단

(1) 자세한 병력 (m/i) ⇨ 식사 일기 작성
(2) **skin prick test** : 땅콩, 견과류, 우유, 달걀, 생선, 갑각류 allergy 및 교차반응 진단에 유용
   (but, 흡입 항원보다 sensitivity & specificity 낮으므로 해석에 주의)
(3) serum **specific IgE Ab test** (e.g., MAST) : skin test를 시행하지 못하는 경우 유용하지만,
   skin test보다 진단적 가치가 더 높지는 않음
(4) basophil histamine release test : 주로 연구용
(5) elimination diet : 증상이 거의 매일 있는 경우 유용
(6) 이중맹검 유발검사(double-blind placebo-controlled food challenge, DBPCFC) … 표준 확진법!
   - 환자와 검사자 모두 시행하는 Ag의 종류를 모르고 검사
   - 단점 ; 복잡, 적절한 placebo 선택 어려움, 조제과정에서 식품 변질 가능성, 캡슐로 섭취시
     다량의 캡슐 섭취해야 하는 불편함, 자연 식품 섭취에 비해 반응이 적을 수 있음 → false(-)
   - 병력, skin test, specific IgE 검사 등으로 진단이 불확실할 때에만 시행
   - 위험한 반응이 발생할 수 있으므로 반드시 병원에서 의사의 관찰 하에 시행
(7) 개방 유발검사(open oral challenge, OOC) ; Ag 알고 시행, DBPCFC보다 간단하고 쉬움
   - DBPCFC에서 음성이면 반드시 OOC 시행
   - oral allergy syndrome (OAS)의 진단에 특히 유용
   - 환자/검사자의 편견 작용 가능 (→ 위양성), 결과가 음성이면 실제 음성일 가능성이 매우 큼

치료/예방

(1) 원인 식품 회피 (m/g)
- 완전한 회피는 쉽지 않음, 교차항원성도 고려 / malnutrition, eating disorder 주의
- 6~12개월마다 F/U하다가 충분히 안전한 수준으로 specific IgE가 감소되면 재섭취 가능
  (but, anaphylaxis의 원인 식품은 영구히 회피하는 것이 좋음)

c.f.) 영유아 food allergy 예방을 위한 수유 및 이유식
 - 임산/수유부에서 식이 제한은 필요 없음 (임신/수유 중 allergy 원인이 되는 식품들을 제한해도 예방 효과 없음)
 - 모유 수유는 allergy 예방 효과 有, 불가능하면 고위험군은 4개월 이전은 가수분해분유, 4개월 이후는 일반분유
 - 이유식 : 고위험군 여부에 관계없이 4~6개월 사이에 시작 (늦게 시작해도 allergy 예방 효과 없음!)
 - 우유/계란/땅콩/생선 등 흔한 allergen도 특별히 제한하거나 늦출 필요 없음 / Probiotics는 예방 효과 없음

(2) 대증요법 (약물치료)

- epinephrine : 심한 증상, anaphylaxis시 가장 먼저 투여 (병력자는 <u>자가사용 epinephrine 보유!</u>)
- antihistamines : OAS 및 IgE-mediated 피부 증상에는 효과적이지만, 전신 증상에는 효과 적음
- glucocorticoids : 만성 IgE dz. (천식, 아토피피부염), eosinophilic esophagitis/gastroenteritis

(3) 면역요법

- 대부분 부분적 탈감작(desensitization)은 되지만, 영구적 tolerance 획득은 드묾, 부작용 흔함
- 회피요법만 하는 환자에 비해 anaphylaxis 발생 위험은 오히려 높음 → 아직 권장 안됨!
- * 기타 ; anti-IgE (효과 불확실), anti-IL4/IL-13 (eosinophilic esophagitis에서 연구 중)

구강알레르기증후군(oral allergy syndrome, OAS)

(= Pollen-food allergy syndrome [PFAS or PFS])^{이 용어를 더 선호}

- 식품(과일, 채소) allergen에 의한 contact urticaria의 일종, <u>성인</u> food allergy의 ~50% 차지 (m/c)
- 환자의 대부분이 <u>화분(꽃가루, pollen)</u> 알레르기를 동반하고 있음 (∵ 화분과 식품의 교차항원성)
  - 자작나무(birch), 쑥, 두드러기쑥, 목초화분 등이 흔한 원인 (birch-fruit-vegetable syndrome)
  - 화분증(pollinosis) 환자의 23~47%도 OAS를 동반, 소아보다 성인에서 많음
    ↳ 성인 <u>allergic rhinitis</u> 환자의 30~70%에서 (소아 ~40%) OAS 동반
- 위험인자 ; 화분에 감작(특히 자작나무), 여러 종류의 화분에 감작, 화분 밀집 지역에 거주,
  증상이 있는 화분증(e.g., allergic rhinitis), pollen-specific IgE↑↑ 등
- 증상을 일으키는 항원은 열이나 소화에 의해서 빨리 파괴됨 → 증상이 구강 및 인두에 국한
  (→ 화분증 등 다른 알레르기 환자들은 과일이나 야채를 조리해 먹는 것이 권장됨)
- <u>과일(e.g., 복숭아, 사과, 키위)</u> or 야채 섭취시 <u>입술, 구강, 인두</u> 부위에 부종과 가려움증 발생
  - 대부분 노출 5분 이내 증상 발생 (약 7%는 30분 뒤에 발생)
  - 심하면 urticaria/angioedema, anaphylaxis도 발생 가능 (화분이 많은 계절에 증상 더 심함)
- 진단 ; 병력(m/i), 피부단자검사, <u>prick-to-prick 검사</u>, 혈청 specific IgE 등
  - prick-to-prick 검사 (m/g) : 바늘로 생과일/채소를 먼저 찌른 뒤 환자의 피부를 찌름
    (견과류 같은 딱딱한 식품은 식염수에 갈아서 사용)
  - <u>이중맹검 유발검사</u> (or 개방 유발검사) : 확진 가능하지만, 불편해서 많이 사용하지는 않음
- 치료 ; 원인 식품의 회피, 증상 발생시 약물치료
  (꽃가루에 대한 면역요법은 OAS에 대해 거의 효과 없고, allergic rhinitis에는 효과적)

c.f.) 식품 항원의 흔한 교차반응
  - 자작나무 → 사과, 배, 복숭아, 체리, 살구, 당근, 개암, 셀러리, 감자, 헤이즐넛, 인삼 등
    ↳ Bet v 1 (pathogenesis-related protein 10, PRP10)이 major allergenic protein
      : 다른 OAS를 일으키는 식물들과 유사 부분을 가짐으로써 교차반응을 나타냄
  - 오리나무, 개암나무 → 콩과 메밀
  - 먼지 및 진드기군 → 새우, 게, 가재 같은 갑각류

6
곤충독 알레르기

개요/원인

- 벌목/막시류목(*Hymenoptera* order)의 family
  ① 꿀벌과(family Apidae) ; 꿀벌(honey bee, Apis species), 뒤영벌(호박벌, bumblebee)
    - 꿀벌은 비교적 온순함 (자극 or 도발을 받을 때만 공격)
    - 봉침(꿀벌 독을 사용함) 치료도 흔한 원인임
  ② 말벌과(family Vespidae) ; 땅벌(yellow jacket), 말벌(hornet), 쌍살벌(wasp) … 주원인
    - 매우 공격적이라 별다른 자극 없이 공격하기도 하고, 여러 번 공격도 잘 함
    - 꿀벌보다 독의 양이 훨씬 많고, 독성도 더 강함
  ③ 개미과(family Formicidae) ; 우리나라는 왕침개미(*Brachyponera chinensis*)
- 벌독에는 allergen, toxins, vasoactive amines, acetylcholine, kinin, enzymes 등이 포함되어 있음
- allergen ┌ 꿀벌과 ; phospholipase A2 (Api m 1), hyaluronidase, melittin (국소 독성)$^{m/c}$ 등
          └ 말벌과 ; phospholipase A1, hyaluronidase, antigen 5, carbohydrate determinants 등
  - phospholipid A : major allergen (type I hypersensitivity : IgE-mediated)
  - carbohydrate determinants : 벌독 간 교차반응의 주요 원인
    (말벌 간에는 강한 교차반응을 보이나, 말벌과 꿀벌 간의 교차반응성은 낮음)
- 미국 ; 전체 인구의 9~28%에서 벌독 skin test (+) or serum specific IgE (+),
  anaphylaxis 발생률 0.3~3%, 사망률 0.4명/100만 (매년 약 40명 사망)
- 야외에서의 활동이 많은 아이들(but, 우리나라 아이들은 학원에) 및 성인 남성에서 호발
- 주로 여름~가을철에 많이 쏘임 (8~9월에 m/c, 벌들의 번식기라 공격성이 강해지고 독성도 강해짐)

임상양상

: 곤충독에 의한 반응은 보통 local reactions과 systemic allergic reactions으로 구분함

1. 국소반응(local reactions)

- 자상 부위에만 국소적으로 나타나는 증상 ; 통증, 부종(1~5 cm), 가려움 등
- 대부분 자상 수분 이내에 발생, 수시간 이내에 호전됨 (때때로 1~2일 지속될 수도 있음)

- large local reactions (LLRs, 광역형 반응) : 약 10%에서, IgE-mediated
  - 자상 팔/다리 대부분에 걸쳐 발적과 부종(induration)이 나타남 (>10 cm)
  - 1~2일 동안 서서히 커짐, 약 2일 째 peak, 이후 5~10일에 걸쳐 서서히 호전됨
- LLRs 이후 다음 자상시 대부분은 더 심한 LLRs을 나타냄, anaphylaxis 발생 위험은 7~16%
  (심한 경우는 드묾 → VIT는 권장×, epinephrine autoinjectors는 휴대하는 것이 좋음)

2. 전신반응(systemic allergic reaction)

(1) 즉시형 반응 : <u>anaphylaxis</u>

임상양상	빈도
피부증상 - m/c	약 80%
(피부증상만 나타난 경우)	(약 15%, 소아는 60%)
호흡기증상	38~50%
저혈압/현기증	40~60% (소아는 드묾)
의식소실	약 30%

- severe anaphylaxis는 자상 후 평균 11분에 발생 (보통 2~3분 이내)
- 피부증상(m/c) ; generalized urticaria, flushing, angioedema (소아의 60%는 피부증상만 발생)
- 호흡기증상 ; hoarseness, wheezing, dyspnea
- 심혈관증상 ; 현기증, 저혈압, shock, circulatory collapse
- allergic sting reaction은 한번 쏘일 때마다 심해지지는 않음
  (처음 쏘였을 때 증상이 심했던 경우가 재차 쏘였을 때도 심한 경향을 보임)
- sensitization은 시간이 지나며 감소하거나 사라짐
- ACEi or β-blocker 사용 중인 사람은 사망률 증가

(2) 지연형 반응

- 드묾(~5%), 자상 4시간 이후에 발생, 24시간 이상 지속, non-IgE-mediated
- serum sickness, Guillian-Barré syndrome, glomerulonephritis, myocarditis, vasculitis …

진단

- 대부분 벌에 쏘인 병력 및 임상양상으로 쉽게 진단 가능
- 전신반응이 있었던 경우 or 인과관계가 불확실한 경우에는 진단검사 시행
  ⇨ 확진 및 추후 벌독면역요법(VIT)에 사용할 벌독의 종류를 결정하기 위해
  (1) skin test (intradermal) : 우선 권장, 상품화된 벌독 추출물 이용, sensitivity 70~90%
  (2) serum specific IgE (e.g., immunoCAP)
  - skin test 음성인 경우 시행 → skin test + specific IgE로 95% 확인 가능
  - but, skin test보다는 sensitivity 떨어짐
  (3) baseline serum tryptase : skin test & specific IgE 음성인 경우 시행
  → 증가되어 있으면 systemic mastocytosis 의심, >20 ng/mL면 BM study 등 검사 고려
  (c.f., 곤충독 반응이 systemic mastocytosis or hereditary α-tryptasemia의 증상일 수 있음)

• 추후 anaphylaxis 발생 위험성 <10%면 (LLR만 있었던 경우, 피부에만 국한된 전신반응 등)
진단검사 및 VIT 반드시 시행할 필요는 없음

치료/예방

1. Local reactions의 치료

• uncomplicated local reactions ; 치료 안 해도 됨, cold compress면 충분
• LLRs ; 대증요법
  – cold compress (얼음찜질 or 차가운 물병/캔), 물린 부위가 팔다리면 위로 올림
    → 통증↓, 독 흡수 속도↓, 부은 부위 가라앉음
  – 통증 심하면 ⇨ 진통제(e.g., NSAIDs) / 가려움 ⇨ oral antihistamines, topical steroid
  – 부종이 심하면 oral steroid single-dose (or 단기간)
* **벌침 제거** : 꿀벌은 벌침에서 독이 계속 나와 증상을 악화시킬 수 있으므로 빨리 빼야 좋음!
    (말벌은 벌침을 여러 번 사용하므로 쏘인 부위에 벌침이 없음)
  – 소독된 칼 가장자리나 신용카드 같은 것을 이용하여 피부와 평행하게 조심스럽게 긁어서 제거
  – 핀셋/집게/손톱으로 벌침의 끝 부분을 집어서 제거하면 독주머니를 짜는 행위가 되어 위험함

2. Systemic allergic reaction (anaphylaxis)의 치료

• 다른 원인에 의한 anaphylaxis의 치료와 동일함 → 다음 장 참조
• epinephrine IM (TOC), antihistamine 등
  (glucocorticoid : anaphylaxis에는 효과 없음, LLRs에는 증상 감소에 도움)
• immunotherapy를 하지 않은 사람은 epinephrine autoinjectors[자가주사]를 항상 휴대하도록 함

3. 회피요법

• 야외에서 음료수나 식사를 삼감, 헐렁한 옷을 입지 않음, 야외에서는 신발을 신음
• 단 식품, 화려한 색상의 밝은 옷, 향수/화장품 사용을 피할 것

4. 벌독면역요법(venom immunotherapy, VIT)

• 벌독 allergy 예방에 m/g : 안전하고, 대부분 성공적임 (약 95%에서 예방 효과)
  – 전신 증상 발생위험 <5% & 증상도 mild (VIT 시행 안 하면 다음 자상시 30~60%에서 발생)
  – 효과 ; 말벌독+꿀벌독 > 말벌독 > 꿀벌독 (꿀벌은 효과가 떨어짐)
• 적응증
  ① systemic (여러 장기 침범) anaphylaxis의 병력
    (LLR, 피부에만 국한된 전신반응[cutaneous systemic reactions]은 적응 아님)
  ② 피부에만 국한된 전신반응이라도 자주 발생(e.g., 벌이 많은 환경), 기저질환 동반, 환자가 원하면

- skin test and/or specific IgE 검사에서 양성인 모든 벌독 종류에 대해 시행하는 것이 안전함
- skin test & specific IgE 음성일 때는 시행× (매우 드물게 non-IgE-mediated 기전도 있음)
- 치료 기간은 보통 3~5년 이상 (꿀벌이면 5년 이상)
  - venom-specific IgG$_4$ 항체가 생겨서 효과를 나타냄
  - IgE는 초반에는 약간 증가하나 1년 이후에는 감소

벌독면역요법(VIT) 평생 시행의 적응 (≒ VIT 완료 후 재발 위험↑)
이전의 Life-threatening systemic anaphylaxis 병력 심한 전신반응 병력 & 벌 자상 위험이 높은 환경 꿀벌 allergy 병력 & 꿀벌 자상 위험이 높은 환경 (e.g., 양봉업자) 심한 심혈관질환 and/or ACEi or β-blocker 사용 중 VIT 시행 중 VIT에 의한 전신반응 자주 발생 or 벌 자상에 의한 전신반응 자주 발생 적절한 방어력을 얻기 위해 높은 용량의 벌독 필요 벌 allergy에 대한 공포심이 큰 경우 Mast cell disorders 동반 or baseline serum tryptase↑

- VIT 중단 여부는 임상적으로 결정함 (e.g., 적절한 치료 기간, 실제 벌에 쏘여도 전신증상 발생×)
  - venom-specific IgG로 판단하지 않음
    (∵ 방어력과 비례 안함, VIT 완료 이후 titer 빨리 감소하지만 방어력은 유지됨)
  - intradermal skin test & specific IgE (−)면 방어력은 더 강하지만, (+)인 경우가 더 많음
- 적절한 방어력이 획득되면 epinephrine autoinjectors는 필요 없지만, 환자가 원하면 해줌
- 벌에 쏘이지 않도록 주의하는 것은 계속하도록 권장

7 아나필락시스(Anaphylaxis)

개요

- 원인 물질에 노출된 후 즉시 발생하는 (생명을 위협하는) 중증의 전신 알레르기 반응
  - 대개 저혈압/심혈관허탈 or 기관지/후두 수축발작이 발생한 경우를 anaphylaxis라고 함!
  - 증상 발생이 빠르고 치명적일 수 있으므로 medical emergency 임
- parenteral allergen이 inhaled or ingested allergen보다 더 잘 일으킴
- anaphylaxis 환자의 약 53%는 아토피질환의 병력이 있음

  (e.g., allergic rhinitis, asthma, atopic dermatitis)

Anaphylaxis의 진단기준 (다음 중 하나 이상)
1. 급성 발병 (수분~수시간), 피부 및 점막을 침범 (두드러기, 가려움, 홍조, 입술-혀-구강부종), 다음 중 한 가지 이상   • 호흡장애 (e.g., dyspnea, wheeze/bronchospasm, stridor, peak expiratory flow↓, hypoxemia) *OR*   • 저혈압 또는 저혈압으로 인한 end-organ malperfusion (e.g., hypotonia [collapse], syncope, incontinence)
2. 의심되는 allergen에 노출된 뒤 수분~수시간 이내에 다음 중 두 가지 이상 발생   • 피부 및 점막 침범 (e.g., 전신적 두드러기, 가려움, 홍조, 입술-혀-구강부종)   • 호흡장애 (e.g., dyspnea, wheeze/bronchospasm, stridor, peak expiratory flow↓, hypoxemia)   • 저혈압 또는 저혈압으로 인한 end-organ malperfusion (e.g., hypotonia [collapse], syncope, incontinence)   • 지속적인 소화기 증상/징후 (e.g., crampy abdominal pain, vomiting)
3. 알려진 allergen에 노출된 뒤 수분~수시간 이내에 혈압 감소   ┌ 성인 : systolic BP <90 mmHg or 30% 이상 감소   └ 영아/소아 : systolic BP <70 (1개월~1세), [70 + 2×age], 90 (11~17세) mmHg or 30% 이상 감소

Anaphylaxis의 발병기전에 따른 분류

1. Immunologic anaphylaxis	2. Nonimmunologic anaphylaxis
IgE-dependent 약물(e.g., β-lactams, 일부 저삼투압조영제) 곤충독, 식품 (식품의존-운동유발 포함) **IgE-independent** Immune complex (→ complement 활성화) ; 수혈반응, Protamine Cytotoxic reaction (→ complement 활성화) ; 용혈수혈반응 Anti-IgE IgG (e.g., Omalizumab)	Mast cells & basophils 직접 자극 약물 ; Opioid (e.g., meperidine, codeine), Vancomycin, <u>조영제</u> 물리적 인자 ; Cold, Sunlight 직접 complement 활성화 (immune complex 없이) ; Cremophor Arachidonic acid 대사 변화 ; <u>Aspirin</u>, <u>NSAIDs</u> Kallikrein-kinin contact system 활성화 (→ complement 활성화) ; 수혈반응, 혈액투석막, 조영제 기타 ; 운동, c-kit Mutation (D816V)
	3. Idiopathic anaphylaxis

1. Immunologic anaphylaxis

- 면역기전(e.g., IgE, IgG, immune complex, complement)이 관여하는 anaphylaxis
- IgE-mediated anaphylaxis (classic anaphylaxis) ; allergen 노출 후 allergen-specific IgE 생산
    → 혈류를 통해 전신으로 전파 → tissue mast cells과 circulating basophils 표면의 high-affinity
    IgE receptors (Fc ε RI, Fc-epsilon-RI)에 결합 → inflammatory mediators & cytokines 분비
    (e.g., histamine, PAF) ⋯ type Ⅰ hypersensitivity
- IgG-mediated (주로 동물에서) ; allergen-specific IgG가 macrophages와 basophils 표면의
    IgG receptors (Fc-gamma-RIII)에 결합 → histamine 대신 PAF를 주로 분비
    (PAF도 mast cells을 자극할 수 있음)
    c.f.) anti-IgE IgG (omalizumab) : IgE가 Fc ε RI에 결합하는 것을 방해, IgG-mediated 반응

종류	흔한 원인	드문 원인
Proteins	**곤충독** (꿀벌, 말벌, 왕침개미 등) 화분 (ragweed, grass, etc.) **식품** (갑각류/조개류, 밀가루, 땅콩, 견과류 계란, 우유, 생선 등) Horse & rabbit serum (antilymphocyte globulin) Latex (수술용 장갑, 의료인의 약 3~10%)	Hormones (insulin, ACTH, vasopressin, parathormone) Enzymes (trypsin, penicillinase) Human proteins (serum proteins, seminal fluid)
Haptens 등의 저분자물질	항생제 (penicillins-m/c, sulfonamides, cephalosporins, tetracyclines, amphotericin B, nitrofurantoin, aminoglycosides) Local anesthetics (lidocaine, procaine 등)	Vitamins (thiamine, folic acid)
Polysaccharides		Dextrans, iron-dextran

- 약물 (성인에서 m/c), 식품 (소아에서 m/c), 곤충독, 혈청제제 등이 흔한 원인임
- 약물은 주로 <u>hapten</u>으로 작용함
    (↳ 작아서 면역반응을 직접 유발하지는 못하고, 혈청 단백과 결합하여 IgE 생성을 유도)

2. Nonimmunologic anaphylaxis (과거 anaphylactoid reaction)

- immunologic anaphylaxis와 임상양상은 같으나 면역학적 기전이 아닌 경우
    (mast cells이나 조직 or complement 등에 직접 작용)
- 면역 반응이 아니므로, 감작 없이 <u>첫 노출</u> 시에도 발생 가능!
- aspirin, NSAIDs, 방사선 조영제 등이 대표적인 예
    (일부는 IgE-mediated anaphylaxis의 특징을 보이기도 함)
    c.f.) cremophor : paclitaxel, cyclosporine, propofol 등의 용매로 쓰임, 직접 complement 활성화

3. Idiopathic anaphylaxis

: 밝혀진 유발 원인 없이 반복적으로 anaphylaxis 발생

임상양상

- 대개 노출 후 수초 ~ 2시간 이내에 발생, 심한 반응은 5~10분에 발생
- 전신적 or 여러 장기의 급성 중증 과민반응
  - 피부 (~90%)[m/c] ; flushing, pruritus → <u>urticaria</u> (m/c) ± angioedema (e.g., 구강부종)
    → generalized rash
  - 호흡기 (~85%) ; 콧물, 코막힘, 재채기, 목소리 변화, 후두부종(hoarseness, stridor → 질식),
    기침, 기관지수축(wheezing), 호흡곤란
  - 심혈관계 (~45%) ; hypotonia (collapse), syncope, incontinence, dizziness, <u>hypotension</u>, shock,
    <u>tachycardia</u> (∵ 혈관내 용적 감소에 대한 보상)
  - GI (~45%) ; 복통(crampy abdominal pain), N/V/D ...
- 시간에 따른 경과 (초기 증상으로는 예측 불가능함), 대부분은 uniphasic
  - biphasic anaphylaxis (약 5%) ; 증상이 호전되고 1시간 이상 (평균 11시간) 지난 뒤 다시 재발
    ↳ risk factor ; 심한 증상(e.g., 저혈압), epinephrine 1 dose 이상 필요 → 24시간 이상 입원
    (c.f., antihistamines 및 glucocorticoids 치료는 증상 재발 예방 효과 없음)
  - protracted anaphylaxis (매우 드묾) ; 증상이 수시간~수일 이상 지속되는 것
- 주로 임상양상으로 진단함 (→ 앞 표 참조)
- Lab (biomarkers) ; 진단에 도움은 되지만 정상인 경우도 있으므로 D/Dx가 필요할 때만 고려
  - serum/plasma <u>tryptase</u> : 60~90분 뒤 peak, ~5시간까지도 측정 가능
  - plasma histamine : 반감기 매우 짧음, 빨리 상승했다가 30~60분 이내에 정상화 → 비실용적
  - urine histamine metabolites : 몇 시간 이후까지 측정 가능
  - 기타 ; N-methylhistamine, 11-β-PGF$_{2-\alpha}$, LTE$_4$ 등
- 원인을 찾기 위한 skin test 등은 anaphylaxis 3~4주 이후에 시행

■ 예후

- 사망률이 높지는 않음 (~2%), 대부분은 적절한 치료로 조절 가능
- 사망률↑ ; 10대, 노인, 동반질환(e.g., 천식, 심혈관질환), 진단/치료 지연
- 사인 ; 질식(2/3), 순환기 증상(1/3)
- 사망 원인 allergen ; 약물 (m/c, ~50%), 식품(대부분 땅콩, 견과류), 곤충독
- cardiac arrest까지의 평균 시간 ; IV 약물(조영제 포함) 5분, 곤충독 15분, 식품 30분

■ D/Dx - Vasovagal collapse (syncope)

- 심한 통증이나 주사를 맞은 직후에 발생
- pallor, sweating, nausea, <u>bradycardia</u>, hypotension, 의식상실 등의 증상이 나타남
- but, 피부 증상(<u>urticaria</u>)이나 호흡기 증상은 없음!
- 안정과 수액요법으로 대부분 회복

치료

┌ 수분이내에 사망할 수 있으므로 빨리 치료해야 됨 (medical emergency)
└ 목표 : 기도의 유지와 순환의 유지

(1) Epinephrine (m/i)

- 치료의 핵심!, 빨리 투여하면 대부분의 증상 호전 가능 / 응급 상황에서 금기는 없음!
- 1:1000 희석액을 0.01 mL/kg로 최대 0.5 mL까지 IM (허벅지 중간 바깥쪽)
- 필요한 경우 5~15분마다 2~3회 반복, 반응 없으면 IV 정주 고려

(2) Rapid IV fluid infusion

- 저혈압시 사용 ; N/S, lactated Ringer's solution 등
- 혈관내액 누출로 심한 저혈압 발생시엔 colloid fluid가 더 효과적

(3) Vasopressor drugs

- fluid, epinephrine IV에 반응 없는 저혈압시에 사용
- dopamine, norepinephrine, phenylephrine 등
- glucagon : β-blocker 사용 환자에서 epinephrine에 반응 없는 경우 고려
  - intracellular cAMP를 증가시켜 adrenergic receptors에 관계없이 혈압을 유지하는데 도움
  - 빨리 주입하면 vomiting을 유발할 수 있으므로 기도 보호에 주의

(4) Respiratory care

- 산소 공급
- laryngeal & epiglottic edema → 기도유지(airway maintenance)
  ; endotracheal intubation 또는 emergency tracheostomy
- bronchospasm → epinephrine에 반응 없으면 inhaled β_2-agonists (e.g., albuterol, salbutamol)!
- refractory bronchospasm 시에는 atropine IV도 사용 가능

(5) Antihistamines

- H_1-blocker (e.g., diphenhydramine, cetirizine) & H_2-blocker (e.g., famotidine) 병합요법
- 증상이 epinephrine 만으로 좋아지지 않을 때 투여, 생명유지 역할은 없음
  (urticaria, angioedema, pruritus, GI & 자궁 평활근 연축 등에 도움)

(6) Glucocorticoid

- 급성 증상에는 효과 없음 (∵ 작용에 몇 시간 필요) / biphasic or protracted reactions 예방
  효과는 있을 것으로 생각되었으나, 최근의 연구 결과로는 효과 없음!
- epinephrine 및 다른 약제들에 잘 반응하면 투여 안 해도 됨
- 심한 증상으로 입원이 필요하거나, 천식 환자에서 심한 bronchospasm이 지속되는 경우 투여

(7) 기타

- 팔, 다리에 주사제 or sting에 의해 anaphylaxis가 유발된 경우
  → 약물/항원 흡수를 제한하기 위해 근위부를 tourniquet으로 묶음
- 벌에 쏘인 경우는 벌침 제거 (꿀벌), cold compress, topical steroid 등

예방

- anaphylaxis 경험한 사람
  - medic-alert tag (과민성질환 표시)를 착용
  - 환자 자신이 epinephrine을 투여할 수 있도록 처방/교육
    c.f.) 자가사용(autoinjector) epinephrine : Jext® (성인용 0.3 mg, 소아용 0.15 mg 함유)
  - β-blocker 사용은 피함 (→ refractory anaphylaxis 유발 가능)
    (∵ epinephrine과 β-agonist의 작용을 antagonize)
- cross reaction있는 약 피함
  ① sulfa 항생제 allergy 환자 → sulfa 함유 제제인 chlorthiazide, furosemide, sulfonglurea, dapsone 등을 피해야 함
  ② penicillin allergy 환자 → cephalosporin, imipenem, amoxicillin 등의 β-lactam 항생제 피함 (aztreonam은 사용 가능)
- 약물 탈감작요법(desensitization) : 효과는 일시적임 (약물 사용 기간 동안은 계속 시행)
  ① sensitive 환자에서 꼭 필요한 약일 때
  ② 조금씩 투여하는 약의 농도를 올림
  ③ intradermal → subcutaneous → parenteral 순서
- 벌독 면역요법(VIT) : 심각한 반응이 있었던 환자는 반드시 시행, 대부분 성공적임! → 앞 장 참조

8 기타 알레르기 질환

기관지 천식

- 알레르기성 천식은 모든 천식의 20~25% 정도
- 대개 소아 천식력을 갖고 있다
- 직업성 천식 ; 어부, 제빵사, 사료제조인, 방앗간, 양계장, 세제 등

→ 호흡기내과 참조

아토피성 피부염 (atopic dermatitis)

- 소아의 약 10%에서 발생, 이후 점차 감소
- 심한 소양증, 홍반, 부종, 딱지와 인설 등이 특징
- 목, 사지의 접히는 부위에 습진을 동반하는 피부염을 일으킴
- 대부분 건조증도 나타남, 피부감염 빈도도 증가 (특히 *S. aureus*)
- 호전과 악화가 반복되는 만성 재발성 경과
- 아토피의 과거력/가족력 존재 (e.g., asthma, allergic rhinitis, food allergy)
- 혈청 IgE 증가, monocytes와 B cells의 CD23 (low-affinity IgE receptor) 발현 증가, delayed hypersensitivity reaction 장애 ...
- 치료
  (1) 회피요법
    - 너무 춥거나 더운 것은 피함 (c.f., 땀 → 소양증 유발)
    - 커피, 차, 콜라, 초콜릿과 기타 자극제 등을 피함
    - 피부 건조 (겨울) → 비누, 친수 연고, 로션 등의 사용 피함 (가습기가 도움)
    - 손톱은 짧게 깎고, 손이 얼굴에 가지 않도록 함
    - 옷 : 면제품이 좋고 (∵ 자극↓, 땀흡수↑), 모직물은 피함
  (2) 국소 치료
    - 급성기엔 cold wet dressing^{냉습포} (Burow solution, KMnO4, N/S) → 항소염, 항염증 효과
    - topical steroid : dressing을 바꾸는 사이에 적용

(3) 가려움 → 1세대 antihistamines (e.g., diphenhydramine, hydroxyzine, promethazine)
- urticaria 때와 달리 2세대 antihistamines이나 H_2-blocker는 효과 없음
- c.f., promethazine은 2세 이하 소아에서는 금기 (∵ 호흡장애 유발)

(4) 2차 감염 → 국소 및 전신 항생제

(5) 난치성 → systemic steroid, phototherapy, cyclosporin, IFN-γ, thymopentin, tacrolimus, FK-506 등 (but, 치료를 중단하면 재발하는 경우가 많음)

(6) 면역요법은 효과가 입증되지 않았음

알레르기성 접촉피부염 (allergic contact dermatitis[ACD])

- 전체 접촉피부염의 20% 차지 (원발성 접촉피부염이 80%)
- type IV hypersensitivity (cell-mediated hypersensitivity)
  : 먼저 감작이 일어난 뒤, 재 노출되면 피부염이 유발됨
  ⇨ 첩포/부착포검사(patch test)로 진단
- 이물질에 접촉된 지 24~72시간 후에 피부염 발생 (홍반, 부종, 습진)
- 원인 ; 금속(니켈, 코발트, 크롬, 수은 뿐), 보석 장신구, 옻나무(옻닭), 북나무, 참나무, 은행열매, 고무, 석유, 가죽, p-phenylenediamine (PPD) 등의 염색약, 샴푸, 화장품, 방부제 등
  - 니켈 : 귀금속과 장신구에 불순물로 함유, 스테인리스 스틸의 주성분
    (시계, 귀걸이, 목걸이, 안경 등 주변에 흔함)
  - 스마트폰, 이어폰 등 전자기기에도 니켈, 크롬이 많이 쓰임
  - 옻나무 : 우리나라에서는 옻을 닭과 함께 삶아먹은 뒤 혈행성으로 전신적 피부염 발생 흔함
- 치료 ; 원인 물질과 접촉 피함, 냉습포, 보습제, topical steroid (전신적으로 심하면 oral steroid)

c.f.) 자극접촉피부염(irritant contact dermatitis) : 이물질이 누구에게나 자극을 일으키는 경우

과민성 폐렴, ABPA 등

→ 호흡기내과 참조

독성학, 기타

1
독성학

개요

1. 역학 (우리나라)

- 중독 환자 : 전체 응급실 내원 환자의 0.66~1.3%, 전체 사망의 0.5% 차지
- 중독 원인
  ① 의약품 (약 45%) ; 수면진정제, 항정신병제, 진통제 등
  ② 가스 (약 20%) ; 일산화탄소 등
  ③ 농약 (약 15%, 감소추세) ; 유기인계, 제초제(e.g., glyphosate, glufosinate) 등
      (과거에 흔했던 paraquat는 2012년 판매 중단)
  ④ 기타 ; 가정용품(e.g., 세척제), 독성 식물/동물, 화학물질 ...
  c.f.) 6세 미만 소아 ; 화학물질(가정용품, 니코틴원액), 의약품, 독액성 독물(곤충) 등
- 사망률 : 전체적인 중독으로 인한 사망률은 약 3% (농약이 m/c 원인), 고령일수록 높음
- 사망원인 ; 다발성 장기부전, 호흡부전, 순환부전, 신부전

c.f.) 약물 또는 독소의 향기
  - 아세톤향 ; alcoholic ketoacidosis, isopropyl alcohol
  - 배향 ; paraldehyde, chloral hydrate
  - 쓴 아몬드향 ; cyanide
  - 소독제향 ; phenol
  - 마늘향 ; 비소 살충제, 유기인계 살충제, selenium, thallium, phosphorus
  - 좀약향 ; 장뇌(camphor), 나프탈렌, paradichlorobenzene
  - 용매/접착제향 ; toluene, xylene, trichloroethane, tetrachloroethylene
  - 연기(smoke) ; 일산화탄소, cyanide, clomethiazole
  - 노루발풀(맨소래담, 안티프라민)향 ; methyl salicylates
  - 썩은 달걀향 ; 황화수소(hydrogen sulfide)

2. 임상양상

약물에 따른 중독의 증상

약품 (물질)	증상
Acetaminophen	오심, 구토, 발한, 권태감, 간증상 : SGOT, SGPT 상승, 황달, 간부전증
Amphetamine 및 Sympathomimetic (cocaine, caffeine 등)	빈맥, 고혈압, 과체온, 안면 홍조, 정신증, 경련, 동공산대(mydriasis), 발한
Anticholinergic (amitriptyline, atropine, belladonna, chlorpheniramine, diphenhydramine, doxylamine, imipramine, scopolamine 등)	열, 붉고 건조한 피부, 구강 점막 건조, 빈맥, 동공 산대, 요 정체, 혼돈, 운동 실조, 혼수, 경련
Barbiturate (pentobarbnital, phenobarbital, secobarbital, amobarbital 등)	혼돈, 동공 축소 후에는 확대, 안구 진탕, 저혈압, 저체온, 혼수
Carbon monoxide (연탄 가스)	전 두통, 현기증, 운동시 호흡 곤란, 오심, 구토, 빈맥, 혼미, 허탈, 혼수, 경련
Cyanide (일부 쥐약)	혼수, 경련, 과호흡
Digoxin	식욕 부진, 오심, 구토, 부정맥, 두통, 기면, 경련
Ethylene glycol (antifreeze)	대사성 산증, hyperosmolality, hypocalcemia, oxalate crystalluria
Iron	오심, 구토, 복통, 설사, 토혈, 하혈
Isoniazid	저혈압, 간 손상, 저혈당, 대사성 산증, 혼수, 경련
Narcotics (propoxyphen, heroin, talwin, demerol, codeine)	혼수, 호흡 억제, 인두 분비물, 천명, 저혈압, 동공 축소, 반사 저하
Organophosphate (농약)	동공 축소, 침 흘림, 복통, 구토, 설사, 요 실금, 변 실금, 기관지 수축, 눈물 흘림
Paraquat (제초제: gramoxone 등)	혼수, 서맥, 간·신의 손상, 폐 손상(간질성 폐렴, 폐 섬유증)
Phenothiazine (chlorphromazine, prochlorperazine 등)	빈맥, 기립성 저혈압, 저체온, 근육 경직, 혼수, 운동 실조, 동공 축소, tremor, Q-T 간격 증가
Salicylate (aspirin)	빈맥, 열, 빈호흡, 발한, 기면, 혼수, Anion gap 증가, 처음에 alkalosis → 후에 acidosis
Theophylline	소화기 장애, 경련, 저혈압, 빈맥, 저 K혈증
Tricyclic antidepressant (amitriptyline, imipramine 등)	빈맥, 동공 산대, 구강 점막 건조, 요 정체, 혼수, 경련, 부정맥, QRS 시간 연장, Q-T 간격 연장

증상에 따른 중독 물질

눈 증상	중독 물질
축소된 동공(miosis)	마약, organophosphate, 버섯, clonidine, phenothiazine, chloral hydrate, barbiturate
산대된 동공(mydriasis)	atropine, alcohol, cocaine, amphetamine, antihistamine, tricyclic antidepressant, carbon monoxide
안구 진탕	phenytoin, barbiturate, ethanol, carbon monoxide
눈물	organophosphate, 자극성 가스
망막 충혈	methanol
시력 장애	methanol, botulism, carbon monoxide

피부 증상	중독 물질
수포	heroin, phencyclidine (PCP), amphetamine, barbiturate
건조하고 더운 피부	anticholinergic agents, botulism
땀	organophosphate, nitrates, 버섯, aspirin, cocaine
탈모	thallium, arsenic, 납, 수은

구강 증상	중독 물질
침 흘림(salivation)	organophosphate, salicylate, 부식제, strychnine
구강 건조	amphetamine, anticholinergic, antihistamine
화상	부식제
잇몸의 선	납, 수은, 붕산
잘 삼키지 못함	부식제, botulism

위장 증상	중독 물질
산통	arsenic, 납, thallium, organophosphate
설사	arsenic, 철, 붕산
변비	납, 마약, botulism
토혈	aminophylline, 부식제, 철, salicylate

심혈관 증상	중독 물질
빈맥	atropine, aspirin, amphetamine, cocaine, tricyclic antidepressant, theophylline
서맥	digitalis, 마약, 버섯, clonidine, organophosphate
고혈압	amphetamine, LSD, cocaine
저혈압	phenothiazine, barbiturate, TCA, imipramine
QRS 시간 연장	diphenhydramine (대량), encanide, flecainide, hyperkalemia, hypothermia, phenothiazine (대량), tricyclic antidepressant
Q-T 간격 연장	phenothiazine
부정맥	amphetamine, arsenic, caffeine, carbon monoxide, chloral hydrate, cocaine, cyanide, digitalis, freon, phenothiazine, propranolol, quinidine, theophylline, TCA

호흡 증상	중독 물질
호흡 억제	alcohol, 마약
호흡 증가	amphetamine, aspirin
폐 부종	hydrocarbons, heroin, organophosphate, aspirin

중추 신경 증세	중독 물질
실조(ataxia)	alcohol, antidepressant, barbiturate, anticholinergic, phenytoin, 마약
혼수(coma)	sedative, 마약, barbiturate, PCP, organophosphate, salicylate, cyanide, CO
과체온	anticholinergic, quinine, salicylate, LSD, phenothiazine, amhetamine, PCP
근육 연축(fasciculation)	organophosphate, theophylline
근육 경직(rigidity)	tricyclic antidepressant, PCP, phenothiazine
경련	amphetamine, antihistamine, caffeine, camphor, cocaine, carbon monoxide, lindane, organophosphate, isoniazid, phenol, phenothiazine, tricyclic antidepressant
이상 감각(parasthesia)	cocaine, camphor, PCP
행동 이상	LSD, PCP, amphetamine, cocaine, camphor, anticholinergic

검사 이상	중독 물질
Methemoglobinemia 청색증 (호흡 곤란 없음)	aniline 색소, DDS, nitrate
Osmolar gap 증가	acetone, ethanol, ethylène glycol, ispropyl alcohol, methanol, propylene glycol
Anion gap 증가된 metabolic acidosis	carbon monoxide, cyanide, ethylene glycol, 철, isoniazid, methanol, salicylate

3. 치료

보존적 치료

기도 보호
산소/인공호흡기
부정맥의 치료
혈역학적 보조

경련의 치료
체온 이상의 교정
대사 이상의 교정
이차 합병증의 예방

독성 물질의 추가 흡수 방지

GI decontamination
  활성탄(activated charcoal)
  위세척(gastric lavage)
  Ipecac 시럽 (→ emesis)
  Whole bowel irrigation
  Cathartics (sorbitol)
  Dilution ; 부식제(산, 염기) 섭취시에만
  Endoscopic/surgical removal

다른 부위의 decontamination
  Eye irrigation ; saline
  Skin ; triple wash (물, 비누, 물)
  Body cavity evacuation

독성 물질의 제거 촉진

Multiple-dose activated charcoal
Forced diuresis
Alteration of urinary pH
Chelation

Extracorporeal removal ; PD, HD, hemoperfusion,
  hemofiltration, plasmapheresis, 교환수혈
Hyperbaric oxygenation

해독제 투여

Neutralization by antibodies
Neutralization by chemical binding
Metabolic antagonism
Physiologic antagonism

독성 물질의 재노출 방지

Adult education
Child-proofing
Notification of regulatory agencies
Psychiatrc referral

■ 위장관 오염제거(decontamination)

	활성탄 (Activated charcoal)	위세척 (Gastric lavage)	구토제 (Ipecac 시럽)
개요	장점 1. 가장 효과 좋다! 2. 부작용/금기 적다 3. 가장 덜 혐오스럽고 　비침습적 작용 : 장내에서 독성물질을 　흡수한 뒤 복합체를 형성 　대변으로 배설됨	수돗물을 사용 　(영아는 N/S) 흡인을 방지하기 위해 Trendelenburg & Lt. lateral decubitus position 유지 * 1시간 이내에 시행!	병력이 확실하고 독성이 　적은 경우 가정에서 　응급으로 사용 가능 　(우리나라에는 없음) 투여후 약 20분 뒤 　구토 발생 * 1시간 이내에 시행!
용량	1 g/kg	5 mL/kg	성인 30 mL (소아 15, 영아 10)
독성물질의 흡수 방지 효과 　5분 이내 시행 　30분에 시행 　60분에 시행	 73% 51% 36%	 52% 26% 16%	 60% 32% 30%
부작용	기도의 기계적 폐쇄 흡인, 구토 장 폐쇄/경색	흡인 (~10%) 식도/위 천공 (~1%)	소아에서 기면 (12%) 지연성 구토 (8~17%) 흡인 (식도/위의 열상, 　천공은 드물다) * 장기간 사용시 ; 수분, 　전해질 불균형, 심독성, 　근육병증
금기	부식제(산, 염기)를 섭취한 　환자에서는 권장 안됨 　(∵ 내시경을 방해) 철, lithium, cyanide, alcohol 　등의 섭취	부식제(산, 염기), 탄화 수소(석유제품) 섭취 기도 보호가 안되는 　환자 (e.g., 의식저하) 식도/위의 질환 또는 　최근의 수술로 출혈, 　천공의 위험이 있는 　환자	최근의 위장관 수술 CNS depression, 경련 부식제(산, 염기) 섭취 Rapidly-acting CNS 　poison 섭취 ; 　camphor, cyanide, 　TCA, propoxyphene, 　strychnine 6개월 미만 소아

* 병원 응급실에서는 위세척이나 활성탄이 1차적으로 이용됨

* 2~4시간 이후에도 위장관정화(위세척, 구토제)가 효과적일 수 있는 경우
　　① 항콜린성 약물 (∵ GI motility↓)
　　② 의식저하자 (∵ gastric motility↓)
　　③ salicylate 섭취 (∵ pyloric spasm 유발)
　　④ 활성탄에 흡착되지 않는 물질 (e.g., 철, lithium)

* 하제/설사제 (sorbitol이 m/g)

- 적응 : 흡수가 느린 약물 중독, 활성탄에 흡착되지 않는 약물
- 금기 : 6세 미만 (∵ 수분/전해질 이상), 신부전, 장음이 들리지 않을 때
  (e.g., 장폐쇄, 복부외상), 최근의 위장관 수술

* 활성탄에 흡착되지 않는 물질

- 부식제, 석유류, 중금속, 분자량이 아주 작은 금속 등이 대표적
- 전장관세척(or 하제), 기타 흡착제제, 제거촉진법(e.g., 혈액투석, 혈액관류) 등을 고려

활성탄에 잘 흡착되지 않는 약물	
Alkali	Inorganic salts
Cyanide*	Iron
Ethanol & methanol	Lithium
Ethylene glycol	Mineral acids
Fluoride	Potassium
Heavy metals	

* 흡착이 적게 되어도 치명적 용량 도달 방지위해 투여

기타 흡착제제

약물/독물	흡착제
Calcium	Cellulose sodium phosphate
Chlorinated hydrocarbons	Cholestyramine resin
Digitoxin	Cholestyramine resin
Kepone, Lindane cream	Cholestyramine resin
Iron	Sodium bicarbonate
Lithium	Sodium polystyrene sulfonate (kayexalate)
Paraquat/diquat	Fuller's earth, bentonite
Potassium	Sodium polystyrene sulfonate (kayexalate)
Thallium	Prussian blue (potassium-ferricyanoferrate)

응급 해독제 요법

중독 물질	해독제	용량	비고
Acetaminophen (Tylenol)	N–Acetylcysteine	처음 : 140 mg/kg, 경구 다음 : 70 mg/kg씩 4시간마다 17회 (5% 용액)	16시간 내에 가장 효과적
Atropine	Physostigmine	초회량 : 0.01~0.1 mg/kg, IV	경련, 서맥을 일으킬 수 있음
Benzodiazepines	Flumazenil	처음 : 10 μg/kg 다음 : 5 μg/kg/분, infusion (깨어 날 때까지, 최대량 1 mg)	경련의 병력이 있는 환자에게 는 쓰지 않는다.
Beta–blocking agents	Atropine Isoproterenol Glucagon	0.01~0.10 mg/kg, IV 0.05~5 μg/kg/분, IV 0.05 mg/kg, IV	
Carbon monoxide	Oxygen	100%	COHb의 반감기는 room air 에서 4시간이나 100% O2 에서는 40~50분이다.
Cyanide	Amyl nitrite 다음 Sodium nitrite	1~2 peral, 2분마다 0.03 mL (10 mg 3%액)/kg, IV	Methemoglobin–cyanide complex 저혈압을 일으킨다.
	Sodium thiosulfate	12.5 g IV	Cyanide → thiocyanide
Digoxin	Digoxin immune Fab (Digibind)	용량은 혈청 Digoxin 농도와 체중에 따라 정한다.	생명을 위협하는 복용으로서 용량과 혈청농도가 불명할 때에는 10 vial의 내용 (400 mg)을 준다.
Iron	Deferoxamine	5~15 mg/kg/시간, infusion, 250 mg/kg/일, ÷3, 1M	배출성 ferrioxamine complex 를 형성
Isoniazid	Pyridoxine	먹은 INH와 같은 양의 Pyridoxine을 IV (먹은 양이 불명할 때는 5g 정주)	Pyridoxine hydrochloride로 주사
Mercury, arsenic, gold	BAL (dimercaprol)	3~5 mg/kg/회, 4시간마다 2일간, 그후 4~6시간마다 2일간, 그후 4~12시간마다 7일간까지, IM	근육내 깊이 주사한다.
Methyl alcohol (ethylene glycol)	Ethyl alcohol dialysis에 연계 하여	100% ethanol : 1 mL/kg 처음 glucose sol.로 혈청 농도를 100 mg/L로 유지	Alcohol dehydrogenase에 대하여 compete한다.
Nitrite	Methylene blue	1%액 0.1 mL/kg, IV 5분에 걸쳐서	심할 때는 교환 수혈
Opiates, Darvon, Lomotil	Naloxone	0.1 mg/kg, IV. 소아에서 2 mg 까지	호흡 억제를 일으키지 않는다 (0.4 mg/mL 앰풀)
Organophosphates	Atropine	초회량 : 0.05~0.1 mg/kg (최대 : 2~5 mg), IV 또는 IM	Acetylcholine을 차단한다.
	Pralidoxime (2PAM)	초회량 : 25~50mg/kg, IV	Phosphate–cholinesterase bond를 분리시킨다.
Sympathomimetics	Blocking agents: phentolamine, β–blockers, 기타 항고혈압제		Vital sign을 monitoring할 수 있는 데에서 사용

유기인(organophosphate)계, Carbamate계 살충제

1. 개요

- 독성기전 : acetylcholinesterase 억제
  - organophosphate : 비가역적
  - carbamate : 가역적
- 유기인산염(organophosphate)
  ① skin, lung, GI에서 흡수되어 간에서 대사
  ② 종류 ; parathion, malathion, dichlorvos, diazinon

2. 임상양상

- 노출 후 30분~2시간 이내에 발생
- muscarinic effect ; N/V, 복통, 동공축소(축동, miosis), salivation, lacrimation, 발한, 기관지분비↑, 기관지수축(wheezing), urinary & fecal incontinence …
  (심한 발한은 탈수, 저혈압, shock 등을 초래 가능)
- nicotinic effect ; 근육연축(fasciculation), 진전, 근력약화, 호흡부전 …
- 혈압/맥박수 : muscarinic에 의해 감소 or nicotinic에 의해 증가 (더 흔함) 가능
- carbamate : organophosphate보다 증상기간 짧고 덜 심함
- 대부분 24~48시간 내에 회복 (드물게 지연성 신경병증 발생 가능)

3. 진단

- cholinesterase activity가 <50%이면 confirm
  - plasma : pseudocholinesterase
  - RBC : AChE (acetylcholinesterase) … more specific
- RBC가 plasma보다 specific
- 검사에는 시간이 걸리므로 초기진단은 임상적으로
- 소변에서 insecticide 검출 가능

4. 치료

- 기도 및 호흡 유지
- 폭로장소에서 옮기고, 오염된 옷을 벗기고 피부를 비눗물로 닦음
- ingestion에 의한 경우 GI decontamination (activated charcoal)
- 유기인계의 중독시의 해독제는 atropine + 2-PAM !
- atropine : muscarinic receptor antagonist
  - bronchial & other secretion 멈출 때까지 15분마다 0.5~2 mg 사용
  - pupil size & heart rate : end point로 이용하지 못함

- pralidoxime (2-PAM) : cholinesterase를 재활성화
  - nicotinic symptom에 사용, 4~6시간마다 재투여 가능
  - carbamate 중독 시에는 controversial

PARAQUAT

1. 개요

- 그라목손(paraquat dichloride), 잡초를 제거하기 위해 사용하는 제초제
- 고동도(>20%) 제제 섭취/접촉시 corrosive injury 유발 가능
- 위장관에서는 빠르게 흡수되어 2시간 이내에 최고 혈중 농도에 도달함
- 수일에 거쳐 폐포 상피세포에 선택적으로 농축,
  산소와 결합하여 oxygen free radical 생성 → 폐섬유화 초래
- 20% 용액 10~20 mL (2~4 g) 정도의 소량만 섭취해도 사망 가능

2. 임상양상

- 국소적인 corrosive injury ; 구강/인후부 작열통, 점막 부종/궤양
- N/V, 복통도 흔함
- 신부전, 간손상 (2~8일)
- 농축 용액 60 mL 이상 섭취시 ; 심한 위장관염, 부식성 식도 손상, 폐부종, 심장성 쇼크 발생 가능
  (대량 섭취시에는 급성 순환부전으로 조기에 사망)
- 진행성/비가역적 폐섬유화 (10~15일) → 사망

3. 치료

- 특별한 치료제나 해독제가 없으므로 치료의 근간은 보존적 치료임
- 오염제거 (흡수방지)
  - 흡착제 : 백토/표토(Fuller's earth), bentonite 등
  - 활성탄 : 매 2~4시간마다 반복 투여
  - 하체(e.g., sorbitol) : 초기에만 투여 가능
  - 위세척 : 음독 1시간 이후에는 금기 (∵ 부식성 → 식도/위 천공 위험)
- 산소 : 과량 투여시 폐포에서 lipid peroxidation을 악화시킬 수 있으므로, pO_2 60 mmHg 유지하는
  최소한의 농도만을 사용
- hemoperfusion : 효과에 논란이 있으며 현재는 적응 안됨 (HD나 forced diuresis도 효과 없다)

부식제 (산, 알칼리)

1. 개요

- 알칼리(alkali) : 액화괴사(liquefactive nerosis) 유발
  - → 산(acid)보다 rapidly penetrate & more perforation
- 산(acid) : 응고성괴사(coagulative necrosis) 유발
- 구강 손상이 없다고 식도 또는 위 손상을 R/O 할 수는 없음
- liquid : superficial & large surface wound
- solid, tablet : localized & deeper wound
- severity에 영향을 주는 인자들 ; contact time, amount, pH (특히 <2 or >12)

2. 임상양상

(1) mouth

- excessive salivation, pain, dysphonia, dysphagia
- erythema, edema, ulceration, necrosis

(2) esophagus

- drooling, painful swallowing, retrosternal pain, neck tenderness
- perforation : increased severity of chest pain
- aspiration : fulminant tracheitis, bronchial pnemonia
- fibrosis with stricture ; esophagus (alkali), gastric outlet (acids)

3. 진단

- Sx, Hx, physical finding ...
- endoscopy (12~24시간 이내에 시행해야 안전) : 진단, 예후평가, F/U
- chest & abd. X-rays & CT : perforation, organ dysfunction 등을 평가

4. 치료

(1) 오염제거/희석/중화

- 1~2잔의 물/우유로 희석 : 심한 증상이 없고 섭취 초기의 경우에만
  (c.f., 우유는 내시경 시야를 방해하므로 주의)
- 산 : 섭취 30분 이내의 초기에는 가는 비위관으로 남아있는 산 제거 가능
- 약산/약염기 중화제는 절대 금기! (∵ 중화반응의 열로 tissue injury)
- 활성탄도 금기 (∵ 내시경 방해, 부식제는 활성탄에 흡착 안됨)

(2) 유착 예방 : 내시경상 grade IIb 이상인 경우
(원주형 점막하 손상, 궤양, 삼출물)

- corticosteroid + 광범위항생제 투여
- stent or NG tube 위치
- 내시경적 확장술 : 4주 이후에 고려
- collagen 합성 억제제 ; BAPN, penicillamine, NAC, colchicine

ACETAMINOPHEN

1. 개요

- therapeutic dose에서는 대부분 sulfate와 glucuronide conjugates로 대사
- 140 mg/kg 이상 복용시 sulfate & glucuronide pathway가 포화되어 mercapturic acid로 대사 됨
- hepatic glutathione이 mercapturic acid에 결합하지만 고갈되면 reactive metabolite가 생겨서 hepatocyte에 결합하여 hepatocyte의 necrosis 유발
  (대개 10~15 g 이상 복용시 간손상 발생, dose-dependent)
- volume of distribution 1 L/kg, half-life : 2~4시간

2. 임상양상

- 섭취후 24시간까지는 증상이 거의 없다가 그 이후부터 N/V 나타나기 시작
  (증상이 가볍기 때문에 처치가 늦어져 예후가 불량한 경우가 종종 있다)
- hepatotoxicity (m/i)
  - RUQ tenderness, hepatomegaly
  - 12~36시간에 AST, ALT가 상승하기 시작, 3일째 최고치에 도달
  - mild hyperbilirubinemia, PT 증가
- 신기능도 손상 가능, hypoglycemia를 보이는 경우도 있음
- 회복 후 LFT는 1주 이내에, 조직소견은 3개월 이내에 정상화

3. 치료

- 4시간 이내면 활성탄을 투여하여 GI decontamination 시행
  (위세척, 장세척 등의 적극적인 형태의 제독은 필요 없음)
- NAC (N-acetylcysteine) : glutathione의 전구물질
  - 8시간 이내에 투여해야 가장 효과적 (oral), 4시간마다 투여 가능
  - 활성탄에 방해 안 받음 / 부작용 ; N/V, diarrhea, rash ...
- 신기능 손상을 방지하기 위하여 hydration 실시

NSAIDs

1. 개요

- NSAID : cyclooxygenase를 block해서 prostaglandin 합성을 억제
- 복용후 1~2시간 이면 혈중농도가 peak에 이르고 plasma protein에 강하게 결합
- 대사는 conjugation, oxidation, hydroxylation에 의함

2. 임상양상

- 보통 mild ; N/V, 복통, drowsiness, headache, hematuria, proteinuria, glycosuria ...
- AKI나 hepatitis는 드물다
- ibuprofen : metabolic acidosis, coma, seizure 유발
- seizure : mefenamic acid, phenylbutazone에서 흔하고, ketoprofen, naproxen에서는 드물다
- metabolic acidosis : phenylbutazone에서 많고 naproxen에서는 드물다

3. 진단

- urine으로 comprehensive toxicology screen
- quantitative analysis : not useful

4. 치료

① GI decontamination & supportive care
② activated charcoal
    → indomethacin, phenylbutazone, piroxicam
③ diuresis : renal excretion 증가 안 함 (효과 없음)
④ hemodialysis : protein에 결합하므로 효과가 제한적이나
    AKI, hepatic and severe toxicity있을 때는 효과 있음

SALICYLATES (Aspirin)

1. 개요

- NSAID와 비슷한 약리학적 특성을 가짐
- respiratory rate와 depth 증가 → "resp. alkalosis" (초기)
- metabolic rate 증가 → 산소, glucose 소비 & 열 생산 증가
    → "metabolic acidosis" (후기)
- Krebs cycle을 억제하여 탄수화물과 lipid 대사 억제 → ketoacidosis 발생
- platelet aggregation을 비가역적으로 억제 → BT↑

- 간에서 clotting factor 생산을 억제 → PT 연장
- 50~80%가 albumine에 결합
- acidosis는 unionized fraction을 증가시키고 간, 뇌 등으로의 분포를 증가시킴
- liver와 kidney에서 제거되며 반감기는 2~3시간
- urine alkalinization으로 renal excretion 증가

2. 임상양상

- 3~6시간 후 vomiting, sweating, tachycardia, hyperpnea, fever, tinnitus, lethargy, confusion, resp. alkalosis, alkaline urine 등이 발생
- increased anion gap metabolic acidosis with acidic urine 도 가능
- severe case ; convulsion, coma, resp. depression, cardiovascular collapse, cerebral & pul. edema, myocardial failure 가능
- acid-base disturbances (ABGA)
  - resp. alkalosis & metabolic acidosis (40~50%)
  - resp. alkalosis (20%)
  - metabolic acidosis (20%)
  - mild resp. & metabolic acidosis (5~10%)

3. 진단

- peak level
  - < 40 mg/dL : no Sx.
  - 40~100 mg/dL : mild~moderate Sx.
  - > 100 mg/dL : severe Sx.
- urine ferric chloride test : (+)
- delayed & prolonged absorption 가능하므로 혈중 level을 계속 F/U

4. 치료

① GI decontamination : 12~24시간까지 효과적 (∵ pyloric spasm 유발)
② serum level이 계속 상승하면 whole bowel irrigation or endoscopic bezoar (약물괴) 제거 고려
③ activated charcoal 반복으로 elimination 증가
④ electrolyte 교정, O_2, glucose, fluid
⑤ vitamin K (→ prolonged PT 교정)
⑥ seizure : benzodiazepine, barbiturate
⑦ saline diuresis & urine alkalinization : 증상있는 경우 꼭!
⑧ dextrose water with bicarbonate & potassium
⑨ cerebral or pul. edema때는 bicarbonate에 의한 alkalinization은 C/Ix.

⑩ hemodialysis의 indication
- 급성 중독 : 혈중농도가 1200 mg/dL 이상이거나 심한 acidosis와 중독의 다른 증세들을 보일 때
- 만성 중독 : 혈중농도가 600 mg/dL 이상인 환자에서 acidosis, confusion, lethargy 상태를 보이며, 특히 환자가 노인이거나 정신상태가 불량한 경우

DIGOXIN

1. 개요

- 원인 ┌ therapeutic or suicidal use
       └ plant (oleander) use
- Na-K ATPase inhibit → intracellular Na, Ca ↑ & K ↓
- 천천히 흡수, 분포되므로 8시간까지는 증상과 serum level이 맞지 않을 수
- 25~30%가 protein에 결합
- skeletal muscle, liver, heart에 분포
- 60%가 unchanged form으로 renal excretion되고 나머지가 간에서 대사
- 반감기는 36~45시간

2. 임상양상

- vomiting, confusion, delirium, hallucination, photophobia, disturbed color reception, blurred vision
- arrhythmia (거의 모든 부정맥 발생가능)
- suraventricular tachyarrhythmia + AV block → digitalis toxicity 시사
- chronic intoxication → bradyarrhythmia & hypokalemia 많다
- acute poisoning → tachyarrhythmia & hyperkalemia 많다
- digoxin level
  ┌ therapeutic level : 0.5~2.0 ng/ml
  └ toxicity : >3~5 ng/ml

3. 치료

① GI decontamination
- emesis와 gastric tube로 vagal stimulation되면 conduction block 악화 가능
- activated charcoal (흡수 억제 및 digoxin 제거도 촉진)
② K, Mg, Ca 교정
③ digoxin specific Fab-fragment antibody
- life-threatening 상황 때 사용
- 사용 후 free digoxin은 모두 사라지며 drug-Ab complex는 소변으로 배설

- digoxin 측정은 bound와 unbound form을 구별 못하므로 drug level과 toxicity가 맞지 않게 됨
- chronic intoxication : 1~2 vial 이면 충분
- acute poisoning : 5~10 vial 필요

④ diuresis, hemodialysis, hemoperfusion → 효과 없다
⑤ lidocaine, phenytoin (Dilantin), Mg-sulfate

ANTICHOLINERGICS

1. 개요

- CNS & parasympathetic의 postganglionic muscarinic neuroreceptor에서 Ach.을 경쟁적으로 억제
- 종류 ; antihistamines, belladonna alkaloid (e.g., atropine), Parkinsonism 치료약, mydriatics, phenothiazine, 골격근 이완제, 평활근 이완제, TCA ...

2. 임상양상

- 급성 중독 : 1시간 내에 시작
- 만성 중독 : 치료 시작 1~3일 후에 시작
- 동공 확대, 피부와 점막의 건조, 배뇨장애(urinary retention), 장음 감소(functional ileus), hyperthermia, flushing ...
- CNS Sx. ; 행동장애(choreoathetoid, picking), confusion, delirium, respiratory depression, coma
- EKG ; sinus tachycardia, QT prolongation, VT (Torsade)

3. 치료

- GI decontamination ; 활성탄, 위세척(복용 1시간 이내 권장)
- benzodiazepine → agitation, seizure 치료
- antidote : physostigmine salicylate
  - 금기 ; prolonged PR or QRS
  - 과다 투여시는 atropine으로 조절

납중독 (Lead poisoning)

1. 폭로원인

; 축전지, 케이블 제조, 자동차 배기가스, 납 함유 도료, 페인트, 환약, 총알 …

2. 임상양상

(1) 무기연
- 급성 중독 ; 복통, 변비, 두통, 착란, 혼수, 경련 …
  - 신장애 (간질성 신염, 세뇨관장애 등), 간장애도 나타날 수
- 만성 폭로 ; 연창백, 연연(lead line), 불면, 기억력장애, 말초지각이상 …

(2) 알킬연
- 신경학적 증상이 주 ; 식욕부진, 쇠약, 두통, 우울, 기억장애, 착란 …

(3) 검사소견
- blood ; anemia (급성때는 hemolytic anemia, 만성때는 IDA), PBS에서 basophilic stippling, zinc protoporphyrin↑, δ-ALAD activity↓
- urine ; coproporphyrin, δ-ALA ↑
- X-ray
  - 납 함유 도료나 유약은 복부 X선에서 관찰될 수 있음
  - 골간단의 납띠 : 혈중 납 농도 50 μg/dL에서 보이지만, 급성 중독(4~8주 이내) 에서는 보기 어려움
- 혈중 lead 농도 측정 (진단) ; 여성보다 남성이, 소아보다 성인이 높다

3. 치료

- 혈중 납 농도가 50 μg/dL 이상이면 증상이 없어도 입원 관찰이 필요
- chelating agents ; CaNa$_2$EDTA, succimer, dimercaprol (BAL) 등
  (혈중 납 농도가 70 μg/dL 미만인 경우에는 CaNa$_2$EDTA만으로도 효과 있지만, 그 이상인 경우 재분배에 의한 뇌내 농도 상승 및 CNS 증상의 악화를 방지하기 위하여 BAL을 병용해야 됨)

c.f.) Chelating agents의 임상적 용도

Chelating agents	Chelate되는 금속
CaNa$_2$EDTA	베릴륨, 카드뮴, 코발트, 구리, 철, 납, 망간, 니켈, 아연
Deferoxamine	철
Dimercaprol (BAL)	비소, 납, 수은
Penicillamine	구리, 납, 수은, 아연
Succimer	납

일산화탄소(carbon monoxide, CO)

1. 개요

- 폭로 원인 ; 화재시 연기 흡입, 자동차 배기가스, 배기가 잘못된 보일러/난로 등
- hemoglobin에 결합하여 carboxyhemoglobin 형성
- 산소보다 Hb.에 대한 affinity가 210배 강해서 oxygen transport와 tissue로의 release 감소
  (O₂ dissociation curve가 left shifted)
- myoglobin에도 결합 → oxygen carrying capacity ↓
- mitochondrial cytochrome oxydase에도 결합 → cellular respiration 방해
- net effect ; tissue hypoxia, anaerobic metabolism, lactic acidosis
- half-life
  ① room air : 4~6시간
  ② 100% O₂ : 40~80분
  ③ hyperbaric O₂ therapy : 15~30분

2. 임상양상

- 혈액중의 CO-Hb fraction에 따른 증상
  - 10~20% (mild Sx) ; 호흡곤란, 두통, 피부혈관 확장
  - 20~40% (moderate Sx) ; 심한 두통, 피로, 현기, 민감, 판단력장애
  - 40~60% (severe Sx) ; 착란, 혼수, 경련, 호흡부전, 장기 노출시 사망
  - >80% : 즉시 사망 (대부분 심실성 부정맥으로 사망)
- ischemic chest pain, arrhythmia, hypotension, heart failure
- muscle necrosis and myoglobulinuria → renal failure
- ABGA ; PaO₂ 정상, O₂ saturation 감소, PaCO₂ 다양
- CK & LDH 증가 가능
- 의식 잃은 환자는 1~3주 후 neuropsychiatric sequelae 위험
  (personality change ~ blindness, deafness, parkinsonism 위험까지)

3. 진단

① carboxyhemoglobin (CO-Hb) fraction 증가
② PaO₂에서 계산한 O₂ saturation과 실제 값의 차이 비교

4. 치료

① 100% 산소 공급 → CO의 제거 촉진
  - 밀착된 마스크 or 필요시 intubation & mechanical ventilation 통해 공급
  - CO level <10% & 모든 증상 소실될 때까지 투여
  - 영아와 산모는 몇 시간 더 필요 (∵ fetal Hb의 high affinity 때문)

② 고압산소요법(hyperbaric oxygen therapy, HBO) : 2.5~3기압으로 90분 100% 산소 공급
- 심한 CO 중독 증상시에 유용
- 효과 ; CO-Hb 감소 촉진, 뇌압과 뇌부종 감소, 산화 손상 감소
- 가능한 빨리(<6시간) 시행해야 효과적
  (12시간 이상 지났거나 경미한 증상시에도 효과적인지는 논란)

CO 중독에서 고압산소요법(HBO)의 적응	
의식소실	산소치료 몇 시간 후에도 신경증상 지속
경련	임신
혼수	지속되는 심근허혈(e.g., EKG 변화, 흉통)
의식변화	CO-Hb >25%
신경학적검사 비정상	심한 metabolic acidosis (pH <7.1)

시안화물 (Cyanide)

1. 개요

- 시안화칼륨 (KCN, 청산가리), 시안화수소 가스 (HCN)
- 폭로 원인 ; 공업제품, 연소가스, 매실 등의 열매, 의약품 ...
- 독성 기전 : 세포 내의 cytochrome oxidase와 결합/억제
  → 산소의 aerobic utilization 정지

2. 임상양상

- 두통, 빈호흡, 빈백, 어지러움, 운동실조, 혼미, 혼수, 경련
- 혈압과 맥박수 : 처음에는 상승하지만 나중에는 감소, 심하면 심폐정지
- 정맥혈의 색이 동맥혈처럼 되고, 점막은 적색을 나타냄
  (∵ 조직에서 산소를 이용하지 못하므로)
- 검사 소견 ; 동정맥혈의 산소 분압차 감소, lactic acid 축적 → anion gap 증가

3. 치료

- 기도와 호흡의 유지, 100% 산소 투여
- decontamination (의료진이 cyanide에 노출 안되도록 주의!)
- cyanide 해독제 키트
  - amyl & sodium nitrates : cyanide-scavenging methemoglobin 생성
  - sodium thiosulfate : cyanide → thiosulfate로의 전환을 촉진
- hydroxocobalamin : vitamin B_{12} 전구체로 주로 유럽에서 사용됨

아편/아편유사제 (Opioids)

- 아편제(opiate) : 양귀비(opium poppy)에서 직접 추출한 알칼로이드
  ; morphine, codeine, thebaine, noscapine 등
- 아편유사제(opioid) : 아편 수용체에 결합하여 아편양 작용을 하는 물질
  - 반합성 제제 ; heroin, doxycodone, pentazocine 등
  - 합성 제제 ; methadone, meperidine, propoxyphene 등
- 중독증상 ; <u>의식저하</u>, <u>축동(miosis)</u>, <u>호흡억제</u>, 저혈압(∵ 혈관확장)
  - meperidine, propoxyphene, pentazocine은 축동 안 일으킴
  - meperidine, propoxyphene은 경련도 유발 가능 (다른 제제들도 hypoxia에 의해 경련 발생 가능)
- 치료 ; 호흡과 순환 보조, 해독제(naloxone)
  - naloxone에 반응이 없거나 심한 호흡부전 시에는 기관삽관 & 기계호흡
  - 경련이 발생한 경우엔 benzodiazepine

항응고제형 살서제(쥐약)

- warfarin 및 warfarin 유도체(coumarins, indandiones, <u>superwarfarin</u> [long-acting, 반감기 4달])
- 기전 : vitamin K 의존 응고인자(Ⅱ, Ⅶ, Ⅸ, Ⅹ)의 활성화 억제
- 중독증상 ; 코피, 잇몸 출혈, 혈뇨, 혈변, 광범위 출혈반 등
- 검사소견 ; PT↑, factor Ⅶ-Ⅹ complex↓ (PT보다 빨리 감소)
- 치료
  ① 위장관 오염 제거 : 복용 1시간 이후 내원 시엔 활성탄만 투여
  ② 해독제 : <u>vitamin K_1</u> (phytonadione)
    - 심하지 않으면 경구, 심하면 비경구 투여 (IM/subcut.로 주사)
    - IV 투여는 anaphylactoid reaction 부작용 위험이 있으므로 제한적인 경우에만
    - 간염/간경화 환자의 경우 vitamin K_1 투여에 의해 prothrombin이 더욱 억제될 수도 있음
    - vitamin K_3 (menadione)와 vitamin K_4 (menadiol)는 해독제로 사용할 수 없음
  ③ FFP : 심한 출혈 증상일 때 투여하여 응고인자 보충, 일시적인 효과

2 기타

Medical Decision Making

1. Relative risk (비교위험도, 상대위험도)

: 위험인자를 가지지 않은 사람에 비해 위험인자를 가진 사람이 질병에 이환될 상대적인 위험도

	위험인자 (+)	위험인자 (−)
질병 (+)	A	B
질병 (−)	C	D

$$\text{Relative risk} = \frac{\dfrac{A}{A + C}}{\dfrac{B}{B + D}}$$

2. 검사의 조건

- 정확도(accuracy) : 검사 결과가 참값(true value)에 근접하는 정도, 타당도(validity)
- 정밀도(precision) : 반복검사시 같은 결과가 나오는 정도, 재현성(reproducibility), 신뢰도(reliability)
- 민감도(sensitivity) : 검출민감도(검출할 수 있는 물질의 최저 농도),
  진단민감도(환자/질병을 얼마나 잘 찾아내나)
- 특이도(specificity) : 검출특이도(측정하려는 물질만 검출하는 능력),
  진단특이도(환자/질병이 아닌 경우를 얼마나 잘 R/O하나)

		Condition (disease)	
		+	−
Test	+	TP	FP
	−	FN	TN

TP: true positive
TN: true negative
FP: false positive
FN: false negative

- sensitivity (TP rate) $= \dfrac{TP}{TP + FN}$ $(\times\ 100\%)$

  : 질병이 있는 사람을 정확히 발견하는 능력 (질병이 있는데 검사 양성으로 나올 확률)

• specificity (TN rate) $= \dfrac{TN}{TN + FP}$ (× 100%)

  : 질병이 없는 사람을 정확히 발견하는 능력 (질병이 없는데 검사 음성으로 나올 확률)

• FN rate $= \dfrac{FN}{TP + FN}$ (위음성률)

  : 질병이 있는데도 불구하고 검사는 음성으로 나올 확률

• FP rate = 1- TN rate $= \dfrac{FP}{TN + FP}$ (위양성률)

  : 질병이 없는데도 불구하고 검사는 양성으로 나올 확률

• (+) predictive value $= \dfrac{TP}{TP + FP}$ (양성예측도)

  : 검사가 양성으로 나왔을 때 실제 질병이 있을 확률

• (−) predictive value $= \dfrac{TN}{TN + FN}$ (음성예측도)

  : 검사가 음성으로 나왔을 때 실제 질병이 없을 확률

• 검사효율(accuracy) $= \dfrac{TP + TN}{TP + FP + TN + FN}$ (× 100%)

• 우도비(LR, likelihood ratio) $= \dfrac{TP\ rate}{FP\ rate} = \dfrac{sensitivity}{1 - specificity}$

  : 질병이 없는 사람 대비 질병이 있는 사람에서 검사가 양성으로 나올 확률

• sensitivity와 specificity를 구하기 위해서는 cut-off value를 결정해야 함
• cut-off (cut-point) value : 양성과 음성을 나누는 검사의 기준 값

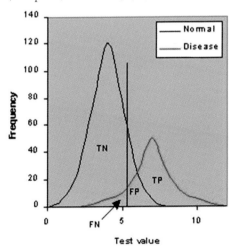

− 기준값(cut-off value)에 따라 민감도와 특이도는 서로 반대로 변화함("trade-off")

- ROC (receiver operating characteristic) curve
  - 여러 cut-off value에 대한 sensitivity와 specificity를 도시한 도표
    (→ 검사의 정확도를 판단하여 최적의 cut-off value를 결정하는데 이용)

  - x축 = FP rate = 1 − specificity
  - y축 = TP rate = sensitivity

  - 검사들의 임상적 유용성을 area under curve (AUC)의 면적을 구하여 서로 비교함
    → 유병률 및 cut-off와 관련 없으므로 검사법간의 비교에 유리함
  - AUC가 1에 가까울수록 완벽한 검사임 (TP rate 100%, FP rate 0%)
    (대개 AUC가 0.7 미만이면 진단적 검사로 유용하지 않음)

3. Screening 검사의 유용성

- PPV (positive predictive value)가 중요함!
  : 검사의 sensitivity, specificity 및 질병의 <u>유병률</u>의 영향을 받음

$$PPV = \frac{sensitivity \times 유병률}{(sensitivity \times 유병률) + (1 - specificity)(1 - 유병률)}$$

  ★ 유병률이 낮아지면 PPV가 낮아짐!

- 유병률이 낮으면(e.g., HIV, COVID-19, 암) specificity가 PPV에 큰 영향을 미침
  → screening에 가치가 있으려면 sensitivity보다 specificity가 높아야 됨! (∵ 과도한 위양성 방지)
    예) 대부분의 serum tumor marker 검사는 PPV가 낮아 screening에 부적합
        현재 COVID-19 검사는 specificity가 가장 높은 PCR 검사만 시행함

c.f.) 심각한 질병에 대한 검사, 질병 대유행 상황에서는 NPV도 중요함
      예) 과거 신종플루 대유행 때는 빠른 진단 & 치료를 위해 신속항원검사도 많이 시행함
          (∵ specificity는 PCR보다 떨어지지만, sensitivity 높고 저렴 & 간편해서)

노인의학(Geriatric medicine)

1. 노인 환자의 특성

(1) 증상이 없거나 비전형적, 개인차가 큼
(2) 보상능력의 감퇴 → 질병 초기에 증상이 발생, 치료약물의 부작용 증가
(3) 여러 기관이 동시에 손상되므로 치료해야 할 이상 증상이 많고,
    각 증상의 작은 호전도 전체적으로는 큰 효과를 가져옴
(4) 젊었을 땐 비정상적인 소견이 노인에선 상대적으로 흔함
    (e.g., bacteremia, VPB, bone density↓, glucose intolerance, 요실금)
(5) 어떤 증상이 훨씬 다양한 원인에 의해 발생하므로 감별의 폭을 넓혀야 함
(6) 질병의 합병증 및 후유증에 더 고생하므로 치료/예방의 효과가 젊은이보다 더 좋을 수 있음
(7) 의식과 정신 장애가 많음

(8) 질병다발성(multiple pathology) → 다약물복용(polypharmacy) 유발
　　↖ 노인 특유의 질환 + 다른 질환 + 과거 질환의 만성화/합병증/후유증

c.f.) 65세 이상 만성질환 유병률 : 근골격계 > 순환기 > 소화기 > 호흡기 > 신경계
　　　(전체인구보다 만성질환의 유병률은 약 2.5배, 급성질환의 유병률도 약 2배)

2. 노인의 생리적 변화

(1) General ; 체지방 비율↑, 총 수분함량↓

(2) 호흡기 ; 폐탄성(lung elasticity)↓, 흉벽 강직도(chest wall stiffness)↑

(3) 순환기 ; arterial compliance↓, 수축기 혈압↑, LVH, β-adrenergic responsiveness↓,
　　　baroreceptor sensitivity↓, SN node autonomy↓

(4) 소화기 ; 간기능↓, 침샘↓, 위산↓, 위장 운동성↓, 직장항문 기능↓,
　　　소장의 calcium 흡수↓ (∵ 융모↓, vitamin D에 대한 저항성↑)

(5) 혈액면역 ; BM reserve↓, T cell 기능↓, autoantibodies↑

(6) 신요로계 ; GFR↓, urine concentration/dilution↓, 전립선 비대, 질/요도 점막 위축

(7) 내분비계 ; glucose intolerance, thyroxine production & clearance↓, ADH↑,
　　　renin & aldosterone↓, testosterone↓, vitamin D의 흡수 및 활성화↓

(8) 근골격계 ; muscle mass↓, muscle quality↓, bone density↓, 결체조직의 elasticity↓

(9) 눈/귀 ; 노안, 백내장, 고주파 난청

■ 노인에서 검사 reference range의 변화 (정상적)
　┌ ↑ ; K$^+$, BUN, creatinine, ALP, ESR 등
　│ ↓ ; albumin, WBC count 등
　└ 거의 변하지 않는 것 ; Na, AST-ALT, LD, amylase, CK, Hb, 응고검사 등

3. 노인 환자의 약물 요법

• 노화에 따른 약동학적/약력학적 변화
　① 흡수 ; GI 흡수면적↓, 혈류↓, motility↓(→ 배출시간↑), 위산 분비↓(→ 위내 pH↑)
　　　⇨ 약물의 흡수 속도는 느려질 수 있지만, 흡수 정도에는 영향 없음!
　　　　c.f.) levodopa : GI mucosa에 존재하는 dopa decarboxylase의 감소로 약물 흡수↑
　② 분포 ; lean body mass↓, total body water↓, 체지방↑, serum albumin↓, 단백결합 변화
　　　- 체내 수분량↓ ⇨ 수용성 약물의 분포용적(Vd)↓ → 투여 초기 혈장 농도 급격히 상승 위험
　　　　예) digoxin, gentamicin, theophylline, antipyrine, cimetidine, ethanol
　　　- 체지방↑ ⇨ 지용성 약물의 분포용적↑ (혈장 농도↓, 조직내 농도↑, 반감기↑, 작용시간↑)
　　　　예) amiodarone, diazepam, imipramine, nitrazepam
　　　- 혈장 단백↓ ⇨ free drug fraction↑ (but, 단백결합의 변화로 임상적으로 유의한 차이는 없음)
　　　　예) 산성 약물 (∵ albumin에 친화성 큼) ; cimetidine, furosemide, naproxen, salicylate,
　　　　　　phenytoin, diazepam, valproate, theophylline 등 (→ 일부는 감량이 필요할 수 있음)
　　　　c.f.) 염기성 약물은 α_1-acid glycoprotein에 친화성이 크지만 임상적 의미는 별로 없음

③ 대사 (hepatic clearance) ; 간 중량↓, 간 혈류↓, phase Ⅰ 효소(특히 CYP P450) activity↓
　　⇨ 간에서 대사되는 약물의 clearance↓ (혈중 농도↑), 특히 여러 약물 복용시 더 심해짐
　　　예) labetalol, lorazepam, propranolol, verapamil, codeine, meperidine, theophylline
　　c.f.) 간의 phase Ⅱ 대사과정은 별로 변화 없음

④ 배설 (renal excretion) ; GFR↓, 신 혈류↓, 세뇨관 분비↓ ⇨ 신장으로 배설되는 약물 농도↑
　– 노화에 따른 근육량↓로 sCr도 낮아짐 → 연령으로 보정된 eGFR (CKD-EPI 공식 등) 사용
　– 많은 약물이 신기능에 따라 감량 필요 ; digoxin, AG, cefotaxime, cimetidine, vacomycin ...
　　　　　　　　　　　　　　　　　　　　　　　　　　　　　　→ 신장내과 5장 참조

⑤ receptors 반응성 감소 ; 숫자↓, 친화력↓, post-receptor signaling pathway activity↓
　　예) β-receptors에 대한 반응성 감소 → β-agonist와 β-blocker의 효과 감소
　　c.f.) α-receptors에 대한 반응성은 성인과 별 차이가 없음

⑥ 체내 항상성 조절기능의 저하 → 약물에 대한 과민반응 가능

• 여러 만성질환 동반 → 동시 다약물복용(polypharmacy) → 약물 상호작용↑
• 약물 부작용↑ (젊은 성인보다 2~3배 높음)

노인에서 부작용 위험이 높은 약물 (예)	
Insulin – 저혈당	Warfarin – 위장관, 뇌 출혈
Sulfonylureas – 저혈당	Benzodiazepines – 낙상
Digoxin – 인지장애, heart block	1세대 antihistamines – 인지장애, 요실금
Fluoroquinolones – tendon 염증/파열, 저혈당, 부정맥	마약성 진통제 – 변비, 진정, 혼돈, 심폐저하, 경련
Nitrofurantoin – 드물게 폐 섬유화, 신경병증, 간독성	항정신병약물 – 폐렴, 사망
TMP–SMX – 저혈당, hyperkalemia, 피부독성	항암제 – BM 억제, 간독성, 심독성

노인 약물처방의 일반 원칙
일반의약품, 한약, 건강보조제 등을 포함한 환자의 모든 복용 약물을 파악
반드시 필요한 경우에만 약물을 사용 → 사용 약물 최소화 (필요 없는 약은 반드시 중단)
처방하는 약에 대한 약리학적 특성 및 잠재적 유해반응/독성을 파악, 관련된 기능적 지표를 충분히 모니터링
저용량으로 시작 & 천천히 증량 (치료 목표를 달성하기에 충분한 용량까지 증량, 반응 정도를 보고 용량 조절)
순응도를 높일 수 있도록 노력함 (복용 방법 단순화, 주기적 약물 복용 평가)
새로운 약물을 사용할 때는 특별히 주의
약물 이외의 치료 방법도 고려해 봄

c.f.) Beers criteria : 노인에서 주의해야 할 약물을 가이드라인으로 제정한 것 (미국노인병학회)
　　⇨ https://www.americangeriatrics.org (beers로 검색, 2019년이 최신판)

4. 노인증후군(geriatric syndrome)

• 정의 : chronic multifactorial health conditions
　⇨ 2가지 이상의 여러 질병 및 유발인자들이 합쳐져 하나의 증상으로 나타나는 것
　　(e.g., 치매, 탈수, 감각기능 저하, 약물, 노화 등이 복합적으로 작용해 → 섬망으로 나타남)
• 증상 예 ; 노쇠(frailty), 섬망, 낙상, 골절, 욕창, 요실금, 수면장애, 어지러움, 실신, 만성통증 ...
• 기존의 원인(질병) 위주의 진단 방식으로는 접근하기 어렵고 치료에 한계가 있음
• 나이가 들수록 발생률 & 유병률 증가, 한 명의 노인에서 여러 개의 노인증후군 발생 가능
• 제대로 치료 및 관리가 되지 않으면 장애(disability) → 삶의 질 저하 → 사망으로 이어질 수 있음
• 증상완화 치료가 도움이 됨

5. 노쇠(frailty)

- 정의 : 여러 장기/기관에 작용하는 생리적인 예비여력(physiological reserves)의 전반적인 저하/소실
  - 동반질환 : 노쇠를 유발할 수 있는 위험인자 / 장애 : 노쇠의 결과
  - 노인증후군이 발생한 뒤 장애 등 다음 단계로 이행되기 전 단계 or 노인증후군의 일부
    (노인증후군 → 노쇠 → 장애, 의존성 악화 → 사망)
- 유병률 : 75세 이상의 20~30%, 85세 이상의 25~50% (모든 노화가 노쇠는 아님!)
- 진단기준(phenotype assessment)
  (1) Fried Frailty Tool or Frailty Phenotype을 흔히 사용

Fried Frailty criteria
1. 체중감소 : 지난 1년 동안 5% 이상
2. 극도의 피로감
3. 근육 허약 (근력 약화)
4. 보행속도 감소 (e.g., ≤0.76 m/s or 15 feet [4.57 m] 걷는데 >6초)
5. 신체활동 감소 (e.g., 1주일에 383[男], 270[女] Kcals 미만 소모)

  3개 이상 만족하면 Frailty
  1~2개 만족하면 Pre-frailty

  (2) FRAIL scale : 간단하고 빠름

  - Fatigue (지난 1달 동안 대부분의 시간에)
  - Resistance (언덕/계단을 오르기 힘듦)
  - Ambulation (평지를 걷기 힘듦)
  - Illnesses (HTN, DM, 암, 만성폐질환, 천식, 심장마비, CHF, angina, 관절염, CVA, 신질환)
  - Loss of weight (지난 1년 동안 5% 이상 체중 감소)

  3개 이상 만족하면 Frailty
  1~2개 만족하면 Pre-frailty

6. 포괄노인평가(comprehensive geriatric assessment, CGA)

- 노인 환자에서 노화에 따른 전반적인 건강문제 관리를 최적화하기 위해 의학적, 정신사회적, 기능적 장애에 대한 이상을 찾아내고 개선하는 다학제적 평가 및 진단/치료 과정
- 대상 : 조기에 적절한 개입을 통해 건강상의 도움을 받을 수 있는 노인 (너무 건강한 노인은 아님)

Core components	Additional components	BADL	IADL
Functional capacity	Nutrition/weight change	식사하기	물건 사기(쇼핑)
Fall risk	Urinary continence	옷 입고 벗기	운전 or 대중교통 이용
Cognition	Sexual function	화장실 사용	전화 사용
Mood	Vision/hearing	대소변 조절	가사일 수행
Polypharmacy	Dentition	세수, 양치질	집 수리
Social support	Living situation	머리감기	식사 준비
Financial concerns	Spirituality	목욕하기	빨래
Goals of care		빗질	약 복용
Advance care preferences		실내 이동	금전 관리

- 주요 구성요소
  (1) 기능상태(functional capacity)
    - 일상생활활동(activities of daily living, ADL) ; basic ADL (BADL), instrumental or intermediate ADL (IADL), advanced ADL (AADL) 등
    - 이동성 및 낙상 위험인자 ; 보행과 균형 측정, 근육량 측정 등

  - Physical activity (e.g., 보행속도) : 기능 저하 및 조기 사망 예측 가능
  - 감각기관 기능 평가 ; 시력, 청력 등
(2) 정신상태
  - 인지기능 ; 기억력, 판단력, 지남력, 집중력, 계산력, 복잡한 일 해결 능력 … MMSE 등
    ⟿ 치매 *or* 교정 가능한 원인 ; <u>vitamin B_{12} deficiency, thiamine (vitamin B_1) deficiency</u>
      (e.g., 만성 영양결핍, 알코올 중독), hypothyroidism 등이 흔한 원인
  - 감정상태 ; 불안, 우울, 행복도 … Yesavage geriatric depression scale (GDS) 등
(3) 영상상태 ; 체중, BMI, mean upper arm circumference (MUAC) or mid-arm circumference
    ($22_{[女]}/23_{[男]}$ cm 미만이면 만성 에너지결핍 시사), Mini Nutritional Assessment (MNA) 등
(4) 다약물복용(polypharmacy) ; 복용하는 약물들의 상호작용 및 부작용 확인
(5) 사회 활동 및 지지도 ; 사회적 독립성, 사회적 관계, 사회 활동, 사회적 지지도, 경제 상태 등
• 효과 ; 진단의 정확도 향상, 합병증/생존율 예측, 적절한 의학적 치료, 증상 및 삶의 질 호전 등
    (기능, 치료반응, 생존율 등의 향상은 아님)

■ **근감소증(sarcopenia)**
  - 노인에서 호발 ; 단백질 섭취↓, 남성호르몬↓, GH/IGF-I↓, cortisol↑, vitamin D 결핍 등 때문
  - 진단
    ① 근육량 측정 ; MRI (가장 정확), DXA (dual energy X-ray absorptiometry),
      생체전기저항분석법(bioelectrical impedance analysis, BIA ; 인바디 같은 체성분석기)
    ② 근력 측정 (노인에서는 관절염 등으로 제한적)
    ③ 신체기능평가 (근육량과 연관) ; <u>보행속도</u> 측정, 400 m 보행검사, 6분 보행검사 등
        ↳ <0.8 m/s면 근감소증

의사 국가시험 준비도, 전문의시험준비도
힘을 내요, 슈퍼 파~월~

All New

POWER 시리즈 HANDBOOK

정말! 바쁜 의사선생님들을 위한
핵심만 요약한 최적의 참고서
전문의의 꼼꼼한 첨삭

POWER는 달라요!!

- 국시대비 뿐만 아니라 전공의, 전문의때도 보실 수 있게끔 구성된 참고서에요.
  (내과, 외과, 산과·부인과, 신경정신과, 신경과 신경외과, 영상의학과, 피부과, 비뇨기과·흉부외과, 이비인후과, 마이너시리즈로 구성)
- 원서 및 두꺼운 교과서의 장점을 Simple하게 정리하여 블럭강의로 부족한 부분에 도움이 되시게끔 제작하였어요.
- 기존판의 오류, 오래된 데이터는 최신 가이드라인에 맞게 전부 수정했어요.
- 핸드북으로도 제작되어 진료시 유용하게 활용하실 수 있어요.
  (가운에 쏙~ 들어가는 크기에요)

청진기, 타진기, 펜라이트도 전국 최저가로 드려요!!

- 교재로 받은 사랑에 보답하고자 의료기기쇼핑몰 사업부를 운영하여 노마진으로 드리고 있어요. (3M·Spirit 공식딜러)

| 구입안내 | 군자출판사 031-943-1888   www.koonja.co.kr   군자출판사

의학교육
medi preview
since 2003

의대성적,
성형해 드립니다.

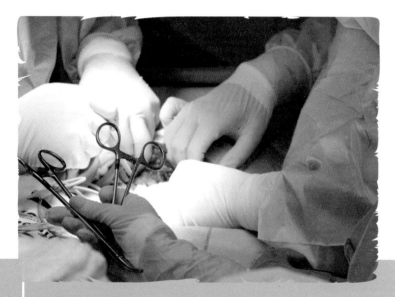

국시합격율이
높아질수록,
3등급 이내 합격은
어려워 집니다.

학교 내신 성적과 무관하게
의사국시 3등급 이내 합격이 가능합니다.

메디프리뷰 성적 성형 결과 예시
▶ 작년 내신 10등급 학생의 국시 3등급. - 서울 ○○의대 남학생
▶ 8년전 국시 6번째 도전자 국시 1등급. - 서울 ○○의대 남학생

· 2003년부터 연구해온 메디프리뷰만의 국시교재, 전문의 선생님이 강의.
· 완벽하고 깔끔한 정리로 메디프리뷰 강의 1시간 = 혼자 공부하는 4시간.
· 중요한 것은 심도있게, 덜 중요한 것은 가볍게 지도합니다.

■ 매년 1월 인턴지원 설명회. 2월 전공의 시험대비 강의 열립니다. (홈페이지 공지/단체카톡드립니다)
■ 의사국시 준비 시작은 본3 때부터 하면 더욱 좋습니다. (실기시험 때문에 시간이 부족합니다)
■ 의사진로·취업상담 커뮤니티 : 스카이닥터 www.skydoctor.com

서울시 강남구 신사동 596번지 청오빌딩 202호   e-mail : medipreview@naver.com   대표전화 02-512-2996

네이버 검색   **메디프리뷰**   네이버 카페   **메디프리뷰**

· 카카오톡 : movwo   · 엘로우아이디 : 의학교육메디프리뷰

Vision 전공의
(업계유일 기출문제 복원집)

＋

& Hyper text
(질환별 족집게 족보집)

단 두권이면

"**Hyper-text**와 함께 전공의 시험 완벽 대비"

2006년부터 기출문제 완벽복원(업계 유일무이)
＋전 DATA 최신 가이드라인 전면적용

· 2006년부터 한 해도 쉬지 않고 출간해 온 Best Seller
· 전공의 시험 기출문제를 복원하여 모의고사 형식으로 편집
· 중복된 해설을 과감히 줄이고, 문의사항은 2주일 내 답변드려요.
· 전공의 시험 대비 온라인 강의 신설 (키메디)

| 구입안내 | 군자출판사 **031-943-1888**   www.koonja.co.kr

KOONJA
SINCE 1980

대한민국 의학출판의 자부심, 군자출판사를 소개합니다.

40년 역사에 빛나는 군자출판사

전문적인 출판 시스템을 바탕으로
매년 문화체육관광부와 교육과학기술부에서
선정하는 우수학술도서 '의학' 분야의
최다 수상을 이끌어내고 있습니다.

| 사옥 테마 |

메디테리움은 의학서적을 테마로 한 국내 최대 규모의 BOOK CAFE와,
가족 단위로 즐길 수 있는 박물관부터, 강연이 가능한 세미나실까지 갖추고 있는
여러분들의 **복합 힐링 공간**입니다.

4층 본사 사무실

3층 성의학연구소 /
이벤트 및 세미나실

2층 의학역사박물관 / 갤러리

1층 카페 메디테리움 /
병원체험관

지하 주차장

www.koonja.co.kr

파주출판도시 경기도 파주시 서패동 474-1 종합출판그룹 (주)군자출판사 031-943-1888   군자출판사